Zedlitz-Neukirch, Leo

Neues preussisches Adels-Lexicon

3. Band, I-O

Zedlitz-Neukirch, Leopold von

Neues preussisches Adels-Lexicon

3. Band, I-O

Inktank publishing, 2018

www.inktank-publishing.com

ISBN/EAN: 9783747770603

Neues
PREUSSISCHES
Adels-Lexicon

oder

genealogische und diplomatische
Nachrichten

von

en in der preussischen Monarchie ansässigen oder zu derselben in Beziehung stehenden fürstlichen, gräflichen, freiherrlichen und adeligen Häusern, mit der Angabe ihrer Abstammung, ihres Besitzthums, ihres Wappens und der aus ihnen hervorgegangenen Civil- und Militärpersonen, Helden, Gelehrten und Künstler;

bearbeitet von

einem Vereine von Gelehrten und Freunden der vaterländischen Geschichte

unter dem Vorstande des

Freiherrn *L. v. Zedlitz-Neukirch.*

Dritter Band.

I — O.

Leipzig, 1837.
Gebrüder Reichenbach.

Inhalt des dritten Bandes.

Die Stifter und Klöster für die Töchter des preuss. Adels im Jahre 1836.

E. In der Provinz Westphalen.

Evangelische Domcapitel im preussischen Staate.

A. In der Provinz Brandenburg.

Inhalt.

B. In der Provinz Sachsen.

Beiträge zur Statistik des Adels.

Fortsetzung der gesammelten Notizen über die
Erhebungen, Anerkennungen u. s. w.

Band I. Seite 49.

1669.

v. Hoverbeck, den 20. März, Freiherrnstand (Anerkennung).

1676.

v. Pöllnitz, den 14. Februar, Freiherrnstand (Anerkennung).

1696.

v. Cisielsky, den 30. Januar (Erneuerung).

1698.

v. Berchem, den 11. April.

1699.

v. Alemann, den 18. März (Anerkennung).
v. Corswant, den 18. Juli (Anerkennung).

1706.

v. Posadowski, den 17. November, Freiherr (Anerkennung).

1726.

v. Coens, Lieutenant, den 16. April.

1737.

v. Cantenius, Anna Elisabeth, den 3. September.

1738.

v. Holtzendorf, den 26. November.

1741.

v. Carcani, den 31. März (Renovation).

1760.

v. Lichnowski, Fürst.

Vom Könige Friedrich Wilhelm II.

1786.

v. Arnim, den 2. October, Grafenstand.
v. Avemann, Geheimer Ober-Revisionsrath, den 12. November (Anerkennung).

v. Zedlitz Adels-Lex. III.   1

v. Reguelin, Professor, den 20. November.

v. Bernuth, zwei Brüder, der eine Kammer-Director und der andere Kammer- und Domainenrath, den 20. Novbr.

Bessel v. Cou de Lance, den 14. Octbr.

v. Beyer, mehrere Brüder und Vettern, den 2. Octbr.

v. Birkhuhn, Capitain, den 1. December, Freiherrnstand.

v. Blumenthal, Geheimer Staatsminister, und dessen Vetter, der Oberst, den 2. Octbr., Grafen.

v. Bolcke, den 12. Novbr.

v. Bornack, den 15. Octbr.

v. Boulet, Major und Flügeladjutant, den 31. August.

v. Colomb, Geheimer Ober-Finanzrath, den 20. Octbr.

v. Corbin, Kreis-Einnehmer, den 8. Novbr. (Erneuerung).

v. Czettritz, den 15. Octbr., Grafenstand.

v. Dyhern, den 19. Octbr., Grafenstand.

v. Eckardt, Capitain, den 30. Septbr.

v. Egloffstein, vier Brüder, den 19. Septbr., Grafenstand.

v. Eisenhardt, Kriegsrath, den 2. Octbr.

Ernst v. Ernsthausen, Geheimer Finanzrath und Präsident.

v. Fischer, Kriegsrath, den 18. Octbr.

v. Förster, den 15. Octbr.

v. Franken-Sierstorp, den 15. Octbr., Grafenstand.

v. Götzendorff-Grabowski, den 19. Septbr., Grafenstand.

v. d. Goltz, den 19. Septbr., Grafenstand.

v. d. Gröben, Geheimer Rath, Minister und Ober-Marschall, den 19. September, Grafenstand.

v. Hartmann, Amtsrath.

v. Haugwitz, den 19. Septbr., Grafenstand.

v. Helwig, den 2. Octbr.

v. Herrmann, Major, den 29. Septbr.

v. Hoffmann, Kanzler, den 24. Octbr.

v. Hoverden-Plencken, den 15. Octbr., Grafenstand.

v. Hoym, den 26. Octbr., Grafenstand.

v. Jacobi, Director des Admiralitäts-Collegii, den 20. Octbr.

v. Jägersfeld, Major, den 27. Novbr.

v. Imbert, Kriegsrath, den 18. Octbr.

v. Kalkreuth, Generalmajor und Chef, den 15. Octbr., Grafenstand.

v. Kalnein, den 19. Septbr., Grafenstand.

v. Kayserling, Geheimer Rath, den 19. Septbr., Grafenstand.

v. Koop, Lieutenant, den 11. Novbr.

v. Krockow, den 19. Septbr., Grafenstand.

v. Kummer, Geheimer Ober-Finanzrath und Präsident der Ober-Rechnungskammer, den 12. Novbr.

v. Labes, den 2. Octbr., Freiherrnstand.

v. Lamprecht, Geheimer Ober-Tribunalrath, auch Consistorialrath, den 12. Octbr.

v. Lentz, Major, den 21. Octbr.

v. Löper, Regierungs-Assessor, den 2. Septbr.

v. Lucanus, Oberamts-Regierungs- und Consistorialrath, den 15. Octbr.

v. Mellier, den 30. Novbr.

v. Pfeil, den 15. Octbr., Grafenstand.

v. Salisch-Nassengriff, den 15. Octbr., Grafenstand.

v. Schlabrendorf, den 15. Octbr., Grafenstand.

v. Schlieben, den 19. Septbr., Grafenstand.

v. d. Schulenburg, den 2. Octbr., Grafenstand.

v. Stegmann und Stein, den 15. Octbr.

v. Stolzenberg, den 5. Septbr., Freiherrnstand.

v. *Waldersee*, den 15. Octbr., Grafenstand.
v. *Wartenberg*, den 19. Septbr., Gräfin.
v. *Westerhausen*, Capitain, den 29. Septbr.
v. *Wiedekind*, Lieutenant, den 20. Novbr.
v. *Wolff*, den 20. Octbr., Freiherrnstand.
v. *Wreich*, Kammerherr, den 2. Octbr., Grafenstand.
v. *Zimmermann*, Stabsrittmeister, den 15. Decbr.
v. *Zinnendorf*, den 8. Octbr.
v. *Zinnow*, Gebrüder, den 6. Novbr.

1787.

v. *Bell*, russischer Oberst, den 11. März.
v. *Block*, Major, den 25. Juni (Bestätigung).
v. *Bosset*, den 8. Januar.
v. *Büttner*, Oberförster, den 5. Novbr.
v. *Coninx*, Geheimer Regierungsrath, den 1. Februar.
v. *Goltz*, den 18. Januar, Grafenstand.
v. *Gorgier de St. Andrić*, Staatsrath, den 5. Decbr.
v. *Grashoff*, Hauptmann, den 5. Novbr.
v. *Gurowski*, den 5. Novbr., Grafenstand.
v. *Hirschfeld*, den 13. Mai (Erneuerung).
v. *Jacobi - Kloest*, den 19. Juni, Freiherrnstand.
v. *Krause*, Gebrüder, den 19. Januar.
v. *Lamers*, Geheimer Regierungsrath, den 5. März.
v. *Lehndorff*, den 19. Septbr., Grafenstand (Anerkennung).
v. *Linger*, Oberstlieutenant, den 3. Decbr. (Erneuerung).
v. *Lüder*, den 13. März.
v. *Schwerin*, den 2. Januar, Grafenstand.
v. *Skorzewski*, den 19. April, Grafenstand.
v. *Spiegel zum Desenberg*, den 17. Januar, Grafenstand.
v. *Stahremberg*, Anna Maria, Pflegetochter des Geheimen Raths Ludwig v. Eiditten, den 17. Septbr.
v. *Wissmann*, Dompropst, den 27. April.
v. *Zschock*, Ober-Finanzrath, den 1. Februar (Erneuerung).

1788.

v. *Bamberg*, Hof- und Regierungsrath, den 20. Februar.
v. *Crayen*, Kammerrath (Bestätigung).
v. *Klingsporn*, den 23. März, Grafenstand.
v. *Kulisch*, Major, den 27. August.
v. *Lüttwitz*, Landschafts - Repräsentant, den 20. Februar, Freiherr.
v. *Moszczenski*, Grafen (Bestätigung).
v. *Stolle*, Hofrath und Leibchirurgus des Königs von Polen, den 14. December.

1789.

v. *Baumberger*, den 20. Octbr., Freiherrnstand.
Beneckendorf v. Hindenburg, Lieutenant (Anerkennung).
v. *Campanini*, den 6. Novbr., Gräfin.
v. *Cullmann*, Domainenrath, den 5. Octbr.
v. *Fischer*, Domainenrath, den 14. Januar.
v. *Keudel*, zwei Brüder, beide Amtsräthe, den 14. Juni.
v. *Kreszinski*, Grafenstand.
v. *Struensee*, Geheimer Rath, den 1. März (Bestätigung).
v. *Weiss*, den 16. Octbr.
v. *Zaglowska* (Tochter des Grafen v. Gaschin), den 7. Septbr.

1 *

1790.

v. Bärensprung, Geheimer Finanzrath, den 27. Januar.
v. Borck, den 17. Januar, Grafenstand.
v. Häseler, den 17. Novbr., Grafenstand.
v. Zacha, Justizrath, den 21. April.

1791.

v. Billfinger, den 8. Februar.
v. Carmer, Grosskanzler und Chef der Justiz, den 12. Decbr., Freiherr.
v. Lehndorf, Erbherr auf Markeln, den 3. Januar, Grafenstand.
v. Lehndorf, Grafenstand.
v. Stöffler, Lieutenant, den 11. Octbr.

1792.

v. Eckenbrecher, Hauptmann, den 20. Januar.
v. Kall, Major, den 9. Juni.

1793.

Budbach, sonst genannt *d'Ombreuil*, den 4. Decbr. (Anerkennung).
v. Favrat, den 12. Juni.

1794.

v. Bohm, Legationsrath.
v. Bork, Amtsrath, den 20. Septbr.
v. Brandenburg, Grafenstand.
v. Empich, den 3. Januar. (Anerkennung).
v. Götz, den 3. Mai, Grafenstand.
v. Lichtenau, den 28. April, Gräfin.

1795.

v. Arndt, Commissionsrath, den 13. Novbr.
v. Bennigsen-Förder, Landrath, den 25. August.
v. Buxhöwden, russischer Generalmajor, den 18. December, Graf.

1796.

v. Cäsar, geheimer Legationsrath, im November.
v. Conring, Regierungsrath, den 26. Januar.

1797.

v. Chappuis, Major, den 8. Februar.
Schwentz, Freiherren v. Schlichting, den 2. Juni, Grafenstand.
v. Troschke, den 18. März, Freiherr (Anerkennung).

Vom Könige Friedrich Wilhelm III.

v. Beaufort, Capitain, den 24. Novbr. erneuert.

1798.

v. Anders, Gebrüder, den 6. Juli.
v. Arndt, Banquier, den 17. Juni.
v. Berneaux, Banquier in Warschau, den 17. Juni.
v. Blankensee, den 5. Juni, Grafenstand.
v. Bliesky, den 5. Juni, Grafenstand.
v. Braatz, Artillerie Hauptmann, den 5. Juni.
v. Bredow, den 6. Juli, Grafenstand.
v. Burghof, Geheimer Ober-Finanzrath, den 6. Juli.
v. Carmer, Grosskanzler und Chef der Justiz, den 6. Juli, Grafenstand.
v. Conradi, Geheimer Kriegsrath, den 5. Juni, Freiherr.

v. *Danckelmann*, Geheimer Staatsminister, den 6. Juli, Graf.
v. *Dangel*, den 17. Juni.
vom *Hagen*, Grafenstand.
v. *Holsche*, Geheimer Justiz-Rath, den 6. Juli.
v. *Itzenplitz*, den 6. Juli, Grafenstand.
v. *Kanitz*, Grafenstand.
v. *Klevenow*, Geheimer Finanzrath und Regierungs-Director, den 5. Juni
v. *Klingsporn*, den 5. Juni, Grafenstand.
v. *Klinkowström*, Generallieutenant, den 6. Juli, Grafenstand.
Knappe v. *Knappstädt*, Regierungs-Präsident, den 6. Juli, Freiherr.
v. *Königsdorf*, den 6. Juli, Grafenstand.
v. *Kunheim*, den 5. Juni, Grafenstand.
v. *Lubienski*, Gutsbesitzer, den 5. Juni, Grafenstand.
v. *Lüdemann*, Kammerdirector, den 6. Juli.
v. *Scholdrski*, den 7. Juni, Grafenstand.
v. d. *Schulenburg*, den 5. Juni und den 6. Juli, Grafenstand.
v. *Stosch*, den 1. Juli, Grafenstand.
v. *Strachwitz*, den 6. Juli, Grafenstand.
v. *Strobschütz*, den 24. Decbr.
v. d. *Trenk*, den 5. Juni, Grafenstand.
v. *Veltheim*, den 7. Juli, Grafenstand.
v. *Wedel*, den 6. Juli, Grafenstand.
v. *Wollowicz*, den 5. Juni, Grafenstand.
v. *Zboinski*, den 5. Juni, Grafenstand.

1799.

v. *Eckardstein*, den 20. Februar, Freiherrnstand.
v. *Leithold*, den 12. Decbr.
v. *Lindenowsky*, Lieutenant, den 21. Decbr.

1800.

v. *Hülsen*, den 29. Januar, Grafenstand.
v. *Pulski*, Major, Freiherrnstand.

1802.

v. *Könen*, den 11. Mai.

1803.

v. *Bochholz-Asseburg*, Grafenstand.
v. *Cocler*, Lieutenant.
v. *Faudel*, Geheimer Ober-Finanzrath, den 4. August.
v. *Forell*, den 10. Juli.
v. *Hünlein*, Gesandter in Cassel, den 10. Juli.
v. *Hagen*, den 10. Juli, Graf.
v. *Hatzfeld*, Fürst.
v. *Heidenreich*, Geheimer Rath, Ober-Tribunalspräsident, den 10. Juli,
Kleist v. *Bornstädt*, im April (Erlaubniss, das Wappen der pommerschen Familie v. Bornstädt mit dem seinigen zu vereinigen).
v. *Klewitz*, Geheimer Finanz-Rath, den 10. Juli.
v. *Struensee*, Bankdirector, den 26. Decbr.

1804.

v. *Bocholz*, Grafenstand.
v. *Druffel*, Geheimer Kriegsrath, den 8. Novbr.
v. *Fischer*, Lieutenant, den 8. März.
v. *Herzberg*, Lieutenant, den 8. März.
v. *Wichert*, Prem. Lieutenant, den 19. Octbr., (Erneuerung).
v. *Zincken*, Oberstlieutenant, den 5. April.

1805.

v. Hofmann, Hofrath und Bürgermeister, den 7. März (Erneuerung).
v. Hoverbeck, genannt *v. Schönaich*, Freiherrnstand.
v. Kloch, den 5. März, Freiherr (Anerkennung).

1806.

v. Beringer, den 2. Juni.
v. Brockhausen, Artillerie-Major.
v. Weyher-Nimptsch, den 31. August, Freiherr.

1808.

v. Broscovius, Kammer-Präsident, den 21. Juli.

1809.

v. Grote, ausserordentlicher Gesandter und bevollmächtigter Minister
   den 1. September, Grafenstand.
v. Hoym, den 18. April, Grafenstand.
v. Loder, Geheimer Rath, Leibarzt und Dr. medic., den 27. Novbr.

1810.

v. Basswitz, den 20. April.
v. Bohm, den 15. Decbr.
v. Delmar, den 14. Mai, Freiherrnstand.
v. Durand, den 3. Novbr., Freiherr (Anerkennung).
v. Engelke, den 16. März.
v. Rüchel, sonst genannt *Kleist*, (Erlaubniss den Rüchelschen Namen
   und Wappen mit dem seinigen zu vereinigen).
v. Waldenburg, den 28. Septbr.
v. Zedlitz-Trützschler, den 18. Januar, Graf.

1811.

v. Eberz, Gutsbesitzer, den 29. Mai.
v. Westarp, den 18. April, Grafenstand.

1813.

v. Jacquet, den 18. April.

1814.

v. Blücher, Feldmarschall, den 3. Juni, Fürst und seine Nachkommen
   Grafen.
v. Blücher-Finken, den 13. Octbr., Grafenstand.
v. Bülow-Dennewitz, den 3. Juni, Grafenstand.
v. Gneisenau, den 3. Juni, Grafenstand.
v. Hardenberg, den 3. Juni, Fürst.
v. Itzenplitz, den 23. März, Grafenstand.
v. Kleist-Nollendorf, den 5. Juni, Grafenstand.
v. Tauentzien, Beilegung des Namens v. Wittenberg, Graf.
v. York-Wartenburg, Grafenstand.

1815.

v. Koch, den 7. Septbr.
v. Tuchsen, Major, den 14. März.
v. Ziethen, Grafenstand.

1816.

v. Asseburg, Kammerherr, den 3. Juli, Grafenstand.
v. Beissel-Gymnich, den 17. Januar, Grafenstand.

zur Statistik des Adels. 7

v. *Beyme*, Grosskanzler und Chef der Justiz den 17. Januar, Graf.
v. *Bnin-Bninski*, den 17. Januar, Grafenstand.
v. *Bnin-Bninski*, den 12. Juni, Grafenstand.
v. *Bülow*, Minister, den 17. Januar, Grafenstand.
v. *Borries*, den 17. Januar (Bestätigung).
v. *Eickstädt* (Erlaubniss, den Namen Peterswaldt mit dem seinigen zu vereinigen).
v. *Grabowski*, den 1. Decbr., Grafenstand.
v. *Hardenberg*, der 4. April, Grafenstand.
v. *Husarzewski*, den 31. Mai, Grafenstand.
v. *Kwilecki*, den 17. Januar, Grafenstand.
v. *Linsingen*, General, den 17. Januar, Graf.
v. *Lübeck*, den 17. Januar (Erneuerung).
v. *Ross*, Graf (Anerkennung).
v. *Salm-Reifferscheid-Dyk*, Fürstenstand.
v. *Stägemann*, Geheimer Staatsrath, den 17. Januar.
v. d. *Schulenburg*, den 17. Januar, Grafenstand.
v. *Wachtmeister*, Oberstlieutenant, den 17. Januar, Grafenstand.
v. *Westrell*, Kammer-Director, den 17. Januar.

1817.

v. *Bentheim*, den 3. März, Fürstenstand.
v. *Königsmarck*, Grafenstand.
v. *Ladenberg*, wirklicher Geheimer Ober-Finanzrath und Director, den 3. Novbr.
v. *Putbus*, Fürstenwürde mit dem Titel Durchlaucht.
v. *Salm-Horstmar*, Fürst.

1818.

v. *Bülow*, zwei Brüder, 1) den 11. August, 2) den 20. Octbr.
v. *Bismark-Bohlen*, Grafenstand.
v. *Doussa*, Capitain, den 12. August.

1819.

v. *le Blanc*, Gebrüder, den 13. April.
v. *Bötticher*, Major, den 21. Mai.
v. *Bohm*, Legationsrath, den 7. Octbr., Grafenstand.
v. *Brand*, Capitain, den 23. April.
v. *Döring*, Pr. Lieutenant, den 21. Mai.
Eller v. *Eberstein*, Major, den 11. August.
v. *Hildebrandt*, Pr. Lieutenant, den 28. Febr.
Thurn und Taxis, den 11. Mai, Fürst v. Krotoschin.

1820.

Biegon v. *Czudnochowsky*, Lieutenant (Erneuerung).
v. *Garrelts*, Lieutenant, den 20. Mai.
v. *Struensee*, Polizei-Präsident zu Cöln.

1821.

v. *Lavergne-Peguilhen*, Geheimer Ober-Rechnungsrath, den 23. August.

13

8 Beiträge

1822.

v. d. Gröben, Prem. Lieutenant, den 22. Februar, Grafenstand.
v. Pückler - Muskau, Fürstenwürde.

1823.

v. Heuduck, den 6. Septbr.
v. Kleist - Loss, den 21. Januar, Grafenstand.

1824.

v. Gersdorf, den 7. Januar, Grafenstand.
v. Hasslingen, genannt *Schickfuss*, den 24. Decbr., Grafenstand.
v. Winckler, Gebrüder im Septbr.
Liegnitz, Gräfin v. Hohenzollern und Fürstin von.

Anmerkung. Eine lange Reihe Notizen dieser Art haben wir für die Ergänzungen zurücklegen müssen, weil uns das Datum der Erhebung oder Anerkennung zu erforschen noch nicht gelungen war. In Beziehung auf die Erhebungen unter Friedrich II. haben wir noch hinzuzusetzen, dass wir dabei das Verzeichniss benutzt haben, welches der Professor Preuss in seinem schätzbaren Werke: „Friedrich II., eine Lebensgeschichte, u. s. w." gegeben hat.

Die Stifter und Klöster für die Töchter des preussischen Adels im Jahre 1836.

(Fortsetzung der Beiträge Seite 71 des II. Bandes.)

E. In der Provinz Westphalen 1835.

1) Das Stift Gesecke.

Die Stadt Gesecke gehörte früher dem Kurfürsten von Cöln, und ist mit den übrigen Landestheilen des Herzogthums Westphalen im Jahre 18¼ an die Krone Preussen übergegangen, und gehört jetzt zu dem Regierungsbezirke Arnsberg und dessen Kreise Lippstadt.

Canonissinnen:

Fräulein *Antoinette v. Kettler.* Fräulein *Sophie v. Kleinsorgen.*
- *Fanny v. Kettler.* – *Veronica v. Stein.*
- *Ludowica v. Haxthausen.* – *Kathar. v. Hertling.*
- *Fanny v. Lünink.* – *Kathar. v. Otterstedt.*
- *Sophie v. Ellerts.*

Stifts-Rentmeister: Herr *Bormann* (ad int.)

2) Stift Keppel (Käppel).

Der Ort Keppel gehörte früher dem Hause Nassau-Oranien, gegenwärtig aber zum Kreise Siegen im Regierungsbezirke Arnsberg.

Canonissinnen:

Fräulein v. Syberg.
    -   v. Plettenberg.

Fräulein v. Serainq.
    -   v. Boyneburg.

Conventualinnen des Stifts Gesecke und Keppel:

Fräulein Pauline v. Gayl.	Fräulein Leopold. v. Ueckermann.
- Wilhelmine v. Trauwitz.	- v. Longolius.
- Emilie v. Krety.	- Aug. v. Brehmer.
- Julie v. Thilmann.	- Karol. v. Rummel.
- Friedr. v. Dossow.	- Friedr. v. Crammon.
- Ulrike v. Lemke.	- Charl. v. Wolffrath.
- Friedr. v. Zeppelin.	- v. Harroy.
- Rosina v. Crammon.	- Pauline v. Schrönes.
- Hermine v. Funck.	- v. Bernuth.
- Emilie v. Podewils.	- Emma v. Kloch.
- Sophie v. Schleicher.	- Louise v. Hohendörff.

Anmerk. Diese Stifter wurden während der französischen Herrschaft aufgehoben, und sind seit einigen Jahren restaurirt worden. Es wohnen jedoch die Stiftsdamen nicht in den betreffenden Stiftsgebäuden, sondern sie beziehen nur einen gewissen Jahrgehalt. Auch spricht man davon, dass diese beiden vereinigten Stifter wieder wie früher ihre Einrichtung erhalten sollen. Se. Majestät ertheilte denselben im J. 1836 ein Ordenszeichen. Es besteht aus einem blau emaillirten Medaillon in goldener Einfassung, worauf ein weisses Lamm, bei den katholischen Damen mit und bei den evangelischen ohne Fahne abgebildet ist. Dieses ist die frühere Decoration des Stiftes Keppel. Auf der Rückseite sind der goldene Namenszug des heiligen Cyriaks und die Buchstaben G. K. verzogen in Gold gravirt; es ist die frühere Decoration des Stiftes Gesecke. Dieses Medaillon hängt an einer goldenen Krone und wird an einem schwarz gewässerten Bande getragen.

3) Stift Lippstadt.

Dieses freiweltliche adelige jungfräuliche Sammtstift war ehedem ein Nonnenkloster, das im Jahre 1185 von dem Grafen Bernhard II. zur Lippe gegründet worden ist. Nach der Reformation wurde es in ein Fräuleinstift verwandelt. Die Damen mussten sechszehn von zwei ritterbürtigen Edelleuten beschworene Ahnen haben. König Friedrich II. beschenkte im J. 1773 das Stift mit einem prächtigen Orden. Das Kreuz war von weisser Emaille und mit Gold eingefasst. Die Vorderseite zeigte den schwarzen gekrönten Adler im blauen Felde; auf der Rückseite stehen die vergoldeten Buchstaben F. W. St. zu Lippstadt. Das Ordensband ist blau gewässert und mit einem silbernen Bande eingefasst. Zum völligen Ornate gehörte dazu ein Stern in Silber, in dessen Mitte das Ordenskreuz gestickt, auf der linken Brust getragen wird.

Aebtissin: Freiin *v. Grote-Schauen.*

Canonissinnen:

Fräulein *Henr. v. Schenck.*	Fräulein *Ernestine v. Güstedt.*
Gräfin *Henckel v. Donnersmarck.*	- *Friedr. v. Wangenheim.*
Fräulein *Karoline v. Alvensleben.*	- *Sophie v. n. zu Egloffstein.*
- *Henr. v. Seckendorff.*	Gräfin *Hermine v. Egloffstein.*
Gräfin *Hortensia v. Egloffstein.*	Fräulein *Albertine v. Wolffersdorff.*

Stiftspropst: Herr *v. Schorlemmer.*

Stiftsrentmeister: Herr *Merklinghaus.*

Die Provinzen Westphalen, Cleve und Mark besassen in früherer Zeit eine grosse Anzahl von Stiftungen dieser Art, die nach und nach eingezogen worden sind. Wir geben hier Nachricht von denen, welche noch in der neuern Zeit bestanden. Namentlich waren in dieser Provinz bis zum Jahre 1806 noch folgende Stifter:

Adel. Jungfrauen-Stift Oberndorff bei Wesel.

Es war unter der Regierung des Grafen Adolph II. von den beiden Grafen Otto und Gottfried v. Cappenberg als Prämonstrat-Abtei im Jahre 1125 gestiftet. Die Gebäude gingen am 9. Juli 1587 in Flammen auf, und die Stiftsdamen wohnten zerstreut für sich.

Aebtissin: Freiin *v. Quadt-Hüchtenbruch* (A. M. D.)

Seniorin: Gräfin *v. Goldstein.*

Canonissinnen:

Gräfin *v. Plettenberg.*	Freiin *v. Bodelschwing zu Velmede,*
Freiin *v. d. Reck.*	S. H. K. G. D.
- *v. Plettenberg,* W. K. L. H. C.	- *v. d. Reck zu Overdyck,* I.
- *v. Plettenberg-Schwartzenberg,*	S. C. W.
E. W. L. G.	

Adel. Jungfrauen-Kloster Düssern zu Duisburg.

Aebtissin: Fräulein *v. Endt.*

Adel. Jungfrauen-Kloster Schledenhorst bei Rees.

Aebtissin: Freiin *v. Dorth.*

Adel. Jungfrauen-Kloster zu Sterckrade.

(Diese drei Jungfrauen-Klöster sind Cistercienser-Ordens.)

Adel. Jungfrauen-Stift Clarenberg zu Hörde.

Dieses Stift lag vor der genannten Stadt. Die Gründung desselben fällt ins Jahr 1340. Die Damen waren theils reformirt, theils katholisch.

Aebtissin: Fräulein v. d. *Borch.*
Seniorin: Fräulein v. *Syberg.*

Canonissinnen:

Fräulein v. d. *Borch.*
Gräfin v. *Spee.*
Fräulein v. *Hatzfeld.*
    - v. *Hauss* L.
    - v. d. *Reck* A.
    - v. *Grüter.*
Gräfin v. *Spee.*

Fräulein v. *Böselager.*
Freiin v. *Bodelschwing.*
Fräulein *Karoline* v. *Hauss.*
Gräfin *Charlotte* v. *Spee.*
Fräulein *Isabelle* v. *Böselager.*
Freiin v. *Syberg zu Kemnade.*

Adel. Jungfrauen-Stift zu Freudenberg.

Der Name kommt auch öfters Fröndenberg und Fröndberg geschrieben vor. Das Stift war uralt. Die Damen waren theils von der katholischen, theils von der protestantischen Kirche.

Aebtissin: Fräulein v. *Bönen.*

Canonissinnen:

Fräulein v. *Böselager.*
    - v. *Westphalen.*
    - v. *Bönen.*
    - v. *Merveld.*
    - v. *Romberg*, E. B.
    - v. *Eyberg*, A. W.
    - v. *Böselager*, M. A.
    - v. *Ledebur.*
    - v. *Winterfeld.*
    - v. *Bönen*, J. H.
    - v. *Senfft v. Pilsach*, H. F.

Fräulein *Senfft v. Pilsach*, L. M.
    - v. *Grüter.*
    - v. *Loë zu Wissen.*
    - v. *Landsberg - Velen.*
    - *Joh. Amal.* v. *Schmiesing.*
    - *Bernard.* v. *Schmiesing.*
    - *Karol.* v. *Plettenberg.*
    - *Jenny* v. d. *Reck.*
    - v. *Fürstenberg*, M. F.
    - v. *Droste zu Lenden*, M.
    - v. *Droste Vischering*, S.

Adel. Jungfräulein-Stift Gevelsberg.

Dieses Stift war ursprünglich ein Cistercienser-Nonnenkloster, und wurde nach der Reformation in ein freiweltliches Fräuleinstift für alle drei Confessionen bestimmt.

Aebtissin: Freiin v. *Bönen*, F. W. L.

Canonissinnen:

Fräulein v. *Wyhe.*
    - v. d. *Bottlenberg-Kessel*, A. P. F. A.
    - v. *Knobelsdorff.*
    - v. *Wyhe*, M. Th.
    - *Senfft v. Pilsach*, H. F. C. E. A.

Fräulein *Senfft v. Pilsach*, Ch. C. A. W.
    - *Senfft v. Pilsach*, F. E. S. S. W.
Freiin v. *Plettenberg-Schwartzenberg.*
    - v. *Bodelschwing - Velmede.*
    - v. *Plettenberg - Heide.*

Adel. Jungfräulein-Stift Herdecke.

Es wird auch Marien-Herdecke genannt. Die Damen waren theils protestantisch, theils katholisch. Die Stiftskirche war protestantisch.

Aebtissin: Fräulein v. *Blomberg.*
Dechantin: Fräulein v. *Vörst.*

Canonissinnen:

Fräulein v. *Diepenbroik.*
- v. *Syberg.*
- v. *Ritz.*
- v. *Sydow.*
- v. *Romberg*, A.
- v. *Romberg*, J.
- v. *Böselager.*

Fräulein v. *Grüter.*
Gräfin *Wilh. Charl. zu Schaum-*
   burg-Lippe und Stern-
   berg zu Bückeburg.
Fräulein v. *Ritz-Elgendorff.*
Freiin v. *Bodelschwing.*
Fräulein v. *Cornberg.*

Adel. Jungfräulein-Sammtstift zu Lippstadt.

Man sehe oben.

Propst: Herr Graf v. *Plettenberg.*
Aebtissin: Fräulein v. *Wülknitz.*
Seniorin: Fräulein v. *Schenck.*

Canonissinnen:

Fräulein v. *Selzer*, H. S. A.
- v. *Selzer*, F. C. A.
- v. *Alten.*
- v. *Baar.*
- v. *Seckendorff.*

Gräfin v. *Brockdorff.*
Fräulein v. *Alten*, G. G.
- v. *Zanthier.*
Gräfin *Heuckel* v. *Donnersmarck.*

Jungfräulein-Stift zu Hamm.

Es wurde auch das Norderhospital genannt. Die Damen waren zur Hälfte reformirt, zur Hälfte katholisch.

Seniorin: Fräulein v. *Bilgen.*

Canonissinnen:

Fräulein v. *Kolff.*
- v. *Schlichting.*
- v. *Kleinsorge.*

Fräulein v. *Tassigny.*
- v. *Wintgen.*

Jungfrauen-Stift Paradies zu Soest.

Es war früher ein Dominicaner-Nonnenkloster, zur Zeit der Reformation wurde ein Theil secularisirt und zu dem nachmaligen Jungfrauen-Stift Paradies bestimmt.

Aebtissin: Dem. *Kipp.*
Seniorin: Dem. *Sinnemans.*

Canonissinnen:

Dem. *zur Megeden.*
Fräulein v. *Hertwarth.*
Freiin v. *Wittenhorst-Sonsfeld.*

Dem. *Regenherz.*
Fräulein v. *Vogel.*
Dem. *Grasschoff.*

Jungfrauen-Stift St. Walpurgis zu Soest.

Dieses einst reiche Stift St. Walpurg war ursprünglich ein Kloster der Augustiner-Nonnen. Im Stifte waren adelige und bürgerliche Damen. Ein Drittel davon war katholischer Confession.

Propst: Herr *v. Bockum*, genannt *Dolffs*.
Aebtissin: Fräulein *v. d. Borgh*.

Canonissinnen:

Fräulein *v. Bockum*, gen. *Dolffs*.	Fräulein *v. Kleinsorge*.
- *v. Kurzrock*, M. T.	- *v. Kurzrock*, M. A.
- *v. Papius*.	- *v. Schorlemmer*.
- *v. Reuss*.	- *v. Schorlemmer*, A.
- *v. Vörst*.	- *v. Leutken*.
- *v. Vrintz*.	- *v. d. Borch*.
- *v. Viebahn*.	- *v. Borikowski*.
- *v. Lützow*.	- *v. Dolffs*.
- *v. Gorbin*.	- *v. Lützow*, II. P.
- *v. Schwartzenau*.	- *v. Goldbeck*.

Marien - Fräuleinstift zu Minden.

In diesem freiweltlichen Fräuleinstifte durften nur Töchter des evangelischen ritterbürtigen deutschen Adels aufgenommen werden. Sie mussten vier Probewochen bestehen.

Aebtissin: Fräulein *von dem Bussche*.
Propst: Herr *v. Cornberg*.
Dechantin: Fräulein *v. Dittfurth*.
Seniorin: Fräulein *von dem Bussche*.

Capitularinnen:

Fräulein *v. Bodenhausen*.	Gräfin *v. d. Schulenburg*, A. C. C. W.
Gräfin *v. d. Schulenburg*, II. A. E.	Fräulein *v. d. Reck*, L. C. T. J. W.
- *v. d. Schulenburg*, C. C. D. U.	- *v. d. Reck*, E. C. E.
Fräulein *v. Ledebur*.	- *v. Griesheim*.
- *v. d. Asseburg*.	Gräfin *v. d. Schulenburg*, R. L. A.
- *v. Korff*.	

Syndicus: Herr *Stuve*.

Fräulein - Stift zu Levern.

Levern ist ein Kirchdorf in der ehemaligen Vogtei Alswede im Fürstenthume Minden.

Propst: Se. Exc. Herr Freiherr *v. d. Reck*, Staats- und Justiz-Minister.
Aebtissin: Fräulein *v. Münchhausen*.
Seniorin: Fräulein *v. Korff*.

Capitularinnen:

Fräulein *v. Buttlar*.	Fräulein *v. Vinck*.
- *v. Dittfurth*.	- *v. Scheele*.
- *v. Münch*.	- *v. Cornberg*.
Gräfin *v. d. Schulenburg*.	- *v. d. Reck*.
Fräulein *v. Hagen*.	

Stifts-Amtmann: Herr *Bessel*, Justiz - Commissarius.

Fräulein-Stift zu Quernheim.

Dieses Stift lag drei Stunden von der Stadt Lübbecke entfernt, und war der Hauptort der gleichnamigen Vogtei in der Grafschaft Ravensberg.

Aebtissin: Fräulein v. *Vinck.*

Seniorin: Fräulein v. *Quernheimb.*

Capitularinnen:

Fräulein v. *Dittfurth.*	Fräulein v. d. *Bussche,* genannt
- v. *Hagen.*	*Münch.*
- v. *Riperda.*	- v. *Stedingh.*
Freiin v. d. *Reck.*	- v. *Quernheimb.*
Fräulein von dem *Bussche.*	- v. *Griesheim.*

Stifts-Amtmann: Herr *Velhagen,* Justiz-Commissarius.

Fräulein-Stift zu Schildesche in der Grafschaft Ravensberg.

Dieses adelige freiweltliche Stift ist im Jahre 939 unter der Regierung Kaiser Otto des Grossen von einer andächtigen Matrone, Namens Marschwider oder Martschwig hierher verlegt und reich dotirt worden. Sein erstes Privilegium erhielt es am 25. Septbr. 940 von Otto I. Das zweite am 7. Mai 999 von Otto II. Die Grafen von Waldeck und die Grafen von Ravensberg hatten die Vogtei oder Schutzgerechtigkeit über das Stift.

Aebtissin: Fräulein v. *Schachten.*

Propstin: Fräulein v. *Görtz-Wrisberg.*

Küsterin: s. Aebtissin.

Seniorin: Freiin v. *Blankenburg.*

Capitularinnen:

Fräulein v. *Kolff.*	Fräulein v. *Morsey,* gen. *Piccard.*
- v. *Wulffen.*	- v. *Heeremann.*
- v. d. *Bussche.*	Gräfin zu *Schaumburg-Lippe,* G. L.
Gräfin v. *Münster-Oer.*	Fräulein v. *Geismar.*
Fräulein v. *Korff,* gen. *Schmiesing.*	- v. *Hammerstein.*
Gräfin zu *Schaumburg-Lippe.*	- v. *Scholten.*
Fräulein v. *Bourscheidt.*	- v. *Reecks.*

Stifts-Amtmann: Herr *Lampe,* Justiz-Commissarius.

Nachträgliche Notizen, die vier zuletzt erwähnten Fräuleinstifter betreffend:

Dem Marienstifte zu Minden gab König Friedrich II. 1778 ein Ordenszeichen. Es bestand aus einem goldnen, weiss emaillirten, in acht Spitzen ausgehenden Kreuze; in dessen Mitte befindet sich der Preussische, goldgekrönte, schwarze Adler mit ausgebreiteten Flügeln, der auf der Brust mit dem goldenen Namenszuge des Königs geziert ist und den goldenen Scepter nebst Reichsapfel in seinen Klauen hält; auf der andern Seite in einem hellblauen Grunde das Bildniss der heiligen Mutter Gottes in Gold und in den vier Mittelecken goldne Strahlen. Es wurde an einem hellblauen, schwarz eingefassten, gewässerten Bande um die Schultern von der Rechten zur Linken, nebst einem gleichen auf goldnen Strahlen gestickten Kreuze getragen.

Dem Fräuleinstift zu Levern gab König Friedrich II. 1764 einen Orden, welcher in einem goldenen, schwarz emaillirten, in acht Spitzen ausgehenden Kreuze mit goldnen Strahlen bestand und an einem weissen Bande getragen wurde. Die Damen trugen das Band über der Schulter und dasselbe Kreuz gestickt auf der linken Seite des Kleides. Der jedesmalige Stiftspropst trug das Kreuz an einem blauen Bande um den Hals.

In demselben Jahre ertheilte Friedrich II. dem Fräuleinstifte zu Quernheim einen Orden mit derselben Decoration, die wir bei Levern beschrieben haben.

Dagegen ertheilte Friedrich II. schon 1743 dem Fräuleinstifte zu Schildesche einen Orden, der aus einem goldnen grün emaillirten Kreuze bestand, in dessen Mitte des Königs gekrönter goldner Namenszug und in dessen vier Mittelecken ein goldner Adler mit ausgebreiteten Flügeln zu sehen war. Das Band war weiss und gold geändert. Nach vielen Streitigkeiten zwischen Kur-Brandenburg und Pfalz-Neuburg ist endlich im Jahre 1688 festgesetzt worden, dass jeder Zeit zwei Drittheile der Präbende mit evangelischen, ein Drittheil aber mit katholischen Fräulein besetzt werden sollten. Im Jahre 1740 erhielt die Decanissin den Titel Aebtissin.

Noch bestehen folgende evangelische Dom-Capitel im preussischen Staate im Jahre 1836:

A. In der Provinz Brandenburg.

Das Dom-Capitel zu Brandenburg.

In neuester Zeit erst wieder restaurirt.

Dom-Dechant: Se. Exc. Herr Graf *Henckel v. Donnersmarck* auf Tiefensee, Gen.-Lieut., Ritter u. s. w.
Senior: Herr *v. Bredow* auf Ihlow, Wölsigkendorf und Buchow-Carpzow.

Dom-Capitularen:

Herr *v. Erxleben* auf Selbeblang und Retzow, Major, Ritter u. s. w.
Se. Excellenz Herr *v. Jagow*, General der Infanterie a. D.
Herr Freiherr *Gans, Edler zu Putlitz* auf Wolfshagen und Putlitz, Erbmarschall der Kurmark und Domherr zu Merseburg.
Graf *Adolph v. Arnim-Boitzenburg*, Präsident der Regierung zu Aachen.
Herr Doctor *Eylert*, Bischof der evangelischen Kirche u. s. w.
Freiherr *v. d. Reck*, auf Obernfelde bei Minden.
Se. Exc. Herr *v. Rochow*, wirkl. Geh. Staatsminister des Innern und der Polizei, Ehren-Domherr mit Sitz und Stimme im Capitel u. s. w.

Graf *Kleist v. Nollendorf*, Lieutenant und Landrath zu Halberstadt.
Herr Dr. *Ehrenberg*, wirkl. Ober-Consistorialrath u. Ober-Hofprediger.

Beamte. { Syndicus: Herr v. d. *Knesebeck*, Kammerg.-Assess.
Rendant: Herr *Derling*, Hauptmann.
Dom-Secretair: Herr *Kirchner*, Justiz-Actuar.

Geistliche: Herr *Kalisch*, Superint. und Ober-Pred. am Dom.

B. In der Provinz Sachsen.

1. Dom-Capitel zu Merseburg.

Prälaten:

Dom-Probst: Herr v. *Holleufer* zu Merseburg, Kammerherr.
Dom-Dechant: Herr v. *Krosigk*, Vice-Praesident.
Senior: (vacat) wegen Todenfalls des Königl. Sächs. Conferenz-Ministers und wirkl. Geh. Raths Herrn v. *Nostitz und Jänkendorf*, im Octbr. 1836.
Aedilis: Herr v. *Bodenhausen* zu Merseburg.
Scholasticus: Herr *Heinr. v. Brandenstein* zu Merseburg.
Custos: Herr v. *Carlowitz*, Königl. Sächs. Staats-Minister zu Dresden, Ritter u. s. w.

Capitularen:

Herr v. *Wolffersdorff*, Königl. Sächs. Kammerherr zu Merseburg.
- v. *Zehmen* auf Schmöllen.
- v. *Möllendorff*, Ob. Landesger. Rath zu Naumburg.
- v. *Berbisdorff*, Grossherzogl. Badensch. Stallmeister zu Freiburg im Breisgau.
- Graf v. *Zedtwitz* zu Neuberg bei Adorf.
- Freih. *Gans Edler zu Putlitz* auf Wolfshagen und Putlitz, Erb-Marschall der Kurmark und Domherr zu Brandenburg.
- Dr. *Günther*, Ordinarius der Juristen-Facultät und Ob. Hof-Gerichtsrath zu Leipzig.
- Graf v. *Holtzendorff*, Bergmeister und Zehntmeister zu Altenberg.
- Dr. *Klien*, Prof. juris zu Leipzig.
- *Anton v. Trotha*, zu Schkopau.

Minores praebendati:

Herr *Ernst v. Brandenstein* zu Sachsgrün.
- Freih. v. *Seckendorff*, Königl. Sächs. Kammerh. und Ober-Aufseher der Flössen zu Unter-Weischlitz.
- v. *Posern*, Kloster-Voigt und Hauptmann a. D. zu Pulssnitz.
- *Carl Heinr. Sebast. v. Ponickau*, Königl. Sächs. Major von der Armee und Kammerjunker.

Beamte des Domcapitels:

Syndicus: Herr *Bohndorf*, Just. Commiss.
Procurator: Herr *Stiehler*.
Dom-Kämmerer: Herr *Brenner*.

Beamte der Domprobstei:

Domprobstei-Gerichts-Verweser: Herr *Wilke* O. Landsger. Assessor.
Domprobstei-Verwalter: Herr *Krause*. Herr *Kühn*, Adjunct.

2. Dom-Capitel zu Naumburg.

Capitularen:

Dompropst: Herr Herrm. Karl v. Uffel; auch Dompropst zu Meissen.
Domdechant: Herr Wilh. Fried. Ludw. v. Zerssen, Ritter u. s. w.
Senior: Herr Graf Karl v. Einsiedel, königl. sächs. wirkl. Geh. Rath.
Subsenior und Custos: Herr Wolf Heinr. Wurmb v. Zink.
Cantor: Herr Georg Friedr. Aug. v. Oldershausen, Erbland-Marschall
    des Fürstenthums Grubenhagen.
Herr Frh. von und zu Mannsbach, grossherzogl. sachsen-weimar-
    scher Kammerherr und Landes-Directions-Rath.
  - Freih. Ludw. von und zu Mannsbach, fürstl. reuss-greizischer
    Reg.- und Consistor.-Rath.
  - Georg Adolph v. Leipziger, königl. sächs. Kammerjunker.
  - Karl Friedr. Aug. v. Oldershausen, königl. baierscher Kam-
    merherr.
  - Freih. Friedr. v. Friesen, königl. sächs. Kammerh. und Geh.
    Finanzrath.
  - Eduard v. Rabenau, Land- und Stadtger.-Assessor zu Driesen.
  - Dedo v. Krosigk zu Poplitz im Saalkreise, Landrath a. D.

Majores praebendati:

Herr Karl Christoph Adolph v. Hopfgarten, königl. sächs. Ob.-Forstmeister.
  - Freih. Ottobald Hans Karl v. Werthern.
  - Karl Heinr. Aug. v. Feilitzsch, königl. baierscher Kammerjunker.
  - Freih. Aug. v. Stein-Kochberg, Reg.-Rath zu Berlin.
  - Julius u. Thümmel, herzogl. sachsen-gotha-coburgscher Kam-
    merherr und Ober-Forstmeister, Ritter u. s. w.
  - Joh. Ludw. v. Oppell, königl. sächs. Amtshauptmann.

Minores praebendati:

Herr Graf Joh. Heinr. Moritz v. d. Schulenburg-Hessler.
  - Graf Karl Alexander v. Rex, königl. sächs. Kammerherr.
  - Gustav Friedrich Rudolph v. Lindenau.
  - Graf Carl Alexander v. Solms.

Beamte des Dom-Capitels und der Dom-Propstei:
Stifts-Syndicus: Herr de Wedig, Justiz-Commissarius.
Gerichts-Voigt der Dompropst.-Gerichte zu Osterfeld.
    Herr Aug. Arnold, Ger. Amtmann.
Justiziarius der Obedienz Grochlitz: Herr Taenzer, Magi-
    strats-Ass. zu Naumburg.
Dompropstei-Ger.-Verweser zu Eckelstaedt: Herr Kar.
    Arnold, herzogl. sachsen meiningischer Ob.-Landsger.-Advocl
Dom-Capitels-Physicus: Herr Dr. Messerschmidt, Stadt-Physicus.
Stifts-Baumeister und Granarius, Dom-Propstei-Ver-
    walter: Herr Friedrich Feller.
Dom-Kämmerer und Vorsteher der Freitische der
    Waisen-Versorgungs-Anstalt und der Hospitä-
    ler: Herr Ahé.

3. Collegiat-Stift zu Zeitz.

Mitglieder:

Dechant (vacat).
Senior und Custos: Herr Graf Karl v. Einsiedel, kön. sächs. wirkl.
    Geh. Rath.

v. Zedlitz Adels-Lex. III.   2

Herr Dr. *Günz*, kön. sächs. Geb. u. Appellat.-Rath zu Dresden, Scholastic.
- Dr. *Köstner* auf Trossin, kön. sächs. Ob.-Hofger.-Advocat.
- *Streckfuss*, Geh. Ob.-Regier.-Rath.
- Dr. *Grossmann*, Prof. der Theologie, Consistor.-Assess. und
   Superintendent zu Leipzig.
(Eine Stelle vacant durch den Tod des Grafen *Christian v. Hohenthal*
   auf Hohenpriessnitz; er starb 1835 den 13. Decbr.)

Beamte:

Stifts-Syndicus: Herr *Drescher*, Just.-Commiss.
Granarius und Sub-Custos: Herr *Constantin*.

I.

Jablonski, die Herren von.

Aus dieser polnischen adeligen Familie haben verschiedene Söhne im preuss. Heere gedient, wie der Lieutenant v. Jablonski in dem Kür. Reg. v. Wagenfeld, der 1807 in polnische Dienste trat. Dieses Geschlecht führt im goldenen Schilde einen silbernen Schlüssel und auf dem gekrönten Helme drei silberne Straussfedern. Helmdecken golden und weiss.

Jacob, die Herren von.

Ludwig Heinrich v. Jacob, geboren den 26. Februar 1759 zu Wettin, seit 1789 ausserordentlicher seit 1791 ordentlicher Professor der Philosophie zu Halle, ging 1807 nach Russland, wurde vom Kaiser *Alexander* in den Adelstand erhoben und mit dem Titel eines Staatsraths bekleidet, war sodann in Charkow Professor, arbeitete später in Petersburg bei der Gesetzgebung und kehrte 1816 aus Russland nach Halle zurück. Mehreremale traf ihn die Prorector-Wahl. Er starb am 22. Juli 1827, 69 Jahre alt, plötzlich auf einer Vergnügungsreise im Bade zu Lauchstädt. M. s. Allgemeine Literatur-Zeitung 1827 No. 198. Hallesches Wochenblatt 1827. S. 722. u. s. w.

Jacobi-Kloest, die Freiherren und Herren von.

König Friedrich Wilhelm II. erhob am 20. Octbr. 1786 die Gebrüder *Constans Philipp Wilhelm* Jacobi, Hof-und Legationsrath, *Friedrich Ehrenreich* J. Kriegs- und Domainenrath, und *Ludwig Johann Heinrich* J., Director des Admiralitäts und Commerz-Collegium in Königsberg, in den Adelstand. Der Erstere wurde am 19. Juni 1788 in den Freiherrnstand, mit Beifügung des Namens Kloest zu dem seinigen ernannt, nachdem er als Geheimer Legationsrath und Gesandter am kaiserl. österreichischen Hofe accreditirt worden war. Später wurde er zu mehrern andern diplomatischen Sendungen gebraucht, und zuletzt war er ausserordentlicher Gesandter und bevollmächtigter Minister Sr. Majestät, am Hofe zu London. Zurückgezogen von allen Geschäften verlebte er die letzten Lebensjahre in Bonn. — Ein Sohn von ihm besass früher Güter bei Leipzig, und in neuester Zeit hat derselbe die schönen Hohenfinower Güter bei Neustadt im Kreise Ober-Barnim des Regier. Bez. Potsdam durch Kauf erworben. — Die v. Jacobi erhielten bei ihrer Erhebung folgendes Wappen. Das Schild ist durch einen Faden in zwei Hälften getheilt; in der obern silbernen ist ein achteckiger rother Stern, in der untern blauen aber sind zwei schwarze Adlerflügel dargestellt. Auf den beiden gekrönten Helmen wiederholen sich Stern und Adlerflügel; der Stern steht zwischen zwei über einander gelegten,

2 *

aus der Krone wachsenden Lorbeerzweigen. — Das freiherrliche Wappen zeigt im Schilde dieselben Bilder, doch ist hier die untere Hälfte nicht blau, sondern golden. Das Schild ist mit einer fünfperligen Krone bedeckt, die drei gekrönte Helme trägt. Auf dem mittleren Helme zeigt sich der preuss. schwarze Adler. Beide Wappen sind unten mit einem rothen Bande, auf dem bei der adeligen Familie v. Jacobi mit schwarzen Buchstaben, bei der freiherrlichen Familie v. Jacobi-Kloest aber mit goldenen Buchstaben die Worte stehen: Solertia, fide, geziert. Das freiherrliche Wappen hat auf der rechten Seite einen wilden, um die Hüften und das Haupt bekränzten Mann zum Schildhalter; dieser hält eine Lanze mit goldenem Schaft und silberner Fahne, auf der der rothe Stern angebracht ist, in der rechten Hand; auf der linken aber einen Adler, welcher eine solche Lanze mit goldener Fahne, auf welcher die beiden schwarzen Adlerflügel vorgestellt sind, in der rechten Kralle hält. Die Decken und das Laubwerk sind bei dem adeligen Wappen rechts roth und silbern, links gold und schwarz; eben so bei dem freiherrlichen.

Jacquet, Herr von.

Se. Majestät der jetzt regierende König Friedrich Wilhelm III. erhob am 18. April des Jahres 1813 den Pierre Jacquet, Mitglied des grossen Raths zu Genf, in den Adelstand.

Jadunken, die Herren von.

Unter dem alten pommerschen Adel kommt eine im Lauenburgschen begüterte gewesene Familie dieses Namens vor. Brüggemann zählt sie nach Estor und Häring zu den ausgestorbenen Geschlechtern, und nennt sie *Jadomke* oder *Jadunke*. Siebmacher giebt III. S. 156. das Wappen dieser Familie. Im silbernen Schilde steht ein goldner Greif. Der Helm ist mit drei Straussfedern (blau, gold, blau) geschmückt. Micrälius erwähnt diese Familie S. 391, und v. Meding giebt eine Beschreibung ihres Wappens III. S. 361.

Jäger, die Herren von.

Eine adelige Familie in der Neumark, aus welcher *Karl Wilhelm* v. Jäger im Jahre 1744 als königl. preuss. Oberstlieutenant und Commandeur eines Grenadier-Bataillons an seinen beim Ausmarsche aus Böhmen erhaltenen Wunden starb. — In neuerer Zeit sind in Deutschland mehrere Familien dieses Namens in den Adelstand erhoben worden, namentlich in Baiern, wo der ehemalige fürstl. passausche Geheime Rath *Heinrich Christoph* Jäger am 20. August 1780 vom Kaiser Joseph II. nobilitirt worden ist. — In Oesterreich sind mehrere Offiziere dieses Namens in den Adelstand erhoben worden. — Endlich wurde auch im Jahre 1810 der kaiserl. österreichische Hofrath *Ignaz* Jäger, mit dem Prädicat v. Weidenau geadelt. — Noch erwähnen wir, dass in Schwaben ein altadeliges Geschlecht die Jäger v. Gertingen vorkommt. Es führt ein durch einen Faden getheiltes blaues Schild. In der obern Hälfte ist ein goldener Balken, in der untern aber ein gelbes Jagdhorn vorgestellt. Der gekrönte Helm trägt den Kopf eines blauen Hundes mit ausgeschlagener Zunge. Die Helmdecken sind golden und blau.

Jägersburg, die Herren von

Georg Marcus Jäger wurde unter dem Namen von Jägersburg am 2ᵗᵉ. Mai 1698 geadelt. Der Erhobene war Banquier zu Breslau und Chef eines angesehenen Handlungshauses daselbst. Später war er auch Mitglied des Rathes und Herr auf Eckersdorf. — Sein Sohn *Georg Friedrich* v. J. besass das Gut Marschwitz bei Breslau und war mit Sophia v. Wolfsburg und Walldorf vermählt. Dieser Familie gehörte auch das Gut Zarawence im Neumärkschen. — Sie führte ein getheiltes Schild, in dessen oberm blauen Felde ein weisses Jägerhorn abgebildet war, das untere Feld aber roth und gelb abwechselte. Auf dem gekrönten Helme war ein blauer Hundekopf und Hals, mit einem weissen Sterne auf dem Kopfe, dargestellt. Die Helmdecken gelb und blau.

Jägersfeldt, die Herren von.

Der König Friedrich Wilhelm II. erhob am 27. Novbr. des Jahres 1786 den Major *Georg Wilhelm* Jägersfeldt in den Adelstand. Das ihm beigelegte adelige Wappen zeigt im gespaltenen, rechts blauen, links silbernen Schilde, hier den rothen gekrönten brandenburgschen Adler, dort drei goldene Hifthörner mit grünen Bändern, oben eins in die Breite, unten zwei in die Länge gelegt. Auf der Krone des Helmes schwebt der rothe Adler, das goldene Horn auf der Brust tragend.

Jagemann, die Herren von.

In Westphalen und in Thüringen kommt eine altadelige Familie dieses Namens vor, die jedoch, wie mehrere andere Familien von anerkannt altem Adel, nicht das Wort v o n vor ihren Namen zu setzen pflegte. — Siebmacher giebt I. S. 186 unter den thüringischen das Wappen Der v. Jagemann und Herdegsen. Sie führten ein getheiltes Schild, in dessen oberer goldenen Hälfte ein Schiffsanker, in der unteren silbernen aber ein goldenes Jägerhorn vorgestellt ist. Der gekrönte Helm ist mit vier Straussfedern (roth, Gold, Silber, roth) geschmückt.

Jagow, die Herren von.

Zu den ältesten und vornehmsten Geschlechtern der Mark Brandenburg gehört die noch heute blühende Familie v. Jagow, in alten Urkunden auch Jago und Jagau geschrieben. Sie hat sich auch in mehreren andern Landschaften der Mark, auch im Magdeburgischen, Braunschweigischen und in Pommern verbreitet. Vor langen Zeiten soll sie ihren früheren Namen Uchtenhagen mit dem heutigen verwechselt haben, doch ist der gelehrte Forscher im Felde der vaterländischen Geschichte und Genealogie, der Präsident v. Hagen, der Meinung, dass sie nicht mit dem alten ausgestorbenen Geschlechte v. Uchtenhagen, dem auch die heutige Stadt Freienwalde gehörte, Eines Stammes sind (S. die Geschlechtsbeschreibung Der v. Uchtenhagen, von v. Hagen S. 4). Seit Jahrhunderten sind in der Altmark Aulosen, Uchtenhagen, Scharfenhufe, Orlgunne, Vielbaum, Calenberge, Gaartz, Natewisch, Gerhof, Calberwisch und Crüden Besitzungen Der v. Jagow gewesen. Gerhof besitzt gegenwärtig der Hauptmann a. D. und Johanniterritter v. Jagow. — In der Priegnitz ist Dalmin ein Eigenthum der Familie, auch besitzt

der Major und Johanniterritter v. J. das Gut Rüstädt bei Wilsnack. —
In Pommern ist eine schon im Jahre 1243 daselbst blühende Linie die-
ses Hauses ausgestorben. Eine andere besass noch in neuerer Zeit
Güter im greiffenbergschen Kreise, namentlich *Borchard Hartwich* v.
Jagow, königl. Oberst, den Rittersitz Kopplin, der nach seinem im Jahre
1773 erfolgten Tode auf einen seiner Söhne *Friedrich August* v. J., überging. — *Johann* v. J. war 1619 Domdechant zu Havelberg. Schon der im
Jahre 1396 gestorbene *Hermann* v. Jago war zuerst Landvoigt in Prenzlau,
nachmals Statthalter der Mark Brandenburg. — *Hans* v. Jago war
Oberster und Hofmarschall des Kurfürsten *Johann* zu Brandenburg und
— *Gebhard* v. Jago stand im Anfange des 16. Jahrhunderts in der Würde
eines Hauptmanns der Altmark. — Alle Drei werden zugleich als berühmte Kriegshelden geschildert. — Zu den merkwürdigsten Mitgliedern dieses alten berühmten Geschlechtes gehört *Matthias* v. Jago, der
erstere lutherische Bischof von Brandenburg; durch Lehre und Bei-
spiel beförderte er die Verbreitung der lutherischen Lehre in der Mark.
Er starb im Jahre 1544. — Dienemann in seinen Nachrichten vom
Johanniterorden giebt S. 344 und No. 55. Nachrichten und eine Stammtafel Der v. J. Sie beginnt mit *Achatz* v. J. auf Autosen, Scharfenhufe u. s. w., der mit Katharine v. Klitzing vermählt war. — Sein
Sohn *Erasmus Dietrich* v. J. hatte Karoline v. Wulfen zur Gemahlin. —
Aus dieser Ehe war *Matthias* v. J., der mit Charlotte v. Stechow ver-
mählt war. — Ein Sohn von ihm war *Werner* v. J., Landrath und
Kanonikus zu Magdeburg und vermählt mit *Ursula* v. J., er erhielt den
Ritterschlag zu Sonnenburg, wie nachmals viele andere Söhne dieses
alten Hauses, namentlich *Matthias Friedrich* v. J., auf Autosen in der
Altmark, introducirt den 21. Mai 1798 als Comthur zu Werben. —
Die letzte Aebtissin des im Jahre 1802 aufgehobenen adeligen Jung-
fräuleinstiftes zu Wolmirstädt war ein Fräulein v. J. Im preuss. Staatsdienste befindet sich in der Gegenwart der Landrath des Osterburger
Kreises v. J. auf Crewese, Ritter des Johanniterordens. In der Armee
haben eine grosse Anzahl von Mitgliedern der Familie gedient, von
denen wir hier nur von den Verstorbenen anführen:

    Ludwig Friedrich Andreas Günther v. Jagow, geboren zu Crüden
am 21. Febr. 1770. Er war der Sohn des v. J. auf Crüden und einer
Freiin Edlen Gans v. Puttlitz, aus dem Hause Wolfshagen, und that
so wie sein Vater und sein weiter unten erwähnter Bruder in dem Regiment, damals Kronprinz, nachmals König von Preussen in Potsdam
die ersten Schritte auf der militairischen Laufbahn. Im Jahre 1792
wurde er Adjutant Sr. königl. Hoheit des Kronprinzen, jetzt regierenden Königs Friedrich Wilhelm III., nach höchstdessen Kronbesteigung
er Flügeladjutant ward. In dieser Anstellung blieb er unausgesetzt in
den Tagen des Unglücks, wie des Glücks, an der Seite des Monarchen.
Nach dem Tilsiter Frieden ernannte ihn Se. Majestät zum Vice-Stall-
meister und 1809 zum wirklichen Oberstallmeister; zugleich erhielt
er eine Prähende des Domstiftes zu Brandenburg, dessen Senior
er später wurde. In den Jahren 1812 folgte er seinem Monarchen wieder, in der Würde eines Generalmajors und General-Adjutanten, auf
die Schlachtfelder, dann auf den Reisen nach Paris, London und Wien.
Nach dem Frieden trat er in das Verhältniss als Oberstallmeister und
Chef sämmtlicher Ober- und Landgestüte zurück, und sein Wirken
war durch den besten Erfolg gekrönt. Seine Brust schmückten ausser
vielen fremden Decorationen der rothe Adlerorden 1. Kl., so wie auch
das eiserne Kreuz erster und zweiter Klasse. Leider litt er aber an
organischen Fehlern, die seine Gesundheit im kräftigsten Mannesalter
zerstörten, und so starb er im 56. Jahre seines Alters, von seinen Umgebungen betrauert. Seine irdischen Ueberreste ruhen in geweihter

Stätte auf einer Anhöhe des Kirchhofes seines heimathlichen Ortes Crüden. Die Wittwe des Verstorbenen, geb. v. Heinitz, war mehrere Jahre hindurch Obersthofmeisterin bei Ihrer königl. Hoheit der Prinzessin Wilhelm v. Preussen, und die Tochter desselben, Sophie, ist seit dem Monat August 1836 Wittwe des Grafen Heinrich Wilhelm v. Schlieffen.

Von den noch lebenden:

Wilhelm v. Jagow, ein jüngerer Bruder des Vorigen, gegenwärtig königl. General der Infanterie a. D., Chef des 26. Infanterie-Regiments, Ritter des schwarzen Adlerordens, des Ordens pour le mérite mit Eichenlaub, des eisernen Kreuzes erster Klasse, Domherr zu Brandenburg. Er stand, wie sein Bruder, bis zum Jahre 1806, wo er Stabs-Capitain war, in dem Regiment des Königs zu Potsdam, wohnte mit der grössten Auszeichnung den Feldzügen bei, wurde im Jahre 1809 Major und Commandeur des Gardejäger-Bataillons und 1813 General und Brigadier der Infanterie; in der Schlacht bei Leipzig erwarb er sich das eiserne Kreuz erster Kl., commandirte sodann vor Erfurt und führte die unter seinem Befehl stehenden Truppen im Januar 1814 der Armee in Frankreich nach, wo er namentlich bei Rheims zweimal hitzige Kämpfe sehr ehrenvoll bestand. Im Jahre 1815 erwarb er sich bei Compiegne den Militair-Verdienstorden mit Eichenlaub, nach dem zweiten Pariser Frieden commandirte er als Generallieutenant eine Division zu Erfurt, und nach dem Abgange des Feldmarschalls Grafen Kleist v. Nollendorf wurde er commandirender General des 4. Armeecorps. Se. Majestät ertheilte ihm im Jahre 1825 den rothen Adlerorden erster Kl., im Jahre 1836 feierte der hochverdiente General sein 50jähriges Dienstjubiläum. Er wiederholte bei dieser Gelegenheit das Gesuch um seinen Abschied und erhielt denselben unter den Versicherungen der allerhöchsten Gnade und der Anerkennung seiner geleisteten langen treuen Dienste. In gleichem Grade nahm der hochverehrte General die Liebe seiner Untergebenen und die Verehrung aller Derer, die mit ihm während seines langen Wirkens in Geschäftsberührung gekommen waren, mit in das Privatleben, in welches er sich nach einer so ehrenvoll durchlaufenen Bahn zurückgezogen hat. Er lebt gegenwärtig zu Brandenburg und ist unvermählt.

Im Jahre 1806 dienten zwölf Offiziere aus dieser Familie in der Armee. — In dem Regiment des Königs stand damals ein Pr. Lieutenant v. Jagow; er blieb im Jahre 1815 als Major und Bataillons-Commandeur im Elb-Landwehr-Infanterie-Regiment auf dem Felde der Ehre. — Ein anderer von Jagow stand bis zum Jahre 1806 in dem Kürassier-Regiment v. Balliodz; er starb im Jahre 1813 im zweiten Dragoner-Regiment den Tod fürs Vaterland. — Ein Lieutenant v. Jagow im Regiment Alt-Larisch war schon im Jahre 1806 vor dem Feinde gefallen. — Der Major v. J., gegenwärtig a. D., erhielt im Jahre 1814 das eiserne Kreuz zweiter Kl.

Das Wappen der Familie v. Jagow enthält im silbernen Schilde ein rothes sechsspeichiges Rad. Auf dem Helme liegt ein Bund, auf dem ein weisser Dachs vorgestellt ist, der an den Ohren mit zwei hinten überhängenden goldenen Lilienstäben besteckt ist. Dieses Wappen giebt Siebmacher unter den Braunschweigschen I. S. 183, v. Meding beschreibt es I. No. 382. Hersenius hat eine Geschichte Der von Jagow bekannt gemacht. Nachrichten über diese Familie giebt Gauhe I. S. 696. u. f., v. Krohne II. S. 152 — 154. Grundmann, S. 43. Lentzens diplomatische Stiftshistorie p. 97. Küsters Brandenburg. Biblioth. pag. 727.,

Jahnke, die Grafen von.

Dieses gräfliche Haus, das seine Erhebung den Königen von Polen verdankt, gehörte längere Jahre hindurch schwedisch Pommern (gegenwärtig Reg. B. Stralsund) an. Ein Sohn aus diesem Hause stand bis zum Jahre 1806 als Premier-Lieutenant in dem Infanterie-Regiment v. Zastrow in Posen. Er ist im Jahre 1809 ausser Dienst gestorben. — In der Gegenwart ist die Gräfin *Amalie* v. Jahnke Conventualin des adeligen Fräuleinklosters zu Barth im Regierungsbezirke Stralsund. Uebrigens scheint die Familie fast ausgegangen zu sein. Ein vor uns liegender, leider sehr undeutlicher Abdruck des gräfl. v. Jahnkeschen Wappens zeigt in einem oben goldenen, unten blauen, durch einen silbernen Balken getheilten Schilde oben einen aufspringenden Greif, unten drei neben einander gelegte Sterne.

Jankwitz, die Herren von.

Eine uralte adelige Familie in Schlesien, welche mit Den v. Posadowsky von gleicher Abkunft sein soll und daher auch dieselben Wappenbilder führt. — *Laurentius Nikolaus* v. Jankwitz auf Poslanitz war mit Barbara Weigelin vermählt und hinterliess zwei Söhne. — *Ambrosius* v. J., ein Sohn des Vorigen, war Kanonikus des hohen Domstiftes zu St. Johannes in Breslau und starb am 18. August 1477. — *Petrus* v. Jankwitz war ebenfalls Kanonikus zu Breslau. — Im Jahre 1537 starb *Nikolaus* v. J., des Vorigen Bruder, Herr auf Zweybrodt. Er war Landeshauptmann des Fürstenthums Breslau. — Um das Jahr 1600 lebte *Abraham* v. J., ebenfalls Landeshauptmann des Fürstenthums Breslau, Herr auf Goldschmid, Javan, Kurtsch und Baumgarten. — Die Brüder *Matthias Ignaz* und *Franz Wenzel* v. J., wurden im Jahre 1729 in den böhmischen Ritterstand erhoben. — In Schlesien besitzt der Landesälteste und Kreisdeputirte v. J. die rittermässige Scholtisei Lobendau bei Ottmachau im Kreise Grottkau.

Janowitz (Jauwitz), die Herren von.

Einer der gelehrtesten und gründlichsten Forscher der schlesischen Geschichte, der berühmte Thebesius, zählt die von Janowitz, die sich auch Janowski v. Janowitz zu schreiben pflegten, zum ältesten Adel in Schlesien. Sie sind in diese Provinz mit vielen andern Edelleuten im Gefolge der Prinzessin Anna, Tochter König Ottokars von Böhmen, welche die Gemahlin Heinrich des Frommen wurde, gekommen. In Böhmen haben sie Janowski geheissen (so erzählt der berühmte Jesuit Boluslaw Balbini. Histor. Boh. L. 5. C. 12. p. 592.) In Schlesien heissen bei Liegnitz und Kupferberg Dörfer Janowitz, die von der gleichnamigen Familie erbaut sein sollen. Sie hat sich von Schlesien auch in andre Landschaften verbreitet. Ein Ritter von Janowitz begleitete die Prinzessin Agnes, Tochter Bolislaw des Kahlen nach Würtemberg, als sie sich dort mit dem Grafen Ulrich mit dem grossen Daumen vermählte, und gründete daselbst eine Linie, die nachmals mit der Bezeichnung die schwäbische belegt wurde. Eine andere gründete sich in Westpreussen. In Schlesien besass *Burghard* Janowski v. Janowitz Krumlinde bei Liegnitz und *Peter Maximilian* Janowski v. Janowitz war 1717 fürstl. Lobkowitz Saganscher Rath und General-Bevollmächtigter. In der spätern Zeit schrieb sich die Familie blos von Janwitz und Janowitz. Der westpreussischen Linie gehörte der Major d. C. und Adjutant des Prinzen Wilhelm (Bruder Sr. Majestät an), er wurde 1808 Oberst und Commandeur des zweiten Dragoner-Regiments, 1809 als Oberst mit Pension dimittirt, und ist 1819 gestorben. Er war mit einer Berge von Herrndorf vermählt. Ein anderer Major v. Janwitz, Bruder des Vorigen, war bis zum Jahre 1806 Assistent der General-Intendantur und Train-Direct. in Berlin, er wurde 1819 als Oberst und Rendant des Train-Depots in Berlin pensionirt und ist 1827 gestorben. Diese Familie scheint gegenwärtig bei uns sehr klein an Mitgliedern, wo nicht ganz erloschen zu sein. Von den weiblichen Abkommen lebt *Ernestine* v. J, Witwe des Grafen Albert Caspar Ewald v. Krockow auf Krockow, Frau auf Boleschau in Westpreussen. Diese Familie führt ein rothes, von einer Strasse durchzogenes Schild, die Strasse ist mit einem aus drei Reihen bestehenden blau und weissen Schach belegt. Auf dem gekrönten Helme stehen drei Straussfedern, weiss, blau, roth. — Ein anderes vor uns liegendes v. Janwitzsches Wappen zeigt den Kopf eines gehörnten Stiers oder Widders, dem ein eiserner Ring durch die Nase gezogen ist.

Janowski, die Herren von.

Von diesem, dem Wappen nach, mit der Familie Janowski von Janowiz ganz verschiedenen Geschlecht war ein Zweig im Herzogthume Sachsen. Ein Capitain v. Janowski war bis zum Jahre 1806 Platzmajor in Erfurt. Diese Familie führt im blauen Schilde ein schwebendes Stephanskreuz, und auf dem gekrönten Helme einen silbernen Arm, der ein eisernes Schwert schwingt. Die Helmdecken blau und golden.

Janus, die Freiherren und Herren von.

Eine adelige Familie in Thüringen, die sich auch v. Janus zu Eberstädt schrieb und theils in dem Herzogthume Gotha, theils in dem heutigen Regierungsbezirke Erfurt ansässig ist oder war. *Lebrecht Gottfried* v. Janus war kaiserl. russischer Generallieutenant und der erste Freiherr v. J. Eberstädt. Er trat sodann in königl. polnische und kurfürstlich sächsische Dienste und wurde wirklicher Geheimer Rath, Gouverneur von Dresden, Ober-Commandant der sächsischen Festungen und des Cadettencorps. Diese Familie führt im goldnen Schilde drei schwarze Hatschirmesser, schräg links unter einander gelegt, auf dem Helme stehen zwei goldene Straussfedern; zwischen diesen ist ein schwarz und rothes Hatschirmesser, in dessen Mitte eine goldene Lilie steht, angebracht.

Januschowsky, die Herren von.

Ein Capitain dieses Namens stand bis zum Jahre 1806 in dem Regiment v. Tschammer; er diente später im 5. kurmärkschen Landwehr-Infant. Regt., und blieb 1813 auf dem Felde der Ehre. — Gegenwärtig steht ein Lieutenant v. Januschowsky im 26. Infanterie-Regt. zu Magdeburg.

Jaraczewski, die Herren von.

Aus dieser adeligen polnischen Familie ist gegenwärtig ein Mitglied Advocat bei dem Land- und Stadtgerichte zu Samter im Grossherzogthume Posen.

Jargow, die Herren von.

Ein Major v. Jargow diente bis zum Jahre 1806 in dem Regiment v. Balliodz als Kürassier und blieb 1807 auf dem Felde der Ehre. — Ein Lieutenant v. J. verliess, ohne besondere Erlaubniss dazu zu haben, den preuss. Dienst aus Vorliebe für die Sache der Griechen, der er seine Kräfte zu widmen sich beeilte. Er gehörte zu den thätigsten Philhellenen, kehrte aber nach einigen Jahren, zum Theil von andern Ansichten erfüllt, zurück und starb als der letzte seines Geschlechts zu Paris, als er auf einer wissenschaftlichen Reise nach Afrika begriffen war, am 18. Septbr. 1832. Wir vermögen nicht zu entscheiden, ob dieses ein Sohn des erwähnten Majors v. J. war.

Jariges, die Herren von.

Aus der zur französischen Gemeinde in Berlin gehörigen Familie von Jariges, eigentlich Pardin de Jariges, gelangte *Philipp Joseph* von Jariges, geb. am 13. Nov. 1706 in Berlin, vom Hof und Criminalrath, Justitiarius des Obercollegii medici und Rath bei dem französischen Oberconsistorium bis zum Präsidenten des Kammergerichts und zum Grosskanzler des Königreichs Preussen und aller königl. Provinzen, Minister, Chef de Justice und wirkl. geh. Staatsminister. Er starb zu Berlin am 9 Nov. 1770. Er war auch Mitglied und 1731 Secretair der Academie der Wissenschaften. — Gegenwärtig ist aus dieser Familie im hohen Staatsdienste der Chef-Präsident des Oberlandesgerichts zu Glogau, Geh. Ober-Tribunalrath und Ritter v. Jariges. Das Wappen der Familie Pardin de Jariges besteht aus einem in der obern Hälfte in Weiss und Roth vier Mal getheilten und in der untern Hälfte in Gold und Silber acht Mal gespaltenen, mit einem von der obern rechten, zur untern linken Seite laufenden goldenen Balken belegten Schilde. Das Schild ist mit einer adeligen Krone bedeckt.

Jarotschin, die Grafen von.

Die Ritter, Freiherren und später Grafen von Jarotschin oder Jaroschin stammen aus Polen, wo das unweit der schlesischen Gränze gelegene Schloss Jaroczin oder Kesselsberg ihr Stammhaus war. Eine Linie dieses vornehmen Geschlechtes, aus dem der mächtige Ritter Beniac v. Jaroczin hervorgegangen, der um das Jahr 1339 lebte, wendete sich nach Schlesien, brachte ansehnliche Güter im Fürstenthum Neisse an sich und soll auch das Schloss Jarischau bei Ujest erbaut haben. Die Herrschaft dieses Namens war lange Jahre hindurch ein Besitz dieser Familie. Aus ihr wurden *Adalbertus* und sein Sohn *Johannes* im Jahre 1629 Freiherren. Der Letztere zeugte mit Katharina, Gräfin v. Gaschin, den *Julius Ferdinand*, Freiherrn v. Jarotschin, Herrn auf Dyhrenfurt, Gloschka und Wahren, im Fürstenthume Breslau; er wurde 1668 Oberamtskanzler von Schlesien und 1670 in den Grafenstand erhoben. Zuletzt bekleidete er die hohe Würde eines Landeshauptmannes des Fürstenthums Breslau und starb am 11. September des Jahres 1694. Mit Anna Theresia, Burggräfin zu Dohna, hatte er einen Sohn und sechs Töchter erzeugt. Der Sohn, Graf *Franz Anton Ignaz*, starb im ersten Kindesalter. Von den Töchtern gingen zwei ins Kloster, *Johanna Renate* und *Anna Theresia*. Zwei vermählten sich an die Brüder Grafen v. Kolowrat Novohradski, nämlich *Eleonore Cäcilia*, wurde die Gemahlin Franz Zdencko v. K. N. und *Maria Theresia*

Jarotzki — Jaski. 27

reichte dem Grafen Wenzel v. K. N. ihre Hand. Die fünfte Tochter *Isabella Charlotte* starb als Wittwe des Freiherrn v. Blankowski.

Jarotzki, die Herren von.

Nach Okolski stammen die edlen Herren v. Jarotzki aus dem alten sehr vornehmen Hause Rawicz, sonst Ursin, nach andern Autoren haben sie gleiche Abstammung mit den alten Freiherren und Grafen v. Jarotschin, denen in Schlesien, so wie den v. Jarotzki das Schloss Jarischau bei Ujest als Stammhaus zugewiesen wird. Schon im Jahre 1209 kommen in Schlesien Comes Jarocius in alten Urkunden vor (m. s. Henel. Siles. c. 8. p. 33). — Fritzke von Jarochow war ein hochangesehener Ritter am Hofe Heinrich V., Herzogs zu Breslau. — Diese alte Familie blüht noch heute in Ober-Schlesien, hier besitzt *Joseph* v. Jarotzki, Landesältester und Kreisdeputirter, das Gut Langendorf im Kreise Tost-Gleiwitz.

Jaschinski, die Herren von.

Eine altadelige Familie in Westpreussen und in Polen, aus der mehrere Söhne in der preussischen Armee gedient haben. In dem Regiment Prinz Ferdinand von Preussen stand ein Offizier dieses Namens, der zuletzt Capitain im ersten westpreussischen Landwehrregiment war und 1816 verabschiedet worden ist. — Im Jahre 1806 standen auch mehrere Offiziere in der Armee, die sich v. Jasinski schrieben. Ein v. Jasinski, der früher in dem Regiment von Manstein gestanden hatte, wurde 1814 Kreissteuereinnehmer in Wienslawice bei Inowraclaw. Ein anderer v. Jasinski stand 1806 im Reg. Kurfürst v. Hessen und zuletzt im Garnisonbat. des fünften Inf. Regiments. Diese adelige Familie führt im blauen Schilde einen mit dem Bart in die Höhe gekehrten goldenen Schlüssel und auf dem Helme sechs in Gold und Blau abwechselnde Straussfedern. Hasse's Wappenbuch Mspt.

Jaski, die Herren (Köhn) von.

Die Familie Köhn v. Jaski oder Köhn genannt v. Jaski, die bei uns ihrem Besitzthume nach, seit langen Jahren der Provinz Preussen angehört, ist vom Kaiser Karl V. am 20. Juni des Jahres 1534 in den Adelstand erhoben, und ihr Diplom durch einen Brief des Kaisers Ferdinand III. vom 15. Oct. des Jahres 1650 erneuert worden. Ein Köhn v. Jaski auf Wittigwalde war 1806 Landesdirector und Landrath des Kreises Morungen, in der Gegenwart ist ein Köhn von Jaski Landrath des Kreises Osterode. — Im hohen Militairdienste stehen gegenwärtig *A. E.* Köhn v. Jaski, Generallieutenant, Gouverneur v. Königsberg, Grosskreuz und Ritter hoher Orden, auch des Ordens vom Militair-Verdienst mit Eichenlaub, erworben 1814 in Frankreich, des eisernen Kreuzes erster Klasse, erworben in der Schlacht bei Leipzig, und *Karl Friedrich* Köhn v. Jaski, General-Major, Commandant der Festung Stettin, Ritter mehrerer Orden, namentlich des Militair-Verdienst-Ordens, (erworben 1794 von Warschau), und des eisernen Kreuzes (erworben in der Schlacht bei Gr. Görschen). — Mehrere Subalternoffiziere d. N. dienen gegenwärtig in der Armee. Die einzige Tochter des oben erwähnten Landesdirectors und Landraths Köhn v. Jaski, *Christiane Florentine,* ist die Gemahlin des Grafen Hans Karl v. Krokow, Senior, Erbmund-

schenk von Pommern, und Herr auf Dubberzin, Schlönwitz und
Franzen.
Die v. Jaski führen im getheilten, oben rothen, unten goldenen
Schilde einen Greif. Derselbe steht verkürzt auf dem gekrönten Helme.
Ein anderes vor uns liegendes Wappen Der v. J: zeigt im blauen
Schilde drei schwarze Balken. Auf dem obersten Balken steht ver-
kürzt ein Löwe, der einen Zweig in den Pranken hält; dasselbe Bild
wiederholt sich auf dem Helme.

Jasmund, die Herren von.

Seit langen Jahrhunderten gehören Die von Jasmund zum ältesten
und angesehensten Adel auf Rügen. Sie haben nach vielen Autoren
ihren Namen von der ihnen einst gehörigen Halbinsel Jasmund, dem
nordöstl. Theile der Insel Rügen. Sagard und Spieker sollen bis zum
Anfang des 17. Jahrhunderts in ihren Händen gewesen sein. Schon
1355 kommt *Heinrich* von Jasmund als des Herzogs Bogislaw V. in
Pommern Notarius und Geheimschreiber vor. *Hennig* von Jasmund
war vom Jahre 1432 bis 1443, und *Balzer Caspar* von Jasmund vom
J. 1524 bis 1525 Landvoigt auf Rügen. Erst in späterer Zeit haben sich
Aeste dieser Familie nach Mecklenburg gewendet, wo 1716 ein von
Jasmund Ober-Hofmeister war. In der Gegenwart gehören Die von
Jasmund nicht zu dem ansässigen Adel in Pommern. Schon Grümbke
führt sie nicht unter dem auf Rügen blühenden Adel mehr auf. Im
preussischen Staatsdienst steht der Kammerherr, Major v. d. A. und Landrath des Kreises Wittenberg, Ritter von Jasmund; auch dienen zwei
Subalternoffiziere d. N. in der preuss. Armee.
Sie führen in einem gespaltenen blau und silbernen Schilde in
jedem Theile einen Wecken mit abwechselnden Tincturen. Auf dem
Helme liegt eine Wulst, und auf derselben ist ein getheiltes blau und
silberner Wecken, dessen Ecken mit Pfaufedern geschmückt sind, angebracht. Auf einem vor uns liegenden Abdrucke steht statt der Wulst
eine Krone.

Jastrzembski, die Herren von.

Aus dieser preussisch und polnischen adeligen Familie stammte
der Major und Ritter des rothen Adlerordens von Jastrzembski, der
noch vor wenigen Jahren Landrath des Kreises Lötzen im Regierungsbezirk Gumbinnen war.

Jatzkow, die Herren von.

Dieses alte vornehme Geschlecht gehörte dem pommerschen Adel
an. Es war namentlich im Lande Lauenburg sehr begütert. Hier
beassen Die v. Jatzkow: Jatzkow, Bibrow, Kersko, Gr. und Kl. Gnewin,
Damerkow, Schotscho und Landtow. Das Dorf Jatzkow liegt drei Meilen
vor Lauenburg und ist nach dem Erlöschen der Familie an Die v.
Somnitz gelangt. Gnewin, in derselben Gegend gelegen, ist später
an Die v. Pirch und v. Recken gelangt, Damerkow aber ist an Die v.
Woedtke und später an Die v. der Reck gekommen. Sie führten im
blauen Schilde ein nach der linken Seite trabendes weisses Lamm und
auf dem ungekrönten Helme einen sechseckigen goldenen Stern, des-

sen drei obere Spitzen mit blauen Lilien besteckt waren. So beschreibt v. Meding III. No. 397 dieses Wappen, und Siebmacher giebt es III. S. 156. Micraelius erwähnt die Familie S. 493, Gauhe aber II. S. 483.

Jeanneret, Herr von.

Dion. Franciscus Scipio de Jeanneret war 1763 in Schlesien geboren und wurde als Capitain und Gouverneur in der école militaire vom König Friedrich Wilhelm II. geadelt. Beim Ausbruche der Rheincampagne wurde er dem damaligen Generallieutenant Erbprinzen zu Hohenlohe als Adjutant beigegeben. Mehrere Jahre hindurch war er dem Husarenbataillon Bila in Anspach aggregirt, dann im Jahre 1805 kam er als ältester Major zu dem Regimente Towarczy. 1812 commandirte er als Oberst die 2. Brigade im Yorkschen Corps, 1813 aber führte er unter dem Generalmajor v. Woheser die Cavallerie an die Oder und zeichnete sich bei vielen Gelegenheiten aus. 1814 avancirte er zum Generalmajor und commandirte 1815 die Reserve-Cavallerie bei der Rheinischen Landwehr. In demselben Jahre trat er in den Pensionsstand und lebte später zu Landsberg a. d. W., woselbst er am 19. Juni 1828 gestorben ist. — Es wurde dem in den Adelstand Erhobenen folgendes Wappen beigelegt. Eine silberne Burg mit zwei Seitenthürmen, die goldene Pforten haben, und deren Zinnen mit goldenen Lanzen besteckt sind. Auf der Zinne des mittleren Hauptthurmes weht eine goldene Fahne, mit silbernen Fransen besetzt. Das Schild selbst ist roth, unter der Burg liegt ein goldener Pfeil. Das Schild ist von einer, von zwei wilden Männern gehaltenen Krone bedeckt. Jeder der wilden Männer trägt eine goldene Lilie an einem langen goldenen Stengel, in der blossen Hand.

Jechner, die Freiherren von.

Ein rheinisches altes Ritter-Geschlecht, welches in der zum Regierungsb. Cöln gehörigen Standesherrschaft Gimborn das Rittergut Hackenberg bei Neustadt hesass. Aus demselben gelangte *Johann Joseph* Freiherr v. Jechner zur Würde eines Preuss. General-Majors. Er war im Jahre 1749 auf dem adeligen Gute Hackenberg in der vormaligen gräflich Wallmodenschen Herrschaft Gimborn-Neustadt geboren, trat 1763 als Junker in das Infanterie-Regiment v. Wolffersdorf zu Hamm ein, und durchlief in demselben alle Grade bis zum Oberstlieutenant und Commandeur desselben. Er machte von 1787 bis 1806 alle Feldzüge in demselben mit, erstieg 1794 in der Belagerung von Mainz zuerst die Zabbacher Schanze und erhielt 1798 den Militair-Verdienstorden. Nach der Auflösung seines Regiments ging der Verewigte im Jahre 1807 zu dem Armeecorps in Schwedisch Pommern, welches unter den Befehlen des General-Lieutenants v. Blücher stand, und wurde mit mehreren militairischen Aufträgen beehrt. Im Jahre 1813 wurde er zum Obersten, bald darauf zum Generalmajor und zum Chef der Militair-Organisation im Herzogthume Berg ernannt. Nach dem Frieden 1815 trat er in den Ruhestand mit Pension, nachdem er 52 Jahre hindurch seinem Könige die treuesten Dienste geleistet hatte, und starb nach langen Leiden am 22. Decbr. 1820, als der letzte seines alt-ritterlichen Geschlechts, zu Düsseldorf.

Jeetz (Jeetze), die Herren von.

Die Familie v. Jeetz gehört zu den altadeligen Geschlechtern der
Altmark, wo auch ihr gleichnamiges Stammhaus Jeetze lange Zeiten
hindurch in ihren Händen war. Nach mehreren Autoren haben die
v. J. gleiche Abstammung mit den ebenfalls der Altmark angehörenden
Herren von dem Knesebeck; von Gundling führt sie als Besitzer
von Hohenwulsche und Bust in derselben Landschaft gelegen, auf,
während auch Poritz, Döllnitz und Jeetze als Eigenthum der Familie
aufzuführen sind. Pauli giebt in dem Denkmal des *Adam Friedrich*
v. Jeetze, das in seinem „Leben grosser Helden" im 10. Theile steht,
eine Geschlechtstafel Der v. J., nach der *Daniel* v. J. auf Jeetze am
28. Septbr. 1614 gestorben ist. — Sein mit Felicia v. Gartow, aus
dem Hause Berkow, gezeugter Sohn, *Samuel* v. J., ererbte die väterlichen Güter, und dessen mit Ilsabe v. Einwinkel erzielter Sohn
Samuel Gabriel v. J. erwarb mehrere Güter zu dem väterlichen Erbe
und war mit Hippolyta v. Bertkow, aus dem Hause Bertkow, vermählt. — Aus dieser Ehe wurde *Adam Friedrich* v. J., Herr auf
Poritz, geboren, welcher mit Hedwig Elisabeth v. Eichstedt vermählt,
der Vater des unten näher erwähnten Generallieutenants *Adam Friedrich*
v. J. wurde. — Aus der Ehe des *Joachim* Parum v. J. mit Dorothea
Elisabeth v. Vintzelberg war der weiter unten mehr erwähnte General-
Feldmarschall *Joachim Christoph* v. J. geboren. — Im preuss. Heere
haben sich folgende Mitglieder aus diesem Hause besonders ausgezeichnet und sind zu hohen militairischen Würden gelangt:
Joachim Christoph v. J., der als königl. preuss. Generalfeldmarschall,
Gouverneur von Peitz, Ritter des schwarzen Adlerordens, Chef eines
Regiments zu Fuss, Amtshauptmann zu Wolmirstedt und Wanzleben,
Senior des Hauses, Erbherr auf Hohenwulsch, Büst, Poritz, Dölnitz
u. s. w. starb. Er ward am 16. Septbr. 1673 zu Hohenwulsch, einem
seinem Vater *Joachim Parum* v. J. gehörigen Gute, geboren, wurde
im Jahre 1686 Page bei dem Kurfürsten Friedrich Wilhelm und trat
sodann als Freiwilliger in das Regiment Markgraf Philipp. Hier zeichnete
er sich bei vielen Gelegenheiten aus und wurde im Jahre 1704 in dem
Treffen bei Höchstädt in den Unterleib durch eine Kugel, die nicht
entfernt werden konnte, und welche er mit ins Grab nahm, verwundet. Nach und nach die subalternen Grade durchlaufend, ward er im
Jahre 1712 Major, 1715 Oberstlieutenant, 1719 Oberst, erhielt 1733
das erledigte Regiment von Thiele, und wurde 1737 Generalmajor.
Nach der Schlacht von Mollwitz erhielt er das Generallieutenants-Pa-
tent und kurz darauf den schwarzen Adlerorden; auch bestellte ihn
Friedrich der Grosse zum Gouverneur von Peitz und Amtshauptmann
von Wolmirstedt und Wanzleben. In der Schlacht bei Czaslau 1742
wurde ihm das Pferd unterm Leibe getödtet und er blieb unter den
Todten liegen, ward aber wieder glücklich gerettet und konnte den
Feind noch verfolgen. Im Jahre 1745 zum General der Infanterie befördert, wurde er 1747 Generalfeldmarschall. Er war mit Dorothea
Sophie von Borstel, aus dem Hause Gr.- und Kl.- Schwarzlose, vermählt, in welcher Ehe ihm vier Söhne und eine Tochter geboren
wurden. Dieser berühmte Mann starb zu Potsdam am 11. September
1752. *Karl Wilhelm* v. J., ein Sohn des Vorigen, wurde am 1. Juli
1710 zu Mantua in Italien geboren, und starb zu Berlin als Oberstlieutenant, Hauptmann des ersten Bataillons Garde und Commandeur
eines Grenadier-Bataillons, — mit Hinterlassung zweier Söhne aus
der Ehe mit Dorothea Sophie, Tochter des Generallieutenants v. Einsiedel, am 7. Mai 1753. *Hans Christoph* v. J., königl. preuss. General-

Major und Chef eines Garnisonregiments, wurde am 12. Juni 1694
zu Flessow in der Altmark geboren. Er trat 1711 in das Regiment
Kronprinz von Preussen, wurde im Jahre 1734 Capitain, und darauf
mit vielem Nutzen zu Werbegeschäften gebraucht. Im Jahre 1740
avancirte er zum Major und zeichnete sich besonders in den ersten
schlesischen Kriegen aus, namentlich in der Schlacht bei Sorr, wo er
am Kopfe eine bedeutende Wunde erhielt. Im Jahre 1746 ward er
zum Obersten befördert und erhielt das v. Bredowsche Garnisonregiment. Er erbat sich im Jahre 1754 seinen Abschied, den er auch mit
dem Generalmajors-Charakter erhielt und starb vierzehn Tage darauf
kinderlos zu Neustadt-Eberswalde am 28. April 1754.

Adam Friedrich v. J., ein Bruder des Vorigen, königl. preuss. Generallieutenant von der Infanterie, Chef eines Regiments zu Fuss, Amtshauptmann zu Mühlenhof und Mühlenbeck, Ritter des Ordens pour le
mérite, Erbherr auf Poritz, Bust und Jeetze, wurde am 26. August
1689 zu Flessow geboren und trat im Jahre 1708 als Fahnenjunker in
das Regiment Markgraf Philipp Wilhelm, ward 1721 Pr.-Lieutenant
und mit vielem Nutzen zu Werbegeschäften gebraucht. 1734 zum Major
befördert, erhielt er den Orden pour la générosité. Beim Antritte der
Regierung Friedrichs II. ertheilte ihm dieser Monarch statt des genannten Ordens den pour le mérite und 1741 das Oberstlieutenants-
patent. Im Jahre 1745 zum Obersten avancirt, focht er tapfer namentlich in der Schlacht bei Kesselsdorf. Zum Beweise der Zufriedenheit
schenkte ihm der König die hohe Jagd auf seinem Gute Poritz, erhob
ihn zum Generalmajor und gab ihm das Regiment la Motte; zugleich
ertheilte er ihm die Amtshauptmannschaften von Mühlenhof und Mühlenbeck. Beim Ausbruche des dritten schlesischen Krieges erhielt er den
nachgesuchten Abschied mit dem Charakter als Generallieutenant und
Pension. Er war zweimal vermählt; erstens mit Sophie Wilhelmine, Tochter des königl. preuss. Staatsministers v. Viereck, und nach deren Tode
mit Sophie Marie Charlotte v. Lattorf. Aus erster Ehe wurden ihm
ein Sohn und zwei Töchter geboren, die jedoch sämmtlich früher,
als er, starben. Sein Tod erfolgte auf seinem Gute Poritz in der Altmark am 10. August 1762. Der Oberstlieutenant und Präses der Ge-
wehr-Revisions-Commission v. J. zu Potsdam, stand bis zum Jahre
1806 in dem Grenadier-Garde-Bataillon zu Potsdam und starb im
Jahre 1836. — Bis zum Jahre 1806 stand ein Pr.-Lieutenant in dem
Regiment von Malschitzky, erhielt 1809 als Capitain seinen Abschied
und lebte 1823 in Warkotsch bei Strehlen. — In der Gegenwart scheint
diese Familie nicht mehr zahlreich zu sein. Ein Lieutenant v. J. steht
jetzt in dem 4. Kürassierregiment zu Lüben in Schlesien in Garnison.

Das Wappen Der v. Jeetze giebt Siebmacher III. S. 140. Es
zeigt den Fuss und die Krallen eines schwarzen Greifes im silbernen
Schilde; auf dem Helme liegt eine Wulst, die mit drei Lanzen besteckt
ist; die Fahne der ersten Lanze ist roth, die der zweiten weiss und
die der dritten ebenfalls roth. Nachrichten über diese Familie findet man in Beehr S. 1571, Ritter von Lang S. 394. und Supplem.
S. 114.

Jelinski, Herr von.

Der Senateur v. Jelinski in St. Petersburg ist seit dem Jahre 1786
königl. preuss. Kammerherr.

Jena, die Freiherren und Herren von.

Dieses uralte seit dem 13. Jahrhunderte bekannte, ritterliche und
zum Theil freiherrliche Geschlecht stammt aus Thüringen, aus dem

Magdeburgschen und aus dem Saalkreise, es besitzt jedoch seit langen
Jahren auch in andern deutschen Provinzen ansehnliche Güter. Von
Gündling führt die Freiherren von Jera als Besitzer von Dannenberg
und Köthen im Kreise Ober-Barnim der Provinz Brandenburg an.
Köthen ist gegenwärtig das Besitzthum des Major v. d. A. und Ritter
v. Jena, der diesen in der Nähe von Freienwalde reizend gelegenen
Ort durch vielfache Anlagen verschönert hat. Im vaterländischen
Staatsdienste haben sich vorzüglich ausgezeichnet:

Friedrich v. J., geboren 1620, zuerst Professor Juris Ordinarius
an der Hochschule von Frankfurt a. d. O., sodann brandenburgscher
Gesandter zu Stockholm und Warschau, auch bei der Wahl des Kaisers
Leopold. Er unterzeichnete am 10. Novbr. 1658 den Liebauer Tractat
und dirigirte die wichtigsten auswärtigen Angelegenheiten. Am 5. Juli
bestellte ihn der grosse Kurfürst zum wirklichen Geheimenrath. Er
starb im September des Jahres 1683.

Gottfried v. J., geboren den 20. Novbr. 1620, wurde nach vielen
grossen Reisen durch fast alle Länder Europas Doctor Juris zu Heidelberg und 1655 Professor Juris Ordinarius in Frankfurt a. d. O. Im
Jahre 1657 ernannte ihn der grosse Kurfürst zu seinem Geheimenrath
und schickte ihn 1662 auf den Reichstag nach Regensburg. Am 23. April
1663 wurde er Kanzler des Fürstenthums Minden, 1674 werklicher
Geheimerrath, 1680 Kanzler in Magdeburg. Er starb zu Halle am
3. Januar des Jahres 1703 und da er keine Kinder hinterliess, so bestimmte er seinen gegen 60000 Thaler betragenden Nachlass zur
Gründung eines freiweltlichen Fräulein-Stifts, so wie eines Hospitals
für reformirte Arme, in Halle. Beide Anstalten tragen den Namen
ihres Wohlthäters und Gründers — *Gottfried* v. J., Herr zu Döbbernitz,
ein Bruder des Majors v. J. auf Köthen, starb am 21. August 1831.
Durch die Urkunde vom Jahre 1658 vom römischen Kaiser Leopold I.
ausgefertigt, wurde das Wappen dieser Familie vermehrt. Sie führt seit dem,
ein quadrirtes Schild; im 1sten und 4ten blauen Felde ist ein weiss und
schwarzer Fuchs vorgestellt, der eine Weintraube im Maule trägt; die
Felder 2 und 3 sind roth und von einem weissen Balken durchzogen.
Auf der Krone wiederholt sich der Fuchs, der wie im Schilde von natürlicher Farbe ist. Auf einem vor uns liegenden Abdrucke steht statt
des Fuchses auf der Krone ein Adler mit ausgebreiteten Flügeln.

Jerin, die Herren von.

In Schlesien lebten und leben noch mehrere Edelleute dieses
Namens. Es sind die Nachkommen der Brüder des berühmten, aus
der freien Reichsstadt Reutlingen in Schwaben gebürtigen, Theologen
Andreas Jerin, der 1585 Bischof von Breslau und bald darauf Ober-
Hauptmannschafts-Verwalter von Schlesien wurde. Er brachte den
Adel auf sich, seine Brüder und seine Neffen. Die Verwaltung seines
Bisthums war, wie die schlesische Kronik sagt, klug und glücklich.
Er starb zu Neisse am 5. Novbr. 1596. Ein prachtvoller massiv ge-
arbeiteter Altar und andere kostbare Geschenke in der Breslauer Dom-
kirche waren Gaben dieses freigebigen und berühmten Prälaten. —
Karl v. J., war im Jahre 1805 Stadt-und Polizei-Director zu Leob-
schütz. — *Constantin* v. J. war Kanonikus beim hohen Domstifte ad St.
Joannem zu Breslau, und ebenso bei dem Collegiatstift ad St. Crucem da-
selbst, zugleich hatte er die Generalvollmacht für die Geschäfte der
gräfl. Nostiz-Neulandschen Familie. — Gegenwärtig sind die Güter
Ober-und Nieder-Gesass bei Patschkau Lehnsbesitzungen Der v. Jerin.
Die Herren v. J. führen im blauen Schilde einen goldenen auf-

gerichteten Greif. Auf dem Helme einen Bund und darauf zwischen
zwei blauen Büffelhörnern den Greif abgekürzt. · Helmdecken Gold und
blau. M. s. Sinapius II. S. 703. und Gauhe II. S. 486.

Jesor, die Herren von.

Diese adelige Familie kommt auch oft unter dem Namen von Jeser
vor. Ihr Stammhaus oder erstes Besitzthum in Schlesien war das Gut
Zedlitz bei Brieg. Aber auch im Oppelnschen und im Ratiborschen
waren sie begütert. — *Peter* und *Paul* v. Jesor waren 1301 angesehene
Edelleute am Hofe Heinrich des Treuen, Herzogs zu Oels und Glogau.
Ein Nachkomme *Pauls* war *Strenuus Vir Woyczech* Jesor, Assessor
Judicii Polonicalis Districtus Trebnicensis. — *Augustus* Jeser besass
1469 Lampersdorf bei Steinau.

Sie führten im silbernen Schilde ein rothes sechsspeichiges Kammrad; dasselbe wiederholte sich auf dem Helme.

Jezierski, die Grafen und Herren von.

Eine adelige Familie in Posen und Westpreussen. Ein v. Jezierski
war 1806 Decan zu Mirschau in Pommerellen, ein anderer war Canonicus beim Cujavischen Domcapitel zu Wraclaweck. Eine Linie dieses
Hauses ist im Königreich Galizien begütert; aus ihr wurde *Hyacinth*
v. J. im Jahre 1801 in den Grafenstand erhoben.

Ilgen, Herr von.

Der König Friedrich I. erhob am 18. Januar des Jahres 1701
seinen hochverdienten Geheimenrath *Heinrich Rüdiger* Ilgen, der sich
besonders in den Angelegenheiten, die sich auf die Erlangung der
königl. Würde bezogen, grosse Verdienste erworben hatte, in den
Adelstand. Der Erhobene starb aber am 6. Decbr. 1728 kinderlos,
und es erlosch daher die adelige Familie von Ilgen wieder mit ihm.
Dieser ausgezeichnete Staatsmann war in Minden geboren, 1697 Regierungsrath, 1680 Geh. Legations-Secretair beim Friedens-Congress
zu St. Germain, 1683 Geh. Kammer-Secretair, 1693 Hofrath, 1699
Geheimerrath, 1701 wirklicher Geh. Staatsrath und 1706 Präsident
der Regierung zu Minden. Seine oben schon erwähnten Verdienste
um die Erlangung der königlichen Würde belohnte der Monarch besonders durch die Verleihung der Königskrone im Familienwappen.
Nach des Grafen v. Wartenberg Verabschiedung leitete von Ilgen die
Geschäfte der auswärtigen Angelegenheiten und viele wichtige, die
Administration des Innern betreffende Gegenstände. Dieser Minister
besass das schöne Gut Brietz bei Berlin, und Gundling, einer seiner
Zeitgenossen, führt ihn als Freiherrn v. Ilgen auf Brietz im Lande
Teltow auf. Das ihm verliehene Wappen bestand in einem oben blauen,
unten rothen Schilde, das, von einem silbernen, mit drei Rosen belegten Balken in der Mitte durchzogen war. Im blauen Felde war
rechts die oben erwähnte goldene Königskrone und in der Mitte eine
halbe französische Lilie vorgestellt. Im rothen Felde standen drei
solche Lilien in einer Reihe. Auf dem gekrönten Helme zeigte sich
die Lilie zwischen zwei, oben rothen, unten silbernen Büffelhörnern.
M. s. Klaproth, der wirkl. Geh. Staatsrath, S. 393.

v. Zedlitz Adels-Lex. III. 3

Ilow (Ilovv), die Freiherren und Herren von.

Ein edles sehr altes Geschlecht in den Marken und namentlich des Landes Sternberg in der Neumark. Hier liegt auch das gleichnamige Stammschloss gegenwärtig in Trümmern. Von Gundling führt die v. Ilow als Besitzer v. Schmoggerey, Wildenhagen, Radach und Kirschbaum, bei Zielenzig gelegen, auf; diese Güter sind längst in andern Händen. *Christian* v. I. gehörte diesem Hause an, er trat in die Dienste des Kaisers und gelangte in denselben zur Würde eines Generalfeldmarschalls. Er gehörte zu den nächsten Umgebungen Wallensteins (Waldsteins), Herzogs von Friedland, dessen tragisches Ende er im Jahre 1634 zu Eger theilte; daher er auch in Schiller's meisterhaftem Gedichte und Trauerspiele eine, wenn auch nur untergeordnete Rolle spielt. — In Schlesien besass *Johann Nikolas* v. I., der verwittweten Herzogin Sophie zu Oels, geb. Herzogin von Mecklenburg, Rath und Oberhofmeister, mehrere Güter. M. s. Olsnograph. I. pag. 604. — Im preuss. Heere gelangte *Otto Friedrich* v. I., aus dem Hause Schmoggerey, zum Range eines Generalmajors und Chefs eines Kürassier-Regiments. Er war der Sohn des *Dettlef Otto* v. I., Erbherrn auf Schmoggerey, und der Magdalene Tugendreich, gebornen von Ilow, aus dem Hause Wildenhagen. Er hat allen Feldzügen Friedrichs des Grossen beigewohnt, sich namentlich in den Schlachten von Kesselsdorf, Lowositz, Prag, Collin, Rossbach, Kay und Cunnersdorf ausgezeichnet. Generalmajor und Chef des nachmaligen v. Borstellschen, zuletzt v. Reitzensteinschen Kürassierregiments No. 7. wurde er im Jahre 1788, und im Jahre 1792 erfolgte sein Tod zu Salzwedel. Nicht zu verbürgen vermögen wir die Angabe, dass sich am Anfange des vorigen Jahrhunderts ein Mitglied der Familie nach Russland begab, daselbst naturalisirt wurde und der Stammvater der im russischen Heere sehr bekannten Familie Ilowskyi geworden ist, die dem Heere mehrere Generale und viele Offiziere, die mit grosser Auszeichnung dienten und noch dienen, gegeben hat.

Diese Familie führt ein golden und blau quadrirtes Schild, das in der Mitte mit einem aus rothen Lilien (Feuerlilien) geflochtenen Kranze belegt ist. Auf dem Helme steht ein verkürztes Frauenbild, dessen Kleid Gold und blau geviertet ist, es hält in jeder Hand zwei über einander gelegte braune Baumäste.

Imbert, Herr von.

Der König Friedrich Wilhelm II. erhob am 18. October 1786 den Kriegsrath und Bankdirector *Alexander Arnold* Imbert in den Adelstand. Bei seiner Erhebung wurde ihm folgendes Wappen beigelegt. Das goldene Schild ist durch einen Spitzenschnitt in drei Felder getheilt; in jedem derselben steht ein grün belaubter Baum mit braunem Stamme, und auf dem gekrönten Helme ist zwischen zwei Büffelhörnern ein goldener Stern angebracht.

Imhoff, die Freiherren und Herren von.

1) Aus der uralten, vornehmen, Franken, Schwaben, Braunschweig angehörigen, theils freiherrlichen Familie v. Imhoff, die in neuerer Zeit grösstentheils um und in den freien Städten Augsburg, Nürnberg und Rothenburg wohnte, aber auch in der Schweiz noch blüht, haben verschiedene Mitglieder in brandenburg. und preuss. Staats- und Kriegs-

diensten gestanden. — In dem Regimente v Natzmer zu Graudenz
stand ein Major v. Imhoff. — In der Gegenwart ist ein Major Baron
v. Imhoff dem 25. Infanterie-Regiment aggregirt, er ist Ritter des
eisernen Kreuzes (erworben in dem Gefechte bei Halle). — Ein
anderer v. J. ist Capitain a. D. und Landrath des Kreises Rheinbach
im Regierungsbezirke Cöln; er erwarb sich das eiserne Kreuz bei
Dennewitz. — Die vor einigen Jahren zu Berlin verstorbene Dichterin
Amalia v. Helwig war eine geborne v. Imhoff. Ein Bruder derselben
starb kurze Zeit vorher als englischer General. — 2) Eine Familie
v. Imhoff, die sich Peyer von Imhof schreibt. (M. s. den Artikel
Peyer v. Imhoff.).

Siebmacher giebt das Wappen Der v. Imhof I. S. 206. V. S. 144.
V. S. 242. Sie führen sämmtlich dasselbe Bild und dieselben Tincturen, nämlich im rothen Schilde den Vordertheil eines goldenen, nach
der rechten Seite gewendeten Löwen, dessen schuppiger Schweif bis
über den Kopf gerol't ist. Dasselbe Bild wiederholt sich auf dem ungekrönten Helme. Die Helmdecken Silber und roth.

Inn- und Knyphausen, die Grafen und Freiherren.

Ostfriesland, also gegenwärtig das Königreich Hanover, ist das
Land, aus welchem diese alte, sehr angesehene Familie abstammt,
und in dem sie noch jetzt blüht und begütert ist. Ihr Stammherr, der
friesische Ritter Ico Omecken, erheirathete mit des Hauptmanns der
Lande Ostringen und Wangerland Innhausen Erbtochter, das Schloss
und die Herrschaft Innhausen. Er hatte mit dieser seiner Gemahlin
nur eine Tochter, aber ausser der Ehe zwei Söhne erzeugt. Die
Adoption derselben wurde vom Papste bestätigt. Alio, der ältere derselben, ererbte Innhausen und dessen Sohn, Folef Innhausen, erwarb
durch den letzten Willen eines Vetters auch das Schloss und die
Herrschaft Knyphausen. Nach einem fast hundertjährigen Rechtsstreite
vor dem Reichskammergericht zu Speier ging dieselbe durch Vergleich
im Jahre 1632 an Anton Günther Gr. v. Oldenburg über. — Die schon
1588 in den Freiherrnstand erhobenen Innhausen behielten den Titel
als Beinamen Knyphausen von ihrem vormaligen Besitze bei, und wurden
für die Herrschaft mit einer Summe von 60000 Reichs-Gulden für
immer abgefunden. Philipp Wilhelm Freiherr von Inn- und Kny-
hausen hielt diesen Vertrag mit ächt ritterlicher Treue und befahl,
als er 1652 mit Tode abging, auf seinem Sterbebette seinen sechs
Kindern noch, in keiner Hinsicht jemals wieder den Grafen v. Oldenburg dieserhalb in Anspruch zu nehmen. Kaiser Ferdinand II. verlieh
im Jahre 1635 dem jedesmaligen Besitzer der Majoratsherrschaft
Lütetzburg oder Lützburg den Titel: Edler Herr zu Lützburg und
Bergum, Kaiser Leopold I. aber erhob einen Zweig des Hauses im
Jahre 1694 zur reichsgräfl. Würde. Von den Nachkommen jenes
ehrenwerthen Freiherrn haben mehrere in kurfürstlich brandenburgschen und königl. preuss. Diensten gestanden. — Friedrich Ernst,
Freiherr v. Inn- und Knyphausen, war Kammerherr König Friedrich I.,
Präsident der afrikanischen Handelsgesellschaft, Minister-Resident beim
westphälischen Kreise, Commandeur eines Marinebataillons, Amtshauptmann von Fürstenwalde und Erbherr der Herrlichkeiten Jennelt
und Visquart. Im Jahre 1711 wurde er als ausserordentlicher Gesandter
nach Kopenhagen geschickt. Die Enkel desselben., der Freiherr von
Inn- und Knyphausen auf Lütetzburg, Drost zu Emden und der Freiherr Inn- und Knyphausen Drost zu Norden, edler Herr zu Jennelt,
wurde im Jahre 1784 vom König Friedrich Wilhelm II. zum Kammer-

3 *

herrn ernannt, und von des jetzt regierenden Königs Majestät mit dem
rothen Adlerorden 3ter Klasse und dem Johanniterorden decorirt. —
Ein Sohn aus diesem alten, vornehmen Hause ist der Rittmeister im
Garde - Husarenregiment, Freiherr zu Inn - und Knyphausen, Ritter
des Johanniterordens u. s. w., gegenwärtig bei der Garde-Cavallerie inspection commandirt.

Eine Linie dieses Hauses hatte sich nach Schweden gewendet.
Aus derselben ist *Dodo* Freiherr von Inn- und Knyphausen zur Würde
eines königl. schwedischen General-Feldmarschalls gelangt, und seine
Thaten sind vielfach in die Geschichte des 30jährigen Glaubenskampfes
verwebt. Er hatte vom König Gustav Adolph als Dotation die in
Westphalen gelegene Stadt Meppen mit dem gleichnamigen Amte erhalten. Seine Wittwe aber verkaufte diese Herrschaft an den Kurfürsten Karl Ludwig von der Pfalz. Von seinen Söhnen erschien
1712 *Karl Ferdinand*, Graf v. Inn- und Knyphausen, als Gröningscher
Bevollmächtigter auf dem Congress zu Utrecht. Gegenwärtig ist das
Haupt des gräflichen Hauses *Karl Wilhelm Georg*, Graf von Inn- und
Knyphausen, geb. den. 1. Septbr. 1784, königl. hannöverscher Kammerherr, Majoratsherr der edeln Herrschaft Lützburg in Ostfriesland und
der damit verbundenen Fideicommissgüter, erbl. Mitglied der 1. Kammer der hannöverschen Stände-Versammlung und mit Louise Sophie
Charlotte Friederike, Tochter des königl. hannöverschen Generallieutenants Grafen Friedrich Otto Gotthardt v. Kielmannsegge, vermählt.

Die Freiherren von und zu Inn- und Knyphausen zu Lützburg
führen im gevierteten Schilde in den goldenen Feldern 1 und 4
schwarze aufspringende Löwen und in den silbernen Feldern 2 und 3
schwarze auffliegende Drachen. Beide Bilder wiederholen sich auf
den beiden Helmen. Rechts steht der Löwe verkürzt zwischen einem
schwarzen und einem goldenen Adlerflügel, links der Greif in ganzer
Figur, mit goldenem Halsbande.

Ingbrecht, die Herren von.

Eine adelige Familie, die sich v. Saint Ingbrecht schrieb und
daher französischer Abkunft zu sein scheint, hat sich in den diesseitigen Staaten niedergelassen, und namentlich waren mehrere Zweige
in der Provinz Preussen ansässig. Ein Hauptmann v. St. I. stand bei
den Grenadieren des Regiments v. Diereke zu Pr. Holland, und ist
im Jahre 1816 als pensionirter Major gestorben. In demselben Jahre
starb auch sein jüngerer Bruder, der Major und Kreisbrigadier der
Gensdarmerie, der bis zum Jahre 1806 in dem Regiment v. Reinhard
zu Rastenburg gestanden hatte. — Dieses Geschlecht scheint mit
diesen beiden Zweigen der Familie bei uns wieder erloschen zu sein,
denn es ist uns dieser Name später nicht mehr vorgekommen.

Ingenheim, die Grafen von.

Der König Friedrich Wilhelm II. zeugte mit *Amalia Elisabeth*
v. Voss, der Schwester des nachmaligen Geh. Staatsministers Otto
Karl Friedrich v. Voss, einen Sohn, *Gustav Adolph*. Mutter und Sohn
wurden mit Beilegung des Namens von Ingenheim am 12. November
1787 in den Grafenstand erhoben. Der Graf *Gustav Adolph* v. Ingenheim machte die Feldzüge des Befreiungskampfes mit, und erwarb sich
schon im Jahre 1813 das eiserne Kreuz. Seit dem Jahre 1810 ist er
königl. Kammerherr und gegenwärtig wirklicher Geheimerrath mit

dem Prädicat Excellenz. Das dieser gräflichen Familie verliehene Wappen zeigt im goldenen Herzschilde den Vossischen rothen Fuchs, das Hauptschild ist quadrirt, im Felde 1 und 4 steht der preussische schwarze Adler in Silber, im Felde 2 und 3 sind auf rothem Grunde drei silberne Rosen, oben zwei, unten eine, vorgestellt. Ueber der neunperlichen Grafenkrone sind zwei gekrönte Helme angebracht. Der rechte trägt den preussischen schwarzen Adler, der linke den Fuchs. Zu Schildhaltern sind zwei preussische Adler gewählt.

Ingermann, Herr von.

Der aus königl. schwedischen Diensten kommende, in die preuss. Armee eintretende Hauptmann *Johann George* Ingermann wurde vom König Friedrich II. am 20. März 1742 geadelt.

Ingersleben, die Herren von.

Die v. Ingersleben gehören Preussen, Magdeburg, der Grafschaft Mansfeld, den anhaltschen und schwarzburgschen Staaten an. — Eine Tochter des *Justi Adam* v. I. wurde 1725 die Gemahlin des Fürsten Lebrecht von Anhalt-Zerbst-Bernburg. — Es haben sich von dieser Familie in den brandenburg-preuss. Staatsdiensten folgende Mitglieder befunden:

Johann Ludwig v. Ingersleben, der als Generalmajor, Commandeur der Leibgarde zu Fuss, Hofjägermeister, Ritter des Ordens pour le mérite, Amtshauptmann zu Colberg, Erbherr auf Königsrode, Friedrichsrode, Willerode, u. s. w. starb, war am 16. Octbr. 1703 zu Lippehne in der Priegnitz geboren. Er ging auf das Pädagogium nach Halle, hielt dort eine öffentliche Rede im Jahre 1721: de incrementis pontificatus romani, und erwarb sich sehr schätzbare Kenntnisse. Wegen seiner ausgezeichneten Grösse nahm ihn der Fürst Leopold v. Anhalt-Dessau als Junker in sein Regiment, König Friedrich II. versetzte ihn 1740 zu seiner neuerrichteten Leibgarde mit dem Prädicat Oberstlieutenant v. d. A. und ernannte ihn in demselben Jahre zum Amtshauptmann in Colberg. Da er sich bei vielen Gelegenheiten rühmlich auszeichnete, so avancirte er nach und nach so weit, dass er beim Ausbruche des siebenjährigen Krieges zum Generalmajor befördert wurde. Er half den Sachsen bei Pirna mit einschliessen, war in der Schlacht bei Lowositz und drei Monate hindurch Commandant von Dresden. Im Jahre 1757 am 6. Mai wurde er in dem Treffen bei Prag von einer Kugel durchbohrt, und erhielt ausserdem zwei Prellschüsse, wohnte jedoch am 22. November desselben Jahres schon wieder der Schlacht bei Breslau bei, in der er tödtlich verwundet ward, worauf er am 27. Nov. seinen Geist aufgab. Er war mit Charlotte Dorothea Eva, einer Tochter des Geheimen-Finanzraths Christian v. Herold, vermählt, die ihm zwei Söhne und vier Töchter geboren hat.

Karl Ludwig v. I. starb im Jahre 1781 zu Heiligenbeil in Preussen als Generalmajor, Chef eines Garnisonregiments und Ritter des Ordens pour le mérite. Er war im Magdeburgischen geboren trat im Jahre 1726 in preuss. Dienste und wohnte allen Feldzügen Friedrichs des Grossen rühmlichst und mit Auszeichnung bei, durchlief die subalternen Grade, erhielt bei dem Entsatze von Colberg den Orden pour le mérite und wurde 1777 zum Generalmajor ernannt. Er war mit einer v. Wussow vermählt, aus welcher Ehe mehrere Kinder erzeugt waren.

Rudolph August v. J., ein Bruder des erwähnten *Johann Ludwig*, starb als Oberst a. D. und gewesener Commandeur eines Grenadierbataillons, zu Eisleben. Er war am 19. Decbr. 1704 im Mansfeldschen geboren, durchlief die Subalterngrade und wurde im Jahre 1744 Major in dem neuerrichteten Jung - Dohnaschen Füsilierregiment, 1748 ward er Oberstlieutenant und 1752 Oberster. Im Jahre 1757 erhielt er, Kränklichkeits halber den gesuchten Abschied, nachdem er sich bei vielen Gelegenheiten in den drei schlesischen Kriegen ausgezeichnet hatte. Er war mit Elisabeth Johanna v. Pfuhl, aus dem Hause Wimmelburg, vermählt, aus welcher Ehe ihn eine Tochter überlebte. Im Jahre 1806 dienten acht Mitglieder aus dieser Familie im Heere, von denen der Oberst v. I. Commandant von Cüstrin betrübenden Andenkens im Jahre 1814 gestorben ist. — Dagegen blieben auch zwei derselben auf dem Felde der Ehre, namentlich der bis zum Jahre 1806 als Pr. Lieutenant im Regimente Graf v. Wartensleben gestandene Major im 9. Infant. Regt., und der Capitain im 14. Infant. Regt., der früher im Regiment Graf Kunkeim gestanden hatte, Beide im Jahre 1813. — Ein Lieutenant v. I. stand bis zum Jahre 1806 in dem Kürassierregiment v. Reitzenstein; er war 1828 dem 4. Dragoner - Regiment als Major aggregirt, wurde später Oberst und Commandeur des 5. Kürassierregiments, schied als Generalmajor aus dem activen Dienst und lebt gegenwärtig im Pensionsstande zu Berlin. Er erwarb sich den Orden pour le mérite 1812 bei Garossenkrug in Kurland. Im Civildienst hat sich vorzüglich ausgezeichnet:

Karl Heinrich Ludwig v. I., geb. am 1. April 1753, der lange Jahre hindurch Präsident der Kriegs - und Domainenkammer zu Stettin, zuletzt aber Staatsminister und Oberpräsident der Rheinprovinz war, im Jahre 1828 den schwarzen Adlerorden erhielt, und am 14. Mai 1834 nach einer länger als sechzigjährigen Dienstzeit gestorben ist. — Gegenwärtig ist ein v. I. als Oberlandesgerichtsassessor zu Bromberg angestellt; es ist der älteste Sohn des erwähnten Generals a. D.

Das Wappen. Sie führen einen gestürzten schwarzen Trutenfuss im silbernen Schilde, die Spitzen desselben sind mit rothen Rosen belegt. Dasselbe Bild wiederholt sich auf dem Helme. Die Helmdecken Silber und schwarz.

Innsel, die Herren von.

Eine Familie dieses Namens kommt unter dem Adel der Mark Brandenburg und der Fürstenthümer Anhalt vor. Sie schrieb sich de Insula, und mehrere Autoren behaupten, dass eins der noch gegenwärtig blühenden Geschlechter v. Werder gleiche Abstammung mit Den de Insula, und den Namen blos ins Deutsche übertragen habe. Schon am Ende des 13. Jahrhunderts erloschen die Grafen Werder de Insula, die aus dem Hause Woldenberg abstammten. Jedoch führen Die von Innsel ein ganz anderes Wappen als die heutigen von Werder, nämlich ein quadrirtes silbernes Schild, in den Feldern 1 und 4 einen halben doppelten schwarzen Adler, und im 2. und 3. eine rothe Granate.

Jöden (Joeden), die Herren von.

Der König Friedrich Wilhelm II. gab am 7. Mai 1790 dem Gutsbesitzer *Johann Peter* v. Jöden auf Albran(?) ein Erneuerungs - oder Anerkennungsdiplom seines Adels. — In der Gegenwart besitzt die Familie von Jöden-Konicepolski die Güter Gönne im Neustettiner, Heinrichsdorf im Rummelsburger Kreise und Grumsdorf im Fürstenthums-Kreise der Provinz Pommern.

Johnemann, die Herren von.

In der Provinz Posen befindet sich eine Familie v. Johnemann. Im Jahre 1806 war schon bei der Regierung zu Posen ein v. J. als Justizcommissarius und Notarius publicus beschäftigt; er starb am 27. Juni 1832 zu Wygnaciowno als Justiz-Commissionsrath.

Jonas, die Herren von.

Die Edelleute dieses Namens, von denen einige in den preuss. Staaten sich niedergelassen oder aufgehalten haben, stammen von *Christoph Alexander* Jonas her, der im Jahre 1733 mit dem Prädicat von Jonasburg in den Adelstand erhoben worden ist.

Diese Familie führt im goldenen Schilde zwei schwarze Hahnenhälse und Köpfe, und auf dem Helme einen schwarzen Adlerflug.

Jonston (Johnston), die Herren von.

Die von Jonston stammen ursprünglich von einer vornehmen Familie in Schottland, deren Mitglieder zum Theil Barone des Königreichs und Parlamentsglieder waren, ab. Der Zweig, der sich auf das Festland und namentlich nach Schlesien gewendet hat, verehrt in *Johann* Jonston, edlem Herrn zu Krögburn in Schottland, sein Stammhaupt, aus seiner Ehe mit Marjana, des vornehmen Johannis Mori, Herrn von Anneston sind die in den diesseitigen Landen ansässigen v. Jonston Abkommen. Ein Enkel von ihm war der sehr berühmte Polyhistor Dr. *Johann* Jonston, Herr auf Ziebendorf bei Lüben, der zu Samter in Polen geboren war und als Gouverneur im Hause der reichen Freiherren von Kurzbach auf Lissa mehrere Jahre lebte. Später studirte er die Arzneiwissenschaft zu Gröningen und Leyden und hielt sich sodann in London auf. In sein Vaterland kehrte er nur zurück, um zwei vornehme junge Polen von da auf weite Reisen zu führen. Im Jahre 1630 kam er wieder nach Schlesien, und zehn Jahre später erkaufte er das noch heute der Familie v. Jonston angehörige Gut Ziebendorf bei Lüben. Dieser hochgelehrte Mann soll zwölf Sprachen gründlich verstanden haben, zahlreiche Schriften, von denen einige mehrere, eine sogar zwölf Auflagen erlebten, hatten ihm in der gelehrten Welt einen ausgezeichneten Ruf verschafft. Er starb am 8. Juni 1676 zu Ziebendorf, sein Leichnam aber liegt in der Pfarrkirche zu Lissa beerdigt. Er war zwei Mal verehelicht, hatte auch mehrere Kinder, doch überlebte ihn nur eine Tochter. Ein Neffe des gelehrten Mannes war, wie Sinapius meldet, 1720 Bestandes Inhaber der freiherrlich bibranschen Güter Modlau und Seifersdorf, und von diesem haben sich die Enkel und Urenkel in verschiedenen Kreisen Schlesiens ansässig gemacht. Gegenwärtig ist *Karl Alexander Sebastian* v. Johnston und Krögeborn, ehem. Landrath, Director der Liegnitz-Wohlauschen Fürstenthums-Landschaft, des rothen Adler- und Johanniterordens Ritter und Herr der Güter Mittel- Nieder- und Antheil Ober-Steinsdorf. Ein on Johnston ist Regierungsrath in Stettin. Im 7. Kürassier-Regiment steht der Rittmeister v. Johnston, Ritter des eisernen Kreuzes zweiter Kl., erworben in der Schlacht bei Leipzig.

Jordan, die Herren von.

1) Die Schlesien angehörige, uralte, im Mannesstamme ausgestorbene adelige Familie von Jordan- Alt- Patschkau besass seit langen Zeiten bedeutende Güter in verschiedenen Landschaften jener Provinz, namentlich Greschin bei Cosel, Lomnitz bei Rosenberg, Wittendorf bei Kreutzburg, Taschenberg bei Löwen u. s. w. Ihr Stammhaus Alt- Patschkau bei der Stadt Patschkau scheint schon seit langen Jahrhunderten aus den Händen der Familie gekommen zu sein. Im Jahre 1540 besass *Johann* v. Jordan- Alt-Patschkau die Greschiner Güter. Seine Tochter war mit dem Landeshauptmann von Kochtitzki vermählt. Um das Jahr 1690 lebte im Oppelnschen *Georg* v. Jordan, der mit Einer von Aulock und Märzdorf vermählt war. — *Erdmann Seyfried* von Jordan besass 1720 Wittendorf bei Kreutzburg. Der letzte von Jordan besass Bischdorf u. s. w. bei Rosenberg, seine zweite Tochter *Charlotte* wurde die Gemahlin des nachmaligen Präsidenten *Louis* v. Jordan, m. s. w. u. Das Wappen dieses alten Geschlechts zeigt im rothen Schilde und auf dem Helme einen geharnischten Arm, der einen blossen Degen hält. Auf dem letzten ist der Arm zwischen zwei blau und goldgestreiften Adlerflügeln dargestellt. Die Helmdecken roth und Silber.

2) Martin Louis Juske, der Sohn eines Gutsbesitzers in Pommern, wurde 1784 als Prediger nach Bischdorf bei Rosenberg in Schlesien berufen, heirathete das Fräulein *Charlotte* von Jordan und wurde im Jahre 1800 mit Beilegung des Namens von Jordan in den Adelstand erhoben. Er hatte 1789 sein geistliches Amt niedergelegt, die Schönwalder Güter bei Rosenberg erkauft und wurde nach nach und nach Oekonomie- Commissarius, Justizrath, Landrath, General- Landschaftsrepräsentant, Reg.- Rath und Präsident der General- Commission und Ritter des rothen Adlerordens dritter Kl. Dieser kenntnissreiche, thätige und hochverdiente Mann starb am 8. Aug. 1833, tief betrauert von seiner Familie und hochgeehrt von einem grossen Kreise seiner Bekannten. Ein Sohn von ihm ist der königl. Hauptmann v. Jordan im ersten Garderegiment in Potsdam, Ritter des eisernen Kreuzes, erworben im blutigen Kampfe am Montmartre. Er ist mit Einer v. Keltsch aus dem Hause Skarsine vermählt. — Diese Familie führt ein, von einer breiten blauen Strasse, die mit einem Pfeil belegt ist, getheiltes silbernes Schild. Die obere Hälfte ist mit drei Sternen belegt. Auf dem Helme steht zwischen zwei schwarzen Adlerflügeln ein Pfeil. Die Decken und das Laubwerk sind blau und Silber.

3) *Immanuel Gottfried* Jordan pommerscher Regierungsrath wurde am 20. Octbr. 1789 geadelt. Das ihm beigelegte Wappen zeigte im getheilten Schilde in der obern grünen Hälfte eine rothe Krone, in der untern silbernen Hälfte zwei Jagdhörner mit goldenem Bande und goldenen Beschlägen.

4) *Christian Louis* Jordan, aus der achtbaren und bekannten der französischen Colonie zu Berlin angehörigen Familie geboren, ehemals königl. wirkl. geheimer Rath, Legationsrath, gegenwärtig wirkl. Geheimer-Rath, ausserordentlicher Gesandter und bevollmächtigter Minister am königl. sächsischen und an den grossherzogl. und herzogl. sächsischen, fürstl. anhaltschen, schwarzburg. und reussischen Höfen, Grosskreuz und Ritter vieler hohen Orden u. s. w. ist am 17. Januar 1816 in den Adelstand erhoben worden. — Die Familie Jordan kam nach Aufhebung des Edicts von Nantes aus Frankreich und namentlich aus ihrem Heimathlande, der Provence, in die diesseitigen Lande. Sie besass Güter, und viele ihrer Mitglieder bekleideten Magistratswürden in verschiedenen Städten. Ihrer Güter und Stellen beraubt, betraten die J. die brandenburgischen Staaten, aber Umsicht, Thätigkeit und Industrie ver-

schafften der Familie bei uns das Ansehen wieder, welches sie durch den Drang der Umstände im Vaterlande verloren hatte. Sehr bekannt ist es, mit welcher besondern Vorliebe Friedrich der Grosse dem Geheimen-Rath Jordan, Präsidenten der königl. Akademie der Wissenschaften, zugethan war. Mehrere an ihn gerichtete Briefe und Episteln in den hinterlassenen Werken Friedrichs II. zeugen davon. — Der gegenwärtige wirkliche Geheime Rath, Gesandter und bevollmächtigter Minister am sächsischen Hofe von Jordan ist der Urenkel des oben erwähnten Präsidenten der Akademie, und seit dem Jahre 1792 im königl. Dienst. Das ihm und seinen Nachkommen beigelegte Wappen besteht aus einem silbernen Schilde, in dessen oberen Theile drei goldene Sterne vorgestellt sind; in der Mitte ist ein blauer, mit einem Pfeil belegter Strom (der Fluss Jordan) angebracht. Zwei Löwen sind zu Schildhaltern gewählt.

Jordaner, die Herren von.

Diese uralte angesehene adelige Familie gehört Polen, namentlich der heutigen Provinz Posen und auch Schlesien an. Schon um das Jahr 966 kommt *Trocharius* Jordaner (oft auch nur Jordan genannt) vor. Ihn schickte der Papst von Rom nach Posen, um daselbst den bischöflichen Stuhl einzunehmen. — *Nikolas* Jordaner, Wladislaws des Jagellonen Kanzler, ward 1411 Erzbischof v. Gnesen. Dieser Familie gehörte auch *Joseph* v. Jordan, Woywode von Braclaw in Podolien. Sie führt drei gegen die Ecken des silbernen Schildes gekehrte Jägerhörner mit gelben Beschlägen und Band. Auf dem gekrönten Helme zwei Büffelhörner, das vordere weiss, das hintere roth. Die Helmdecken weiss und roth. Die polnischen Linien haben schwarze Jägerhörner und fünf Straussfedern auf dem Helme. Okolski (Theil III. S. 225) nennt diese Hörner Tromby oder Familia Tubarum, Trompete. In eorum scuto tres tubae nigrae orificiis ad invicem junctae, in locis quatuor auro ornatae, circulum in medio habentes in Campo candido. Super Coronam sunt quinque pennae Struthionis.

Jork, die Herren von.

Ein ausgestorbenes, adeliges Geschlecht in Pommern und in Mecklenburg, das im silbernen Felde eine blaue Strasse (Fluss) und auf dem Helme acht roth und weisse Fähnlein führte.

Jornitz, die Herren von.

Ein schon lange erloschenes, altadeliges Geschlecht dieses Namens war nach Henelius S. 722 im Breslauschen begütert. Sie führten im rothen Schilde einen goldenen zwischen zwei schwarzen Adlerflügeln. Dasselbe Bild wiederholte sich auf dem gekrönten Helme. Die Helmdecken roth und Gold. Eine Linie führte im gespaltenen schwarzen und goldenen Schilde hier einen schwarzen Flügel, dort einen goldenen. Die Helmdecken gold und schwarz. Sinap. I. S. 494 II. S. 709.

Irwing, die Herren von.

Der ursprüngliche Name dieses adeligen Geschlechts ist Irvine v. Drume. Schottland ist sein Vaterland und Preussen seine zweite Heimath. Ein Zweig der Familie soll schon zur Zeit der Erbauung von Preuss.-Holland in jene Provinz gekommen sein. Der erste dieser Familie in Preussen war *Gilbert* v. I., der im Jahre 1486 in den deutschen Orden trat. — Sein Sohn *Alexander* v. I. liess sich in Labiau nieder. — Dessen Sohn *Wilhelm* v. I. hatte drei Söhne, von denen *Johann* v. I das Geschlecht fortpflanzte. Er war ein reicher unternehmender Kaufmann in Tilsit, wo viele wohlthätige Stiftungen für Kirchen und Schulen sein Andenken erhalten. — Von seinen Söhnen liess sich *Johann Albrecht* v. I., in Königsberg nieder, und *Wilhelm* v. I., starb im Jahre 1768 in dem ehrwürdigen Alter von 81 Jahren als königl. Ober-Consistorial- und Kammergerichtsrath in Berlin. — Seine Söhne und Enkel sind die später im Civil- und Militairdienst gestandenen v. I. In der Schlacht bei Mollwitz ist ein v. I. gefallen. In der Mittelmark war eine Linie dieses Hauses ansässig; ihr gehörte *Christian Ernst* v. Irwing an, der Oberst und Commandeur des Regiments von Lichnowski in Berlin war, 1795 General-Major und Commandant von Schweidnitz wurde, und daselbst im Jahre 1805 gestorben ist. Er war auch Ritter des Verdienstordens, den er sich 1778 bei Weisskirch erworben hatte. Ein anderer General v Irwing, geboren in Preussen um das Jahr 1741 starb nach langjährigen treuen Diensten als Chef des Dragoner-Regiments No. 3. und Ritter des Ordens pour le mérite, im Jahre 1820. Der Sohn des Generals *Christian Ernst* v. Irwing stand bis zum Jahre 1806 im Reg. von Winning in Berlin. Die Feldzüge der Jahre 1813 — 15 machte er als Capitain und Major im 24. Inf. Reg. mit, im Gefecht bei Luckau erwarb er sich das eiserne Kreuz, und im Jahre 1816 wurde dieser mit ehrenvollen Wunden bedeckte Stabsoffizier mit Oberstlieutenants-Charakter in den Ruhestand versetzt. Die Witwe des Herrn v. Gloger, Erbfrau auf Rosengarten bei Frankfurt an der Oder, ist eine von Irwing.

Die v. Irwing führen im silbernen Schilde drei Bündel Stechpalmblätter, jedes aus drei Blättern bestehend und von einem rothen Rande umwunden. Auf dem Helme liegt ein Bündel solcher Stechpalmblätter. Auf einigen Abdrücken fanden wir auch ein Bund Pfeile. Eine Hauptzierde dieses Wappens ist die Devise: „Sole, sub umbra virens" (Im Sonnenschein und im Schatten grünend). Diese Worte beziehen sich auf die unwandelbare Treue, mit welcher die Vorfahren dieses Geschlechtes das Schicksal des Königs Eduard I. im Glück und Unglück theilten.

Ising, die Herren von.

Eine westphälische und hessische Familie, aus der drei Brüder bis zum Jahre 1806 in dem Regiment Kurfürst von Hessen dienten. Der älteste von ihnen ist gegenwärtig Major im 39. Inf. (7. Reserveregiment), der zweite wurde 1809 dimittirt, und der dritte starb noch im Jahre 1806. — Ein vierter von Ising diente damals im Regiment v. Lettow später im 26. Inf.-Regiment und ist gegenwärtig Major und Commandeur des 3. Bat. 15. Landwehr-Regiments, auch Ritter mehrerer Orden, namentlich des eisernen Kreuzes, erworben bei Ligny.

Isselstein, die Herren von.

Eine adelige westphälische Familie, welcher der gegenwärtige Ober-Landesgerichtsassessor v. Isselstein zu Essen angehört.

Itzenplitz, die Grafen und Herren von.

Mehrere alte Historiker leiten das uralte adelige Geschlecht Der v. Itzenplitz oder Nitzenplitz von den alten Grafen v. Hotzenplotz, deren gleichnamiger Stammort das kleine, auf einer österreichischen, nach Schlesien hineinlaufenden schmalen Landzunge, zwischen Neustadt und Leobschütz liegende Städtchen ist, ab. Wahrscheinlicher aber ist es, dass Die v. Itzenplitz zu den Geschlechtern gehören, die schon unter Karl dem Grossen, oder Albrecht dem Bären in die Mark gekommen sind. Einige Schriftsteller lassen sie in Beziehung auf die Endigung ihres Namens von den alten wendischen Urbewohnern abstammen. Schon vom Jahre 1315 an blüht das Haus Nitzenplitz oder Itzenplitz in den Marken. Im Jahre 1361 wurden die Vesten *Lüde*, *Henning*, *Tile*, *Heinicke* und *Winicke*, fünf Gebrüder Nitzenplitz vom Kurfürsten Ludwig dem Römer mit Radeinin bei Rathenow belehnt. Dieses Gut ging 1397 an Die von der Schulenburg über. *Anna* v. Itzenplitz war 1481 Oberin im Kloster Arendsee. — Im Jahre 1530 war *Güntzel* v. I. auf Grieben und Besikau bei der kurbrandenburgschen Gesandtschaft auf dem Reichstage zu Augsburg. *Hans Joachim* v. I. starb 1569 als kurbrandenburg. Kriegscommissarius in der Altmark und im Jahre 1739 fiel ein v. I., kaiserl. Generaladjutant, bei Grotzka in Ungarn. — Am 6. Juli 1798 wurde *Friedrich Dietrich Wiprecht Güntzel* v. I. auf Grieben in der Altmark, und im Jahre 1815 *Peter Ludwig Friedrich Johann Alexander* v. I. auf Bohnitz in den Grafenstand erhoben. — In der Altmark besitzt das nun gräfliche Haus schon seit Jahrhunderten die Güter Grieben, Bievkau, Jerchel, u. s. w.; später erwarb es auch in der Kur- Mittel- und Neumark ansehnliche Besitzungen. Auch war ein Zweig im Cleveschen begütert, wo namentlich Hönnöpel und Ober- und Nieder-Mörmter dem weiter unten näher erwähnten Generallieutenant *August Friedrich* v. I. auf Jerchel gehörte, der die genannten Güter im Jahre 1739 vom Könige Friedrich Wilhelm I. zu Lehn erhielt. In der preuss. Armee haben sich drei Brüder v. I., aus dem Hause Jerchel, vielen Ruhm erworben. Der Vater derselben war *Balthasar Friedrich* v. I. auf Grieben und Jerchel, der in erster Ehe mit Katharine Sophie v. I., und nach deren Tode mit Sophia v. Ziethen vermählt war. Der Sohn aus erster Ehe:

August Friedrich v. I. war im April 1693 geb. und wohnte in einem noch jugendlichen Alter dem spanischen Erbfolgekriege, namentlich der Eroberung von Dornick und der Schlacht bei Malplaquet bei. Nach dem Frieden zu Utrecht und dem Feldzuge in Pommern erwies er sich mehrere Jahre hindurch ausserordentlich thätig bei den Werbungen im Reiche, in der Schweiz und in Italien, er verschaffte der Armee eine grosse Anzahl schöner Leute, und erwarb sich dadurch die besondere Gnade Königs Friedrich Wilhelm I., der ihm zu verschiedenenmalen nicht unbedeutende Gnadengeschenke, eine Prälatur zu Camin und die Anwartschaft auf die oben genannten Lehngüter im Cleveschen ertheilte. König Friedrich II. schenkte dem Obersten v. I. nicht minder, wie sein Vater, Vertrauen und Werthschätzung; er rechtfertigte auch dieselbe auf die glänzendste Weise durch seine Dienste in den Schlachten bei Mollwitz, Czaslau und Hohenfriedberg. In der letztern Schlacht erwarb er sich an der Spitze des damals v. Hackeschen Infant. Regiments den Orden pour le mérite. Am 5. Decbr. 1750 wurde er Generalmajor und am 3. Novbr. 1751 Chef des vacant gewordenen Regiments v. Schwerin. Die Schlachten von Lowositz, Prag und Rossbach flochten neue Lorbeeren um sein Haupt; bei Rossbach eroberte er mit seiner Brigade eine feindliche Batterie, bald darauf wurde er

zu wichtigen Expeditionen in Sachsen und Böhmen gebraucht. Er ver-
brannte im Jahre 1757 die Brücke bei Leutmeritz, einer der wichtigsten Uebergangspunkte über die untere Elbe. Diese Dienste belohnte
Friedrich am 23. Januar 1758 durch die Ernennung zum Generallieutenant. An der Spitze eines Armeecorps deckte der General v. I.
in seiner Stellung bei Dresden Sachsen gegen die Oesterreicher und die
Reichsarmee. Er bewies dabei so viel Klugheit und Vorsicht, dass
ihm sein grosser Monarch das Band des schwarzen Adlerordens um-
hing. Im Jahre 1759 drang er mit seinem Corps bis Bamberg vor,
und am 12. Aug. desselben Jahres befehligte er den rechten Flügel
des zweiten Treffens in der blutigen Schlacht bei Cunnersdorf. Schon
am Anfange des Kampfes erhielt er einen leichten Streifschuss, bald
darauf wurde ihm das Pferd unter dem Leibe erschossen, und dabei
der linke Fuss stark gequetscht, eine kleine Kugel verletzte seine
linke Schulter, eine andere fuhr ihm durch die rechte Hand; er nahm
nun den Degen in die linke und setzte ruhig und mit voller Besin-
nung sein Commando fort. Endlich fiel er entkräftet vom Blutver-
luste vom Pferde, er setzte sich aber auf die Erde nieder und verliess
seinen Platz nicht eher, bis die Armee sich zum völligen Rückzuge
anschicken musste. Man brachte ihn, mit Wunden bedeckt, zuerst
nach Cüstrin, alsdann nach Stettin; hier endigte sein Heldenle-
ben am 25. September 1759. Er war mit Charlotte Sophie, einer
Tochter des Geheimen Staatsministers Adam Otto v. Viereck, vermählt,
die ihm einen Sohn und eine Tochter geboren hat.

    Joachim Christian Friedrich v. I., ein jüngerer Sohn des *Bal-
thasar Friedrich* v. I., aus der zweiten Ehe, wurde, wie sein Stiefbruder, *August Friedrich* v. I., in der Schlacht bei Cunnersdorf verwundet, und starb am 18. April 1765 zu Neustadt-Eberswalde als
königl. Generalmajor und Chef eines Dragonerregiments. Er war
zweimal vermählt, zuerst mit Victoria Sophie v. Röder, und nach deren
Tode mit Charlotte Wilhelmine v. Bär, einer Enkelin des berühmten
Bischofs Ursin v. Bär.

    Heinrich Friedrich v. I., der dritte der Brüder, machte an der
Spitze eines Grenadierbataillons die schlesischen Feldzüge mit, und
war als ein sehr tapferer Offizier in der Armee bekannt, er starb
aber schon als Oberstlieutenant am 28. Novbr. 1751.

    In neuerer Zeit hat sich *Peter Ludwig Friedrich Johann Alexander*
v. I., seit dem Jahre 1815 Graf v. I. auf Bohnitz u. s. w., eigentlich
Gr. Bohnitz u. s. w. im Havellande, im Staatsdienste, sowie als Ver-
besserer und Verschönerer seiner Güter grosse Verdienste erworben.
Er starb als Geheimer Staatsrath a. D. und Ritter hoher Orden am
18. Septbr. 1834.

    Von seinen Söhnen ist Graf *Heinrich* v. I. königl. preuss. Re-
gierungsrath und vermählt mit Luise Freiin v. Sierstorff (Dryburg).
Der zweite Sohn, *August* Graf v. I., ist Rittmeister v. d. A., Landrath des Kreises Stendal und Herr auf Jerchel, der dritte, *Wilhelm*,
Graf v. I., Lieutenant bei dem 8. Landwehrregiment.

    Die einzige Tochter des Geheimen Staatsraths, *Marie*, Gräfin v. I.,
ist die Gemahlin des gegenwärtigen Chef-Präsidenten der Regierung
zu Merseburg, Herrn v. Meding.

    Die Griebener Güter bei Tangermünde besitzt gegenwärtig der
königl. Major v. d. A. Teichhauptmann und Deputirte bei der General-
Direction der Feuer-Societät des Herzogthums Magdeburg und der
Grafschaft Mansfeld, v. I. Er ist Ritter des Militair-Verdienstordens
(erworben vor Mainz 1793) und des eisernen Kreuzes 2. Klasse am
weissen Bande mit schwarzen Streifen. — Aus diesem Hause dienen

zwei Söhne in dem 6. Kürassierregiment, genannt Kaiser von Russland, garnisonirend zu Rathenow.

Das ursprüngliche Wappen Der v. Itzenplitz zeigt einen goldenen und drei schwarze Bärenköpfe mit silbernen Halsbändern auf einem schräg liegenden Balken im blauen Felde. Auf dem Helme steht ein halber rechtsschender Bär, der eine Pfauenfeder in der rechten Tatze hält.

Das gräfliche Wappen ist gespalten; in der rechten Hälfte sind auf einem quer gelegten Balken die drei v. I.schen Bärenköpfe angebracht, in der linken Hälfte steht ein silbernes Bischofs - oder Passionskreuz, welches jedoch unten verlängert ist und spitzig zugeht, zwischen zwei, ein Hufeisen bildenden, silbernen Hörnern. Dieses Schild ist mit einer neunperligen gräflichen Krone bedeckt; sie trägt zwei Helme; aus der Krone des ersten wächst der oben beschriebene Bär, auf der des linken Helms ruht ein gerüstetes, blutendes Bein. Die Helmdecken sind roth und silber.

Nachrichten über diese Familie findet man in Gauhe, I. S. 711. und Anhang S. 1598. Pauli, V. S. 217—222. Seiferts Genealogie hochadeliger Eltern und Kinder S. 287. Siebmacher giebt das Wappen Der v. I. III. S. 140, und v. Meding beschreibt es III. No. 386.

Juden, die Herren von.

Die Familie von Juden gehört zu dem stiftsmässigen Adel in Westphalen. Sie stammt aus Cöln und hat sich schon vor langen Zeiten im Stifte Paderborn ansässig gemacht. Im Jahre 1806 befand sich ein Domherr von Juden im Capitel zu Minden. — In Baiern ist eine Familie von Juden mit dem Prädicat von Druckberg ansässig. Sie führt im silbernen Schilde das Brustbild eines Juden mit rothem Latze, einer spitzigen rothen Mütze und langem Barte. Dieses Bild wiederholt sich auf dem Helme, hier hat die Mütze einen goldenen Aufschlag, und der Jude trägt eine goldene Halsbinde. Siebmacher giebt dieses Wappen im I. Th. S. 84. Ueber die westph. Familie v. J. findet man nähere Auskunft im Neuen Genealog. Handbuch 1777, S. 261. und 1778 I. Th. S. 313.

Jungingen, die Herren von.

Ein vornehmes adeliges Geschlecht in Franken und Schwaben, das um das Jahr 1490 erloschen ist und nur durch Adoption eines von Mieringen, Gemahls der Tochter des letzten Ritters von Jungingen, fortbestand. — Zwei Mitglieder dieser Familie, die beide Conrad hiessen, waren Hofmeister des deutschen Ordens in Preussen. Sie folgten dem Ritter Conrad v. Wallenrod und gingen dem bekannten Heinrich Reuss von Planen voran. Conrad v. J. war der 23ste Hochmeister des Ordens und der 12te, der seinen Wohnsitz in Preussen aufschlug. Das Familienwappen Der v. J. bestand aus einem weiss und blau quadrirten Schilde ohne alle Bilder, daher das, welches die beiden Grossmeister führten, und das in der Kirche zu Marienburg zu sehen ist, bloss aus dem Ordenskreuze in den Feldern 1 und 4, und aus zwei leeren Quadraten in den Feldern 2 und 3 besteht. So giebt es auch Siebmacher, II. Th. 91 und V. Th. 27. M. s. auch Gauhe II. Th. S. 499.

Jungken, die Freiherren und Herren von.

Das alte, ehemals reichsritterliche Geschlecht Der von Jungken im Canton Kocher hatte eine Linie, die sich v. J., genannt Münzer von Mohrenstamm zu schreiben pflegte. Aus derselben war *Martin Eberhard Freiherr* v. J., genannt Münzer von Mohrenstamm, königl. preuss. General-Major und Chef eines Infanterieregiments, Erbherr auf Adelmannsfelden in Schwaben. Er hatte bei Peterwardein, vor Belgrad, auf Sicilien und in Deutschland schon gefochten, als er aus württembergischen Diensten 1741 in die Armee König Friedrichs II. trat, zuerst Oberst und Commandeur des v. Kirdeselschen Regiments und bald darauf Chef des vac. Reg. von Dohna wurde. Er leistete die treuesten Dienste in den schlesischen Kriegen, eben so auch zu Anfange des siebenjährigen Kampfes, bat aber seiner schwächlichen Gesundheit wegen um seine Entlassung, die er auch im Jahre 1759 erhielt. Darauf begab er sich auf sein Gut Adelmannsfelde in Schwaben, wo er bald darauf in einem Alter von 80 Jahren starb. Er war mit Eleonore Magdalene v. Vohenstein vermählt, aus welcher Ehe ihm fünf Söhne und eine Tochter geboren wurden.

Sie führen ein golden damascirtes, durch einen mit der Spitze nach oben gelegten schwarzen Sparren in drei Theile zerfallendes Schild. In jedem der drei Theile ist ein nach der rechten Seite gewendeter, mit einer Binde um den Kopf angethaner Mohrenkopf vorgestellt. Auf dem ungekrönten Helme liegt ein schwarz und goldener Bund, mit einem rechts schwarzen, links goldenen, wehenden Bande, auf demselben sind zwei mit den Sparren und den Mohrenköpfen belegte goldene Adlerflügel angebracht. Dieses Wappen giebt Siebmacher V. Zusatz No. 2?.

Junk, Herr von.

Der König Friedrich II. erhob seinen Legationsrath und Residenten bei der freien Stadt Danzig *Johann Anton* Junk am 20. Oct. 1766 in den Adelstand. Er hat, soviel wir haben in Erfahrung bringen können, keine Nachkommen hinterlassen.

Jurgas, die Herren von.

Das alte brandenburgische Geschlecht der Jürgas oder Jurgas, eigentlich Wahlen, genannt Jurgas, das seit langen Zeiten in dieser Provinz ansässig war, und namentlich das schöne Gut Ganzer nebst Zubehör, aber auch die Güter Dessow, Drieplatz, Loyow, Metzeltin u. s. w. im Lande Ruppin, Wulkow in der Priegnitz, besass, ist mit dem weiter unten erwähnten General *Alexander Georg Ludwig Moritz Constantin Maximilian* von Wahlen - Jurgas und seinem Bruder, dem v. Wahlen-Jurgas auf Ganzer, erloschen, und der Name mit königl. Erlaubniss durch Adoption auf einen Neffen, wie wir an seiner Stelle berichten werden, übergegangen. — *Georg Christoph* v. Wahlen-Jurgas, Major und Landrath des Ruppinschen Kreises, war der Vater des oben Erwähnten.

Alexander Georg Ludwig Moritz Constantin Maximilian v. Wahlen-Jurgas, der am 5. Juni 1758 zu Ganzer geboren, auf der école militaire zum Kriege gebildet wurde, im Jahre 1775 in das damalige Regiment Gensdarmen trat und darin 1803 zum Major avancirte. Im unglücklichen Feldzuge von 1806 von einer Masse feindlicher Reiterei

umzingelt, griff es, aus ungefähr 350 Mann bestehend, herzhaft den
Feind an, und kämpfte auf einem sehr ungünstigen Terrain gegen
die französische Division Beaumont, bis es ganz umzingelt war. Obgleich der Major v. J. im nächtlichen Getümmel einen Hieb über den
Kopf erhielt, so sammelte er dennoch brave Kameraden, schirmte
die Standarte, schlug sich muthig durch die Feinde und erreichte
einen Wald. Das Corps gelangte nach Boitzenburg und am andern Tage
zu dem Corps des Prinzen v. Hohenlohe, welches auch im Begriff war,
das Gewehr zu strecken. v. J. entzog sich dieser Schmach und entkam noch einmal glücklich, indem er zu dem Corps des Generals v.
Bila stiess, mit dem er nun doch endlich bei Anklam gefangen wurde.
Nach dem Tilsiter Frieden lebte er bei seinem Bruder zu Ganzer.
Bei der neuen Formation erhielt er 1809 wieder eine Anstellung im
brandenburg. Kürassierregiment, zwei Monate darauf ward er Commandeur des brandenburg. Dragonerregiments, 1812 aber Oberstlieutenant und dem Corps des Generals v. Grawert in Kurland zugetheilt.
Er befehligte meistentheils die Vorposten, wozu seine ungemeine Thätigkeit und Wachsamkeit ihn vorzüglich eignete. Im Jahre 1813 commandirte er als Oberst eine Brigade in dem Corps seines vertrauten
Freundes, des damaligen Generals v. Blücher. Er focht tapfer bei
Gr. Görschen und Bautzen, und erhielt bei Hainau, als er in die
feindlichen Vierecke einbrach, einen Schuss in den Schenkel. Später
erfocht er in der Leipziger Schlacht (den 16. Octbr.), besonders in
dem furchtbaren Kampfe um Möckern, den glücklichen Erfolg dieses
entscheidenden Tages, und ward dafür zum Generalmajor erhoben.
In Frankreich wurde er mit der Reserve-Reiterei an die Befehle des
Prinzen Wilhelm gewiesen, der den Vortrab des Heeres führte. Bei
Lachaussée traf er auf die französische Reiterei vom Corps des Marschalls Macdonald, warf sie über den Haufen und eroberte eine Standarte, 5 Kanonen und die dazu gehörigen Pulverwagen. In der
Schlacht von Laon entriss er dem Feinde 15 Kanonen und 35 Artille-
riewagen. Im Jahre 1815 in der Schlacht von Ligny leitete der Generalmajor v. J. die Angriffe auf das Dorf St. Amand la Haye. In der
Nacht erhielt er in dem Getümmel einen Schuss unter der linken Schulter, nahe am Herzen. Er erhielt darauf im Jahre 1816 den ehrenvollen Abschied als Generallieutenant. Von da an lebte er abwechselnd
in Berlin und bei seinem Bruder zu Ganzer, woselbst er am 8. Novbr.
1833 nach langen höchst bittern körperlichen Leiden starb. Als besondere Anerkennung seiner Verdienste schmückten den tapfern und
erfahrenen General ausser vielen fremden Decorationen der Orden pour
le mérite, für einen siegreichen Angriff auf die feindliche Cavallerie
im Gefechte bei Garossenkrug am 19. Octbr. 1812, und das eiserne
Kreuz 1. Klasse für die Schlacht von Gr. Görschen. Den Verdienstorden mit Eichenlaub erhielt er bei der Ernennung zum Generalmajor, den rothen Adlerorden 2. Klasse für die Schlacht von Ligny, und
den rothen Adlerorden 1. Klasse bei seiner Entlassung.

Eine Linie Derer v. Jurgas hatte sich auch nach Preussen gewendet. Ihr gehörte der Oberst *Johann Friedrich* v. Jurgas an, der noch
im Jahre 1799 Commandant von Weichselmünde war und im Jahre
1800 gestorben ist. — In Pommern war ein anderer v. *Wahlen-Jurgas* geboren, der bis zum Jahre 1806 in dem Leibhusarenregiment als
Oberst stand, und 1815 im Pensionsstande gestorben ist.

Die v. Jurgas führen oder führten im blauen Schilde einen silbernen Delphin mit rothem Schwanze und rothen Flossfedern, und auf
dem Helme ein silbernes Meerfräulein, das in der rechten Hand einen
Strauss brauner Blumen an grünen Stengeln hält. Die Helmdecken
blau und silbern.

Juszenski, die Herren von.

Das Hasselsche Wappenbuch giebt Pag. 109^b das Wappen einer westpreussischen adeligen Familie dieses Namens, die im silbernen Schilde eine rothe sechsblättrige Rose führt; dieses Bild wiederholt sich auch auf dem Helme.

Jutrzenka (Jutrezenka), die Herren von.

Eine adelige Familie dieses Namens gehört ihrem Besitzthume nach seit langen Jahren der Provinz Pommern an. Sie besitzt noch gegenwärtig verschiedene Güter in dieser Provinz. Gundling führt schon die v. Jutrzenka als Besitzer von Antheilen der Güter Czarnadombrowa oder Czarndamerow, Trebiatkow und Stüdnitz an. Brüggemann nennt einen *Johann Friedrich* v. Jutrzenka als Besitzer von Trebiatkow (eigentlich Trzebiatkow ^{b}). Gegenwärtig gehört *Karl* v. Jutrzenka der Antheil Trebiatkow ^{a} im Kreise Lauenburg-Bütow. Ebendaselbst besitzen die Brüder *Johann*, *August* und *Michael* v. J. Antheile an dem Dorfe Gross-Gustkow. *Michael* v. Jotrzenka-Trzbiatowski besitzt einen Antheil an Rekow in demselben Kreise. Ein Zweig dieser Familie führt das Prädicat von *Morgenstern* namentlich der Hauptmann a. D. Jutrzenka v. Morgenstern zu Domnau in Preussen, früher im Regiment v. Besser. Ein pens. Major v. J. früher im Regiment von Matschitzki in Brieg, dann Capitain im 15. Inf.-Regiment, starb 1819, ein anderer, Major a. D. v. Jutrzenka, früher im Regiment v. Grawert, starb 1826. Ein Capitain und Chef der 7. Inf.-Regiment-Garnison-Compagnie (früher im Regiment von Courbiere) ist 1824 gestorben.

Ivernois, die Herren von.

Die Familie von Ivernois stammt aus dem Fürstenthume und Schweizer-Canton Neuenburg. Sie ist in der ersten Hälfte des vorigen Jahrhunderts in den preuss. Adelstand erhoben worden. — *Abraham* I. war 1730 Staatsrath zu Neufchatel, er wurde 1746 Castellan oder Schloss- und Amtshauptmann von Landeron. Auch gehörte dieser Familie der im Jahre 1813 als Militair-Gouverneur der Provinzen jenseits der Elbe zu Frankfurt a. d. O. gestorbene General-Major v. I. an. Er war früher Oberst und Chef eines Bats. der westphälischen Füsilierbrigade zu Münster und hatte bei Weidenthal, in der Rheincampagne, den Militair-Verdienstorden erworben. Sein Sohn war Major und Flügel-Adjutant Sr. Majestät und ist gegenwärtig bei der Gesandtschaft zu Paris beschäftigt. — *Henri* d'Ivernois ist jetzt Castellan von Gorgier im Fürstenthume Neufchatel. — M. s. Leu Schweizer-Lex. X. B. S. 635 — 636.

Iwatzow, die Herren von.

Eine wahrscheinlich bei uns ausgegangene adelige Familie in Pommern, der namentlich ein Antheil des Rittergutes Parlin im Kreise Saatzig gehörte; Brüggemann übergeht jedoch bei der im 2. Theile 1. Bande, S. 273 gegebenen Aufführung der Besitzer diese Familie.

Iwonski, die Herren von.

Aus dieser adeligen polnischen und preussischen Familie haben mehrere Glieder in der Armee gedient. — Der im Jahre 1820 aus dem 11. Garnison-Bataillon geschiedene Major v. Iwonski lebt pensionirt in Schlesien; er hatte bis zum Jahre 1806 in dem Regiment von Sanitz gestanden. Ein anderer v. I. stand im Regiment v. Tschammer zu Stendal, erwarb sich bei Dennewitz das eiserne Kreuz und schied 1873 aus dem 5. Inf.-Regiment, wo er aggr. Capitain war, mit Inactivitätsgehalt aus. — Ein Sohn des Majors, Lieutenant im 23. Landwehr-Regiment, lebt in der Gegend von Neisse und ist mit einer v. Kalinowska aus dem Hause Hilbersdorf vermählt.

Sie führen im silbernen Schilde ein Hufeisen, die Haken nach oben gestellt; in der Mitte desselben steht ein Stern. Auf dem gekrönten Helme ist eine Taube mit ausgebreiteten Flügeln, die im rechten Fusse das näher beschriebene Hufeisen hält.

K.

Kämpf, die Herren von.

Der König Friedrich Wilhelm II. erhob am 14. Octbr. des Jahres 1786 den Hauptmann *Joh. Christ.* Kämpf in den Adelstand. Er war in der Lausitz geboren und 1806 Major im Ingenieurcorps, und Ingenieur de la Place in Schweidnitz. Das dieser Familie beigelegte Wappen zeigt ein getheiltes, oben blaues, unten silbernes Schild, in dem blauen Felde einen eisernen, ein Schwert mit goldenem Griff haltenden Arm, im silbernen Felde steht ein grosser brauner Vogel auf grünem Berglein, in dem rechten Fusse eine Kugel haltend. Auf dem gekrönten Helme ist eine weissgekleidete Jungfrau mit braunen fliegenden Haaren vorgestellt; sie hält in jeder Hand eine roth und silberne Fahne an brauner Stange. Das Schild hält auf der rechten Seite ein preuss. Adler, auf der linken ein Löwe von natürlicher Farbe. Es ruht auf einem Fussgestelle von buntem Marmor. Die Decken blau und silbern.

Kaisenberg, die Herren von.

Bei der Regierung zu Heiligenstadt stand als Director der Geh. Justizrath von Kaisenberg, er wurde später Chef-Präsident des Oberlandesgerichts zu Halberstadt und starb im Jahre 1835 auf seinem Landsitze bei Heiligenstadt. Die schönen Gebäude und Anlagen am und auf dem Rustenberge, einer bedeutenden Höhe, die sich an der Strasse von Heiligenstadt nach Cassel erhebt, verdankt die Landschaft dem ehrenwerthen Verstorbenen. Drei Söhne desselben stehen in der Armee.

Kahlbutz, die Herren von.

Aus dieser adeligen Familie war *Caspar Friedrich* v. Kahlbutz, der, am Ende des 17. Jahrhunderts auf dem Gute Kampehl in der Priegnitz, eigentlich in dem Lande Ruppin, wo auch v. Gundling sie als Besitzer dieses Gutes aufführt, geboren, 1706 in preuss. Dienste

55

trat, 1732 Hauptmann, 1735 Major, 1741 Oberstlieutenant und 1744 Oberst wurde. Er wohnte dem ersten schlesischen Kriege bei, erhielt 1742 das Commando eines Grenadierbataillons, war 1744 bei der Armee des Königs, als sie in Böhmen einrückte, eroberte das Schloss Teschen, dessen Besatzung er zu Kriegsgefangenen machte, focht dann tapfer bei der Bestürmung des Ziskaberges vor Prag, und blieb am 5. Juni 1745 in der Schlacht bei Hohenfriedberg auf dem Felde der Ehre.

Balzer Julius v. K., ein Bruder des Vorigen, stand 1713 als gefreiter Corporal in dem damaligen v. Borckschen Regimente, und avancirte darin bis zum Major. Im Jahre 1746 ward er Oberst und Commandeur des damaligen v. Puttkammerschen Infanterieregiments, und erhielt im Jahre 1750 das stettinsche Landregiment. Sein Tod erfolgte im Jahre 1752 zu Stettin.

Kahlden, die Herren von.

Das Geschlecht der v Kahlden gehört zu dem alten Stammadel der Insel Rügen, und die Güter Kotelwitz, Maltzin, Rentz, Schoritz, Savenitz, Unrof und Zicker sind seit langen Zeiten alte Besitzungen dieser Familie, die grösstentheils noch heute im Besitz derselben sind. Linien dieser Familie haben sich auch in andern Theilen von Pommern, in Schlesien, in der Lausitz, in Westphalen, besonders aber auch in Mecklenburg, niedergelassen und ansässig gemacht. Schon in den frühesten Zeiten bekleideten Ritter aus dem Hause der K. ansehnliche, zum Theil hohe Würden. Man findet sie in jener Zeit auch mit unter dem Namen Kalende aufgeführt. — *Erich* von Kalende auf Rentz war von dem Jahre 1471 Landvoigt auf Rügen, er war dem in Stralsund ermordeten Ritter Raven Barneckow in dieser Würde gefolgt. — *Jarslav* v. Kahlden war zuerst Gardvoigt und vom Jahre 1536 — 1554 Landvoigt auf Rügen. — Dieselbe Würde bekleidete vom Jahre 1558 — 1560 wieder ein *Erich* v. K. — In Schlesien kommt dieselbe Familie, wie die Gleichheit des Wappens deutlich bezeugt, unter dem Namen v. Kahle und Kahlow schon im 14. Jahrhundert vor. Sie soll mit des Herzogs Heinrich des Treuen zu Glogau und Oels Gemahlin, Mechtilde, einer geb. Prinzessin von Braunschweig, aus Pommern nach Schlesien gekommen sein. An dem Hofe des Herzogs Conrad v. Oels war ein Ritter *Gunclinus* v. K. sehr angesehen. — Nach Westphalen kamen sie durch *Henning Alexander* v. K., den wir unten näher anführen werden. Sie erwarben daselbst durch Heirath die Kannenbergschen Güter, und das von diesem Hause auf sie übergegangene Erbmarschallamt im Fürstenthume Minden. Noch im Jahre 1806 werden die v. K. als Erbmarschälle im Fürstenthume Minden durch das Staatshandbuch aufgeführt, namentlich war damals *Leopold Wilhelm Ferdinand* v. K. im Besitze dieses Erbamtes. In der Gegenwart fehlen die westphälischen Erbämter in dem Handbuche über den königl. preuss. Hof und Staat. — In der Gegenwart ist der v. K. auf Neclade von Seiten der Ritterschaft Curator des adeligen Fräuleinklosters in Bergen auf Rügen. In demselben Kloster ist *Karoline* v. K., jetzt Canonissin. — Im Kreise Pyritz ist noch heute der Rittersitz Gottberg in den Händen der Familie. Es war früher ein v. Waldowsches Lehn, das König Friedrich II. am 31. Octbr. 1742 nach dem Tode des letzten Lehnträgers, Friedrich Leopold v. Waldow, dem unten näher erwähnten Lieutenant, nachmaligem Generalmajor, *Henning Alexander* v. K., ertheilte. Nach dem Tode des Generals fiel es an seine Kinder *Wilhelm Leopold Ferdinand*, *Friedrich Alexander* und *Charlotte Friederike Wilhelmine* v. K., die sich mit dem Grafen v. Mellin vermählt hatte. — Eine Linie der Familie v. K. führt den Namen von Kahlden-Normann. Im Jahre 1790 erhielt nämlich *Balthasar Ernst Alexander Ferdinand* v. K. die Erlaubniss, den Namen und das Wappen seines Oheims mütterlicher Seite und Adoptivvaters, des Generals Georg Balthasar v. Normann, mit dem seinigen vereinigen zu dürfen. Diese Linie ist gegenwärtig in dem Besitze von Zicker u. s. w. auf der Insel Rügen.

Henning Alexander v. K. war 1713 auf der Insel Rügen geboren, trat mit 15 Jahren in das damalige Regiment v. Schwerin, und 1738 nahm ihn König Friedrich Wilhelm I. in sein Leibregiment. König Friedrich II. ernannte ihn zum Flügeladjutanten, und er begleitete als solcher den Monarchen in den ersten schlesischen Krieg, wurde 1742 Major von der Armee; im zweiten schlesischen Kriege wurde er in der Schlacht bei Sorr verwundet, 1754 ward er Oberst, ging dann mit seinem Grenadierbataillon nach Sachsen, wurde in der Schlacht bei Collin verwundet, und darauf 1757 zum Generalmajor ernannt. In der Schlacht bei Lenthen commandirte er eine Brigade auf dem rechten Flügel, und trug wesentlich zum Siege bei, so wie er sich auch in den übrigen Feldzügen auszeichnete. Bei Zorndorf erhielt er einen Prellschuss am Fusse, achtete aber nicht darauf, sondern blieb im Gefechte. Nach Beendigung der Schlacht fand es sich aber, dass der Knochen gefährlich verletzt sei, es wurde zur Amputation geschritten, er starb jedoch während der Operation am 27. Octbr. 1758. Er war mit Sophie Friederike, des Oberhofmeisters der Königin Elisabeth Christine, Freiherrn v. Kannenberg Tochter, vermählt, in welcher Ehe zwei Söhne geboren wurden.

Im Jahre 1806 standen mehrere Offiziere dieses Namens in der Armee, von denen einige den Tod auf dem Felde der Ehre starben, namentlich stand im Regiment vacant v. Borcke ein Lieutenant v. K., welcher 1813 als Stabscapitain im 8. Infanterie-Regiment blieb. — Ein anderer stand im Regiment Rüchel und starb 1813 als Capitain an seinen ehrenvoll erhaltenen Wunden. — Ein Lieutenant dieses Namens stand früher im Regiment v. Kroff, wurde 1815 Capitain und Kreisbrigadier bei der Gensdarmerie, und schied 1816 als Major mit Pension aus; er erwarb sich das eiserne Kreuz 2. Classe bei Nollendorf. — Ein v. K. stand früher im Regiment vacant v. Puttkammer, war später Capitain in der 4ten Schützen-Abtheilung, und schied im Jahre 1825 als Major mit Pension aus. — Gegenwärtig steht ein v. K. als Major und Führer des 2. Aufgebots des 1. Bataillons 28. Landwehrregiments zu Cöln; er ist Ritter des eisernen Kreuzes 1. Cl. (erworben in Holland). — Ein Capitain v. K. im 8. Landwehrregiment erwarb sich das eiserne Kreuz 2. Classe bei Ligny. — Endlich stand ein v. K. in dem Regiment von Manstein; er ist jetzt Postmeister zu Artern. — Die Gemahlin des Obersten und Commandeur des 39. Infanterie-Regiments ist *Friederike* von Kahlden.

Das Wappen der v. Kahlden zeigt im silbernen Schilde und auf dem Helme einen rothen Löwenkopf. Die Helmdecken sind silbern und roth. — Die Linie v. Kahlden-Normann hat die bei der Familie v. Normann (m. s. diesen Artikel) näher bezeichneten Wappenbilder dem Löwenkopfe beigefügt.

Nachrichten über diese Familie findet man in Brüggemann, 1. Th. 2. Hauptstück. Gauhe, II. S. 504 u. s. f.

Kahle, die Herren von.

Der König Friedrich Wilhelm II. erhob am 4. October des Jahres 1786 den Kriegs- und Domainenrath bei der kurmärkischen Kammer, nachmaligen Geheimen Kriegs- und Domainenrath, *Conrad Christian* Kahle, und den Kanonikus des Stiftes Bonifacii in Halberstadt, *Friedrich Karl Philipp* Kahle, Bruder des Vorigen, in den Adelstand. Der Dechant von Kahle lebt gegenwärtig zu Freienwalde und wurde im Jahre 1836 Ritter des Johanniterordens. — Diese Familie führt ein silbernes Schild und in dem untern Theile desselben den Kopf eines wilden Ebers. Am rechten Oberwinkel ist ein gespaltenes blau und goldenes Quartier angebracht; in der blauen Hälfte stehen fünf Kornähren auf grünem Boden, in der goldenen ist ein roth und schwarz gekleideter Bauer, der eine Sense mit silberner Klinge auf der Schulter trägt, vorgestellt. Auf dem gekrönten Helme ist ein rother und ein schwarzer Adlerflügel angebracht. Der rothe ist mit dem oben näher bezeichneten Eberkopfe belegt. Das Schild wird von zwei wilden Männern gehalten und ruht auf einem blauen Fussgestelle, auf dem die Worte: „Sub umbra alarum" stehen.

Kahrstedt (Karstedt), die Herren von.

Ein altadeliges Geschlecht in den Marken, das namentlich in der Priegnitz sehr begütert war. Hier sind nach Gundling: Neuburg, Seetzke, Garlin, Kaltenhof, Glockau u. s. w., alte Besitzungen der von Kahrstedt, die sich in späterer Zeit Karstedt genannt haben. Schon am Anfange des 11. Jahrhunderts kommen Ritter aus diesem Hause vor. Noch in der neuesten Zeit gehörte das Gut Fretzdorf dieser Familie. Ein v. Karstedt auf Fretzdorf war 1806 Stiftshauptmann im heiligen Grabe. Diese Familie führt im silbernen Schilde drei rothe Zipfelmützen, und auf dem ungekrönten Helme steht ein verkürztes Mannsbild mit schwarzem Ober- und weissem Unterkleide, den Kopf mit einer rothen Zipfelmütze bedeckt. Die Helmdecken sind silbern und roth. Siebmacher giebt dieses Wappen, I. Th. S. 176. Gauhe erwähnt die v. Karstedt, I. Th. S. 726.

Kalau, die Herren von.

Der grosse Kurfürst erhob am 7. Mai d. J. 1663 den Geheimen Lehns-Secretair und Rath *Fabian* Kalau mit dem Prädicat von Hoven in den Adelstand. — Von seinen Nachkommen sind mehrere Offiziere in der Armee, namentlich der Major und Commandeur des 2. Bataillon vom 1. Landwehrregiment, Ritter des eisernen Kreuzes (erworben 18$\frac{13}{14}$ in den Niederlanden), und der Hauptmann Kalau v. Hoven, aggr. dem 11. Inf.-Regiment, und commandirt zur Dienstleistung beim Kriegsministerium. Er ist mit einer Tochter des im Jahre 1835 verstorbenen General v. Sanitz vermählt.

Kalb, die Herren von.

Einige adelige Familien führen diesen Namen, als: 1) das uralte Geschlecht der v. Kalb auf Kalbsrieth im grossherzoglich sächsischen Amte Alstedt. Sie besitzen den Rittersitz Kalbsrieth seit Jahrhunderten. *Karl Ferdinand* v. K., sächsischer wirklicher Geheimer Rath,

pflanzte durch drei Söhne sein Geschlecht fort. — 2) Die altadelige
Familie Kalb v. Rheinheim in den Rheinlanden. Nicht zu bestimmen
vermögen wir, welcher dieser beiden Familien der königl. preuss. Major ausser Dienst v. Kalb angehört. Derselbe stand 1806 als Cornet im
Husarenbataillon von Bila und machte den Feldzug 1805 in Schlesien
und in der Grafschaft Glaz mit. Im Jahre 1813 erwarb er sich bei
Ulferstedt das eiserne Kreuz und war zuletzt Rittmeister und Escadronchef im 5. Uhlanenregimente. Früher dienten auch in der Armee
zwei von Kalben. Ein Hauptmann v. Kalben stand 1806 bei dem Regimente von Kleist in Magdeburg und wurde 1809 dimittirt. Ein
anderer war Prem.-Lieutenant und Adjutant im Kürassierregiment von
Reitzenstein; im Jahre 1816 schied er mit Majorscharakter aus dem
6. Kürassierregiment, und war später Forstinspector in Genthin, aber
1826 als Forstmeister pensionirt. Er lebte sodann zu Vienau im Regierungsbezirke Magdeburg.

Kalbacher, die Herren von.

Die Familie von Kalbacher stammt aus Oesterreich. *Niklas* Kalbacher war Hauptmann auf Schloss Stahremberg und vertheidigte dasselbe tapfer gegen die Türken. *Karl Benedict* von Kalbacher war
Kammerrath des Fürstbischofs Grafen von Schaffgotsch. Sein Adel
wurde durch ein Diplom vom König Friedrich II. unter dem 19. Juli
1749 erneuert. Von seinen Nachkommen war *Ferdinand* v. K. Herr
des Gutes Borkendorf bei Neisse, und *Ignaz* v. Kalbacher Regierungs-
Assistent und Justiz-Commissarius bei der fürstl. liechtensteinschen
Landes-Amts-Regierung königl. preuss. Antheils in Leobschütz. Ein
Sohn desselben steht gegenwärtig wieder als Justiz-Commissarius und
Notarius publicus bei dem fürstl. liechtensteinschen Fürstenthumsgericht
zu Leobschütz. — Die v. Kalbacher führen ein gespaltenes Schild, in
dem sich oben im blauen Felde ein Greif zeigt; unten ist das Schild
in Roth und Purpur getheilt, in jenem ist eine silberne Lilie, in diesem sind zwei schräglaufende Flüsse vorgestellt. Auf dem Helme ist
der Greif wieder angebracht. Die Helmdecken roth und silbern.

Kalchun, die Herren von.

Das dem Herzogthume Berg angehörige adelige Geschlecht der
von Kalchun, Kalkhun oder Kalkun, theilte sich frühzeitig in drei Linien; die eine derselben nannte sich v. Kalchun, ohne einen andern
Beisatz, die zweite aber setzte den Namen Leuchtmar, die dritte den
Namen Lohausen ihrem Familiennamen bei. Hierher gehört besonders die Linie Kalchun, genannt von Leuchtmar. Aus derselben war
Georg Rumelian v. K., genannt Leuchtmar, der am 5. December 1589
geboren war, und nach grossen Reisen durch die meisten Staaten
Europas in die Dienste des Markgrafen v. Anspach trat. Von diesem wurde er zu einer Mission an den Berliner Hof gebraucht. Er
vertauschte nach des Markgrafen Tode die anspachschen Dienste mit
denen des Kurfürsten von Brandenburg, wurde Hofmeister des Kur-
prinzen Friedrich Wilhelm, und unterhandelte 1625 die Vermählung
der Prinzessin Katharina mit Betlem Gabor, Fürsten von Siebenbürgen, und begleitete dieselbe als Hofmeister nach Kaschau. Bei seiner
Rückkehr 1628 wurde er Kammergerichtsrath, 1632 Gesandter in Stockholm, bald darauf in Frankfurt, am 26. Jan. 1633 wirklicher Geheimer Rath mit Sitz und Stimme im Staatsrathe. Nach mehreren Sen-

dungen an fremde Höfe zog er das Missfallen des mächtigen Statthal-
ters Grafen v. Schwarzenberg auf sich. Er begab sich nach Hamburg
und wurde von da nach Duisburg verwiesen. Von hier rief ihn der
grosse Kurfürst zurück, und er betrieb nun die Angelegenheiten und
Unterhandlungen mit der Königin Christine von Schweden. Sein Tod
erfolgte am 18. Oct. 1644. Er war ein Mann von hellem Geiste und
grossen Kenntnissen, mit denen er den Ton der vornehmen Welt und
eine seltene diplomatische Gewandtheit verband.

Kalinowski, die Herren von.

Diese altadelige Familie v. Kalinowski-Kalinow blühte schon
im 13. Jahrhunderte in Schlesien. Sie zog sich grösstentheils nach
Polen, wo *Martin* v. Kalinowski das Schloss Kalinow in Siradien erbaute und die Würde eines Castellans dieser Landschaft seit 1413
führte. In derselben folgten ihm mehrere seiner Nachkommen, namentlich 1442 *Laurentius* Kalinowski v. Kalinow. Im Jahre 1557 war
Christoph das Haupt des Hauses Kalinow. Er hatte fünf Söhne,
von denen vier auf dem Schlachtfelde blieben. *Martin* von Kalinowski, der Bruder des Vorigen, erwarb viele Schlösser in Podolien. Er schlug beim Flecken Husiatin die eingefallenen Tartaren,
und brachte dadurch auf sich und seine Linie den Ehrennamen Kali-
nowski-Husiatin. Ein Sohn Martins, *Valentin Alexander*, Starost von
Kaminiec und Braclaw, von den Polen Scharfschwert genannt, fiel
1621 als General in dem Treffen bei Cecora. Von seinen Söhnen
machte sich *Adam* als tapfrer Streiter gegen den Halbmond, und *Martin* als Vermehrer des Ansehns seines Hauses bekannt. Er führte die
Titel eines Unter-Kämmerers von Podolien und Castellans zu Kyow,
Woywode zu Czernichow. Seine Gemahlin war aus dem erlauchten
herzogl. Hause der Korczec. — In Schlesien starb *Barbara* Kalinowska, die neunzehnte reg. Aebtissin des fürstl. Jungfrauen-Stifts zu
St. Clara, in Breslau am 25. Februar 1564. — Die Familie besass
in dieser Provinz die Güter Lagiewnig, Heuduck u. s. w. in der freien
Standesherrschaft Beuthen, auch soll sie das Schloss und Dorf Kalinow bei Gr. Strehlitz erbaut und besessen haben (jetzt ist es ein Besitzthum des Grafen Renart). In der Gegenwart ist der Landrath des
Falkenbergschen Kreises von Kalinowski auf Hilbersdorf das Haupt der
Familie, seine Söhne dienen in der Armee. Zwei Brüder von Kalinowski dienten bis zum Jahre 1806 in dem Regimente von Müffling
in Neisse. Der ältere schied 1824 als Rittmeister aus dem 10. Landwehr-Regiment. Er erwarb sich bei Leipzig das eiserne Kreuz. Der
jüngere ist Major a. D. und Ritter des eisernen Kreuzes, das er sich
ebenfalls bei Leipzig erworben hat. In dem Regimente von Kropf in
Warschau standen auch zwei Brüder von Kalinowski, von denen der
jüngere gegenwärtig Major und Chef der 14. Division-Garnison-Com-
pagnie zu Wesel ist; er hat sich bei Antwerpen das eiserne Kreuz
erfochten.

Die von Kalinowski führen im rothen Schilde einen silbernen
Pfeil, das Eisen oder die Spitze ist golden. Unter demselben sind
drei goldene Sterne angebracht. Auf dem gekrönten Helme sind drei
mit dem Pfeile belegte Straussfedern angebracht. M. s. Okolski, T. l.
p. 515. Simap., I. S. 499, und II. S. 712. Gauhe, II. S. 509. II. Das
Wappen beschreibt von Meding, III. N. 388.

Auch in Oesterreich ist eine Linie dieses Hauses begütert, aus
der *Severin* v. Kalinowski im Jahre 1818 in den Grafenstand erhoben ward.

Kalisch, die Herren von.

Das schlesische Fürstenthum Brieg ist das Heimathsland der von Kalisch, sie waren aber auch im Wohlauschen und Wartenberg-schen ansässig. Dort besass *Adam* v. Kalisch einigen Grundbesitz bei der Stadt Wohlan, er starb 1641 und hinterliess drei Söhne, *Adam*, *Joh. Heinrich* und *Gottfried*. Von ihnen haben die beiden ältesten den Stamm fortgepflanzt. *Gottfried Wilhelm* v. Kalisch war Herr auf Bu-ckowine bei Wartenberg und Land-Hofgerichts-Beisitzer, er war mit einer v. Wuttgenau vermählt und Vater von sechs Söhnen, von welchen zwei in die Kriegsdienste des Landgrafen von Hessen-Cassel traten. Im Jahre 1806 war *Karl* v. Kalisch Postmeister zu Frankenstein. Ein Haupt-mann v. Kalisch stand in dem Dragonerregiment von Prittwitz in Polk-witz, und ist 1809 als pens. Major gestorben. Ein vor uns liegendes Wappen dieser adeligen Familie zeigt im gespaltenen silbernen Schilde rechts drei in einen Triangel gelegte Schiffsanker zwischen denen drei Sterne stehen, links sind drei schwarze Schrägbalken von der obern rechten nach der untern linken Seite gezogen. Das Schild ist mit einer siebenperligen Krone bedeckt, über welcher zwischen zwei schwarzen Adlerflügeln die erwähnten Anker und Sterne schweben.

Kalitsch, die Freiherren und Herren von.

Eine adelige, zum Theil auch freiherrliche Familie dieses Namens gehört den anhaltischen Landen an. Es haben aus derselben einige Mitglieder im preussischen Staatsdienste gestanden. Ein v. Kalitsch war 1806 Geh. exped. Secretair beim Forstdepartement des General-Directorium. In der Gegenwart steht ein Lieutenant Baron Kalitsch im 1. Garderegiment in Potsdam.

Kalkreuth (Kalckreuth), die Grafen, Freiherren und Herren von.

Das uralte, berühmte Geschlecht, das zu dem vornehmsten alten schlesischen Adel gezählt wird, bewahrt in Beziehung seiner Entste-hung die interessante Geschichte von einem Knappen oder Edelknechte auf, der bei seinem königl. Herrn verläumdet und in den Verdacht der Untreue gekommen war. Der König, von einigen Autoren auch der Herzog genannt, beschloss, den seiner Meinung nach unredlichen Diener mit dem Tode zu bestrafen. Er gab zu diesem Zwecke bei einem Kalkofen den Befehl, denjenigen seiner Hofleute, der mit der Frage: „ob des Herrn Befehl geschehen sei?" kommen würde, in den Kalkofen zu werfen. Der Knappe verspätete sich auf dem Gange dahin betend in einer an seinem Wege liegenden Kapelle; sein Anklä-ger war ihm nachgeeilt und wurde statt seiner von den wartenden Ar-beitern in den Ofen geworfen, während der Verläumdete und Un-schuldige auf diese Weise dem Tode entging. Er wurde auch bald als unschuldig erkannt und zum Ritter geschlagen, zum Andenken der wunderbaren Errettung aber erhielt er zwei Reuten oder Gabeln, die in den Kalköfen zum Anschüren des Feuers gebraucht werden, ins Wappenschild, und der Helm wurde mit einem gekrönten Brustbilde, in Beziehung auf seinen königl. Herrn, geschmückt. Nach Hübner's historischen Fragen, II. S. 328, hat sich diese Geschichte unter einem Könige von Portugal begeben, der vom Jahre 1279 bis 1325 regierte.

Es hätten sich demnach die, von dem Kalkofen und den ihnen zum Wappenbilde gegebenen Reuten mit dem Namen Kalkreuth belegten Edelleute aus Portugal nach Deutschland begeben, und hier erst die fremde Bedeutung des Worts mit dem Namen Kalkreuth vertauscht. Ein anderer Schriftsteller (Johann Magnus, in seiner handschriftlichen Chronik der Lausitz) behauptet, dass dieses Wappenbild nicht Gabeln oder Ofenreuten, sondern Pflugreuten bedeutet, und dass das Geschlecht der v. K. ursprünglich vom Pfluge oder vom Ackerbau treibenden Stande herstamme, und sammt dem alten Geschlechte der v. Pflug sich rühmen könne, von den Nachkommen des Herzogs Primislav von Böhmen abzustammen. Dieser Herzog hätte im Jahre 720 seinen Vettern einen Namen beigelegt, den Einen habe er Pflug, und den Andern Kalkreuth, in Bezug auf die Cultur des Feldes, genannt. Die gleiche Abstammung der v. Kalkreuth und v. Pflug ist jedoch, wie wir weiter unten auch noch erwähnen werden, nur eine Sage, die selbst von der Familie v. K. nicht angenommen wird. Wenn die erstere Sage, die, wie bekannt, auch der unvergessliche Schiller mit grossem Glücke zu seinem Gedichte: „Fridolin oder der Gang nach dem Eisenhammer" benutzte, die später auch den Stoff zu einem gern gesehenen Schauspiele gegeben hat, eben so verbreitet als anziehend ist, so fand doch die zweite Auslegung mehr Glauben bei dem Geschichtsforscher, und besonders darum, weil die v. K. schon im 14. Jahrhunderte in Schlesien vorkommen. 1342 war schon *Themo* v. Kalkrüte des Herzogs Wenzeslaus zu Liegnitz und dessen Bruders Ludwig I. Kanzler, den die Chronik des Landes einen überaus vortrefflichen Cavalier nennt. — Später findet man an den Höfen fast aller piastischen Herzöge v. K. in Hofehren und Hofwürden. Namentlich stand nach Höniger's Türkenhistorie *Wolf* v. K. in der Reihe der tapfersten deutschen Ritter, die im J. 1529 dem von den Türken belagerten Wien zu Hülfe geeilt waren. — In Hinsicht ihres Besitzthums kommen die v. K. schon im Jahre 1505 als Pfandinhaber, und 1554 als wirkliche Besitzer des Burglehns Rauden in Schlesien vor. Gr. Tschuder, Karoschke, Kawallen und Bischwitz vereinigte im Jahre 1621 *Friedrich* v. K. als sein Besitzthum. Er war des Herzogs Karl zu Münsterberg und Oels Rath, und des Fürstenthums Oels Landesältester, ein Mann, geehrt von seinem Fürsten und geliebt von den Bewohnern der Landschaft. — Im Jahre 1652 kommt *Hans Georg* v. K. auf Ober-Schittlau, des Fürstenthums Glogau Landesältester, vor. — Wenn sie auf diese Weise in Nieder- und Mittel-Schlesien schon bedeutenden Grundbesitz hatten, so kommen sie auch bald darauf als Herren ansehnlicher Güter in Oberschlesien, namentlich auch im troppauischen Fürstenthume vor. Auch in Polen, in der Mark und in der Lausitz hat sich das Geschlecht sehr verbreitet und ansehnliche Güter erworben. So führt sie auch v. Gundling in seinem brandenburgischen Atlas als Besitzer von Guhren und Bukow im Lande Züllichau auf, während Klempzig, in derselben Landschaft gelegen, schon seit dem 16. Jahrhunderte als eine alte Kalkreuthsche Besitzung bekannt ist, eins ihrer Stammhäuser bildete und am Anfange des vorigen Jahrhunderts an die von Troschke übergegangen ist. Das Dorf Kalkreuth bei Sagan ist von der Familie später erbaut worden, während das schon angeführte Klempzig, Karoschke, Gr. Tschuder, Lobschütz und Gugelwitz als Stammhäuser der Familie betrachtet werden. Diese Stammhäuser zerfielen wieder in mehrere Linien, wie das Haus Klempzig, das sich in die Linien von Dreukau und Drakau theilte. Von den übrigen Gütern, die in früherer und späterer Zeit der Familie gehörten, nennen wir auch Urschkau bei Köben, dessen Schloss die Mutter des verewigten Feldmarschalls Grafen v. K. im Jahre 1747

Kalkreuth.

den Herrnhutern einräumte, die eben im Begriff waren, sich ihre Colonie Neusalz zu erbauen. König Friedrich Wilhelm II. erhob am 15. Octbr. des Jahres 1786 bei der Huldigung den *Hans Ernst* v. K. auf Siegersdorf, und seinen Bruder, *Friedrich Adolph* v. K., in den Grafenstand. *Hans Ernst* hinterliess zwei Söhne, *Adolph* und *Ludwig*, Grafen v. K. (der Letztere ist der weiter unten genannte Generalmajor). *Adolph*, Graf v. K., ist im Jahre 1830 verstorben. Aus seiner Ehe mit einer Gräfin von Hangwitz, Tochter des Staatsministers Grafen v. H., hat er **drei** Söhne, *Alfred, Arthur* und *Edwin*, Grafen v. K., erzeugt.

Hans Ernst, der ältere Bruder des Feldmarschalls, geboren im Jahre 1728, trat 1745, drei Tage vor der Schlacht bei Hohenfriedberg, in die Gardes du Corps ein, und wohnte auch der Schlacht bei Sorr bei, wo er sehr gefährlich im Schenkel verwundet ward. 1756 war er in der Schlacht bei Lowositz und trat in demselben Jahre noch ins Privatleben zurück. Im Jahre 1760 vermählte er sich mit der Tochter des Ministers **von** Schlesien, von Schlabrendorf, und starb 1792, von seinem Könige geachtet und von ganz Schlesien verehrt. Er besass die Güter Ober- und Nieder-Siegersdorf, Hennigsdorf, Streidelsdorf, Liebschütz, Zyris und Zissendorf im Kreise Freystadt, so wie auch Zapplau, Linz, Sackerau, Oderbeltsch, Schobenau und Gulau, im Kreise Gurau. Vom Jahre 1784 bis zu seinem Tode verwaltete er auch das Herzogthum Sagan, anfänglich für den minorenen Fürsten Lobkowitz, und, von 1786 an, für den Herzog von Kurland.

Der gräflichen Linie gehören die Güter Ober- und Nieder-Siegersdorf bei Freystadt. — Ein Sohn des unten näher erwähnten Feldmarschalls besass die Herrschaft Kozmin im Regierungsbezirke Posen. Er war früher mit einer Gräfin v. Sandretzky und Sandraschitz, und nach deren Tode ist er mit einer v. Stechow, aus dem Hause Schönwalde, vermählt, und hat zwei Söhne, *Stanislaus* und *Maximilian*. — Ein zweiter Sohn des Feldmarschalls, *Friedrich*, ist Rittmeister a. D. und unvermählt. Er ist als ein Kenner, Freund und Beförderer der Wissenschaften rühmlichst bekannt. Im Jahre 1806 war ein v. K. auf Arnsdorf Landrath des Kreises Sternberg. Noch in der Gegenwart sind Arnsdorf in der Neumark, Alt-Görtzig u. s. w. ein Besitz der neumärkischen Linie dieser Familie. In dem preuss. Heere haben sich eine lange Reihe Söhne aus diesem Hause bis zu den höhern und höchsten militairischen Würden und Stellen emporgeschwungen, namentlich:

Ernst George v. K., der sehr zeitig in preuss. Dienste, und zwar in das Kürassierregiment Markgraf Friedrich trat und bis zum Rittmeister in demselben avancirte. Im Jahre 1744 stand er als Major bei den beiden in Emden und Greetshyl stehenden Garnison-Compagnien. Da aus denselben ein vollständiges Bataillon errichtet ward, so wurde er zum Obersten und Chef desselben ernannt; er starb im Jahre 1762 und hinterliess drei Söhne, die ebenfalls in der Armee gedient haben. (M. s. biograph. Lex. aller Helden und Militairpersonen u. s. w. II. S. 229.)

Samuel Adolph v. K., ein Stiefbruder des Vorigen, geboren 1693 zu Guhren bei Crossen, einem seinem Vater, *Hans Otto* v. K., gehörigen Gute, trat 1710 zu Stettin in preussische Dienste. Im Jahre 1746 wurde er Oberstlieutenant, 1747 Oberst, 1757 Generalmajor und 1758 erhielt er ein aus den bei Pirna gefangenen Sachsen errichtetes Regiment, das bis dahin den Namen Prinz Friedrich August von Sachsen geführt hatte. Bald darauf nahm er seinen Abschied, lebte sodann in Stettin, wo er den 15. Octbr. 1778 starb. (M. s. biograph. Lex., II. S. 225.)

Ludwig Gottlob v. K., in Schlesien geboren, trat in das damalige von Kalkreuthsche Regiment, wurde 1750 Stabscapitain, 1759 Major, 1767 Oberstlieutenant und Commandeur des Regiments, 1770 aber Oberst in dem Regiment Prinz Ferdinand von Preussen. 1774 erhielt er die Amtshauptmannschaft zu Spandau und 1778 das v. Bandemersche erledigte Infanterie-Regiment. Er nahm aber noch in demselben Jahre seinen Abschied, wozu ihn seine geschwächte Gesundheit, besonders aber die in der Schlacht bei Zorndorf erhaltene Wunde nöthigte. Er starb am 20. März 1783 zu Lankwitz, einem zwei Meilen von Berlin entfernten Dorfe. Seine Gemahlin war Karoline Beate Dorothea v. Kalkreuth. (M. s. biogr. Lex. II. S. 226.)

Hans Nikolaus v. K., ein Sohn des *Hans Otto* v. K., Majors von der polnischen Kronarmee, und der Maria Elisabeth v. Essen, wurde 1725 in Westpreussen geboren, trat, durch Vermittlung seines Oheims, des oben erwähnten Ernst Georg v. K., in das Kürassier-Regiment Markgraf Friedrich, machte die ersten schlesischen Kriege mit, wurde 1750 Lieutenant, 1756 Stabs-, 1757 wirklicher Rittmeister, 1760 Major, 1772 Oberstlieutenant, 1775 Oberst und 1778 Commandeur des v. Reitzensteinschen Dragonerregiments, dessen Chef er im Jahre 1780 und zugleich Generalmajor, und 1788 Generallieutenant ward. Er erhielt im Jahre 1792 den schwarzen Adlerorden, und starb am Anfange dieses Jahrhunderts. Bei vielen Gelegenheiten des siebenjährigen Krieges hatte er sich rühmlichst ausgezeichnet, wurde auch nach der Schlacht bei Liegnitz mit dem Orden pour le mérite geschmückt, da er mit seiner Escadron 7 Kanonen und eine Fahne erobert hatte, und war bei Hohenfriedberg und Cunnersdorf verwundet worden. (M. s. biogr. Lex. Bd. II. S. 227.)

Friedrich Adolph, Graf v. K., geboren am 21. Februar 1737 zu Sottenhausen bei Sangerhausen in Thüringen. König Friedrich II. liess ihn nach Berlin kommen, um ihm in einer Pension der französischen Colonie eine weitere Ausbildung zu verschaffen. Im Jahre 1752 trat der nachmalige Feldmarschall in das Regiment Garde du Corps. Seine vorzüglichen militairischen Eigenschaften erwarben ihm schon nach dem Treffen bei Freyburg am 3. August 1762 den Majorsrang, und er zeichnete sich als Führer selbstständiger Abtheilungen vorzüglich in Holland in dem Feldzuge 1787 zuerst aus. An der Spitze von 120 Reitern und 740 Infanteristen, nebst einer dreipfündigen Kanone nahm er die Festung Nieuversluis ein, während man in derselben 54 Kanonen fand. Bald darauf ergab sich auch dem schon zum Generalmajor avancirten Herrn v. K. die Festung Weesp durch Uebereinkunft. In der Rheincampagne trat sein militairisches Talent aufs glänzendste hervor, namentlich in den Gefechten bei Neuenkirchen, auf der Bischmischheimer Höhe, auf der Biesinger Höhe und bei Kirweiler. Zu diesen einzelnen ruhmvollen Vorfällen gesellt sich sein ausgezeichnetes Benehmen bei der Belagerung und der Einnahme von Mainz, ferner sein Kampf nach dem verunglückten Unternehmen auf die Festung Bitsch, wo er seine Stellung mit 8000 Mann gegen ein 25,000 Mann starkes Corps 12 Stunden lang vertheidigte, Thatsachen, die zu den schönsten Waffenthaten jenes Zeitraumes gehören. Friedrich Wilhelm II. hatte schon bei seiner Thronbesteigung die Verdienste des Generals durch seine und seines Bruders Erhebung in den Grafenstand, 1792 mit dem rothen, und 1793 mit dem schwarzen Adlerorden belohnt. Im Jahre 1798 zum General der Cavallerie ernannt, wurde er zur Zeit des Friedens anfänglich zu mehreren Sendungen gebraucht und dann zum Gouverneur der Festungen Danzig und Thorn bestellt. Auf diesem hohen Posten fand ihn der Ausbruch des Feldzuges von 1806. Als eine der schönsten und glänzendsten Waffenthaten unsers Jahrhunderts steht jener lange, ruhmvolle Widerstand und die ausserordentliche Vertheidigung Danzigs, welche der Graf v. K. leitete, in den Tafeln der vaterländischen Geschichte eingegraben. Neben dem unvergänglichen Ruhme, den er sich dadurch erwarb, wurde ihm auch die höchste militairische Würde zu Theil. Nachdem er darauf zwei Jahre hindurch Commandant von Königsberg gewesen war, wurde ihm im Jahre 1809 dieser Posten und diese Würde in Berlin zu Theil, welche Stelle er, mit Ausnahme der Kriegsjahre 1812—1814, bis zu seinem am 10. Juni 1818 erfolgten Tode bekleidete, nachdem er beinahe 67 Jahre dem Vaterlande die treuesten Dienste geleistet hatte. (M. s. Pantheon des preuss. Heeres, I. S. 129.)

Hans Christoph Ernst v. K., geboren zu Arnsdorf in der Neumark im Jahre 1741, trat im ersten Feldzuge des siebenjährigen Krieges in das Heer. Schon in der Schlacht bei Prag wurde er durch drei Flintenkugeln verwundet, wovon eine den linken Arm traf. Bei vielen andern Treffen und Vorfällen des siebenjährigen Krieges zeichnete er sich aus, auch wohnte er dem baierschen Erbfolgekriege, so wie der Rheincampagne bei. In den letztern führte er ein Grenadierbataillon, erwarb sich 1793 bei Guntersblum oder Alsheim den Orden pour le mérite, rückte 1806 als Oberst und Commandeur des Regiments Fürst Hohenlohe ins Feld, und fiel, zweimal verwundet, bei Jena in Gefangenschaft. Hier endete seine militairische Laufbahn, nachdem er in 46 Schlachten, Belagerungen und Gefechten rühmlichst mitgefochten hatte. Der Abend seines Lebens, den er als pensionirter Generalmajor in Breslau verlebte, war durch schmerzliche, körperliche Krankheiten und zuletzt durch den Verlust des Augenlichts getrübt, aber mit Ruhe ertrug der ehrenwerthe Greis seine Leiden, bis er am 1. Novbr. 1825 im 85sten Lebensjahre von dem Schauplatze der Welt abtrat. (M. s. Pantheon des preuss. Heeres, II. S. 4.)

Ludwig, Graf v. K., lebt gegenwärtig zu Berlin als Generalmajor der Cavallerie von der Armee und Ritter mehrerer Orden, namentlich auch des alten Johanniterordens (geschlagen zu Sonnenburg im Jahre 1795) und des eisernen Kreuzes (erworben als Oberstlieutenant im Jahre 1813). Derselbe war auch Domherr und Subsenior des Domcapitels zu Havelberg. Er ist vermählt mit Jeannette, gebornen von Unruh. Der einzige Sohn aus dieser Ehe, Graf *Richard* v. K., ist Lieutenant im Garde-Landwehruhlanen-Regiment.

Ausserdem haben sich mehrere Söhne aus diesem Hause im Laufe der letzten Feldzüge Kriegsruhm und Ehrenzeichen erworben. Der Major a. D. v. K. erhielt im Jahre 1794 für das Gefecht bei Powonsk den Militair-Verdienstorden. — Mit demselben Ehrenzeichen ist der Major v. K. im 2. Garde-Uhlanen-Landwehrregiment geschmückt, der ihn im Jahre 1816 erhielt, nachdem er sich schon vorher bei Versailles das eiserne Kreuz 1. Classe erworben hatte. — Ein Major v. K., der zuletzt im 11. Garnisonbataillon diente, hat sich bei Laon das eiserne Kreuz 2. Classe, und ein Lieutenant v. K., gegenwärtig a. D., bei Dennewitz diesen Orden erworben.

Kalkstein, die Herren von.

Die von Kalkstein werden zu den ältesten preuss. Geschlechtern gezählt, doch haben sie sich auch in Schlesien, in der Lausitz und in Polen ansässig gemacht und verbreitet. Von denen in Schlesien ist jedoch in den alten Autoren nur wenig die Rede, dagegen setzt sie Grosser unter die alten adeligen Geschlechter in der Lausitz; sie müssen aber diese Provinz zeitig wieder verlassen haben, denn jener

Schriftsteller, der am Ende des 17. und am Anfange des 18. Jahrhunderts lebte, sagt: es ist bei uns von ihnen nicht viel mehr, als der Name übrig. — Der erste nach Preussen gekommene v. Kalkstein war *Christian* v. K.; sein Erscheinen daselbst fällt in die ersten Decennien des 15. Jahrhunderts. Er wurde vom Orden mit dem Dorfe Wogau belehnt, und soll eine v. Trautmannsdorf zur Gemahlin gehabt haben. — Sein Enkel *Hans* v. K. war Landrath und Hauptmann zu Brandenburg; er war mit einer v. Troschke vermählt. — Dieser Hans war der Grossvater von *Albrecht* v. K. (geb. 1592), der im Jahre 1645 Herr der früher v. Kunheim'schen Güter Knauten, Mühlhausen u. s. w. wurde, und die Würde eines königl. polnischen und kursächsischen Generallieutenants, auch Oberkämmerers bekleidete. — Ein älterer Bruder desselben war Erbherr auf Graventhin und Hofrichter in Preussen. *Albrecht* v. K. liegt in der Kirche zu Mühlhausen und hinterliess seinem Sohne *Christian Ludwig* v. K., auch der Unglückliche genannt, seine Güter. Dieser wurde kurbrandenburg'scher Oberst und Amtshauptmann zu Oletzko, aber unvorsichtige, nach Andern boshafte und verrätherische Handlungen nöthigten ihn, nach Warschau zu flüchten. Hier fiel er durch List in die Hände des brandenburgischen Gesandten Eusebius v. Brand; er wurde gefangen und in eine Tapete gewickelt nach Memel gesendet, und dort im Jahre 1672 hingerichtet. Seine Güter wurden eingezogen, jedoch später gegen ein Einlösungskapital an die v. K. zurückgegeben.

Neuen Glanz über das alte Geschlecht der v. K. haben vorzüglich die beiden folgenden Mitglieder, die Beide zur höchsten militairischen Würde gelangt sind, gebracht.

Christoph Wilhelm v. K., königl. preuss. General-Feldmarschall, Ritter des schwarzen Adler- und des St. Johanniterordens, Gouverneur der Festung Glogau, Chef eines Regiments zu Fuss und Erbherr auf Knauten und Wogau, geboren im Jahre 1682. Sein Vater *Christoph Albrecht* v. K. war königl. polnischer Oberst, Erbherr auf Knauten und Wogau, und mit Marie Agnes v. Lehwald, aus dem Hause Ottlau, vermählt. Der junge v. Kalkstein trat Anfangs in hessische Dienste, wohnte als Adjutant des Erbprinzen von Hessen-Kassel dem spanischen Erbfolgekriege bei, und zeigte in der Schlacht von Malplaquet Proben seiner Tapferkeit. Im Jahre 1715 war er bei der Belagerung von Stralsund gegenwärtig und wurde bei dieser Gelegenheit dem Könige Friedrich Wilhelm I. bekannt, der ihn in seine Dienste zog und ihm als Major in dem damaligen v. Arnimschen Regimente eine Anstellung gab. Im Jahre 1718 ward er Oberst, 1719 aber Unterhofmeister bei dem Kronprinzen, nachmaligem König Friedrich II., welche Stelle er bis zum Jahre 1829 bekleidete. 1729 erhielt er das v. Rutowskysche Regiment und 1731 wurde er an den König von Schweden gesandt, um denselben zu bewegen, da die Hälfte der hessischen Truppen, die in englischem Solde standen, abgedankt wurden, eine Anzahl für die preuss. Armee anwerben zu lassen. Er wurde gnädig aufgenommen und erreichte seinen Zweck. Im Jahre 1733 ward er Generalmajor und 1741 Generallieutenant. In der Schlacht von Mollwitz befehligte er den linken Flügel und ward verwundet, darauf dirigirte er die Belagerung von Brieg und eroberte bei der Einnahme dieser Festung 61 Kanonen und 8 Mörser. Er wurde darauf zum Gouverneur von Glogau ernannt, und erhielt in demselben Jahre den schwarzen Adlerorden. 1742 war er bei der Schlacht von Czaslau, und im Jahre 1744 wurde ihm die Drostei Dinslaken im Herzogthum Cleve ertheilt. Im Jahre 1745 beförderte ihn Friedrich II. zum General der Infanterie, und 1747 den 24. Mai zum Generalfeldmarschall. Er starb am 2. Juni 1759 im 77. Jahre seines Alters und

im 50. seiner Dienstzeit. Mit Christophore Eva Lucretia Brand v.
Lindau vermählt, hatte er mehrere Söhne, von denen der älteste als
Hauptmann im Jahre 1746 starb, der jüngste aber,

Ludwig Karl v. K., ebenfalls zur Würde eines Generalfeldmarschalls, Ritters des schwarzen Adler- und des Johanniterordens, Gouverneurs von Magdeburg und Domherrn des Hochstifts zu Magdeburg
gelangte. Er war am 10. März 1725 zu Berlin geboren und erhielt
eine vorzügliche Erziehung. Kurz vor Eröffnung des Feldzuges in
Böhmen 1742 trat er als Freiwilliger in die Armee, that in dem
Treffen bei Chotusitz bei seinem Vater Adjutantendienste, und bewies
dabei so viel Eifer, dass er die Aufmerksamkeit des Generalfeldzeugmeisters Grafen v. Schmettau auf sich zog. 1747 wurde er in das
Regiment v. Flans versetzt, und 1752 Premier-Lieutenant, 1758 war
er dritter Capitain bei dem neu errichteten Freibataillon v. Härd und
bewies bei vielen Gelegenheiten grosse Tapferkeit, weshalb er zum
Major avancirte. Beim Ueberfall von Anclam vertheidigte er mit wenig
Leuten die Brücke, ward dabei gefangen, aber nach vierzehn Tagen
wieder ausgewechselt. Darauf unterstützte er den General v. Belling
bei seinen Unternehmungen in Pommern, wurde aber nach dessen
Abzuge von dort von schwedischer Cavallerie überfallen und nach der
tapfersten Gegenwehr mit seiner Compagnie bei Taschenberg in der
Uckermark zum zweitenmale gefangen, nach Schweden geführt, jedoch
nach einigen Monaten wieder ausgewechselt, erhielt sodann ein aus
alten Feldregimentern formirtes Bataillon und nach dessen Auflösung
ein Grenadierbataillon, sodann kam er zur Armee des Prinzen Heinrich in Sachsen und bildete mit seinen Bataillon die Avantgarde.
Beim Einfall in Böhmen that er den ersten Angriff auf die Töplitzer
Anhöhe, er verlor dabei sein Pferd unterm Leibe, gerieth dadurch
zum drittenmale in Gefangenschaft, wurde aber nach einigen Monaten
wieder ausgelöst. Im Jahre 1763 ward er Commandeur vom zweiten
Bataillon des Regiments Prinz Heinrich, 1764 Johanniterritter, 1767
Oberstlieutenant, 1771 Oberst, 1772 Commandeur des Regiments,
1778 aber Generalmajor, zugleich erhielt er das Jung-Stutterheimsche
Regiment. 1778 bat er um seine Dienstentlassung, welche er auch
erhielt. König Friedrich Wilhelm II. aber ertheilte ihm bald nach
seiner Thronbesteigung eine Präbende des Hochstifts zu Magdeburg,
stellte ihn nach seiner Anciennetät bei der Armee, als Generallieutenant mit dem Patente vom 6. Mai 1786, und Chef des vacant v. Za-
remba-Regiments wieder an. Ein neues Feld der Thätigkeit und des
Ruhmes eröffnete sich ihm in der Rheincampagne, wo er mit grosser
Auszeichnung befehligte. Als Anerkennung wurde ihm der schwarze
Adlerorden, und am 21. Mai 1798 die Generalfeldmarschallswürde zu
Theil. Er starb im Jahre 1800 zu Magdeburg. Obgleich er zweimal
vermählt war, nämlich zuerst mit Henriette Auguste, einer Tochter
des königl. preuss. Staatsministers v. Borcke, und nach deren Tode mit
einer v. Meyering, so hinterliess er doch keine Kinder. Die bedeutenden Güter kamen an entfernte Verwandte, namentlich Knauten an die
damals vermählte und jetzige Wittwe des Ministers Grafen v. Danckelmann, geborne v. Hertefeld, und sodann an den Schwiegersohn
derselben, einen Herrn von Rothkirch. Wogau, Romitten, u. s. w.
sind noch heute ein Eigenthum der Familie v. K. Auch besitzt die
Familie in Westpreussen und namentlich in der Gegend von Culm
einige Güter. Hier gehört Nogath dem Landschaftsrath v. K., und
Pluskowent dem Landschaftsdeputirten v. K. Im Jahre 1806 war ein
Oberst v. K. Commandeur des Infanterieregiments v. Alvensleben in
Glaz. Er war um das Jahr 1748 in Preussen geboren, wurde im
Jahre 1806 noch als Generalmajor mit Pension dimittirt, und ist im

Jahre 1807 gestorben. — Ein Major v. K. ist noch in der Gegenwart in Breslau als Rendant bei dem Montirungsdepot angestellt. Ein Sohn von ihm ist der Lieutenant v. K. im 18. Infanterieregiment. — Ein Capitain v. K., der dem 1. Infant. Regiment aggregirt ist, erwarb sich bei Danzig das eiserne Kreuz 2. Klasse.

Das Wappen der v. K. zeigt im silbernen Schilde drei rothe Balken und auf dem Helme zwei in Silber und roth getheilte Büffelhörner. Die Helmdecken Silber und roth.

Nachrichten über diese Familie giebt Dienemann vom Johanniterorden S. 168. und S. 345. auch S. 414. Gauhe II. S. 506 — 509. Henel. S. 772.

Kall, die Herren von.

Friedrich Georg Kall, geboren in der Pfalz im Jahre 1733, trat 1753 in preussische Dienste und garnisonirte 1792 als Major und Escadronchef beim Bosniacken-Regiment zu Oletzkow. König Friedrich Wilhelm II. erhob ihn mit seinen Nachkommen am 9. Juni 1792 in den Adelstand. Er erwarb sich im Jahre 1794 bei Czarnolin in Polen, wo er ein polnisches Detaschement von 200 Pferden gefangen nahm, den Militairverdienstorden, wurde am 3. Juni 1798 Oberst und Commandeur des Regiments Towarczysz, am 20. Mai 1806 Generalmajor. Er starb im Jahre 1812 im Pensionsstande. Seine Söhne sind auf dem Felde der Ehre gefallen. Der ältere stand bis zum Jahre 1806 in dem Dragonerregimente von Manstein zu Osterode. Den Feldzug 1813 machte er als Chef der Garde-Cosacken-Escadron mit; doch schon in einem der ersten Treffen traf ihn eine feindliche Kugel. In demselben Jahre fiel auch sein jüngerer Bruder, der als Major das 2. Husarenregiment commandirte. Es dienen gegenwärtig noch Enkel des Generals in der Armee. Nicht bekannt ist es uns, ob der kais. österr. Oberstl. *Karl* v. Call (Kall), der sich im Feldzuge 1813 vorzüglich ausgezeichnet hat, das Theresienkreuz erwarb, und 1816 vom Kaiser mit dem Prädicat v. Culmbach in den Freiherrnstand erhoben wurde, auch Ritter des Ordens pour le mérite, zu der Familie unserer Herren v. Kall gehört.

Kalnasi (ssi), die Herren von.

Aus dieser ungarischen adeligen Familie sind mehrere Mitglieder in die Dienste Friedrich des Grossen getreten. Ein Abkömmling von ihnen war der früher im Regimente von Reinhart und dessen Grenadieren zu Angerburg gestandene Capitain v. Kalnassi; er starb 1823 als Oberstlieutenant, Chef der 2. Garnison-Div.-Comp. und Ritter des Ordens pour le mérite, erworben während der Vertheidigung von Danzig im Jahre 1807. Er war, wo nicht der Letzte, doch einer der letzten seines Geschlechts in den preussischen Landen. Nicht bekannt ist es uns, ob der im 3. Bataillon des 4. Landwehrregiments gegenwärtig stehende Capitain Kalnassi in Beziehung zu dem Vorerwähnten steht.

Kalnein, die Grafen und Herren von.

Sie gehören der Provinz Preussen an, die sie zu ihrem ältesten Adel zählt. Schon seit langen Zeiten sind die Kilgischer und Gr. Par-

Kalsow. 63

kischen Güter bei Eylau in den Händen der Familie. Später kamen
auch die Sudnikschen und Orschenschen Güter dazu.
   Albrecht v. Kalnein, geboren am 11. Septbr. 1611, ward 1641
Hauptmann zu Rastenburg, 1653 Landvoigt zu Schaaken, dasselbe
Jahr Oberrath und Oberkanzler, 1655 Oberburggraf des Herzogthums
Preussen, und starb am 10. April 1683.
   Hans Georg v. Kalnein war preuss. Landrath, Tribunalsrath, Ober-
Cassenherr, Amtshauptmann zu Rastenburg und Erbherr der Kilgi-
schen und Gr. Parkischen Güter. Er war mit Marie Luise Schack v.
Wittenau vermählt. Aus dieser Ehe ist entsprossen:
   Karl Erhard v. K., geb. am 26. Febr. 1687 und gestorben am
5. Octbr. 1757 als königl. preuss. Generallieutenant von der Infanterie, Chef eines Regiments zu Fuss, Ritter des Ordens pour le mérite, Amtshauptmann zu Ortelsburg, Erbherr der Kilgischen, Gr.
Parkschen, Sudnikschen und Orschischen Güter in Preussen. Er war
früher in dänischen Diensten, bald darauf in denen des Landgrafen
von Hessen-Cassel, und 1717 trat er in die Armee Königs Friedrich
Wilhelm I. ein. Er hat sich in den Schlachten von Czaslau, Hohenfriedberg und Kesselsdorf hohen Ruhm erworben. Den ersten Feldzug des siebenjährigen Krieges mitzumachen, verhinderte ihn schon
die tödtliche Krankheit, der er zu Königsberg, wohin er aus dem Lager bei Wehlau gebracht worden war, erlag. Er hatte aus der Ehe
mit Sophie Fink v. Finkenstein, die schon am 11. September 1756
mit Tode abgegangen war, einen Sohn und eine Tochter hinterlassen.
   Stanislaus Leopold v. K., Erbherr auf Kilgis, wurde am 19.
Septbr. 1786 vom Könige Friedrich Wilhelm II. in den Grafenstand
erhoben. Er starb als königl. preuss. Oberstlieutenant a. D., Ritter
des Johanniterordens, Comthur zu Schievelbein, im Jahre 1818. Seine
Wittwe, Karoline, Gräfin v. K., geborne v. Borck, ist Oberhofmeisterin
Ihrer königl. Hoheit der Prinzessin Marie, Gemahlin des Prinzen Karl. —
Von seinen Söhnen besitzt Graf *Leopold* v. K., königl. preuss. Kam-
merherr, die väterlichen Güter. Er ist auch Ritter des eisernen Kreu-
zes 2. Classe (erworben von Colombiers bis Paris).
   Weidewuth, Graf v. K., ist Rittmeister im 4. Kürassierregiment
Prinz v. Oranien und mit Helena v. Coobmann vermählt.
   Nathango, Graf v. K., ist Herr auf Powayen und mit Clara,
Gräfin Dohna-Schlodien vermählt.
   Das gräflich v. Kalneinsche Wappen zeigt im blauen Schilde einen
auf grünem Boden stehenden Palmbaum, an dem zwei Leoparden auf-
springen. Auf dem mit einer gräflichen Krone bedeckten Helme wie-
derholt sich der Palmbaum, hinter welchem auf beiden Seiten der Vor-
dertheil eines Leoparden hervorspringt.
   M. s. Gauhe, II. S. 514. Anhang, S. 1603. Dienemann, S. 341.
392. Derselbe giebt nämlich die Ahnentafel des Friedrich Stanislaus
Leopold v. Kalnein.

Kalsow, die Herren von.

   Der Kurfürst Georg Wilhelm von Brandenburg erneuerte durch
ein Diplom vom 30. Januar 1635 den alten Adel der in Pommern und
in den Marken ansässigen Familie v. Kalsow. — *Karl Ferdinand* von
Kalsow war Erbherr auf Blankenhagen, Suckow, Patzig, Rützenow
u. s. w., grösstentheils im Greiffenberger Kreise der Provinz Pommern gelegen. Seine Gemahlin war Anna Louise v. Dewitz, aus dem
Hause Daber. Aus dieser Ehe entspross *Christian Ludwig* von Kalsow, der die Universität Halle verlassen musste, um Soldat zu wer-

den, beim Leibregiment in Potsdam die Aufmerksamkeit König Friedrich Wilhelm I. auf sich zog, und sein Vertrauen und besondere Gnade erwarb, Dieser Monarch gab dem Capitain v. Kalsow die Amtshauptmannschaft der Aemter Gülzow, Massow und Naugard. Er machte die schlesischen Feldzüge mit und avancirte am 18. Mai 1745 zum Generalmajor und am 1?. Mai 1750 zum Generallieutenant. Er starb am 1. October 1766 auf seinem Gute Zollen bei Soldin. Obgleich er zweimal vermählt war, zuerst mit Maria Louise v. Herold, sodann mit einer von Wedel, ist er doch kinderlos geblieben. Er war, wenn nicht der Letzte, doch einer der Letzten seines Geschlechtes, wenigstens finden wir diesen Namen nicht mehr in den Listen der Staatsbeamten und der Offiziere. Die Güter in Pommern hatte der erwähnte General von seinem im Jahre 1739 ebenfalls kinderlos verstorbenen Bruder, *Balthasar Ferdinand* v. Kalsow, ererbt; sie wurden am 8. Febr. 1740 allodificirt, und der General verkaufte sie am 4. Mai 1762 an den Kaufmann Wesenberg zu Treptow.

Kaltenbrunn (orn), die Herren von.

Es wird diese noch im 17. Jahrhunderte in Schlesien blühende und begüterte Familie, die aber jetzt schon längst erloschen ist, bald Kaltenbrunn, bald Kaldenbrunn, auch Kaldenborn und Kaltenborn geschrieben gefunden. Ihr Stammhaus war das Schloss Stachau bei Strehlen, doch besassen sie auch Rosnachau bei Ober-Glogau, Siegrod bei Brieg, und Ostrowien bei Oels. Um das Jahr 1650 war *Wenzel* v. Kaltenbrunn und Stachau auf Rosnachau Sr. kais. Maj. oberster Proviantmeister durch ganz Schlesien. An dem Hofe der Herzöge von Würtemberg-Oels war 1691 *Gustav Wilhelm* v. Kaltenbrunn und Stachau Oberhofmeister. Mit *Gustav Maximilian* v. Kaltenbrunn oder dessen Sohn scheint das Geschlecht in der ersten Hälfte des vorigen Jahrhunderts in Schlesien erloschen zu sein. Ein Zweig, der sich nach Sachsen gewendet hatte, blüht noch in der Gegenwart. In der Schlacht bei Ligny erwarb sich ein v. Kaltenborn, der später Kreisoffizier bei der Gensdarmerie war, das eiserne Kreuz. Diese Familie führte im rothen Schilde drei einfarbige Pflugschaaren, auf dem Helme ein roth gekleidetes Frauenbild, unten abgekürzt, mit weissen Ermeln und fliegenden gelben Haaren. Dasselbe hielt in der rechten Hand drei rothe und in der linken drei weisse Rosen. Die Helmdecken waren roth und silbern.

Kamcke, die Grafen und Herren von.

Mehrere Autoren lassen dieses seit langen Jahrhunderten in Pommern ansässige Geschlecht aus dem Hause der alten Grafen v. Capri oder Capris in Italien abstammen. In Pommern kommt es schon seit der Mitte des 13. Jahrhunderts vor. Zuerst erwähnen alte Urkunden des Ritters *Peter* v. Kamcke, sodann folgen vier andere seiner Nachkommen, die den Vornamen Peter führten, und theils durch vornehme Aemter, Hofchargen oder durch bedeutenden Grundbesitz in hohem Ansehen in Pommern standen. Namentlich war *Peter* III. der vornehmste Rath des Herzogs Friedrich in Pommern, und *Peter* IV. v. K. starb im Jahre 1615 als Geheimer Rath, Oberhofmarschall und Schlosshauptmann, in welcher Würde er fast 50 Jahre hindurch mehreren Herzögen gedient hatte. Die meisten Besitzungen der v. K., die, obgleich alle zu ein und derselben Familie gehörig, sich in der Gegenwart v. Kameke, Kamecke und Kamcke schreiben, lagen in dem Fürstenthume Camin, wo Kordeshagen, Strachmin, Strippow, Warnin, Warchmin, Kratzig, Bitzicker, Hohenfelde, Niederhof und Altenhagen ältere und neuere Lehne dieses Hauses sind, die zum Theil noch heute sich in den Händen der Familie befinden. Die alten Lehne Hohenfelde, Kordeshagen und Strippow besass namentlich der Staatsminister *Ernst Bogislav* v. K. (m. s. weiter unten). Nach seinem am 4. Decbr. 1726 erfolgten Tode fielen sie auf seinen einzigen Sohn, den Hauptmann *Friedrich Heinrich* Grafen v. K. Strippow wurde am 29. Juni 1753 erblich dem Schlosshauptmann *Friedrich Paul* Grafen v. K. zuerkannt, der auch als der einzige Sohn aus dem Hause Strachmin, das theils ein altes, von den v. Damitz herrührendes neues v. Kamekesches Lehn ist, an welchem nicht alle, sondern nur einige die gesammte Hand hatten, zugleich mit dem dazu gehörigen Gute Warnim ererbt hat. Der erwähnte Graf Friedrich Heinrich blieb im Jahre 1757 in der Schlacht bei Prag. Er und sein einziger Sohn hatten sich mit dem Lehnsfolger, dem Schlosshauptmann Friedrich Paul Grafen v. K. und den Gebrüdern *Georg Friedrich* und *Arnold Friedrich* v. K. durch einen Familienvertrag vom 3. Decbr. 1765 dahin verglichen, dass die Güter Hohenfelde, Kordeshagen, Strippow, Strachmin und Warnim dem gedachten Schlosshauptmanne, dessen nachgelassene zwei Söhne und eine Tochter sich am 22. Januar 1770 auseinandersetzten, wonach diese Güter dem Geheimen Ober-Finanz- und Kriegs- und Domainenrath *Alexander Hermann*, Grafen v. K., znfielen. Durch Heirath hatte das Haus in der Person des weiter unten näher erwähnten *Paul Anton* v. K., königl. preuss. Grand maître des königl. Hauses, grosse Güter in der Mark erworben, namentlich im Lande Oberbarnim, Prötzel, Predickow, u. s. w. — In der Gegenwart besitzen die v. K. in Pommern die Güter Bitzicker, Cratzig, Thnnow, Lustebuhr, Warelmin, Warchmshagen u. s. w., im Fürstenthumskreise, und Gumenz Kl. Reetz im Rummelsburger Kreise, auch Mistow, Egsow, Kummerzien, u. s. w. im Schlawer und Kl. Guschen im Stolper Kreise. In der Neumark besass die verwittwete Oberstin v. K., geborne Gräfin v. Rietberg, und nach ihrem Tode ihr ältester Sohn *Alexander* v. K., gegenwärtig Major und Commandeur eines Landwehr-Bataillons, das Gut Fritschendorf bei Crossen (gegenwärtig der Familie v. Reinbaben gehörig. Die erwähnten schönen Güter in den Marken Prötzel, Predickow, u. s. w. sind jetzt das Eigenthum eines Freiherrn v. Eckardstein.

Zu den ausgezeichnetsten Mitgliedern dieser Familie gehören: *Ernst Bogislav* v. K., geb. am 24. Decbr. 1674 zu Hohenfelde, wurde am 30. November 1709 königl. Kammerherr und Obermarschall, später Hof-Kammer-Präsident, Ober-Domainen-Director, General-postmeister, Protektor der königl. Akademie der Künste und mechanischen Wissenschaften, Amtshauptmann zu Bublitz, u. s. w. Im Jahre 1711 erhielt er den schwarzen Adlerorden. Während seiner Oberleitung der königl. Domainen tritt vorzüglich seine Einrichtung, die auf Erbpacht überlassenen königl. Aemter und Güter wieder in Zeitpachtungen zu verwandeln, hervor, wodurch dem landesherrlichen Interesse und den Einkünften des Königs ein bedeutender Vorschub geleistet wurde. Dieser berühmte Staatsmann starb, wie wir schon oben erwähnt haben, am 4. Decbr. 1726. Er hinterliess, wie wir auch schon angezeigt haben, nur einen Sohn, *Friedrich Heinrich*, Grafen v. K., der in der Schlacht bei Prag blieb.

Paul Anton v. K., geb. am 29. Mai 1674 (also in demselben Jahre, wie sein Vetter Ernst Bogislav v. K.) auf dem väterlichen Gute Strachmin. Seine Eltern waren *Paul Anton* v. K. auf Strachmin, und

Dorothea Hedwig v. K., aus dem Hause Strippow. Er wurde Edelknabe bei dem Kurfürsten Friedrich III., nachmaligem ersten Könige von Preussen, der ihn mit 22 Jahren aus besonderer Gnade zum Hauptmann und Compagniechef seiner Leibgarde ernannte. Am 30. Septbr. 1704 wurde er in Sonnenburg zum Ritter geschlagen, am 6. August 1705 bekleidete ihn der Monarch mit den Aemtern eines Grand maitre de la garderobe und Generaladjutanten, auch verlieh ihm der König noch in demselben Jahre die Amtshauptmannschaften Mühlenhof und Müllenbeck; zugleich gehörte er zu denjenigen ausgezeichneten Personen, die mit zuerst den neu gestifteten schwarzen Adlerorden erhalten hatten, und im Jahre 1712 wurde er mit der hohen Würde eines Grand maitre de la maison royale oder eines Oberhofmeisters des königl. Hauses bekleidet. Nach dem Tode seines grossen königl. Gönners und Beschützers, bei dem er auch die Stelle eines Obersten der Leibgarde versehen hatte, trat er als Generalmajor von der Infanterie in die Armee ein, führte ein von ihm selbst errichtetes Regiment, das sich nachmals unter dem Namen v. Puttkammer und zuletzt v. Lichnowski und v. Wenning, im siebenjährigen Kriege grossen Ruhm erworben hat, im Jahre 1715 gegen die Schweden und legte vor Stralsund die Beweise der grössten Tapferkeit ab. Allein ungewohnt der Beschwerden des Kriegslebens, wurde seine immer schon schwächliche Gesundheit ganz erschüttert. Im Jahre 1716 erhielt er die nachgesuchte Entlassung aus dem Kriegsdienste; bald darauf zog er sich vom Hofe und aus dem öffentlichen Leben gänzlich auf seine Güter zurück und schon am 19. August desselben Jahres erfolgte zu Strachmin, nach einem Blutsturze, sein Tod im kaum erreichten 44. Lebensjahre. Er war zuerst mit Agnes Juliane, der Tochter Adam Georgs, Grafen v. Schlieben, vermählt, wodurch er in den Besitz der schönen Schliebenschen Güter kam. König Friedrich I. hatte diese Ehe selbst gestiftet. Sie gebar ihm am 21. Septbr. 1705 männliche Zwillinge, aber Mutter und Kinder starben noch an demselben Tage. Von seiner zweiten Gemahlin, Ilsa Anna v. Brunno, damals Hofdame der Kronpriazessin, die ihren Gemahl bis zum 27. August 1747 überlebte, wurden ihm drei Söhne und vier Töchter geboren. Von den Söhnen wurde *Paul Anton* königl. Schlosshauptmann, am 28. Juli des Jahres 1740 in den preuss. Grafenstand erhoben. Sein Sohn war der oben erwähnte königl. preuss. Ober-Finanz-, Kriegs- und Domainenrath *Alexander Hermann* Graf v. K., vermählt mit Amalie Wilhelmine Marie Gräfin zu Lynar. Er starb am 6. April 1806 und seine hinterlassene Gemahlin am 14. Septbr. 1834. Aus dieser Ehe wurde geboren *Rochus Emil Albert*, am 14. Dec. 1769, der zuerst mit Karoline Henriette, Gräfin Truchsess zu Waldburg, vermählt war, von derselben aber geschieden wurde und zum zweitenmale sich mit Dorothea, geb. Meister, verheirathete.

Der Sohn aus der ersten Ehe ist *Alexander Friedrich Ernst*, Graf v. K., geb. am 7. Novbr. 1797, königl. Kammerherr und erster Legations-Secretair in Turin.

In der Armee haben eine grosse Anzahl von Söhnen aus diesem alten Hause gedient und geblutet. Wir erinnern dabei noch einmal an den bei Prag gebliebenen Friedrich Heinrich Grafen v. K.

Leopold Georg v. K., zuletzt Major und Commandeur eines Grenadier-Bataillons, hat sich in den Feldzügen König Friedrich II. rühmlichst ausgezeichnet und ist namentlich in der Schlacht bei Lowositz verwundet worden; und

August Adolph v. K., ebenfalls Major und Commandeur eines Grenadierbataillons, gest. zu Brieg 1779, hatte sich bei der Belagerung von Cosel und Schweidnitz, auch bei Colberg, ausgezeichnet.

N. N. v. K., Oberst und Commandeur des Dragonerregiments, Graf v. Lottum, wohnte mit Auszeichnung dem Feldzuge in Holland 1787 bei und ist in dem Jahre 179? gestorben. Im Jahre 1807 blieb der Stabskapitain v. Kameke, der früher in dem Regimente v. Reinhard zu Rastenburg gestanden hatte. — Der frühere im Husarenregiment v. Blücher gestandene Major *Karl Wilhelm* v. Kameke ist als Generalmajor und Commandeur der 8. Landwehrbrigade mit dem Generallieutenantscharakter aus dem activen Dienste geschieden. Er hatte sich in der Rheincampagne 1793 in dem Gefecht bei Asex den Militair-Verdienstorden und vor Wittenberg das eiserne Kreuz erworben. — Ein Generalmajor v. K., der bis zum Jahre 1806 als Capitain in dem Regimente König von Baiern Dragoner gestanden hatte, schied im Jahre 18¼ als Commandeur der 3. Landwehrbrigade aus dem activen Dienst. Er hatte sich ebenfalls den Militair-Verdienstorden in dem Gefecht am Kettricher Hofe 1793 erworben, und für seine in der Schlacht bei Dennewitz bewiesene Tapferkeit ist er mit dem eisernen Kreuze 1. Klasse geschmückt. — Das eiserne Kreuz 1. Klasse erwarb sich auch *Paul* v. K., der als Major des 25. Infant. Regiments im Jahre 1827 zu Cöln verstorben ist. Er war ein jüngerer Bruder des *Alexander* v. K., gegenwärtigen Majors und Bataillons-Commandeurs im 18. Landwehrregiment, der sich im Jahre 1813 bei Jühnsdorf das eiserne Kreuz 2. Klasse erworben hat (Beide sind die Söhne des oben erwähnten v. K., der als Oberst und Commandeur des Regiments Graf Lottum verstorben ist). — Ausserdem haben in dem Befreiungskampfe sich noch verschiedene andere Mitglieder dieser Familie das eiserne Kreuz erworben, von denen wir nur noch den Major v. K., Führer des 1. und 2. Aufgebots des 9. Landwehrregiments und Landrath des Kreises Naugardt, der diesen Orden bei Dennewitz sich erwarb, erwähnen.

Die Grafen v. K. führen im rothen Schilde einen silbernen Gemsenkopf und Hals, auf dem Schilde eine goldene Krone, über derselben einen schwarz und blau angelaufenen, mit goldenen Bügeln und anhangendem Kleinod gezierten Helm, worauf ein roth und silbernes Polster, mit drei umgekehrten Piken (in dem neuen Wappenbuche sind es Schwerter) besetzt. Die Helmdecken sind auf beiden Seiten roth und Silber. Zu Schildhaltern sind rechts der preuss. Adler mit einer goldenen Krone, auch gleichmässigem Schnabel, mit roth ausschlagender Zunge, goldenen Kleestengeln in den Flügeln, auch gleichen Klauen, links der brandenburg'sche rothe Adler mit dem Kurhut, goldenem Schnabel und roth ausschlagender Zunge, ingleichen mit goldenen Kleestengeln in den Flügeln und gleichen Klauen. (Auszug aus dem Grafen-Diplom.)

Die Herren v. K. führen denselben Gemsenkopf im rothen Schilde und denselben Schmuck auf dem Helme.

Dieses Wappen giebt Siebmacher III. S. 156. Nachrichten über die Familie der v. Kameke findet man in Brüggemann 1. Theil 2. Hptstück. Gauhe I. S. 719. Micrälius VI. Allgem. geneal. Handb. I. S. 616. u. s. f.

Kaminietz, die Herren von.

Aus Polen hat sich ein Zweig dieses altadeligen Hauses nach Schlesien gewendet. In ihrem Stammlande schrieben sie sich Kaminietzki, in Schlesien liessen sie diese Endung weg. Uebrigens heisst auch das Stammhaus der Familie Kaminietz. Der erste adelige Besitzer dieses Schlosses war *Alexander* Kaminietzki, Woywode von Sendomir,

5 *

der um das Jahr 1309 lebte. Von seinen Söhnen gelangte *Nikolas* Kaminietzki zu der grossen Würde eines Palatinus von Krakau und Gross-Kron-Feldherrn. Er besiegte die Walachen und Tartaren in mehreren Treffen. In Schlesien erwarben die v. Kaminietz die Pawönkauer Güter im Kreise Lublinitz. In Breslau lebte noch um das Jahr 1808 ein Lazareth-Inspector von Kaminietz. Im Jahre 1825 schied ein Rittmeister v. Kaminietz aus dem 2. Uhlanen-Regiment, er hatte früher im Kürassierregiment v. Bünting gestanden und sich bei Leipzig das eiserne Kreuz erworben. Ein Major v. Kaminietz, der zuletzt im 2. Infant. Regiment stand, erwarb sich ebenfalls bei Leipzig das eiserne Kreuz. *Gustav* v. Kaminietz hatte sich 1814 bei Etoges oder Laon dieselbe Auszeichnung erworben. Er war nachmals Ober-Grenz-Zoll-Controleur in Lieban bei Landshut in Schlesien. Gegenwärtig steht ein Lieutenant v. Kaminietz im 2. Uhlanen-Regiment.

Dem Wappen nach gehören die v. Kaminiec oder Kaminiecky zu dem sehr vornehmen Hause der Pilawa, zu dem auch die v. Lichnowsky gezählt werden, dessen Ahnherr Ziroslaus ein tapferer Kriegsheld unter dem Herzog Boleslav Crispo nach dem Treffen bei Pilawa den Namen beigelegt und zwei Kreuze in's Wappenschild von dem Herzoge Casimir erhalten hat. M. s. Sinapius I. S. 501. II. S. 715. Okolski T. III. S. 117. v. Meding beschreibt das Wappen II. N. 416.

Kamptz (Kampz, Campz), die Herren von.

Unter dem Namen v. Kampzen, Kamzen, Camzen und Campzow kommt dieses altadelige Geschlecht, das ursprünglich aus Frankreich in die nordöstlichen deutschen Staaten, namentlich nach Pommern und Mecklenburg gekommen ist, in jener erstern Provinz bei uns vor. Als das Haupt dieser Familie wird *Levin* Campz genannt, der ein Rath des Königs von Frankreich war, und mit einer Gesandtschaft am mecklenburgischen Hofe erschien. Er kehrte in sein Vaterland zurück, liess aber seinen Sohn *Curd* Camz am herzoglichen Hofe. Derselbe wurde wegen seiner geleisteten Dienste von den Herzogen von Mecklenburg mit dem Rittergute Gartow belehnt. — Ein Nachkomme desselben, der, wie der Stammherr, *Levin* hiess und ein Sohn des *Hans* v. Kamptz war, hatte in Pommern das Gut Pentin(?) vielleicht Pensin, erworben, und wurde auf diese Weise der Stammherr der pommerschen Linie dieses Hauses. — Aus der mecklenburgischen Linie war der Generalmajor v. Kamptz, der 1757 geboren und seit dem Jahre 1774 in preuss. Diensten stand. Als im Jahre 1796 das Regiment v. Courbière errichtet worden war, erhielt er eine Compagnie in demselben; am 6. Juli 1802 wurde er Major, machte 1806 die Campagne in Preussen mit, wurde 1810 Commandant von Colberg, 1812 zum erstenmal und 1815 zum zweitenmal zum Commandanten von Cosel ernannt. Er starb im Monat August 1817 zu Carlsbad. — Ein sehr verdienstvoller Generalstabs-Offizier dieses Namens starb als Major im Feldzuge von 1806 an seinen bei Auerstädt erhaltenen Wunden. — In der Gegenwart giebt diesem alten Hause neuen Glanz *Karl Albert Christoph Heinrich* v. K., wirklicher Geheimer Staatsund Justizminister, königl. Kammerherr, Mitglied des Staatsraths und Ritter des rothen Adlerordens 1. Kl., geb. 1769 zu Mecklenburg-Schwerin; er studierte zu Göttingen und erhielt 1790 von der Juristenfacultät den Preis für die Abhandlung De fundamento obligationis liberorum ad facta parentum praestanda. Er trat erst in mecklenburgische Dienste, aber schon 1804 ward er vom Könige von Preussen zum Reichskammergerichts-Assessor in Wetzlar ernannt, trat sodann 1810 mit dem Cha-

rakter eines Geheimen Legationsraths als Mitglied des Ober-Appella-
tionssenats des Kammergerichts in preuss. Dienste. Im Jahre 1812
ward er vortragender Rath im Departement der höhern und Sicher-
heitspolizei, und 1817 wirklicher Geheimer Ober-Regierungsrath und
Director des Polizei-Ministerium, auch zugleich Mitglied des Staatsraths. Im Jahre 1824 wurde er mit Beibehaltung seiner übrigen Dienst-
verhältnisse zum ersten Director der Unterrichts-Abtheilung im Ministerium der Geistlichen- Unterrichts- und Medizinal-Angelegenhei-
ten ernannt. Im Jahre 1830 starb der wirkliche Geheime Staats- und
Justizminister Graf von Danckelmann; nachdem der hohe Posten des
Verstorbenen längere Zeit interimistisch verwaltet worden war, setzte
Se. Majestät der Justiz zwei Chefs vor, beide in der Würde von
wirklichen Geheimen Staatsministern. Herr v. Kamptz erhielt eine
dieser Stellen, und zwar die oberste Leitung der Justiz in den Rheinprovinzen und die Gesetzrevision, der Geheime Staatsminister Herr
Mühler aber für alle übrigen Provinzen und die Lehnssachen. Von
seinen vielen litterarischen Arbeiten führen wir nur an: die Jahrbü-
cher der preuss. Gesetzgebung u. s. w. und die Annalen der preuss.
Staatsverwaltung.

Siebmacher giebt, III. S. 158, unter den pommerschen das Wappen der Campzen. Es enthält in Beziehung auf das ursprüngliche Heimathsland der Familie im rothen Felde eine weisse Lilie, und auf
dem ungekrönten Helme eine blaue, eine rothe und eine goldene
Straussfeder. Die Helmdecken sind rechts weiss und blau, links weiss
und roth.

M. s. auch Micrälins, Buch IV. Gauhe, I. S. 235. Conversations-
Lexicon, neue Folge, Abtheil. I. Bd. II. oder des 12ten Bandes 1ste
Hälfte S. 1.

Kanitz, die Grafen von.

Zu Dem, was wir Bd. I. S. 346 schon über die Familie v. Canitz
gesagt haben, fügen wir hier noch hinzu, dass sich die gräfliche Linie mit einem K., die freiherrliche und adelige aber mit einem C.
zu schreiben pflegt. Die im Jahre 1798 von das jetzt regierenden Königs Majestät in den Grafenstand erhobene Linie sind die Nachkommen des im Jahre 1709 gestorbenen, von uns, l. S. 347, erwähnten
wirklichen Geheimen Raths und Oberburggrafen in Preussen, *Frie-
drick Wilhelm* v. K. — Sein Enkel, der im Jahre 1798 in den Grafenstand erhobene Majoratsherr auf Mednicken, Herr auf Podangen,
Arnau, Wilknit und Plattwinden, war mit einer v. Massow (gest. 1805)
vermählt und starb im Jahre 1825. Dessen Kinder und Enkel bilden
die gegenwärtig gräfliche Familie v. K.

1) *Antoinette*, geboren den 7. Juni 1775, Wittwe von F. v. Tippelskirch.

2) Graf *Alexander Leopold Ernst*, geb. am 13. Juli 1778, königl.
   preuss. Geheimer Justiz- und Ober-Landesgerichts-Rath, Ge-
   nerallandschafts-Director von Westpreussen, Majoratsherr auf
   Mednicken, Herr auf Podangen und Gosczyn, vermählt 1805 mit
   Emilie v. Tiedemann.

K i n d e r :

a) *Bertha*, geb. den 19. Januar 1806, vermählt 1829 an Fr. von
   Tippelskirch, Prediger.

b) *Emil*, geb. den 21. August 1807.
c) *Adele*, geb. den 10. Mai 1812.
d) *Luise*, geb. den 28. April 1816.

3) Graf *August Wilhelm Karl*, geb. 1783, königl. preuss. Oberst, Commandeur der 1. Landwehrbrigade und Flügeladjutant des Königs, Wittwer seit dem 23. August 1830 von Luise, Gräfin von der Schulenburg-Betzendorf, geboren am 20. März 1799.

K i n d e r:
a) *Maria*, geb. den 15. Septbr. 1817.
b) *Clara*, geb. den 28. August 1819.
c) *Mathilde*, geb. den 26. März 1821.
d) *Rudolph*, geb. den 14. August 1822.
e) *Rosalie*, geb. den 28. Juli 1824.
f) *Agnes*, geb. den 24. Febr. 1826.
g) *Luise*, geb. den 20. Juni 1830.

4) *Ernst Wilhelm*, geb. 1789, königl. preuss. Tribunalrath, vermählt mit Wilhelmine v. Derschau, und zum zweitenmale mit Charlotte, Gräfin Fink von Finkenstein, aus dem Hause Jäskendorf, geb. den 12. August 1802.

Kannacher, die Herren von.

Diese adelige Familie gehört der Provinz Preussen an. Es haben sich mehrere Mitglieder derselben in der Armee Ehre und Auszeichnung erworben: namentlich *Ernst Ludwig* v. Kannacher, geb. in Preussen 1695 und gestorben 1760 als Generalmajor, Chef eines Regiments zu Fuss, Ritter des Ordens pour le mérite, Drost zu Joch und Gennep, Amtshauptmann zu Ruppin und Fehrbellin. Er hatte sich besonders bei Kesselsdorf ausgezeichnet, und bei dieser Gelegenheit auch den Orden erhalten. Ein Major v. Kannacher, der früher im Regimente von Kalkreuth zu Elbing stand, ist im Jahre 1821 als Major und Commandeur des 3. Bataillon vom 3. Landwehr-Regiment gestorben. Noch in der Gegenwart dienen Offiziere dieses Namens in der Armee.

Kanne, die Freiherren und Herren von.

Die Freiherren und Herren von Kanne gehören Westphalen und Sachsen, dort besonders dem Paderbornschen, hier dem Meissnischen an. Sie schrieben sich auch von Kannen. Im preussischen Staatsdienste haben nur wenige Mitglieder dieser Familie gestanden. Uns ist davon nur *Moritz* von Kanne, der sächsischen Linie angehörig, bekannt geworden. Er stand in der Reiterei des grossen Kurfürsten, dem er beim Ueberfalle auf Rathenow und in der Schlacht bei Fehrbellin gute Dienste leistete. — Sie führen in einem gespaltenen silbernen und schwarzen Schilde einen vorwärts gekehrten Büffelkopf mit abwechselnden Tincturen des Schildes. Auf dem gekrönten Helme stehen zwei Büffelhörner über Eck, silbern und schwarz, angelegt. Die Helmdecken sind schwarz und silbern.

Kannenberg, die Freiherren und Herren von.

Das Stammhaus dieses alten Geschlechtes liegt in der Altmark, beim Städtchen Arneburg. Nach andern Quellen ist es das im Halherstädtschen liegende Dorf gleiches Namens. In dieser Landschaft besassen die v. Kannenberg die Güter Kannenberg, Krumke, Hohenhof, Iden, Berge u. s. w.; aber auch im Mindenschen waren sie begütert, namentlich gehörte ihnen hier der Rittersitz Himmelreich; eben so besassen sie in dem Fürstenthume Minden das Erbmarschallamt, das später an die v. Kahlden übergegangen. Sie gehören zu dem alten Adel, der mit Kaiser Heinrich I. in die Marken kam, und schon unter den ersten Kurfürsten standen sie in hohem Ansehen und ansehnlichen Bedienstungen; sie waren auch in mehreren Stiftern, namentlich war *Kaspar* v. K. im Jahre 1571 Propst zu Walbeck, ein anderer war im Jahre 1593 Domdechant zu Halberstadt, wo auch im Jahre 1686 *Friedrich Wilhelm* v. K., den wir unten näher erwähnen werden, Kanonikus und Propst des Stiftes St. Mauritii und Bonifacii war. — Im Jahre 1714 starb

Friedrich Wilhelm, Freiherr v. K., als königl. polnischer Kammerherr. Sinap. führt ihn auch unter dem schlesischen Adel auf, weil er als Gemahl der Freiin Barbara Helena v. Bibra und Reissicht um das Jahr 1670 Besitzer des freien königl. Burglehns Romenau im Breslauischen war. Er war der Vater des erwähnten Friedrich Wilhelm v. K. Dagegen verwechselt Sinap. die v. Kannenberg mit den v. Tannenberg, wenn er sie als Besitzer der schönen, jetzt gräflich Schlabrendorfschen Herrschaft Stolz bei Frankenstein anführt.

In dem kurbrandenburg. und preuss. Staatsdienste haben sich vorzüglich bekannt gemacht:

Christoph v. K., der als kurbrandenburg. Geheimer Kriegsrath, Generallieutenant von der Cavallerie, Kammerherr, Oberster zu Ross und Fuss, Gouverneur der Festung Minden, Erbmarschall des Fürstenthums Minden und Erbherr auf Buschow, Kannenberg und Himmelreich am 10. Febr. 1673 starb. Er war am 10. Januar 1615 geboren, trat in schwedische Dienste, gerieth in Gefangenschaft, nachdem er am linken Fusse verwundet worden war; nach geschehener Auswechselung kam er als Corporal in schwedische Dienste zurück; als Quartiermeister erhielt er bei Torgau wiederum einen Schuss durch den Fuss, avancirte später nach und nach zum Oberstlieutenant. Nach Beendigung des dreissigjährigen Krieges, in dem er sich bei vielen Gelegenheiten rühmlichst hervorgethan hatte, wurde er mit 1000 Thlrn. Wartegeld aus dem Dienste entlassen, da der grösste Theil der schwedischen Armee abgedankt wurde. Bei den ausgebrochenen jülichschen Unruhen zog ihn der grosse Kurfürst in seine Dienste, und ernannte ihn 1651 zum Generalmajor von der Cavallerie. Im Kriege in Polen, und zwar bei Warschau, wurde er verwundet, indem ihm eine Kugel auf seine Geldbörse, die er um den Leib trug, abprallte. 1656 ward er Gouverneur von Minden, 1657 Generallieutenant und Inspecteur aller Garnisonen in Westphalen, in Abwesenheit des Generalfeldzeugmeisters v. Sparr. Im Jahre 1666 wurde er zum Geheimen Kriegsrath, und am 7. Mai desselben Jahres zum Erbmarschall des Fürstenthums Minden ernannt. Im Jahre 1672 marschirte er mit den kurfürstl. Truppen, darauf verfiel er aber in eine schwere Krankheit und starb an dem oben angeführten Tage nach 43jährigen Kriegsdiensten, im 59. Jahre seines Alters. Er war mit Maria, Tochter des Güntzel von Bartensleben, Erbherrn auf Wulfsburg und Brome, vermählt, die ihm zwei Söhne und zwei Töchter geboren hatte, und sieben Wochen nach seinem Hintritte verschied.

Friedrich Wilhelm, Freiherr v. K., ein Enkel des Vorigen und ein Sohn des erwähnten königl. polnischen Kammerherrn Friedrich Wilhelm, Freiherrn v. K., trat 1717 in das damalige v. Blankenseesche Regiment zu Pferde ein, wurde 1720 Rittmeister, 1725 Oberstlieutenant im v. Platenschen Dragonerregiment, 1728 Johanniterritter und 1736 Oberster. König Friedrich II. ernannte ihn 1740 zum Obersten bei der neu errichteten Garde du Corps; als solcher wurde er in der Schlacht bei Mollwitz verwundet, erhielt im Jahre 1741 ein eigenes Dragonerregiment, 1742 aber seiner Wunden wegen die gesuchte Dienstentlassung, im Jahre 1753 die ehrenvolle Stelle eines Oberhofmeisters bei der damals regierenden Königin Elisabeth Christine, und zugleich den schwarzen Adlerorden. Er starb am ??. Mai 1762. Von seiner Gemahlin, Charlotte Albertine, gebornen Gräfin v. Finkenstein, hatte er eine einzige Tochter, die mit dem General v. Kahlden vermählt war.

Auf die von Kahlden ist auch das Erbmarschallamt des Fürstenthums Minden, wie wir schon oben erwähnt haben, gelangt, und es war Friedrich Wilhelm v. K., wahrscheinlich bei uns der Letzte seines Geschlechtes. Wir finden seit jener Zeit auch nicht mehr diesen Namen in den Listen der Administration und des Heeres.

Das Wappen dieser Familie bestand aus einem blauen Schilde, in welchem drei silberne Kannen auf grünen Hügeln standen. Die letztern sind in Siebmacher, I. S. 175, eben so V. S. 145, wo das Schild silbern und die Kannen schwarz sind, vergessen. Spener beschreibt das Wappen richtig, indem er sagt: in aera coelestina tres argentei canthari monticulis viridibus insistentes. Auf dem zuerst erwähnten Wappen steht eine silberne Kanne zwischen zwei Büffelhörnern, von denen das vordere blau und das hintere silbern ist; bei dem zweiten fehlen die Büffelhörner gänzlich. Nachrichten findet man über diese Familie in Gauhe, I. S. 721; auch erwähnt sie Sinapius, II. S. 346.

Kannengiesser, die Herren von.

Hermann Frans Kannengiesser, Rath bei der Oberamts-Regierung in Schlesien, wurde im Jahre 1737 in den böhmischen Ritterstand erhoben, und sein Sohn, der kaiserl. Hofrath und Geheime Referendar, *Hermann Lorens* v. K., erhielt im Jahre 1765 die freiherrliche Würde.

Kannewurf (ff), die Herren von.

In Thüringen liegt das alte Schloss Kannewurf, es hat einem altritterlichen Geschlechte den Namen gegeben, das sich auch im Meissenschen niedergelassen hat, wo es lange Jahre hindurch das auf der Kunstrasse von Dresden nach Freyberg liegende Gut Pretschendorf besass. Schon im Jahre 1319 gab der Landgraf Friedrich von Thüringen dem Ritter *Heinrich* v. K. die Gerichte zu Trebra zu Lehn. — Aus diesem Geschlechte war *Heinrich Gottlieb* v. Kannewurf entsprossen, der unter dem grossen Friedrich ehrenvoll dem siebenjährigen Kampfe beiwohnte und schwere Wunden erhielt. Beim Tode seines weltberühmten Lehrmeisters in der Kriegskunst, war er Oberst des damaligen Regiments von Schönfeld, und seit 1783 Ritter des Verdienstordens. König Friedrich Wilhelm II. ernannte ihn im Monat Juni 1787 zum Generalmajor der Infanterie, Vicepräsidenten des neuerrichteten Oberkriegs-Collegium u. s. w., am 8. Januar 1794 aber zum Generallieutenant. Im Jahre 1795 wurde er mit dem grossen rothen Adlerorden geschmückt. Er starb als Director des 1. Departements vom Oberkriegs-Collegium und Kriegsminister, als welcher er auch im

Staatsrathe Sitz und Stimme hatte, im Januar 1799. Vermählt mit
einer von Glasenapp, hat er mehrere Kinder hinterlassen. Eine seiner Töchter wurde die Gemahlin des nachmaligen Staatsraths Baron v.
Rediger. — In Preussen ist eine Familie von Kannewurff begütert.
Das Haupt derselben, der Major a. D. und Landrath des Kreises Lyck
(Regierungsbezirk Gumbinnen), v. Kannewurff, starb am 10. Juni 1836.
Er hinterliess eine Wittwe (Charlotte, geb. v. Pfuel), einen Sohn, Rudolph (so viel uns bekannt, der Letzte seines Stammes in Preussen)
und drei Töchter.

Diese Familie führt in einem rothen, mit einem von der obern
rechten zur untern linken Seite gezogenen goldenen Balken belegten
Schilde zwei goldene sechsblättrige besamte Rosen, von denen die
eine in dem obern linken, die andere in dem untern rechten Winkel
steht. Der Helm ist mit einer Wulst belegt, die mit sechs roth und
golden abwechselnden Straussfedern geschmückt ist. Die Helmdecken
gold und roth.

Kantrzinski, die Herren von.

Aus dieser polnischen und westpreussischen adeligen Familie stand
ein Mitglied, der Hauptmann v. Kantrzinski, im 2. Garderegiment. Er
erwarb sich bei Lüneburg das eiserne Kreuz, und starb als Major im
Pensionsstande am 1. Septbr. 1833 zu Berlin.

Kaphengst, die Herren von.

Die Familie von Kaphengst gehört dem Adel der Priegnitz an.
Gülitz und Breesche, zwischen Perleberg und Puttlitz, sind alte von
Kaphengstsche Güter. Ein Zweig hat sich auch in der Neumark niedergelassen, ein anderer in Pommern. Dem ersteren gehörte der Oberst
im Husarenregimente Schimmelpfennig von d. Oye und Ritter des Verdienstordens von Kaphengst, dem andern der Oberstlieutenant im Leib-
Carabinier-Regiment und Ritter des Verdienstordens von Kaphengst
an, der Erstere ist im Jahre 1824, der Letztere im Jahre 1818 gestorben. Die Söhne derselben dienen gegenwärtig in der Armee, namentlich der Major v. Kaphengst im Gardehusaren-Regiment, Ritter
verschiedener Orden, auch des eisernen Kreuzes (erworben 1813 bei
Görlitz), und der Major v. Kaphengst, aggregirt dem 3. Uhlanen-Regiment u. s. w.

Kappaun (Kaphaun), die Freiherren von.

Es schrieben sich diese Freiherren Kappaun v. Schwogkow oder
Schwogkau. Des im 30jährigen Kriege oft vorkommenden kais. Obersten Kappaun v. Schwogkau Söhne liessen sich in Schlesien nieder, wo
einer die jetzt v. Sauerma'schen, Schrebsdorfer Güter bei Frankenstein besass. Unter den Vorfahren dieses Geschlechtes ist Jaroslaw
v. Kappaun sehr bekannt geworden, er rettete 1355 den Kaiser Karl IV.
aus den Händen der ihn umringenden Pisaner. Uebrigens war 1160
schon Johannes de Kapaun des Königs Wladislaws oberster Landrichter im Königreiche Böhmen. Aus Schlesien ist die Familie längst ver-
schwunden, aber noch vor wenigen Jahren stand ein Freiherr v. Kapaun als Escadronchef in dem österr. Chevaux-legers-Regiment Baron v. Vincent.

Kappel, die Herren von.

Mehrere zum Theil altadelige Familien in Brandenburg, Mecklenburg, in Schlesien, in Hessen, Thüringen und Franken führen oder führten den Namen v. Kappel, zuweilen auch Kappelle. In der Mark Brandenburg gehörten die v. Kappel oder Kapellen zu den uralten Geschlechtern, die bald nach der Vertreibung der Wenden in das Land kamen; ein Umstand, den namentlich der Präsident v. Hagen in seiner Beschreibung des Geschlechtes von Brunn angiebt. In der Mark Brandenburg waren sie namentlich in der Priegnitz begütert; auch gehörten sie zu dem Adel im Lande Crossen, sie schrieben sich aber nach einem im Mecklenburgischen belegenen Rittersitze aus dem Hause Mankmus und Lasslich. Besonders war *Dietrick* v. K. auf Mankmus und Lasslich Erbherr. — Seinen Sohn, *Caspar* v. K., finden wir zuerst unter dem Namen v. Kapelle in einem vor uns liegenden Stammbaum verzeichnet; er war der Vater des *Fritz Dietrich* v. Kappelle, der mit Elisabeth Magdalene v. Halberstadt, aus dem Hause Brütz, vermählt war, und als Domdechant zu Havelberg, kurfürstl. brandenburg. Director des priegnitzschen Kreises, auch fürstlich mecklenburg-güstrowscher Geheimer Rath, Erbherr auf Mankmus und Lasslich starb. — Die Güter der gleichnamigen schlesischen Familie lagen im Wohlauischen. Sinapius nennt sie v. Kappelle und führt das Gut Tuchen im Herrnstädtschen Kreise des Fürstenthums Wohlau als ihr Besitzthum an. Wir finden in der Gegenwart diese Familie auch in den Marken nicht mehr aufgeführt, während sie in Schlesien schon längst ausgegangen ist. — Das Wappen der brandenburgischen und schlesischen v. Kappel zeigt im silbernen Schilde und auf dem ungekrönten Helme ein blau gekleidetes Mannsbild, mit einem silbernen, grün ausgeschlagenen Hute oder Bunde auf dem Kopfe, und mit langen, über die Schulter herabhängenden Haaren. Sinapius, II. S. 741, sagt: es ist ein blau gekleidetes Frauenbild mit einem Kranze auf dem Kopfe und mit langen Haaren, aber in einem vor uns liegenden Stammbaume der Familie v. Bredow ist das Wappenbild, wie wir angegeben haben, vorgestellt. Die Helmdecken silbern und blau. M. s. Angeli, märkische Chronik, S. 39. Gauhe, I. S. 722.

Kappenberg, die Grafen von.

Dieses alte gräfliche Geschlecht in Westphalen besass die Herrlichkeit Kappenberg im Amte Werne des Bisthums Münster. Die beiden letzten Grafen aus diesem, schon am Anfange des 12. Jahrhunderts erloschenen Hause, *Gottfried* und *Otto*, stifteten von ihrem Besitz die adelige, dem Prämonstratenser-Orden zugehörige Abtei oder Propstei Kappenberg. Diese gelangte nach ihrer Secularisation mit dem Bisthum Münster an die Krone Preussen, und später wurde sie das Besitzthum des berühmten Staatsministers Freiherrn von Stein, und nach dessen Tode fiel sie an seine einzige Tochter, *Alexandrine*, vermählte Gräfin von Ingelheim. Es war übrigens die gedachte Propstei keinem Bischofe unterworfen, sie stand frei und unmittelbar im Reichsverbande, ja es standen noch verschiedene Klöster des Erzstiftes Cöln unter ihr. M. s. die geogr. stat. Beschreibung der im Jahre 1802 dem preuss. Staate zugefallenen Entschädigungsprovinzen, Berlin 1802. S. 123.

Karczewski, die Herren von.

Aus der sehr angesehenen polnischen Familie von Karczewski, die in der Provinz Posen ansässig ist, standen und stehen noch verschiedene Mitglieder im Staatsdienst. Namentlich der Landrath des Kreises Krotoszyn v. Karczewski, ein anderer ist Assessor beim Land- und Stadtgericht daselbst. Zu Lubrze im Posenschen wohnt oder wohnte einer v. Karczewski, der früher Offizier im Regiment Prinz Louis Ferdinand in Magdeburg war. — Ein Major v. Karczewski, in früherer Zeit beim Regiment von Schöning, zuletzt Commandeur des 1. Bataillon vom 1. Landwehrregiment, erwarb sich bei Leipzig das eiserne Kreuz.

Karger, die Herren von.

Es waren und sind noch mehrere von Karger in Schlesien. Ein Major v. Karger stand bis zum Jahre 1806 in dem Inf.-Regim. von Malschitzki zu Brieg, er ist im Jahre 1813 ausser Dienst gestorben. — Ein anderer v. Karger war 1806 Hauptmann im Cadettencorps, und starb 1827 als Oberst und Commandeur des 9. Landwehr-Regiments. Ein Capitain v. Karger war noch vor wenigen Jahren Platzmajor zu Königsberg. — Ein Justizrath von Karger war bei dem Fürstenthums- gericht in Neisse, und gegenwärtig ist ein Forstmeister v. Karger in Danzig angestellt. Das Wappenschild dieser Familie ist durch einen Faden in Silber und Blau getheilt. In der obern silbernen Hälfte schreitet ein Löwe nach der rechten Seite hin. Die untere blaue Hälfte ist in zwei Theile getheilt, rechts liegt zwischen drei Sternen ein sil- berner Speer.

Karnitzki, die Herren von.

Die Edlen v. Karnitzki kommen auch unter dem Namen v. Krosch- nitzky vor. Als ihr Stammhaus wird Mistitz im Fürstenthume Oppeln genannt, jedoch besassen sie lange Zeiten hindurch auch das Gut Pa- welszewe im Oelsischen. — *Christoph* Kroschnitzki oder Karnitzki sah im Jahre 1545 sein Schloss Pawelszewe (Paulsdorf) in Flammen aufgehen, und da das Haus dadurch seine alten Urkunden und Docu- mente verlor, so stellte ihm der Herzog zu Oels und Münsterberg neue Beglaubigungsbriefe aus. — In der Gruft zu Stroppen im Wohlaui- schen liegt *Adam* v. Karnitzki auf Pawelszewe begraben. Nach sei- ner Gedächtnisstafel war er des Herzogs Karl II. Rath und des Treb- nitzschen Weichbildes Landes-Hofrichter; er starb am 21. December 1630. — *Hans Ernst* v. Karnitzki auf Pawelszewe, der als ein hoch- verdienter und gelehrter Cavalier von seinen Zeitgenossen gerühmt wird, war des Herzogs Heinrich Wenzel Landes-Hofrichter des Bern- städtschen Weichbildes, und der Herren Stände General-Proviantmei- ster. Er wurde an der Seite seines Herzogs am 23. Septbr. des Jah- res 1622 durch einen Musquetenschuss schwer verwundet, und starb in Folge dieses Vorfalls. Er liegt in der Pfarrkirche zu Bernstadt be- graben. — Noch kommt *Georg Ernst* v. K. auf Pawelszewo, fürstl. würtemberg.-ölsisch-juliusburgscher Rath, auch des ölsischen Für- stenthums Landesältester, vor. Er war der Letzte seines Geschlech- tes, und Schild und Helm wurde am 14. Januar 1706 mit ihm in die Gruft gesenkt. Seine hinterlassene Wittwe war eine Prittwitz.

76   **Karnowski — Karras.**

Dieses ausgestorbene Geschlecht führte ein roth und weiss gewürfeltes Schild und auf dem Helme einen gewürfelten Adlerflügel. Die Helmdecken sind weiss und roth. Siebmacher giebt das Wappen, I. S. 74. Sinap. beschreibt es mit der Geschichte der Familie, I. S. 502. v. Meding, II. No. 424. Gauhe giebt I. S. 724 und II. S. 516, Nachrichten über diese Familie.

Karnowski, die Herren von.

Die v. Karnowski-Karnowa kamen aus Krakau nach Mähren und von da nach Schlesien, wo sie jedoch grösstentheils im österreichischen Antheile ansässig waren. Hier besass *Friedrich* Karnowski von Karnowa das Gut Leonhartow im Troppauischen; er war mit Ursula v. Korkwitz vermählt.

Diese Familie führt oder führte eine geharnischte Hand, welche drei Sparrennägel hält, im Schilde und auf dem gekrönten Helme drei Straussfedern. Okolski theilt sie in Beziehung auf dieses Wappen dem alten Hause Pruss in Polen zu. M. s. dessen Orb. Polon., II. S. 548. Gauhe, II. S. 517. v. Meding beschreibt das Wappen II. S. 422.

Karpinski, die Herren von.

Aus der adeligen Familie Karpinski in Polen war 1806 *Franz Anton* von Karpinski Decan zu Pleschen im Kreise Adelnau. Handbuch über den preuss. Hof und Staat, S. 310.

Karras (Karas), die Herren von.

Das altadelige Geschlecht der Karras gehört Sachsen und Schlesien an. Das erstere Land ist jedoch seine eigentliche Heimath; hier besass diese Familie sehr ansehnliche Güter bei Luckau und in der Elbaue zwischen Dresden und Meissen, dort namentlich die Dörfer Jetsch, Crossen, Schenkendorf, Dransdorf, und hier Cöln, Zschaschendorf, Cosswig u. s. w. Schon im Jahre 1213 gehörten die v. K. zu den angesehensten Rittern des Landes; in jenem Jahre nahm *Friedrich* v. K. den Bischof Albrecht von Magdeburg gefangen. — An dem Hofe der Herzöge von Weissenfels waren mehrere v. K. Hofmarschälle und Kammerjunker. — In Schlesien waren die v. K. bei Ujezd im Oppelnschen begütert. Sie schrieben sich Karras von Rohmstein. — Unter ihnen war *Kaspar* K. v. Rohmstein, geboren 1591, der am 6. Jan. 1646 als Kanonikus des hohen Domstifts zu Breslau, Propst zu Olmütz und fürstbischöfl. Rath starb, und dessen Denkmal sich in der Domkirche zu Breslau befindet.

Wir haben das Wappen dieser Familie irrthümlich bei dem Artikel v. Carrach, Band I. S. 359 gegeben, und wir werden das v. Carrachsche in einer der Ergänzungstafeln dafür nachtragen. Das Wappen der v. Karras findet man in Siebmacher, I. S. 159. v. Meding beschreibt es I. No. 403.

Nachrichten über die Familie v. K. giebt Sinap., II. S. 715, nicht, wie Hellbach anführt, I. S. 502. Ferner Gauhe, I. S. 724. Knaut, Prodrom. Miss. v. Uechtritz, diplomat. Nachrichten IV. S. 70—79.

Karski, die Herren von.

Eine polnische adelige Familie, aus welcher *Joseph* von Karski 1806 Amtmann der Domaine Zakroczyn in Neuostpreussen, und *Franz* v. K. Propst zu Chodecz und Sluszewo war. Ein Offizier dieses Namens stand 1806 in dem Inf. Regt. v. Thile zu Warschau und lebte noch vor einigen Jahren als königl. polnischer Offizier zu Porniecchow bei Modlin.

Karwath, die Grafen von.

Ein im vorigen Jahrhunderte erloschenes gräfliches Haus in Schlesien. Es hatte gleiche Abstammung mit dem berühmten böhmischen Geschlechte der Slavata, dessen Vaterland Pannonien (Ungarn) war, und das in dem Helden Zoard, einem der thätigsten Feldherren Attilas, seinen Stammvater verehrt. In Deutschland, Ungarn, Polen und Neapel haben sich seine Nachkommen verbreitet. In Deutschland sind es die Slawata und Karwath, in Ungarn die Stratzki, in Neapel das fürstl. Haus Caraffa; in Polen die Korczak, Braniczki, Biernawski, Komorowski, Ostrowski, Krupski u. s. w. In Schlesien waren die Karwath zuerst in östr. Schlesien ansässig; hier besassen sie das Schloss Tworkow bei Jägerndorf, später erwarben sie den schönen Rittersitz Maiwaldau bei Hirschberg im Thale der Sudeten, früher ein altes zedlitzsches, gegenwärtig schaffgotsches Besitzthum — *Johann Ferdinand* v. K. erbaute das heutige schöne Schloss Maiwaldau. — Sein Sohn *Johann Franz*, Grafen v. K. auf Maiwaldau, war kaiserl. Kammerherr und mit Katharina Karoline Gräfin v. Henckel, einer Tochter des freien Standesherrn Leo Ferdinand Grafen v. Henckel-Donnersmarck, vermählt. Aus dieser Ehe war nur ein Sohn, Graf *Franz Maximilian* v. K., der im Jahre 1771 auf der Ritterakademie zu Liegnitz studirte und mit dessen frühem Tode dieses gräfliche Haus bei uns erloschen ist.

Es führte im Schilde drei Flüsse, die Theis, die Donau und die Sau (bezüglich auf ihr Stammland, Ungarn) und auf dem Helme einen Greifenkopf und Hals. So giebt dieses Wappen Paprotzius in seinem Schauplatze von Mähren S. 424, während er die Familie schon S. 406 näher erwähnt. Grösstentheils nach dieser Quelle berichtet Sinapius im 2ten Bande, S. 119.

Karwinski, die Herren von.

Ein aus Polen nach Schlesien gekommenes altadeliges Geschlecht, das mit der freiherrlichen Familie v. Kittlitz gleiche Abstammung haben soll. Der gemeinschaftliche Ahnherr soll ein slavischer Fürst, der im 10. Jahrhundert lebte, gewesen sein. Ein Mehreres von ihm ersieht man in dem Artikel: die Freiherren v. Kittlitz. Mehrere Autoren betrachten sie als Seitenlinien dieses alten freiherrlichen Hauses, das zwei dergleichen gehabt haben soll, von denen sich die eine die Karwinsker, die andere die Ziganer nannte. Einige Quellen geben auch die Karnitzki für eine Linie der Kittlitze aus. In Schlesien hatte diese Familie das Schloss Karwin, das im Oppelnschen gelegen haben soll, besessen. Die v. Karwinski dienten zu verschiedenen Zeiten in der preuss. Armee. — In dem Regimente v. Voss Dragoner stand ein Offizier dieses Namens, der später Rendant beim Traindepot in Graudenz war, sonst haben wir in neuerer Zeit diesen Namen nicht aufgefunden.

Das Wappen dieser Familie zeigt im blauen Schilde drei künstlich zusammengedrehte, in der Mitte in einander gehende gelbe Schlingen; sie wiederholen sich auch auf dem Helme. Die Helmdecken sind blau und gold. Siebmacher giebt dieses Wappen I. S. 76. v. Meding beschreibt es II. No. 424. Sinapius erwähnt dieser Familie I. S. 502. Gauhe I. S. 726. und der Ritter v. Lang in den Supplementen S. 56.

Karwowski, die Herren von.

Bei der 4ten Invaliden-Compagnie in Greifswald steht der einer adeligen polnischen Familie angehörige Lieutenant v. Karwowski; er erwarb sich im Jahre 1807 bei Heilsberg das Militair-Ehrenzeichen.

Kathen, die Herren von.

Aus dieser adeligen Familie, die ihrem Besitzthum nach der Insel Rügen angehört, aber auch in andern Gegenden von Pommern Güter besass und noch besitzt, stand ein Mitglied als Capitain in dem Dragonerregiment der Königin und zwar bei der in Uckermünde garnisonirenden Escadron. Er blieb im Jahre 1806 auf dem Schlachtfelde. Gegenwärtig stehen im Staatsdienste ein Oberförster v. Kathen zu Poggendorf im Regierungsb. Stralsund und ein Assessor v. K. bei dem Ober-Appellations- und höchsten Gericht in Greifswald. — *Johann Gottlieb Christian* v. K., Rittm. a. D., besitzt Breitenfelde bei Naugardt. Auf der Insel Rügen ist Göternitz ein Eigenthum dieses Hauses.

Katsch, Herr von.

Am 18. Januar 1705 erhob König Friedrich I. den Geheimen Hof- und Kammergerichtsrath *Christoph* Katsch in den Adelstand. Derselbe war aus dem Magdeburgischen gebürtig, der Tag seiner Geburt war der 15. September 1665. Er begann seine Laufbahn in der juristischen Praxis und gelangte nach und nach zum Kammergerichtsrath, Geheimen Hof- und Kammergerichtsrath, General-Auditeur und Referenten aller Kriegs-Civil-Justiz-Criminal und fiscalischen Sachen. Im Jahre 1723 wurde er Vice-Präsident, Geheimer Finanzrath beim Generaldirectorium und dirigirender Minister. Er starb am 29. Juli 1729.

Katte (Katt), die Grafen und Herren von.

Nach sorgfältiger Vergleichung der verschiedenen Quellen, welche Nachrichten über den Ursprung der uraltadeligen, vornehmen Familie v. Katte geben, lässt es keinen Zweifel mehr, dass sie unter dem Kaiser Heinrich I. mit vielen andern noch heute blühenden Geschlechtern aus den Niederlanden in die Mark Brandenburg, in das Erzstift Magdeburg, in das Herzogthum Bremen und in einige daran grenzende Landschaften gekommen ist. Auch in Schlesien kommen schon zeitig die v. Katte vor. Als einer der ersten Ritter, der aus diesem Hause vorkommt, wird um das Jahr 1312 *Hermann* Katten, ansässig im Bremischen, genannt (m. s. Mushard in Theatr. Nob. Bremens.), und 1385 kommt *Petrus* v. K. auf Rosenau bei Pitschen, im schlesischen Fürstenthume Brieg gelegen, vor. (M. s. Sinapius I. S. 504.). Die in den brandenburg-preussischen Landen blühenden Zweige des Ge-

schlechtes besassen seit länger als 400 Jahren, und besitzen zum Theil
noch viele Güter; im Magdeburgischen sind namentlich Wust (Wüst),
Möttlitz, Gettin, Lütchen-Mangelsdorf, Kamern, Scharlebbe, Vieritz,
Zolchow, Altenklitsche, Neuenklitsche, Bellin, Buschow u. s. w., im
Havellande Roskow alte Besitzungen Der v. Katte, die übrigens, wie
viele andere vornehme Geschlechter, nur selten ihrem alten berühmten
Namen das von vorsetzen. Aus dem Hause Vieritz-Zolchow war
Balthasar Katte, vermält mit Ursula von Treskow. — Sein Sohn
Melchior K. war des Erzstiftes Magdeburg Landrath im Kreise Jerichow,
Herr der vom Vater ererbten Güter Vieritz, Zolchow, Alt- und Neuen-
klitsche. Seine Gemahlin war Ursula v. Thümen, aus dem Hause
Blankensee. — Ihm folgte sein Sohn *Cuno Heinrich* K. im Besitze der
erwähnten Güter. Er zeugte mit Maria v. Borgen, aus dem Hause
Groeben, den *Melchior* K., der als Domherr und Senior des hohen
Stifts zu Havelberg und Erbherr auf Altenklitsche, Bellin, Buschow und
Bagow, starb, und der Grossvater und Urgrossvater der heutigen
Zweige aus diesem Hause ist. Seine Gemahlin war Elisabeth v. Capel-
len aus dem Hause Mankmus. Aus dem Hause Wust (Wüst) war
Hans K., fürstl. sachsen-coburgscher Hofmarschall, Erbherr auf Wust,
Scharlebbe und Kamern, mit Auguste v. Tschammern vermählt. Von
den Söhnen aus dieser Ehe wurde am 16. Oct. 1681 zu Wüst geboren:
Hans Heinrich Graf v. Katte, der in früher Jugend in die kurbrandenburgische, nachmalig königl. preus. Reiterei eingetreten und in
derselben am 5. Juli 1731 bis zum Generallieutenant, am 17. Juli
1736 zum General der Cavallerie, im Juni 1740 zum General-
Feldmarschall stieg, und am 6. August 1740 in den Grafenstand
erhoben ward. Schon mit 24 Jahren war er Oberster und Chef
eines Kürassierregiments, das vorher v. Kanstein, zuletzt aber v. Hol-
zendorf hiess, und zu Oppeln in Oberschlesien garnisonirte. Die
Schlachten von Ramillies und Malplaquet, die Belagerung von Stralsund
und viele andere wichtige Ereignisse liegen auf der Bahn dieses Feldherrn, der geschmückt mit der Würde eines General-Adjutanten Königs
Friedrich I. und eines Ritters des schwarzen Adlerordens, eines
Gouverneurs von Colberg und der höchsten militairischen Würde, dabei
beehrt mit dem besondern Vertrauen und der Gnade dreier Könige
viel des Guten und Schönen, aber auch als Vater den grössten Schmerz
erlebte, den das Gemüth eines Ehrenmannes zu ertragen vermag, —
denn er war der Vater des unglücklichen Jugendfreundes Friedrichs
des Grossen, des Lieutenants v. Katte, der, im 22. Jahre seines Alters,
am 5. Novbr. 1730 zu Cüstrin enthauptet wurde, desselben standhaften
Katte, dem der Kronprinz, indem er seine Arme weinend nach ihm
ausstreckte, als man ihn unter seinem Fenster vorbei nach dem Blut-
gerüste führte, zurief: „Vergeben Sie mir, lieber Katte!" — „Vergeben! mein Prinz! und warum?" antwortete Katte und warf einen
verächtlichen Blick auf den Mordstahl. „Der Tod ist leicht für einen
so liebenswürdigen Prinzen! Wenn ich zehn Leben zu verlieren hätte,
so wollte ich sie willig für Sie hingeben! Leben Sie wohl, mein Prinz,
leben Sie wohl!" — Angekommen am Sandhügel und eingeschlossen
von dem Kreise der Gensdarmen, hörte der junge Mann hier noch
einmal das Todesurtheil mit Standhaftigkeit an, entkleidete sich gelassen, kniete nieder, warf noch mit einer Hand einen Kuss nach
dem Fenster des Prinzen hin, zog mit der andern die Mütze über
die Augen und empfing in demselben Augenblicke den Todes-
streich. — Betäubt sank Friedrich in die Arme des Commandanten
von Cüstrin, und brachte einen Theil des Vormittags in heftigen
Ohnmachten zu. (M. s. brandenburg-preuss. Regenten- und Volksgeschichte, von Karl Friedrich Tzschucke. Berlin 1821. 2. Th. S. 9.

u. s. f.) — Vergebens hatte unser Feldmarschall, damals Generallieutenant und der Grossvater mütterlicher Seite, der Feldmarschall
Graf v. Wartensleben, fussfällig um das Leben des unglücklichen
Jünglings gebeten, selbst die Thränen der Königin konnten den strengen,
unbeweglichen König nicht zur Gnade vermögen. — Aus jener Zeit
des Unglücks dieser hochachtbaren Familie sind noch die rührendsten
Briefe vorhanden. Als Friedrich den Königsthron bestieg, vergütigte
er, so weit es möglich war, den Schmerz, der über dieses Haus
herbeigeführt worden war. Die schon erwähnte Ernennung zum Generalfeldmarschall, die Erhebung desselben und seiner Nachkommen
beiderlei Geschlechts in den Grafenstand und mehr noch, wie diese
Ehrenverleihungen, die innigste Werthschätzung und Freundschaft
sprechen dafür. Der Feldmarschall befehligte eben die bei Brandenburg im Lager versammelte Reiterei, als ihn am 31. Mai 1741 auf
dem v. Rochowschen Schlosse zu Rekahn in 60. Jahre seines Alters
ein tödtlicher Schlagfluss traf. Er war, wie wir schon oben ange-
deutet haben, mit Dorothea Sophie, des Generalfeldmarschalls Alexander Hermann, Reichsgrafen v. Wartensleben, Tochter vermählt, die
am 5. Novbr. 1706 zu Brüssel starb. Einige Jahre nach ihrem Tode
vermählte sich der nachmalige Feldmarschall zum zweiten Male mit
Elisabeth v. Bredow, die am 18. Juli 1736 zu Berlin mit Tode abgegangen ist. Im Jahre 1748 starb auch der letzte der Söhne des Feldmarschalls, und mit ihm erlosch wieder die gräflich v. Kattesche Linie
im Mannsstamme. (M. s. Biogr. Lex. der Helden- und Militairpersonen, welche sich im preuss. Dienste berühmt gemacht haben. I.
S. 253 und 254.)

Heinrich Christoph v. K., ein älterer Bruder des Feldmarschalls,
Ehrenritter des deutschen Ordens, war Kammerpräsident zu Magdeburg und wurde am 11. März 1746 wirklicher Geheimer Staats- und
Kriegsrath, Vice-Präsident und dirigirender Minister bei dem General-
Directorium, Chef des 6sten Departements, Curator des Potsdamer
grossen Waisenhauses und General-Commissarius. Er starb am 23. Novbr.
1760. Mit Ursula Dorothea v. Möllendorf zeugte er mehrere Kinder,
von denen drei Söhne zu hohen militairischen Würden gelangten,
und zwar:

Johann Friedrich v. K., der nach seiner in den Schlachten bei
Hohenfriedeberg, Sorr und Kesselsdorf, eben so wie bei Lowositz,
Prag, Collin und Breslau bewiesenen Tapferkeit, und nachdem er
schon im September 1744 Chef des Leib-Kürassierregiments und
am 22. Mai 1756 Generallieutenant geworden war, nach der vom
Generallieutenant v. Lestwitz erfolgten Uebergabe von Breslau den
Abschied erhielt. Er starb zu Berlin am 29. März 1764 im 67sten
Jahre seines Alters und im 50sten seiner Dienste. Vermählt mit einer
Gräfin v. Truchsess-Waldburg-Capustigal, hinterliess er einen Sohn
und eine Tochter. (M. s. Biogr. Lex. I. S. 255 und 256.)

Berndt Christian v. K., der Bruder des Vorigen, Erbherr auf
Wüst und Lütchen-Mangelsdorf, starb als königl. preuss. Generalmajor,
a. D. und ehemaliger Chef eines Dragonerregiments (zuletzt Herzog
v. Pfalz-Zweibrück und gegenwärtig 1. Dragonerregiment), Ritter
des Ordens pour le mérite auf seinem Gute Lütchen-Mangelsdorf am
5. August 1778, im 78sten Lebensjahre und nach 45jährigen treuen
Diensten. Er war mit einer v. Kröcher vermählt, welche Wittwe des
magdeburgischen Kammerpräsidenten Caspar Wigand v. Platen war.
Ein Sohn aus dieser Ehe überlebte ihn. (M. s. Biogr. Lex. I. S. 256.)

Karl Aemilius v. K., der dritte der Brüder, stand früher in
sächsischen Diensten und trat 1741 als Major in das preuss. Dragonerregiment, damals v. Möllendorf, zuletzt v. Auer, ein. Er wurde 1750

Oberst und Commandeur desselben. Im Octbr. 1756 erhielt er das erledigte v. Oertzensche Dragonerregiment (zuletzt wieder v. Katte), welches er jedoch seiner Gesundheitsumstände wegen nur wenige Monate behielt, und dann seinen Abschied nahm. Er starb schon am 16. Novbr. 1757 zu Berlin, kaum 51 Jahre alt. (M. s. Biograph. Lex. I. S. 257.)

N. N. v. Katte, der Sohn des *N. N.* v. K., gelangte ebenfalls am 26. Mai 1792 zum Range eines Generalmajors und Chef des Dragonerregiments No. 4, das wir oben erwähnten; er starb als Generallieutenant und Ritter des grossen rothen Adlerordens im Jahre 1813.

Noch erwähnen wir von den verstorbenen Gliedern dieser Familie, die sich im Kriegsdienst ausgezeichnet haben,

Gottfried Friedrich Bodo v. K., der als königl. preuss. Oberst a. D. am 16. März 1833 zu Grottkow in Schlesien starb. Er war im Jahre 1806 Major und Train-Director in Breslau, hatte auch den Feldzug in Frankreich mitgemacht, und ein ehrwürdiges Alter von 78 Jahren erreicht. In Frankreich hatte er sich das eiserne Kreuz 1ster Kl. erworben, auch war er Inhaber eines Ehrendegens. (M. s. Nekrolog der Deutschen, 11. Jahrgang 1833. S. 913.)??

Anmerk. Obgleich diese Angabe aus der genannten gedruckten Quelle genommen ist, so bin ich doch der Meinung, dass hier eine Verwechselung in Beziehung auf die Orden stattfindet, und namentlich mit denen, welche der gegenwärtige Oberstlieutenant und Commandeur des Garde-Dragonerregiments besitzt.

Friedrich Karl v. K., aus dem Hause Zolchow, geboren im Jahre 1772, trat mit seinem 14. Jahre in das Infant.-Regiment No. 27. (damals v. Knobelsdorf, zuletzt v. Tschammer), machte die Feldzüge in Holland und am Rhein schon mit Auszeichnung mit und gerieth im Novbr. 1806 in dem hartnäckigen Kampfe um Lübeck in Gefangenschaft. Seine väterlichen Güter kamen, wie die ganze Landschaft, in der sie lagen, in den Besitz des Königs von Westphalen, er blieb jedoch nach seinem Herzen und seinem Wirken im ganzen Sinne des Wortes ein Preusse. Ununterbrochen war er damit beschäftigt, an dem Werke der Befreiung und Wiedererhebung des Vaterlandes zu arbeiten. Er machte im Frühjahre 1809 einen hochherzigen Versuch, den Franzosen Magdeburg zu entreissen, doch schlug, unvorhergesehener Vorfälle wegen, der Anschlag fehl. Er ging darauf zum Herzoge von Braunschweig, machte den Streifzug durch Sachsen mit; sodann wurde er an den Erzherzog Karl gesandt, und wohnte an dessen Seite den Schlachten von Aspern und Wagram bei. Darauf folgte er dem Herzoge von Braunschweig, mit dem er sich glücklich bis an die Küste der Nordsee durchschlug und in England landete. Er kehrte aber in östreichische Dienste zurück, commandirte und garnisonirte in Wien, Ungarn, im Bannat und Siebenbürgen, durchreiste auch ganz Griechenland, und als der Krieg 1813 ausbrach, widmete er von Neuem dem Vaterlande seine Dienste, erwarb sich vor Soissons und in der Schlacht von Laon das eiserne Kreuz erster Klasse und diente bis zum Jahre 1826 als Major im 11. Husarenregimente, schied sodann als Oberstlieutenant mit Pension aus, und starb auf seinem Gute Neuen-Klitsche bei Genthin am 12. Januar 1836.

In der Gegenwart ist *Friedrich Wilhelm Gottfried* v.K., ein Bruder des Vorigen, königl. Oberstlieutenant, Commandeur des Garde-Dragonerregiments und Ritter hoher Orden; namentlich des eisernen Kreuzes 1ster Klasse (erworben in den ersten Gefechten des Befreiungskampfes) und gegenwärtig der zweite der noch lebenden Ritter dieses in hoher Achtung stehenden Ehrenzeichens. — Das eiserne Kreuz 1ster Klasse

besitzt auch der Major a. D. N. N. v. K., früher im 26. Infant.-Regt.,
für seine in der Schlacht bei Belle Alliance geleisteten Dienste.
In einem vor uns liegenden Stammbaume der Familien v. Bredow
und v. Katte befindet sich das auch in vielen Wappenbüchern, die wir
zum Theil unten anführen werden, dargestellte Wappen der v. Katte.
Sie führen im silbernen Schilde eine auf grünem Rasen sitzende, nach
der linken Seite gewendete graue Katze. Dieselbe ist auch theils
links theils rechts gewendet, zwischen neun rothen Rosen an grünen
Stengeln, sitzend auf dem offenen, silbernen, roth ausgeschlagenen,
mit einem goldenen Kleinod versehenen adeligen Turnierhelme dargestellt. — Siebmacher giebt I. S. 174 und V. S. 101, hier unter den
fränkischen, dort unter den märkischen das Wappen der Katzen.
Beide beziehen sich auf die Familien Katte und Katzler. Das der
märkischen zeigt eine nach der rechten Seite springende Katze, die
eine Maus trägt, im blauen Felde; dieselbe wiederholt sich auch
sitzend auf dem Helme. In dem zuletzt erwähnten sitzt die Katze auf
grünem Hügel im silbernen Schilde, und auf dem ungekrönten Helme
springen zwei silberne Katzen gegen einander.
v. Hellbach macht ein besonderes Geschlecht aus den beiden erwähnten märkischen und fränkischen Familien. Dreihaupt erwähnt
die v. Katt zu verschiedenen Malen, in Dienemanns Beschreibung
des Johanniterordens findet man das Geschlecht S. 166. S. 171. S. 341
und 391, in Gauhe S. 727. erwähnt. Ausserdem verweisen wir auf
die schon im Texte angegebenen verschiedenen Autoren.

Katzen, die Herren von.

Ein altadeliges Geschlecht in den Marken und in Pommern. In
der letztern Provinz war es im Lauenburgischen begütert, jedoch ist es
mit der Bezeichnung der ausgestorbenen Geschlechter in Brüggemanns
„ausführliche Beschreibung von Pommern" IX. Hptstck., bezeichnet
und zwar schon nach Elzow's bekannter Handschrift. — Eine gleichnamige Familie war auch in den fränkischen Fürstenthümern früher
ansässig, übrigens sollen diese Familien mit den Geschlechtern v. Katte
und Katzler ein und dieselbe Abstammung haben. Sie führen auch
sämmtlich Katzen, wenn auch in verschiedener Stellung, im Wappen.
M. vergl. auch den Artikel v. Katte.

Katzler, die Herren von.

Das alte Wappenbuch setzt die v. Katzler unter dem Namen
v. Katzlöhr und Katzlohr unter dem tiroler Adel. Bei uns haben sich
die v. Katzler in Westphalen, Pommern und Schlesien, theils durch
Grundbesitz, theils aber auch durch ihre Stellungen im Militair- und
Civildienst einheimisch gemacht, oder niedergelassen. Von den uns
bekannt gewordenen Mitgliedern dieser Familie nennen wir den
Matthias v. K., kaiserl. Obersten, der mit einer gebornen v. Voss
vermählt war. Aus dieser Ehe war:
Joseph v. K., der als ein vortrefflicher Cavallerie-Offizier dem
grossen Kurfürsten erspriessliche Dienste geleistet und ein Regiment
Reiter geworben hatte, über welches er als Oberster gesetzt wurde.
Er trat später in kurpfälzische Dienste, zuletzt aber war er holländischer Brigadier. Als solcher starb er zu Cöln am Rhein. Er war
zweimal vermählt, zuerst mit einer v. Horn, aus dem Holländischen,
und nach deren Tode mit Margarethe Christine v. Dael.

Katzler. 83

Wilhelm Ludwig v. K. war Hauptmann in holländischen Diensten und mit Helene Christine v. Berswordt vermählt. Aus dieser Ehe wurde im Jahre 1696 geboren:

Nikolaus Andreas v. K., der aus holländischen Diensten im Jahre 1715 in preuss. trat. Er bewies bei der Belagerung von Stralsund viel Tapferkeit, wurde dabei verwundet und von den Schweden gefangen genommen. Der König von Schweden, Karl XII., achtete ihn wegen seines Muths und liess ihn gut verpflegen; er wurde auch bald ausgewechselt und wieder hergestellt. Im Jahre 1728 ward er Lieutenant, 1730 jüngster Rittmeister, 1733 Major, 1741 Oberstlieutenant, 1742 Oberst, 1745 Generalmajor und Amtshauptmann zu Liebenwalde und Zehdenick. Im Jahre 1746 erhielt er als Chef das Leibkürassierregiment, 1747 aber das Regiment Gensdarmes, 1748 eine Präbende zu Münstereifel; 1753 ward er Generallieutenant und 1754 Ritter des schwarzen Adlerordens. Wegen Krankheit musste er im Jahre 1757 seinen Abschied nehmen, und starb am 10. Novbr. 1760 zu Gardelegen im 64sten Jahre seines Alters und 46sten seiner treuen Dienste. Er war mit Marie Kunigunde v. Bardeleben, aus dem Hause Ribbeck, vermählt, die ihm sieben Kinder gebar:

Aus der Ehe des Oberforstmeisters und Majors a. D. v. K. und einer v. Versen wurde im Jahre 1765 in Westphalen geboren

Friedrich Georg v. K., der in einem sehr jugendlichen Alter die kriegerische Laufbahn in der kühnen Reiterschaar der Bellingschen, zuletzt von Blücherschen Husaren betrat. Schon im Jahre 1793 erwarb er sich in den Niederlanden den Militair-Verdienstorden. Das Regiment, bei welchem v. K. stand, warf bei Edesheim ein französisches Cavallerieregiment über den Haufen und nahm den feindlichen General, wie den Chef der Artillerie, gefangen. v. K. avancirte in dem gedachten Regiment bis zum Rittmeister, im Jahre 1803 tauschte er aber mit dem Rittmeister v. Garten im Husarenregiment v. Schulz, zuletzt v. Pletz, das in Oberschlesien garnisonirte. Er wurde im Jahre 1802 Major, nach dem Feldzuge von 1806 fand er zufolge bei der ersten Organisation des neuen Heeres eine Anstellung, und 1809 wurde er Commandeur des 1sten Uhlanenregiments. Am 4. Mai 1813 bestand er bei Borna mit Escadronen leichter Reiterei ein ehrenvolles Gefecht gegen ein bedeutendes Corps von der Armee des Vicekönigs von Italien. Nach dem Waffenstillstande befehligte er als Oberst eine aus den brandenburgschen Uhlanen und dem ostpreuss. National-Cavallerieregiment bestehende Brigade. Ohne alle Einzelnheiten aufzuführen, wo sein militairisches Talent sich aufs glänzendste darthat, gedenken wir nur der Vertheidigung der Höhen von Hochkirch, des Gefechts bei Bischofswerda, der Schlacht von Leipzig, wo er am 16. Octbr. die feindliche Reiterei, die vor Lindenthal aufgestellt war, angriff und seine Infanterie unter dem Major v. Hiller den blutigen Kampf um das Dorf Möckern bestand, wobei der Oberst v. K. verwundet ward. Zum Generalmajor befördert, befehligte er wieder die Spitze der Vorhut, die der Prinz Wilhelm von Preussen führte. Am 7. Januar 1814 befiel ihn eine bedenkliche Krankheit, die ihn nöthigte, die Armee zu verlassen, doch schon am 27. übernahm er das Commando der Avantgarde. Vorzügliche Dienste leistete er am 13. und 14. März, wo er mit dem 2ten Leibhusarenregiment 7 feindliche Dragoner Escadrons gänzlich überwältigte. Ueberall zeigte es sich, dass er einer der thätigsten, tapfersten und brauchbarsten Führer der preuss. Reiterei war. Die spätere Ernennung zum Divisions-Commandeur, dann zum 1sten Commandanten von Danzig und bei seiner im Jahre 1825 erfolgten Verabschiedung die Verleihung des rothen Adlerordens 1. Kl. waren deutliche Beweise der Zufriedenheit und Anerkennung seiner

6 *

Verdienste. Er starb im Jahre 1834 in Erfurt. In der Gegenwart
steht ein Sohn des verewigten Generallieutenants, *Friedrich Georg* v.
K., als Lieutenant im 1. Husaren-, genannt 1. Leibhusaren-Regiment,
und ein Neffe desselben ist der Pr. Lieutenant und Ritter v. K. im
1. Garderegiment zu Potsdam.

Kaufberg, die Herren von.

Diese adelige Familie gehört, ihrem Vaterlande nach, Schwaben und den fürstl. schwarzburg'schen Landen an, und ihr früherer
Name ist Kaufmann v. Löwenfeld. Der erste von Kaufberg war der
kaiserliche Rath und Commissär zu Nord- und Mühlhausen *Johann
Caspar* Kaufmann v. Löwenfeld, der im Jahre 1707 eine Renovation
seines alten Adels mit Beilegung des Namens von Kaufberg erhielt.
In der preussischen Armee diente *Johann Friedrich* v. Kaufberg, der
um das Jahr 1743 im Schwarzburg'schen geboren und in seinem 30.
Jahre erst in die diesseitigen Dienste getreten war. Am 20. Januar
des Jahres 1787 avancirte er zum Major in dem Regimente v. Hanstein, in dem er am 22. Mai des Jahres 1798 Oberst und Commandeur
wurde. Am 29. Mai 1807 erhielt er das in Danzig garnisonirende
Infanterie-Regiment No. 51, und bei der Revue im Jahre 1804 den
Militair-Verdienstorden. Er starb im Jahre 1808. Nicht zu bestimmen vermögen wir, ob der Geheime Rath und Kanzler zu Arnstadt
v. K., und der Justizamtmann v. K. zu Stolberg, die Beide zu derselben Familie gehören, in Beziehung zu unserm General standen. —
Diese Familie führt das Wappen der böhmischen Familie v. Kauffmann, der auch die Kauffmann zu Pfeiffendorf und Rassing in Oest-
reich angehören, nämlich ein quadrirtes Schild. Im 1. und 4. schwarzen Felde steht ein goldener Löwe, das 2. und 3. silberne Feld ist
sechsmal roth ausgezackt. Auf dem gekrönten Helme steht wieder der
goldene Löwe zwischen zwei Büffelhörnern, von denen das rechte
oben golden, unten schwarz, das linke oben silbern und unten roth
ist. Siebmacher giebt dieses Wappen unter den böhmischen III. S. 97.
und im VII. Supplement-Theile Taf. XII., v. Meding beschreibt es III.
No. 392. M. vergl. auch Zedler's Universal-Lexicon, XV. S. 257
und 267.

Kauffungen, die Herren von.

Ausser dem einst so reichen, nach dem bekannten Raube der
sächsischen Prinzen Ernst und Albrecht vom Schlosse zu Altenburg
am 8. Juli 1454 gänzlich in Verfall gekommenen Rittergeschlechte
der v. Kauffungen kommt ein gleichnamiges Geschlecht, das auch
den Titel: „Herren von Chlum" seinem Namen häufig beifügte, im
15. und 16. Jahrhundert in Schlesien und in der Grafschaft Glaz vor.
Landesfriede, später Hummel oder Hummelschloss genannt, gehörte
mehreren Rittern aus diesem Geschlechte, namentlich dem *Hildebrand*
v. K. und seinem Sohne *Sigismund* v. K. Dieser *Sigismund* oder ein
gleichnamiger Vetter besass um diese Zeit das in der Grafschaft Glaz
zwischen Reinerz und Levin hochgelegene feste Schloss Hummel,
welches seinem Vater von dem Herzoge Heinrich zu Münsterberg zu
Lehn gegeben worden war, nachdem es lange Jahre hindurch den v.
Pannewitz gehört hatte, diesen aber von den Hussiten entrissen worden war. Der erwähnte *Sigismund* v. K., durch seine Burg einen
Hauptpass aus Böhmen nach Schlesien beherrschend, war ein gefähr-

Kaulbärsch — Kay. 85

licher Raubritter und Wegelagerer. Da er einen grossen Anhang hatte,
so wagte er es, der Krone Böhmen und selbst dem Kaiser zu trotzen,
er wurde aber in einer Fehde mit den kaiserl. Völkern am 24. August
1534 gefangen und bald darauf zu Wien enthauptet. Später kommt
noch einmal, und zwar im Jahre 1559, ein *Sigismund* v. K. und Chlum
vor; er besass ein Familienhaus in Frankenstein, starb daselbst im
Jahre 1573 und liegt in der dasigen Pfarrkirche begraben, wie sein
Leichenstein und dessen Aufschrift bekundet; neben demselben ist der
seiner Gemahlin Apollonia, die am 25. Februar 1578 starb, und
aus dem berühmten Geschlechte der Abschatze war. Das grosse,
aus vielen Antheilen und Rittersitzen bestehende, bei Schönau, unweit der Quellen der Katzbach liegende Dorf Kauffungen wurde im
Jahre 1470 durch den oben erwähnten *Hildebrand* v. K. angelegt.
Hier erblickt man noch heute auf einer Anhöhe, die sich über den
von der Lauterbach durchzogenen Wiesengrund erhebt, die letzten
Trümmer einer alten, unter dem Namen „das Raubschloss" in der
ganzen Gegend bekannten Burg, welches ein Verbindungsschloss der
sächsischen und der Glazer Kauffungen gewesen sein soll. Der Rittersitz, auf dessen Grund und Boden die Trümmer dieses alten Raub-
schlosses liegen, gehört gegenwärtig dem Freiherrn Otto v. Zedlitz-
Neukirch - Tiefhartmannsdorf.
Die v. Kauffungen führten ein, durch einen doppelten Spitzenschnitt
getheiltes, oben goldenes, unten rothes Schild, ohne weitere Bilder.
Auf dem Helme standen zwei Adlerflügel über einander, spitzweise
abgetheilt, wie das Schild selbst. Die Helmdecken Gold und roth.

Kaulbärsch (bars), die Freiherren und Herren von.

Eine adelige, zum Theil freiherrliche Familie, die in schwedisch
Pommern ansässig war. *Johann* Kaulbärsch erhielt am 30. Februar
des Jahres 1653 von der Königin Christine den Adel. Sein Urenkel
Johann Friedrich wurde am 21. Novbr. 1751 vom König Friedrich v.
Schweden aus dem Hause Hessen in den Freiherrenstand erhoben.
Ein Nachkömmling desselben stand 1806 in dem Infant. Regiment von
Thiele in Warschau, er wurde 1808 dimittirt und war 1820 königl.
polnischer Capitain bei der Grenadiergarde. Ein Sohn von ihm ist
Offizier bei der kaiserl. russischen Pionnier - Garde und Ritter des
preussischen Johanniterordens. M. s. Suea Rikes, Fol. II. und Schwe-
disches Wappenbuch, Fol. 21.

Kaweczynski, die Herren von.

Diese adelige Familie gehört West-Preussen an. Einer von
Kaweczynski, zu Althausen, ist Beamter auf der königl. Domaine
Culm. — Der Oberst und Commandeur des 14. Infant. Regiments
von Kaweczynski erwarb sich bei Leipzig das eiserne Kreuz 1. Klasse.

Kay, die Herren von.

Es kommt in Schlesien ein ritterliches Geschlecht v. Kay vor, das
sich von da in die Mark gewendet haben soll. Das Dorf Kay bei
Züllichau, bekannt durch das unglückliche Gefecht, welches hier die
Preussen unter dem General v. Wedel am 23. Juli 1759 bestanden

und auch das Treffen bei Kay und Poltzig genannt wird, soll den
Namen von dieser Familie erhalten haben.
Sie führte im schwarzen Schilde einen goldenen Flügel, auf dem
Helme aber zwei über einander gelegte Flügel, der untere schwarz,
der obere golden. Die Helmdecken Gold und schwarz. Siebmacher
giebt dieses Wappen I. S. 69. Sinapius beschreibt es nach Speners
Angabe I. S. 505. und wieder nach dieser Quelle III. S. 393.

Kayserling (Keyserling, Keyserlingk), die Grafen, Freiherren und Herren von.

Dieses altadelige Geschlecht, welches mit dem vornehmen Hause
der Cesarini in Italien gleiche Abkunft haben soll, stammt ursprünglich aus Westphalen, wo es in der Grafschaft Ravensberg und
namentlich bei der Stadt Herford Güter besass. Mit dem Orden hat
es sich in die östlichen Länder, besonders nach Kurland wo es seit
dem Jahre 1492 ansässig ist, Preussen und später auch nach Mecklenburg und Schlesien gewendet und bedeutende Besitzungen erworben.
Mehrere Zweige des Hauses sind in den Freiherrn- und Grafenstand
erhoben worden. Von der kurländischen Linie wurde *Hermann Karl*
v. Kayserling, kaiserl. russischer Gesandter an den Höfen von Berlin und
Wien, im Jahre 1742 in den Grafenstand erhoben; er war geb. 1695 u.
starb im Jahre 1764. Mit seinem einzigen Sohne, *Heinrich Christian* Graf
v. K., kaiserl. russischem Geheimen Rath und Reichshofrath, erlosch dieser
erste gräfliche Zweig wieder, dagegen wurde ein Stiefbruder des gedachten Grafen *Hermann Karl*, königl. polnischer Geheimer Rath und
Gesandter des Herzogs von Kurland am kaiserl. russischen Hofe, auch
kurländischer Kanzler, *Dietrich* v. K., am 19. Septbr. 1786 in den
preuss. Grafenstand erhoben, nachdem schon am 25. April 1744 der
herzogl. braunschweig'sche Geheime Rath *Gebhard Johann*, Freiherr
v. K., den preuss. Grafenstand erhalten hatte. Derselbe hatte durch
seine Gemahlin, Karoline Charlotte Amalie, Reichsgräfin v. Truchsess
zu Waldburg, die Graf- oder Herrschaft Rautenburg in Preussen
erworben. — Sein Sohn *Albrecht Johann Otto*, Graf v. K., königl.
preuss. Kammerherr, war zuerst mit Charlotte Eleonore Anna v.
Medem, aus dem Hause Wilzen in Kurland, und nach deren im Jahre
1781 erfolgtem Tode mit Theophile v. Münster, aus dem Hause Pocroy,
vermählt. Endlich wurde auch ein Bruder des erwähnten *Gebhard
Johann*, Grafen v. K., der polnische Kammerherr *Otto Ernst*, Freiherr
v. K., im Jahre 1777 am 8. Febr. in den preuss. Grafenstand erhoben; er besass die Leistenauer Güter in Preussen. — Sein Sohn
Archibald, Graf v. K., war preuss. Hofmarschall und zuerst mit einer
Gräfin Kalkreuth, aus dem Hause Siegersdorf, und zum zweitenmale
mit Wilhelmine Gräfin zu Dohna-Kotzenau, verwittweten Gräfin Redern, vermählt. Er starb auf seinem Gute Blumenau bei Bolkenhain
in Schlesien am 28. Novbr. 1829. In der Gegenwart leben folgende
Mitglieder dieses gräflichen Hauses:

Peter, Graf K., der Sohn des am 19. Septbr. 1786 in den Grafenstand erhobenen *Dietrich*, Grafen v. K., geb. den 3. Septbr. 1768,
königl. preuss. Garde-Capitain a. D. und kurländischer Kreismarschall.

Die Kinder erster Ehe des Grafen Albrecht Johann
Otto:

1) *Heinrich*, Graf K., Graf zu Rautenburg in Preussen, Erbherr auf
Cabillen, Oseln und Wischeln in Kurland, vermählt mit Annette
v. Nolde, aus dem Hause Kallehten.

Kinder:

a) *Otto*, Graf K., Erbgraf zu Rautenburg, geboren 1802, und vermählt mit Emma v. Behr, aus dem Hause Stricken.

Sohn:

Heinrich, geboren 1831.

b) *Theodor*, Graf K., geboren 1803, Secretair bei der kurländischen Bank.

c) *Luise*, geb. 1807, vermählt an Johann Grafen Keyserling.

d) *Robert*, geb. 1808, Assessor beim Oberhauptmannsgericht in Goldingen.

e) *Eduard*, geb. 1809, Assessor beim Hauptmannsgericht in Mitau.

f) *Hermann*, geboren 1812.

g) *Alexander*, geboren 1815.

h) *Louis*, geboren 1818.

i) *Eveline*, geboren 1819.

2) *Dorothea*, Gräfin K., vermählt an den Freiherrn v. Campenhausen, grossherzogl. badenschen Kammerherrn.

3) Des 1831 verstorbenen Grafen *Otto*, königl. preuss. Obersten a. D., Erbherrn auf Heinrichswalde in Preussen, 1) vermählt gewesen mit Karoline v. Hahn, aus dem Hause Postende, und 2) nach deren Tode mit Luise v. Grandidier.

Sohn erster Ehe:

a) *Karl*, Graf K., Erbherr auf Kagela, Pedwahlen, Gaioken und Mnischezeem in Kurland, geb. 1808, und vermählt mit Theophile Alexandrine Julie v. der Ropp, geb. 1813, aus dem Hause Pocroy.

Kinder zweiter Ehe:

b) *Heinrich*, Graf K., geb. 1816.

c) *Luise*, Gräfin K., geb. 1818.

d) *Dorothee*, Gräfin K., geb. 1819.

Kinder zweiter Ehe des Grafen Albrecht Johann Otto:

4) *Amalie*, Gräfin K., geb. 1795, vermählt an Theodor v. der Ropp, Erbherrn auf Pocroy.

5) *Theophile*, geb. 1798, vermählt mit Nikolaus v. Korff, Majoratsherrn auf Paddern, Telsz und Rololf.

6) *Karl*, geb. 1800, Erbherr auf Malguschen, vermählt mit Charlotte Agnes v. Korff, aus dem Hause Dsirgen.

7) *Johann*, geb. 1802, vermählt mit Luise, Gräfin Keyserling, aus dem Hause Cabillen, geb. 1807.

8) *Johanne*, Gräfin K., geb. 1813.

Die Linie auf Leistenau.

Graf *Archibald*, geb. den 10. Novbr. 1785, königl. preuss. Oberst und Commandeur des 3. Dragonerregiments, auf Neustadt in Westpreussen, Sohn des Hofmarschalls Grafen Archibald v. K., vermählt mit Clementine, Gräfin Keyserling, geb. den 29. Mai 1793.

Kinder:

1) *Clementine*.

2) *Otto Archibald*.

3) *Rosa*.

4) *Elisa*.

S c h w e s t e r :

Adelheid, Wittwe des königl. preuss. Generallieutenants Herrn v. Kosinski.

Des Vaters-Bruders, Grafen *Otto* K., königl. preuss. Kammerherrn Wittwe:

Emilie, geb. Gräfin Dönhoff, geb. den 13. Juni 1769.

D e s s e n T o c h t e r :

1) *Clementine* (s. oben).
2) *Emma*, geb. 1799, vermählt seit dem 26. August 1820 mit dem Herrn v. Below, königl. preuss. Oberstlieutenant und Commandeur des 1. Leib-Husarenregiments.

S t i e f m u t t e r :

Gräfin *Wilhelmine*, geb. Gräfin Dohna-Kotzenau.

Die Grafen v. K., deren Diplom vom 25. April 1742 ist, führen im silbernen Schilde den Kaiserlingschen grünen Baum am braunen Stamme, auf grünem Hügel stehend. Dieses Schild ist mit einer fünfperligen Krone und drei eben so gekrönten Helmen bedeckt. Aus der Krone des ersten oder rechten Helmes steigen drei Palmzweige empor, auf dem mittleren steht der preuss. Adler mit Scepter und Reichsapfel, auf dem dritten ist eine goldene Fahne, auf welcher drei schwarze, unter einander gestellte Löwen vorgestellt sind; unter dieser Fahne wird ein aus drei Federn bestehender Pfauenschweif sichtbar. Die Grafen v. K. von der Erhebung vom 8. Febr. 1777 und vom 19. Septbr. 1786 führen ein fast gleiches Wappen. Es ist quadrirt und mit einem Mittelschilde versehen. Bei der zuerst von diesen beiden erhobenen Familie zeigen die silbernen Felder 1 und 4 den oben beschriebenen v. K.schen Baum, die rothen Felder 2 und 3 sind von einem blauen, von der obern Rechten zur untern Linken gezogenen, mit einem goldenen Sterne belegten Balken bezeichnet. Zwischen den Feldern 3 und 4 ist durch einen Spitzenschnitt noch ein goldenes, mit Hermelin besetztes Feld, und den untern Theil des Schildes füllt ein roth und weisses Schach aus. Bei der zuletzt in den Grafenstand erhobenen Familie sind die Felder 2 und 3 blau und der Balken roth, eben so ist auch das Schach blau und silbern. Im Helmschmuck sind sich, eben so wie in dem Herzschilde, beide Wappen gleich. Dieses zeigt den preuss. schwarzen Adler im silbernen Felde unter einer neunperligen Krone. Der Helme sind drei; der erste trägt die v. K.schen drei Palmzweige, der mittlere den preuss. Adler und der dritte zwei schwarze, mit dem Schach belegte Adlerflügel, zwischen denen der Stern steht. Nachrichten von diesem Geschlechte findet man in Gauhe, II. S. 519 - 2?. Köhne's Notizen. Dienemann in seinen Nachrichten vom Johanniterorden. Das Wappen der Grafen v. K. giebt das neue preuss. Wappenbuch, I. S. 58 und 59.

Kczewski, die Herren von.

Die von Kczewski gehören einer altadeligen Familie in Westpreussen an. Zwei Söhne aus diesem Hause machten mit grosser Auszeichnung die letzten Feldzüge mit. Der ältere Bruder, *Bogislaw* von Kczewski, stand bis zum Jahre 1806 bei dem Regimente Prinz Heinrich von Preussen und dessen Grenadieren in Soldin. Während des

Feldzuges im Jahre 1813 kam er als Adjutant zu dem commandirenden General-Feldmarschall v. Blücher. In Paris war er der Commandantur zugetheilt, und das eiserne Kreuz 1. Classe schmückte mit andern Orden seine Brust. Nach dem zweiten Pariser Frieden war er
zuerst als ältester Hauptmann, später als Major im 31. Infanterie-Regiment angestellt. Er starb im Jahre 1827 zu Berlin. Seine Witwe,
eine geb. Freiin v. Zedlitz-Neukirch, lebt mit zwei Töchtern in
Hirschberg in Schlesien. — Der jüngere Bruder, *Alexander* v. Kczewski,
der bis zum Jahre 1806 in dem Regimente von Strachwitz in Liegnitz stand, ist im 12. Inf.-Reg. 1815 auf dem Felde der Ehre gefallen. Gegenwärtig steht ein Capitain und Ritter des polnischen Militair-Verdienstordens im 33. Inf.-Regiment, das in Thorn seine Garnison hat. — Ein v. Kczewski, vermählt mit einer v. Parpart, war
noch in neuester Zeit bei Culm begütert.

Die v. K. führen im blauen Schilde einen nach der rechten Seite
aufspringenden, gekrönten goldenen Löwen; derselbe steht verkürzt
auf dem Helme. Die Decken und das Laubwerk sind blau und golden.

Keck (Kheck) von Schwarzbach, die Herren.

Aus dieser adeligen Familie, die aus Böhmen stammt, und der
im 18. Jahrhunderte mehrere Beisitzer der Landtafel angehörten, ist
der Capitain, königl. Landrath a. D. und Ritter des Johanniterordens
Keck von Schwarzbach, ein Rittmeister, Keck v. Schwarzbach, sind
Gutsbesitzer im Kreise Spremberg, und Führer der Cavallerie des 1.
und 2. Aufgebots eines Landwehrbataillon, und der Justizcommissarius
K. v. Sch. zu Jauer in Schlesien. Nicht bekannt ist es uns, ob *Gottfried* Keck, kaiserl. Hauptmann, der im Jahre 1707 in den Adelstand
erhoben worden ist, oder der bei der Krönung Kaiser Karl VII. im
Jahre 1742 mit dem Schwerte Karls des Grossen zum Ritter geschla-
gene *Friedrich Sigismund* Boheim v. Schwarzbach oder Schwarzenbach
in Beziehung zu dieser adeligen Familie stehen. Gauhe, II.Th. S.53.

Kedrowski, die Herren von.

Ein polnischer und westpreussischer Adel. Ein v. Kedrowski besitzt gegenwärtig das Gut Studnitz im Kreise Lauenburg-Bütow.

Keffenbrink, die Herren von.

Es schreibt sich, so sagt eine alte Chronik, das alte edle Geschlecht von Keffenbrink auch Kevenbrink, Pommern ist seine Heimath. Man kann aber wohl Schweden eben so gut das Vaterland
dieser vornehmen Familie nennen, wenigstens sind viele Genealogen der Meinung, dass sie aus Schweden in die Gegend von Stralsund gekommen sei. Gewiss ist, dass sie 1650 auf dem Rathhause zu
Stockholm immatriculirt, und mit Sitz und Stimme auf dem Reichstage eingeführt und aufgenommen wurde. Dolgen, Milienhagen, Oebelitz u. s. w., im jetzigen Kreise Franzburg, gehörten den v. Keffenbrink. In preuss. Pommern besassen sie Plestlin bei Demmin, das
noch heute ihr Eigenthum ist; eben so sind die v. K. gegenwärtig im
Besitz von Griebenow, Creuzmannshagen, Willershusen u. s. w. im
Kreise Grimmen. — Die Familie theilte sich im 17. Jahrhunderte in
die Linien Keffenbrink-Keffenbrink und Keffenbrink-Rhenschild. —

Julius Friedrich von Keffenbrink, aus dem Hause Plestlin, war erster Regierungs-Präsident in Stettin. — Von mehreren Söhnen aus diesem Hause, die im Jahre 1806 und noch in der letzten Zeit im preuss. Heere dienten, nennen wir nur den früher in dem Regimente von Boreke zu Stettin v. K., der vor einigen Jahren als Major und Chef der 1. Garde-Divisions-Compagnie gestorben ist, und den v. K., der als Lieutenant des 6. Kürassierregiments im Jahre 1813 an seinen Wunden starb.

Im alten Wappen führten die v. K. einen springenden Hirsch im silbernen Felde und auf dem Helme ein Hirschgeweih. Nachdem die v. K. sich in zwei Linien, die Keffenbrinksche und Rehnschildsche, getheilt haben, und 1650 auf dem Ritterhause in Stockholm unter den schwedischen Adel mit Sitz und Stimme auf den Reichstagen aufgenommen worden, haben sie das Wappen so verändert, dass sie im oberen Theile desselben drei feierspeiende Berge, in dem untern aber ein Schach mit einer halben Lilie, und einen aus einem Helme springenden, mit einem Pfeile durch den Hals geschossenen Hirsch führen. Doch haben die Gebrüder v. K., als *Martin Heinrich*, Erbherr auf Plestlin, und der verstorbene erste Regierungs-Präsident in Stettin, *Julius Friedrich* v. K., das obige alte Stammwappen mit königl. Genehmigung, welche den 18. Juli 1744 ertheilt worden, wieder angenommen.

Kehler, die Herren von.

Die v. Kehler in Schlesien stammen von *Gottfried Friedrich* v. Kehler und dessen Gemahlin, *Constantine* v. Hahichtfels auf Alt-Patschkau, ab. Der erwähnte Gottfried v. K. war Bürgermeister in Schweidnitz, und wurde im Jahre 1740 geadelt. Er starb im Jahre 1754. Dieser Familie gehörte auch im vorigen Jahrhunderte das Gut Arnsdorf. Zu den Nachkommen derselben gehörten und gehören *Heinrich* v. K., fürstbischöfl. Regierungskanzler zu Neisse, *Gottfried* v. K., gegenwärtig Director des Fürstenthumsgerichts und Titular-Präsident zu Neisse, vermählt mit einer v. Müffling. — Ein Bruder desselben ist der königl. Generalmajor a. D. und vormalige 2. Commandant von Erfurt v. K., eben so auch der Oberst und ehemalige Commandeur des 9. Husarenregiments v. K., der sich bei Schlockhof in Kurland den Orden pour le mérite, und bei Sombref im Jahre 1815 das eiserne Kreuz 1. Classe erwarb, nachdem er sich schon im Jahre 1794 bei Czekoczin als Junker das goldene Militair-Ehrenzeichen erkämpft hatte.

Die v. Kehler führen im silbernen Schilde einen goldenen Löwen, der hinter einem grünen Hügel sitzt und einen Vogel vor sich hält. Auf dem Helme steht der Löwe verkürzt in einer Wulst.

Keith (Marschall), die Herren von.

Jacob Keith wurde im Jahre 1696 in Schottland geboren, seine Eltern waren *Wilhelm*, Graf Marschall Lord Keith und Altree, aus dem alten Geschlechte der K., das schon 1010 die Erbmarschallswürde Schottlands empfing, und Lady Marie Drummond, eine Tochter des Grafen Perth. Die Kriegsunruhen, die der Prätendent in Schottland verursachte, reizten den jungen K., die Waffen für denselben zu ergreifen. Darauf erhielt er, als der Madrider Hof die Anhänger des Prätendenten nach Spanien berief, daselbst eine Anstellung als Oberst. Da er seine Religion dort verändern sollte, so trat er im Jahre 1728 als Major in russische Dienste. Die Kaiserin Anna bestätigte ihn bei ihrer Thronbesteigung

Keith. 91

in seinen Chargen, und sich bei vielen Gelegenheiten auf das rühmlichste auszeichnend, wurde er zum General en Chef der Truppen ernannt, welche gegen die Schweden fochten. Auch die Kaiserin Elisabeth beehrte ihn im Jahre 1742 wieder mit einem Commando gegen die Schweden. Im Jahre 1747 erhielt er einen Besuch von seinem Bruder, der, wie bekannt, zu den reinsten Verehrern und Freunden Friedrich's II. gehörte. Der General K. verliess nun die russischen Dienste und trat in demselben Jahre in preussische, mit dem Charakter eines General-Feldmarschalls; auch erhielt er im Jahre 1749 das Gouvernement von Berlin und den schwarzen Adlerorden. Er begleitete beim Ausbruche des siebenjährigen Krieges den König nach Sachsen, und übernahm den Oberbefehl im preuss. Lager bei Aussig in Böhmen. Ueberall zeugten seine Anstalten von seinen Talenten und Kenntnissen, und er rechtfertigte immer die grossen Erwartungen, die sich der Monarch und die Armee von ihm gemacht hatte. Nach der Benachrichtigung von dem unglücklichen Vorfalle bei Collin, wobei er nicht gegenwärtig war, da er das auf der Westseite von Prag zurückgebliebene Einschliessungscorps commandirte, trat er mit klingendem Spiele und fliegenden Fahnen seinen Rückzug an, sich als ein Meister in der Kriegskunst Schritt vor Schritt vertheidigend. Im Jahre 1757 rettete er durch seine Entschlossenheit die Stadt Leipzig, die ansehnliche Kriegsvorräthe Friedrich's II. barg. Der Sieg bei Rossbach wand neue Lorbeeren um sein Haupt. Im Jahre 1758 leitete er die Belagerung von Ollmütz. Der Schlacht bei Zorndorf beizuwohnen, wurde er durch eine Krankheit verhindert, jedoch langte er in den ersten Tagen des October wieder hergestellt, bei der Armee an. Im Lager zwischen Bautzen und Hochkirch in der Nacht vom 13. zum 14. Octbr. wurden die sonst wachsamen Preussen überrascht; vom Gebrülle des Geschützes erweckt, setzte sich der Feldmarschall zu Pferde, und eilte, an der Spitze zuerst formenden Colonne dem Feinde entgegen. Dreimal gelang es ihm, denselben zurückzudrängen, laut ertönte seine Commandostimme im fürchterlichen nächtlichen Kampfe, als er mitten unter den Streitenden zwei tödtliche Wunden in den Unterleib erhielt. Bald darauf riss ihn eine Stückkugel vom Pferde, und noch auf dem Schlachtfelde, aus vielen Wunden blutend, gab er seinen Geist auf. Der österreichische General Lascy erkannte die Leiche des Gebliebenen, und, das Andenken des Helden ehrend, liess er ihn mit allen seinem hohen Range gebührenden Ehrenbezeigungen begraben. Zwölf Kanonen gaben eine dreimalige Ehrensalve, und die Brigade Colloredo gab ein Gewehrfeuer über das Grab des unerschrockenen und einsichtsvollen Heerführers. Später jedoch wurde sein Leichnam nach Berlin abgeführt, wo er am 1. Februar 1759 ankam, und in der Gruft der Garnisonkirche beigesetzt wurde. Nicht minder gross als Staatsmann, wie als Feldherr, war er selbst seinem weisen, grossen Könige oft ein erwünschter Rathgeber, und seine ganze Erscheinung im preuss. Heere ist ein herrliches Bild der militairischen Grösse, wie des menschlichen Werthes, den die Achtung eines unsterblichen Monarchen, wie die von ganz Europa, anerkannt hat. Ein besonders hervorstechender Zug in seinem Charakter war Freigebigkeit und Uneigennützigkeit. Auf diese Tugenden beziehen sich die Worte seines Bruders, der nach dem Tode des Feldmarschalls an die gelehrte Frau v. Geoffrin schrieb: „Mein Bruder hat mir eine schöne Erbschaft hinterlassen; er hatte ganz Böhmen an der Spitze einer grossen Armee unter Contribution gesetzt, und ich habe 70 Stück Dukaten bei ihm vorgefunden."

Der erwähnte Bruder Milord Marechal Keith bekleidete vom Jahre 1754 bis zum Jahre 1766 die Stelle eines Gouverneurs von Neufchâtel.

Keith, die Herren von.

Eine adelige Familie dieses Namens ist in Berlin, in Schlesien und in Pommern noch in neuerer Zeit einheimisch oder ansässig gewesen. In Berlin lebte der königl. Kammerherr v. Keith, der im J. 1772 diese Würde erhielt. — In Pommern besass ein Lieutenant, Franz Heinrich v. K., einen Antheil an dem Gute Gr. Born im Kreise Neustettin. — In Schlesien lebte zu Landshut noch um das Jahr 1806 Anton Ludwig v. Keith, der bei dem dasigen Stadtmagistrate den Posten eines Feuer-Bürgermeisters verwaltete. Söhne von demselben haben in Subaltern-Chargen später noch in der Armee gedient.
Da die Familie der Marschalle v. Keith aus Schottland wegen ihrer Anhänglichkeit an den Prätendenten, durch einen Ausspruch des Parlaments 1715, die Würde des Erbmarschallamtes verloren, so verliessen sie den Namen Marschall, und suchten ihr Fortkommen im Auslande unter dem blossen Namen Keith. Diess sowohl, als auch, dass die Obigen in den preuss. Staaten das Wappen des berühmten Keith, welcher bei Hochkirch blieb, führen, lässt einen Zusammenhang der Linien ausser Zweifel.
Das Wappen der Keith ist ein silbernes Schild ohne Bild, und im rothen Schildeshaupt drei goldene Pfähle. Auf dem Helme eine Wulst, auf welcher der Kopf mit dem Halse eines Hirsches. Motto: Veritas vincit. Durch Unkenntniss des Graveur oder der Familie selbst führen sie nach einem Wappenabdrucke im goldenen Schildeshaupte drei rothe Pfähle, welches aber unrichtig ist.

Keller, die Grafen, Freiherren und Herren von.

Aus den verschiedenen adeligen Familien dieses Namens, die ursprünglich der Schweiz angehörten und sich nach und nach in vielen deutschen Staaten, auch in mehreren Provinzen der preuss. Monarchie, in Pommern, Schlesien, Preussen, im Eichsfelde u. s. w., verbreitet haben, sind einzelne Zweige in den Freiherren-, und einer in den Grafenstand erhoben worden. Der König Friedrich II. erhob am 26. Juli 1765 den damaligen Obersten und nachmaligen General Joh. Georg Wilhelm v. Keller in den Freiherrenstand. Er starb 1785 am 20. Novbr. als Generallieutenant und Gouverneur von Stettin. Der Grossvater desselben, Georg v. K. aus Pommern, stand in holländischen Diensten und war als Untergouverneur nach Batavia bestimmt, starb aber auf der Reise dahin. — Sein Sohn, Georg Reinhard v. K., war zuerst Director der Berg- und Hüttenwerke zu Ilmenau in der Grafschaft Henneberg; hier wurde auch unser General am 11. Mai 1770 geboren; der Vater aber starb als k. k. Berghauptmann zu Orsowa in Ungarn. Der General Frh. v. K. hatte sich vorzüglich in dem Gefechte am weissen Hirsch im Jahre 1758, und durch die standhafte Behauptung der Stadt Leipzig im Jahre 1760 ausgezeichnet. — Der König Friedrich Wilhelm II. erhob den Gesandten und bevollmächtigten Minister am kaiserl. Hofe in Wien, Dorotheus Ludwig Christian von Keller in den Grafenstand. Er war ein Sohn des herzogl. gothaschen Geheimen Raths v. Keller, und starb a. D. am 22. November 1827. Seine Wittwe, Amalie Louise, Prinzessin von Sayn-Wittgenstein, Schwester des kais. russ. Feldmarschalls Fürsten v. Wittgenstein, lebt zu Potsdam. Aus dieser Ehe ist der älteste Sohn, der 1806 im Regiment Gr. v. Wartensleben stand, jetzt kais. russischer Oberst a. D.; ferner waren Zwillingsbrüder Offiziere im 1. Garderegiment; von ihnen ist einer gestorben, der andere, Gr. Alexander v. K., ist dem ge-

nannten Regimente aggregirt, und als Gouverneur bei dem Prinzen
Georg von Preussen, zweitem Sohne des Prinzen Friedrich, Neffen Sr.
Majestät, angestellt. — Ein Baron von Keller, aus Essen gebürtig,
stand als Oberstlieutenant in dem Kürassier-Regimente von Holzen-
dorf, und ist vor einigen Jahren im hohen Alter zu Falkenberg in
Schlesien gestorben. — In der Armee standen 1806 zwei Lieutenants
von Keller, einer stand in dem Regimente Prinz v. Oranien, und gehörte zu den unglücklichen Offizieren, die im Jahre 1809 wegen Antheil an der Schill'schen Unternehmung von den Franzosen zu Wesel
erschossen wurden, der andere diente im Regimente Alt-Larisch,
wurde zuletzt Major und Commandeur des schles. Schützenbataillon,
schied 1820 aus dem activen Dienste, und lebte später als pensionirter
Oberstlieutenant und Besitzer einer russischen Dampfbadeanstalt in
Breslau. Er hat sich im Jahre 1813 bei Neuss das eiserne Kreuz 1.
Classe, und 1815 bei der Verfolgung des Feindes, nach der Schlacht
von Belle Alliance, wo er auch den Wagen Napoleons und viele Kost-
barkeiten erbeutete, den Orden pour le mérite mit Eichenlaub erworben. Die preussischen Freiherren von Keller führen ein quadrirtes
Schild; in den silbernen Feldern 1 und 4 stehen zwei rothe Rauten
oder Recken, in den rothen Feldern 2 und 3 liegen zwei goldene
Schlüssel, schräg gelegt, von der untern Rechten zur obern Linken,
den Bart nach oben gedreht. Das Schild ist mit zwei gekrönten Helmen bedeckt; aus dem rechten wächst ein schwarzer gekrönter Adlerhals und Kopf, aus dem linken aber ein gerüsteter Arm, der den goldenen Schlüssel emporhält. Decken und Laubwerk rechts roth und
silbern, links blau und golden. — Die Grafen v. Keller führen ein
getheiltes, oben blaues, unten rothes Schild; in der obern blauen
Hälfte stehen drei schwarze Adlerköpfe mit goldenem Schnabel und
roth ausgeschlagener Zunge und drei goldene Sterne, und zwar so,
dass der obere Stern zwischen den beiden obern Adlerköpfen, und der
untere Adlerkopf zwischen den Sternen steht. In der untern rothen
Hälfte des Schildes liegt ein ausgestreckter Löwe auf grünem Hügel.
Dieses Schild ist mit einer neunperligen Krone, die drei gekrönte
Helme trägt, bedeckt, und wird auf der rechten Seite von einem Adler, auf linken von einem aufspringenden Löwen gehalten.

Keller v. Bünau, die Herren.

Eine adelige Familie dieses Namens war in und bei Merseburg
ansässig, ist aber schon im 17. Jahrhunderte erloschen. In Beziehung
auf ihr Wappen gehörte sie zu dem vorerwähnten v. Keller'schen Geschlechte, das später in den Freiherrnstand erhoben wurde, denn sie
führte zwei silberne, mit dem Barte aufwärts stehende Schlüssel im
Wappenschilde.

Keltsch, die Herren von.

Sämmtliche Geschichtsschreiber und die Chroniken Schlesiens zählen die v. Keltsch zu den alten und vornehmen Geschlechtern dieser
Provinz. Das ansehnliche Rittergut Riemberg bei Auras wird als der
Stammort, und der dabei liegende Wartheberg als der Ort bezeichnet, wo das Stammhaus der v. K. stand. — Der erste Ritter, der
aus diesem Hause genannt wird, *Hans* Keltz, kommt um das Jahr
1505 als ein vornehmer Cavalier am Hofe des Herzogs Karl I. zu Münsterberg und Oels, der von diesem Fürsten zu verschiedenen Gesandt-

schaften und Commissionen gebraucht wurde, vor. Die eigentliche Stammreihe aber beginnt mit *Sigismund* v. K. und Riemberg, Hauptmann der Herren Fürsten und Stände in Ober- und Niederschlesien, Herrn auf Pelau (vielleicht Peilau oder Bilau); er starb am 19. Decbr. 1544, und liegt in der Kirche zu Racke im Trebnitzschen begraben. — Von seinen Nachkommen waren wieder viele in Hofämtern an den Höfen der piastischen Herzöge. Unter den Gütern, die in früherer Zeit dieser Familie gehörten, nennt Sinapius ausser Riemberg und Pelau? Wieschegrado, Stampen, Pangau u. s. w., sämmtlich bei Oels gelegen. In der Gegenwart ist das Haupt der Familie der Landesälteste und Ritter des Johanniterordens v. K. auf Skarsine, Dobrischau und mehrern anderen Güter. Er ist mit einer v. Blacha vermählt, und der Vater einer zahlreichen Familie. Ein Sohn aus diesem Hause ist der Justizrath und Landschafts-Syndikus *Ernst* v. K. zu Breslau; ein anderer ist der Justizrath *Julius* v. K. zu Oels, vermählt mit Natalie, Gräfin v. Dyherrn. Andere Söhne aus diesem Hause stehen in der Armee. Ein Oheim des Landesältesten v. K. war Oberst im Kürassier-Regiment Graf Henckel, und ist im Jahre 1806 auf dem Felde der Ehre geblieben.

Das Wappen dieser Familie zeigt im schwarzen Schilde einen silbernen Schlüssel und einen Pfeil, dessen Rohr golden, das Gefieder roth und die Spitze eisern ist; Schlüssel und Pfeil sind kreuzweis über einander gelegt. Auf dem Helme sind drei Straussfedern angebracht, auf einigen Abdrücken auch statt der Federn ein Hahnenschwanz.

Stammbäume dieser Familie findet man in den Kirchen zu Trebnitz, Racke, Neumarkt und Diersdorf. Das erwähnte Wappen beschreibt Sinapius, mit Hinzufügung einiger Familiennachrichten, I. S. 505. v. Meding, II. No. 428. Siebmacher giebt es I. S. 166. Spener erwähnt dieses Geschlechts in seiner Theor. insign., S. 280. Gauhe, I. S. 734, und v. Hellbach, I. S. 644.

Anmerkung: Uebrigens sind uns aus erster Quelle Nachrichten aus dieser Familie verheissen worden, die bis jetzt noch nicht eingelaufen sind, die wir aber sehr gern für die Ergänzungstafeln benutzen werden.

Kemnitz, die Herren von.

In alten Zeiten wurde dieses adelige Geschlecht v. Kemnicz geschrieben. Es gehört zu dem älteren, aus Polen in diese Provinz gekommenen Adel. Eine Linie dieses Hauses führte den Beinamen v. Stenschowsky. Viele Edelleute aus dieser Familie bekleideten Würden und Ehrenstellen an den Höfen der piastischen Herzöge; schon 1312 kommt ein *Volneramus* de Kemnitz unter den vornehmsten Cavalieren vor, und 1437 wird eines *Nikolaus* de K. in einer, die Stadt Frankenstein betreffenden, Urkunde erwähnt. In der Peter und Paulkirche zu Liegnitz findet man ein Epitaphium mit der Aufschrift: Anno Dom. M.C.C.C.C.LXXXIII. obiit honorabilis Paulus Kemnitz Altarista Wratislav. in die S. Galli, hic sepultus, cuius Anima requiescat in pace. Bis zum J. 1500 war die Stadt Stroppen in Schlesien das Eigenthum dieser Familie. — In der Gegenwart steht im preuss. Staatsdienste der Ober-Landesgerichtsrath v. K. zu Magdeburg. Wir können jedoch nicht angeben, ob er zu der erwähnten schlesischen Familie dieses Namens gehört.

Diese führt im goldenen Schilde ein schwarzes, dreispeichiges Stückrad mit drei hervorgehenden braunen Kolben. Dieses Bild wie-

derholt sich auf dem Helme. Die Helmdecken golden und schwarz.
Dieses Wappen giebt Siebmacher, I. S. 65, v. Meding beschreibt es,
II. No. 429. Sinapius erwähnt der Familie I. S. 506.

Kemphen, die Herren von.

Der König Karl XI. von Schweden erhob diese Familie am 13.
Octbr. 1679 in den Adelstand, weil sich der Ahnherr derselben durch
heldenmüthige Vertheidigung des Passes von Dammgarten ausgezeich-
net hatte. Sie war in der Gegend von Stralsund ansässig; auch ist ein
Ast derselben in Ostpreussen begütert gewesen, wo ihm das Gut Biestern bei Lötzen gehörte. Mehrere Mitglieder dieses Hauses waren in
schwedischen und preuss. Diensten. Von der preuss. Linie, aus dem
Hause Biestern, war
Johann Karl Jakob v. Kemphen. Er hatte den ersten Unterricht
im elterlichen Hause genossen, kam dann auf die Militairschule nach
Königsberg und vollendete seine Studien auf der dortigen Universität.
Im Jahre 1778 trat er als Junker in das damalige Regiment v. Buddenbrock, machte sodann den Feldzug in Polen 1794 als Pr. Lieutenant und Inspectionsadjutant des Generals v. Hausen mit, wurde 1797
Stabscapitain und 1807 Compagniechef und wohnte der Belagerung
von Danzig in demselben Jahre bei. Hier erhielt er eine starke Contusion am Fusse, an deren Folgen er in seinen letztern Lebensjahren
fast ununterbrochen litt; auch wurde er für sein dabei bewiesenes
Wohlverhalten mit dem Orden pour le mérite geschmückt. Im Jahre
1811 erfolgte seine Ernennung zum Major und seine Versetzung in
das ostpreuss. Infant. Regiment, 1814 aber seine Beförderung zum
Oberstlieutenant, nachdem er sich in der Schlacht bei Dennewitz das
eiserne Kreuz 2. Klasse erworben hatte. Für die Schlacht von Laon
erhielt er das eiserne Kreuz 1. Klasse, und im Herbste 1814 avancirte
er zum Commandeur des damaligen 1. westpreuss. Regiments; 1815
wurde ihm die Führung der 10. Brigade des 3. Armeecorps interimistisch anvertraut, kurz darauf aber erfolgte seine Ernennung zum
Obersten und wirklichen Brigade-Commandeur. Für seine in der
Schlacht bei Ligny bewiesene Umsicht und Unerschrockenheit erhielt
er den Orden pour le mérite mit Eichenlaub. Nach erfolgtem Frieden
ernannte ihn Se. Majestät zum Commandanten von Stralsund und
übertrug ihm 1818 die Inspection über die in Neu-Pommern errichtete Landwehr. Im Jahre 1820 erfolgte sein Avancement zum Generalmajor und 1828 die Feier seiner 50jährigen Dienstzeit, zugleich wurde
er mit dem rothen Adlerorden 3. Klasse decorirt. Im Jahre 1830
ward er unter Zusicherung der vollkommensten Zufriedenheit mit dem
Generallieutenants-Charakter in den Ruhestand versetzt; er wählte
Schwedt a/O zu seinem Aufenthaltsorte und starb daselbst am 14.
März 1833.

Kempski, die Herren von.

Mehrere polnische Edelleute dieses Namens dienten in der
Armee. Namentlich stand im Regiment von Strachwitz in Liegnitz
der Major v. Kempski, geb. in Südpreussen um das Jahr 1750. Im
Jahre 1815 erhielt er als Oberstlieutenant des 6. schless. Landwehr-
Infant.-Reg. seinen Abschied mit Pension. Er wohnte später auf
seinem Gute Schöbekirch bei Neumarkt, wo er auch vor einigen Jahren gestorben ist. Seine Gemahlin war Eine von Gelhorn.

Keöszeghy, die Herren von.

Unter den vielen ungarischen Edelleuten evangelischer und reformirter Confession, welche in die Dienste König Friedrich II. traten, und in der ihrem Vaterlande eigenthümlichen Reiterei, in den Husarenregimentern, vortheilhafte Anstellungen fanden, war auch ein Zweig der ungarischen und siebenbürgischen Familie v. Keöszeghy. — *Karl Franz* Keöszeghy-Schaumegh, geb. 1721 am 3. August auf dem Schlosse Schaumegh, ein Sohn des Landrichters zu Tolna, *Michael* v. K.-S. und Katharina's v. Zamori-Schakorai, trat 1743 aus östreichischen Diensten in die preussischen. Mit ihm zugleich kam ein älterer Bruder in die diesseitige Armee. Dieser starb 1760 in Leipzig als Major, jener wurde 1751 Pr. Lieutenant und zeichnete sich in der Schlacht bei Rossbach so aus, dass ihn Friedrich II. als Rittmeister zum Regiment Szekuly versetzte. Im Jahre 1758 erwarb er sich den Orden pour le mérite, hatte aber das Unglück, in Böhmen gefangen zu werden und wurde erst 1762 wieder befreit. In demselben Jahre ward er Major, 1772 Oberstlieutenant des v. Czettritz'-schen Husarenregiments, 1779 Oberst, 1785 Chef des erledigten Husarenregiments v. Rosenbusch und 1786 Generalmajor. Im Jahre 1788 schied er mit Pension aus dem activen Dienste. Er war zweimal vermählt, zuerst mit der verwittweten Frau v. Pothoesky, gebornen Gräfin Beatrix Wurmbrand v. Ruswurm, und nach deren Tode mit Ernestine, geb. v. Pannewitz, Wittwe des Generalmajors v. Rosenbusch. In erster Ehe wurden ihm vier Söhne und zwei Töchter geboren, von denen ihn jedoch nur ein Sohn und die Töchter überlebten. — Zu seinen Nachkommen gehörte der frühere Rittmeister im Husarenregiment v. Gottkandt v. K., der im Jahre 1821 als pensionirter Major gestorben ist. — Einer seiner Söhne ist der Rittmeister v. K. im 3. Dragonerregiment und Ritter des eisernen Kreuzes 1. Klasse (erworben im ganz jugendlichen Alter in der Schlacht von Belle Alliance). — Ein Bruder desselben starb vor einigen Jahren als Rittmeister im 11. Landwehrregiment zu Frankenstein in Schlesien.

Kerckerinck, die Freiherren von.

Dieses alte freiherrliche Geschlecht wird auch v. Kerckeringk und Kerkeringk geschrieben gefunden. Es gehört Westphalen und den Rheinlanden an und zerfällt in mehrere Linien, von denen die v. Droste, genannt v. Kerckeringk, schon in einem besondern Artikel erwähnt worden ist. Eine dieser Linien ist die v. Kerckerinck-Borg. Ihr gehört der Regierungsrath, Freiherr v. Kerckerinck-Borg zu Trier an. Ein Näheres über diese Familie ersieht man im Münsterschen Stiftskalender vom Jahre 1784. Osnabrückischer Stiftskalender vom J. 1773. v. Hattstein I. S. 335. u. f.

Kerkow, die Herren von.

Ein adeliges Geschlecht der Uckermark und der Neumark, das nach einigen Autoren ausgestorben sein soll, während noch in der Gegenwart oder doch in der neuesten Zeit Edelleute dieses Namens im preuss. Heere dienten, namentlich war ein Oberstlieutenant v. Kerkow bis zum Jahre 1806 Commandeur des 3. Musketierbataillons vom Regiment v. Arnim in Spandau. Er starb 1818 im Pensionsstande. —

Ein anderer v. K. war Major und Commandeur des Kürassierregiments
v. Wagenfeld in Warschau; er wurde im Jahre 1806 pensionirt und
ist im Jahre 1809 gestorben. Ein Sohn desselben diente noch um das
Jahr 1820 im 1. Kürassierregiment. In der Neumark besass im vorigen Jahrhunderte diese Familie das Gut Pamin im Kreise Arnswalde.
Diese adelige Familie führt im silbernen Felde einen Greifenfuss, auf
dem mit einem Bunde belegten Helme steht ein eben solcher gestürzt,
zwischen zwei Straussfedern.

Kern, die Freiherren und Herren von.

Die adelige Familie v. Kern stammt aus Baiern. Eine Linie derselben ist seit langen Zeiten in Oesterreich einheimisch, mehrere Glieder erhielten auch die Freiherrnwürde. Von der österreichischen Linie sind einige Zweige nach Schlesien und in die preuss. Armee gekommen. In Schlesien besassen sie früher Güter, namentlich Leipe
und Ludwigsdorf bei Neisse. Zu Wartha in Schlesien lebte *Franz* v.
Kern, Feuer-Bürgermeister, und sein Sohn, *Anton* v. K., der dem
Vater im Amte substituirt war. — Im Regimente Pelchrzim zu Neisse
stand ein Lieutenant v. K., der 1814 Lazareth-Inspector in Ottmachau war. Ein Bruder desselben ist ältester Capitain im 19. Infanterie-Regiment; er erwarb sich bei Ligny das eiserne Kreuz. — Ein
dritter v. K., der 1806 im Infant.-Regt. v. Tschepe zu Fraustadt
stand, ist 1822 als Schleusen-Controleur am Klodnitz-Kanal bei Cosel gestorben.
Diese Familie führt ein getheiltes Schild; in der obern schwarzen
Hälfte ist ein aus der rechten Seite aufspringender Greif vorgestellt.
Die untere Hälfte ist durch einen Spitzenschnitt in Roth und Silber
getheilt; in den rothen Theilen sind drei Kornähren, im silbernen
Theile eine aufspringende Hündin (Hirschkuh) angebracht. Auf dem
gekrönten Helme steht der goldene Greif verkürzt. Die Helmdecken
sind rechts golden und schwarz, links silbern und roth. — Eine Linie führt im blauen Schilde einen goldenen Mond und dabei zwei
Sterne, und auf dem Helme zwei blaue Flügel. Die Helmdecken sind
golden und blau.

Kerssenbrock, die Freiherren und Herren von.

Diese ursprünglich Osnabrück angehörige, uralte und vornehme Familie wird auch Kersenbroeik, Kersenbrock, Kerstenbruck, Kaersenbruch,
Kerssenbruch und Kassebrock geschrieben gefunden. Ihr Stammhaus
oder vornehmster Besitz seit uralten Zeiten ist das Schloss Brinke, das in
der ehemaligen Grafschaft Ravensberg und deren Vogtei Borkholzhau-
sen, gegenwärtig zum Kreise Halle des Regierungsbezirks Minden gehörig, liegt, und zu den alten landtagsfähigen Rittersitzen gehört.
Dieses Haus zerfällt in die katholische und in die evangelische Linie.
Von der evangelischen sind verschiedene Zweige in der Provinz Sachsen und im Fürstenthume Lippe ansässig, eben so auch in Pommern,
wo den v. K.'schen Erben das Gut Beweringen im Kreise Saatzig gehört. Der erstern gehört *Bernhard*, Freiherr v. Kerssenbrock, Erbherr auf Helmsdorf und königl. Landrath im mansfelder See-Kreise
an. Er war mit Antonie, Gräfin v. Alvensleben, einer Schwester des
wirklichen Geheimen Raths und Chef des Finanzministeriums, Grafen
v. Alvensleben, vermählt; sie starb am 9. October 1835. — Ein Bruder von ihm steht als Lieutenant in dem 1. Garde-Landwehr-Uhla-

v. Zedlitz Adels-Lex. III. 7

nenregiment zu Potsdam. — Der älteste Domherr zu Minden war, als das Capitel aufgehoben wurde, ein Freiherr v. Kerssenbruck. — Ein anderer v. Kerssenbruck besitzt das Gut Barentrup im Fürstenthume Lippe-Detmold, und ist seit 1814 Ritter des preuss. Johanniterordens. — Ein Premier-Lieutenant v. Kerssenbrock, der zuletzt im 13. Infant.-Regt. stand, hat sich bei Ligny das eiserne Kreuz erworben. M. sehe auch den Artikel: die Grafen v. Schmiesing. Siebmacher giebt das Wappen der v. K. unter den sächsischen, I. S. 170, und unter den westphälischen, I. S. 187. Das erstere zeigt im goldenen Schilde einen von der obern rechten zur untern linken Seite gezogenen, mit drei rothen Rosen belegten blauen Balken, und auf dem Helme einen Bund, aus dem ein goldener Adlerflug emporsteigt. Jeder Flügel ist mit dem im Schilde erwähnten blauen Balken und den drei Rosen belegt. Bei den westphälischen v. K. ist der Balken silbern und der Helm ohne Bund. Mehreres ersieht man in Gauhe, I. S. 737—39.

Kessel, die Grafen und Herren von.

Das alte hochberühmte Geschlecht von Kessel hat den Ritterschlag schon vom Kaiser Heinrich I. in den wendischen und hunnischen Kriegen erhalten, und ist nach und nach zu der niederrheinischen, sächsischen und schlesischen Ritterschaft gezählt worden. Sebastian v. K. befand sich schon im Jahre 1209 auf dem Turniere zu Worms, und Wilhelm K. v. Rode im Jahre 1337 auf dem Turniere zu Ingelheim am Rhein. — In Sachsen ist das Schloss Tscheutsch bei Altenburg ein Stammhaus dieser Familie; ein gleichnamiges Geschlecht, aber durch das Wappen ganz verschieden, schreibt sich Borau von Kessel, auch Borau, Kessel genannt. Nach Schlesien kam sie um das Jahr 1621. Es waren Söhne aus dem Hause Tscheutsch, namentlich Hans Friedrich und Wolf Christoph v. K. und Tscheutsch, deren Mutter eine geborne v. Etzdorf, Hofmeisterin an dem herzogl. münsterberg-ölsischen Hofe war. Hans Friedrich v. K. wurde Hofmarschall bei dem Herzoge Karl Friedrich zu Oels; er starb, erst 28 Jahr alt, im Jahre 1638 und liegt in der Schlosskirche zu Oels begraben, wo sein Epitaphium zu finden ist. Sein Bruder, Wolf Christoph v. K., Herr auf Michelwitz, Glauche und Brukoczine, folgte ihm in der Würde eines Hofmarschalls. Er starb am 29. Juli 1661, und sein Grabmal befindet sich in derselben Kirche. — Von seinen Nachkommen war wieder Christoph Wilhelm v. K. im Jahre 1684 Hofmarschall und Landesältester in Oels; er pflanzte seinen Stamm durch sechs Söhne und sechs Töchter fort. Sein Wahlspruch war: „redlich währt am längsten". Er starb 1708. Endlich bekleidete auch Christian Wilhelm v. K. und Tscheutsch auf Brukoczine, Zeutz und Michelwitz, zuerst die Stelle eines Oberschenken, später eines Hofmarschalls an dem Hofe der Herzoge von Oels und Bernstadt. — Ein Bruder von ihm besass das Gut Maliau im Trebnitzschen, Wolfgang Christoph v. K. aber Mädlitz in derselben Landschaft, und Johann Ernst v. K. erwarb Muschlitz in der freien Standesherrschaft Wartenberg. Später ist auch Raake, als ein Majorat, das noch gegenwärtig ein Besitzthum der Familie ist, an dieselbe gekommen. Dieser schöne Rittersitz liegt bei Oels, und gehört jetzt dem Landesältesten und Johanniterritter v. K. — Im Glogauischen besitzt der Lieutenant v. d. A., Kreisdeputirte und Ritter des eisernen Kreuzes 2. Classe v. K. das Gut Leschkowitz, und ein anderer Kreisdeputirte v. K. besitzt Zeisdorf bei Sprottau. — Am 9. Februar des Jahres 1774 wurde Karl Wilhelm v. K., Besitzer mehre-

rer Güter in Schlesien, vom Könige Friedrich II. in den Grafenstand erhoben. — In den Rheinlanden führt eine Linie der Freiherren von dem Busche-Ippenburg den Beinamen v. Kessel, namentlich der Freiherr *Julius* v. d. Busche-Ippenburg, genannt v. Kessel, königl. preuss. Kammerherr.

In preuss. Kriegsdiensten haben sich mehrere Mitglieder ganz besonders ausgezeichnet, vorzüglich gehört hierher:

Gustav Friedrich v. K., der am 18. Novbr. 1760 zu Klein-Ellguth im Fürstenthume Oels geboren, sehr zeitig als Page an den fürstl. Karolathschen Hof kam, sodann aber im Jahre 1776 in das Infanterie-Regiment v. Flemming eintrat. Friedrich II. wünschte einige Schlesier bei seiner Garde zu haben, und so kam v. K. drei Jahre darauf als Fähnrich zum Bataillon Leibgarde. Er blieb in diesem Regimente bis zum Jahre 1813, nachdem er von Stufe zu Stufe bis zum Generalmajor emporgestiegen war. Besonders zeichnete er sich bei der Belagerung von Mainz, Landau und in dem Gefechte bei Trippstadt, auch in der Schlacht bei Auerstädt durch Unerschrockenheit und Entschlossenheit aus. Nachdem die Garden 1806 als Kriegsgefangene entlassen wurden, ward er 1807 durch die besondere Gnade des Königs ausgewechselt. 1813 bekam er den Befehl, dem Kronprinzen Unterricht im Exerziren zu ertheilen, dann blieb er in Breslau, um 20 Reserve-Bataillons zu formiren. In demselben Jahre ward er Commandant von Breslau, im Jahre 1817 aber Inspecteur der Landwehr und Generallieutenant. Im Jahre 1819 kam er als Commandant des Invalidenhauses nach Berlin und feierte daselbst im Jahre 1826 sein 50jähriges Dienstjubiläum, wobei ihn seine Majestät mit dem rothen Adlerorden 1. Classe mit Eichenlaub beehrte. Seine Kränklichkeit nahm immer mehr überhand, bis ein Schlagfluss am 18. Septbr. 1827 seinem Leben ein Ende machte. Seine Wittwe lebt in Berlin, und mehrere Söhne von ihm dienen in der Armee, namentlich im 1. Garderegiment. — Der älteste von ihnen, der Capitain v. K., erwarb das eiserne Kreuz bei Gr. Görschen — Demselben Orden erwarb sich der Rittmeister, jetzt a. D., v. K., bei Bautzen; ferner der Premier-Lieutenant im 18. Landwehrregiment v. Kessel bei Belle Alliance, und ein Hauptmann v. K., jetzt a. D., bei Ligny. — Ein Rittmeister v. K. ist gegenwärtig Rendant bei dem Traindepot in Posen.

Die v. K. in Schlesien führen im blauen Schilde ein goldenes Jägerhorn, unter diesem drei goldene Sterne im umgekehrten Triangel, auf dem Helme zwei braune Hirschhörner (Sechsender); zwischen denselben steht wieder ein goldener Stern. Dasselbe Wappen führte auch die in den Grafenstand erhobene Linie, nur ist der Helm mit einer neunperligen Krone bedeckt und das Schild von zwei preuss. Adlern gehalten. Das Laubwerk blau und golden.

In Beziehung auf die Familie Borau, Kessel genannt, ist zu bemerken, dass sie ebenfalls zur schlesischen Ritterschaft gezählt wurde. Schon zur Zeit der Tartarenschlacht und der heiligen Hedwig werden Ritter aus diesem Hause genannt, doch finden wir sie bis in die Mitte des 16. Jahrhunderts blos Borau, und später mit dem Zunamen, genannt Kessel, aufgeführt. — Im Jahre 1288 findet sich ein *Berthold* de Borau unter dem Herzoge Heinrich dem Dicken zu Liegnitz. — Um das Jahr 1461 ging *Hans* v. Borau, von Weimar aus, im Gefolge des Herzogs Wilhelm zu Sachsen mit zum heiligen Grabe in das gelobte Land. — *Kaspar* v. Borau war um das Jahr 1505 der Herzöge Albrecht und Karl zu Münsterberg und Oels Kanzler. — Am 8. April 1703 starb *Georg Ernst* v. Borau, Kessel genannt; er war königl. polnischer und kurfürstl. sächsischer General-Haus- und Land-Zeug-

7*

meister, Ober-Inspector der Fortification und Militairgebäude, auch Herr auf Bobersem.

Die Familie v. Boran, Kessel genannt, führt ein der Quere nach in drei Theile zerfallendes Schild. Der obere Theil ist weiss und mit drei rothen Rosen geziert, der mittlere Theil ist roth und ohne Bild, der untere aber wieder weiss und ohne Wappenbild. In den Rheinlanden führte die Familie den Beinamen Bodelnberg, oder vielmehr den Namen Bodelnberg, genannt Kessel. Sie führt im silbernen Schilde eine, oben viermal, unten dreimal gezinkte schwarze Mauer, und auf dem Helme den Kopf einer weissen Dogge mit roth ausgeschlagener Zunge. Statt des Halsbandes war sie mit dem Bilde der schwarzen Mauer belegt. Mauer und Doggenkopf ist gegenwärtig ein Bestandtheil des Wappens der Freiherren v. d. Busche, genannt Kessel.

Mehreres ersehe man in der Olsnographia, P. I. pag. 822. Hermann. Prax. Herald. P. II. Sinapius, I. S. 506—9, und II. S. 720. Gauhe, I. S. 739.

Kessel v. Bergen, die Herren.

Ein ausgestorbenes, rheinländisches Geschlecht, welches im 15. Jahrhunderte vorkommt, aber im Jahre 1620 völlig ausgegangen ist. M. sehe Gauhe, I. S. 740. v. Humbracht, Tab. 275. v. Meding beschreibt das Wappen, II. No. 431 und S. 126.

Kesselstatt, die Grafen, Freiherren und Herren von.

Diese gräfliche Familie gehört der preuss. Rheinprovinz, in Beziehung auf ihre bedeutenden Besitzungen, die sie in den heutigen Regierungsbezirken Trier, Aachen und Cöln besass und zum Theil noch besitzt, an. Namentlich waren Lössenich und Bansendorf, Föhren, Ahrenrath, Becond, Dodenburg, Bruch, Scharfbillich, Stolberg, Herrschaften, die diesem Hause angehörten, ehe das linke Rheinufer in den Besitz Frankreichs kam. Schon seit dem 15. Jahrhunderte haben die Herren, und Freiherren, später Grafen v. Kesselstatt die ersten Hof- und Landesämter im Kurfürstenthume Trier bekleidet, obgleich ihr Stammsitz, das Schloss und die Herrschaft Kesselstatt, die schon längst in andern Händen ist, in der Grafschaft Hanau liegt. Von da aus verpflanzte sich das Geschlecht nach dem Rheine, wo zuerst *Johann* v. K. mit dem Beinamen *Moir* als kurtrierscher Marschall und Burgmann zu Montabaur vorkommt. Er war mit einer Freiin v. Rüdesheim vermählt. Auf dem linken Rheinufer kommt zuerst *Friedrich I.* v. K. als Burgherr von Klotten an der Mosel vor. — *Friedrich II.* v. K. war Herr zu Föhren oder Füren, einer drei Stunden von Trier gelegenen festen Burg. — Einer seiner Nachkommen, *Georg* zu K., Herr zu Föhren, Lehnherr zu Nonhe, Burgherr zu Kroeff und Klotten, kurtrierscher Burgmann zu Daun, war dreimal vermählt; zuerst mit einer Engel v. Enschringen, zweitens mit Amalie v. Kindhausen, und drittens mit Gertrud Oisburg. Aus der ersten Ehe war geboren *Johann Hugo Casimir Edmund*, Graf v. K., Herr zu Föhren, Anrath, Bruch, Scharfbillich, Dodenburg, Lösenich und Stolberg, Erbkämmerer des Erzstifts Trier, kaiserl. und kurtriersscher Geheimer Rath, Landhofmeister, Erbobervoigt im Cröverreich und Amtmann zu Pfalzell, kurfürstl. kölnischer Oberamtmann zu Rense, erbetener Ritterrath der unmittelbaren freien Reichsritterschaft am Niederrhein. Er war vermählt mit einer Freiin Knebel von Katzenelnbogen. — Diese

erste gräfliche, oder die Alt-Klottener Linie erlosch noch im 16. Jahrhunderte; dagegen blüheten die Linien zu Föhren und die zu Croeve an
der Mosel. — Aus der Linie von Föhren entspross eine zweite jüngere Klottener. Doch diese, so wie die Croever, erlosch auch schon
im 17. Jahrhunderte, nur die von Föhren blühete fort, und ihr gehören die heutigen Grafen v. K. an. Aus ihr wurde *Casimir Friedrich*, Herr zu Föhren, Anrath, Bruch, Scharfbillich, Dodenburg und
Lüssenich, Erbkämmerer des Erzstiftes Trier, kaiserl. königl. Kämmerer und Reichshofrath, kurfürstl. trierscher Geheimer Rath, Landhofmeister, Erbobervoigt im Crüverreich, Oberamtmann zu Wittlich und
Uldeneck, im Jahre 1718 in den Reichsfreiherrnstand erhoben. — Ferner gehörten derselben Linie an:

Hugo Wolfgang, Freih. v. K., Dompropst zu Mainz, Domherr zu
Halberstadt und Lüttich, Capitular zu Bleidenstadt und St. Alban, auch
kurmainzischer Geheimer Rath. Sein Bruder, *Lothar Adolph*, war 1710
Dompropst zu Speier und Chorbischof zu Trier.

Johann Wilhelm, Freiherr v. K., deutscher Ordensritter, der Ballay Presen Commandeur, kais. königl. Oberstlieutenant und Commandant des fürstl. anhaltschen Regiments, blieb im Jahre 1696 in der
Schlacht bei Zentha.

Thomas Franz, Freiherr v. K., war Erzpriester zu Mainz, Dompropst zu Trier, Dechant zu Bleidenstatt, Capitular zu St. Alban,
kur-trierscher und mainzischer Geheimer Rath und Regierungs-Präsident.

Am 10. Januar 1776 brachte *Johann Hugo Casimir Edmund*, Freiherr v. K., Herr zu Föhren, Stolberg u. s. w., die reichsgräfliche
Würde an sein Haus.

Die Familie der Grafen v. Kesselstatt besteht gegenwärtig aus
folgenden Mitgliedern:

**Des am 3. März 1796 verstorbenen Grafen Johann
Hugo Casimir Edmund v. K. Söhne:**

I) *Franz Ludwig*, Graf v. K., geb. zu Trier den 18. Septbr.
1753, Domcapitular des ehemaligen Domstifts Mainz, Capitular des
Ritterstifts zu Bleidenstadt, Präses der Mainzer domcapitularischen
Präsenz-Kammer.

II) Des Grafen *Karl* (geb. zu Trier den 13. August 1756, gest.
den 23. Juni 1829, kaiserl. königl. Kämmerer) und der am 5. Dechr.
1805 verstorbenen Theresia, Gräfin von Stadion Thannhausen, philipp. Linie.

Kinder:

1) *Hugo*, Graf v. K., geb. zu Mainz den 7. Novbr. 1785, Domherr
    des ehemaligen Domstifts Trier und Bamberg.

2) Des am 14. August 1834 verstorbenen Grafen *Franz* (geb. zu Mainz
    am 29. Novbr. 1787), Domherrn des ehemaligen Domstifts Trier
    und Würzburg, k. k. Obersten und Kämmerer, Wittwe:
    Karoline, geb. Fräulein v. Lambert, geb. den 28. Decbr. 1808.

Dessen Sohn:

Franz, Graf v. K., geb. zu Trier am 26. Februar 1834.

3) *Sophie*, Gräfin v. K., geb. zu Mainz am 24. Dechr. 1790, Stifts-
    dame im herzogl. savoyenschen Damenstift zu Wien, ernannt im
    September 1823.

4) Des am 11. Juli 1828 gest. Grafen *Clemens* v. K. (geb. den 3. Oct.
    1792) Wittwe:

Franzisca, Gräfin v. Fünfkirchen, geb. den 23. Juli 1800, Tochter des am 31. Mai 1815 verstorbenen Grafen Johann Franz de Paula, vermählt 1) den 18. Januar 1825 mit dem Grafen Clemens v. K., und 2) den 25. Novbr. 1830 mit dem Grafen Georg v. Stockau.

Dessen Söhne:

a) *Franz*, Graf v. K., geb. zu Wien den 27. Febr. 1826.
b) *Clemens*, Graf v. K., geb. zu Wien den 28. Januar 1829.

5) *Marie Kunigunde*, Gräfin v. K., geb. zu Mainz den 28. Aug. 1794, vermählt seit dem 6. August 1815 mit Johann Philipp Franz Joseph, Grafen v. Stadion-Thannhausen, von der philipp. Linie.

6) *Johann Philipp*, Graf v. K., geb. zu Prag am 7. Januar 1799, kaiserl. königl. Rittmeister im Uhlanenregiment Fürst Schwarzenberg.

III) *Edmund*, Graf v. K., geb. zu Trier den 26. Juli 1765, Domherr des ehemaligen Domstifts Würzburg, Eichstädt und Passau.

Die Grafen v. Kesselstatt führen ein goldenes, mit einem rothen Andreaskreuze, zwischen dessen Winkeln vier grüne Seeblätter angebracht sind, belegtes Schild, in dessen Mitte ein silbernes Herzschildlein, worin ein rother rechtsschreitender Basilisk (das eigentliche uralte Wappen der v. K.) dargestellt ist, sich befindet. Das Schild deckt eine reichsgräfliche Krone, welche drei gekrönte Helme trägt. Auf dem mittlern ist ein schwarzer Adler; auf dem rechten wächst der rothe Basilisk, und auf dem linken ist ein weisser, roth aufgezäumter, Pferdekopf vorgestellt. Zwei goldene, rückwärts schauende Löwen, deren äussere Schulter mit einem grünen Seeblatte belegt ist, sind zu Schildhaltern gewählt. Die Decken sind rechts silbern und roth, links roth und golden.

Nachrichten über diese Familie, so wie auch deren Wappen, findet man in Robens, II. S. 357 u. f. Gauhe, I. S. 740 u. f. v. Hattstein, I. S. 337—40. Humbracht, Tab. 199.

Kesslitz, die Freiherren und Herren von.

Ein altadeliges Geschlecht in Schlesien, das früher sehr zahlreich und begütert war. — Der erste Edelmann dieses Namens kommt um das Jahr 1591 vor, nämlich *Christoph* v. Kesslitz, der des Herzogs Friedrich IV. Kammerjunker war. — Um das Jahr 1648 lebte *Hans* v. K., Herr auf Lettnitz und Schweinitz im Glogauischen. Der Landesälteste *Maximilian* v. K. zu Glogau wurde am 13. Juni 1704 in den böhmischen Freiherrnstand erhoben. — *Karl*, Freiherr v. K., war zu Anfange des 18. Jahrhunderts hochfürstl. lobkowitzer Amtsverweser im Fürstenthume Sagan. — Auch besass diese Familie die Güter Golgowitz, Salisch und Merzdorf im Glogauischen. — Im Jahre 1806 war ein Lieutenant a. D. Postmeister zu Haynau. Gegenwärtig steht ein Premier-Lieutenant Baron v. K. im 23. Infanterie-Regimente.

Das Wappen der v. K. zeigt einen weissen Balken, der von der obern linken zur untern rechten Seite das Schild theilt; in dem vorderen schwarzen Theile ist ein rother Stern, und in der andern rothen Hälfte ein schwarzer Stern angebracht. Der Helm ist mit drei Straussfedern geschmückt (roth, schwarz, weiss). Dieses Wappen giebt Siebmacher, I. S. 57. v. Meding beschreibt es, II. N. 433. Gauhe erwähnt diese Familie, I. S. 742, und Sinap., I. S. 509. II. S. 347.

Kesteloot (tt), die Herren von.

Die von Kesteloot sind aus den Niederlanden nach Preussen gekommen. Hier ist Bomkicken ein altes Gut der v. Kestelootschen Familie. — In der Armee steht gegenwärtig der Generalmajor v. Kesteloott, Commandeur der 14. Infanterie-Brigade, er stand bis zum Jahre 1806 in dem Infanterie-Regimente von Besser. Derselbe erhielt im Jahre 1809 für seine in der Campagne 1804 in Preussen geleisteten Dienste den Orden pour le mérite, und im Treffen bei Wavre (1815) erwarb er sich das eiserne Kreuz 1. Classe. Als Oberst commandirte er das 39. und 40. Infanterie-Regiment. — Ein Hauptmann v. Kesteloott, der früher im Füsilierbataillon v. Wackenitz, der 1. ostpreuss. Füsilierbrigade gestanden hatte, fiel in einer der ersten Schlachten des Jahres 1813. — Ein pensionirter Major v. Kesteloott, der früher im Regimente Tawarzysz, zuletzt beim 3. Uhlanen-Regimente gestanden hatte, starb 1826.

Ketel, die Herren von.

Von Ketel, auch Kettel und Kettele ist der Name eines erloschenen Geschlechtes, das zum alten Stammadel der Insel Rügen gehörte. Sein Stammhaus Kettelshagen liegt beim Städtchen Putbus. Es führte ein gespaltenes silbernes Schild, die rechte Seite war schwarz gestreift, die linke mit funfzehn Pfennigen in fünf Reihen, jede zu drei belegt. Auf dem Helme standen drei blühende Lilien.

Kettelhack, die Herren von.

Ein erloschenes, altadeliges Geschlecht in Pommern und in der Uckermark. In Pommern waren die v. K. Herren auf Vanselow und Leppin, in der Uckermark besassen sie Strehlow (Strelow). Die Güter in Pommern wurden nach dem Erlöschen der v. Kettelhack Molzahnsche (Malzahnsche) Lehne.

Kettler, die Freiherren und Herren von.

Ein altadeliges und freiherrliches Geschlecht in Westphalen und den Rheinlanden, von dem sich auch ein Ast nach Pommern, und verschiedene Zweige nach Kurland gewendet haben. Die westphälische Familie führt auch den Beinamen zum Harkotten, das Stammhaus des ganzen Geschlechtes aber heisst Kettelberg und liegt im Cölnischen. Es bestanden neun verschiedene Linien dieses Geschlechtes. — Franz v. Kettler war im 16. Jahrhunderte gefürsteter Abt zu Corvey. — Ein Neffe von ihm, *Wilhelm* v. K., war bis zum Jahre 1557 Bischof zu Münster. — *Gotthard* III., Freiherr v. K., wurde im Jahre 1559 Heermeister des deutschen Ordens in Liefland. Er schloss im Jahre 1561 mit dem Könige Sigismund August von Polen einen Tractat, nach welchem der Krone Polen ganz Liefland abgetreten wurde, dagegen ward er von Polen mit Kurland und Semgalien unter dem Titel eines weltlichen, erblichen Herzogthums belehnt. Seine Nachkommen regierten bis zum 4. Mai 1737, wo mit dem Herzoge *Ferdinand* von Kurland aus dem Hause Kettler diese ersten Herzöge von Kurland im Mannesstamme ausstarben. Die v. K. in Pommern werden von mehreren Schriftstellern als Afterlehnsleute der v. Borck genannt, jedoch wer-

den sie von Brüggemann mit dem Zeichen der ausgestorbenen Ge
schlechter aufgeführt. — *Johann*, Freiherr v. K., war herzogl. jülichscher Rath. — Einer seiner Enkel, *Anton Dietrich* v. K., war zuerst schwedischer Oberst, später kaiserl. General. Noch in der Gegenwart besitzen die Freiherren v. K. ansehnliche Güter in der Provinz Westphalen. — In dem Domcapitel zu Hildesheim und Münster,
und in verschiedenen andern Stiftern waren Mitglieder dieses Hauses. — In kurbrandenburg. und preuss. Diensten waren verschiedene
v. K., namentlich *Johann* v. K., Herr auf Mongowe und Müllrich im
Jülichschen, den der Kurfürst Johann Sigismund am 10. April 1613 zu
Griunitz zu seinem Kriegsobersten und Geheimen Kammerrath bestellte. — Ausserdem haben verschiedene andere Mitglieder in der Armee gedient, und noch heute stehen mehrere Edelleute dieses Namens in der Armee. — In dem Stifte Gesecke im Regierungsbezirke
Arnsberg sind gegenwärtig die Fräulein *Antoinette* und *Fanny* v. K.
Canonissianen

Kettwig, die Herren von.

Eine adelige Familie dieses Namens war in der Mark ansässig.
v. Gundling weist sie dem Lande Sternberg zu, wo ihnen das Gut
Grälen angehörte. Von dieser, wie es scheint, bei uns erloschenen
Familie giebt Siebmacher, obgleich andere Autoren sie nicht zur
schlesischen Ritterschaft zählen, ein Wappen unter den schlesischen,
V. S. 73 Nachtrag. Es ist ein damascirtes, in der obern Hälfte blaues,
in der untern goldenes Schild. In demselben ist ein silbernes Meer-
fäulein mit schwarzem, schuppigem Fischschweife dargestellt. Der
obere Theil steht im blauen, der Schweif im goldenen Felde. Das
Fräulein drückt einen Pfeil auf rothem Bogen ab, und hat um den
Kopf ein roth und silbernes, flatterndes Band. Dasselbe Bild wiederholt sich zwischen zwei, oben blauen, unten goldenen Büffelhörnern
auf dem Helme.

Ketzgen, die Herren von.

Zum aufgeschworenen jülich-cölnischen Adel gehört die Familie
von Ketzgen. — *Eberhard* v. Ketzgen zu Gereshoven und Ensheim
war Thürwärter des Erzstiftes Cöln, er war mit Anna v. Holzhausen
zu Altenkrekenbeck und Clée vermählt, und gelangte 1688 zur Würde
eines Oberstküchenmeisters. — *Eberhard Franz* v. Ketzgen zu Ericken
wurde auf dem Landtage zu Hambach 1667 aufgeschworen. Diese
Familie ist mit den Grafen v. Hompesch verwandt. *Wilhelm's* v. Ketzgen zu Gereshoven und der Elisabeth von Luzerode vom Clift Tochter, Anna Luise, vermählte sich mit *Dietrich*, Freiherrn von Hompesch zu Bollheim und Ruhrig, Amtmann zu Custer. Das v. Ketzgen-
sche Wappen zeigt im silbernen Felde einen schwarzen Querbalken
und drei schwarze Löwen, auf dem Helme den Kopf eines weissen
Hundes mit breitem schwarzem Halsbande. Robens a. a. O., I. Bd.
S. 359.

Kendell, die Herren von.

Eine altadelige, aus dem Kurhessischen stammende Familie (woselbst, so wie im Eichsfelde sie die Güter Schwebda, Falken und Kendellstein besass), von der Estor in der Ahnenprobe sagt: der alte

Adel der Keudell und ihre Ritterbürtigkeit ist sattsam bekannt, und darf demnach kaum noch erwähnt werden. Der älteste bekannte Stammvater ist *Rudolph* von Keudell im 14. Jahrhunderte gewesen, der mit einer von Hanstein zwei Söhne gehabt, von denen der ältere, *Heinrich*, Stammvater der Linie v. Falken, und der jüngere, *Reinhard*, der der Linie von Schwebda und Kendellstein geworden ist. — *Hans* von Keudell von Schwebda hat als ein naher Anverwandter der Eva von Trotten 1541 die Klage an Kaiser Karl V. gegen Herzog Heinrich von Braunschweig mit unterschrieben, und *Reinhard* von Keudell ist um dieselbe Zeit Voigt zu Wolffenbüttel bei Herzog Heinrich von Braunschweig gewesen, und hat für ihn gegen Hans Kochem für 200 Gulden gebürgt. Mit Kendellstein wurde 1433 *Hans* von Keudell auf Fürbitte des Landgrafen Philipp von Hessen vom Kurfürsten Konrad von Mainz belehnt, und Schwebda nebst einem Hofe in Treffurt erhielt 1490 *Asmus* von Keudell vom Landgrafen Wilhelm von Hessen zu Lehn. Von der Keudellsteinschen Linie war *Wallrab* von Keudell 1736 ältester Vorsteher der adeligen Stifter in Hessen, und *Heinrich Wallrab* von Keudell hat als landgräflich hessen-casselscher Generalmajor den nordamerikanischen Freiheitskrieg in den 1780er Jahren mitgemacht; mit Letzterem starb 1792 die Linie von Keudellstein aus, und trotz aller Gegenvorstellungen der Familie wurde eines angeblichen alten Lehnsfehlers wegen, nicht die Linie von Schwebda, sondern der chur-mainzische General-Feldmarschall Lieutenant von Pfrimbdt vom Kurfürsten von Mainz, dem damals das Eichsfeld, in dem Keudellstein liegt, gehörte, damit belehnt; als später das Eichsfeld preussisch, und durch den Tod des Pfrimbdt das Lehn wieder erledigt wurde, gelangte die Familie dennoch nicht wieder in den Besitz dieses Stammgutes, das der preussische Generalmajor von L'Estocq erhielt, dessen Familie sich noch im Besitz befindet, obgleich während der Zeit der westphälischen Regierung ein Baron la Flèche den Keudellstein geschenkt erhielt, der, ob er gleich nach dem Sturze dieser Regierung diese Schenkung wieder verlor, dennoch den Beinamen von Keudellstein beibehalten hat.

Aus der Linie von Schwebda und Falken war *Friedrich Wilhelm* v. Keudell bis 1807 hessischer Landrath, und dessen Sohn, *Friedrich Kaspar* v. Keudell bis 1815 hessischer Oberforstmeister; das Lehngut Schwebda bei Eschwege befindet sich noch im Besitze des Sohnes von Letzterem, *Rudolph* von Keudell.

Johann Kaspar von Keudell von Schwebda (geboren 1678) ist herzoglich braunschweigischer Forst-Inspector gewesen, und hat seine Tochter an den preussischen Amtsrath August Lüdtkens in Rodersleben im Halberstädtischen verheirathet; als dieser Lüdtkens im Jahre 1728 von König Friedrich Wilhelm I. nach Litthauen geschickt wurde, um die Generalpacht des Domainengutes Grumkowkniten zu übernehmen, folgten ihm sein Schwiegervater mit seinen Söhnen dahin, und so wurde die Familie von Keudell im Jahre 1728 in Preussen ansässig. Ein Sohn des Johann Kaspar von Keudell, *Heinrich Ernst* von Keudell, blieb 1758 bei Zorndorf als königl. preuss. Major im v. Ruischen Husaren-Regimente; der zweite Sohn aber, *Heinrich Christian* v. Keudell, vermählte sich mit einer Schwester des nachmaligen preussischen Ober-Präsidenten von Domhardt, der eine Schwester dieses Keudell zur Frau hatte, und erhielt durch seinen Schwager die Generalpacht des Domainenguts Georgenburg bei Insterburg; da aber damals adelige Personen nicht Domainenpächter sein durften, so bediente sich Heinrich Christian v. Keudell nicht weiter seines Adels. Seine beiden Söhne, *Johann Heinrich Leopold* und *Theodor Heinrich Friedrich*, die Generalpächter der Domainengüter Grumkowkniten und Georgenburg waren, suchten aber im Jahre 1788 beim Könige Friedrich Wilhelm II. um die Erlaubniss nach, ihren alten Adel wieder aufnehmen zu dürfen, und erhielten diese durch das Adels-Renovationspatent vom 14. Juni 1789; die Söhne dieser standen sämmtlich in preussischen Militairdiensten bei den ostpreussischen Husaren- und Dragoner-Regimentern. *Theodor* von Keudell hat sich als einer der eifrigsten und grössten Pferdezüchter in Preussen einen Namen gemacht, und schon im Jahre 1788 vom Könige Friedrich Wilhelm II. die goldene Medaille für die Verbesserung der Pferdezucht erhalten; als im Jahre 1794 ein Theil von Polen mit Preussen vereinigt wurde, erkaufte Theodor von Keudell vom Fürsten Czartoryski die im damaligen Neuostpreussen am Niemenflusse belegene Herrschaft Nieder-Girigunischken, die jetzt zum Königreiche Polen gehört, wodurch ein Theil der Familie von Keudell jetzt auch in Polen ansässig geworden ist. Theodor von Keudell hat sich auch dadurch ausgezeichnet, dass er einer der ersten Landwirthe Preussens gewesen ist, der den Kleebau in dieser Provinz eingeführt hat.

Das alte Wappen der von Keudellschen Familie ist ein silbernes Schild, in dem sechs schwarze wilde Schweinszähne zu drei an jeder Seite über einem grünen Querbalken stehen, mit zwei weissen wilden Schweinsohren auf dem Helme. v. Meding beschreibt dieses Wappen folgendermassen: Im silbernen Schilde kommen aus jedem Seitenrande drei sich gegen die Mitte beugende und berührende schwarze Spitzen; unter diesen steht ein schmaler grüner Balken, der die unterste Spitze jeder Seite berührt. Auf dem Helme liegt eine runde schwarze Mütze mit silbernem Ueberschlag, an dem auf jeder Seite ein langes silbernes Ohr befestigt ist, das linke zeigt die Oeffnung. Helmdecken schwarz und silbern. Siebmacher giebt dieses Wappen, I. S. 135. Nachrichten von dieser Familie giebt Gauhe, I. S. 745. Estors Ahnenprobe Tab. II. in dem Stammbaum der v. Lütter, 509.

Keul, die Herren von.

In Schlesien war noch im 17. Jahrhunderte ein adeliges Geschlecht, das sich von Keul, auch v. Kenle schrieb. — *Johann Keule* war 1442 der Herzogin Elisabeth von Liegnitz Burggraf. Gross und Klein Pohlwitz, Pohlsdorf und Merzdorf, so wie Kalthaus und Rengersdorf, waren im 16. und 17. Jahrhunderte Güter dieser Familie. Sie führten im blauen Schilde zwei weisse, übers Kreuz gelegte, silberne Keulen und auf dem Helme drei Straussfedern (blau, weiss, blau). Decken in Silber und Blau. Dieses Wappen beschreibt Sinapius, I. B. S. 510, und von Meding, II. Th. N. 438. Gauhe giebt I. B. S. 746 Nachricht von dieser Familie nach Sinapius I. B. S. 510 und II. B. S. 721.

Keulen, die Herren von.

Von Keulen, auch von Kulen, ist der Name einer adeligen Familie in Pommern, die bei Lauenburg begütert war, ursprünglich aber zum stettinschen Adel gezählt wurde. Ihr Wappen hat Aehnlichkeit mit dem schlesischen adeligen Familie Keul oder Keuler. Sie führt im rothen Schilde zwei ins Andreaskreuz gelegte Streitkolben; dieses Bild wiederholt sich auf dem ungekrönten Helme. Decken golden und roth. Siebmacher, V. Th. S. 172. von Meding, II. Th. N. 439. Micrälius gedenkt dieser Familie S. 494.

Kiekebusch (Kykpusch), die Herren von.

Diese Familie erscheint in früheren Zeiten mit dem Namen Kiekebusch, erst später finden wir sie grösstentheils Kykbusch und Kykpusch geschrieben. Ihr Stammhaus soll das Dorf Kiekbusch unweit Teltow sein, das aber schon frühzeitig an die v. Beer gekommen ist. Wenn sie auf diese Weise ihrer Abstammung nach dem märkischen Adel angehören, so scheinen sie doch schon frühzeitig in den Marken ausgegangen zu sein, um dagegen in Schlesien im Besitze beträchtlicher Güter fortzublühen. *Reinhard* v. K., auf Reinsdorf, Pommerschwitz, war im Jahre 1635 fürstl. Liechtenstein'scher Rath. Er war ein Urenkel des *Thomas* von und auf Kiekbusch und der Barbara v. Tschertwitz. Eine Linie dieser Familie hatte sich auch in den fürstl. schwarzburg'schen Landen und im Sächsischen niedergelassen; zu ihr gehörte der fürstl. schwarzburg-rudolstadt'sche Kanzler v. Kykpusch. Ein Sohn desselben war *Ludwig* v. K., der am 4. Septbr. 1877 als königl. preuss. Generalmajor und Commandant von Silberberg gestorben ist. Er hatte zuerst in dem Infanterieregiment, damals v. Lengefeld in Magdeburg, später im Generalstabe gestanden, bei Friedrichsstadt in Kurland am 18. Novbr. 1812 den Orden pour le mérite, und am 27. August 1813, wo er in dem Gefechte bei Havelsberg als Oberstlieutenant vom Generalstabe vortreffliche Dienste leistete, das eiserne Kreuz erhalten; 1815 wurde er zuerst Commandant von Pillau, später von Trier, 1817 von Silberberg und 1820 war er zum Generalmajor befördert worden. — Es stehen noch in der Gegenwart mehrere v. K. in der Armee; es sind die Söhne und Nachkommen der im Dragoner-Regiment vacant v. Rhein gestandenen v. K., von denen der ältere 1811 Oberstlieutenant war, dann als Oberst im Pensionsstande 1813 gestorben ist, der jüngere aber Capitain war und im Jahre 1817 als Major des 17. Infanterie-Reg. ausgeschieden ist. — In dem Regiment v. Reinhard stand ein Capitain v. K., der als Major des 7. schlesischen Landwehrregiments 1813 auf dem Felde der Ehre geblieben ist. — Im Jahre 1806 stand auch ein Fähnrich v. K. im Regiment Courbiere; er war zuletzt Rittmeister im 1. Dragonerregiment und hat sich das eiserne Kreuz in der Schlacht an der Katzbach erworben.

Diese adelige Familie führt ein getheiltes, oben rothes, unten goldenes Schild; dasselbe wird in der Mitte durch eine silberne Querstrasse, die mit drei Granatäpfeln belegt ist, getheilt. Aus dem gekrönten Helme wächst ein roth, weiss und goldgekleidetes Bild, mit goldenen fliegenden Haaren und grünem Kranze auf dem Haupte, von dessen Halse ein Jägerhorn hängt. Helmdecken roth und Gold.

M. s. auch Sinap. I. S. 511. und II. S. 723. Hörschelmanns Adelshist. I. S. 119 — 128. Gauhe I. S. 751. v. Meding beschreibt das Wappen I. S. 414.

Kien, die Herren von.

Der König Friedrich Wilhelm I. erhob die Brüder *Christoph Ernst* und *Johann Friedrich* Kien am 11. Februar 1721 in den Adelstand. Der Erstere war Offizier bei der englischen Garde-Cavallerie, der Letztere aber Hauptmann bei dem markgräflich anspach'schen Regiment. Sie scheinen keine Nachkommen hinterlassen zu haben, wenigstens kommt dieser Name nicht mehr bei uns vor.

Kierski, die Herren von.

Eine adelige Familie in der Provinz Posen. Aus derselben besitzt der Landschaftsrath *Joseph* von Kierski das Gut Niemierzewo.

Kiesewetter, die Herren von.

Ursprünglich soll die adelige Familie v. Kiesewetter aus Schlesien abstammen. Sie ist schon seit langen Zeiten in dem Besitze bedeutender Güter; namentlich waren Dittersbach und Eschbach, bei Lohmen und Pirna, und Leipa und Niepa in der Oberlausitz, lange Jahre ein Besitz derselben. Die Stammreihe dieser Familie beginnt mit *Hieronymus* v. K., des Kurfürsten August zu Sachsen Kanzler. Er schloss im Jahre 1553 den sogenannten Naumburg'schen Vertrag. — Einer seiner Nachkommen war *Hans Christian* v. K. auf Dittersbach, der um das Jahr 1715 königl. polnischer und kursächsischer General-Kriegscommissarius und Geheimer Kriegsrath war. — Vor einigen Jahren starb der früher in sächsischen Diensten gestandene königl. preuss. Vicepräsident des Oberlandesgerichts v. K. zu Glogau. — In der Gegenwart gehören der Familie v. K. ansehnliche Besitzungen in der preuss. Oberlausitz, namentlich die Majoratsherrschaft Reichenbach im Kreise Görlitz, die dem *Philipp Ernst* v. K. gehört. Er ist mit Ernestine Adelheide Mathilde, Gräfin v. Reuss-Köstritz, vermählt. — *Ernst Rudolph Otto* v. K. ist Herr auf Deutsch-Paulsdorf und Landesbestallter. Das Wappen dieser Familie giebt Siebmacher I. S. 157. unter den meissnischen. Es ist ein blau und rothes Schild. In der obern blauen Hälfte steht ein nacktes Männlein, welches einen Apfel oder eine Kugel in der Hand hält. In der rothen untern Hälfte ist eine gekrümmte Schlange vorgestellt. Auf dem Helme steht ein weiss gekleideter, verkürzter Engel mit rothen Flügeln. Die Decken sind roth und blau.

Nähere Nachrichten über dieses adelige Geschlecht findet man in den histor. geneal. Nachrichten von dem Geschl. der Herren v. Kiesewetter im lausitz. Magazin 1769, u. a. v. a. O. Karl Christ. Gerkens, Etwas von dem churs. Kanzler Kiesewetter und dessen Nachkommen in dem lausitz. Magaz. 1785. 36. u. f. v. Uechtritz diplomatische Nachr. III. S. 160 — 173.

Kinast, die Herren von.

Ein ausgestorbenes, adeliges Geschlecht in Schlesien. Aus demselben hat sich bekannt gemacht: *Martin Kinast* v. Kinasthof zum Neudorf, der im Jahre 1624 des Herzogs Heinrich Wenzel Rath, Ritt- und Oberstallmeister war. Er machte sich besonders beliebt bei seinem Fürsten, als er den feindlich gesinnten pohnischen Obersten Stanislaus Stroinowsky gefänglich einbrachte. Das Wappen dieser erloschenen Familie ist zweimal gespalten und eben so oft getheilt, und ist mit einem Herzschilde belegt. Im 1. und 8. Felde ist ein Kieferbaum dargestellt, und im Herzschilde sind zwei kreuzweis über einander liegende Aeste. Dieses Wappen giebt Siebmacher IV. S. 105.

M. s. Olsnograph. P. I. pag. 210. 213. 612. und P. II. pag. 523.

Kinowsky, Herr von.

Ein Capitain v. Kinowsky, der früher in dem 3. Musketierbataillon des Regiments v. Larisch in Crossen gestanden hatte, starb 1825 im Pensionsstande.

Kinsky, die Freiherren von.

Die Freiherren v. Kinsky und Tettau haben, wie die adelige Familie v. Tettau, eine gleiche Abstammung mit dem alten böhmischen gräflichen, jetzt fürstlichen Geschlechte, von denen sich die Vorfahren Chinsky v. Whinitz und Tettau schrieben. Dieses vornehme Geschlecht besitzt erblich das Oberhofmeisteramt in Böhmen; es erhielt im 17. Jahrhunderte die reichsgräfliche Würde. — Des Grafen *Wenzel Norbert Octavio* v. K. Söhne, *Franz Ferdinand* und *Philipp Joseph*, wurden die Stifter zweier Linien des Hauses. Die ältere, von *Franz Ferdinand* gestiftete, ist noch heute gräflichen Standes, von der jüngern, die *Philipp Joseph* gegründet hatte, brachte Graf Stephan am 3. Febr. 1747 die reichsfürstliche Würde, die jedoch nur in der Primogenitur erblich ist, auf sein Haus. Die fürstliche Linie besitzt einen bedeutenden Grundbesitz in Böhmen, namentlich die grossen Majoratsherrschaften Chotzen, Zwonitz, Kamnitz u. m. a. Einzelne Zweige dieses vornehmen Hauses, die schon im 14. Jahrhundert die freiherrliche Würde führten, haben sich in den brandenburg'achen Staaten, in Schlesien und in Sachsen niedergelassen und verbreitet. — In Schlesien lebte im Jahre 1806 *Friedrich Wilhelm*, Freiherr v. K., Feuer-Bürgermeister zu Jauer. — In der Armee dienten im Jahre 1806 der Rittmeister, Baron v. K., in dem Kürassierregiment Graf Henckel zu Breslau, der 1809 als Major verabschiedet wurde, und der Lieutenant v. K. in dem Regimente v. Chlebowski zu Warschau. Derselbe ist der gegenwärtige Generalmajor und Commandant der Festung Jülich, Baron v. Kinsky und Tettau, Ritter mehrerer Orden, namentlich des eisernen Kreuzes 1. Classe (erworben bei Ligny). Das ursprüngliche Wappen der Freiherren v. Kinsky und Tettau ist ein rothes Schild, in welchem auf der rechten Seite drei silberne Elephantenzähne vorgestellt sind.

Kirchbach, die Freiherren und Herren von.

In der preussischen Provinz Pommern und im Königreich, so wie in den Herzogthümern Sachsen, ist die Familie der von Kirchbach einheimisch und ansässig. In Pommern sind Padderow bei Auclam, Gross Bünzow, Klitschendorf, Hohensee bei Greifswald, u. s. w. schon lange, und noch heute, in den Händen dieser Familie. Padderow erkaufte der königl. schwedische **Generalmajor** *Hans Julius*, Freiherr v. Kirchbach, schon am 11. Mai 1718 von dem Obersten Müller v. d. Lühne, er überliess es im Jahre 1748 seinem Sohne *Hans Friedrich Wilhelm*, Freiherrn v. Kirchbach. Der gedachte Generalmajor, auch Ober-Jägermeister, Oberster über die Adelsfahne, Erbherr auf Padderow, Hohenmühle, Heinrichhagen, *Hans Julius* v. K., wurde am 18. Juni 1720 von dem König Friedrich v. Schweden in den Freiherren-Stand erhoben.

Die Freiherren v. K. führen ein in vier Felder getheiltes Schild, das mit einem goldenen Kreuze von einander geschieden, und mit einem Herzschildlein belegt ist; letzteres zeigt das ursprüngliche

Wappen, nämlich im blauen Schilde eine silberne Kirche und oben in der rechten Ecke des Schildes eine goldene Sonne. Unter der Kirche sieht man ein aus zwei silbernen und zwei rothen Balken bestehendes Feld. Im 1. blauen Felde des Hauptschildes sieht man eine goldene Krone und über derselben zwei über's Kreuz gelegte Degen, im 2. rothen Felde ist ein goldener Löwe dargestellt. Das 3. Quartier ist dem 2., und das 4. dem 1. gleich. Das Schild ist mit zwei gekrönten Helmen bedeckt, zwischen denen eine Freiherrnkrone steht. Die Krone des rechten Helmes trägt einen silbernen Kirchthurm, der ein doppeltes rothes Dach hat, zwischen zwei, Silber und roth wechselweise in die Quere getheilten Adlerflügeln. Auf der linken Helmkrone ist eine goldene Lilie zwischen zwei Standarten, wovon die rechts silbern und die links blau ist, dargestellt. Zu Schildhaltern sind zwei Leoparden gewählt. Helmdecken golden und blau.
Brüggemann erwähnt diese Familie im I. Th. 2. Hptstück.

Kircheisen, die Herren von.

Der König Friedrich Wilhelm III. erhob am 6. Juli des Jahres 1798 den damaligen Kammergerichts-Vicepräsidenten und Geheimen Ober-Revisionsrath *Friedrich Leopold* Kircheisen in den Adelstand. Er war der Sohn des Stadtpräsidenten Kircheisen in Berlin. Nachdem Fleiss und Brauchbarkeit ihn in die höheren Würden der Justizverwaltung geführt hatten, organisirte er die Justiz in den neuerworbenen Fürstenthümern Anspach und Bayreuth, und stieg zum Präsidenten des Kammergerichts und zum Chef-Präsidenten aller Senate desselben; endlich ernannte ihn im Jahre 1810 der König zum Justizminister. Er erlebte am 30. Januar 1821 das Jubiläum seiner 50jährigen Amtsthätigkeit. Durch seinen Antheil an der Ausarbeitung des allgemeinen Landrechts, besonders der Criminalgerichtsordnung, durch vielfache Verbesserungen der preuss. Rechtspflege, vorzüglich der Criminaljustiz, hat er sich um den Staat wesentliche Verdienste erworben. Das Bürgerrettungs-Institut verehrt in ihm einen seiner thätigsten Beförderer: eine an seinem Jubiläum in's Leben getretene Stiftung, die zwölf Jubelgreisen eine Pension sichert, trägt seinen Namen für ewige Zeiten. Er war Ritter des schwarzen Adlerordens und Grosskreuz des kurhessischen Ordens vom goldenen Löwen und starb am 19. März 1827. Sein einziger Sohn ist der königl. Justizrath und Ritter des rothen A. O. 4. Classe, v. Kircheisen. — Seine einzige Tochter, *Karoline* v. K., ist mit dem Grafen Eduard Karl D' Huc de Bethusy vermählt.

Diese Familie führt im goldenen Schilde eine Kirche mit hoher Kuppel und zwei Seitenthürmen. Aus dem gekrönten Helme wächst ein Arm, der die Wage der Gerechtigkeit hält.

Kircheisen und Rosenkron, die Herren von.

In Schlesien kommt eine adelige Familie dieses Namens vor, deren Stammherr, *Johann Georg* v. Kircheisen und Rosenkron, im Jahre 1721 königl. böhmischer Oberdirector bei der Tabaks-Administration war.

Kirsky, die Herren von.

Einige Offiziere dieses Namens gehörten, oder gehören zum Theil noch der Armee an. Im Jahre 1806 stand ein Lieutenant dieses

Namens im 3. Musketierbataillon des Regiments v. Puttkammer zu Brandenburg, ein Anderer steht gegenwärtig in dem 31. Infant.-Reg. zu Erfurt. Uebrigens erwähnt Haenel, schon S. 637. der adeligen Familie v. Kirsky.

Kiselowski, die Herren von.

Unter der schlesischen Ritterschaft kommen die v. Kiselowski vor, die jedoch grösstentheils dem später Oesterreich verbliebenen Theile dieser Provinz angehörten. Sie gehören eigentlich zu dem polnischen Hause Drzewka, aus dem auch die v. Demritz stammen. In Schlesien war Kiselow ihr Stammhaus, daher sie sich auch Kiselowski v. Kiselow schrieben. *Wenzel*, K. v. K. auf Seifersdorf, war des Fürstenthums Teschen „hochmeritirter Landrechtsbeisitzer." Sie führten dasselbe Wappen, wie die v. Demritz (m. s. Bd. I. S. 408. unsers Adels-Lexicons).

Kistowski, die Herren von.

Eine adelige Familie in Westpreussen. Ihr gehören an der Major und Commandeur des 2. Bataillons des 14. Landwehrregiments v. Kistowski in Bromberg, und der Capitain im 9. Infant.-Regiment (Colberg'schen). Der Erstere hat sich bei Gross-Beeren, der Letztere bei Leipzig das eiserne Kreuz erworben.

Kittel, die Herren von.

Ein einst in Schlesien blühendes und begütertes Geschlecht, von dem sich eine Linie v. Kittel und Wiese, nach dem Rittersitze Wiese bei Trebnitz, welches zuletzt in den Händen der v. Rothkirch und v. Schulse war, schrieb. *Johann* v. K. auf Wiese, Hochkirch und Neusorge, war mit Susanna v. Hannold vermählt. — Sein Sohn *Hans* v. K., Herr auf Wiese und Hochkirch, war mit Anna Rosina v. Reibnitz vermählt. Von seinen Söhnen starb *Bernhard Leopold* v. K. 1706 in kaiserl. Diensten. — *Joachim Wilhelm* v. K. und Wiese hatte zu Jena studirt, und vermählte sich 1718 mit Einer v. Koch und Gr. Krutschen.

Sie führten ein getheiltes Schild, der obere Theil war weiss, der untere schwarz. In diesem Schilde waren zwei von einander gekehrte, mit einer blauen Binde zusammengebundene, rothe Jagdhörner dargestellt. Auf dem Helme stand ein bis auf die Füsse mit einem rothen engen Kleide angethaner Jäger, dessen Lenden mit einer blauen Binde umgürtet waren, die linke Hand in die Hüfte gestützt, die rechte aber über dem Haupte, ein Rautenkränzchen haltend. Helmdecken schwarz und weiss. Sinapius beschreibt dieses Wappen I. S. 515.

Kittlitz, die Freiherren von.

Nach einer sehr verbreiteten Sage stammt das alte berühmte Geschlecht v. Kittlitz von einem slavischen Fürsten ab, der gleichen Ursprung mit dem Hause v. Meran hat, aus dem die heilige Hedwig

hervorgegangen ist. Dieser Fürst soll vier Söhne gehabt, doch
diese nicht mit ansehnlichen Gütern haben ausstatten können. Während der älteste als Nachfolger im Fürstenthume im Lande blieb,
mussten daher die drei jüngeren auswärts ihr Glück suchen. Vor
ihrer Abreise vertheilte ihre fürstliche Mutter eine goldene Kette, die
sie am Halse getragen hatte, unter sie, daher das alte Geschlecht
früher eine in drei Stücken getheilte goldene Kette im Wappen
führte. Dieses Bild hat später die Form eines dreimal verknüpften
Knotens eines Strickes erhalten, in welchen denselben *Hans Heinrich* v. K.,
Erzbischof von Gnesen, der zum Orden des heiligen Franziscus gehörte, verwandelt haben soll; aus Achtung für dieses angesehene
Mitglied des Hauses sollen sie den Strick, den Okolski einen Franziskanerstrick nennt, beibehalten haben. In alten Urkunden kommen die
v. K. zuerst unter dem Namen v. Kettlig und Kittlich vor. So nennt
sie auch Dlugossus mit dem Beisatz, dass sie seien: „ad pietatem proni." Zuerst finden wir den *Henricus* K., der einer der vornehmsten
Räthe des Grossfürsten Micislav von Polen war; um dieselbe Zeit
aber blühte dieses Geschlecht schon in Meissen, wo *Heinrich* v. K.
im Jahre 1198 dem Landtage auf dem Kuhlen- oder Kulmberge beiwohnte. Es scheint überhaupt der Name *Imlrich*, *Heinrich* oder *Heinrich* der Familie eigenthümlich zu sein; denn im Jahre 1200 wurde
Heinrich Ketlic Erzbischof zu Gnesen. Er starb 1218, wie Okolski I.
p. 181. meldet. — Im Jahre 1289 erwähnt die Land- und Staatsbeschreibung des Königreichs Polen, pag. 312, eines *Comes Henricus* de
K. — Im 14. Jahrhundert kommen die v. K. als Herren auf Malmnitz, und Niederleschen vor; im Jahre 1369 wurde *Johannes* v. K., seines Namens der dritte, Bischof zu Lebus, dieser starb
1380, und 1385 wurde ein anderer *Johann* v. K. zu Barnth Bischof
zu Meissen; er starb 1408, nachdem er drei Jahre vorher wegen
hohen Alters seine geistliche Würde niedergelegt hatte; er liegt in
der Kirche des Franziskanerklosters zu Bautzen begraben. — *Sebastian*, Freiherr v. K., wendete sich im Jahre 1454 nach Preussen und
wurde, wie *Lucä* S. 727. meldet, der Gründer der dasigen Linie. —
Friedrich v. K. war um das Jahr 1510 des Erzherzogs Ferdinand von
Oesterreich Mundschenk. Am 26. Juni des Jahres 1558 starb die
hochwürdige edle Frau, *Anna* v. K., des fürstl. Stifts zu Gernrode,
im Anhalt'schen, Aebtissin. — *Erasmus* v. K. wurde 1559 Landeshauptmann zu Brieg und Ohlau, und am 8. Decbr. 1565 erhielt *Caspar*
v. K. dieselbe Würde im Fürstenthum Glogau; er starb 1587. — Im
Jahre 1575 war *Barbara* v. K. Priorin des Jungfrauenklosters zu
Sprottau. — *Georg Friedrich*, Freiherr v. K., war um das Jahr 1580,
des Herzogs Georg II. zu Liegnitz und Brieg Kämmerer, auch Hofmarschall; er starb am 12. Septbr. 1625. — *Christoph*, Freiherr v.
K., übernahm im Jahre 1597 das Rectorat der Universität Frankfurt.
— Am 11. Juni 1609 starb *Leonhard* v. K., des königl. Hauses Cremona Hauptmann und Pfandesherr. — Viele andere Ritter aus diesem
Geschlechte waren Hofmarschälle, Landeshauptleute, u. s. w. — Von
den verschiedenen Häusern nennen wir ausser dem von Malnitz, die
von Ottendorf im Bunzlau-Jauer'schen, Drenka, Schweinitz, Költzig,
u. s. w. — Zahlreich sind die Güter, die in den Händen dieser
Familie waren, wir führen nur ausser den schon erwähnten Stammgütern, Eisenberg, Kunzendorf, Jauernik, Zuckel, Sanditz, Massel,
Michelau, Eilau, Zaucha, Kreisewitz, Neuwalde, die Herrschaft
Spremberg, u. s. w. an; auch war das Burglehn Steinau längere Zeit
in ihren Händen, so wie die Herrschaft Muskau mehrere Jahre als
Pfandbesitz ihr zugehörte. — Um das Jahr 1806 war das Haupt der
Familie, *Rudolph* Freiherr v. K. und Ottendorf auf Kl. Tinz, Kriegs-

und Domainen -, auch Landrath des Liegnitzer Kreises. Ein Bruder von ihm stand bis zum Jahre 1806 in dem Regiment v. Treuenfels als Stabscapitain und General - Adjutant; er starb im Jahre 1825 als Oberstlieutenant und Commandeur des 2. Bataillons des 7. Landwehr-Reg. zu Hirschberg. Seine Gemahlin war eine Schwester des verstorbenen russischen General - Feldmarschalls, Grafen Diebitsch - Sabalkanski, und ein Sohn von ihm ist der durch seine Reisen mit den russischen Entdeckungsschiffen bekannte Freiherr v. K. — Ein Sohn des oben erwähnten *Rudolph* v. K. stand früher im Regiment v. Treuenfels und ist gegenwärtig Major im 7. Infanterie - Reg. Er erwarb sich das eiserne Kreuz 2. Classe bei Joinvilliers. — Auch erhielt ein Capitain v. K. bei Leipzig, und ein anderer Capitain dieses Namens bei Chalons dieses Ehrenzeichen. — Das Wappen der Freiherren v. K. ist ein getheiltes Schild, dessen beide Theile unterwärts von der Rechten hinauf zur Linken gehen. Im obern, goldenen Theile ist ein schwarzer halber Büffel, der gleichsam aus dem getheilten Durchschnitte in den obern Theil springt, dargestellt. Der untere Theil besteht aus sechs silbernen und rothen Balken. Aus dem gekrönten Helme wächst der schwarze Büffel zwischen zwei Adlerflügeln, von denen der rechte silbern und mit fünf rothen über einandergestellten Rosen, der zur Linken aber roth und mit silbernen Rosen belegt ist. Helmdecken rechts golden und schwarz, links silbern und roth. Sinapius beschreibt dieses Wappen I. S. 193, auch erwähnt er der Familie I. S. 192 — 200. und II. S. 348 — 50. Gauhe I. S. 763 — 65. II. S. 530 — 32.

Kläden, die Herren von.

Ein altadeliges Geschlecht in der Altmark, dessen gleichnamiges Stammhaus bei Stendal liegt und gegenwärtig dem Domherrn von Lewetzow gehört. Diese Familie besass ausser Kläden auch Gohre und Baulingen in jener Landschaft. Ihr gehörte der im Jahre 1809 verstorbene Major v. Kläden, früher Commandeur des Regiments von Arnim, in Berlin, an. — Ein Capitain v. Kläden, der sich bei Leipzig das eiserne Kreuz erworben hatte, steht im 16. Infant. - Regiment. Von dieser Familie scheinen nur noch wenig Mitglieder zu leben. Siebmacher giebt das Wappen derselben unter dem Namen Kladen (im Register) und Kläden im III. Bd. S. 141. Es zeigt im silbernen Schilde zwei, mit dem Eisen aufwärts gelegte und unten mit den Stielen zusammenkommende Aexte, an blau und weissen Stielen. Dieses Bild wiederholt sich auf dem mit einem Bunde belegten Helme. Die Decken sind blau und silbern.

Klass, die Herren von.

Bei der Ober - Kriegs - und Domainen - Rechnungskammer stand im Jahre 1805 der Geheime Ober - Kriegs - Domainen - Rechnungsrath und Director des 4. Senats von Klass. — Sein Sohn ist der gegenwärtige Oberst und 2. Commandant von Erfurt, Ritter des eisernen Kreuzes 2. Classe, erworben bei Paris, *Friedrich Wilhelm* von Klass.

Klein, die Herren von.

König Friedrich I. ertheilte, bei seiner Vermählung mit der Prinzess. Sophie Louise v. Mecklenburg, dem mecklenburgischen Minister *Johann* Klein einen Adelsbrief für sich und seine Erben. M. s. Jugler's Beiträge zur juristischen Literatur V. S. 27.

Klevenow, die Herren von.

Des jetzt regierenden Königs Majestät erhob bei der Huldigung in Königsberg, am 5. Juni 1798, den Geheimenrath und den Regierungs-Director Klevenow in den Adelstand. Der Erstere ist als Geheimer Ober-Finanzrath der ost- und westpreuss. Departements in Berlin, der Andere als Vice-Präsident der Regierung, auch Commissarius und Justitiarius der Bank zu Magdeburg verstorben. Es befinden sich keine Nachkommen von ihnen im preussischen Dienst.

Klinggräff (I), die Herren von.

Der deutsche Kaiser hatte die Brüder: *Johann Samuel* Klinggräf, königl. preuss. Geheimen Kriegsrath, und *Elias Dietrich* Klinggräf, königl. Kriegsrath und Archivar, in den Adelstand erhoben, und König Friedrich II. erneuerte am 13. Novbr. 1751 den Adel derselben. Ein Nachkomme von ihnen ist der Dr. v. Klinggräf, approbirter und practicirender Arzt in Marienwerder. Diese Familie führt v. Gundling auch als Besitzer des Gutes Schrepgow in der Priegnitz auf. M. s. Brandenburgischer Atlas, Anhang S. 11.

Klimkowski, die Herren von.

Die edlen Ritter Klimkowski von Klimkowitz gehören zu den ältesten Familien Polens, ihre Vorfahren hiessen Wadwicz. Ein Zweig kam in der Mitte des 16. Jahrhunderts nach Schlesien. Im Jahre 1613 war *Caspar Heinrich* v. Klimkowski-Klimkowitz, des Kaisers Oberster Korn-Meister und Wirthschaftshauptmann über die Fürstenthümer Oppeln und Ratibor. Dieser sehr angesehene Cavalier residirte auf dem Schlosse zu Oppeln. — *Karl Samuel* v. Klimkowski besass 1654 Nobschütz bei Münsterberg, er war kaiserl. Oberstlieutenant, auch des Fürstenthums Münsterberg Land-Rechts-Sitzer. Sein Sohn *Samuel* v. K. pflanzte das Geschlecht durch sechs Söhne fort und starb 1718. Der älteste, *Karl Friedrich*, erwarb Ingramsdorf bei Schweidnitz, ein anderer, *Ernst Sigismund*, Ober- und Nieder-Jacobsdorf bei Nimpsch. *Sylvius Friedrich* erhielt das väterliche Gut Nobschütz. — Die Güter Kettschitz bei Oppeln, Biergwitz, Endersdorf und Ullersdorf im Ratibor'schen gehörten ebenfalls der Familie von Klimkowski. Sie scheint bei uns schon in der Mitte des vorigen Jahrhunderts erloschen zu sein. In Holland haben noch Nachkommen des *Ernst Sigismund* v. Klimkowski, z. B. der Capitain und General-Adjutant, v. K. gelebt. Er war ebenfalls aus dem Hause Nobschütz. Sie führten im getheilten blauen und goldenen Schilde, im obern blauen Felde einen Falken, im untern goldenen ein schwarzes Jägerhorn. Auf dem Helme zwei Büffelhörner, deren rechtes oben blau, unten golden, das linke aber oben golden, unten blau war. Durch diese Hörner gingen kreuzweise zwei Fähnlein, gelb und blau. Sinapius II. S. 728—729.

Klingsporn, die Grafen, Freiherren und Herren von.

Aus dem alten schwedischen vornehmen Geschlechte Klingsporn haben sich schon vor langen Zeiten Zweige nach Preussen gewendet,

Im Jahre 1655 am 18. Mai bestellte der Kurfürst Friedrich Wilhelm Johann v. Klingsporn, auf Blankenstein Erbherr, zum Oberst von der Infanterie, er wohnte der Schlacht von Warschau bei und starb mit Hinterlassung einer zahlreichen Familie im Jahre 1685. — Ein Enkel desselben, Julius Rudolph v. Klingsporn, ward 1786 Oberst und Commandeur des Regiments v. Götzen in Glaz. Der König Friedrich Wilhelm II. erhob am 23. März 1788 den Kammerherrn v. Klingsporn, und des jetzt regierenden Königs Majestät Friedrich v. Klingsporn am 5 Juni 1798 in den Grafenstand. — v. Klingsporn auf Baumgarten in Ostpreussen wurde 1788 königl. Kammerherr. Im Jahre 1806 war ein Graf v. Klingsporn Kriegs- und Domainenrath bei der Kammer zu Marienwerder. — Gegenwärtig steht ein Graf v. Klingsporn als Rath bei der Regierung zu Danzig, er ist Ritter des Johanniter-Ordens. Die Grafen v. Klingsporn führen ein Schild, welches ein schwarzer, von der obern rechten zur untern linken Ecke gezogener Balken in zwei Haupttheile scheidet. Im obern goldenen Felde ist ein nach der rechten Seite aufspringender Löwe vorgestellt; das Feld unter dem Haupt-Balken wird durch einen Seitenbalken in ein blaues und in ein goldenes Dreieck getheilt, dort ist ein silberner Stern, hier ein Arm, der einen Hammer hält, abgebildet. Ein Herzschildlein liegt auf dem Hauptschilde, das bis in die Mitte durch den Spitzenschnitt in drei Felder getheilt ist, im rechten goldenen Felde steht ein entwurzelter grüner Baum, im linken silbernen ein nach der rechten Seite aufspringender Hirsch natürlicher Farbe, und im untern rothen Theile ist ein silberner Sporn dargestellt. Drei gekrönte Helme bedecken das Haupt-Schild. Der mittlere trägt zwei schwarze Sensenklingen, zwischen denen der Sporn, und über denselben der Stern angebracht ist. Die Seitenhelme tragen den preuss. schwarzen Adler. Das Laubwerk und die Decken sind roth und schwarz.

Klinkowström, die Grafen und Herren von.

Ursprünglich ist die Uckermark das Vaterland der Familie v. Klinkowström, sie hat sich aber nach Schweden gewendet, und wir finden sie unter den verschiedenen Benennungen: Klinkestrom, Klinkeström und Klinkoström, bald unter dem schwedischen, bald unter dem pommerschen Adel aufgeführt. In neuerer Zeit aber hat sie sich in Preussen verbreitet und ansehnliche Güter daselbst erworben. In Schweden blüht die freiherrliche Familie v. K. noch fort und hat daselbst das Indigenat erworben. — Johann v. K. ist im Jahre 1678 auf dem Ritterhause zu Stockholm eingeführt worden, und Martin v. K. erhielt am 30. Septbr. 1684 die Ritterwürde in Schweden. — Sein Sohn wurde im Anfange des vorigen Jahrhunderts in den Freiherrnstand, und Karl Friedrich v. K., königl. preuss. Generallieutenant, am 6. Juli 1798, mit seinen Nachkommen in den Grafenstand erhoben. — Mehrere Zweige der Familie haben im schwedischen, hannöverschen und preussischen Kriegsdienste gestanden. — Ein Sohn des hannöverschen Obersten v. K. war:

Karl Friedrich, Graf v. K., der am 25. März 1738 zu Greiffenhagen in Vorpommern geboren war. Er trat, 14 Jahre alt, in schwedische Dienste, welche er aber im Jahre 1753 mit dem preussischen vertauschte. In den Schlachten bei Prag und Zorndorf erhielt er ehrenvolle Wunden, und in denen bei Breslau, Leuthen, Liegnitz und Freiberg hatte er tapfer gefochten. Nach seiner Herstellung ward er Adjutant des Prinzen Heinrich, und nach dem Treffen bei Freiberg

Hauptmann. Im baierschen Erbfolgekriege befehligte er ein Freibataillon, und erhielt den Orden pour le mérite. Im Jahre 1786 wurde er Oberst und Commandeur des Regiments Graf Henkel, und 1791 Chef des Regiments v. Schlieben. In der polnischen Campagne erwarb er sich den grossen rothen Adlerorden. Nach Beendigung des Feldzuges erhielt er die Inspection der oberschlesischen Infanterie und ein Regiment in Brieg. In dieser Stellung verblieb er 5 Jahre hindurch, sodann zog er sich aus dem Dienste zurück. Er wurde bei Gelegenheit der Huldigung des jetzt regierenden Königs, wie wir oben erwähnten, in den Grafenstand erhoben, und starb am 21. Septbr. 1816 zu Korklak in Ostpreussen.

Gegenwärtig besteht die gräfl. v. Klinkowström'sche Familie aus folgenden Mitgliedern:

Graf *Friedrich Heinrich Wilhelm Alexander*, Herr auf Schmen u. s. w., geboren den 16. Novbr. 1775, Wittwer seit dem 5. Januar 1823 von Friederike, Tochter des Grafen zu Eulenburg-Prassen und der Gräfin v. d. Gröben.

Töchter:

1) *Louise*, geboren den 6. April 1800, vermählt seit dem 3. Mai 1821 mit dem Grafen Gustav v. Schlieben.
2) *Friederike*, geboren den 17. April 1801.
3) *Pauline*, geb. den 12. April 1802.
4) *Hedwig*, geb. den 24. Januar 1816.

Bruder:

Graf *Karl Friedrich Ludwig*, Herr auf Korklak und Assaunen, u. s. w., geb. den 13. Januar 1780, Wittwer seit dem 4. Novbr. 1829 von Louise Ernestine Auguste, Tochter von Hans August, Grafen v. Blumenthal und Elisabeth Ulrike, Reichsgräfin v. Wartensleben.

Söhne:

1) *Karl Ludwig Friedrich Cäsar*, geb. den 2. März 1811, königl. preuss. Lieutenant im 3. Kürassierregiment, vermählt seit dem 13. Juli 1835 mit Malwine, Gräfin Dohna-Schlodien, geb. den 6. Septbr. 1815.
2) *Victor Hans Karl Ludwig*, geb. den 23. August 1813, königl. preuss. Lieutenant im 1. Infant.-Regiment.
3) *Leonhard Karl Ludwig Felix*, geb. den 20. Juni 1818.

Von der adeligen Familie von Klinkowström.

Im Jahre 1806 standen mehrere v. K. in der Armee. In dem Regiment v. Wagenfeld-Kürassier in Warschau stand der Lieutenant v. K., es ist der gegenwärtige Generalmajor, Commandeur der 14. Cavallerie-Brigade und Ritter verschiedener Orden, namentlich des eisernen Kreuzes 1. Classe (erworben bei Paris). — Ein Capitain v. K. steht bei der Artillerie und ist gegenwärtig Offizier des Platzes der Festung Cüstrin. — Ein Capitain v. K. erhielt im Jahre 1804 den Orden pour le mérite als eine nachträgliche Anerkennung für seine bei Raffka bewiesene Tapferkeit. — Einer v. K. lebt als Steuereinnehmer zu Treptow a. d. Rega.

Das ursprüngliche v. Klinkowström'sche Wappen sind drei in eine Reihe gestellte schwarze Adlerköpfe mit Hälsen im rothen Schilde.

Das gräfliche Wappen ist quadrirt, mit einem Herzschilde versehen und mit einem goldenen Rahmen eingefasst. Im ersten und

Klitzing.

vierten silbernen Felde steht ein aufspringender Löwe mit ausgeschlagener rother Zunge; im 2. und 3. blauen Felde ist ein mit der
Spitze aufwärts gekehrter kurzer Degen mit goldenem Griffe. Das
Herzschild enthält die drei schwarzen Adlerköpfe und Hälse im rothen
Felde. Das Hauptschild deckt eine neunperlige Krone, die drei gekrönte Helme trägt. Auf dem mittlern steht ein schwarzer, unge-
krönter Adler mit ausgebreiteten Flügeln; aus jedem der Seitenhelme
wächst der Löwe. Zu Schildhaltern sind zwei wilde Männer, den
Kopf und die Hüften bekränzt, gewählt. Die Decken und das Laub-
werk sind rechts silbern und roth, links blau und golden.
    M. s. Gaube I. S. 769. u. f. Almanach der gräfl. Häuser auf das
Jahr 1837.

Klitzing, die Herren von.

    Eine ursprünglich Brandenburg angehörige altadelige Familie, die
sich auch nach Pommern, der Niederlausitz und Preussen gewendet
und daselbst ansässig gemacht hat. In Pommern gehörte derselben Zizenau
im Kreise Belgardt, in der Priegnitz Drosten, Rehfeld, Kramzow,
Grabow, im Cottbuser Kreise Glinicke, im Havellande Derpt und
Pinnau, in der Niederlausitz Schorbus, Briesen, Brehnen, Ranjo,
Rheinbusch, Putzkau, u. s. w. — Albert v. Klitzing starb als Dompropst zu Hamburg und Christian's I. Königs von Dänemark, Rath
und Abgesandter an des Kurfürsten Ernst zu Sachsen Hofe, um
daselbst für den Erbprinzen um eine Prinzessin zur Gemahlin anzu-
halten; er starb im Jahre 1477. — Joachim v. K. war im Jahre 1531
Senior des Stifts Magdeburg, und Lippold v. K. um das Jahr 1547
Amtshauptmann zu Jüterbogk und Dahme, auch erzbischöflicher Rath
zu Magdeburg. — Achilles und Andreas v. K. waren im Jahre 1563
mit dem Kurfürsten von Brandenburg auf dem kaiserl. Wahltage zu
Frankfurt a. M. — Christoph und Christian v. K. auf Putzkau kommen um das Jahr 1596 als Lehnsvasallen des Klosters und jetzigen
Amtes Dobrilugk vor. In der Armee haben sich folgende Mitglieder
besonders ausgezeichnet:
    George Ernst v. K., von der preuss. Linie, geboren 1698, kam
als ältester Pr. Lieutenant im Jahre 1729 zu dem neuerrichteten Füsilierregiment v. Dossow, wurde 1743 Major, 1751 Oberstlieutenant,
1754 Oberst und Commandeur des Regiments und 1758 Generalmajor.
In der Schlacht von Cunnersdorf 1759 ward ihm der Arm durchschos-
sen, er musste sich nach Stettin bringen lassen, wo er am 28. Octbr.
desselben Jahres starb. Er war mit Einer v. Mörner, aus dem Hause
Klössow, vermählt, aus welcher Ehe ihm ein Sohn und zwei Töchter
geboren wurden.
    Hans Caspar v. K., aus der Kurmark Brandenburg stammend,
ein Sohn des Hans v. K., Erbherrn auf Golnitz, und Margarethen v.
Sparr, aus dem Hause Trampe, starb als kursächsischer-, brandenbur-
gischer- und fürstlich braunschweig-lüneburgischer Generallieutenant
und Erbherr auf Walsleben, Briesen, Brahme und Glinicke im Cott-
buss'schen. In sächsischen Diensten that er sich besonders im dreissigjährigen Kriege hervor und wurde Generalmajor und Chef eines Regiments zu Fuss. 1637 trat er in kurbrandenburgische Dienste als
General mit dem Generalcommando über sämmtliche brandenburg'sche
Festungen. Man kann ihn als den ersten General ansehen, den das
Kurhaus Brandenburg in Diensten hatte. 1642 nahm er braunschweig-
lüneburgische Dienste, in denen er 1644 am 24. Juni als Generallieutenant starb. Er wurde mit einem feierlichen Leichenbegängniss am

7. Novbr. des gedachten Jahres begraben und hinterliess von seiner
Gemahlin, Anna Margaretha v. Hacke, zwei Söhne und fünf Töchter.

Karl Cuno Friedrich v. K., geb. zu Schorbus in der Niederlausitz
am 28. März 1728, trat 1743, nachdem er vorher Page gewesen war,
in die Garde Friedrichs des Grossen, wurde 1763 Compagniechef,
1765 Major beim damaligen Regiment Nassau-Usingen, 1767 Commandeur desselben, 1772 Oberstlieutenant, 1776 Oberst und 1784
Generalmajor und Chef des Regiments, damals v. Rohr. Während
seiner rühmlichen Dienste hatte er allen Feldzügen Friedrichs II. beigewohnt, 1744 den Orden pour le mérite erhalten, und war in den
Schlachten von Hohenfriedeberg, Sorr und Collin verwundet worden.
Er starb zu Graudenz im Januar 1785 und hinterliess von seiner
Gemahlin, Johanne Charlotte Wilhelmine Regine v. Wangelin, mehrere Kinder.

Hans Caspar v. K., ein Sohn des erwähnten Generallieutenants
Hans Caspar, Herr auf Rhodisch in der Niederlausitz, königl. polnischer und kursächsischer Kammerherr, Hauptmann, des Johanniterordens zu Friedland und Schenkendorf Senior und Comthur zu Werben, preuss. Landrath und Director des Kreises Cottbus, auch Landrichter des Markgrafthums Niederlausitz, starb am 26. Decbr. 1709. —
Ein Sohn desselben, *Karl Philipp* v. K., war ebenfalls königl. polnischer und kursächsischer Kammerherr, preuss. Landrath, Director des
Cottbussischen Kreises, Oberstlieutenant von der preuss. Armee,
Ordenshauptmann der Aemter Friedland und Schenkendorf, Johanniterritter und designirter Comthur zu Lago; er starb kinderlos.

Im Jahre 1806 war Einer v. K. auf Demmerthin Director der
Priegnitz'schen Ritterschafts-Direction. — Im Regiment Prinz Louis
Ferdinand zu Magdeburg stand ein Lieutenant v. K., der 1814 als Oberstlieutenant aus dem Generalstabe geschieden ist; er erwarb sich 1807
vor Danzig den Orden pour le mérite und bei Leipzig das eiserne
Kreuz 1. Classe. — Einem Rittmeister v. K., gegenwärtig a. D.,
wurde für das Gefecht bei Lübnitz das eiserne Kreuz zu Theil. —
Der Rittmeister v. K. a. D. auf Gresse in Mecklenburg-Schwerin ist
Ritter des preuss. Johanniterordens. Die Gemahlin des Generals von
der Infanterie, Baron v. d. Knesebeck, ist eine geborne v. Klitzing,
früher vermählt gewesene v. Werdeck. Das Wappen der v. K. ist
beinahe dem Kettelhodt'schen gleich, nur ist die Schildesfarbe verschieden. Es enthält drei Casquets oder orientalische Mützen im goldenen Felde (zwei oben, eine unten). Aus dem Helme wächst ein
mit einer solchen Mütze bedeckter Arm ohne Arme, dessen Mütze
aber, so wie im Schilde, links herunterhängt, statt dass sie in dem
Kettelhodt'schen Wappen rechts niederhängen. v. Meding beschreibt
das Wappen derselben III. No. 408. Angeli erwähnt die Familie in
der märkischen Chronik 39. No. 926. Gauhe, I. S. 770. v. Krohne,
II. S. 182—187.

Klöber, die Herren von.

Die adelige Familie von Klöber und Hölchborn, auch Hellcheborn
und Hölcheborn, gehört der Schweiz, den Rheinlanden und Baiern
an. Hierher gehören vorzüglich *Karl Ludwig* v. Klöber und Hölcheborn, geboren im Jahre 1738, gestorben am 4. Juni 1795 zu Breslau
als königl. preuss. Geheimerrath und Director der Kriegs- und Do-
mainen-Kammer daselbst. Er war als ein sehr thätiger und umsichts-
voller Staats-Beamter, und als geistreicher Schriftsteller bekannt
(m. s. Meusels Lexikon von den in den Jahren 1750 bis 1800 ver-

storbenen deutschen Schriftstellern, 7. Bd. S. 85). Aus seiner Ehe mit Charlotte v. Pfeil lebt ein Sohn zu Berlin, *August Friedrich* v. Klöber und Hellcheborn, königl. Professor der Geschichtsmalerei, wirkliches Mitglied der Akademie, geb. zu Breslau am 21. August 1792, vermählt am 6. Mai 1835 mit Karoline Dorothea Philippine Peicke, der Tochter des königl. preuss. Hofraths Karl Philipp Lebrecht Peicke, aus welcher Ehe ein Sohn, *Karl Paul*, geboren den 31. März 1836, lebt. — Eine Schwester August Friedrichs lebt unverehelicht in Breslau, eine andere ist die Wittwe des kaiserl. österr. Gubernialraths von Skribenski.

Klöden, die Herren von.

Nicht zu bestimmen vermögen wir, ob *Bastian* v. Kloden zu Collenbay, der im Jahre 1497 in einer Schenkungsurkunde eines Klosters im Magdeburgischen vorkommt (m. s. Dreihaupt, Chronik des Saalkreises pag. 771) einer der Ahnherren dieser Familie ist, aus der mehrere Mitglieder in der Armee gedient haben. — Ein im Jahre 1806 bei dem Infanterie-Regimente Prinz Ferdinand von Preussen stehender Capitain v. Klöden starb 1825 als pens. Oberstlieutenant des 1. kurmärk. Landwehr-Infanterieregiments. Seine Wittwe, eine geborene von Brause, lebt in Berlin, und eine Tochter aus dieser Ehe ist Stiftsdame des Klosters Marienfliess an der Stepnitz in der Ost-Priegnitz. — Zwei Brüder von Klöden standen 1806 im Infanterie-Regimente v. Kleist in Magdeburg, der ältere war Capitain und ist 1817 aus dem 17. Infanterie-Regimente, dem er als Major aggregirt war, ausgeschieden; der jüngere, damals Prem.-Lieutenant bei den Grenadieren, ist 1821 als Capitain und Offizier bei der Land-Gendarmerie pensionirt worden. Gegenwärtig dienen keine Offiziere dieses Namens, den wir auch nicht mehr in den Listen der Administration finden, in der Armee.

Klopmann, Herr von.

Ein Edelmann dieses Namens war 1806 als Assessor des königl. preuss. Accise- und Zolldepartements in Warschau angestellt.

Klopoteck, die Herren von.

Klopotki oder Klopoteck ist der Name einer adeligen Familie in Pommern, die im Lauenburg-Bütowschen Kreise begütert ist, und seit langen Jahren und noch in der Gegenwart Antheile an den grossen Dörfern Czarndamerow und Oslowdamerow hat. Dem *Joh.* Klopoteck gehört Oslowdamerow. Ein früherer Besitzer v. Czarndamerow nannte sich *Albrecht* v. Klopoteck Dombrowski.

Klot-Trautvetter, die Freiherren von.

Eine in dem Regierungsbezirke Stralsund begüterte freiherrliche Familie. Sie besitzt hier die Güter Hohendorf, Gross-Küdingshagen u. s. w. im Kreise Franzburg. — *Ernst*, Freiherr v. Klot-Trautvetter auf Hohendorf, ist seit dem Jahre 1818 königl. Kammerherr. — Ein Bruder desselben, *Wilhelm* v. Klot-Trautvetter, ist Hofgerichtsrath zu Greifswalde. Seine einzige Tochter ist mit dem Grafen Bruno

Neidhardt v. Gneisenau, dem jüngsten Sohne des Feldmarschalls Grafen N. v. G., vermählt. — Brüggemann schreibt Kludt - v. Trautvetter, und wiederholt diese Schreibart noch einmal in dem Artikel Trautvetter.

Klüchtzner, die Herren von.

Ein litthauisches adeliges Geschlecht; aus demselben war der Generalmajor und Commandeur des Infanterie-Regiments v. Besser, Ritter des Verdienstordens v. Klüchtzner, geboren im Jahre 1748 in Litthauen und gestorben im Jahre 1809. Ein Sohn desselben ist der königl. Oberst und Commandeur des 17. Infanterie-Regiments, Ritter des eisernen Kreuzes (erworben bei Dennewitz) v. K. — In dem Regimente v. Auer-Dragoner stand ein Bruder des Letzteren, der im Jahre 1823 als Rittmeister a. D. gestorben ist.

Klützow, die Herren von.

Eine altadelige Familie, die ursprünglich aus dem Anhaltschen stammt. Aus derselben kam *Heinrich* v. Klützow im 13. Jahrhunderte in die Marken und wurde mit den bei Prenzlau gelegenen, noch heute in den Händen der Familie befindlichen Dedelowschen Gütern belehnt. *Heinrich* v. K. hat fünf Söhne und drei Töchter hinterlassen, aus denen gegenwärtig die Familie v. K. besteht. Der älteste der Söhne, *Herrmann* v. K., ist Regierungs-Referendarius zu Stettin; ein Bruder von ihm ist Lieutenant im 2. Garde-Landwehr-Uhlanenregiment.

Das Wappen der v. K. besteht in einem goldenen Schilde, in dem ein von der obern Rechten zur untern Linken, mit drei Rosen belegter, silberner Balken gezogen ist. Auf dem Helme wächst eine Rose am grünen, mit vier Blättern versehenen Stiele. Die Decken und das Laubwerk sind roth und golden.

Klüx, die Freiherren und Herren von.

Das Stammhaus der altadeligen Familie von Klüx, von der ein Zweig auch die freiherrliche Würde führte, ist Gross-Hennersdorf in der Lausitz, woselbst sie auch die Güter Colmen, Gleina, Klitzen, Lubach, Opeln, Petershayn, Alt-Seidenberg, Wendisch Sohland, Werde, Ober- und Nieder-Strohwalde u. s. w. besassen. (M. s. Grosser, Merkwürdigkeiten der Lausitz, 1714.) In Schlesien betrachtet man als ihr Stammhaus das bei Priebus im Fürstenthume Sagan belegene, später in die Hände der v. Promnitz gekommene Rittergut Klüx. Im Zittauischen besass *Heinrich* v. K. das Gut Türchau, und sein Sohn, *Hans Bernhard* v. K., war Herr auf Lehn Kleina und Jauernick. Dessen mit Margarethe v. Ponikau erzeugter Sohn, *Nikolas Bernhard* v. K., erwarb zu dem väterlichen Gute Lehn auch die Güter Kupplitz, Gross-Hennersdorf und Ober-Bertelsdorf in der Oberlausitz. Er starb am 18. Octbr. 1666. — Aus dessen Ehe mit Anna Sabina v. Gersdorf, aus dem Hause Gr. Ullersdorf in der Lausitz, war *Erasmus Bernhardus* v. K. erster Freiherr v. K. und Gr. Hennersdorf, Herr auf Alt- und Neu-Strunz im Gloganischen, und auf Alt-Seidenberg in der Lausitz, der sich am Ende des 17. Jahrhunderts durch den Erwerb jener Güter in Schlesien zuerst ansässig gemacht hat. — Ein Bruder

Kluge.

von ihm, *Wolf Heinrich* v. K., Herr auf Frankenthal, war als ein
sehr gelehrter und durch Reisen in fremde Länder erfahrener Cavalier
bekannt. Er war zuerst mit einer v. Sauerma, und nach deren Tode
mit einer v. Niebelschütz vermählt. — Ein Vetter der beiden gedachten, *Wolf Bernhard*, Freiherr v. K., kam durch seine Gemahlin, eine
Freiin v. Kittlitz, in den Besitz des Gutes Gimmel bei Winzig. —
Aus der oberlausitzer Linie war der im Jahre 1801 verstorbene Generallieutenant und Assessor im 3. Departement des Ober-Kriegscol-
legiums v. K. Er war der Vater des heutigen Generallieutenants, Com-
mandeurs der 12. Division, 1. Commandanten von Neisse, Ritter des
Militair-Verdienstordens (erworben bei Neukirchen), des eisernen Kreuzes 1. Classe (erworben an der Katzbach) u. s. w. Der ältere Bruder
von ihm ist *Karl* v. K., der am 3. August 1774 geboren, 1788 seine
militairische Laufbahn in dem damaligen Regimente Herzog v. Braunschweig zu Halberstadt begann, von dort wurde er 1791 zum Regimente Kronprinz versetzt; im Jahre 1799 ward er auf Werbung nach
Braunsfeld geschickt, ein Jahr später dem Generallieutenant v. Grävenitz in Glogau als Inspections-Adjutant beigegeben, 1805 aber zum
Flügel-Adjutanten ernannt. Als solcher begleitete er den Monarchen
in den Feldzug 1806. Im Jahre 1808 wurde er zum Commandant von
Cosel ernannt, ein Jahr später aber in seine frühere Stellung zurückberufen. Im Jahre 1810 erhob ihn Se. Majestät zum Brigade-Commandeur, und beim Ausbruche des Krieges zum Brigadechef, und von
nun an gehört er zu den Helden des Befreiungskampfes. In der Schlacht
bei Gr. Görschen, bei Bautzen, und namentlich bei Leipzig am 16.
October, trat sein Muth und seine Tapferkeit glänzend hervor. In der
letztern Affaire vertheidigte er mit Heldenmuth die Stellung bei Wa-
chau und Gossa, und selbst das anhaltend mörderische Feuer des feindlichen Geschützes vermochte seine Brigade nicht wankend zu machen.
Bei allen spätern Ereignissen, welche die Abtheilung, zu der er gehörte,
betrafen, wird sein Name in den Berichten mit der grössten Auszeichnung genannt. Diese grossen Anstrengungen hatten aber seine Gesundheit untergraben, und auf den Rath der Aerzte besuchte er 1816
die Bäder zu Teplitz, wo er aber am 11. Juli starb. Als ein spre-
chender Zug seines Charakters erscheint uns der Umstand, den er
kurz vor seinem Tode festsetzte, man solle der Anzeige seines Able-
bens nichts als die Segenswünsche für seinen König und die ruhm-
würdige Armee beifügen. Er hatte ihr ja Kraft und Leben gewidmet.
Als einen schönen Nachruf fügen wir den Ausspruch eines ihm gleich-
gesinnten, im Leben nahestehenden Zurückgelassenen bei, der von
ihm sagt: er hatte nur eine einzige Leidenschaft, das Interesse
für den König und für die Armee. (M. s. Pantheon des preuss.
Heeres, I. S. 65 u. f.)

Die v. K. führen einen drei grüne Blätter treibenden Ast im rothen Schilde und auf der Krone drei Straussfedern (silbern, golden,
roth).

Kluge, die Herren von.

Der Commercienrath *Christian* Kluge in Landshut in Schlesien ist
im Jahre 1726 in den böhmischen Ritterstand erhoben worden. Noch
bis in die ersten Jahre dieses Jahrhunderts bestand ein angesehenes
Handlungshaus in Landshut, das die Firma v. Kluge führte, sein letzter
Chef war *Ernst Wilhelm* v. Kluge. Mit ihm scheint die Familie erloschen zu sein.

127

Knappe, die Herren von.

Unter dem Namen Knappe von Knappstädt wurden vier Stief-
söhne und eine Stieftochter des Oberamtsregierungs- und Oberconsi-
storial-Präsidenten Karl Ludwig, Freiherrn v. Cocceji, zu Glogau am
6. Juli 1797, bei Gelegenheit der Huldigung in Berlin, in den Adelstand erhoben. Es waren die Kinder des verstorbenen Hofrath Knappe,
dessen Wittwe die zweite Gemahlin des gedachten Präsidenten wurde.
Die Tochter vermählte sich mit dem sächs. Kammerherrn v. Pflugk,
die Söhne haben sämmtlich in der Armee gedient. Der älteste stand
zuerst bei dem Füsilier-Bataillon Borel du Vernay in Pultusk, später
beim 23. Infanterie-Regiment, und ist 1823 als Capitain a. D. gestorben, der zweite diente bis zum Jahre 1806 im Füsilier-Bataillon
Br. v. Kloch in Sieradz, und lebte noch vor einigen Jahren im Pri-
vatstande zu Dresden, die beiden jüngern haben im Füsilier-Bataillon v. Erichson in Breslau gestanden. Einer von ihnen ist der gegenwärtige Oberst und Commandeur des 40. Infanterie-Regiments zu
Mainz, Knappe von Knappstädt, Ritter des eisernen Kreuzes 1. Classe
(erworben bei Leipzig). Der andere stand als Major im 12. Landwehr-Regimente, und hatte sich vor Glogau das eiserne Kreuz erworben.

Knebel, die Freiherren und Herren von.

1) Eine alte vornehme, den Rheinlanden angehörige Familie, die
sich Knebel von Katzenelnbogen schreibt, und von Humbracht unter
den angesehensten freiherrlichen Geschlechtern des Rheinlandes aufgeführt wird. Die Stammreihe beginnt mit *Werner* v. K., der um das
Jahr 1200 lebte. — Sein Enkel, *Werner* II. v. K., Vicedom zu Neustadt, nannte sich zuerst K. von Katzenelnbogen. — *Johann Philipp*,
Freiherr K. von Katzenelnbogen, war kurmainzischer Rath, Oberamtmann zu Höchst, und Hauptmann der oberrheinischen Ritterschaft; er
starb 1659. — Ein Sohn von ihm, *Johann Anton*, Freiherr K. von
Katzenelnbogen, wurde 1705 Bischof zu Eichstädt. — *Philipp Christoph*, Freiherr K. v. Katzenelnbogen, war kurmainzischer Geheimer
Rath und Vicedom; er starb im Jahre 1714 und hinterliess vier Söhne,
deren Nachkommen in der heutigen Rheinprovinz begütert waren und
von denen auch mehrere in brandenburgischen und preuss. Diensten
gestanden haben.

2) Die v. Knebel aus dem Belgischen, welche sich nach Franken
gewendet haben. Hier wurde der fürstl. öttingen-wallersteinsche Kanzler und spätere markgräfl. anspachische wirkliche Geheime Rath und Co-
mitialgesandte an dem Reichstage zu Regensburg, Knebel, am 15. Januar 1757 in den preuss. Adelstand erhoben. Er verdankte vorzüglich diese Erhebung dem Umstande, dass er in Regensburg gegen die
ihm von seinem Hofe gegebenen Instructionen standhaft seine Stimme
verweigerte, als die Reichsversammlung das Bannedict gegen den König Friedrich II. von Preussen beschloss. — Sein mit einer gebornen
Meyer aus Bayreuth erzeugter Sohn, *Karl Ludwig* v. K., war der besonders als Uebersetzer, bekannte geistreiche Schriftsteller und Dichter,
der im hohen Alter zu Jena im Monat Februar des Jahres 1834 verstorben ist. Er war mit Luise v. Rudorf, einer Berlinerin, die früher am weimarschen Hofe als Kammersängerin angestellt war, vermählt. Sein Andenken ist durch die Schrift: „Karl Ludwig v. Kne-
bels litterarischer Nachlass und Briefwechsel. Leipzig. 1835" wieder erneuert worden. — In preuss. Diensten stand 1806 der Oberst

im Regimente v. Möllendorf und Commandeur eines Grenadierbataillons, *Lebrecht* v. Knebel, der im Jahre 1823 im Pensionsstande gestorben ist. Er war auch aus Franken gebürtig, und ein jüngerer Bruder Karl Ludwigs.

Eine Linie der Freiherren von Knebel führt den Beinamen von
Döberitz. — Eine andere ist in der Mark und in dem zur Provinz
Pommern geschlagenen Kreise Dramburg begütert, namentlich besitzt
hier der Land- und Ritterschaftsrath v. K. das Gut Sarranzig.

Siebmacher giebt das Wappen der v. Knebel unter den nürnber-
ger Patriziern. Es sind zwei ins Andreaskreuz gelegte silberne Pfeile
im rothen Felde. Auf dem ungekrönten Helme steht ein rother Adlerflügel, der die Spitzen nach der rechten Seite kehrt und mit den Pfeilen belegt ist.

Dagegen zeigt ein vor uns liegendes Wappen der von uns erwähnten Familie v. K. im silbernen Felde eine rothe Mauer, und auf dem
Helme einen roth und silbernen Baum mit roth und silbernen Blättern.

Knesebeck, die Freiherren und Herren von dem.

Das gleichnamige Stammhaus dieser uralten adeligen Familie liegt
bei dem Städtchen Wittingen, das dem Königreiche Hannover angehört,
jedoch nicht weit von den Grenzen der Altmark liegt. Die v. d. Knesebeck sollen, wie viele Autoren behaupten, gleicher Abstammung mit
den alten Grafen v. Wildberg in Franken haben. Reich begütert und
mächtig sind die Vorfahren dieses vornehmen Geschlechtes vielfach verwebt in die frühere Geschichte des Landes, theils verbunden mit den
Markgrafen von Brandenburg, theils in ihren eigenen Angelegenheiten.
Im Jahre 1338 schlossen die vier Brüder *Parida*, *Berthold*, *Ludwig*
und *Boldwein* von dem K. mit dem Markgrafen Ludwig von Brandenburg einen Vergleich, sich gegenseitig im Falle der Noth mit Mannschaft und Subsidien beizustehen. — *Ludwig* v. K. auf Brome und
Hempo v. K. waren berühmte Kriegshelden zur Zeit Kaiser Karl's IV.
— Schon im 14. Jahrhunderte theilte sich das Haus der v. K. in zwei
Hauptlinien, in die märkische und in die lüneburgische. Die märkische, die vorzüglich hierher gehört, theilte sich wieder in die Häuser Tilsen und Colborn, während die lüneburgische in die v. Wittingen und in die v. Langenapel zerfiel. Die beiden Häuser Tilsen und
Colborn wurden von den Söhnen des oben erwähnten Parida gegründet. Sie hatten sich im Jahre 1310 in die väterlichen Besitzungen getheilt, und *Hempo* v. K., dessen Enkel *Parida* II. 1354 von den v.
Alvensleben die Tilsenschen Güter kaufte, ist Ahnherr dieses ältern
oder Tilsenschen Hauses. Diesem Hause gehörte *Hempo Thomas* v.
d. K. an, der am Anfange des 16. Jahrhunderts kurbrandenburgischer
Geheimer Rath und Landeshauptmann der Altmark war, und bei gewissen ausserordentlichen Fällen in den kurfürstl. Rath eintrat und an
den Hof beschieden wurde. — Von seinen Söhnen war *Joachim Thomas*, geb. am 27. März 1594, zuerst fürstl. anhaltscher Geheimer Rath
und Hofmarschall, später kurfürstl. brandenburgischer Kammergerichts-
Rath, Geheimer Rath, Consistorial - Präsident und seit dem Jahre 1646
wirklicher Geheimer Rath und als solcher Mitglied des Staatsraths.
Er war ein gelehrter Mann und gewandter Publicist, und starb im
Jahre 1658. — *Hempo Levin* v. K., der jüngere Bruder des Vorigen,
geb. am 14. April 1595, war Hauptmann der Altmark, Director der
märkischen Ritterschaft und Stände, erhielt 1620 Sitz und Stimme im
Geheimen Rathe, und 1636 den Gesandtschaftsposten auf dem Kur-
fürstentage in Regensburg bei der Wahl Ferdinand's III. zum römi-

schen König. Er starb am 16. Januar 1661. — Ein Enkel des Vorerwähnten war *Thomas* v. d. K., der früher in den Diensten des Markgrafen von Brandenburg-Culmbach stand und im Jahre 1672 Oberhofmeister bei der Kurfürstin, auch wirklicher Geheimer Rath und Gesandter am königl. dänischen und später an dem kursächsischen Hofe wurde. Er starb im Jahre 1689 den 27. April. — Das oben erwähnte Haus Colborn hatte den *Boldewin* v. d. K., einen jüngern Sohn des Parida, zum Stammherrn. Es hatte sich auch im Halberstädtischen niedergelassen und daselbst ansehnliche Güter erworben. Auch hatte ein Ast der märkischen Linie, und zwar aus dem Hause Tilsen, schon vor langen Zeiten die Karweschen Güter im Lande Ruppin, und die Boehinschen Güter in der Priegnitz an sich gebracht. — Von der lüneburgischen Hauptlinie war dem Langenaper Hause angehörig: *Levin August* v. d. K., der im 17. Jahrhunderte auf seinem Gute von einem Meuchelmörder erschossen wurde und sechs Söhne hinterliess, die den alten Stamm fortpflanzten. Aus dem Hause Wittingen war *Ludolph* v. d. K. fürstl. braunschweigscher Hofmarschall zu Celle. — Sein Sohn, *Werner* v. d. K., wurde im Jahre 1503 von Albrecht v Märenholz oder Marenholz erschlagen. Ein anderer aber, der ihm in der Würde eines Hofmarschalls zu Celle folgte, pflanzte durch mehrere Söhne den Stamm weiter fort. — In der Gegenwart ist *Karl* Baron v. d. K. General der Infanterie, General-Adjutant Sr. Majestät des Königs, Chef des reitenden Feldjägercorps, Ritter des schwarzen Adlerordens (seit dem Jahre 1832), des Militair-Verdienstordens (erworben bei Pultusk) und mit Eichenlaub (für die Schlacht bei Leipzig), des eisernen Kreuzes 1. Cl. (für Culm). Dieser General besitzt das Familiengut Tilsen bei Salzwedel, die Carweschen Güter bei Neu-Ruppin, Böderhof bei Halberstadt, Schorbus bei Cottbus und die Baronie Horstgen bei Düsseldorf am Rhein. Er ist mit einer gebornen v. Klitzing, verwittweten v. Werdeck, vermählt. Aus dieser Ehe ist ein Zwillingspaar geboren, nämlich *Alfred*, Lieutenant bei dem Regimente Garde du Corps, und das Fräulein *Cäcilie* v. d. K.

Ein Stiefbruder des Generals ist *Wilhelm* v. d. K., Hauptmann a. D., Herr auf Jühnsdorf und Löwenbruch bei Trebbin. Er ist geschieden von Minette v. Bredow. Aus dieser Ehe leben fünf Kinder:

a) *Eugen* v. d. K., Kammergerichts-Assessor und Domrichter des Hochstifts Brandenburg, vermählt mit Clotilde v. Bredow-Staage.
b) *Adolphine*, Gräfin v. Häseler auf Blankenfelde.
c) *Leo*, Lieutenant im 1. Garderegiment, vermählt mit Mariane v. Quast.
d) *Bianca*, Freifrau v. Geyr-Schweppenburg.
e) *Pauline*, adoptirte Gräfin v. Henckel-Donnersmarck, vermählt mit dem Regierungsrath v. Schönfeldt.

Eine Stiefschwester des Generals, *Friederike* v. d. K., ist an den Generallieutenant v. d. A., Grafen Wilhelm Henckel v. Donnersmarck auf Tiefensee bei Düben vermählt.

Ein Oberstlieutenant v. d. K. a. D. ist Ritter des eisernen Kreuzes (erworben bei Dennewitz); ein Capitain v. d. K. a. D. erwarb sich dieses Ehrenzeichen in Frankreich, und ein anderer Capitain v. d. K. a. D. ist Ritter des eisernen Kreuzes am weissen Bande mit schwarzen Streifen. — In der Gegenwart dienen verschiedene Söhne aus diesem altadeligen Hause in der Armee, namentlich der Rittmeister v. d. K., aggregirt dem 3. Uhlanenregiment; der oben erwähnte *Leo* v. d. K., Lieutenant im 1. Garderegiment; ein anderer Lieutenant v. d. K. steht im Garde-Reserve-Infanterieregiment zu Potsdam, ein Baron v. d. K. im 4. Kürassier-Regiment zu Lüben in Schlesien u. s. w.

Kniestedt — Knobelsdorf.

Im Wappen der v. d. K. ist von jeher eine Greifenklaue gewesen. An manchen Abdrücken findet man zu Schildhaltern zwei wilde Männer gewählt, und oben auf dem Helme fünf Hahnenfedern, abwechselnd schwarz und silbern. Siebmacher giebt das Wappen der v. d. K., I. S. 174. Nachrichten giebt Krone, II. S. 187 — 90. Gauhe, I. S. 772 — 74. Pfeffinger's braunschweig - lüneburgische Historie, I. S. 786 — 830.

Kniestedt (tt), die Herren von.

Ein altadeliges vornehmes Geschlecht in Thüringen, Hannover und in der Rheinprovinz. Sein gleichnamiges Stammhaus liegt bei Hildesheim. Der gegenwärtige Besitzer dieses Familiengutes ist der königl. preuss. Kammerherr v. Kniestedt. Siebmacher giebt das Wappen der v. Kniestedt unter den sächsischen, I. Th. S. 170. Es ist eine ausserhalb mit eilf grünen Kleeblättern besetzte rothe Schnalle, ohne Dorn, im goldenen Felde. Auf dem Helme liegt ein spitziger roth und silberner Hut mit goldenem Aufschlag und einem Pfauenschweif. M. s. Seifert's Kniestettsche Ahnentafel, Regensburg 1731. Neues genealog. Handbuch 1777, S. 117, und 1778 S. 125 u. 127. Humbracht, Taf. 248. Universal-Lexicon Lit. A. Allgemeines hist. Lexicon, III. Bd. S. 4. Gauhe, I. S. 775.

Knobelsdorf, die Freiherren und Herren von.

Die jetzt in verschiedenen Provinzen der preuss. Monarchie verbreiteten Edelleute dieses Namens gehören ursprünglich zu der vornehmsten schlesischen Ritterschaft. Nach dem in einer Handschrift vorhandenen Adelsspiegel des Sigismund Selden erschienen schon im Jahre 1255 auf dem Turniere zu Speier zwei Ritter v. Knobelsdorf, und im Jahre 1416 kommt Kurtze K. als Herzogs Heinrich des Aelteren zu Glogau Hofmarschall vor. — Im Jahre 1453 wird Christoph v. K. als Herr von Heinzendorf genannt, und Schikfuss führt (III. Buch 443) im Jahre 1510 den Melchior v. K. auf Hirschfelde als einen sehr angesehenen Edelmann auf. — Balthasar und Bastian v. K. halfen nach Spangenberg's Adelsspiegel Wien gegen die Türken vertheidigen. — Im J. 1540 brachten die v. K. die Landeshauptmannschaft über Schwiebus an sich, und 1558 war Maximilian v. K. auf Rückersdorf, Koppen und Arnsdorf, Kammerherr des Königs Ferdinand I., des Schwiebusschen Weichbildes Landeshauptmann und zuletzt Kammerrath in Schlesien. Nach Conradi, Sil. tog., starb er im Jahre 1569, nach Lucä, pag. 1601, erst im Jahre 1609. — Um das Jahr 1571 starb Eustachius v. K., ein sehr gelehrter Mann, der um das Jahr 1519 zu Heilsberg geboren war, auf mehreren Universitäten studirt hatte und zu seiner Zeit für einen glücklichen Dichter galt. Nach seiner Zurückkunft nach Preussen war er erstlich Warmiensis Ecclesiae Custos; später Stellvertreter des Bischofs und Kardinals, und 1563 Domdechant und zuletzt Officialis zu Breslau. Sein Epitaphium ist noch in der Domkirche zu St. Johann in Breslau anzutreffen. (M. s. Henel, Siles. renov. 686.) — Martin v. K. war des Herzogs Heinrich Wenzel zu Münsterborg, Oels und Bernstadt Oberamtsrath, später Oberamtskanzler im Herzogthume Ober- und Niederschlesien. Er starb auf seinem Gute Kammendorf bei Canth im Jahre 1659; obgleich Conradi in seiner Siles. tog. anführt, er sei zu Frankstein im Jahre 1596 geboren, so sagt doch Lucä p. 1093, er sei zu Reichenbach in Schlesien geboren. —

131

Im Jahre 1653 war *Balthasar* v. K. auf Woinewitz Hofmarschall am
fürstl. briegschen Hofe. — Als die ersten Freiherren v. K. kommen
Johann Tobias, Freiherr v. K. auf Hertwigsdorf, Kaltenbriesnitz und
Kunzendorf, des Fürstenthums Glogau königl. Manns-Rechts-Bei-
sitzer und Landesältester vor. — Ein Sohn von ihm war *Hans Tobias* v. K. II., Herr der Güter Hertwigsdorf, Kunzendorf, Kaltenbriesnitz, Liesdorf, Nieder-Herzogswalde, Streitelsdorf, Pirnich, Langen-
Heinersdorf, Sprottischdorf, Ebersdorf, Liebenzig, Kl. Lobisch und
Malschwitz, geb. am 9. Juli 1648, erst einige Monate nach dem Tode
seines Vaters; daher die schlesischen Curiositäten sagen, dass er schon
eilf Wochen vor seiner Geburt im Mutterleibe eine vaterlose Waise geworden sei. (M. s. schlesische Curiositäten, II. S 353.) Dieser Freiherr v. K. begleitete als Gouverneur drei Söhne des Herzogs Silvius zu
Würtemberg und Oels zuerst auf die Hochschule nach Tübingen, und
später auf weite Reisen durch fremde Länder. Sodann leistete er im
Vaterlande seinen Mitständen erspriessliche Dienste. Obgleich er mit
seiner Gemahlin, Hedwig Elisabeth, Freiin v. Stosch, eine grosse
Nachkommenschaft von Söhnen und Töchtern zeugte, so ist doch die
freiherrliche Linie noch in der Mitte des 18. Jahrhunderts erloschen,
und es fiel Hertwigsdorf nach einem langen Prozesse, veranlasst durch
den Umstand, dass König Friedrich II. diese Güter dem unten näher
erwähnten General, später Feldmarschall v. K., den er für den nächsten Anwärter hielt, zugedacht hatte, erst an den Vater des heutigen
Besitzers, *Ernst* v. K., als sich der grosse Monarch bei seiner Anwesenheit persönlich von der wahren Lage der Sache und den guten
Rechte der näheren Anverwandten, deren Angelegenheiten ein Rechtsgelehrter, Namens Mündel, vortrefflich geführt hatte, überzeugte. Der
König liess den gedachten Sachwalter persönlich vor sich fordern, und
nachdem er sich von der Rechtlichkeit desselben und überhaupt von
der vortrefflichen Art und Weise, mit der dieser Prozess zum Theil
gegen den König selbst und den von ihm in Schutz genommenen damaligen Obersten v. K. geführt worden war, überzeugt hatte, klopfte
er ihm auf die Schultern und sagte: „Ihr seid brave, ehrliche Leute,
und Er muss Vormund und nicht Mündel heissen." — In der Gegenwart besitzt den schönen Rittersitz Hertwigsdorf und Zubehör der
Rittmeister a. D. und Ritter des Ordens pour le mérite, v. K. — Sehr
zahlreich sind die Güter in Schlesien, die ein Eigenthum der v. Kno-
belsdorfschen Familie waren, von denen wir hier nur ausser den schon
genannten Popschitz, Zeisdorf, Rückersdorf, Grossenbohra, Hirschfeld, Kunzendorf, Gürbichsdorf, die letzteren sämmtlich im Sagan-
schen, Leisersdorf, Schönfeldt u. s. w. im Liegnitzschen, Mose im
Crossenschen, Woinewitz im Briegschen, Leipe und Kapatschütz im
Trebnitzschen, Schloin, Krolkwitz, Hammer, so wie das schon erwähnte Popschitz, sämmtlich im Gloganischen und Grünbergschen,
nennen. In Beziehung auf die verschiedenen Linien bemerken wir,
dass eine schlesische, eine märkische und eine alte Linie in der Grafschaft Glaz bestand, die *Siegfried* v. Knoblauchsdorf (so finden wir ihn
in alten Briefen geschrieben) schon um das Jahr 1348 gründete. Ein
Neffe von ihm, *Hanko*, wird in derselben öfters nur Ritter v. Ullersdorf oder Ulrichsdorf genannt. Ein Ast der glazer Linie kommt auch
in alten uns vorliegenden Urkunden unter dem Namen die Schädel v.
Knoblachsdorf vor. Die schlesische Linie zerfiel wieder in die Häuser
Herwig- oder Hertwigsdorf, Mose und Leisersdorf. — Von den märkischen nennt v. Gundling die v. K. auf Topper, Deutsch Lager und
Cunersdorf im Crossenschen. Uebrigens besitzen die v. K. noch gegenwärtig sowohl in Schlesien, als in den Marken und in Pommern ansehnliche Güter, namentlich in Schlesien, wo der Landschafts-Direc-

tor *Ernst Friedrich Wilhelm* v. K. Ober-, Mittel- und Nieder-Hirsch-
feldau, Buchelsdorf und mehrere andere Güter besitzt. — In den
Marken besitzt Se. Excellenz der Oberstallmeister, Chef des Ober-
Marstalls und der Haupt- und Landgestüte, Grosskreuz hoher Orden
u. K. die Selliner Güter, der Major und Ritterschaftsrath, früher
Landrath des Friedeberger Kreises v. K. das Gut Mansfelde, und *Ernst*
v. K. Kemnath im Kreise Sternberg. — Im preuss. Staatsdienste standen im Jahre 1806 *Kaspar Adolph Erdmann* v. K. auf Sprottischdorf
und Nieder-Ebersdorf, Landrath des Kreises Sprottau; ein anderer
v. K. war Kriegs- und Domainenrath bei der Kammer zu Bromberg,
und einer Kreisdirector und Landrath zu Soldin. — Noch vor wenigen Jahren war der schon erwähnte damalige Kriegs- und Domainenrath Director der Regierung zu Marienwerder. — Einer v. K. starb
vor einigen Jahren als Legationsrath und preuss. Resident zu Krakau.
Er besass das Gut Rummelsburg bei Berlin. In der Gegenwart ist
ausser dem schon erwähnten Oberstallmeister v. K. Excellenz ein Neffe
desselben Stallmeister des schlesischen Landgestütes zu Leubus.

In der preuss. Armee haben folgende Mitglieder dieses Hauses
hohe Würden erlangt:

Kaspar Friedrich v. K., der älteste Sohn des *Christoph Sigismund*
v. K., Erbherrn auf Heinersdorf, und der Ursula Susanna v. Waldau,
diente von seiner Jugend auf im preuss. Heere, und soll nach Seif-
fert (Leben König Friedrichs II. Th. II. S. 79) schon im Feldzuge in
Brabant schwer verwundet, und bei Malplaquet der einzige Officier
seiner Compagnie gewesen sein, der mit sechs Gemeinen in der blutigen Schlacht dem Tode entgangen ist, nach König aber soll er erst
1714 Fähnrich, 1716 Lieutenant, 1725 Stabs- und 1728 wirklicher
Hauptmann im damaligen v. Schlabrendorfschen Regimente geworden
sein. 1741 trat er wieder in das v. Creutzensche Regiment, nachdem
er 1730 seine Entlassung erhalten hatte, und wurde 1743 Oberst und
Commandeur desselben, 1746 aber Chef des neuerrichteten Garnison-
bataillons. Er starb im Novbr. 1748 zu Nimptsch in Schlesien in einem
Alter von 86 Jahren, und war auch Ritter des Ordens pour le mérite.

Karl Ludwig v. K., geb. am 19. Decbr. 1724 zu Culm in der
Neumark, ein Sohn des *Karl Ludwig* v. K., Erbherrn auf Tauchel, und
der Eleonore Charlotte v. Schenkendorf, aus dem Hause Rissen, starb
als Generalmajor, Chef eines Dragonerregiments und Erbherr auf
Schönau im Jahre 1786 im April zu Landsberg a. d. W. Er trat im
Jahre 1741 in das damalige Dragonerregiment v. Platen, 1743 zu einem
Kürassierregiment versetzt, ward er 1750 Lieutenant, 1758 Rittmeister, 1762 Major, 1773 Oberstlieutenant, 1778 Commandeur desselben, 1780 Oberst und 1782 Generalmajor; zugleich erhielt er das damalige Dragonerregiment v. Wulffen. Er wohnte sämmtlichen Feldzügen Friedrichs des Grossen ehrenvoll bei, war 1757 Adjutant des Generals v. Crosegk, und als solcher wurde ihm in der Schlacht bei Collin durch dieselbe Kugel, die seinem Chef das Leben kostete, das
Pferd unterm Leibe getödtet, er gerieth dadurch in Gefangenschaft, ward
aber bald darauf wieder ausgelöset und in der Action bei Freyberg im
Jahre 1762 durch einen Schuss am Kopfe verwundet. Er war mit Ulrike Beate Juliane v. Schöning, aus dem Hause Jahnsfelde, vermählt,
die ihm vier Söhne und sechs Töchter gebar. l

Alexander Friedrich v. K., ein Sohn des Oberforstmeisters der
Kurmark Brandenburg und Erbherrn auf Cunow und Robersberg im
Crossenschen, *Hans Friedrich* v. K. und der *Wilhelmine Charlotte* v.
K., aus dem Hause Ogerschitz, geboren den 18. Mai 1723, starb am
10. Decbr. 1799 als General-Feldmarschall, Chef eines Infanterie-
Regiments, Ritter des schwarzen Adlerordens und designirter Com-

thur auf Wintersheim. Nachdem er vorher Page des Kronprinzen, nachmaligen Königs Friedrich II., gewesen war, erhielt er 1741 eine Anstellung im Heere, in dem er sich mit Klugheit, Tapferkeit und Gegenwart des Geistes bis zur höchsten militärischen Würde emporschwang. Er wohnte seit seinem Eintritte in die Armee sämmtlichen Feldzügen bei, ward 1758 Major, 1765 Oberstlieutenant, 1767 Oberst, 1773 Commandeur des Regiments v. Schwarz, 1776 Generalmajor und Chef des erledigten v. Stojentinschen Regiments, 1785 Generallieutenant, und 1798 General-Feldmarschall. Er war mit der Tochter des Regierungspräsidenten von Ramin zu Stettin vermählt, und starb zu Stendal kinderlos.

Friedrich Wilhelm v. K., geboren zu Berlin im Jahre 1752, hatte eine sehr sorgfältige Erziehung genossen und stand zuerst in dem Regiment Garde, später wurde er unter den wirklichen Offizieren der Armee, und zwar vom Jahre 1790 an als Major, 1799 als Oberst aufgeführt und 1805 zum Generalmajor befördert. Schätzbare Kenntnisse und die Sitten der feinen Welt, verschafften ihm eine interessante diplomatische Laufbahn. Er wurde nach und nach Gesandter an verschiedenen Höfen, namentlich auch zu Konstantinopel, zu Paris zur Zeit der Kaiserkrönung Napoleons, löste im Winter 1805 den Marquis v. Luchesini auf dem Gesandtschaftsposten daselbst ab, und unterhandelte auch beim Ausbruche der Feindseligkeiten im gedachten Jahre mit dem Fürsten v. Benevent. Im Jahre 1814 war er von Seiten unserer Regierung als Commissair bei dem Könige von Sachsen, der sich damals als Gefangener in Berlin und im Schlosse Friedrichsfelde befand. Bald darauf erhielt er als Generallieutenant seinen Abschied, und starb am 19. April 1820 zu Berlin.

N. N. v. K., geboren am 18. Decbr. 1775 zu Wuthenow in der Neumark, und gestorben am 11. Septbr. 1826 als Generalmajor, Ritter des rothen Adlerordens 2. Classe und des eisernen Kreuzes 2. Cl. Er trat 1789 in das damalige Regiment Graf Lottum Dragoner, machte in demselben die Rheincampagne mit, ward 1798 zum Regiment Garde du Corps versetzt, und wohnte dem Feldzuge von 1806 als Stabsrittmeister bei. Mit dem grössten Theile des Regiments gelang es ihm, der Gefangenschaft bei Prenzlau zu entgehen und zur Armee des Königs zu gelangen, wo er 1807 in Preussen mit focht. Im Jahre 1813 befehligte er zuerst die 2. Compagnie der Leib-Escadron des genannten Regiments, wurde aber in demselben Jahre Oberstlieutenant und Commandeur desselben, im Jahre 1815 Brigadier der Garde-Cavallerie, und 1819 Inspecteur derselben. Seine irdischen Ueberreste ruhen in dem Gewölbe zu Dürotz bei Nauen.

Noch gedenken wir des genialen *Hans Georg Wenzel*, Freiherrn v. Knobelsdorf, geb. zu Kossar bei Crossen 1697, der ein anerkannter Meister in der Baukunst und im Zeichnen war. Die Verschönerung des Thiergartens bei Berlin und mehrere königl. Paläste, die Erbauung des Opernhauses zu Berlin, eines Flügels des Schlosses zu Charlottenburg, der Marmor-Colonnade zu Sanssouci (abgetragen im Jahre 1797), des Sterns (Jagdschloss bei Potsdam), der Schlösser zu Dessau, Zerbst u. s. w. sind sein Werk. Er starb lebhaft betrauert von seinem königl. Beschützer, Friedrich dem Grossen, der ihm ein Ehrengedächtniss in den Memoiren der Academie (VIII. Th. S. 1) geschrieben hat, am 15. Sept. 1753.

Im Jahre 1806 standen siebzehn Mitglieder aus dieser Familie im preussischen Heere, von denen mehrere den Tod auf dem Felde der Ehre fanden, andere sich im Befreiungskampfe Ehrenzeichen erworben haben; namentlich starb im Jahre 1807 der Generalmajor und Commandant von Stettin, v. K. — Ein Major v. K., der bei dem

Knoblauch — Knobloch.

Cadettencorps zu Culm war, starb 1807. — Im Regiment von Katte Dragoner stand ein Capitain v. K., der 1812 als Major ausgeschieden ist. — Im Jahre 1806 stand ein v. K. als Prem.-Lieutenant im Heere, der im Jahre 1813 als Stabscapitain im 22. Infanterie-Regimente auf dem Felde der Ehre geblieben ist. — Ein Lieutenant v. K. diente 1806 im Regimente v. Schöning, der 1820 als Major des 1. Garnison-Bataillons und Ritter des eisernen Kreuzes (erworben in Frankreich) aus dem activen Dienste geschieden ist.

Das alte v. K.'sche Wappen zeigt im rothen Schilde einen blauen Balken, der mit drei schrägen weissen Strassen oder Binden abgetheilt ist, auf dem Helme zwei auf einander gefügte rothe Flügel, mit dem Balken belegt. Die Helmdecken blau und weiss. — Ein anderes v. K.'sches Wappen zeigt einen mit drei blauen Strassen abgetheilten rothen Balken, dadurch eine auf einem Berge stehende, mit einer Kette umwundene gekrönte weisse Säule, und oben auf jeder Seite einen gelben Stern, so wie auch unten am Berge einen Stern. Ueber dem gekrönten Helme sind zwei Flügel, deren jeder mit dem Balken belegt ist, und zwischen diesen der Berg mit den übrigen Wappenbildern. Die Helmdecken sind roth und blau. Ersteres Wappen giebt Siebmacher I. S. 57, das letztere IV. S. 107.

Nachrichten geben von diesem Geschlechte Sinap., I. S. 515—18. II. S. 353—56. Brüggemann, I. Th. 2tes Hauptstück. Gauhe, I. S. 778 u. f.

Knoblauch, die Herren von.

Eine aus dem Elsass und ans Burgund vor Jahrhunderten nach Hessen und in die östlichen deutschen Provinzen, namentlich auch in die Marken gekommene adelige Familie. Ein General v. K., der früher im Generalstabe stand und in den Armeelisten als in Preussen gebürtig aufgeführt wird, war im Jahre 1806 unter den wirklichen Offizieren der Armee aufgezählt, und ist im Jahre 1817 in Preussen a. D. gestorben. Der märkischen Linie gehören an: der Major v. Knoblauch im Regimente von Renouard zu Halle, der im Jahre 1821 als pensionirter Oberstlieutenant gestorben ist; der Major im Leib-Carabinier-Regiment von Knoblauch zu Rathenow, seit 1815 pensionirt. — Der Major im Garde-Jäger-Bataillon und Ritter des eisernen Kreuzes (erworben 1814 vor Paris) von Knoblauch. — Ein v. K. besitzt gegenwärtig das Gut Pessin im Regierungsbezirke Potsdam.

Siebmacher giebt I. Th. S. 139 das Wappen der v. Knoblauch unter den hessischen, und V. Th. S. 35, ebenfalls so bezeichnet, ein zweites ähnliches Wappen. Das erstere zeigt im silbernen Schilde, das letztere in goldenem Schilde, drei schwarze, von der obern linken zur untern rechten Seite gelegte Wecken oder Rauten, der Helm trägt einen goldenen, mit den Wecken belegten Adlerflug. Die Helmdecken sind bei dem ersten Wappen silbern und schwarz, bei dem letztern golden und schwarz. Ein drittes vor uns liegendes Wappen zeigt im rothen Schilde drei goldene Kämme, oben zwei, unten einen.

Knobloch, die Herren von.

Diese adelige Familie stammt ursprünglich aus Frankfurt a. M., wo ein Mitglied derselben bei dem Reichspostamte eine ansehnliche und hohe Stelle bekleidete, worauf der Helmschmuck des adelig von Knoblochschen Wappens hindeutet, während ein anderer ihrer Vorfah-

v. Zedlitz Adels-Lex. III.   9

ren, der die Würde eines kaiserl. Mundschenken bekleidete, die drei Weinhumpen ins Schild erhielt. Uebrigens ist der Helm auch mit türkischen Fahnen geschmückt, welche Söhne aus diesem Hause im Dienste des Kaisers erobert hatten. Von Frankfurt aus haben sich mehrere Zweige derselben in verschiedene deutsche Provinzen, namentlich auch nach Schlesien gewendet. Von hier aus kamen sie auch nach Preussen, wo sich *Jacob* v. Knobloch, vermählt mit einer v. Willemsdorf, zuerst niederliess. — Sein Sohn, *Andreas* v. K., erwarb das Dorf Leischnen bei Bartenstein, und dessen Urenkel, *Niklas* v. K., der mit Margarethe v. Grubern vermählt war, kam neben dem Besitze des Familiengutes Leischnen auch in den Besitz von Rothgerken und Glittehnen. Später kamen auch die Güter Sporwitten, Gründeln, Bammeln, Wipenicken, Schulkeim, Thiemsdorf, Bärwalde, Bansen, Wangutten, Spieglowken, Puschkeiten, Linkehnen, Neufrost u. s. w. in die Hände der Familie. Mehrere derselben, wie Bansen, Bärwalde, Puschkeiten und Linkehnen sind noch heute ein Besitz derselben. Bansen besitzt gegenwärtig der königliche Landrath des Kreises Rössel, *Karl Otto Benjamin* v. K., vermählt mit einer v. Egloff. (M. s. diesen Artikel.) Dieser Rittersitz ist auch als ein wohleingerichteter und besuchter Badeort bekannt. Puschkeiten und Linkehnen besitzt *Heinrich Christoph Leopold August* v. K. Er ist mit Pauline, Gräfin v. Kalkreuth, vermählt; Bärwalde besitzt *Leopold* v. K. — Im preussischen Staatsdienste sind zu hohen Würden gelangt:

Melchior Ernst v. K., der im Jahre 1754 Referendarius bei dem ostpreuss. Hofgerichte zu Königsberg, 1764 Hofgerichtsrath, 1777 Tribunal- und Pupillenrath, den 4. Decbr. 1785 aber wirklicher Geheimer Staatsminister und viertes Mitglied bei dem ostpreuss. Staatsministerium, auch Ober-Burggraf wurde, und am 22. Juni 1788 starb.

Erhard v. K. lebt als Präsident und Geheimer Ober-Finanzrath zu Berlin.

Dietrich Ehrhard v. K., geboren 1693, trat im Jahre 1709 in das Infanterie-Regiment Herzog von Holstein, wohnte den letzten Feldzügen des spanischen Erbfolgekrieges bei, ward hierauf im Jahre 1736 Major, 1742 Oberstlieutenant, und in der Schlacht bei Czaslau am 17. Mai des letztgenannten Jahres schwer verwundet. Im Jahre 1743 führte er als Oberst und Commandeur des Regiments dasselbe am 4. Juni in das Treffen bei Hohenfriedeberg, und ward im Jahre 1750 Generalmajor und Chef des Regiments Prinz Dietrich von Anhalt. Beim Ausbruche des siebenjährigen Krieges rückte er mit demselben in Sachsen ein, befand sich in der Schlacht bei Lowositz und bei der Einschliessung der Sachsen bei Pirna, starb aber plötzlich zu Chemnitz am 12. April 1757. Er war auch Ritter des Ordens pour le mérite und Erbherr auf Glittehnen, Wangutten und Neufrost. Aus seiner ersten Ehe mit Henriette Luise v. Cupner war ihm ein Sohn, und aus seiner zweiten Ehe mit Luise v. Pape, zwei Söhne geboren worden.

Karl Gottfried v. K., ein jüngerer Bruder des Vorigen, geboren den 12. Octbr. 1697, war bei den Jesuiten in Rössel erzogen worden, und trat 1713 in das Regiment Anhalt-Zerbst. Im Jahre 1723 zum Prem.-Lieutenant avancirt, wurde er im Holsteinschen mit vielem Nutzen zu Werbungen verwendet, im Jahre 1728 aber zu ähnlichen Zwecken als Stabscapitain ins Reich gesendet. 1733 hatte er das Unglück, ein Bein zu brechen, und da es schlecht geheilt, entschloss er sich, es noch einmal brechen zu lassen, worauf die Heilung besser glückte. Im Jahre 1735 wurde er wirklicher Capitain, 1742 Major, 1750 Oberstlieutenant, 1754 Oberst, und führte als solcher im Jahre 1757 eine Brigade in der Schlacht bei Gross-Jägerndorf an. 1758

avancirte er zum Generalmajor und erhielt das Regiment v. Schultze.
In der Schlacht bei Cunnersdorf traf ihn eine Kartätschenkugel ins
Auge, er liess sich nach Stettin bringen, wo ihm die Kugel neben der
rechten Kinnbacke herausgeschnitten ward. Er that sich ausserdem bei
vielen Gelegenheiten im siebenjährigen Kriege rühmlichst hervor, namentlich zeichnete er sich im J. 1762 in Pommern aus, wo er viel dazu
beitrug, die russischen Magazine zu zerstören und Cöslin zu erobern.
Im October desselben Jahres aber gerieth er in russische Gefangenschaft. Nach seiner Befreiung begab er sich zum Könige nach Schlesien, der ihn zum Commandanten der Festung Schweidnitz ernannte.
Im Jahre 1764 hatte er das Unglück, mit dem Pferde zu stürzen. An
den Folgen dieses Sturzes starb er am 25. März 1764. In seiner Ehe
mit Sophie Luise Constanze v. Drost wurden ihm drei Söhne und zwei
Töchter geboren. Auch war er Ritter des Ordens pour le mérite und
Erbherr auf Thiersdorf, Schubkeimen und Wanghusen.

Gegenwärtig steht in der Armee *Wilhelm Leopold Sigismund Samuel* v. K., Major und Abtheilungs-Commandeur in der Garde-Artillerie, auch Ritter verschiedener Orden, namentlich auch des eisernen Kreuzes 2. Classe (erworben in Frankreich). — Durch Vermählungen hat diese Familie mehrere Stiftungen und Stipendien erhalten,
nämlich durch die Vermählung des *Johann* v. K., der im Jahre 1694
starb, mit Sibylla von Lessgewang ist sie zu einer Fundationsstelle
eines Fräuleinstifts in Königsberg, durch die Vermählung des *Georg
Friedrich* v. K., Erbherrn auf Sporglitten, der 1705 starb, mit einer
v. Glaubitz ist die Familie zu einem Stipendium gelangt, woraus vier
Söhne vom 11ten bis zum 18ten Jahre jährlich 130 Thlr., ferner zur
Officier-Equipage 200 Thlr., und zum Besuch einer Universität für
zwei Söhne 400 Thlr. erhalten kann. Diese wohlthätige Einrichtung
führt den Namen des Scharf v. Werthschen Stipendium.

Das Wappen, von dem wir oben schon eine Andeutung gegeben
haben, zeigt im silbernen Felde drei Weinhumpen und auf dem Helme
ein Posthorn, links wehen drei, rechts zwei türkische Fahnen über
demselben. Wir haben bei diesem Aufsatze einen vor uns liegenden
Stammbaum der Familie benutzt, dem auch ein Abdruck des von uns
beschriebenen Wappens beigefügt war. Siebmacher giebt mehrere Wappen der v. K., die ganz verschieden von dem erwähnten sind.

Knoll, die Herren von.

Adelige Familien dieses Namens sind in Preussen und Oesterreich
anzutreffen. In Preussen sind es die Nachkommen des Hofraths Dr.
Knolle, der im Jahre 1791 mit dem Prädicat Knolle von Knoll geadelt wurde. In Oesterreich stammt eine Familie von Knoll von den
edlen Herrn Stephan v. Knoll aus Tyrol ab, der 1720 in den Ritterstand erhoben wurde, eine andere hat den *Johann Melchior* v. Knoll,
Advocaten zu Botzen, zum Stammherrn, der im Jahre 1794 mit dem
Beisatz Knoll von Dornhof geadelt wurde. — Im preuss. Staatsdienste
steht der Geheime Ober-Rechnungsrath v. Knoll in Potsdam.

Knopäus, die Herren von.

Eine adelige Familie, von der sich ein Zweig in der preuss. Standesherrschaft (Fürstenthum) Neuwied befindet. Der Stammherr dieses
Geschlechts ist *Anton* v. Knopäus, Assessor beim kaiserl. Reichskammergericht zu Wetzlar. Er erwarb im Jahre 1720 den Adel. — Sein

9 *

Sohn, *Karl Paul* v. K., war kurtrierscher Hofrath. — Sein Enkel *Karl Paul* v. K. aber war hochfürstl. taxischer Hofrath; er pflanzte sein Geschlecht fort, und es gehört demselben in der Gegenwart an *Kaspar Joseph Johann Hugo* v. K., fürstl. wiedscher Archivrath zu Neuwied.

Kobilinski, die Herren von.

Aus dieser ursprünglich polnischen Familie, die auch Okolski, S. 31, unter dem polnischen Adel angiebt, haben viele in preussischen Diensten gestanden, die wir bald Kobilinski, bald Koblinski geschrieben finden. Auch wurde bei uns die Anerkennung an Sohnes Statt eines *Michel Albert* Schneidemesser durch seine Tante, die verwittwete Frau v K , bestätigt, und ihm unter dem 2. Septbr. des Jahres 1775 die Erlaubniss zur Führung des Namens und des Wappens der v. K. ertheilt. — Eine andere Adoption hat die Familie Kobilinski, genannt v. Stutterheim, veranlasst. — Ein v. K., genannt v. Stutterheim, stand im Jahre 1806 in dem Regimente v. Alvensleben in Glaz, später im 11. Infanterie-Regiment, sodann ist er in polnische Dienste getreten. — Von den vielen Mitgliedern der alten Familie v. K. stand ein v. K. im Jahre 1806 als Offizier in dem Regimente v. Courbière, später im 20. Infanterie-Regiment. Im Jahre 1822 war er Ober-Grenzcontroleur in Kyrn, und gegenwärtig ist derselbe Ober-Zollinspector in Trier. Er ist auch Ritter des eisernen Kreuzes (erworben bei Wittenberg). — Ein anderer v. K. stand in dem Regimente v. Lettow zu Minden, und ist gegenwärtig Oberförster zu Gramzow bei Angermünde. — Ein dritter ist Kreissecretair zu Soldin. — Ein Rittmeister v. K., der früher in dem Hüsarenregimente v. Plötz gestanden hatte, wurde 1828 als Rittmeister des 3. Bataillons 18. Landwehrregiments entlassen. Er erwarb sich bei Danzig das eiserne Kreuz. — Gegenwärtig stehen mehrere Subaltern-Offiziere dieses Namens in der Armee.

Die v. K. führen im goldenen Schilde ein Hufeisen, über demselben ein Kreuz, und auf dem gekrönten Helme einen von einem Pfeil durchbohrten, die Spitzen nach der linken Seite kehrenden Adlerflügel.

Koch, die Herren von.

Der König Friedrich II. erhob am 12. Juni des Jahres 1769 den Hofrath *Benjamin Bonaventura* Koch zu Danzig in den Adelstand. — Ein Major v. Koch, Ritter des eisernen Kreuzes (erworben beim Uebergange über die Elbe bei Wartenburg) commandirt das 1. Bataillon des 31. Landwehr-Regiments in Erfurt. — Ein anderer v. Koch ist gegenwärtig Vorstand des Intelligenz-Comptoirs zu Stralsund.

Das Wappen der v. Koch ist quadrirt. Im 1. und 4. goldenen Felde steht ein rother Löwe, im 2. und 3. silbernen Felde ein schwarzer Adlerflug.

Köckritz, die Herren von.

Die Lilien, welche dieses altadelige Geschlecht im Wappen führt, bestätigen die Angabe, dass es von einem Ritter abstammt, der, obgleich deutschen Ursprungs, sich in den Diensten der Könige von Frankreich den Adel erworben haben soll; nach Andern sind sie wendischer Abkunft und aus Sachsen und der Lausitz nach Schlesien, in die Neumark und Preussen gekommen. In der Lausitz ist Friedland bei Lübben und am Spreewalde gelegen, das älteste Besitzthum der v. Köckritz gewesen. Nach Peccenstein (in Theatrum Sax. P. I. Cap. X. pag. 127) kommt zuerst ein Ritter *Poppo* v. K. zu Alt-Döber im Wendischen vor, der um das Jahr 1304 ein berühmter Kriegsheld war. — Seine Söhne, *Walther* und *Friedrich* v. K., haben den Stamm fortgepflanzt. — *Walther* v. K. war von 1407—1411 Bischof zu Merseburg. — *Ditpold* v. K., der um dieselbe Zeit lebte, wird als einer der tapfersten Ritter des deutschen Ordens genannt. — Eben so lebten um diese Zeit *Johann* v. K., der auf dem Concil zu Kostnitz anwesend war, und *Nikolas* v. K. auf Lieberose, der die Würde eines Landvoigtes der Niederlausitz bekleidete. — Am 21. Juli 1426 fielen in der Schlacht bei Presslitz im Kriegsheere des Kurfürsten Friedrich des Streitbaren 21 Köckritze. *Johann* v. K. auf Rathein und Elsterwerda war des Kurfürsten Friedrich II. vornehmer Rath und Hofmeister. — In Schlesien kommt 1506 *Hans* v. K. als Rath des Herzogs Sigismund von Glogan und Troppau vor. — Im Jahre 1523 verkauften die v. K. die Herrschaften Schenkendorf und Friedland an den Johanniterorden. — *Kaspar* v. K. zum See war ein grosser Verehrer und Beförderer der lutherischen Lehre. — *Hans* v. K. erhielt im Jahre 1556 nach Schickfuss (3. Buch, S. 193) das Amt eines General-Steuereinnehmers in Schlesien. — Im Jahre 1629 wurde *Joachim* v. K. als des Kurfürsten Georg Wilhelm zu Brandenburg Rath und Verweser des Fürstenthums Crossen bestallt. (Lucä, pag. 1554.) — Im Liegnitzschen und Wohlauschen erwarb *Sigismund* v. K. die Güter Maserwitz und Thielau. — Sein Sohn, *Kaspar* v. K., erheirathete mit des Georg Dyhr's Wittwe, einer gebornen v. Schindeln, die Stadt Festenberg. Derselbe wurde am 2. April 1603 durch Hans Borschnitz v. Goschütz unvorsichtiger Weise erschossen. — Nach und nach erwarben die v. K. noch viele Güter in Schlesien, wie Elguth, Pathendorf und Schmarker, Sürchen und Leipnitz, die letztern Güter im Wohlauischen. Namentlich war *Hans Kaspar* v. K. und Friedland Herr auf Sürchen und Leipnitz, herzogl. ölsischer Hofmeister und später des Fürstenthums Obersteuereinnehmer und Hofrichter. Er war mit einer v. Seidlitz vermählt und starb am 28. März 1695. — Ein Enkel desselben war *Sigismund Otto* v. K., königl. Oberforstmeister des breslauischen Departements; er war mit einer v. Debschitz, aus dem Hause Rackschütz, vermählt, und der Vater einer zahlreichen Familie. Seinen Söhnen hinterliess er ansehnliche Güter. — Der älteste derselben ist der Landesälteste und Johanniterritter *Karl* v. K. auf Sürchen u. s. w. bei Wohlau; er ist nach dem Tode seiner ersten Gemahlin, einer v. Rothkirch, aus dem Hause Kunitz, mit der jüngeren Schwester derselben vermählt. Ein Sohn desselben ist der Lieutenant v. K. im Garde-Dragonerregiment. Der zweite Sohn des Oberforstmeisters ist der Rittmeister *Louis* v. K. auf Montschütz bei Wohlau, ebenfalls mit einer v. Rothkirch, aus dem Hause Kunitz, vermählt. Er ist Ritter des eisernen Kreuzes (erworben im Jahre 1815 vor Paris). Ein dritter Sohn des Oberforstmeisters, *Ernst* v. K. auf Kadlau, ist vor mehreren Jahren verstorben und war mit einer Gräfin Ponin v. Poninski, aus dem Hause Siebeneichen, vermählt. Die Wittwe des Oberforstmeisters besass das Gut Koiskau bei Neumarkt, und ist vor einigen Jahren gestorben. — Ein Bruder des Oberforstmeisters war der Forstmeister *Gottfried* v. K. zu Oppeln. So viel uns bekannt ist, ist eine Tochter desselben an den Freiherrn Rudolph v. Stillfried auf Leipe vermählt. — Eine andere Linie v. K. ist in der Gegend von Guhrau ansässig, wo sie die Güter Ober- und Nieder-Mechau u. s. w.

besitzt, namentlich ist der Landrath des Guhrauer Kreises und Johanniterritter *Ernst* v. K. Besitzer von Mechau. — In dem brandenburg.
und preuss. Heere haben seit langen Zeiten Söhne aus dieser Familie gedient.

Hieronymus v. K. wurde am 10. Juni 1625 vom Kurfürsten Georg
Wilhelm zum Rittmeister über die Lehnpferde des cottbussischen, crossenschen und züllichauischen Kreises bestellt. 1626 kommt er als
Oberstlieutenant vor, und 1627 ward er zum Obersten des neumärkischen Landvolks ernannt.

Karl Leopold v. K., geb. am 16. Juni 1744 zu Zielenzig in der
Neumark, wurde bis zum 17ten Jahre im Cadettenhause erzogen. Im
letzten Jahre des siebenjährigen Krieges trat er in das Garde-Grena-
dier-Bataillon und stieg nach und nach bis zum Capitain und 1793
zum Major und Oberstlieutenant. Als solcher machte er die Rheincampagne mit Auszeichnung mit, und erwarb sich den Militair-Verdienstorden. 1794 kam er in die Suite des jetzt regierenden Königs,
damaligen Kronprinzen, und wurde bei seiner Thronbesteigung Generaladjutant, im Jahre 1808 Generalmajor und 1809 Generallieutenant.
Seine unwandelbare Treue und seine hochherzige Denk- und Hand-
lungsweise blieben in den Tagen des Unglücks um so eifriger dem
Herrscherhause gewidmet, und die Anerkennung derselben gewann
dem Verewigten von seinem Monarchen den schönen Namen eines
Freundes, eine die Herzen beider Theile ehrende Auszeichnung, die
der General bis zum letzten Hauche seines Lebens durch seine Tugenden gerechtfertigt hat. Sein Dienstjubiläum wurde am 15. Decbr.
1811 gefeiert. Aus Rücksicht für sein hohes Alter entband ihn Se.
Majestät 1814 von dem Dienste eines Generaladjutanten, doch blieb
er Chef des reitenden Jägercorps, bis ein Schlagfluss am 30. Septbr.
1821 seinem Leben ein Ende machte. Der Verfasser des „Pantheon"
schliesst die biographische Skizze dieses Generals mit folgenden Worten: „Ohne alle Liebe des äussern Prunks im Leben, wie im Tode,
hatte sein letzter Wille eine Beerdigung so einfach als möglich ver-
langt, der treu befolgt wurde. In einem schwarzen einfachen Sarge
wurde sein Leichnam ohne alles Gepränge dem Kirchhofe der Invali-
den anvertraut. Während sein Verlust den Monarchen und die Kinder
des königl. Hauses mit aufrichtiger und inniger Theilnahme erfüllte,
folgten ihm die Verehrung und Liebe seiner Untergebenen, und die
Segnungen der Armuth und leidenden Menschheit, die zu allen Zeiten einen Wohlthäter in Rath und That an ihm gefunden hatten, ins
Grab. Auch haben ihm Se. Majestät auf dem erwähnten Gottesacker
des Berliner Invalidenhauses ein Denkmal von Gusseisen setzen lassen."

Ein Oberstlieutenant v. K. a. D., zuletzt aggregirt dem 6. Uhlanenregiment, hat sich im Jahre 1807 den Militair-Verdienstorden, und
im Jahre 1813 bei Jüterbogk das eiserne Kreuz erworben.

Die v. K. führen im gespaltenen Schilde, dessen Vordertheil blau,
der andere aber weiss ist, drei gelbe Lilien, oben zwei und unten
eine. Auf dem gekrönten Helme sind zwei Büffelhörner, wovon das
vordere blau, das andere weiss ist, dargestellt. Die Helmdecken sind
blau und weiss. Dieses Wappen giebt Siebmacher, I. S. 155. Man
sehe auch Sinapius, I. S. 519—524. II. S. 735 u. s. f. Gauhe, I.
S. 785—87.

Köhler, die Herren von.

1) Der königl. preuss. Hofrath und frühere Schifffahrts-Director,
auch Salzfactor zu Berlin, *August Christian* Köhler, wurde im Jahre

1735 in den Adelstand erhoben. Aus seiner Ehe mit einer Namens Casarotti aus Braunschweig wurde geboren: *Georg Ludwig Egidius* v. K., der als königl. preuss. General der Cavallerie, Gouverneur von Warschau, Chef eines Husarenregiments, Ritter des schwarzen Adlerordens und des Ordens pour le mérite, im Jahre 1811 gestorben ist. Er war im Jahre 1735 geboren, und hatte, nachdem er auf dem Karolinum zu Braunschweig studirt hatte, beim Beginn des siebenjährigen Krieges bei dem Husarenregimente v. Ziethen seine militairische Laufbahn angefangen, die Feldzüge des siebenjährigen Krieges mitgemacht und bei Torgau ehrenvolle Wunden erhalten. König Friedrich II. hatte ihm vielfache Beweise seiner Gnade gegeben; er ward 1769 zum Major, 1780 zum Commandeur eines Husarenregiments, 1784 zum Oberstlieutenant, 1785 zum Obersten, und 1788 zum General und Chef eines Husarenregiments befördert. Den Verdienstorden erhielt er nach dem Gefechte bei Tharant; auch ernannte ihn 1774 der Monarch zum Amtshauptmann zu Schaaken, und einige Jahre später ertheilte er ihm eine Domprälende in Minden. Der König Friedrich Wilhelm II. ernannte ihn am 10. Januar 1795 zum Generallieutenant, nachdem er ihm schon im Jahre 1794 den rothen Adlerorden ertheilt hatte, und Se. Majestät der jetzt regierende König schmückte ihn im Jahre 1800 mit dem schwarzen Adlerorden.

2) Die schlesischen v. Köhler. Aus dieser Familie war *Gottfried* v. K., bekannt durch verschiedene Sendungen der schlesischen Stände an die Kaiser Leopold und Joseph, der bei diesen Monarchen angesehen war und von ihnen mit goldenen Gnadenketten geschmückt wurde. Diese Familie führt ein quadrirtes Schild, in dessen erstem Quartiere ein Adler, im 2ten und 3ten ein übers Kreuz gelegter Schrägbalken mit zwei Kleeblättern belegt, im 4ten ein Anker vorgestellt ist. Auf dem gekrönten Helme stehen zwei gegen einander gestellte Adlerflügel, von denen jeder mit dem Kleeblatte belegt ist. — Eine andere schlesische Familie v. K. führte den Beinamen v. Mohrenfeld.

3) Der König Friedrich II. erhob am 6. Mai des Jahres 1777 den Lieutenant im Bosniakenregiment *Johann Christian* Köhler unter dem Namen Köhler, genannt v. Lossow, in den Adelstand.

4) Eine adelige Familie v. Köhler gehört Pommern an, und namentlich Schwedisch-Pommern. Aus derselben haben Mitglieder, nachdem diese Provinz an die preuss. Krone gefallen ist, in dem diesseitigen Heere gedient. Im 10. Infanterie-Regimente stand ein aggregirter Capitain dieses Namens, der früher in schwedischen Diensten gewesen war. — In der Gegenwart gehört der Familie v. K. das Gut Oebelitz im Kreise Franzburg des Regierungsbezirks Stralsund.

Kölichen, die Herren von.

Schon in dem Ansehen eines Ritters von altem Adel kam nach der Schlacht, die zwischen den Rittern und den Polen bei Konitz vorgefallen war, mit dem Herzoge Balthasar von Sagan, der in jener Schlacht mitgefochten hatte, *Heinrich* v. Kölichen im Jahre 1463 nach Schlesien. Mit ihm beginnt also die Stammreihe dieses altadeligen Hauses in den diesseitigen Ländern, obgleich in Preussen schon weit früher dieses Geschlecht vorkommt; namentlich befindet sich zu Königsberg das Grabmal des edlen Ritters *Wilibald* Kölichen, der 1407 starb. — Sein Enkel, *Hans* v. K., der sich im Türkenkriege ausgezeichnet hatte, erhielt dafür vom König Ludwig von Ungarn eine Vermehrung seines altadeligen Wappens, wie wir unten näher angeben werden. Nach des gedachten Königs Tode trat *Hans* v. K. in die Dienste des Grossherzogs Alexander von Florenz. Von diesem erhielt er abermals eine Vermehrung seines Wappens. In späterer Zeit erwarben die v. K. bedeutende Güter in Schlesien, namentlich war *Joachim* v. K. Herr der Güter Rischtern (Rüstern), Retschmannsdorf? und Malmütz. Durch seine Vermählung mit Bartholomäus Gerstmanns auf Gr. Jänewitz, Siegendorf, Schmochwitz, Panthen u. s. w., Tochter erwarb er Siegendorf. Auch im Militzschen besassen die v. K. Güter; *Ernst Herrmann* v. K. war Herr auf Nieder-Woydnikawe im Militzschen. In neuerer Zeit theilte sich die Familie v. K. in die Häuser Reisicht bei Haynau und Kittlitztreben. Das Haus Reisicht ist im Mannesstamme ausgestorben; der letzte Zweig dieses Hauses war *Ernst Heinrich* v. K., königl. Kammerherr. Er nahm mit königl. Erlaubniss den Namen und das Wappen seines verstorbenen Schwiegervaters, des Freiherrn v. Bibran, an, und schrieb sich seitdem v. K., genannt v. Bibran und Modlau. Er starb am 20. Septbr, 1832 und hinterliess nur eine Tochter, *Agnes* v. K., genannt v. Bibran und Modlau, die an den Freiherrn Ludwig v. Senden vermählt ist. — Noch blüht das Haus Kittlitztreben, dessen Haupt der Landrath des bunzlauer Kreises und Major a. D. v. K., Herr auf Kittlitztreben u. s. w., Ritter des Ordens pour le mérite (erworben bei Grandpré in Frankreich im Jahre 1792; er ist dem Datum der Verleihung nach der vierte der jetzt lebenden Ritter dieses Ordens) ist. Sein Vater war der Generalmajor und Chef des Leibkürassier-Regiments, auch Ritter des Ordens pour le mérite v. K., der im Jahre 180⅔ zu Schönebeck gestorben ist. Ein Sohn des Letztern und Stiefbruder des Landraths ist der Major v. K. im 40. Infanterieregimente, und Ritter des eisernen Kreuzes (erworben bei Arnheim). — Noch dienen Enkel des Generals in der Armee, und einer, der Sohn des Landraths v. K., ist Justizrath zu Bunzlau.

Das ursprüngliche Wappen der Familie waren zwei in einander gehängte rothe Sparren im silbernen Schilde. Dasselbe wurde vermehrt durch den König Ludwig von Ungarn mit einem blauen Hauptschilde, in dem drei goldene Flügel waren, und durch den Grossherzog Alexander von Florenz mit einem kleinen dreieckigen blauen Schilde, in dem eine silberne Lilie vorgestellt ist. Auf dem gekrönten Helme sind drei goldene Rosen, worauf ein halb blau und halb rother, halb nackter Arm ruht, der eine grüne Fackel in der Hand hält, dargestellt ist. Die Helmdecken sind blau und roth. v. Meding beschreibt das Wappen derselben, III. No. 422. Nachrichten von diesem Geschlechte giebt Sinapius, I. S. 525 und II. S. 738—40. Gauhe, II. S. 547 u. f.

Köller, die Freiherren und Herren von.

Die v. Köller gehören in Pommern zu den ältesten Familien des Landes, auch hat sich ein Ast davon ins Holsteinsche gewendet, und mehrere Zweige haben sich in anderen Provinzen, namentlich in Schlesien, niedergelassen. Auch in Schweden sind sie im Heere und in der Administration zu Würden und Ehrenstellen gelangt. — In Pommern besassen sie im alten Greiffenbergschen Kreise viele Güter, die zum Theil noch in der Gegenwart sich in den Händen der Familie befinden, namentlich Reckow, Dobberpfuhl, Görke, Moratz u. s. w. (jetzt in den Kreis Camin gehörig). Auch nennt v. Gundling Beverdik, Cantereck, Dieschenhagen, Lutmannshagen, Kockit, Schwanzlagen, Siggelkow und Hammer als v. Köllersche Güter. Dieschenhagen

ist das alte Stammhaus der v. K., eben so Siggelkow. Beide waren
stark befestigt, wurden aber von Waldemar II. im Jahre 1170 verwüstet, weil die v. K. der alten Stadt Julin Beistand geleistet hatten.
Zu Reckow befand sich ehemals ein altes befestigtes Stammhaus, von
dem jetzt noch Trümmer zu sehen sind. Moratz gehört den Herren v. Köller-Banner. Der königl. dänische Generallieutenant der Infanterie, *Georg Ludwig*, Freiherr v. Köller-Banner, geb. 1729, besass
gemeinschaftlich mit seinem Neffen das Gut Moratz, er folgte auch
im Jahre 1776 dem Dompropst v. K. in dem Besitz der Güter Dieschenhagen und Hammer, eben so im Jahre 1781 in dem Besitze von
Cantereck und Lutmannshagen. — Ein Bruder des genannten Generals starb kinderlos als hessen-casselscher Oberst. — Aus dem
Hause Reckow war auch *Heinrich Albrecht* v. K., der 1722 in preuss.
Kriegsdienste trat und 1741 Hauptmann wurde. 1756 kam er als Major zu dem Regimente v. Loen als Commandeur eines Grenadierbataillons, und erwarb sich 1760 den Orden pour le mérite. Er war
mit einer v. Köller, aus dem Hause Reckow, vermählt, und hinterliess nach seinem am 14. Februar 1761 erfolgten Tode nur eine Tochter. — In Schlesien besitzen die Erben des am 12. Septbr. 1833 verstorbenen königl. Oberforstmeisters a. D., *Karl Ludwig* v. K., das
Gut Altwasser bei Glogau. — Ein Hauptmann v. K. ist gegenwärtig
Landrath des Kreises Angerburg im Regierungsbezirke Gumbinnen.
Ein anderer v. K. auf Jasenitz (früher ein Amtsdorf) ist Landrath des
randowschen Kreises im Regierungsbezirke Stettin. — Ein Freiherr
v. K. ist Landrath des Kreises Glaz. — Ein Capitain v. Köller, der
früher im Regimente v. Alvensleben stand, erwarb sich bei Magdeburg das eiserne Kreuz 2. Classe und schied 1820 als aggregirter Capitain des 26. Infanterie-Regiments aus. — Ein Capitain v. K., gegenwärtig a. D., erhielt dasselbe Ehrenzeichen bei Namur.
Die v. Köller in Hinterpommern führen eine rothe Raute im silbernen Felde, und auf dem Helme eine Jungfrau mit fliegenden Haaren, deren Kleid roth und silbern quadrirt gezeichnet ist, die in
jeder Hand eine silberne Lilie und auf dem Kopfe drei Messerklingen
hat. Nach Elzow's pommerschem Adelsspiegel führen die v. K. in
Vorpommern und Holstein eine blaue Fensterraute im rothen Schilde,
und auf dem Helme zwischen zwei blauen Rauten drei Straussfedern,
von denen die mittelste blau, die andern beiden roth sind. M. s. Brüggemann, I. Theil 2s Hauptstück. Sinap., II. S. 718. Gauhe, I. S. 788.
Micräl., S. 496.

Könen, die Herren von.

1) Ein uraltes adeliges Geschlecht dieses Namens gehörte den cle-
vischen Landen an. Aus ihm ist *Friedrich Wilhelm* v. Könen, Freiherr v. Segenwerph, königl. preuss. Oberst und Chef eines Regiments
zu Fuss, hervorgegangen. Im Jahre 1692 war er Capitain im damaligen Regimente Lottum, 1703 wurde er Major, 1705 Oberstlieutenant, 1709 aber Oberst und 1718 Chef des Lottumschen Regiments.
Allen Schlachten und Belagerungen im spanischen Erbfolgekriege hat
er mit diesem beigewohnt. Er starb am 25. August 1720, war mit
Katharina Friederike Charlotte, gebornen Reichsgräfin v. Byland-Halt,
vermählt, und hinterliess aus dieser Ehe einen Sohn und drei Töchter. Seine Wittwe vermählte sich nachmals mit dem preuss. Generallieutenant George Christoph v. Kreyzen.
2) Der König Friedrich II. erhob am 29. April 1749 den Präsidenten der cleveschen Regierung, *Abraham* Könen, in den Adelstand,

und des jetzt regierenden Königs Majestät nahm diese Erhebung mit
einem Neffen desselben, dem damaligen Geheimen Ober-Tribunals-
rath, später Präsidenten des Geheimen Ober-Tribunals, *Johann* Könen, am 11. Mai 1802 vor. — Gegenwärtig besteht diese adelige Familie aus dem königl. Geheimen Ober-Finanzrath und vortragenden
Rath im Ministerium des königl. Hauses, und zwar bei der Verwaltung der Domainen, Forsten und Jagden, Ritter *Wilhelm* v. K., und
dessen Bruder, dem königl. Geheimen- und Ober-Medizinalrath, Mitglied der wissenschaftlichen Deputation für das Medizinalwesen, or-
dentlichem Professor an der medizinisch-chirurgischen Akademie, Dr.
E. L. v. Könen, dem Regierungsrath v. Könen zu Potsdam, und dem
Land- und Stadtgerichts-Director v. K. zu Weissenfels u. s. w.

König, die Freiherren und Herren von.

Es giebt mehrere ältere und neuere adelige, zum Theil auch
freiherrliche Familien dieses Namens, namentlich

1) Die alte, ursprünglich der ehemaligen freien Reichsstadt Kem-
pten angehörige Patrizier- und Rathsfamilie v. König, die im Jahre
1531 ein Wappen und am 29. Januar 1779 vom Kaiser Joseph II. ein
Anerkennungsdiplom erhielt. Aus ihr sind mehrere Mitglieder in
preuss. Diensten gewesen und ein Zweig derselben hat sich in Schlesien ansässig gemacht, wo er schon am Anfange des vorigen Jahrhunderts die Güter Oldern und Leonhardwitz im Breslauischen besass,
und besitzt daselbst noch gegenwärtig das Rittergut Klinkenhaus nebst
Antheil Ernsdorf bei Reichenbach. Siebmacher giebt das Wappen dieser Familie unter den kemptnischen adeligen Geschlechtern V. S. 383.
und V. Zus. S. 45. Es zeigt im blauen Schilde und auf dem Helme,
hier jedoch abgekürzt, einen goldenen, gekrönten Mann, in der Rechten das Schwerdt, in der Linken das Scepter haltend.

2) Das adelige landständische Geschlecht v. K. aus dem Bisthume
Hildesheim, welches noch jetzt in Hannover und Braunschweig angesessen ist, und aus dem viele Mitglieder im preuss. und Civildienst
gestanden haben und zum Theil noch stehen. Dieser Familie gehört
an *Friedrich Werner* v. K. auf Oedelem, vermählt mit Einer v. Ga-
denstädt. Aus der Ehe eines v. K. auf Winnenburg mit der einzigen
Tochter des *Johann Heinrich* v. König, aus dem Hause Oedelem, waren zehn Kinder, namentlich *Johann Heinrich Adolph* v. K. und Win-
nenberg auf Meinertshausen, königl. preuss. Oberst v. d. A. und *Werner* und *Victor* v. K., die beide Major in Lönigl. preuss. Diensten waren.

3) Die westphälischen, namentlich in der Grafschaft Mark, auch
in Sachsen, im Halberstädt'schen und in andern Landschaften verbreiteten v. K., von denen *Karl Simon Gerhard* und dessen Bruder *Gis-
bert Wilhelm* v. K., Besitzer der Rittergüter Clyff und Aldent, am 16.
Decbr. des Jahres 1763 in den preuss. Freiherrnstand erhoben wurden. Aus dieser Familie war der Landrath im Liebenburg'schen
Kreise v. K.; ferner der ehemalige Major im Regiment Gensdarmen,
Baron v. K., der als pensionirter Oberst im Jahre 1827 zu Berlin
verstorben ist, dessen Bruder, der Kammerherr und Johanniterritter
v. K., welcher ebenfalls vor einigen Jahren zu Lichtenberg bei Berlin verstarb. Beide waren kinderlos. Die Freiherren v. K. führen im schwarzen
Schilde drei silberne Giebel oder Sparren, oben zwei, unten einen,
zwischen diesen einen breiten, silbernen, mit der Spitze nach oben
gekehrten Sparren, mit fünf schwarzen Pfeilen belegt. Das Schild ist
von zwei Helmen bedeckt. Die Krone des rechten trägt einen schwarzen Adlerflug, die des linken ist mit drei Straussfedern (schwarz, silbern, schwarz) geziert.

4) *Martin Matthias* König und *Christoph Ludwig* K., Kaufleute in Breslau: wurden vom Kaiser im Jahre 1710 in den böhmischen Ritterstand erhoben.
5) Der König Friedrich Wilhelm I. erhob am 22. Juli 1721 den Lieutenant *Friedrich Wilhelm* König im Regiment v. Bescheyer, und seinen Bruder, *Philipp Christian* K., in den Adelstand.
6) Der Postverwalter *Anton Franz* König zu Gr. Glogau wurde im Jahre 1751? unter dem Namen König v. Königsberg in den Adelstand erhoben (M. s. v. Megerle, Oesterreichisches Adels - Lexikon S. 343).

Mehrere Offiziere dieses Namens haben sich im Befreiungskampfe das eiserne Kreuz erworben, ohne dass wir im Stande sind, anzugeben, zu welcher der betreffenden Familien sie gehören. Auch starb im Jahre 1812 Einer v. K., der in dem Regiment Lettow gestanden hatte, als Capitain in Bergischen Diensten während des Feldzuges in Russland, und ein Lieutenant v. K., im Regiment Sanitz, ist im Jahre 1807 an seinen Wunden gestorben.

Königsdorff, die Grafen von.

Der Syndikus und spätere kaiserl. Rath und Ober-Syndikus der Stadt Breslau, *Samuel Regius* Königsdorff, bekannt als Verfasser einer Lobschrift auf K. Leopold I., wurde am 17. Febr. des Jahres 1705 in den böhmischen Adelstand erhoben u. starb am 24. Aug. 1719. Aus seiner Ehe mit Susanna v. Seidel, Erbtochter auf Koberwitz bei Breslau, stammen die heutigen Grafen v. Königsdorff. Ihr Ahnherr, *Samuel* v. K., war Herr auf Koberwitz, Heydenichen und Neuen im Breslau'schen und Girlsdorf im Reichenbach'schen. Von seinen Nachkommen wurde der Kammerherr *Ludwig* v. K., Herr der Güter Ossig, Leipe, Seifersdorf, am 23. März 1788, und dessen Bruder, *Karl Ludwig* v. K., Erbherr auf Koberwitz, am 6. Juli 1798 in den preuss. Grafenstand erhoben.

In der Gegenwart ist der königl. Rittmeister d. A., Landrath des Breslauer Kreises und Johanniterritter, Graf v. K., Besitzer der Koberwitzer Güter, und sein Vetter *Felix*, Graf v. K., vermählt mit Henriette v. Pritzelwitz-Machnitzky, besitzt Lohe, Bettlern und mehrere andere Güter bei Breslau.

Ein Graf v. K. im 10. Landwehrregiment erwarb sich bei Glogau das eiserne Kreuz 2. Classe.

Das ursprüngliche v. Königsdorff'sche Wappen ist quadrirt. Im 1., und 4. rothen Felde sind zwei über Kreuz gelegte goldene Scepter, im 2. und 3. schwarzen Felde ist ein aufspringender Hirsch auf einem Hügel dargestellt. Auf dem gekrönten Helme steht zwischen zwei Adlerflügeln, von denen der vordere oben roth, unten weiss, der andere oben schwarz, unten golden ist, ein gekrönter Vogel, dessen Bauch und Kehle roth, der Rücken und Flügel aber schwarz sind. Die Helmdecken rechts silbern und roth, links golden und schwarz. Dieses Wappen giebt Siebmacher IV. S. 107. und Sinapius beschreibt es II. S. 741.

Ganz anders aber ist das der heutigen Grafen v. Königsdorff. Hier ist ein in sechs Felder zerfallendes, mit einem Herzschildlein versehenes Schild. Das 1. Feld ist mit einem roth und silbernen Schach ausgefüllt, das 2. und 3. blaue Feld sind jedes mit drei goldenen Kronen, oben einer, unten zwei, belegt; das 4. rothe Feld zeigt drei goldene Sterne, oben einen, unten zwei, das 5. goldene einen halben preuss. gekrönten Adler und das 6. blaue einen goldenen, den Bart nach oben gekehrten Schlüssel. Das Herzschildlein enthält den preuss. schwarzen Adler im silbernen Felde und ist mit einer neunperligen Krone bedeckt; eben so das Hauptschild, auf welchem drei gekrönte Helme angebracht sind. Der 1. trägt sechs Straussfedern, zwei in der Mitte und zwei auf jeder Seite, über diesen schweben die drei Kronen. Der mittlere zeigt zwei schwarze Adlerflügel, zwischen denen die drei goldenen Sterne angebracht sind; über dem 3. schwebt der preuss. Adler. Die Helmdecken roth und golden. Dieses Wappen findet man im Wappenbuche der preuss. Monarchie I. S. 61.

Königsegg, die Freiherren von.

Die bei uns ansässigen, und namentlich im Regierungsbezirke Königsberg begüterten Freiherren v. Königsegg sind, wie die Gleichheit des Wappens beweist, ein Zweig des uralten, im Jahre 1629 in den Reichsgrafenstand erhobenen Geschlechtes dieses Namens, das aus Schwaben stammt, zu den ältesten und vornehmsten Dynasten-Familien des Landes gehört und sich in die Aulendorf'sche und Rothenfels'sche Linie theilt. Das Stammschloss Königsegg liegt im Donaukreise des Königreichs Würtemberg und ist, wie die gleichnamige Herrschaft, ein Eigenthum des Hauses Aulendorf, dessen Haupt gegenwärtig *Franz* (Xavier Karl Alois Eusebius), Graf von Königsegg, Standesherr von Königsegg und Aulendorf, Herr der Herrschaften Lanzendorf in Oesterreich, Pruska und Hava in Ungarn, kaiserl. österreichischer Kämmerer, Magnat in Ungarn, geb. am 19. März 1787, verm. d. 14. Juli 1811 mit Marie, Gräfin Caroly. Aus dieser Ehe leben 8 Kinder. Die Rothenfelser Linie hat ihre früheren reichsständischen Besitzungen im Jahre 1804 an den Kaiser von Oesterreich gegen die Herrschaften Boros, Sebes, u. s. w. in Ungarn, vertauscht, diese besitzt gegenwärtig Graf *Johann* (Nepomuk Gebhard), geb. am 9. Jan. 1790, Witwer seit d. 1. Sept. 1832 von Ottilie, Gräfin Almasy, Tochter des Geheimen Raths und ungarischen Hof-Vice-Kanzlers, Grafen Almasy. — *Bernhard* v. Königseck, von der preuss. Linie, geboren 1587, ward den 1. Mai 1641 zum Oberrath und Oberburggrafen in Preussen bestellt. Er starb den 19. Juni 1653. Der Oberst *Wilhelm Fabian*, Freiherr v. Königsegg, erhielt am 12. Decbr. 1712 von Seiten des Königs von Preussen ein Anerkennungs-Diplom seines Freiherrenstandes. Das Wappen des ganzen Hauses besteht in einem goldenen Schilde, worin 10 rothe Wecken vorgestellt sind. Auf dem gekrönten Helme steigen 7 Pfauenfedern empor. Neues preuss. Wappenbuch, 2. Theil S. 45.

Eine geschichtl. Uebersicht des Hauses giebt der Goth. geneal. Kalender auf das Jahr 1834. S. 180.

Königsmarck, die Grafen von.

Dieses uralte adelige Geschlecht gehört zu denjenigen Familien, die gleich nach Vertreibung der Ureinwohner in die Marken, und namentlich in die Gegend von Brandenburg gekommen sind, während das Stammhaus gleiches Namens in der Altmark bis 1464 in den Händen der Familie war. *Johann* Königsmarck kam 1346 nach Schweden; er führte dem Prinzen, nachmaligen König Erich XII, seine verlobte Braut, Beatrix, eine markgräfl. brandenburgische Prinzessin, zu und machte sich zugleich dort ansässig. Seine Nachkommen sind daselbst zu hohen Ehrenstellen und grossem Ansehen gelangt und wurden auch in den Grafenstand erhoben. — *Otto* v. K. wurde 1494 Bischof zu Havelberg. Er gab in demselben Jahre der Stadt Wittstock ihre Privilegien und 1496 confirmirte er die Stiftung der Nicolaikirche zu Neu-Ruppin. — *Andreas* v. K. wird im Comitat des Bischofs zu Costnitz 1530 als dessen Hofmarschall auf dem Reichstage zu Augsburg genannt. — *Adam* v. K. war 1619 Domdechant zu Brandenburg. — Von der schwedischen gräfl. Linie haben sich besonders ausgezeichnet:

Johann Christian v. K., Graf zu Westerwyk und Stegholm, königl. schwedischer Reichsrath, Generalfeldmarschall und Gouverneur der Herzogthümer Bremen und Verden, der einer der berühmtesten Feldherren Gustav Adolphs im dreissigjährigen Kriege war und zu Stockholm am 20. Februar 1663 an der Operation eines Hühnerauges starb, nachdem er in vierzig Schlachten und Belagerungen den Gefahren entgangen war. Er soll eine jährliche Rente von 130,000 Thlrn. hinterlassen haben, und war mit Maria Agathe v. Lest aus Brandenburg vermählt. Von seinen Söhnen starb

Conrad Christoph, Graf zu Westerwyk, als schwedischer Reichsfeldzeugmeister und Generallieutenant der holländischen Truppen; ein nicht minder berühmter Kriegsheld, 1673 bei der Belagerung von Bonn, und

Otto Wilhelm v. K., Graf von Westerwyk und Stegholm, Herr in Rothenburg und Neuhaus, geb. am 5. Januar 1639 zu Minden in Westphalen. Er ward 1674 französischer Maréchal de camp, erhielt in der Schlacht bei Seanef zwei gefährliche Wunden und als Anerkennung seiner Verdienste vom König Ludwig XIV. von Frankreich einen kostbaren Degen. Sodann wurde er schwedischer General-Feldmarschall-Lieutenant, erhielt 1676 das Commando über die schwedische Armee, 1679 aber das Gouvernement von Pommern, Rügen und Wismar. Im Jahre 1685 übertrug ihm die Republik Venedig den Oberbefehl über ihre Landarmee; er starb auf Morea am 15. Septbr. 1688. Seine Gemahlin, Katharine Charlotte, war eine Schwestertochter des Königs Gustav Adolph und Schwester Königs Karl X.

Die beiden letzten weiblichen Zweige der schwedischen gräflichen Linie waren:

Die durch ihre Schönheit, wie durch ihre Schicksale weltbekannte *Aurora*, Gräfin v. K., früher in Dresden und zuletzt Oberin im Stifte Quedlinburg, wo noch heute ihr einbalsamirter Leichnam gefunden wird. (In neuester Zeit ist ihr Schicksal durch eine Biographie v. Cramer wieder ins Andenken gerufen worden; sie war auch Besitzerin von Wilksen bei Oels), — und ihre Schwester, die Gräfin Löwenhaupt.

Von der brandenburgischen Linie starb *Hans Christoph* v. K. am 8. Octbr. 1779 als königl. preuss. Generalmajor, Commandeur des Regiments Forcade, Ritter des Ordens pour le mérite, Amtshauptmann zu Pr. Eylau und Erbherr auf Kötzlin, Radan, Vöhlin, Bendelin, Netzband, u. s. w. Er war 1701 geboren, ward 1749 Oberstlieutenant, 1751 Commandeur des Regiments Forcade, 1753 Oberst, 1757 Generalmajor und erhielt 1759 seine Dienstentlassung. Er war zweimal vermählt, erstlich mit Sophie Albertine; Tochter des Generallieutenants v. Hack, und nach deren Tode mit Dorothea Charlotte Aemilia, einer Tochter des Generalmajors v. Saldern.

Die Familie besitzt das Erbhofmeisteramt in der Kurmark, namentlich ist gegenwärtig Se. Excellenz, Graf *Hans Ferdinand* v. K., auf Netzband und Steffin, das Haupt der Familie (1817 in den Grafenstand erhoben), im Besitze gedachter Erbwürde. Sein ältester Sohn,

Graf *Hans Albert* v. K., ist ausserordentlicher Gesandter und bevoll-
mächtigter Minister in Constantinopel. Ein jüngerer Sohn ist als Pr.
Lieutenant dem Regiment Garde du Corps aggregirt und Adjutant des
Prinzen Wilhelm, königl. Hoheit (Sohn Sr. Majestät). Die Gräfin
Emmy v. K. befindet sich als Stiftsdame im Stifte zum heiligen Grabe
in der Ostpriegnitz.

Das ursprüngliche v. Königsmarck'sche Wappen zeigt ein dreimal
roth und silbern quergespitztes, das rothe die Spitzen zur Rechten
kehrendes Schild, und auf dem Helme ein gekröntes, rothgekleidetes
Fräulein, mit fliegenden Haaren, in der Rechten ein Kleeblatt, nach
Andern einen Pokal, von sich haltend und die Linke auf die über
dem Helme stehende Krone legend.

Das Wappen der Grafen v. K. ist dem der schwedischen Grafen
v. K. ganz gleich. Es ist quadrirt und mit einem Herzschilde versehen. Im 1. blauen Felde ist ein Löwe im linken Profil, einen mit
dem Barte nach oben gerichteten Schlüssel von sich haltend, im 2.
goldenen Felde ein geharnischter Reiter, eine Lanze in der Rechten
haltend, dargestellt. Im 3. silbernen Felde ist eine rechts schräg gehende Brücke, auf der ein gemauerter Thurm steht, und im 4. blauen
Felde ein Löwe im rechten Profil, ein Passionskreuz von sich haltend,
abgebildet. Das Herzschild besteht aus dem ursprünglichen Wappen
der v. K. Das Hauptschild ist mit drei Helmen bedeckt. Auf dem
mittelsten steht das Fräulein, hier einen Rosenzweig mit drei Rosen
von sich haltend und mit bis an die Schulter herabhängenden Haaren.
Aus dem rechten wächst der den Schlüssel von sich haltende Löwe,
und auf dem linken ist ein wachsender geharnischter Mann, in der
Rechten ein rothes Fähnlein, in der Linken ein Passionskreuz von
sich haltend, dargestellt.

Näheres über diese Familie findet man in v. Krohne II. S. 197
—208. Angeli Annal. S. 39. Gauhe I. S. 793. u. f., II. S. 551—71.
und S. 1612—14, auch Anh. S. 1612—14. A. I. Torquati, Aeter-
natura gloria magni Christoph. Koenigsmarck. etc.

Könitz (Kenitz), die Freiherren und Herren von.

Thüringen, Franken und Baiern ist das Vaterland des uralten
v. Könitz'schen Geschlechtes, das seit langen Zeiten auch die freiherrliche Würde führt. Die v. K. kommen zuerst im Coburg'schen
und an der obern Saale vor, wo namentlich Eyba bei Saalfeld, als
eines ihrer ältesten Stammhäuser erscheint, während andere Unter-
Siemen, ebenfalls im Coburg'schen gelegen, für die älteste Besitzung
der Familie erklären. Im Schwarzburg'schen liegt das Dorf Könitz,
welches ebenfalls als ein Stammhaus der v. K. betrachtet, nach Andern aber jünger, als die Familie selbst, und von dieser erst erbaut
worden ist. Uebrigens sind ausser Eyba, Ober- und Unter-Siemen
(Siemau), auch Arnsgereuth, Buck, Caulsdorf, Knobelsdorf, Lichten-
tanne, Volkmannsdorf, Weissenbrunn, Zornitz, u. s. w. alte Güter
der Freiherren und Herren v. K. Wenn man durch sichere Nachrichten auch weiss, dass schon im 11. Jahrhundert das Geschlecht blühte
und in Ansehen stand, auch schon damals Siemen besass und schon
ein *Albert* de Konitz um das Jahr 1125 vorkommt (m. s. Schultes's
Saalfeld-Coburg'sche Landesgeschichte), so beginnt doch die eigentliche Stammreihe erst mit *Hartmann* v. K. auf Eyba, geboren am 8.
August 1179, gestorben im Jahre 1267. Er war mit Katharina von
und zum Staffelstein vermählt. Wir finden seine Nachkommen, die
sich auch in vielen andern Staaten, in- und ausserhalb Deutschland,

Oesterreich und in Schweden verbreiteten, gewöhnlich mit Nummern bezeichnet. Uebrigens hat sich auch ein Ast dieses alten Stammes schon vor langen Zeiten in der Grafschaft Mansfeld ansässig gemacht, wo er sich wieder in die Linien K -Schraplau, K.-Arnstadt und K.- Friedeberg theilte. Die Schraplau'sche Linie kam durch Vermählung in Blutsverwandtschaft, indem eine Tochter aus diesem Hause die Gemahlin des Grafen Jost zu Mansfeld wurde; mit einem Enkel derselben, Johann Georg Grafen v. Mansfeld, erlosch im Jahre 1709 die Eisleben'sche Linie dieses gräflichen Hauses. — Von der Arnstädt- schen Linie war Jobst Heinrich v. K. um das Jahr 1680 Burggraf zu Mansfeld und Herr zu Arnstädt. Noch in der Gegenwart lebt ein Zweig dieser altadeligen Familie zu Wehra bei Tennstädt. — Von dieser mansfeld'schen Linie haben mehrere Glieder in preuss. Diensten gestanden, die wir weiter unten näher erwähnen werden. — Eines der oben angeführten ältesten Stammhäuser der Familie, Unter-Sieman mit Weissenbrunn am Forst, und Birkach am Forst, ist noch gegenwärtig in den Händen der Familie. Namentlich besass diese Güter noch in neuester Zeit, und zwar bis an seinen am 14. Januar 1832 erfolgten Tod, Christian Ferdinand, Freiherr v. K., geb. am 17. März 1756, herzogl. sachsen-meiningischer Staatsminister und Geheimer Raths-Präsident, Grosskreuz des königl. sächsischen Civilverdienstordens, des kurhessischen Löwenordens und des grossherzogl. sächsischen Falkenordens zu Meiningen. Der Verstorbene war als thätiger und umsichtiger Staatsmann, aber nicht minder auch wegen seiner Rechtschaffenheit und seines Biedersinnes geachtet. Er war mit Henriette, Freiin v. Spessart zu Mupperg, bei Coburg, vermählt. Seine sonst glückliche 55jährige Ehe ist jedoch ohne Kinder geblieben. — Im Oesterreichischen ist ebenfalls ein Zweig ansässig gewesen. — Karl Heinrich v. K. hatte eine Tochter des Feldmarschalls, Grafen Guido v. Stahremberg, zur Gemahlin. Er starb im Jahre 1727 als kaiserl. Oberst zu Wien. — Balthasar v. K. gelangte im Jahre 1737 zur Würde eines kaiserl. österreichischen General-Feldmarschall-Lieutenants. Er vertheidigte die Festung Oderberg gegen die Schweden. — In preuss. Diensten sind bekannt geworden:

Heinrich Gottlieb v. K., ein Sohn des Heinrich Johann v. K., Erbherrn auf Friedeberg, stand 1740 im Regiment v. Wedel, erhielt 1774 als Major den Orden pour le mérite, ward 1775 Oberstlieutenant, 1780 gab ihm Friedrich II. das Mülben'sche Garnisonregiment, und ernannte ihn 1781 zum Obersten. Im Jahre 1786 erhielt er das Billerbeck'sche Regiment, aber noch in demselben Jahre als Generalmajor seinen Abschied.

Christian Ludwig v. Kenitz, geboren in der Uckermark, fing seine militairische Laufbahn im Regiment von Bevern an und avancirte 1762 zum Major, erhielt auch in demselben Jahre das Commando eines Grenadierbataillons, ward 1772 Oberstlieutenant, 1776 Oberst, 1784 Generalmajor, nachdem er ein Jahr vorher Chef des Möllendorf'schen Füsilierregiments geworden war und den Orden pour le mérite erhalten hatte. Friedrich Wilhelm II. ernannte ihn im Jahre 1790 zum Generallieutenant. Er nahm im Jahre 1793 in dieser Würde mit Pension den Abschied, sein Regiment erhielt der General v. Crousaz, und es hiess zuletzt v. Zastrow. Wir erinnern jedoch hier daran, dass wir ihn überall v. Kenitz und nicht v. Könitz geschrieben finden. — Eben so geschrieben finden wir einen v. Kenitz, der im Jahre 1806 Polizei-Inspector zu Hirschberg war. Im Jahre 1806 stand ein Major v. Könitz in dem Regiment v. Renouard zu Halle, der im Jahre 1823 pensionirt gestorben ist. — Ein anderer Major v. K. stand im Jahre 1806 bei dem Regiment v. Gettkandt-Husaren und ist im Jahre 1820 pensionirt verstorben. Beide waren aus Sachsen, der Erstere hatte sich im Jahre 1793 vor Mainz den Orden pour le mérite erworben.

Die v. Könitz führen im silbernen Schilde zwei neben einander aufrecht gestellte rothe Wecken und auf dem adeligen Turnierhelme ruht ein roth und silbern gekleideter wachsender Mann ohne Arme, dessen Haupt mit einer flatternden, roth und silbernen Binde umwunden ist. — Ein anderer vor uns liegender Abdruck zeigt im Schilde eine wachsende, zur Rechten roth, zur Linken silbern gekleidete Weibsperson, die statt der Arme nur ein Paar Stümpfe hat. Das Kleid derselben ist mit den zwei rothen zusammenhängenden Könitz'schen Wecken belegt; um den Kopf trägt sie eine Binde, die aus einem rothen und silbernen flatternden Bande besteht. Auf dem gekrönten Helme ist ein sitzender rother Windhund mit goldenem Halsbande vorgestellt. M, s. König, III. S. 573—81. Gauhe, I. S. 795. Gruner, Beschreib. von Coburg, I. S. 92.

Köpff, Herr von.

Im preussischen Staatsdienste steht *Christian Friedrich* v. Köpff, Consul zu Venedig.

Köppern, die Herren von.

Die heute noch in Pommern begüterte altadelige Familie v. Köppern gehört theils dieser Provinz, theils Westphalen an; auch haben sich Zweige in Dänemark einheimisch gemacht. In Mecklenburg ist ein Ast derselben erloschen. Das pommersche Geschlecht blühte schon im Jahre 1420, es besass und besitzt noch ansehnliche Güter. v. Gundling führt die von Köppern als Eigenthümer von Radebuhr (Rathebur), Schmuggerow; Tutow, Wittenwerder, Rossin u. s. w. (sämmtlich Güter, die im Kreise Anklam liegen) an. Die heutigen Besitzer dieser Güter sind die Nachkommen *Philipp Gustav's* v. Köppern, dessen ältester Sohn der Hauptmann *Hans Heinrich Ludwig* von Köppern das Gut Rathebur durch einen am 6. Juli 1750 geschlossenen Vergleich mit seinem Bruder *Curt Gustav* v. Köppern erhielt. Er erbaute mit Hülfe königl. Gnadengelder im Jahre 1776 das Vorwerk Marienthal. Der jüngere Bruder, *Curt Gustav* v. Köppern, erhielt Schmuggerow mit dem Vorwerke Kiewitzdamm, er ist aber kinderlos gestorben, und *Hans Heinrich Ludwig*, königl. Hauptmann, wurde nun Erbe beider Güter. Er hatte zwei Söhne, *Adolph Friedrich Wilhelm* und *Hans Anton Karl*, beide dienten in der Armee. Ein Vetter, *Curt Wilhelm* v. Köppern, war 1770 Herr auf Rossin und Charlottenhof. — Ein anderer Vetter, *Melchior* v. Köppern, Herr auf Bärenkamp bei Wesel, war auf sämmtliche Güter mit belehnt. In Dänemark lebten mehrere Lehnsvettern, namentlich *Otto Friedrich Adolph*, dänischer Oberst der Cavallerie, *Hans Maximilian*, Hauptmann u. s. w. — *Ulrike Luise* v. Köppern, verwittwete v. Wallenberg, besitzt gegenwärtig die Güter Ober- und Nieder-Krehlau bei Wohlau in Schlesien.

Die von Köppern führen im rothen Schilde drei aus grünen Rosen wachsende junge Eichen, von welchen eine jede ein Blatt hat, auf dem Helme ist eine abgeköpfte Eiche, aus welcher auf jeder Seite drei Zweige, jeder mit einem Blatte sprossen. Helm und Decken sind roth und golden.

Köthen, die Herren von.

In Sachsen, namentlich im Saalkreise, in Pommern und in der Neumark ist diese Familie ansässig und begütert gewesen. Schon 1170 kommt ein *Thidericus* de Kothinge als Zeuge in einer zu Halle ausgestellten Urkunde vor, und 1440 verkauften die Brüder *Heinrich* und *Theodor* v. K. das Gut Radewell bei Halle an das Moritzkloster zu Halle. — In Pommern waren sie im Pyritzscher Kreise ansässig. *Peter* v. Köthen war schon 1352 im Besitz von Libbeln. *Georg Ernst* v. K. hinterliess einen Antheil dieses Guts 1763 seinen vier Kindern, ein anderer Antheil gehörte im Jahre 1792 dem Oberstlieutenant und Commandanten von Cüstrin, *Berent Friedrich* von Köthen, er starb 1793. Zwei Töchter desselben waren 1806 Conventualinnen des Klosters Marienfliess. Die Güter sind an die v. Vormann übergegangen. — Der neumärkischen Linie gehörte der um das Jahr 1723 geborne Generalmajor v. K., an, der Chef des Infanterie-Regiments No. 48. (zuletzt Kurfürst von Hessen) und Ritter des Ordens pour le mérite war. In der Neumark gehörte dieser Familie das Gut Krampe im Arnswalder Kreise. — Im Regimente Herzog von Braunschweig stand 1806 ein v. Köthen, der 1870 als aggr. Capitain des 26. Infanterie-Regiments gestorben ist. In der Gegenwart dienen mehrere Söhne aus diesem Hause in der Armee. — Diese Familie führt im silbernen Schilde ein blaues sechseckiges Kammrad mit drei rothen Rosen, zwei oben, eine unten, und auf dem Helme einen geharnischten Arm, der einen Zweig mit drei Rosen hält. M. s. Brüggemann, 11s Hauptstück, und Elzow a. a. O.

Kötteritz, die Herren von.

Mehrere Autoren (wie v. Hattstein) nennen sie von Kötterich. Sie werden zum thüringischen und überhaupt zum sächsischen Adel gezählt. In Pommern ist eine Linie, die das Gut Wolkau besass, schon vor langen Jahren erloschen, und in den Marken waren sie Afterlehnsleute der Kickstädts. Die ordentliche Stammreihe der v. Kötteritz beginnt mit *Sebastian* v. K., Amtshauptmann zu Bitterfeld, er war 1530 unter den Rittern, die zu Augsburg die Confession überreichten. Seine vier, mit einer von Spiegel-Gronau erzeugten Söhne, *Wolfgang, Christian, Sebastian* und *Johannes*, haben das Geschlecht fortgepflanzt. *Sebastian* wurde Hofmeister des Grafen Ludwig v. Eberstein zu Naugart, und Stifter der Linie in Pommern, die durch seine Söhne *Christian* und *Sebastian*, Herren auf Wolkau, weiter blühte, während er selbst Kanzler zu Weimar wurde und 1557 zu Magdeburg starb. Ein dritter Sohn, *Christoph*, blieb in der Schlacht bei Sievershausen. In Sachsen erwarben die v. K. die Güter Sitten, Beicha, Kroptewitz u. s. w. Aus dieser Linie gelangte *Wolf Siegfried* v. K. zu den Würden eines königl. polnischen und kursächs. Geheimen Raths, Vicekanzlers und Appellations-Präsidenten, auch war derselbe Dompropst zu Merseburg. In preussischen Diensten stand ein Hauptmann v. Kötteritz, früher im Regimente v. Puttkammer zu Brandenburg, einer seiner Söhne war Lieutenant in der Garde-Artillerie, ein anderer ist kaiserlich russischer Oberstlieutenant. Diese Familie führt ein goldenes Schild. Es ist von der obern rechten zur untern linken Seite durch eine weisse Strasse getheilt, in dieser ist ein brauner, von einem Degen von unten hinauf durchbohrter Wolf, der ein grünes Blatt zwischen den Zähnen hält, nach der rechten Seite laufend, dargestellt. Dieser Wolf zeigt sich auch auf dem gekrönten Helme, aber durchstochen von oben herab. Die Decken sind weiss und golden. Man sche Peckenstein, S. 116. v. Schönberg, I. Th. S. 363. Gauhe, I. Th. S. 802—5. v. Uechtritz, V. Th. S. 89—92. Eiler's Belziger Chronik, S. 283. König, II. Th. S. 623. Das Wappen giebt Siebmacher, I. Bd. S. 151. v. Meding beschreibt es, I. Th. S. 436.

Kolowrat, die Grafen von.

Dieses hochberühmte Geschlecht gehört seiner Abkunft, seinen Besitzungen, und seinen Aemtern und Würden nach dem österreichischen Kaiserstaate, und namentlich dem Königreiche Böhmen an, doch haben die Grafen v. Kolowrat seit langen Zeiten zu Schlesien in vielfacher Beziehung gestanden, und noch gegenwärtig sind sie im erblichen Besitze der Johanniter- oder Maltheser-Ordens-Commende Ad St. Corpus Christi zu Breslau, wozu die Dörfer Herdlain, ein Antheil Hermannsdorf, Höfchen, Huben, Neudorf, Münchwitz, Pleischwitz, Thauer und Schimmelwitz im neumarktschen Kreise gehören. Diese Commende war dem Magistrate zu Breslau wegen 30,000 Thlr. schlesisch verpfändet, doch bewirkte *Ferdinand Ludwig* Liebsteinsky, Graf v. K., Grossprior des Maltheserordens im Königreiche Böhmen, im Jahre 1692 die Einlösung, wodurch er in den Besitz der Commende, mit dem erblichen Rechte für seine Familie, gelangte, so dass, so lange in derselben ein befähigter Maltheserritter vorhanden ist, dieser vor allen andern Rittern in die genannte Commende succediren soll, welche Successionsrechte König Friedrich II. unter dem 17. Juni 1752 landesherrlich bestätigte. Ausserdem haben mehrere Grafen v. K. ansehnliche Güter und Herrschaften in Schlesien, namentlich die später gräfl. Schaffgottsche, und jetzt gräflich Zedlitz-Trützschlersche Herrschaft Poinsdorf bei Neisse, besessen. Endlich waren auch mehrere Grafen v. K. Landvoigte in der Oberlausitz. Das Stammschloss der Herren v. K. soll im Herzogthume Krayn, 5 Meilen von Laibach, gelegen haben. Von hier aus haben sie sich nach Oesterreich und später nach Böhmen gewendet. Hier verbreiteten sie sich in vielen Linien, die sich zum Theil nach ihren Schlössern Kolowrat-Maschtiovsky, Libsteinsky, Novohradsky (im saatzer Kreise), und Bezdruzinsky (im pilsner Kreise), Krakowsky (im rakonitzer Kreise) schrieben, von denselben aber blühen in der Gegenwart nur noch die Linien Liebsteinsky und Krakowsky, nachdem zuerst die Maschtiovskysche, sodann die Bezdruzinskysche und zuletzt die Novohradskysche erloschen sind. Im saatzer Kreise wird das Schloss Roczow, und in dem kaurzimer Kreise das Schloss und Städtchen Kolowrat als ein alter Stammsitz des Hauses betrachtet. Durch die Erbauung einer prachtvollen Kirche in Prag, durch die Gründung vielfacher Stiftungen, und durch die lange Reihe von Staatsmännern, Feldherren, Oberburggrafen von Böhmen, Erzbischöfen und Bischöfen, die aus ihr hervorgegangen sind, gehört diese Familie zu den wichtigsten und vornehmsten Geschlechtern in Deutschland. Der Ahnherr derselben soll den Namen Kolowrat erhalten haben, weil er einst in die Speichen eines Wagens griff, in dem der König sass und der von den wild gewordenen Pferden fortgerissen wurde. Daher der Name Kolowrat, welches auf slavonisch so viel als: „das zurückgehaltene Rad" bedeutet. Dieses Rad ist auch, wie wir weiter unten sehen werden, bis auf die heutigen Zeiten als Wappenbild beibehalten worden. — Aus der Linie K.-Liebsteinsky haben sich folgende Mitglieder besonders bekannt gemacht:

Herrmann v. Liebsteinsky, der Stifter der Linie, war auch des Königs Johann in Böhmen Gesandter und Geheimer Rath, und wurde 1338 Bischof zu Ermeland in Preussen. Er starb 1350.

Kolowrat. 147

Albert v. Liebsteinsky, Freiherr v. Kolowrat, Oberkanzler des Königreichs Böhmen, half 1504 die Streitigkeiten der schlesischen Fürsten und Stände mit dem Domcapitel zu Breslau beilegen, daher dieser Vergleich auch der Kolowratsche heisst. Er starb im Jahre 1510.
Ferdinand Ludwig Liebsteinsky, Reichsgraf v. Kolowrat, Erbherr auf Borohradek, kaiserl. Kämmerer und wirklicher Geheimer Rath, Grossprior des Maltheserordens in Böhmen und Statthalter dieses Königreichs, war vorher General der Armada seines Ordens gewesen, und starb im Jahre 1701. (M. s. oben.)
Johann Wilhelm L., ein Bruder des Vorigen, wurde 1667 zum Erzbischof von Prag erwählt, jedoch starb er schon 1668.
Franz Karl, Reichsgraf v. K., Herr der Herrschaften Reichenau, Chraustowitz, Chernickowitz und Lesch, war bis zum Jahre 1668 des Königreichs Böhmen Ober-Appellations-Präsident, trug 1660 als Gesandter viel zum Abschluss des Friedens zu Oliva bei, und starb im Jahre 1700 als kaiserl. wirklicher Geheimer Rath, Kämmerer, Landeshauptmann des Markgrafthums Mähren und Ritter des goldenen Vliesses.
Vincenz, Graf K.-L., starb als Feldzeugmeister, commandirender General im Königreiche Böhmen. Er war auch Grosskreuz und bevollmächtigter Minister des souverainen Johanniterordens am k. k. Hofe, Receptor des böhmischen Priorats und Comthur zu Breslau, Brünn, Krolowetz, Fürstenfeld und Mölling.

Aus der Linie Krakowsky v. K.

Albert Wilhelm, Reichsgraf Kr. v. Kol., starb 1650 als Oberstburggraf des Königreichs Böhmen.
Sein Sohn, *Johann Franz* Kr., Reichsgraf v. Kol., Herr auf Kuffen, Blatna, Schichowitz und Bilenitz, kaiserl. wirklicher Geheimer Rath und Beisitzer des grössern Landrechts in Böhmen, erwarb die genannte Herrschaft Pomsdorf in Schlesien.
Maximilian Norbert starb 1690 als Oberstlandkämmerer von Böhmen.
Emanuel Norbert, Kr. v. Kol., war zu Anfange des vorigen Jahrhunderts Comthur der Malteser-Ordens-Commende ad St. Corpus Christi zu Breslau.

Nowohradsky v. K.

Johann I. Nowohradsky v. Kol. war unter dem Kaiser Ferdinand I. Burggraf zu Karlstein und Kronhüter der böhmischen Krone.
Johann II. Now. v. Kol. war Kaiser Rudolphs II. Mundschenk.
Franz Zdenko Now., Reichsgraf v. Kol., Herr auf Koschadek, Mayerhöfen, Münchsfeld, Pfrauenberg, starb als kaiserl. wirklicher Geheimer Rath und königl. Statthalter in Böhmen.
Karl, Graf v. Krakowsky K., starb im Jahre 1815 als General-Feldmarschall und commandirender General in Böhmen.
Gegenwärtig besteht die gräfliche Familie v. Kolowrat aus folgenden Mitgliedern:

Kolowrat-Liebsteinsky.

Graf *Franz Anton*, geb. den 31. Januar 1778, k. k. Kämmerer, Geheimer Rath, Staats- und Conferenzminister, Herr der Herrschaften Reichenau, Pfrauenberg, Czernikowitz, Borohradek, Grossmeyerhöfen, Koschateck, Horatitz und Schitzellitz, vermählt seit dem 8. Juni 1801 mit Rosa, Gräfin Kinsky, geb. den 23. Mai 1780, Sternkreuz-Dame und D. d. P., Frau der Herrschaft Miecholub.

10 *

Schwester:

Marie Katharine, geb. den 8. Septbr. 1772, D. d. P., vermählt den 8. Septbr. 1789 mit dem Grafen Franz Bubna, k. k. Kämmerer, Wittwe; wieder vermählt mit dem Vicomte von Cajec.

Kolowrat - Krakowsky.

A. Graf *Johann Karl Nepomuk* Kolowrat-Krakowsky, Freiherr auf Ugezd, geb. den 12. Septbr. 1795, k. k. wirklicher Kämmerer, Herr der Herrschaften Hradischt und Brzcznitz, Merklin, Ptenin und Cerckwitz in Böhmen.

Schwester:

Antonie Josephe Ernestine, Gräfin Kolowrat-Krakowsky, geb. den 8. Mai 1805.

Vaters-Schwestern:

1) *Marie Therese*, geb. den 28. Octbr. 1756, Wittwe seit dem 24. Juli 1800, von dem Grafen Karl Joseph Hadick, k. k. Kämmerer und Feldmarschall-Lieutenant.
2) *Marie Antonie*, geb. den 21. März 1763, Wittwe seit dem 29. März 1802 von dem Grafen Rudolph Palffy, k. k. Kämmerer.

B. Graf *Philipp Franz*, geb. den 17. April 1756, k. k. Kämmerer und Unterkämmerer der königl. Leibgedingstädte in Böhmen, Herr auf Radienin und Hroby in Böhmen, Wittwer seit dem 21. Mai 1819 von Therese Dunkel.

Kinder:

1) *Philipp*, geb. den 17. April 1786, vermählt seit dem 15. Octbr. 1810 mit Francisca Herzig von Herzfeld, geb. 1788.

Söhne:

a) *Philipp*, geb. den 11. Septbr. 1811, k. k. Lieutenant bei Kaiser Kürassier No. 1.
b) *Ernst*, geb. den 26. Decbr. 1812.

2) *Amalie*, geb. den 21. Decbr. 1791, vermählt seit dem 26. Mai 1811 mit Joseph Herzig von Herzfeld.
3) *Wilhelmine*, geb. den 31. Mai 1794, vermählt seit dem 7. Septbr. 1813 mit dem Ritter Gottfried von Böhm.
4) *Julie*, geb. den 10. März 1798, vermählt seit dem 17. Septbr. 1814 mit dem Ritter Franz von Böhm, Oberstlieutenant i. d. A.
5) *Ludwig*, geb. den 30. Octbr. 1799.
6) *Heinrich*, geb. den 28. Septbr. 1801, k. k. Unterkammer-Amts-Concipist, vermählt seit dem 4. Januar 1828 mit Katharina Kleinberg.
7) *Josephe*, geb. den 15. August 1805, vermählt seit dem 19. April 1830 mit dem Freiherrn Johann Georg Stronsky v. Butzow.

Geschwister:

1) *Marie Therese*, geb. den 23. Juni 1770, D. d. P., vermählt 1) den 17. Septbr. 1792 mit dem Grafen Leopold Podstatzky-Liechtenstein, k. k. Kämmerer (gestorben den 1. Octbr. 1813), und 2) 1815 mit dem Grafen Karl Hardegg, k. k. Kämmerer und Major.
2) *Franz Xaver*, geb. den 10. October 1783, k. k. Kämmerer und Oberstlieutenant, vermählt seit dem 24. April 1804 mit Juliane, Gräfin Wildenstein zu Wildbach, geb. den 8. Decbr. 1786, Sternkreuzdame und D. d. P.

K i n d e r :

a) *Leopold*, geb den 11. Decbr. 1804, k. k. Kämmerer und Ritt-
    meister bei Hardegg Kürassier No. 7, Herr auf Budgau in
    Mähren.
b) *Theodor*, geb. den 29. Mai 1806, k. k. Kämmerer und Rittmeister
    bei Prinz Friedrich von Sachsen-Kürassier No. 3, vermählt seit
    dem 9. Februar 1833 mit Marie Luise, Gräfin Nitzky, geb. den
    25. Octbr. 1811, Sternkreuzdame.
c) *Ferdinand*, geb. den 6. Septbr. 1807, k. k. Kämmerer und Ritt-
    meister i. d. A.
d) *Xaverine*, geb. den 11. Novbr. 1810.
e) *Leontine*, geb. den 11. Juni 1812.
f) *Valerie*, geb. den 23. April 1821.
g) *Juliane*, geb. den 26. Septbr. 1823.
h) *Marie*, geb. den 22. Januar 1825.

C. Graf *Joseph Ernst*, geb. den 18. Novbr. 1795, k. k. Kämmerer, Herr der Herrschaften Teinitzl, Bieschin, Srbitz und Strcesmierz
in Böhmen, vermählt seit dem 16. August 1834 mit Ernestine Francisca, Freiin Schirndinger v. Schirnding, geb. den 12. Mai 1804.

G e s c h w i s t e r :

1) *Marie Anne Sophie*, geb. den 24. März 1797, vermählt seit dem
    1. Juli 1818 mit dem Ritter Joseph v. Böhm, k. k. Generalma-
    jor und Brigadier zu Wien.
2) *Karl Ludwig*, geb. den 27. Mai 1800, k. k. Oberlieutenant in der
    Armee.
3) *Maximilian Ernst*, geb. den 2. Mai 1801.
4) *Franz Xaver*, geb. den 6. Juni 1803, k. k. Kämmerer, Rittmei-
    ster bei Coburg-Uhlanen No. 1., Herr auf Miecholub in Böhmen.
5) *Marie Luise*, geb. den 22. Novbr. 1804, k. k. Stiftsdame zu Prag.
6) *Johanne Rosine*, geb. den 11. Mai 1805.
7) *Marie Therese*, geb. den 10. Septbr. 1808, vermählt seit dem 16.
    October 1832 mit dem Grafen Franz Xaver v. Meraviglia-Cri-
    velli, k. k. Rittmeister.
8) *Thecla Ottilie*, geb. den 5. Decbr. 1813.
9) *Johann Karl Nepomuk*, geb. den 21. März 1814, k. k. Lieutenant
    bei Ign. Hardegg Kürassier No. 8.

M u t t e r :

Gräfin *Maria Johanna Nepomucena*, geb. Freiin Helversen von
Helversheim, geb. den 8. November 1776, Wittwe des Grafen Joseph
Ernst (geb. den 11. Octbr. 1774, gestorben den 23. Decbr. 1830).

Das ursprüngliche Wappen der alten Ritter Kolowrat war ein acht-
speichiges Wagenrad im rothen Schilde, dasselbe wiederholte sich auf
dem Helme zwischen Pfauenfedern. Der König Casimir von Polen
fügte dem Wappenbilde einen weissen Adler im rothen Felde zu. Auf der
Brust des Adlers ist eine Binde, welche wie ein Halbmond aussieht, und
an deren Enden eine Lilie angebracht ist. Eine neue Vermehrung fand
durch Kaiser Karl IV. statt, welcher dem Adler mit einer königlichen
Krone um den Hals verzierte. Kaiser Ferdinand II. aber fügte das
erzherzogl. österreichische Wappen auf der Brust des zweiköpfigen
Adlers hinzu; diesen führen die Grafen v. K. im Wappenschilde, und
auf dem gekrönten Helme zwei an einander gelehnte Flügel, darin
auf der beschriebenen Binde das österreichische Wappen. Einige führen auch nur den einfachen gekrönten Adler mit der Binde auf der
Brust. Auf dem gekrönten Helme sind zwei ausgebreitete Flügel mit

150 Kommerstädt — Keppi.

der Binde, und über demselben ein Schildlein mit dem goldenen Buchstaben F. und mit der kaiserl. Krone bedeckt. Sinapius beschreibt dieses Wappen, II. S. 124. Auch giebt derselbe Nachricht über die Familie v. K., S. 123 — 28. Gauhe, I. S. 809 — 11. Wissgrill, V. S. 202 — 20. Allgemeines genealogisches Handbuch, I. S. 628 — 33.

Kommerstädt, die Herren von.

Die von Kommerstädt, namentlich die Brüder *Johann Niklas* und *Hans* v. K., erhielten ihren Adel am 30. April 1538 vom Kaiser Ferdinand I. Kursachsen ist das Vaterland dieser Familie. Ihr gehört der Erzpriester, Kreisschulinspector und Pfarrer zu Schwiebus von Kommerstädt an. Im Jahre 1806 stand bei der südpreuss. Regierung zu Warschau ein v. K. als Rath. — Das Wappen dieses adeligen Geschlechtes, welches Siebmacher unter der Bezeichnung von Commerstadt, 1. Bd. S. 162, giebt, zeigt in einem zwölfmal golden und roth geränderten, rothen Schilde ein goldenes, nach der rechten Seite aufspringendes Einhorn mit rothem Halsbande und aufgeworfenem Schweife. Dieses steht verkürzt auf dem Helme. Decken und Laubwerk sind golden und roth. v. Meding beschreibt dieses Wappen, 1. Th. N. 430. König giebt III. Th. S. 191, und Gauhe, I. Th. S. 812 und Anhang 1617 u. s. f. Nachrichten über diese Familie.

Konarski, die Herren von.

In Preussen, Polen und Gallizien sind verschiedene adelige Familien dieses Namens. Eine war auch in der Gegend von Crossen ansüssig, wo sie das Gut Cunersdorf besass. In Galizien haben im Jahre 1783 die Brüder *Ludwig* und *Adam* v. Konarski den Freiherrnstand, und einige Monate später die Grafenwürde auf ihre Linie gebracht. — Im Jahre 1806 war *Joseph* v. Konarski Dechant und Propst zu Gräz. — Bei den Towarzys und zwar in der Garnison Lomza, stand ein Major von Konarski, der aus Neu-Ostpreussen gebürtig war und im Jahre 1824 als pensionirter Stabsoffizier gestorben ist. — In dem Füsilierbataillon von Rambow, der 1. ostpreussischen Brigade, stand 1806 ein Lieutenant von Konarski, genannt Krüger v. Konarski; derselbe hatte sich den Militair-Verdienstorden und das eiserne Kreuz erworben und stand zuletzt als Capitain im 37. Infanterie-Regimente.

Die v. Konarski führen im rothen Schilde einen silbernen, nach der rechten Seite aufspringenden Greif, und auf dem Helme drei Straussfedern (roth, weiss, roth).

Koop, Herr von.

Der König Friedrich Wilhelm II. erhob am 11. Nov. 1786 den Lieutenant *Christian Philipp* Koop in den Adelstand.

Koppi, die Freiherren und Herren von.

Ein vor langen Zeiten aus Ungarn nach Sachsen gekommenes altadeliges Geschlecht, das bald Koppi und Koppy, auch Coppy und Kopy geschrieben wird, ursprünglich aber in Ungarn Koppya geheis-

156

sen hat, und noch gegenwärtig einen Koppay oder Fahnenspiess im
Wappen führt. Ein Zweig dieser Familie hat sich in Schlesien niedergelassen, wo ein Freiherr von Koppy die Güter Krayn und Järsch-
heyde, Ober-Eckel bei Grottkau besitzt. In Krayn unterhielt der
Freiherr v. K. mehrere Jahre hindurch eine grosse Runkelrübenzucker-
fabrik, und der Anbau der schönen weissen Runkelrübe wurde hier
im Grossen betrieben. — Das v. Koppysche Wappen zeigt im links
ausgeschnittenen Schilde, das im Vordertheile blau, im andern Theile golden ist, drei pfahlweise neben einander stehende rothe Fahnenspiesse
(auf ungarisch Koppya oder Koppay), mit weiss und rothen Fähnlein.
Die Helmdecken sind rechts blau und silbern, links roth und blau tin-
girt. Auf dem Helme liegt eine alt königliche goldene Krone, darauf
ein auseinander geschobener Adlerflug, der linke Flügel oben silbern,
unten blau, der rechte oben blau und unten roth, zwischen ihnen steht
wieder ein Koppay mit blau und weissen Fähnlein. Nachrichten über
die Familie giebt König auf zwei Foliobogen und Estor in der Ahnenprobe, S. 401. v. Meding beschreibt das Wappen nach der Mittheilung eines gelehrten Freundes, III. Th. N. 432. Gauhe erwähnt
diese Familie, II. Th. S. 574.

Korkwitz, die Herren von.

Das altadelige Geschlecht von Korkwitz gehört der Provinz Schlesien an; es besass Arnsdorf bei Strehlen und Schmidtsdorf bei Brieg,
auch war eine Zeitlang das Burglehn Kreika und Weikwitz im Breslauischen, und das Gut Woinewitz im Nimptschen ein Eigenthum dieser Familie. — Im Jahre 1806 besass *Friedrich Wilhelm Erdmann*
v. K., königlicher Urbarien-Commissarius, das Gut Lampersdorf bei
Bernstadt (jetzt Den v. Pförtner gehörig). — Im Jahre 1806 dienten
mehrere Edelleute dieses Namens in der Armee, namentlich stand
einer im Regimente Hohenlohe, der im Jahre 1814 als Prem.-Lieu-
tenant des 14. Infanterie-Regiments an seinen erhaltenen Wunden gestorben ist. — Ein anderer stand in dem Regimente v. Schimonsky;
er war zuletzt Major im 24. Infanterie-Regimente, und ist gegenwärtig Oberstlieutenant a. D. und Ritter des eisernen Kreuzes (erworben
in den Gefechten vom 19. bis zum 21. August des Jahres 1813). —
Auch war *Christian Wilhelm* v. K. im Jahre 1806 Polizei-Bürgermei-
ster zu Leobschütz.

Siebmacher giebt das Wappen der v. K., I. S. 72. Sie führen
im rothen Schilde drei eisenfarbene Löffel mit hölzernen Griffen, und
auf dem Helme zwei roth und weiss abgetheilte Hörner. Die Helmdecken sind roth und weiss. M. s. Gauhe, II. S. 576. Sinapius, I.
S. 527. II. S. 712.

Kornatzki, die Herren von.

Aus dieser adeligen polnischen und preussischen Familie ist *Ferdinand* v. Kornatzki, Major im 3. Infanterie-Regimente und Ritter
des eisernen Kreuzes (erworben vor Glogau), er stand vor 1806 im
Regimente von Kaufberg in Danzig. — *Christian* v. Kornatzki stand
1806 im Regimente v. Wedel zu Bielefeld und zuletzt als Capitain im
12. schlesischen Landwehr-Infanterie-Regiment. Im Jahre 1819 war
er als Ober-Grenzaufseher zu Landsberg in Ober-Schlesien angestellt. Ein Sohn des Majors steht als Lieutenant im 3. Infanterie-Regimente.

Kornitz (Guretzky Kornitz), die Grafen, Freiherren und Herren von.

Ein altadeliges schlesisches Geschlecht, das bald von Guretzki und Cornitz, bald Goretzki und Kornitz, bald Guretzky von Cornitz geschrieben gefunden wird. Nach allen ältern Schriftstellern und nach jetzt noch vorhandenen Handschriften haben sie einen gleichen Stammvater mit den Herren Kloch von Cornitz, Porembski von Cornitz, Rymultowski von Cornitz und Sobeck von Cornitz, mit denen sie nicht nur den Beinamen von Cornitz gemein haben, sondern auch gleiche Bilder im Wappen führen. Nach Okolski (Orbis Polonus. Cracoviae. 1641. Th. I. S. 448) stammen sie von den Herzögen Russlands ab und haben sich in Schlesien und Polen sesshaft gemacht; nach Sinapius (schlesische Curiositäten, Bd. II. 656. 227) haben sie von Alters her den Grafenstand geführt, wobei eines Grabsteins zu Poruba im Fürstenthume Teschen gedacht wird, worauf die Worte eingehauen sind:

Hic Adami Kornicii,
Comitis, sunt ossa pii,
A Russis qui ortum duxit,
Templum hoc devote struxit,
Trecentis annis post mille
E vivis decessit ille.

Der eigentliche Name ist von Cornitz, der indessen bei der grossen Ausbreitung der Familie, besonders im Fürstenthume Teschen und in den angrenzenden Provinzen, zum Beinamen im Laufe der Zeit geworden, nachdem die einzelnen Aeste der Familie, sei es nach ihren Besitzungen, wie die von Guretzky nach ihrem alten Stammsitze Gureck im Teschenschen, oder nach ihrem Vornamen, wie die Sobecker von Sobec oder deutsch Sebastian, sich einen Hauptmann gewählt hatten. Es findet sich, wie im grossen Universal-Lexicon aller Wissenschaften und Künste u. s. w. Halle u. Leipzig 1737 bei Zedler, Bd. 15 S. 1541, Bd. 38 S. 146, bemerkt ist, in Siebenbürgen gleichfalls eine gräfliche Familie von Kornis, jedoch hat diese mit der schlesischen Familie nicht gleiche Abstammung oder gleiches Wappen. Die Herrschaft Kornitz im Ratiborschen, in Oberschlesien, soll früher der Familie zugehörig gewesen sein und derselben den Namen gegeben haben. Nicht nur in den angegebenen genealogischen Büchern, sondern auch in Henel, Paprochius, Bielscius, Dlugossus und in den neuern über die Adelshistorie erschienenen Werken wird der Familie der uralte Adel zugesprochen; sie findet sich selbst in dem alten Bardenliede des Freiherrn von Abschatz vor, wonach sie in der Hermann-Schlacht schon mitgefochten haben soll. „Dass sich jetzt," so heisst es in einer alten Familienhandschrift, „die Cornitzsche Familie in die freiherrliche und gräfliche theilet, muss aus Ursachen geschehen sein, dass der jetzigen Freiherren von Cornitz ihre Vorfahren nicht im Stande gewesen waren, sich gräflich aufzuführen, wesshalb sie den Freiherrenstand angenommen haben."

Der Ast der von Cornitzschen Familie, welcher sich von Guretzky nennt, hat sich auch im Auslande vielfach verbreitet; es finden sich in Russland und Polen Grafen von Guretzky, sowie in Oesterreich Freiherren v. Guretzky und Cornitz, welche mit der preussischen Familie ein gleiches Wappenschild führen. Das Stammhaus war Gureck im Fürstenthume Teschen, das indessen im Laufe der Zeit ganz aus der Familie gekommen ist. Zu ihren Besitzungen gehörten ausser Gureck, Kotzobentz, Sowada im Plessenschen, Stein, Goleschau,

Dembowitz, Pawlowitz, Hartultowitz, Baranowitz, Sczossow, Neuhof u. s. w. Nach einem Attestate des Gottlieb Karl Centner v. Centen-
thal d. d. Myslowitz 9. Juli 1787, welches, da durch Brandunglück
die nöthigen kirchlichen Documente und Atteste verloren gegangen,
und somit nicht zu beschaffen waren, dem, behufs Aufnahme in den
St. Johanniterorden angefertigten, Stammbaume zu Grunde gelegt ist,
findet sich folgende Ausführung des Zweiges der von Guretzkyschen
Familie, welcher sich aus Schlesien nach der Mark Brandenburg gewendet hat und daselbst noch angetroffen wird.

Erasmus von Guretzky-Kornitz, Herr auf Gureck im Fürstenthume
Teschen, hatte mit drei Gemahlinnen folgende Kinder gezeugt:

I. mit Helene, gebornen von Mitrowsky,
a) *Heinrich* und
b) *Peter* v. Guretzky,

II. mit *Susanna* v. Guretzky auf Kotzobentz, einer Tochter des
Johann von Guretzky und Susanne von Zagazeck auf Kotzobentz im
Fürstenthum Teschen, wobei zu merken, dass der Ritter *Erasmus* und
seine beiden Söhne *Peter* und *Heinrich* von Guretzky Jeder eine
Schwester aus benanntem Hause Kotzobentz geheirathet, deren Trauung
an Einem Tage statt fand,

1) *Ludwig* v. Guretzky.
2) *Magdalene*, verehelichte v. Willamowsky, später verehelichte v. Schyck.
3) *Susanna*, vermählt an Herrn von Lijotzky, und später an Herrn
von Frölich.
4) *Eva*, vermählt an Herrn von Lijotzky, Herrn auf Godow.
5) *Helena*, vermählt an Ferdinand von Centner, zum zweitenmal vermählt an Herrn von Bludowsky.

III. mit Ludmilla von Lijotzki:
a) *Karl* v. Guretzky, Herr auf Sowada im plessener Kreise, dessen
Gemahlin aus dem Hause von Laskowsky aus Lesczin.
b) *Nikolaus* von Guretzky.

In dem Attestate folgen hierauf die Kinder und Enkel der so eben
vermerkten Kinder des *Erasmus* v. Guretzky von Cornitz, welche sich
theils nach Polen, Russland oder Oesterreich gewandt haben und hier
zum Zwecke der Ausführung des jetzt märkischen Zweiges der
v. Guretzky nicht weiter zu erwähnen sind. Der aus der dritten Ehe
entsprossene *Karl* v. Guretzky-[Cornitz hatte dagegen mit seiner
Gemahlin, gebornen von Laschowsky aus Lesczin sechs Kinder erzeugt,
und zwar:

1) *Karl* v. Guretzky auf Stein in Oberschlesien bei Rybnick.
2) *Georg* v. Guretzky, kaiserlich oesterreichischer General, der Stammvater der jetzt blühenden oesterreichischen Linie.
3) *Anna Gottliebe*, vermählte von Schanowsky.
4) *Suphia*, verehl. Stimer.
5) *Johanna*, vermählt an den General von Wilkens in Russland.
6) *Helena*, ledig gestorben.

Die Kinder des *George* v. Guretzky — sieben an der Zahl — sind
sämmtlich in den kaiserlichen Landen geblieben und stehen deren
Kinder noch jetzt in der kaiserlich oesterreichischen Armee.

Die Kinder des ältesten Sohnes *Karl* von Guretzky auf Stein,
welcher mit Anna Barbara von Reisswitz vermählt war, sind dagegen:

1) *Karl George Nikolaus* v. Guretzky.
2) *Helena*, vermählte v. Czarnetzky auf Mistitz.
3) *Anna* vermählte von Laschowsky auf Lesczin.

Die Frau v. Laschowsky ist im Anfange dieses Jahrhunderts ohne
Leibeserben verstorben, die Frau von Czarnetzky dagegen zu Ende des
vorigen Jahrhunderts mit Hinterlassung zweier Kinder:

a) des Herrn von Czarnetzky auf Mistitz bei Ratibor, welcher noch jetzt lebt und eine zahlreiche Familie hat.
b) Der, jetzt verstorbenen, Baronin von Durant auf Baranowitz bei Sorau in Oberschlesien (siehe den Artikel von Durant Bd. 1. S. 451. dieses Lexicon).

Karl, George Nikolaus von Guretzky - Cornitz endlich — der Stammvater des Astes, begann im Jahre 1759 seine militairische Laufbahn im Kürassier - Regimente von Dalwigk, focht mit diesem Regimente in dem ewig denkwürdigen siebenjährigen Kriege, und wurde im Jahre 1762 nach der Mark Brandenburg zum Regimente Geist v. Beeren Kürassier versetzt. Im Jahre 1790 nahm er als Major den Abschied, nachdem er die ihm angefallenen, in Oberschlesien belegenen Güter Stein, Baranowitz, Sczossow und Neuhof verkauft hatte, vermählte sich mit Charlotte von Redern aus dem Hause Wansdorf im Osthavellande, und kaufte in der Mark Brandenburg nach und nach mehrere Rittergüter: als Bootz und Garlin in der Priegnitz, Lüchfelde und Gühlen - Glienicke im Ruppinschen, Rohrbeck in der Altmark, und Gross-Ziethen im Osthavellande. Am 11. Februar 1800 verlor er seine Gemahlin, welche ihn mit acht Kindern, vier Töchtern und vier Söhnen, beschenkt hatte, und er selbst verstarb im hohen Alter zu Berlin am 16. April 1827. Seine Töchter sind an märkische Edelleute verheirathet, von denen drei Rittergutsbesitzer sind. Von seinen vier Söhnen verstarb der eine in früher Kindheit, der andere aber im J. 1828 als Hauptmann ausser Diensten an den Wunden, die er in der Schlacht bei Paris 1814 erhalten hatte. Die beiden andern Söhne sind: 1) *Karl* v. G.-C., Rittmeister und Escadron-Chef im 2ten Garde - Uhlanen-Landwehr - Regimente zu Berlin, welcher sich in der Affaire bei Langensalza am 13. April 1813 das eiserne Kreuz erworben. Er ist mit der Tochter des verstorbenen Obersten und Commandeur des ehemaligen von Prittwitzschen Dragoner - Regiments von Müllenheim von der Rose verheirathet und hat einen Sohn, *Herrmann.* 2) *Friedrich* v. G.-K., Kammer - Gerichts - Assessor und Rath am Stadtgerichte zu Berlin. Er ist mit Einer von Kroecher aus dem Hause Lohme in der Priegnitz verheirathet und hat drei Söhne: *Max, Alfred* und *Bernhard.* — Nach den handschriftlichen Nachrichten des Ordens-Raths König — in der königl. Bibliothek zu Berlin, unter dem Titel: Collectio genealogica Koenigiana, Band 33, worin interessante Familiennotizen der v. G. zu finden sind — hat sich ein Zweig Der v. G. auch in Pommern ausgebreitet, von den indessen keine weitern Nachrichten bekannt sind. In der Ahnentafel des Grafen Karl Lazarus v. Henckel, im Adels - Lexicon von Johann Friedrich Gauhe, Th. I. S. 2350., im Adels-Lexicon von Hellbach, Bd. I. S. 479., in Speneri Historia insign. p. 176., in Siebmacher I. 62. No. 9., in von Meding Nachrichten von adeligen Wappen, Bd. III. S. 618. No. 786. wird, sowie in denen eben bereits angeführten Schriftstellern, der Familie gedacht, und deren Wappen, wenn schon mit einigen Abweichungen, aber in den Haupttheilen dennoch auf gleiche Weise beschrieben. Okolski giebt die Wappenbilder dahin an: „Auf einem Felsen oder Postamente von drei Stufen ist ein Kreuz in Form des griechischen Buchstaben Tau errichtet, an dessen Zacken der Enden zwei Brote angeheftet oder auf die Enden gelegt sind. Das Feld ist roth, über dem Helme sind fünf Straussfedern. Der Felsen ist grau, das Kreuz in weisser Farbe zu zeichnen. Die bei den russischen Geschlechtern gewöhnlichen Waizenbrote haben Kastanienfarbe." Das angegebene Bild im Wappenschilde wird bis auf den Umstand bei allen spätern Genealogen ebenso beschrieben, dass das weisse Kreuz als ein gelbes Tischgestelle vorgestellt wird. Es zeigt sich hiebei, dass das Bild im

Wappenschilde — wie auch ein uns vorliegender correcter Abdruck des Wappens darthut, überall gleich, und nur die Beschreibung davon verschieden ist, worauf wenig ankommt. Speneri Oper. Herald. I. p. 176. schreibt, „dass das Bild nicht viel anders, als ein Antoni-Kreuz, welches man wie den Buchstaben *T* zu malen pflegt, aussieht.“ Was die Waizenbrote betrifft, so kommt diese Beschreibung nur bei Okolski vor, weder in den Abdrücken, noch in dem alten ausgemalten Wappen sind sie zu erkennen, sie sind auch in der That nichts Anderes als die etwas langgezogenen Endstriche des Kreuzes oder Tischgestelles. Okolski hat durch seine Deutung Stoff genug gewonnen, um in seiner Breit- und Weitschweifigkeit die passende Anwendung auf die Kornitzsche Familie, über die er sich in Lobeserhebungen ergiesst, geben zu können. In Betracht des Helmschmuckes endlich weicht dessen Beschreibung ganz von der ab, welche sowohl Sinapius, als fast sämmtliche Wappenbücher und insbesondere die handschriftlichen Familiennotizen von der Figur geben, die den Helm ziert. Sinapius stützt sich auf die Zeichnung im neuvermehrten Wappenbuche P. I. p. 62., und behauptet, von vornehmer Hand folgende Mittheilung und Beschreibung des Wappens erhalten zu haben: „Im rothen Schilde präsentirt sich ein gelbes Tischgestell. Auf dem gekrönten Helme ein roth gekleidetes Mannsbild vom Haupte bis an den Gurt, dasselbe ist ohne Hände, hat ein rothes Gesicht und grossen weissen Bart, auf dem Haupte aber eine ungarische Mütze, welche roth, das Gebräm daran weiss.“ Die Familiennotizen stimmen zwar mit dieser Beschreibung überein und es führen auch jetzt sämmtliche Aeste der kornitzschen Familie — soweit es bekannt ist — auf dem gekrümmten Helme das eben beschriebene Mannsbild in ihrem Wappen, diese Nachrichten indessen, so wie die Angaben in den neueren genealogischen Büchern, sind mehr oder weniger aus der reichhaltigen Quelle des Sinapius geflossen, so dass, da Sinapius selbst über den Helmschmuck, den Okolski mit fünf Straussfedern angiebt, nichts sagt, es sich jetzt nicht erklären lässt, wesshalb die Straussfedern in dem Wappen weggelassen sind. Die österreichische Linie der von Guretzky-Cornitz, welche sich, wie oben bemerkt ist, mit dem General *George* v. G. daselbst ausgebreitet hat, — hat daher mit Recht den doppelten Helmschmuck angenommen, oder von jeher geführt, indem sie das Wappenschild mit zwei Helmen zieren, von denen der eine rechts im Abdrucke das Mannsbild, der andere aber links die Straussfedern trägt. Dass die von Kornitzsche Familie, so heisst es in einer vorliegenden Handschrift, in ihrem Wappen einen Mann ohne Hände und Füsse und einen Altar führen, ist aus Ursachen geschehen, dass die Russen als damalige Heiden, in Liefland und Polen einen Einfall gethan, einer der Kornitzer die damaligen Ritter in Liefland commandirt, und wie nun seine wenige Armee geschlagen war, hat er sich in eine christliche Kirche aufs Altar retirirt, auf dem Altar seien ihm von den Russen Hände und Füsse abgehauen, und er zum grössten Wunder ohne Hände und Füsse beim Leben erhalten worden.“ In wie weit diese Tradition richtig ist, muss dahin gestellt bleiben, eine grosse Unterstützung findet dieselbe indessen durch das in Sinapius I. 154. in extenso abgedruckte Attestat des Herzogs Wenceslaus zu Teschen aus dem Jahre 1561, wonach unterm 4. August 1347 der Papst Clemens VI. zu Avignon eine geistliche Stiftung des Sobeck Comes de Cornitz bewilligt hat. Wenn man die Richtigkeit dieser Erzählung annimmt, welche übrigens auch zu keinem Zweifel Anlass giebt, so dürfte mit Recht hieraus zu folgern sein, dass das ältere Wappen den Helmschmuck, den Okolski beschreibt, gezeigt habe, und dass erst nach jener wunderähnlichen Waffenthat das in Sinapius be-

schriebene Mannsbild dem Wappen beigefügt sei. Die Straussfedern
gehören sonach als Helmschmuck zu dem Wappen, und mit Unrecht
werden dieselben in den Wappenbüchern neben dem Mannsbilde nicht
mehr angegeben.

Kortzfleisch, die Herren von.

Mehrere Edelleute dieses Namens haben im preussischen Staatsdienste gestanden, wie *Friedrich* v. Kortzfleisch, der im Jahre 1806
Postmeister zu Ratibor in Oberschlesien war. Gegenwärtig ist der
Rittmeister v. d. A. (bis 1806 im Reg. v. Esebeck Dragoner, später
bei der Gensdarmerie) v. Kortzfleisch, Landrath des Kreises Stallupöhnen im Regierungsbezirk Gumbinnen. Ein Fräulein v. Kortzfleisch
ist Conventualin des Stiftes Cammin in Pommern. — Einer v. K.
starb am 21. Juni 1833 als Hauptmann im 3. Infanterie-Regiment und
Ritter des eisernen Kreuzes (erworben in Frankreich).

Die v. Kortzfleisch führen ein ächt militairisches Wappen. Der
obere Theil des Schildes ist der Länge nach in ein silbernes und
goldenes Feld getheilt. In jeder Feldung zeigt sich ein schwebender
schwarzer Adler, mit dem Schnabel einen in der Mitte hängenden
grünen Lorbeerkranz haltend. Der untere Theil des Schildes ist wieder in ein blaues und grünes Feld der Länge nach getheilt. In dem
rechten blauen Felde ist eine silberne Pauke, in dem linken grünen
aber eine goldene Trommel dargestellt. Ueber dem Helme schwebt
zwischen zwei rothen Fahnen der Lorbeerkranz. Die Helmdecken
schwarz und golden.

Koschembahr (Koschenbahr), die Herren von.

Ein altadeliges Geschlecht in Schlesien, das von dem vornehmen
polnischen Hause der Doliwa abstammt, aus welchem im Jahre 1100
Philipp Bischof zu Plock war. — *Martin* wurde im Jahre 1102 Bischof zu Posen, und *Johann* bekleidete im Jahre 1231 ebendaselbst
diese hohe geistliche Würde. Das Stammhaus der v. Koschembahr in
Schlesien ist Skorkau im Fürstenthume Oppeln. — Im Jahre 1361
war *Jeske* Kossohor an dem Hofe des Herzogs Hans zu Troppau
sehr angesehen. — *Hans* v. Koschembahr, Herr auf Skorkau und
Seichwitz, königl. Landgerichts - Beisitzer im Fürstenthum Oppeln,
kommt um das Jahr 1564 vor. — *Hans Caspar* v. K. war im Jahre
1687 Besitzer des Gutes Postelwitz im Oelsischen, und herzogl. würtemberg - oels - und bernstädtischer Kammerrath und Director. —
Später erwarb diese Familie auch die Güter Schollendorf und Woits-
dorf, Langendorf im Würtembergischen, Mienitz, Sapraschine im
Oelsischen, Jacobine und Schimmeley im Ohlau - Briegschen, Hulm
im Schweidnitzischen, u. s. w. —

Im preuss. Heere sind folgende Söhne aus diesem Hause zu höhern Würden gelangt:

Hans Sigismund v. K., ein Sohn des *Christian Wilhelm* v. K., auf
Sapraschine, und der Helena Sophie v. Gaffron, aus dem Hause
Gross - Schottgau, stand zuerst in kursächsischen Diensten, ward bei
Pirna gefangen, und als Major und Commandeur eines preuss. Gre-
nadierbataillons im Jahre 1759 angestellt. Er that sich bei mehreren
Gelegenheiten rühmlich hervor und blieb am 23. Juli 1760 in der
Schlacht bei Landshut.

Ernst Julius v. K., ein jüngerer Bruder des Vorigen, geboren

1714, stand ebenfalls anfangs in kursächsischen Diensten, hatte bei
Pirna ein gleiches Schicksal mit seinem Bruder, und erhielt sodann
eine Anstellung als Major in der Suite Friedrichs des Grossen. Im
Jahre 1761 ward er Oberstlieutenant, 1764 Oberst und Commandeur
des Regiments v. Thiele, 1766 Amtshauptmann zu Sommerschenburg
und Dreyleben, 1767 zu Johannisburg, 1768 Chef des v. Zeunerschen
Regiments und 1770 Generalmajor. Er erfreute sich der vorzüglichen
Gnade seines Monarchen bis zu seinem am 17. Octbr. 1776 erfolgten
Tode. Mit seiner Gemahlin Johanne Wilhelmine, geb. v. Seidlitz,
verwittweten v. Hackeborn, erzeugte er einen Sohn und eine Tochter.

Melchior Sylviue v. K., trat 1741 in das Füsilierregiment Prinz
Heinrich, wurde 1750 Seconde-, 1757 Pr. Lieutenant und 1759 als
Hauptmann in der Schlacht bei Cunnersdorf verwundet, 1775 ward er
Commandeur des hessen-philippsthal'schen Füsilierregiments, 1777
Oberst, 1784 Generalmajor und Chef des Regiments.

Im Jahre 1806 stand ein Pr. Lieutenant v. K. im Husaren-Regi-
ment Herzog Eugen v. Würtemberg; er war zuletzt Oberst und Commandeur des 7. Kürassierregiments, und ist als Generalmajor aus dem
activen Dienst geschieden. Er hat sich bei Rawka den Orden pour
le mérite, und bei Leipzig das eiserne Kreuz 7. Classe erworben. —
Einer v. K. stand 1806 in dem Regiment Fürst v. Hohenlohe zu
Breslau, er starb 1814 als Capitain im 7. schlesischen Landwehrregiment. — Ein anderer v. K., der als Lieutenant in dem Regiment
Alt-Larisch zu Berlin stand, ist im Jahre 1809 mit dem Corps des
Herzogs von Braunschweig nach England gegangen und daselbst gestorben. — Im Regiment v. Alvensleben stand ein Major v. K., der
1807 gestorben ist, und ein anderer starb 1810 als Major des Regi-
ments vacant v. Rhein Dragoner. — Gegenwärtig besitzt der Major
a. D. und Landesältester v. K. das Gut Lederhose im Kreise Striegau; er
ist auch Ritter des Ordens pour le mérite (erworben bei Edesheim).
— Ein anderer v. K. ist Lieutenant a. D., Landesältester, Polizei-
Districts-Commissarius und Besitzer der Güter Türpitz und Nieder-
Rosen im Kreise Strehlen. Im Jahre 1836 dienen noch mehrere Offiziere dieses Namens in der Armee. Das Wappen der v. K. giebt
Siebmacher II. S. 47. Es ist ein blaues Schild, worin zwischen zwei
schrägen Linien ein weisses mit drei rothen Rosen belegtes Feld dargestellt ist. Auf dem gekrönten Helme wiederholen sich die drei
Rosen zwischen zwei roth und blauen Büffelhörnern. M. s. auch Sinapius I. S. 529. II. S. 743. u. f. Gauhe I. S. 816.

Koscielski, die Herren von.

Eine altadelige polnische Familie, die mit vielen andern Geschlechtern aus dem Hause Ogonczyk oder Pogonczyk stammen, und
aus welcher mehrere Mitglieder im preuss. Civil- und Militairdienst
gestanden haben, oder noch stehen. — Einer v. Koscielski auf Szar-
lei, in Neu-Ostpreussen, erhielt die königl. Kammerherrnwürde. —
Eduard von Koscielski Hauptmann a. D., Ritter des eisernen Kreuzes (erworben bei Ligny), besitzt die Herrschaft Ponoschau, Biberstein, u. s. w. — Ein Bruder desselben, *Wilhelm* v. K., ist Hauptmann im 23. Infanterieregiment und Ritter des eisernen Kreuzes (erworben bei Wavre). — Ein dritter Bruder steht als Lieutenant in
demselben Regiment, und ein vierter ist Pr. Lieutenant im 38. Infant.-Regiment.

Sie führen das Wappen des oben erwähnten polnischen Stammhauses, das wir schon an mehreren Stellen gegeben haben.

Koschitzki, die Herren von.

Diese adelige Familie gehört Polen und Schlesien an, jedoch ist sie in der letztern Provinz schon seit langen Zeiten einheimisch und begütert. Zuerst kommen die v. Koschitzki und Sakrschau im Oppeln'schen Fürstenthume vor. Hier besass *Friedrich* v. K. die Güter Medar und Klempowitz; *Johann Ferdinand* und *Christoph Sigismund* v. K. besassen im Rosenberg'schen Kreise Güter, und im Lublinitz'-schen Kreise waren die Güter Laiewnik und Cziasno v. Koschitzki'-sche Besitzungen. — In neuerer Zeit besass noch *Friedrich* v. K., Marsch-Commissarius und Landesältester, Alt-Rosenberg, und *Christoph Friedrich* v. K. war Herr der Stadt und des Burglehnes Auras, welches erst vor einigen Jahren in die Familie v. Schickfuss überging. In der Gegenwart besitzt *Karl* v. K. die Güter Gr. Wilkowitz, Larischhof u. s. w., früher ein Besitzthum der v. Larisch. — In der Armee standen und stehen noch verschiedene Mitglieder dieser altadeligen Familie. Ein Major v. K. stand 1806 in dem Kürassier-regiment v. Wagenfeld und starb 1807 im Pensionsstande. — Zwei Brüder v. K. standen als Capitaine in dem Regiment v. Hohenlohe. Der erstere war zuletzt Oberstlieutenant und Commandant in Longwy, und lebte später im Pensionsstande zu Neumarkt in Schlesien. Er erwarb sich das eiserne Kreuz in der Schlacht von Gr. Görschen. Die v. Koschitzki führen im rothen Schilde einen gespannten Bogen mit daraufgelegtem Pfitzpfeile, und auf dem gekrönten Helme einen grünen Lorbeerkranz. M. s. Sinap. II. S. 745. Okolski, Orb. Polon. P. II. S. 207. Gauhe, II. S. 577.

Koseritz, die Herren von.

Das alte, längst in Trümmern zerfallene Schloss Koseritz, von dem diese Familie den Namen führen soll, hat, wie Valentin König meldet, in Pommern, und zwar unmittelbar am mecklenburgi-schen Grenzzuge gelegen; doch zählt weder Micrälius, noch Brügge-mann die von K. zu den adeligen Geschlechtern in Pommern. In Kursachsen waren sie sehr begütert, Nauendorf, Döbernitz, Cosabra, Rüdigsdorf, Nauenhof, u. s. w. waren ein Eigenthum der Familie. Die Stammreihe beginnt mit *Nikolas* v. Koseritz, Herrn auf Kessel bei Bischofswerda. Im 16. Jahrhundert besass *Jacob* v. Koseritz, kur-sächsischer Rath und Rentmeister, das gegenwärtig v. Bodenhausen-sche Gut Burgkemnitz bei Grälenhainchen. Ein Nachkomme dessel-ben, *Daniel* v. Koseritz, starb 1638 als Hofrichter und Amtshaupt-mann zu Wittenberg (sein Lob verkündigt Buchner in einem Programm pag. 26—39). Ein Enkel Daniels war *Johann Siegfried* v. Koseritz, General in englischen Diensten. In der preussischen Armee standen in neuerer Zeit drei Herren v. K., der eine war Capitain im Regi-ment v. Kleist zu Magdeburg, und ist 1836 als Oberstlieutenant und Chef der 2. Garde-Garnison-Compagnie zu Spandau gestorben. Ein anderer stand als Stabs-Capitain im Füsilier-Bataillon v. Sobbe, wurde 1809 entlassen und ging in würtembergische Dienste, wo ein Sohn von ihm vor einigen Jahren auf eine unglückliche Weise bekannt geworden ist, der dritte v. K. stand im Regiment Garde, und ist 1820 als pensionirter Rittmeister gestorben. Gegenwärtig ist ein Major v. K. preuss. Postmeister zu Dessau.— Die v. Koseritz führen im blauen Schilde einen vorwärts gekehrten silbernen Büffelkopf; der-selbe wiederholt sich schräg links gesetzt auf dem Helme. Siebma-cher giebt dieses Wappen I. S. 158. mit der unrichtigen Bezeichnung

Kospoth.

v. Koveritz. v. Meding aber beschreibt es II. No. 468. M. s. auch v. Uechtritz V. S. 86 — 88. Gaube, l. S. 817 — 19. König, geneal. histor. Beschreib. der v. Koseritz 1715.

Kospoth, die Grafen und Herren von.

Die v. Kosspoth, auch Kospot, Cospot und Kospoden, stammen aus Thüringen. Ihr Stammhaus Kosspode, auch Cotzebude - Cotzebue und Kospéda genannt, liegt eine Stunde von Jena entfernt, am Weinberg, der Beiersberg genannt. — Zuerst kommen die Brüder *Hermann, Conrad* und *Heinrich*, Edle Herren v. Kospode, die um das Jahr 1292 lebten, vor. Nach der Zeit schrieben sie sich erst von Kospoth, und in mehreren Zweigen verbreitete sich das Geschlecht von Thüringen aus, in Sachsen, Franken und Schlesien. Auch liess sich mit dem deutschen Orden ein Zweig in Preussen nieder. Man unterschied drei Linien, nämlich die ·Frankendorf'sche, die Schildbach'sche und die Oschitzische oder preuss. Linie. Diese letztere ist unter der Regierung des Kurfürsten von Brandenburg ausgestorben. Die Schildbach'sche blüht noch heute in Schlesien und Sachsen fort. — Der Preussischen gehörte *Johann* v. K. an, der am 20. Octbr. 1665 als Oberrath und Ober - Kanzler des Herzogthums Preussen starb. — Ausserdem haben sich auch in der Mark und in Mecklenburg Zweige der adelig v. Kospoth'schen Familie einheimisch gemacht. — Im Jahre 1493 begleitete *Veit* v. K. den Kurfürsten Friedrich den Weisen auf der Reise nach Jerusalem zum heiligen Grabe. — *Heinrich* v. K. war der Erste, der im Jahre 1309 mit dem Ordensmeister Reuss von Plauen nach Preussen kam. — Sein Vetter, *Johannes* v. K., war Comthur zu Liebstadt und Mohrungen. — Nach Schlesien kam zuerst *Justus* v. K. und Schildbach, auf Schildbach, Zantoch, Milatschitz, Retzewitz, u. s. w., im Oelsischen. Er war des Herzogs Sylvius, zu Würtemberg Rath und Hofmarschall, und des Fürstenthums Oels Landesältester, und war mit dem genannten Herzoge ins Land gekommen; er wurde der Stammvater der heutigen Grafen v. K., und starb am 18. Septbr. 1691; denn seine Söhne *Karl Christian* und *Joachim Wenzel*, der Erstere auf Kritschen, der Letztere auf Zantoch, des Königs von Polen und Kurfürsten von Sachsen Kammerherr und Generallieutenant, wurden am 6. Juli 1711 von dem Könige in Polen und Kurfürsten zu Sachsen, August, während des Reichsvicariats in den Reichsgrafenstand erhoben. (Olsnograph. P. 1. pag. 605. 827.) Heroës magnae Deliciaeque Domus, sagt Sinapius von diesem Brüderpaar l. S. 56. Beide Brüder sind unvermählt gestorben, und die erste gräfliche Linie erlosch dadurch wieder. Dagegen wurde *Karl Christian August*, Freiherr v. K., preuss. Rittmeister v. d. A. und Herr mehrerer Güter im Fürstenthume Oels, am 27. Juli 1776 in den preuss. Grafenstand erhoben. — Ein unvergängliches Denkmal hat sich der oben erwähnte königl. polnische und kurfürstl. sächsische Generallieutenant, *Johann Wenzel*, Reichsgraf v. K., gesetzt, indem er durch sein Testament vom 3. März 1727 verschiedene, sich auf die Erziehung und Versorgung der adeligen und bürgerlichen Jugend beziehende, wohlthätige Bestimmungen machte. Laut diesem letzten Willen sollte sein Bruder *Karl Christian*, Graf v. K., ein Capital von 150,000 rheinländischen Gulden auf die 12 Kospoth'schen Güter, und das Kospoth'sche Haus in Breslau als Hypothek ansehen, und die jährlichen Zinsen, zu 5 pro Cent., 7500 Gulden, zu dieser Schulfundation anwenden; allein er starb vor der Ausführung, die er seiner Universalerbin, Anna Sophie Christine, verwittweten Gräfin v. Malzahn, Reichsgräfin v. Promnitz, überliess. Diese erhielt auch endlich am 3. Juli 1736 die gesuchte kaiserl. Bestätigung, jedoch mit einigen gemachten Abänderungen. Uebrigens werden aus dem Seminarienfonds auch 1000 Gulden jährlich an die Ritterakademie zu Liegnitz entrichtet, wofür Kospoth'sche Stipendien bestehen. Zu Oels besteht eine besondere gräflich Kospoth'sche Fundations- Administration, deren Repräsentant der jedesmalige Majoratsherr ist. — Ehe wir unten die lebenden Mitglieder der gräflichen Familie geben, erinnern wir noch an einige Mitglieder der adeligen Familie. Der mecklenburgischen Linie gehörte an:

Ernst Christian v. K., geb. zu Kruckow, im Mecklenburgischen, im Jahre 1725, trat im Jahre 1742 bei dem Kürassierregiment, damals v. Waldow, in preuss. Militairdienste, ging 1756 als Lieutenant ins Feld, 1758 ward er Capitain, 1760 Major, auch Ritter des Ordens pour le mérite (erworben bei Torgau), 1771 Oberstlieutenant, 1773 Oberst und 1782 Chef des Leibregiments und Generalmajor. Im Jahre 1795 wurde er als Generallieutenant mit Pension verabschiedet.

Der märkischen Linie gehörte an:

Friedrich August Karl v. K., geboren zu Ruppin in der Mark, am 2. Juli 1767, welcher als Ober-Bürgermeister zu Breslau am 4. August 1832 starb. Von seinen Söhnen stand einer im 7. Husarenregiment, gegenwärtig Rittmeister a. D., und ein anderer ist fürstl. Thurn und Taxissche Oberförster. Die gräfl. v. Kospoth'sche Familie besteht jetzt aus folgenden Mitgliedern: Graf *August*, geb. den 21. Mai 1803, Majoratsherr der Güter Briese, Hönigern, Kritschen, Crompusch, Mühlatschütz, Zaatoch, u. s. w. in Niederschlesien, vermählt seit 1834 mit Charlotte, Tochter des königl. preuss. Majors von Necker.

Schwester:

Fanny Amalie, geb. den 9. August 1811.

Mutter:

Gräfin *Julie*, geb. v. Poser und Nädlitz, geb. den 13. Nov. 1785, vermählt am 11. August 1801 mit dem Grafen August (geboren den 5. August 1777, gestorben den 23. Novbr. 1834).

Vaters-Brüder:

1) *Hans Karl*, geb. den 5. April 1785, königl. preuss. Major, Erbherr auf Buhrau, Cunau, Freiwalde, Klüx u. s. w., vermählt seit dem 21. April 1810 mit Clementine, Gräfin Pückler-Muskau, geboren den 20. August 1790.

Kinder:

a) *Stella Clementine*, geb. den 12. Mai 1811.
b) *Marie Clementine*, geb. den 1. April 1812.
c) *Sieffried*, geb. den 27. Juli 1814.
d) *Clementine Bianke*, geb. den 15. April 1816.
e) *Anna Victoria*, geb. den 16. Juli 1819.
f) *William Karl Max*, geb. den 30. März 1824.
g) *Arthur*, geb. den 10. Febr. 1826.

2) *Erdmann*, geb. den 15. Novbr. 1791, königl. preuss. Major im 12. Landwehr-Regimente, auf Halbau in der Niederlausitz, vermählt seit dem 10. Januar 1825 mit Johanne, Gräfin Frankenberg, geb. den 9. Mai 1796.

Grossmutter:
Wilhelmine Amalie Karoline, geb. den 5. Decbr. 1759, Wittwe seit dem 1. Mai 1799 von Karl Christian August, Grafen v. Kospoth.

Das ursprüngliche v. K.sche Wappen giebt Siebmacher unter den fränkischen II. S. 76. Es sind drei silberne Sterne im blauen Schilde, und auf dem Helme sind zwei spitzige blaue Mützen, die mit Pfauen-schweifen geziert sind, vorgestellt. Die Grafen v. K. führen ein quadrirtes Schild. Im 1. und 4. blauen Felde zeigen sich die drei K.schen silbernen Sterne, oben zwei, unten einer; im 2. und 3. rothen Felde ist ein goldgeharnischter, einen Säbel schwingender Arm vorgestellt. Dieses Schild ist mit einem Herzschilde versehen, in dem sich der Reichsadler zeigt. Das Haupt-schild trägt drei Helme. Der mittlere ist ungekrönt, er trägt eine spitzige, mit Hermelin ausgeschlagene, blaue Mütze, die oben mit fünf kürzeren, unten mit zwei längeren schwarzen Hahnenfedern geziert ist. Auf der Krone des rechten Helmes ist der Reichsadler, auf der des linken der einen Säbel schwingende gerüstete Arm vorgestellt. Die Helmdecken und das Laubwerk sind rechts roth und Gold, links blau und Silber.

Nachrichten über diese Familie giebt Sinap. I. S. 55. u. f. II. S. 130. u. f. Gauhe, S. 816—21. König, III. S. 613—710. Seifert, S. 283. u. f.

Koss, die Herren von.

Eine adelige Familie, die früher sich von Koss, später auch von Kossen und Kauss schrieb, gehört ihrem Ursprunge nach Mecklen-burg an, sie machte sich aber auch in Pommern ansässig, namentlich besass sie Schimmerwitz, Bocho u. s. w. Die vier Brüder *Karl Friedrich, Franz Gneomar, Christian Ernst* und *Georg Jacob* waren 1770 im Besitz von Antheilen dieser Güter. Gegenwärtig besitzt der Kreis-Deputirte v. Koss das Gut Zelasen im Kreise Lauenburg-Bütow. Ein preuss. Lieutenant v. Koss, der früher in dem Reg. v. Kropf, in Warschau, gestanden hatte, blieb 1813 im 10. Infanterie-Regiment. Der Capitain v. Koss im 14. Infanterie-Regiment erwarb sich bei Leipzig das eiserne Kreuz. Diese altadelige Familie führt im blauen Schilde zwei mit einander ringende weisse Windhunde und auf dem Helme ein schwarzes Jägerhorn über einem mit den Spitzen nach oben gerichte-ten halben silbernen Monde, daneben ist auf jeder Seite ein sechs-eckiger goldener Stern angebracht. Die Helmdecken blau und Silber. Brüggemann, 2tes und 1tes Hauptstück. Megapol. Index nobil. 24. Micrälius, 497. Gauhe, II. Siebmacher giebt V. Th. S. 172. das Wappen, und v. Meding beschreibt es III. Th. S. 440.

Kottulinsky, die Grafen, Freiherren und Herren von.

Die Grafen v. Kottulinsky, die sich auch Kottulinsky von Kottu-lin schreiben, gehören gegenwärtig nur den österreichischen Staaten an, nur von den Herren v. Kottulinsky befinden sich einige in den preuss. Landen. Sie leiten ihre Abkunft von dem vornehmen polni-schen Hause Ogonczyk ab; ihr Stammhaus Kottulin, von dem sie später den Namen angenommen haben, liegt bei Tost im Regie-rungsbezirke Oppeln, und ist gegenwärtig ein Eigenthum des Grafen Leopold v. Gaschin. Ein späteres Stammhaus, nach dem sie sich

v. Zedlitz Adels-Lex. III. 11

162 Kottulinsky.

schrieben, ist Jeltsch im Ohlau'schen (gegenwärtig dem Grafen v. Sauerma gehörig). Ausser den beiden genannten Häusern schrieb sich auch eine Linie Kottulinsky, aus dem Hause Friedeberg; zu ihr gehörten die Häuser Esdorf im Oelsischen, Weickwitz und Damelwitz im Brieg'schen, auch Schützendorf im Liegnitz'schen. — Von der Linie zu Jeltsch war ein Seitenzweig das Haus Leuthen, das im Besitz des durch die am 5. Decbr. 1757 hier vorgefallene Schlacht so berühmt gewordenen Dorfes Leuthen war. — Im Jahre 1357 erkaufte *Heinrich* Kottulinsky laut eines Briefes vom Herzoge Bolko zu Oppeln das Gut Pruszec (m. s. Paprocius S. 444). — Im Jahre 1452 kaufte *Janke* K. das Schloss Jeltsch und mehrere andere Güter, im Breslauischen, von dem Bischofe Peter zu Breslau. — Kaiser Maximilian erhob das Schloss Jeltsch im Jahre 1518 zu einer Herrschaft und den Besitzer *Nikolas* v. K., wie seine ehelichen Leibeserben, zu des heiligen römischen Reichs Pannierherren. — Eine andere Linie wurde am 13. Juni 1645, eine dritte am 29. Februar 1652, und eine vierte am 20. März 1666 in den Freiherrnstand erhoben. — Am 26. Februar 1706 wurde *Franz Karl*, Freiherr v. Kottulinsky-Kottulin und Krischkowitz, Herr der Herrschaft Politschau, Tost, Czechowitz, Boronow, Lonitz, u. s. w., kaiserl. Geheimer Rath, Kämmerer und königl. Ober-Amts-Kanzler im Herzogthume Ober- und Niederschlesien, in den böhmischen Grafenstand erhoben. — *Daniel Leopold* v. K., Herr auf Reinersdorf im Brieg'schen, sowie auf Hennersdorf im Namslauischen, und seine Nachkommen wurden am 13. Septbr. 1748 in den preuss. Grafenstand erhoben. Die gräfliche v. Kottulinsky'sche Familie besteht gegenwärtig aus folgenden Mitgliedern:

Joseph, Graf Kottulinsky von Kottulin, Freiherr auf Krzischkowitz, geb. den 29. Juli 1774, Herr der Herrschaften Ober- und Unter-Mayerhofen und Neudau in Steiermark, kaiserl. königl. Kämmerer, vermählt seit dem 23. Novbr. 1802 mit Maria Josepha, Gräfin v. Katzianer, geboren den 20. August 1778, Sternkreuzdame.

Kinder:

1) *Joseph Franz*, geb. den 15. Febr. 1806, kaiserl. königl. Kreis-Commissär zu Grätz.
2) *Elisabeth Anna*, geb. den 1. Februar 1809.
3) *Rudolph Joseph*, geb. den 11. Septbr. 1810, kaiserl. königl. Oberlieutenant bei Soldenhofen Infanterie No. 23.
4) *Anton Karl*, geb. den 18. Octbr. 1811, kaiserl. königl. Fähnrich bei Erzherzog Karl Infanterie No. 3.

Geschwister:

1) *Johann*, geb. den 25. Novbr. 1777, kaiserl. königl. Rittmeister v. d. Armee.
2) *Elisabeth*, geb. den 30. Novbr. 1779, vermählt gewesen seit dem 24. April 1810 mit dem Grafen Karl Maria v. Gleisbach, kaiserl. königl. Kämmerer und Gubernialrathe, Wittwe seit dem 21. August 1812.

Im Jahre 1806 standen mehrere Herren v. K. in der preuss Armee, namentlich diente ein v. K. als Stabscapitain im Regiment v. Strachwitz, derselbe schied im Jahre 1824 als Oberst und Commandeur des 10. Landwehrregiments aus dem activen Dienst. Er erwarb sich bei Warschau den Militairverdienstorden und bei Belle Alliance das eiserne Kreuz 1. Classe. — Ein Capitain v. K. im 7. schlesischen Landwehrregiment, der früher im Regiment v. Schimonsky gestanden hatte, starb 1813 an seinen erhaltenen Wunden. — Ein Lieutenant v. K. besass einige Jahre hindurch, und noch im Jahre 1828 einen Antheil von Mittel-Kaulfungen bei Schönau.

Die Herren v. K. führen im blauen, oder lasurfarbenen Schilde einen gelben, offenen Greifenfuss mit rothen Krallen. Die Grafen v. K. führen ein quadrirtes Schild mit einem Herzschilde. Im 1. und 4. silbernen Felde zeigt sich der preuss. gekrönte Adler, im 2. und 3. rothen Felde ein aufspringender, gekrönter, goldener Löwe. Im Herzschilde, das mit einer neunperligen Grafenkrone bedeckt ist, ist im blauen Felde der goldene Greifenfuss dargestellt. Das Hauptschild trägt drei gekrönte Helme. Auf dem rechten ist der Hals eines gekrönten Löwen mit ausgeschlagener rother Zunge vorgestellt, auf dem mittlern steht der Greifenfuss, oben blutspritzend; der dritte Helm ist mit drei silbernen Straussfedern geschmückt, die ursprünglich die Helmzierde des Familienwappens waren. Die Helmdecken sind golden und blau. M. s. Sinapius, I. S. 531—34. II. S. 131—137. Siebmacher giebt das Wappen der Herren v. K. I. S. 75. II. S. 50., und v. Meding beschreibt es II. No. 471. u. f.

Kottwitz, die Freiherren und Herren von.

Den ältesten Urkunden nach stammt das alte berühmte Geschlecht der Herren und Freiherren v. Kottwitz von den österreichischen Freiherren v. Pochner ab, die vor langen Zeiten schon ansehnliche Besitzungen im Oesterreichischen hatten. Einige Zweige desselben verliessen aber die österreichischen Staaten, namentlich die Brüder Johannes und Heinrich, Freiherren v. Pochner, und ein Vetter derselben, der sich Peter v. Pochner und Strzalin nannte. Sie machten sich im Königreiche Polen und namentlich in dem Theile, der an Schlesien grenzt, und nachmals in dieser Provinz selbst ansässig, und während von den Nachkommen der genannten drei Ritter v. Pochner in Polen mehrere später zu hohem Ansehen gelangte Häuser und Familien, namentlich die Krzicky, Dalesskinsky, Radomicky, Chodkiewicz u. s. w. (m. s. Hoppii Schediasma de Scriptorib. Histor. Pol. fol. fol. 69.) entstanden, erwarb ein Zweig dieser Familie in Schlesien das Dorf Kottwitz im Sagan'schen, und nannte sich nach diesem seinem Besitzthume von der Zeit an Kottwitz. Aber auch von diesem schlesischen Aste der Pochner oder der Kottwitze kehrten einige nach Polen zurück und gelangten zu grossen weltlichen und geistlichen Ehrenstellen, namentlich Stanislaus und Andreas v. K., die mit der erzbischöflichen Würde von Posen und Gnesen geschmückt waren, und in hohen Ehren am Anfange des 14. Jahrhunderts diese hohen geistlichen Würden verwalteten (m. s. Okolski, Orb. Polon. III. pag. 485.). Ein Zweig hatte sich auch aus Oesterreich nach Franken gewendet, wo sich das Haus der v. K. zu Aulenbach gründete. Es führte aber ein anderes Wappen, als unsere v. Kottwitz, und ist im Jahre 1698 bereits erloschen. Zuerst erscheint (so meldet Hieronymus Megiserus aus Seldens Adelsspiegel in einer Handschrift) ein Matthias v. K., der im Heere des Kaisers Friedrich Barbarossa im Jahre 1187 die Stadt Halle belagern half und zuerst die kaiserl. Fahne auf der Stadtmauer befestigte. — Sein Enkel Conrad v. K. wiederholte eine so glänzende Waffenthat unter dem Kaiser Friedrich II. im Sturme auf Askalon in Palästina 1793. Er wurde dafür bei seiner Rückkehr nach Wien vor einer glänzenden Versammlung auf der kaiserl. Burg eigenhändig vom Kaiser mit goldenen Ketten ge-

11 *

schmückt und mit einem silbernen Kürass beschenkt. Dieser merkwürdige Ahnherr der K. liegt im Kloster zu Neuburg, wo noch heute sein Denkstein zu sehen ist, beerdigt. — *Bernhard* v. K. diente 1273 dem Kaiser Rudolph I. zu Habsburg; dieser Monarch hatte, wie bekannt, viele schlesische Ritter, namentliche K., Reichenbache und Lidlau's, in seinem Hofstaate. — *Albrecht* v. K. war des Königs Ludwig von Ungarn Hofmeister und fiel im Jahre 1576 in der Schlacht bei Mohacz. — In Schlesien kommt schon 1290 *Friedrich* v. K. als Besitzer ansehnlicher Güter im Glogauischen vor. Von seinen Nachkommen finden wir eine lange Reihe, die an den Höfen der Piastischen Herzöge Hof- und Ehrenstellen bekleideten, namentlich bei den Herzögen zu Glogau und Sagan, aber auch bei den Markgrafen zu Brandenburg, wo *Christoph* v. K. um das Jahr 1570 ein angesehener Rath und vom Landesherrn geschätzt war, der ihn nach dem Aussterben der Herren v. Pack mit dem Schloss und der Stadt Sommerfeld belehnte. — Im 15. Jahrhunderte finden wir schon die v. K. auf Gora oder Gorschen, Panthen, Steinau, Kühen, Weissholz, Zedlitz, Kontop, u. s. w. erwähnt. In diesem Zeitraume bekleideten auch wieder mehrere Mitglieder des Hauses hohe geistliche Würden, wie *Nikolas* v. K., der 1502 Archi-Diakonus zu Posen war, und *Johannes* v. K., der am 3. Februar 1593 als Praelatus scholasticus des Capitels zu Glogau verstarb, und dessen Denkmal sich in der Domkirche daselbst befindet. — Im Jahre 1621 finden wir den *Fabian* v. K. auf Weissholz, der in einem vor uns liegenden lateinischen Gedicht titulirt wird.: Judicii Reg. in Ducatu Glogov. Synedrus dignissimus et Senator in eod. Duc. Provincialis laudatissimus. — Im 17. Jahrhundert kommen die v. K. auf Brunzelwalde, Denkwitz, Kuchelberg, Karau, Kölmichen und Herzogswalde vor, aber schon früher bestanden die Häuser Gorschen mit den Linien Zedlitz, Heinersdorf, Köben, Stanischen, Nieder-Schüttlau, die Häuser Kontop und Hartau, mit den Linien Zöllnich, Weissholz, Wischitz, Brunzelwalde, Ellguth. — Dem Hause Kontop gehörten ausser Kontop die Güter Boiadel, Jakobskirch, Denkwitz, Karau, Kutschel, u. s. w. — Aus dem Hause Panthen sind die v. K., denen später Kauffungen, Wolmsdorf, u. s. w. im Fürstenthume Jauer gehörte, eben so wie die, welche dem Hause Schwarzau angehören. — Im Cottbussischen führt v. Gundling die v. K. von Dobbern und von Breainchen auf. — Der märkischen Linie gehörte der tapfere Oberst der Reiterei v. K. an, ein ächt ritterliches Bild, der an der Seite des grossen Kurfürsten, namentlich in der Schlacht bei Fehrbellin, glänzte. — Von einer Linie, die sich in der Niederlausitz niedergelassen hatte, war *Karl Wilhelm* v. K., Oberst in preuss. Diensten und Chef des magdeburgischen Landregiments, auch Ritter des Ordens pour le mérite. Er starb am 8. Septbr. 1788 und hinterliess eine Wittwe, Sophie Juliane, geborne v. Löben.

In Beziehung auf den Freiherrnstand bemerken wir, dass der Gebrüder *Adam* und *David Heinrichs*, und deren Vetters, *Adam Heinrichs*, Erhöhung, oder, in Hinsicht der uralten freiherrlichen Abstammung, Anerkennung im Jahre 1718 erfolgte und am 7. April 1721 auf dem kaiserl. königl. Oberamte zu Breslau öffentlich publicirt wurde. Der gedachte *Adam*, Freiherr v. K., Erbherr auf Boiadel, Tarpen, Kern, Mesche, u. s. w. starb noch vor der gedachten Publication am 20. Decbr. 1720 zu Glogau unvermählt, und sein Bruder, *David Heinrich*, Freiherr v. K. auf Kölmichen, Herzogswalde, Streiteldorf, u. s. w., des Fürstenthums Glogan und des Kreises Freystadt Landesältester, ererbte von ihm die Güter Boiadel und Kern, und pflanzte sein Geschlecht weiter fort. Ein anderes Haupt der Familie, *Sigis-*

mund Freiherr v. K., der Vetter des Vorigen, war Herr auf Knchel-
berg und Kauffungen. Eine Enkelin von ihm war an den Freiherrn
Conrad Gottlieb v. Zedlitz-Neukirch auf Tief-Hartmannsdorf ver-
mählt und die Mutter der jetzt lebenden Söhne aus diesem Hause.
Eine Urenkelin war die verstorbene Feldmarschall, Gräfin v. Gnei-
senau, eine andere, die verstorbene Gräfin v. Danckelmann-Ossek.
Im Jahre 1806 besass *Adam Rudolph Karl*, Freiherr v. Kottwitz, kö-
nigl. Kammerherr und Justizrath, die Güter Boiadel, u. s. w. —
Sein einziger Sohn *Karl Emil Rudolph*, Freiherr v. Kottwitz, früher
Herr auf Boiadel, u. s. w., wohnt gegenwärtig, als Privatmann, in
Berlin. Seine Söhne, *Hugo* und *Edwin* v. K., stehen im 11. Infant.-
Regiment. Damals besass *Hans Ernst*, Freiherr v. K., Ober-Peilau,
Schobergrund, Gaumitz und Neobschütz. Ein Mann, der sich durch
wahren Patriotismus und unermüdeten Eifer für das Wohl seiner Mit-
menschen ausgezeichnet hat und schon seit längern Jahren in Berlin
wohnt, wo die von ihm gegründete freiwillige Beschäftigungsanstalt
seinen Namen führt. Er war mit einer Gräfin v. Zedlitz vermählt,
aus welcher Ehe zwei Söhne leben. — Aus dem Hause Schwarzau
stehen mehrere Söhne im preuss. Staatsdienste, namentlich der Geheime Ober-Regierungs-Rath und Vice-Präsident, auch Ritter,
Freiherr v. K. zu Breslau, und dessen Bruder, der Oberlandesgerichtsrath, Freiherr v. K., ebendaselbst — Ein dritter Bruder, Baron v. K., ist Capitain im Garde-Schützenbataillon und Ritter des eisernen Kreuzes (erworben vor Paris). — Ein vierter Bruder der Freiherr v. K., besitzt in der Gegenwart sehr bedeutende Güter in der
Provinz Posen, namentlich gehört ihm Tuchorza, u. s. w. — *Otto
Conrad Alexander*, Baron v. K., ist gegenwärtig Besitzer der Boiadler
Güter; ein anderer Baron v. K. ist Herr auf Kossar bei Crossen. Er
ist der Bruderssohn des Vorigen.

Johannes v. Pochner, jetzt Kottwitz, führte im weissen Schilde
eine rothe Strasse, und auf dem gekrönten Helme einen ausgestreckten, geharnischten Arm, mit einem hauenden Schwerte.

Heinrich v. Pochner, sein Bruder, führte eben ein solches Schild,
auf dem Helme aber einen halben Mühlstein, mit schwarzen Federn
geschmückt.

Petrus v. Pochner, genannt Strzalin, führte ein gleiches Schild,
wie die Obigen, auf dem Helme aber drei schwarze Straussfedern.

Die schlesischen v. K. führen ein weisses, durch eine rothe Strasse
getheiltes Schild, und auf dem Helme einen halben weissen Mühlstein, mit dem halben Rande auf den Helm gelegt, und in der Mitte,
von oben herab mit einem rothen Streifen in zwei Theile getheilt,
worauf ein Sträusslein von Straussfedern gesteckt ist. Das Wappen
giebt Siebmacher I. S. 60.

Die fränkischen v. K. zu Aulenbach führten auf dem Helme zwei
gegen einander gebogene, unten schwarze, oben weisse Steinbocks-
hörner und eins dergleichen schwarz im weissen Schilde. Helmdecken
weiss und schwarz.

M. s. auch: das Alter, Ruhm, Gelehrsamkeit und Religion des
hochadeligen und freiherrlichen Geschlechts v. Kottwitz, von M. Leu-
pold. 1770. Sinapius, I. S. 534 — 545. v. Hattstein, III. S. 266—270.

Kotze, die Freiherren und Herren von.

Sie gehören zu dem Adel in Sachsen, und namentlich zu dem im
Magdeburgischen, Merseburgischen und im Saalkreise. Hier besassen

sie zwischen Merseburg und Halle ansehnliche Güter, wie Ammendorf
seit dem Jahre 1411; auch waren Lützen, Gr. und Kl. Germersleben,
Germen, Tornau und Gr. Kubel Besitzungen der v. Kotze. Mehrere
Ritter aus diesem Hause waren Hauptleute und Burgvoigte zu Giebichenstein, namentlich *Ulmann* v. K., der im Jahre 1427, *Herrmann*
v. K., der im Jahre 1474, und *Leonhard* v. K., der im Jahre 1560
starb. — Verschiedene andere Mitglieder dieses Geschlechtes befanden sich an den Höfen der Erzbischöfe von Magdeburg, ob sie gleich
früher zu den Hauptwidersachern der Erzbischöfe gehörten, ja sogar
einen Bischof, Heinrich von Warin, im Jahre 1226 gefangen nahmen
und ihm erst nach erlegtem reichen Lösegelde die Freiheit schenkten.
Von diesem Gelde sollen die v. K. die Schlösser Teuditz bei Lützen,
und Bedra im Amte Freyburg erkauft haben, wie Spangenberg Adelsspiegel II. c. 56 berichtet, dem aber Haltans bei Mencken Script.
rer. Germ. Tom. III. p. 2064 widerspricht. Sie waren in der Vorzeit auch sehr häufig mit der Stadt Halle in offener Fehde. Die genannten beiden Schlösser sind von dem Bischofe Geverhardo im Anfange des 14. Jahrhunderts erobert und geschleift worden, zugleich
wurden mehrere Besitzungen der v. K. bei dieser Gelegenheit eingezogen. (M. s. Brotuff, pag. 37, und die mansfeldsche Chronik vom
Jahre 1478, auch Müller's sächsische Annalen, pag. 296.) — In der
Gegenwart ist ein v. K. Regierungsrath zu Cöslin, ein anderer Baron
v. K. erwarb sich das eiserne Kreuz 2. Classe bei Fère Champenoise,
und ist gegenwärtig Königl. Oberamtmann und Pächter der Domaine
Neuwegersleben im Regierungsbezirke Magdeburg. — Ein dritter v. K.
ist Pächter der Domaine Hammersleben.

    Hasse giebt das Wappen dieser Familie. Es ist ein blaues Schild,
in dem ein schwarz gekleideter Mann (Mönch) mit silbernem Kragen
vorgestellt ist. Auf dem Helme steht ein rothes Windspiel mit silbernem Halsbande. Die Decken sind golden und blau. M. s. auch Gauhe,
I. S. 826. v. Hattstein. v. Meding beschreibt das Wappen, I. No. 441.

Koven, die Herren von.

    Mehrere Familien dieses Namens sind in den Adelstand erhoben
worden, von denen jedoch einige schon wieder erloschen sind. Im
Jahre 1717 wurde am 9. März *Martin August* Koven, und am 18. December *Joachim Christian* Koven, Kammerrath und Rentmeister zu
Halberstadt, geadelt. — Im Jahre 1731 wurde am 17. Novbr. *Johann
Julius* Koven, Rath zu Colberg und Besitzer der Güter Lestin und
Damitz, und am 12. Mai 1734 *Rudolph August* Koven, Obergerichts-
rath, nebst seinen Brüdern und Schwestern in den Adelstand erhoben.
Der erwähnte *Julius* v. K. erkaufte am 9. Septbr. 1735 die oben ge-
nannten Güter von Hans Christian v. Kleist. — Von Gundling führt
die von Koven als Besitzer von Panchlin? (vielleicht Jarchlin) und
Kniphof auf. In der Gegenwart kommt dieser Name wenig mehr vor.

Kowalski, die Herren von.

    Ein polnisches altadeliges Geschlecht, von dem sich einige Zweige
nach Preussen gezogen haben. *Johann* v. Kowalski besass Elsanow in
Polen. — Sein Sohn, *Johann Lorenz* v. Kowalski, gelangte zur Würde
eines Generallieutenants, Chef eines Garnison-Regiments und Ritter
des Ordens pour le mérite (erworben in der Schlacht von Lowositz).
Er starb 179? in Berlin. Aus seiner Ehe mit Anna Elisabeth v. Unruh hinterliess er vier Töchter. Eine derselben starb vor einigen Jah-

ren als Wittwe des Landraths von Reichenbach in Freyenwalde. — *Otto Alexander* v. Kowalski hatte mit vielem Ruhme den siebenjährigen Krieg durchgefochten, und war zuletzt Oberst und Commandeur des Regiments von Tauentzien in Breslau. Im Jahre 1806 kam ein v. Kowalski unter den Stiftsherren des Domstiftes Gnesen vor, er ist gegenwärtig Bischof zu Maximinianopel und Weihbischof zu Gnesen und Posen. Damals stand auch ein Ollizier dieses Namens in dem Regimente von Grävenitz in Glogau, er lebte noch vor einigen Jahren in Szcepankowo bei Samter in Polen. In der Gegenwart steht noch ein Capitain v. Kowalski im 19. Landwehrregimente.

Kozierowski, Herr von.

Diesem vornehmen polnischen Geschlechte gehört der Vicepräsident der Regierung zu Bromberg, Ritter u. s. w., v. Kozierowski an.

Kracht, die Freiherren und Herren von.

Die ältesten Autoren zählen die von Kracht zu den edlen Geschlechtern, die schon 926, nach der Vertreibung der Wenden, in die Marken kamen. Bei Crossen besass die Familie das Gut Briesnitz. Mehrere Zweige verbreiteten sich auch in der Niederlausitz, wo sie verschiedene Güter, wie Gehren, Zacks- oder Schaksdorf, Türkendorf, Riez, Lindenberg u. s. w. besassen. Die Stammreihe des Geschlechts beginnt mit *Werner* von Kracht auf Parchemmar. — Im Jahre 1560 war *Albrecht* von Kracht Senior des Hochstiftes Magdeburg. — *Eustachius* (Isaak) v. Kracht war kurbrandenburgscher Oberster über 2000 Reiter, Marschall, Director des kalauschen Kreises, Hauptmann der Aemter Zechlin, Witstock und Lindow, auf Lindenberg Erbherr. Er war 1547 geboren, focht schon in früher Jugend in Ungarn und Frankreich, trat sodann in die Dienste des Kurfürsten Johann Georg von Brandenburg, focht später von Neuem gegen die Türken, kehrte als Oberst in die Dienste des Kurfürsten zurück, wurde Hofmeister des Prinzen Johann Georg, und nachmals Kriegszahlmeister und Mustercommissarius. Im Jahre 1610 ernannte ihn der Kurfürst Johann Sigismund zum Obersten, die Stände des Kreises Kalau aber erwählten ihn zu ihrem Director. Er starb am 2. Oct. 1617 und hinterliess aus seiner Ehe mit Eva v. List, aus dem Hause Commtendorf, zehn Söhne und zwei Töchter. — *Hildebrand* v. Kracht, einer dieser Söhne, trat in die Fusstapfen des tapfern Vaters, er focht in vielen Schlachten und Treffen, und war in mehrerer Herren Dienste, bis ihn der Kurfürst Johann Sigismund zum Kriegsrath und 1612 zum Oberhauptmann von Cüstrin ernannte, dennoch wurde er noch zu mehreren Unternehmungen im Felde gebraucht. Er starb am 19. August 1638 zu Cüstrin. Mit Anna Maria von Rintdorf hatte er einen Sohn und eine Tochter erzeugt. — *Dietrich* v. Kracht war kaiserl. Oberster, nachdem er vorher in den Diensten Königs Gustav Adolph gestanden und später in die des Kurfürsten zurück gerufen war. Er half Danzig belagern und wurde nach der Einnahme Commandant dieser Stadt, bald darauf aber Commandant von Berlin. Er verliess aber die brandenburgschen Dienste, wurde Oberst des Kaisers und von diesem in den Freiherrnstand, mit Vermehrung des Wappens, erhoben. Acht Jahre führte er das Commando in Breslau. Er starb 1657. Seine Wittwe war Dorothea Magdalena, Marschallin von Herrngosserstädt; Kinder hat er nicht hinterlassen.

Nach von Gundling (Anh. S. 50) waren die v. Kracht Herren auf Osnig bei Cottbus. — In der preussischen Armee stand der Oberst v. Kracht als Commandeur des 3. Uhlanen-Regiments, er ist Ritter des eisernen Kreuzes 1. Classe, erworben 1814, und des Ordens pour le mérite, den er für das Gefecht bei Garossenkmy 1812 in Kurland erhalten hatte. Als Generalmajor a. D. lebt er gegenwärtig auf seinem Gute Roggow bei Regenwalde in Pommern. Ein Capitain von Kracht commandirt die Garnison-Compagnie des 1. Garde-Regiments in Spandau.

Die von Kracht führen im blauen Schilde den Fuss und Flügel eines rothen Adlers. Der Fuss ist silbern und die Spitzen des Flügels auswärts gekehrt. Dasselbe Bild wiederholt sich auf dem Helme. Siebmacher giebt dieses Wappen, I. Bd. S. 176. M. s. Grosser's Merkwürdigkeiten der Lausitz, III. Bd. S. 47. Angeli märkische Chronik, Fol. 39. Leben aller Helden u. s. w., 1. Bd. S. 321 u. s. f.

Kracker (Kraker), die Herren von.

Diese adelige Familie in Schlesien stammt von *Christoph* Kraker von Schwarzenfeld, der im Jahre 1698 das Gut Kaltvorwerk bei Oels erkaufte. Sie besass später verschiedene andere Güter, wie bei Neisse die Ritter-Scholtisei Ludwigsdorf, ein Gut bei Leobschütz. — *Karl* v. K. von Schwarzenfeld ist königl. Geheimer Regierungsrath bei der Regierung zu Breslau, und Repräsentant der Generallandschaft für Oberschlesien.

Kräwel, die Herren von.

König Friedrich Wilhelm III. erhob am 13. Mai 1826 den Major und Mitglied der Artillerie-Prüfungscommission, auch Ritter des eisernen Kreuzes am weissen Bande mit schwarzen Streifen, *Christian Friedrich David* Kräwel, in den Adelstand. Ein v. K. war 1836 Oberlandesgerichtsassessor zu Naumburg. — Das dem Major v. K. beigelegte Wappen ist senkrecht getheilt. Der rechte Theil ist links schräg in zwei Felder, und der linke, rechts schräg in zwei Felder getheilt. Das silberne Feld rechts enthält einen schwarzen Adlerflügel, das goldene Feld links ein grünes Kleeblatt. Auf den beiden mittleren Feldern, von denen das links blau, das rechts roth ist, liegen zwei goldene Kanonenröhre ins Andreaskreuz gelegt. Auf dem Schilde ruht ein blau angelaufener, gekrönter, mit goldenem Kleinode gezierter Helm, worauf ein blau geharnischter Mannsarm, ein Schwert haltend, dargestellt ist. Hinter diesem erheben sich fünf Straussfedern, wovon die mittelste und die beiden äussersten schwarz, die beiden andern silbern sind. Die Helmdecken sind rechts roth und silbern, links blau und golden.

Krahn, die Herren von.

Ein adeliges Geschlecht, das mit den von Krohne ein gleiches Wappen führt und gleichen Ursprung mit demselben hat. M. s. den Artikel v. Krohne. — Ein v. Krahn besitzt das Gut Krahnshoff im Kreise Lauenburg-Bütow.

Krajewski, die Herren von.

Eine aus Polen nach Preussen gekommene altadelige Familie. *Joseph* v. Krajewski war 1806 Canonicus des Domcapitels zu Plock in

Neu-Ostpreussen. Ferner gehörte dieser Familie der Generalmajor und Commandeur des Infanterie-Regiments von Reinhart in Rastenburg, v. Krajewski, an, und ist im Jahre 1807 im Pensionsstande gestorben. Bei Seelze in Polen hatte sich derselbe den Verdienstorden erworben. Ein Sohn von ihm stand 1806 im Regimente von Kaufberg in Danzig, er war Adjutant des General v. Kaufberg, commandirte 1830 als Oberstlieutenant das 2. Bataillon des 5. Landwehr-Regiments, und ist Ritter des eisernen Kreuzes.

Kranichsfeld, die Herren von.

Aus dem alten deutschen Geschlechte der v. Kranichsfeld oder Kranichfeld, das schon im Jahre 996 in den Turnierbüchern vorkommt, findet man einen *Conrad* v. K., der im Jahre 1312 als ein angesehener Cavalier am Hofe Herzog Conrad I. zu Oels erwähnt wird. Der Stammvater der Familie v. K. war *Wolfer* I., und im 14. Jahrhunderte ist sie ausgestorben.

Ihr Wappen haben die Herren und jetzigen Fürsten Reuss v. Plauen dem ihrigen beigefügt; ihre beiden Stammschlösser lagen neben dem gleichnamigen Städtchen, zwischen Arnstadt und Jena. Eins derselben ist jetzt preussisch, das andere gothaisch. Siebmacher giebt, II. S. 36, das Wappen der v. K. Sie führten im silbernen Schilde einen goldenen, nach der rechten Seite fortschreitenden Kranich; auf dem Helme aber stand ein ebenfalls nach der Rechten gekehrter, gold-, silber- und rothgestreifter Kranich. Die Helmdecken golden und roth. M. s. die Geschichte der Grafen v. Gleichen von Sagittar., S. 250—59. Albini, Geschichte der Grafen und Herren v. Werthern, S. 65. Klotsch und Grundich, Sammlung vermischter Nachrichten zur sächs. Gesch. VIII. S. 296—343. Sinap., I. S. 547. Gauhe, II. S. 589.

Kranichstädt, die Herren von.

Ein altes schlesisches Rittergeschlecht, von dem in der Gegenwart nur wenig oder gar keine Abkommen mehr leben. Es führte früher den Namen Kränchel, und zwei Brüder, *Andreas* und *Matthias* v. Kränchel, lebten um das Jahr 1595 als Oberamtsräthe in Schlesien. Die Abkommen des Matthias erhielten in Rücksicht der Verdienste ihrer Vorfahren, mit Beibehaltung ihres alten Wappens, das Prädicat v. Kranichstädt. — *Franz Albert* v. K. und *Karl Maximilian* v. K., der erstere kaiserl. Oberamtsrath in Schlesien; der andere, ein Sohn desselben, kommen als Besitzer von Lobetinz bei Breslau vor. Der erstere starb im Juli 1723, und die schlesischen Curiositäten melden nach der eigenthümlichen Weise der damaligen Zeit seinen Tod auf folgende Art: „In des Durchl. Erz-Hauses Oesterreich und des Vaterlandes Diensten hatte durch unablässige implorirte Arbeit Herr Franz Albert nach Art der Lichter sich selbst verzehret, endlich als er auf seinem Gute seiner Gesundheit pflegen will, sich des Sauerbrunnens gebrauchende, legt er sich gesund nieder, wird aber früh im Bette todt gefunden, im Juli 1723." — Im Jahre 1806 war *Joseph* v. K. auf Niskawe bei Winzig Justizrath und Commissarius perpetuus im winzigherrnstädter Kreise. — Zu Neisse starb um das Jahr 1826 die Wittwe eines v. Lutzenkirchen, die eine geborne v. K. war.

Das von Kranichstädtsche Wappen zeigt in einem, oben gelben, unten schwarzen Schilde einen gelben Balken, der das schwarze Feld schräg durchschneidet. Durch das ganze Schild steht ein auf dem rechten Fasse stehender und rechts gewendeter Kranich, den linken Fass zum Zeichen der Wache in die Höhe haltend. Der eben beschriebene Kranich wiederholt sich auf dem gekrönten Helme zwischen zwei Büffelhörnern. Die Helmdecken sind gelb und schwarz. v. Meding beschreibt das Wappen, III. No. 443. Sinapius erwähnt diese Familie, I. S. 547. II. S. 749. Gauhe, II. S. 590.

Krassau (ow), die Freiherren und Herren von.

Aus Böhmen und Polen sind die von Krassau oder Krassow nach schwed. Pommern gekommen, wo sie zn dem ältesten Adel gezählt werden. Das noch heute im Besitz der Familie befindliche Pansewitz auf der Insel Rügen erscheint als der Stammsitz dieses vornehmen Geschlechtes. Aber auch Saalkow, Schweickwitz, Siggelow, Varssenwitz und Veckewitz sind alte Güter der v. K. *Ernst Dettleff* v. Krassow, Erbherr auf Pansewitz, starb 1714 als königl. schwedischer General en Chef der Infanterie, Oberst eines Regiments und Ritter der königl. Orden. Pansewitz besitzt gegenwärtig der königl. schwed. Oberstlieutenant a. D. und Ritter des Johanniterordens, Baron v. Krassau, ein anderer Baron v. Krassau, ebenfalls Oberstlieutenant a. D. und Johanniterritter, besitzt Diewitz auf Rügen. Die Familie besitzt auch die Falkenhagner Güter im Kreise Grimmen.

Sie führen im goldenen Schilde einen rothen Bauer, der eine Sense mit silberner Klinge vor sich hält. Dasselbe Bild wiederholt sich auch auf dem Helme zwischen vier abwechselnd golden und rothen Straussfedern. Die Helmdecken sind golden und roth. M. s. genealog. Archiv, XVI. Th. S. 157. Bohem., p. 312. Gauhe, I. S. 831 und II. S. 590. Grümbke, die Insel Rügen 1819, 2. Th. S. 44 und 49.

Kraszkowski, die Herren von.

Aus dieser polnischen adeligen Familie ist eine Linie in der Provinz Posen begütert, ihr gehört namentlich der Landschaftsrath *Anton* v. Kraszkowski, Herr auf Zielencin, an.

Krause, die Herren von.

1) Der König Friedrich Wilhelm II. erhob am 19. Januar des Jahres 1787 die Brüder *Karl Georg Wilhelm* und *Berndt Bogislav Wilhelm* Krause, auf Pritzlow und Pargow in Pommern, in den Adelstand. — Ein Sohn des Ersteren, *Karl Georg Wilhelm* v. Krause, Herr auf Pritzlaw, starb am 19. August 1832 als Landrath des randower Kreises, Landschaftsdirector und Ritter.

2) Des jetzt regierenden Königs Majestät ertheilte dem Kreisdeputirten im Kreise Demmin, *Gottlieb Ferdinand* Krause auf Tentzerow, Sternfeld und Hohenmockern, am 18. Jan. 1817 den Adelstand.

3) Der Breslauer Kaufmann *Gottfried* Krause wurde im Jahre 1710 in den böhmischen Adelstand erhoben.

Die zuerst erwähnte Familie führt ein quadrirtes Schild. Im 1sten silbernen Felde steht ein grünbelaubter Baum auf grünem Hügel, im 2ten goldenen Felde ist ein grüner Eichenkranz, im 3ten ebenfalls goldenen sind drei Kornähren an grünem Stengel auf grünem Hügel wachsend, im 4ten silbernen Felde wiederholt sich der Baum. Auf dem Helme ist derselbe noch einmal zwischen zwei schwarzen Adlerflügeln vorgestellt. Das Wappen ist mit einem roth eingefassten, weissen Pelzmantel umgeben.

Krausenstein, die Herren von.

Ein Hauptmann *Albrecht Friedrich* von Krausenstein stand im Infanterie-Regimente v. Renzel in Berlin, wurde später Kriegsrath in Halberstadt und erkaufte das Erbzinsgut Werder bei Wollin in Pommern. Er hatte einen Bruder, *Joh. Heinrich* v. Krausenstein. Noch gegenwärtig besitzt die Wittwe v. Krausenstein jenes Gut in Pommern.

Kraut, die Herren von.

Der König Friedrich I. erhob am 2. März 1703 den Geh. Kriegsrath und Generalempfänger, *Johann Andreas* Kraut, in den Adelstand. Wie bekannt, gelangte derselbe nachmals zur Würde eines dirigirenden Geheimen Staatsministers. Er war im Magdeburgschen am 17. Juli 1661 geboren, wurde 1718 Geheimer- und Kriegsrath mit dem Vortrage von Commercien- und Manufactursachen im Rathscollegium des neuerrichteten Generaldirectorium, im Jahre 1723 aber Vicepräsident, Geheimer Finanzrath und dirigirender Minister. Er starb jedoch schon im August 1723. — Ein Nachkomme dieses hochverdienten Staatsmannes ist der Major und Ritter v. Kraut, gegenwärtig Adjutant Sr. Excellenz des Generallieutenant Rüchel von Kleist.

Krauthof, die Herren von.

Georg Christian Krauthof in schwedisch Pommern wurde am 10. Septbr. 1750 in den Adelstand erhoben. — Seine Söhne waren *Friedrich Karl Christoph* v. K. zu Zemze, *Philipp David George* v. K. zu Landsdorf, und *Friedrich Balthasar Christian* v. K. zu Klotzow in Pommern. — Ein Nachkomme war der im Jahre 1820 als Oberst und Commandeur des 1. Breslauer Landwehrregiments ausgeschiedene v. K., der früher in dem Regimente v. Schöning gestanden hatte und Ritter des eisernen Kreuzes 2. Classe war. — Gegenwärtig steht ein Lieutenant v. K. in der Cavallerie des 3. Bataillons 2. Landwehrregiments.

Krempzow, die Herren von.

Die von Krempzow, früher auch oft von Krempzen geschrieben, gehören zum alten pommerschen Adel, und waren um Pyritz ansässig. Namentlich gehörten die vier Antheile von Sandow bei Bernstein einst vier Familien v. Krempzow, endlich vereinigte nach des Majors *Joachim Bernd* v. Krempzow Tode sein Erbe *Friedrich* v. Krempzow alle Antheile in einen Besitz. Brüggemann beschreibt nach Klzow ihr Wappen. Sie führen im silbernen Schilde einen Eichenast mit drei grünen Blättern, und auf dem Helme einen Mann mit geharnischten Armen, welcher auf dem Hute drei Federn, in der rechten Hand eine grün und schwarze Schachtafel hat. Micrälius erwähnt dieses Geschlecht, S. 497.

Kreytzen, die Grafen von.

Zu Dem, was wir S. 381 des 1. Bandes im Artikel von Crentz (Kreutz, Kreytzen) gesagt haben, fügen wir hier noch hinzu: *Johann Albrecht* von Kreytzen, königl. Landrath, wurde am 18. Januar 1701 in den Grafenstand erhoben. Er behielt bei dieser Erhebung das alte Wappenschild seines Hauses, silbern und damascirt und in der Länge von einer breiten schwarzen, ebenfalls damascirten Strasse durchzogen und mit einer Edelkrone bedeckt, bei. Diese gräfliche Linie ist längst wieder erloschen.

Krieger, Herr von.

Der König Friedrich II. erhob am 2. Nov. des Jahres 1743 den Gutsbesitzer *Johann Heinrich* Krieger in Schlesien in den Adelstand.

Krieger, die Herren von.

In dem Regimente von Pirch zu Stettin stand 1806 der Premier-Lieutenant v. Krieger, er stieg bis zum Oberst und Commandeur des 1. Bat. 14. Landwehr-Regiments. Ein Sohn von demselben ist der Premier-Lieutenant v. Krieger im 15. Infanterie-Regimente, commandirt beim Landwehr-Bataillon des 39. Infanterie-Regiments.

Kriegsheim, die Herren von.

Ein Offizier dieses Namens stand bis zum Jahre 1806 in dem Kürassierregimente v. Reitzenstein zu Salzwedel. Er wurde in dem Feldzuge 1815 dem 1. Kürassierregimente als Rittmeister aggregirt, im Jahre 1817 erhielt er als Major den Abschied mit Pension, und ist im Jahre 1819 gestorben. — Ein v. Kriegsheim ist im Besitze des Pachtgutes Meseckenhagen im Kreise Grimmen.

Kriegstein, die Herren von.

Mehrere Edelleute dieses Namens haben in der preuss. Armee gedient, namentlich stand ein v. Kriegstein, der im Jahre 1813 auf dem Felde der Ehre blieb, im Regimente v. Winning in Berlin. — Ein anderer v. K., der im Regimente v. Plötz gedient hatte, war im Jahre 1828 Major und Chef der 6. Invaliden-Compagnie. — Ein Hauptmann v. K. lebte noch in neuerer Zeit zu Neisse.

Krockow, die Grafen und Herren von.

Der ursprüngliche Name dieses alten vornehmen Geschlechtes ist Vieserod, später Wickerode. Erst, als sich verschiedene Zweige desselben aus dem Heimathslande der Familie, aus den Rheingegenden und aus Franken, nach Preussen gewendet hatten, nahmen sie von dem Schlosse Krockow bei Neustadt in Westpreussen den heutigen Namen an. Die ordentliche Stammreihe dieser uralten Familie beginnt mit *Albert* v. Vieserod, der um das Jahr 1196 lebte. — Sein Sohn *Georg* kam mit dem deutschen Orden nach Preussen, und sein Enkel

Gneomar ist im Jahre 1279 von dem Herzoge Mestovino II. mit dem Dorfe und Schlosse Krockow belehnt worden. Er hat zuerst von dieser seiner Besitzung den Namen Krockow, zuweilen auch Krackow geschrieben, angenommen. Er hinterliess zwei Söhne, von denen, wie Micrälius behauptet, *Matthias* v. K. Doctor der Theologie, Rector zu Paris und Prag, später des Kaisers Rupertus Kanzler, und zuletzt Bischof zu Worms gewesen sein soll. Er stand in dem Rufe grosser Gelehrsamkeit und war ein fruchtbarer Schriftsteller. Viele Autoren bestreiten jedoch den Umstand, dass er ein Sohn des erwähnten Gneomar war. Dagegen erscheint es sehr wahrscheinlich, dass *Johannes* v. K., der zweite Sohn Gneomars, sein Geschlecht in Pommern fortpflanzte. — Von seinen Nachkommen war *Georg* v. K. fürstl. pommerscher Landrath. — Einer seiner Söhne, *Ernst* v. Krockow, gelangte im 30jährigen Kriege zur Würde eines kaiserl. Generals. Er fand eine Stelle in dem historischen Heldenlexikon. — *Matthias* v. K. war um das Jahr 1652 kurbrandenburgischer Geheimer Rath, Hofgerichts-Präsident in Hinterpommern und ausserordentlicher Gesandter am kaiserl. Hofe zu Wien. — *Lorenz Georg* v. K., geboren den 6. Januar 1638, starb als hinterpommerscher Kanzler und wirklicher Geheimer Rath, auch Staats- und Kriegsminister, Dompropst des Stiftes Camin, Erbherr auf Peest, Schloss- und Burggesessen zu Polzin am 14. Octbr. 1702. Er war auch Abgesandter des Kurfürsten an dem Hofe des Kaisers und an dem der Könige von Schweden, Frankreich und Polen. — *Ernst* v. K. war 1690 kurbrandenburgischer wirkl. Geheimer- und Kriegs-Rath, Hofgerichtspräsident in Hinterpommern und Comthur zu Wittersheim, Prälat des Stifts zu Colberg. Er erschien als bevollmächtigter Minister Brandenburgs auf dem Friedenscongress zu Nimwegen, war Erbherr auf Krockow, und Schloss- und Burggesessen zu Polzin. — In der preuss. Armee haben sich ausgezeichnet:

Hans Caspar v. K., aus dem Hause Peest, war am 23. August 1700 geboren und studirte zu Halle. Seine Neigung für die Waffen war aber so überwiegend, dass er zum Militairstande überging, in das damalige Regiment Prinz Gustav von Anhalt eintrat, die subalternen Stellen durchlief und 1738 bereits Major war. 1741 avancirte er zum Oberstlieutenant; als solcher ging er als Freiwilliger zur österreichischen Armee, welche gegen die Franzosen focht, und wurde 1745 Oberst. Im October desselben Jahres ernannte ihn Friedrich der Grosse zum Commandeur des v. Buddenbrockschen Kürassierregiments, zum Amtshauptmann von Giebichenstein und Moritzburg, 1750 aber zum Generalmajor und 1757 zum Chef des von ihm commandirten genannten Regiments. In demselben Jahre wurde er durch ein Stück Bombe verwundet, demungeachtet befand er sich an der Spitze seines Regiments in der Schlacht bei Leuthen, wo er wesentlich zum Siege beitrug. In dem Ueberfall bei Hochkirch commandirte er eine Brigade, grösstentheils aus Kürassieren bestehend, und richtete, sobald er zum Aufsitzen kommen konnte, ein grosses Blutbad unter den Oesterreichern an. Da er gleich anfangs dabei in die rechte Schulter verwundet worden war, darauf aber nicht Rücksicht nahm, so hatte er sich stark verblutet und war auf dem Wahlplatze unter den Todten liegen geblieben. Seine Leute retteten ihn mit Mühe und brachten zum nach Bautzen, und von da nach Schweidnitz, wo er am 25. Februar 1759 starb. Er war Erbherr auf Peest, Palow, Franzen, Thien, Netzlin u. s. w., und mit Sophie Lucretia v. Wulffen, aus dem Hause Neudorf vermählt, aus welcher Ehe ihm drei Söhne und eine Tochter geboren wurden.

Anton v. K., aus dem Hause Polzin, war 1713 geboren und trat, nachdem er in 23 Jahren in französischen Diensten bis zum Obersten

174   Krockow.

avancirt war, als Oberst und Flügeladjutant in die Dienste Friedrichs II.
Im Jahre 1757 bekam er die Amtshauptmannschaft zu Neustettin,
im Decbr. desselben Jahres den Generalmajorscharakter und das erledigte Regiment von Blankensee Dragoner. 1761 ward er Generallieutenant, 1769 Amtshauptmann zu Neuenhagen und Freyenwalde, und
1773 Ritter des schwarzen Adlerordens. Er erfreute sich der besondern
Gnade seines unsterblichen Monarchen und zeichnete sich im siebenjährigen Kriege bei vielen Gelegenheiten aus Als er sich im Jahre
1778 bei der Armee des Königs in Schlesien befand, befiel ihn eine
Krankheit, er wurde nach Landshut gebracht, starb aber trotz aller
angewandten Mühe am 4. October des genannten Jahres. Aus seiner
Ehe mit einer von Lüders hat er zwei Söhne und vier Töchter
hinterlassen.

Döring Wilhelm, Graf v. K., ein jüngerer Bruder des Vorigen,
geboren 1719, trat 1736 als Fahnenjunker in das Regiment v. Borck,
und war beim Ausbruche des siebenjährigen Krieges zum Hauptmann
avancirt. Für seine in der Schlacht bei Zorndorf bewiesene Tapferkeit ward er zum Major befördert, nach der Schlacht bei Turgau aber
Oberstlieutenant und Ritter des Ordens pour le mérite, 1764 Oberster,
1767 Generalmajor und Chef des erledigten v. Ziethenschen Regiments,
1772 aber erhielt er nach der Besitznahme von Westpreussen ein
neuerrichtetes Füsilierregiment. Im Jahre 1781 wurde er zum Generallieutenant, 1782 zum Ritter des schwarzen Adlerordens ernannt, und
1786 erhob ihn bei der Huldigung der König Friedrich Wilhelm II. in
den Grafenstand. Er starb um das Jahr 1800 als General von der
Infanterie a. D.

Heinrich Joachim Reinhold, Graf v. K., ein Sohn des oben erwähnten *Hans Caspar* v. K., war Oberst und Commandeur des v. Ziethenschen Husarenregiments.

Otto Karl, Graf v. K., war polnischer General von der Cavallerie
und Erbschenk, Herr auf Katz, u. s. w.

Wilhelm Joachim Reinhold, Graf von Krockow, hat sich im Jahre
1804 als Chef eines Freicorps bekannt gemacht. — Sowohl in
Pommern, wie in Preussen, hat diese Familie verschiedene Güter
erworben, die noch grösstentheils jetzt in ihren Händen sind. Nach
der Thronbesteigung Friedrich Wilhelms II. und namentlich bei der
Huldigung zu Königsberg am 19. September 1786 wurde der oben
erwähnte Generallieutenant *Döring Wilhelm* v. K. in den Grafenstand
erhoben. Mit ihm zugleich erhielten die gräfliche Würde für sich und
ihre Nachkommen *Otto Karl* v. K., polnischer Generalmajor, und die
Vettern der Genannten, *Heinrich Joachim Reinhold*, *Ernst Christoph*,
Ernst Matthias und *August Julius Gneomar* v. K. Mit dieser Erhebung
in den Grafenstand wurde zugleich das schon früher von dem Kurfürsten
von Brandenburg dem jedesmaligen Senior der Familie verliehene Erb-
schenkenamt von Pommern erneuert. Das Stammgut Krockow ist aus
den Händen der Familie gekommen, als am 16. Juli 1823 *Albert
Caspar Ewald* Graf v. K. auf Krockow (m. s. weiter unten) ohne
Söhne zu hinterlassen, starb. Das jetzige Haus besteht gegenwärtig
aus folgenden Mitgliedern:

Hans Karl Ernst Graf v. K., Senior und Erbmundschenk von
Pommern, auf Dubberzin, Schlönwitz und Franzen, geboren am
13. Januar 1769, als Wittwer von Johanne Friederike Luise, zweiter
Tochter des Kriegsraths v. Hessin auf Döhringen in Ostpreussen, wieder vermählt seit dem 27 Januar 1811 mit Christiane Florentine,
der einzigen Tochter des verstorbenen Landesdirectors mohrungen-
schen Kreises, Köln, genannt v. Jaski, geboren den 2. Januar 1783.

Töchter erster Ehe.

1) *Ida Karoline Friederike*, geb. den 20. Septbr. 1801, vermählt mit Herrn v. Parasky, geschieden 1833.
2) *Emma Ludovike Auguste*, geb. den 10. Novbr. 1805.

Kinder zweiter Ehe.

3) *Fedor Köhn Karl Rostopschin*, geb. den 7. April 1813.
4) *Johanne Antonie Rosalie*, geb. den 17. Mai 1817.
5) *Emilie Luise Philippine*, geb. den 12. Februar 1821.
6) *Valesca Elise Wilhelmine*, geb. den 8. Septbr. 1823.

Schwester.

Anne Amalie Karoline Philippine Ulrike, geb. den 13. August 1781, Wittwe des am 17. Octbr. 1806 bei Halle gebliebenen Hauptmannes Felix von Mauntz.

II. Zur Peester Linie gehörige.

Des königl. preuss. Majors *Wilhelm Joachim Reinhold* Grafen v. K. (gestorben den 29. Septbr. 1821) Wittwe: Jacobine Dorothea Friederike, Tochter des verstorbenen Hauptmanns v. Below auf Machnim, geb. den 8. August 1777.

Dessen Kinder und deren Hinterbliebene.

1) Wittwe des am 7. Juni 1829 verstorbenen Grafen *Heinrich Joachim Reinhold* v. K.: Auguste Ernestine Ulrike, geb. den 16. Septbr. 1797, Tochter des königl. preuss. Hauptmannes von Zizwiz.

Kinder.

a) *Clara Francisca Luise Phil.*, geb. den 18. April 1828.
b) *Heinrich Joachim Reinhold*, geb. den 19. Juni 1829, Erbe des Gutes Peest.
2) *Gustav Adolph*, geb. den 17. Mai 1800, Erbherr auf Schönwalde und Thyne, vermählt seit dem 24. Juli 1823 mit Laura Adelaide, Tochter des königl. preuss. Geheimen Raths und schwedischen Consuls Lembke zu Dresden, geb. den 15. October 1801.

Kinder:

a) *Johann Reinhold Karl*, geb den 27. Januar 1825.
b) *Heinrich Arthur Oscar*, geboren den 7. März 1826.

III. Hinterlassene des Grafen *Albert Caspar Ewald* Graf v. K. (gestorben am 16. Juli 1823, s. oben) auf Krockow.

Dessen Wittwe.

Ernestine v. Jannewitz auf Bolschau in Westpreussen, geb. 1797.

Dessen Kinder.

1) *Ernestine Agnes Abigail*, geboren den 24. October 1811, vermählt seit dem 5. Decbr. 1831 mit Alexander Grafen von Prebentow, königl. preuss. Premier-Lieutenant und Adjutanten des 5. Infanterie-Regiments.
2) *Karoline Adelheid Luise*, geb. den 21. August 1813, vermählt seit dem 27. Januar 1834 mit Heinrich v. Windisch, Lieutenant a. D., auf Lapin in Westpreussen.

Das Wappen ist ein goldenes Schild, in dessen oberer Hälfte zwei weisse französische Lilien, in der Mitte ein schwarzes Jagdhorn mit schwarzem Bande, und unter demselben zwei schwarze Adlerfüsse dargestellt sind. Aus dem gekrönten Helme wachsen zwei Arme in eiserner Rüstung, welche die geballten Fäuste gegen einander halten. Zu Schildhaltern

sind zwei wilde Männer, mit Keulen bewaffnet, gewählt. Die Helmdecken sind golden und schwarz.

M. s. auch Brüggemann l. Th. 2. Hauptstück. Pauli IV. S.191—
204. Klaproth, der Staatsrath. S. 367. Biographisches Lexicon aller
Helden und Mil. Pers. u. s. w. Bd. II. S. 342. u. s. f. Bernhard
Köhne, Entwurf des historischen Geschlechtsregisters der hochfür-
nehmen und im Lande von Pommern hochgestiegenen Familie der
v. Krockow, nach Anleitung unstreitiger Urkunden. Stargard, 1692.

Kröcher, die Herren von.

Nach dem Wappenbuche Th. I. pag. 174. ist das Wappen der Familie v. Kröcher, Cröchern, Kröckern, Krocher, Krocker oder Kröcker,
ein silbernes Kameel im blauen Felde, auf dem offenen Helme, über
dem gewundenen Bunde befindet sich ein wachsendes Kameel. Die
Helmdecken sind blau und silbern.

Das Stammhaus der Familie ist wahrscheinlich das Dorf Cröchern
im wollmirstädter Kreise, und bis zur letzten Zeit dem dortigen Fräu-
lein-Stifte zugehörend. Jedoch finden sich darüber weiter keine Beweise, als die Aehnlichkeit des Namens und dass die v. Kröcher noch
bis zum 14ten Jahrhundert Besitzungen in der Nähe hatten. So verkauften die Brüder *Johannes*, *Heinrich* und *Jordan* 3 Hufen zu Glüsig
an 2 Nonnen zu Althaldensleben, und so schenkte *Heinrich* v. Kröcher
dem genannten Kloster 2 Hufen und 2 Höfe zu Odenburg, einem
nicht mehr vorhandenen Dorfe, beides nach ungedruckten Urkunden.
Ausgemacht ist es, dass der Familie später die Schlösser zu Beetzendorf, Calbe, Krunke und eine Burg zu Schwarzholz gehörten. Von
diesen verloren sie zuerst Beetzendorf gegen die Markgrafen von Brandenburg, die es ihnen abnahmen und die Familie von der Schulenburg
damit beliehen.

Nach den meisten Nachrichten geschah dies im Jahre 1204 unter
Markgraf Otto II. Andere wollen es jedoch wahrscheinlich finden, es
sei unter der Regierung Albrechts des Bären 1170 geschehen, als
dieser mit dem wendischen Fürsten Jazko, der kurze Zeit Salzwedel
inne hatte, im Kriege begriffen war.

Ueber hundert Jahre später wurde 1324 das Schloss Calbe mit
21 Dörfern an Albrecht von Alvensleben verkauft. Wenn aber die
Familie Krunke und die übrigen Besitzungen in der Altmark veräussert
habe, ist ungewiss, und nur soviel bekannt, dass diese sehr bedeutend gewesen sein müssen, wie verschiedene Nachrichten, noch einige
vorhandene Afterlehne und einige alte Stiftungen ergeben, z. B. eine
Stiftung in Dörfern des Herzogthums Lüneburg und der Altmark, um
Oblaten zum Abendmahl davon zu kaufen.

Wie es nun gekommen, dass die Familie sich in der Priegnitz
angesiedelt hat, und wie sie ihre Besitzungen dort erwarb, darüber
haben sich bis jetzt noch keine Nachrichten auffinden wollen, es ist
indess wahrscheinlich, dass sie auch hier mehr begütert als jetzt gewesen ist, wenigstens weiss man bestimmt, dass sie früher das Amt
Dreetz besessen, und in Pritzwalk sind noch alte Afterlehne vorhanden, woraus sich doch muthmassen lässt, dass sie mehr in der Nähe
begütert gewesen.

In der Altmark sind die Hauptafterlehne die, welche die Familie
von Barsewitz besitzt.

Bei einem Brande in Wusterhausen verbrannten alle Familien-Do-
cumente, und Alles, was daher noch ferner gesammelt werden konnte,
sind einzelne Personen betreffende Nachrichten.

Unter diesen nun ist *Johannes* der älteste, von dem man mit Sicherheit etwas weiss. Er war Ritter und kommt in Gerkens Urkunden im J. 1276 als Zeuge vor, desgleichen wird derselbe nach Gaube in einem Kaufbriefe von 1274, von dem Markgrafen dem Stifte Havelberg gegeben, als Zeuge aufgeführt, und eben so in einem Vertrage des Markgrafen mit dem Erzbischof Conrad I. von Magdeburg vom Jahre 1276.

Wahrscheinlich war dieser der Vater der Brüder *Heinrich* und *Droisecke*. (Droisecke et Henricks, frater ipsius, dicti de Kroechere 1293 a. b. Krath c. l. p. 296.)

Der letztere kommt nur selten in Urkunden vor, desto öfterer aber der erstere, der allein sein Geschlecht fortgepflanzt zu haben scheint. Nach einer Stelle des halberstädtschen Lehnregisters hiess er eigentlich Johann, und Droisecke war sein Beiname. Joh. miles de Bellingsstarp et Joh. famulus, patruus suus, tenent in feudo quartam partem decimae in Hanmersleve, quam Johann miles dictus Droisecke resignavit.

Nach dem Ableben des Markgrafen Herrmann 1307 wurde die Vormundschaft seines minderjährigen Prinzen einigen von seinen Räthen übertragen, unter denen Droisecke von Kröcher und Friedrich von Alvensleben vorzüglich bemerkt werden. Der verschwenderischen Aufwand liebende Woldemar wusste es jedoch von Herrmanns Wittwe zu erhalten, dass sie Johann an seinen Hof gab. Nun führte er seinen Aufwand auf Johanns Kosten, und schloss die vier Räthe von der Verwaltung aus. Diese entführten nun zwar den jungen Prinzen, und brachten ihn in Spandau in Sicherheit: allein der Markgraf erstürmte das Schloss, bemächtigte sich des Prinzen und verjagte die vier Räthe, welche in Mecklenburg und bei Heinrich dem Löwen Schutz suchten. Er veräusserte auch zu Anfang mehrere Gerechtsame des Prinzen, und nannte sich nachher Vormund desselben, wonach es scheint, dass die Vormünder, seiner Uebermacht weichend, sich der Vormundschaft gutwillig begeben haben.

Diese Vormünder, besonders Droisecke von Kröcher und Friedrich von Alvensleben, müssen sich indess später mit dem Markgrafen abermals veruneinigt haben, denn als nach dem Jahre 1314 in der Fehde der Stadt Stralsund mit dem Fürsten von Rügen der König von Dänemark und der Herzog von Mecklenburg die Partei der Stadt nahmen, waren die von Kröcher und die von Alvensleben auf Seiten des Königs von Dänemark, und es wurde in dem Friedensschlusse von Bredersdorf bei Rostock bedungen, dass der Markgraf binnen drei Jahren sich nicht an ihnen rächen dürfe.

Nicht lange nachher trat Markgraf Johann in seinem 13. Jahre seine Regierung an. In der ersten bekannten, von ihm ausgestellten Urkunde vom 16. August 1314 ist solche von seinen vier Rathgebern, nämlich Herrn Droisecke, Herrn Heinrich von Alvensleben, Herrn Heinrich Schenk und Herrn Ludwig von Wanzleben, anstatt des Markgrafen untersiegelt worden, weil er noch kein Petschaft hatte. Dies geschah auf dem Schlosse der Werbellinischen Haide.

Am 29. October 1314 empfingen Friedrich von Alvensleben und Droisecke für ihren Herrn zu Fulda 450 Mark Silber, und zwar auf ihrer Rückreise von Frankfurt am Main, wo sie vermuthlich als Gesandte des Markgrafen Johann der Wahl des Herzogs Ludwig von Baiern zum Kaiser von Deutschland beigewohnt hatten.

Späterhin brach der Krieg in Rügen und Pommern abermals aus, die von Kröcher und von Alvensleben nebst andern brandenburgschen Vasallen schlossen wiederum ein Bündniss mit dem Könige von Dänemark, scheinen sich jedoch später mit ihrem Herrn selbst wieder ausgesöhnt zu haben. — Am 24. März starb Markgraf Johann, und nun ward Markgraf Woldemar alleiniger Herrscher der Mark.

Nach dieser Zeit findet man Droisecke wieder als Truchsess in den Urkunden, welches von den damaligen Hofämtern das angesehenste war, und er zeigt sich namentlich am 16. April 1318 in Tangermünde bei Woldemar. Es verpflichteten sich also, wie bereits früher erwähnt, im Jahre 1316 Droisecke von Kröcher und dessen Söhne, Johann und Heinrich, dem Könige von Dänemark zu dem Stralsundschen Kriege mit ihren Schlössern Calbe etc. zu dienen.

Eben dieser Droisecke verpfändete mit seinen Söhnen, Hans, Heinrich und Jordan, am 28. August 1320 das Haus Calbe den sämmtlichen in der Vogtei Tangermünde gesessenen Rittern und Knappen, und den Städten Tangermünde, Stendal und Osterburg für 1200 Mark Silbers, mit der Bedingung der Wiedereinlösung. Zur Verwaltung des Schlosses wurde von Seiten der von Kröcher der Ritter Ebel von Lüderkz, und von den Pfandberechtigten der Ritter Ebel von Schwarzlosen bestellt.

Die Beschirmung des Schlosses wurde den Rittern Heinrich und Friedrich von Scheplitz, nahen Verwandten der von Kröcher, die als Burgsassen ihre Wohnung auf dem Schlosse nahmen, dasselbe aber Niemand als den Pfandinhabern öffnen sollten, anvertraut. Dieser Pfandvertrag muss aber frühzeitig durch Vereinigung beider Theile wieder aufgehoben worden sein, denn am 12. Sept. 1321 machten sich die von Kröcher anheischig, dem Fürsten Heinrich von Mecklenburg mit ihren Schlössern Calbe und Krumke zu dienen, ihm dieselben jederzeit offen zu halten und sie ihm zuerst anzubieten, wenn sie in die Nothwendigkeit kommen sollten, dieselben zu veräussern.

Im Junius 1322 machte sich der Ritter Heinrich von Kröcher, jedoch ohne seine Brüder zu erwähnen, sondern in Gemeinschaft mit Jordan von Gutenswegen und Henning Kletzke verbindlich, dem Erzbischof von Magdeburg mit dem Schlosse Calbe, mit dem Werder und mit dem dazu gehörigen Lande gegen Jedermann, den Fürsten von Mecklenburg allein ausgenommen, zu dienen.

Endlich, am 1. Mai 1324, verkauften die Brüder Johann, Heinrich und Jordan v. Kröcher dem Ritter Albrecht von Alvensleben erblich das Haus Calbe mit 21 Dörfern, Mühlen und allem Zubehör.

Droisecke von Kröcher muss ungefähr im Jahre 1372 gestorben sein, da er in dem Vertrage mit dem Erzbischof von Magdeburg nicht mehr erwähnt ist.

Von seinen drei Söhnen Johannes (Hannes, Hans), Heinecke und Jordan, kommt Letzterer weiter nicht vor, die beiden andern Brüder finden sich aber häufig unter Urkunden. Johannes findet sich aber hauptsächlich in den Jahren 1314, 1317, 1318 und 1327. Er wird gewöhnlich miles (Ritter), auch strenuus miles genannt. So wie sein Bruder

Heinrich, Henricks oder Heinecke, dieser kommt 1319, 1372, 1335 vor, und war wahrscheinlich der jüngere.

Der nächste des Namens, der hierauf sich findet, ist Henningus, und zwar unter einer Urkunde Ludwig des Römers im Jahre 1353. Den Jahren nach ist er also wahrscheinlich der Sohn von einem der oben genannten Brüder.

Thilo kommt im magdeburgschen Lehnsarchiv im Jahre 1395 als erzbischöflicher Hofrath vor, und wird als Zeuge in verschiedenen Belehnungen aufgeführt.

Claus ward zu Calbe an der Saale mit einem Hause, verschiedenen Aeckern, Weingärten und Einkünften im Jahre 1446 beliehen. Er starb im Jahre 1452.

Rudolph, *Albrecht*, *Dietrich*, seine drei Söhne, wurden im Jahre 1453 wegen dieser Lehnsstücke wieder beliehen, und es wurden solche auch der Gemahlin des jüngsten zur Leibzucht wieder verschrieben im Jahre 1464.

Lobke auf Lohme ist aus dem 16. Jahrhunderte bekannt, welcher mit einer von Calbutz einen Sohn gleiches Namens hinterlassen. Dessen mit Elisabeth von Hagen aus dem Hause Derbelow erzeugte Tochter, *Margarethe*, ward nachmals an Hans v. Rohr auf Leddin vermählt.

Vielleicht gehört hierher *Isaak* Kroch, der im Jahre 1614 kurbrandenburgscher Oberst gewesen ist.

Nach Gauhe ist ein Baron Kröcher zu Anfang des 18. Jahrhunderts als Mechanicus und sonst bekannt gewesen, der sich nach der Familie nannte.

In neuerer Zeit ist unstreitig am meisten ausgezeichnet *Georg Vollrath*. Er war am 23. April 1678 zu Dretz, welches damals noch der Familie gehörte, geboren. Seine Mutter war Maria Elisabeth von Sehlstrang aus Knyow. Er nahm bereits in seinem 16. Jahre Kriegsdienste unter Friedrich, damals noch Kurfürst, nachher König Friedrich I., und zwar im Jahre 1694. Georg Vollrath machte in dem Regimente des Kronprinzen die Kriege am Rhein und in den Niederlanden gegen Ludwig XIV. mit, und wohnte namentlich den Treffen bei Oudenarde und Malplaquet, so wie den Belagerungen von Venloo, Ruremonde, Rheinsberg, Bouchain, Ryssel, Bonn u. s. w. bei.

Derselbe erwarb sich bei diesen Gelegenheiten die Zufriedenheit seines Gebieters, und avancirte für die damaligen Zeiten sehr schnell, so dass er im Jahre 1708 Capitain von der Armee und im Jahre 1712 Major wurde. In diesem Jahre folgte Friedrich Wilhelm I. seinem Vater als König von Preussen, der Georg Vollrath persönlich noch mehr kannte, und ihn 1715 zum Oberstlieutenant machte. In dem Jahre 1717 vermählte sich nun Georg Vollrath mit Sophie Charlotte v. Winterfeldt, Tochter des Joachim Detlef von Winterfeldt auf Freienstein, Neuendorf u. s. w. und der Hedwig Elisabeth von Alvensleben.

Er hatte aus dieser Ehe neun Kinder, von denen die beiden Söhne *Friedrich Wilhelm* und *Leopold Alexander* bei den Regimentern Jung Treskow und Prinz Ferdinand dienten und ohne Nachkommen verstarben, und zwei Töchter, die an die Capitaine von Rhoden und von Pilverling verheirathet wurden. In demselben Jahre 1717 ward Georg Vollrath noch Generaladjutant bei Friedrich Wilhelm I., eine Auszeichnung, welche das Vertrauen beweist, das dieser in ihn setzte. Im Jahre 1724 ward er Oberster, im Jahre 1731 erhielt er das erledigte Gersdorfsche Regiment zu Spandan, und im Jahre 1738 ward er Generalmajor und Gouverneur des Herzogthums und der Festung Geldern.

Als Friedrich der Grosse 1740 zur Regierung kam, fand er auch an diesem Monarchen einen Gönner, der seine Verdienste schätzte, ihn 1742 zum Generallieutenant machte, und durch den Orden de la Générosité (welcher nachmals der Orden pour le mérite wurde), so wie durch die Amtshauptmannschaft der Aemter Stettin und Jasenitz belohnte, welches jedoch seine Anwesenheit daselbst nicht erforderte.

Er bekleidete vielmehr bis ans Ende seines Lebens seinen ausgezeichneten Posten, dem er zur höchsten Zufriedenheit seines Königs, und geliebt von seinen Untergebenen, vorstand, und starb im Jahre 1748.

Noch sind hier folgende, die Familie v. Kröcher betreffende diplomatische Nachrichten hinzuzufügen:

Nach Enzelts alter Chronik S. 61 (er lebte um das Jahr 1535) kam die Familie von Kröcher, so wie die Mehrzahl der märkischen Familien mit Karl dem Grossen nach der Altmark, und

12 *

faaste hier festen Fuss, ging aber zum Theil mit sehr vielen andern Familien schon unter Heinrich dem Vogelsteller über die Elbe, und siedelte sich also schon damals in der Priegnitz und Altmark zugleich an.

Nächstdem erzählt er: die Markgrafen Otto II. und Albrecht II., aus dem anhaltschen Hause, hätten nm das Jahr 1206, sowohl Beetzendorf als Calbe den Kröchers genommen, und die Schulenburg und Alvensleben damit beliehen, weil jene im Bündniss mit den Erzbischöfen von Halberstadt und Magdeburg gegen sie gestanden. So entschieden dies nun wegen Beetzendorf ist, so falsch ist es wegen Calbe, welches freiwillig an die Alvensleben nach noch vorhandenen Urkunden verkauft wurde.

Nach Pohlmanns Geschichte der Stadt Salzwedel ist die Stiftung der freien Oblaten für 80 Kirchen in der Altmark und dem Herzogthume Lüneburg bereits im Jahre 1310 von den Herrn v. Kröcher geschehen.

Diese Stiftung besteht noch, und es ist dabei besonders das Jahr der Stiftung merkwürdig, indem man aus dem Verkauf von Calbe auf grossen Verfall der Familie schliessen muss, und diese 16 Jahre später gemachte Stiftung doch ein Beweis von Wohlhabenheit sein dürfte.

Nach dem äusserst gründlichen Werke, betitelt: „Ueber die älteste Geschichte und Verfassung der Kurmark Brandenburg, insbesondere der Altmark und Mittelmark," 1830 zu Zerbst erschienen, hat die Familie v. Kröcher zu denen gehört, welche zuerst den Rang als Schlossgesessene gehabt Der Verfasser drückt sich darüber aus wie folgt: „An namentlichen Ehrenvorzügen waren damit verbunden, z. B. dass die Schlossgesessenen unter den Landständen namentlich erwähnt wurden u. s. w. Am erheblichsten aber blieb der Unterschied bis auf die neueste Zeit in Hinsicht des Gerichtsstandes. Sie standen nämlich für ihre Person nicht unter der Gerichtsbarkeit der Burggrafen, sondern unmittelbar unter der des Markgrafen."

Einige Schlösser mit befreitem Districte sind früh eingegangen, andere aber hinzugekommen, dadurch nämlich, dass die Markgrafen eine ganze Vogtei, ein ehemaliges, aber bereits aufgelöstes Burgwart, an einzelne Edelleute veräusserten.

Auf diese Art sind die von Alvensleben wegen Gardelegen, oder wie die Burg daselbst hiess, wegen Isenschnibbe und noch früher die v. Kröcher wegen Calbe in den Rang der Schlossgesessenen getreten.

Im preuss. Staatsdienste standen in neuster Zeit: H. v. Kr. auf Kunrau, Kreisdirector zu Salzwedel; H. Major v. Kr., Landrath der Ostpriegnitz; H. v. Kr., auf Vinzelberg, Landrath zu Gardelegen.

Krohne, die Freiherren und Herren von.

Krohne, Krahn, Krahne, Kran, Krane, Kron, Krone, sogar auch Crane, sind die verschiedenen Schreibarten des Namens ein und derselben theils adeligen, theils freiherrlichen Familie. Dieselbe soll die Stadt Krone im Regierungsbezirke Marienwerder erbaut haben, wo man noch das Wappenbild, den Kranich, auf einem der Stadtthore findet oder fand. Diese Stadt und Herrschaft haben in neuerer Zeit die v. Mielezynski besessen. In Westphalen nannte sich eine Linie der Familie ausschliesslich Krahne, wogegen eine andere, die sich in der Provinz Preussen niedergelassen hatte, sich v. Krohne schrieb. Sie besass hier den Rittersitz Molwitten. — *Reinhold*, Freiherr v. Krohne, blieb im dreissigjährigen Kriege als kurbrandenburgscher Oberst, ein anderes Mitglied dieser Familie aber bei Malplaquet. — *Johann Reinhold*

v. K. auf Molwitten hatte neun Söhne, fünf davon kamen in den Feldzügen Friedrichs II. um, vier pflanzten ihr Geschlecht fort. — *Albrecht*, Freiherr v. K., ein Grossoheim des genannten Reinhold, war
Kammerherr der Königin Christine von Schweden. — Sein Enkel, *Jacob
Wilhelm*, Freiherr v. K., schwedischer Oberstlieutenant, war als ein grosser Physiognomist bekannt, und man erzählt von ihm viele mehr und
minder wichtige Anekdoten. Ein der Anführung besonders werthes Mitglied dieser Familie ist *Johann Wilhelm Franz*, Freiherr v. K., der
nach mancherlei Schicksalen an den Höfen verschiedener Monarchen,
als königl. polnischer Geheimer Rath und Minister des Herzogs von
Sachsen-Hildburghausen beim niederrheinischen Kreise, auch Ritter
des rothen Adlerordens gestorben ist. Er hat sich durch verschiedene
staatswirthschaftliche, ökonomische und juristische Schriften, besonders aber durch sein allgemeines deutsches Adels-Lexicon, dessen
wir im 1. Bande, Einleitung S. 65, Erwähnung gethan haben, verdient gemacht. Auch hat er mehrere mechanische Erfindungen zur
Sprache und in Vorschlag gebracht. — Er war mit einer v. Plotho,
aus dem Hause Grabow, vermählt, und hat zwei Söhne, *August, Ferdinand*, und eine Tochter, *Friederike*, hinterlassen. — In sächsischen
Diensten stand *Friedrich* v. K. als Rittmeister der Chevaliers-Garde.
— Sein Sohn, *August Emanuel Gottfried*, Freiherr v. K., sächsischer
Artillerie-Offizier, machte sich auf eine sonderbare Weise durch den
Umstand bekannt, dass er bis an sein Lebensende niemals Fleisch
oder Fische, sondern nur Vegetabilien genossen hat. — In Ungarn
hatte sich ein Zweig der Familie niedergelassen, der dort den Namen
Kappult führte. — Ein Freiherr von Krohne-Kappult flüchtete sich
der Religions-Verfolgungen wegen aus Ungarn nach Schlesien, wo er
in dem Hause des Freiherrn v. Hohberg gastfreundlich aufgenommen,
und bis zu seinem im Jahre 1750 erfolgten Tode verpflegt wurde. —
In der preuss. Armee standen verschiedene Mitglieder dieser Familie,
theils unter dem Namen von Krohne, theils unter dem von Krahn.
Ein Baron v. Krahn und Krone war 1806 Capitain in dem Regimente
v. Chlebowski zu Warschau. Er ging später in russische Dienste und
war 1820 kais. russischer Oberst in St. Petersburg. — Bei dem preuss.
Mineurcorps stand 1806 ein Capitain v. Kron. Er war bis zum Jahre
1820 Oberst in der dritten Ingenieur-Inspection und Brigadier sämmtlicher Pionniere. In demselben Jahre trat er als Generalmajor mit
Pension in den Ruhestand und starb im Jahre 1834. — Ein Major v.
Krohne, Ritter des eisernen Kreuzes 1. Classe, starb den 16. Febr.
1833 zu Posen.

Das Wappen dieser Familie zeigt im rothen Schilde einen nach
der linken Seite gewendeten Kranich, in dem aufgehobenen rechten
Fusse einen Stein haltend. Der gekrönte Helm ist mit zwei Fahnen
besteckt, die rechte ist weiss und mit dem Doppeladler geschmückt,
die linke roth. Zwischen den Fahnen wird wieder der Kranich sichtbar. Die Helmdecken sind roth und weiss. — In dem freiherrlichen
Wappen ist das Schild gespalten, die rechte Seite ist blau, die linke
roth, sonst zeigt sich der Kranich hier wie auf dem Helme. Von den
Fahnen ist hier die rechte roth, die linke blau. Unter derselben liegen zwei weisse Straussfedern. Ein oben rother, unten weisser Mantel umgiebt dieses Schild.

Krosigk, die Herren von.

Krosigk, Krüsig, Kroseck, sonst Crosuc, Crosick und Krosec geschrieben, ist der Name einer der ältesten und angesehensten Fami-

lien im Magdeburgischen und in den fürstl. anhaltschen Ländern. Ihren Namen hat sie von der bei dem Dorfe Krosigk, zwei Meilen von Halle gelegenen alten Burg dieses Namens, von der nur noch die Trümmern eines Thurmes übrig sind. Sie gehörte den ersten adeligen Burgmännern v. K. Erst Ernst, Bischof von Magdeburg, belehnte im Jahre 1478 den Friedrich v. Trotha mit dieser Burg. Diese Familie verehrt in ihrem Stammvater den bekannten *Dedo* v. Krosigk, der am Anfange des 12. Jahrhunderts lebte. Derselbe war der Beschützer des Grafen Wiprecht von Groitsch, der einen Zufluchtsort in der Burg des Ritters v. K. suchte, als er wegen seines Antheils an dem Aufstande, den die Sachsen zu Gunsten des Pfalzgrafen Siegfried erregt hatten, um ihm die Güter der ausgestorbenen Grafen v. Orlamünde zu verschaffen, die Kaiser Heinrich V. eingezogen hatte, verfolgt wurde. — *Dietrich* v. K., der Sohn des Dedo v. K., wurde im Jahre 1182 Bischof von Halberstadt, und ein Enkel des Letztern, *Conrad* v. K., gelangte im Jahre 1201 zu derselben Würde. — Die meisten Söhne aus diesem alten Hause wohnten grösstentheils als freie Edelleute auf ihren bedeutenden Gütern, die zu manchen Zeiten zusammen den Umfang eines Fürstenthums hatten. Einige v. K. aber sind früher bei den anhaltschen Fürsten und später im Königreiche Preussen zu Aemtern und Würden gelangt. Eine Tochter aus diesem Hause, *Anna Elisabeth* v. K., Tochter des fürstl. anhalt. Kammerraths und Hauptmanns *Christoph* v. K. und einer v. Poplitz, vermählte sich im Jahre 1637 mit dem Fürsten Georg Aribert v. Anhalt. — Im Jahre 1479 brachte *Heinrich* v. K. Alsleben erblich an sein Haus. In der Nähe des Ortes, am Ufer der Saale, liegt das ebenfalls der Familie gehörige Poplitz. — Gegenwärtig besitzt dieses Gut der Landrath a. D. und Domcapitular zu Naumburg, *Dedo* v. K. — Zu Magdeburg lebt der Vicepräsident und Domdechant des Domcapitels zu Merseburg und Ritter v. K. — Ein Fräulein v. K. ist gegenwärtig Conventualin des Fräuleinstifts zu Marienfliess. — In der Armee haben sich mehrere Mitglieder dieses Hauses Ruhm und Ehre erworben.

Schon der Markgraf Johann Friedrich von Brandenburg bestellte am Tage der Reinigung Mariae im Jahre 1587 zu Halle den *Claus* v. Krosigk, einen tapfern Ritter, zum Rittmeister und Diener von Hause aus.

Christian Siegfried v. K., aus dem Hause Hohendorf im Anhaltschen, ein Sohn des *Aribert Siegfried* v. K., wurde am 4. Januar 1700 geboren. Er studirte zu Frankfurt a. d. O. und trat 1717 als Fahnenjunker in das alt-anhaltsche Regiment. Er avancirte nach und nach bis zum Hauptmann, wohnte dann als Freiwilliger dem Feldzuge am Rheinstrome bei, und kam 1737 wieder zum Regimente. 1741 zum Major befördert, ward er 1745 Oberstlieutenant und führte in der Schlacht bei Kesselsdorf das ganze Regiment, da der Chef und Commandeur abwesend und krank war, an. Er wurde für seine bewiesene Tapferkeit mit dem Orden pour le mérite geschmückt und 1749 zum Obersten ernannt. In der Schlacht bei Collin im Jahre 1757 führte er eine Brigade von drei Regimentern an, und warf damit die feindliche Reiterei über den Haufen. Hierbei erhielt er zwei schwere Wunden durch Säbelhiebe am Kopfe, und eine Kartätschenkugel traf ihn in den Unterleib. Er sank mit den Worten: „Kinder, ich kann nicht mehr, ihr müsst das Uebrige thun," todt vom Pferde, und ward in der Gegend von Collin begraben.

In neuerer Zeit hat sich *Heinrich* v. K., aus dem Hause Poplitz, durch seinen in dem Befreiungskampfe bewiesenen ausdauernden Muth, den er auch mit dem Tode besiegelte, einen ehrenvollen Namen verschafft. Er fiel, 35 Jahr alte, nach einem wahrhaft heldenmüthigen

Kampfe an der Spitze seines Bataillons in dem furchtbaren Gefecht
um das Dorf Möckern am 16. Octbr. 1813. Er redete sein Bataillon
beim Anbeginn der Schlacht mit kräftigen Worten an. „Ihr seid, sagte
er seinen Soldaten, der Armee als kühne Krieger bekannt. Heut mögt
ihr diesen Ruf im Angesicht des ganzen Heeres bekräftigen; das Ge-
rücht muss noch hinter euren Thaten bleiben." Sein Biograph in den
Zeitgenossen, 3. Bd. 1. Abth., setzt hier hinzu: „Hin und her wogte
die Schlacht, zurückgedrängt erneuerte er wiederholt die Angriffe, in
die Mitte der Feinde stürzte er sich kühn hinein, und die jubelnden
Krieger folgten ihm. Da traf ihn eine Kugel dicht unter dem Herzen,
und er stürzte, schnell getödtet, mitten im Gewühle der fürchterlich-
sten Schlacht, umgeben von feindlichen und freundlichen Leichen und
Sterbenden; und das Gekrache des Geschützes, das Getöse des Gefechts in seiner blutigsten Verheerung verherrlichten seinen Tod."

Ernst Friedrich v. K. stand bis zum Jahre 1806 als Lieutenant in
dem Infanterie-Regimente König von Preussen, später diente er in
der Cavallerie. Er war im Jahre 1823 als Oberst und Commandeur
des 1. Kürassier-Regiments mit Pension ausgeschieden, und erhielt im
Jahre 1825 den Charakter eines Generalmajors. Derselbe lebt gegenwärtig auf seinem Gute Nienburg. Seine Gemahlin ist Auguste, Gräfin
v. Alvensleben, eine Schwester des wirkl. Geh. Raths und Chefs des
Finanzministerium Grafen v. Alvensleben.

Das Wappen dieser Familie giebt Siebmacher, I. S. 169, unter
den sächsischen. Es zeigt im silbernen Schilde drei rothe unter einander gelegte Pflugschaare, und auf dem mit einer Wulst belegten
Helme einen rothen und einen goldenen Spaten ohne Stiel. Das Laubwerk und die Decken sind roth und silbern. Die Familien v. Köhler
und Aus dem Winckel führen ein fast ganz gleiches Wappen mit den
v. Krosigk.

Nachrichten über diese Familie findet man in Gauhe, I. S. 290 —
292. Dr. J. Chr. Wolf's Beschreibung des hochgräfl. Solmischen und
hochadeligen Krosigkischen Hauses. Merseburg 1732. König, genea-
logisch-historische Beschreibung der von Krosigk. Fol. 6 Bog. Pauli,
II. S. 113 — 118. Hattstein, Hoheit des t. Ad., I. S. 440. Möller's
Denkwürdigk., S. 208.

Krottenaurer, die Herren von.

Aus dieser adeligen Familie stand ein Mitglied im Husarenregimente v. Blücher, der gegenwärtig Capitain a. D. und 1820 als Ober-
Grenzcontroleur versorgt worden ist. Er erwarb sich im Jahre 1813
bei Königsborn das eiserne Kreuz 2. Classe.

Krüger, die Herren von.

Mehrere adelige Familien dieses Namens sind im preuss. Staate
einheimisch. Francisca v. Krüger und Laura v. Krüger sind Conventualinnen im Stifte Camin in Pommern. Ein v. Krüger ist Bürgermeister zu Rügenwalde.

Kügelgen (chen), die Herren von.

Eine adelige Familie der preuss. Rheinprovinz. Sie war im 15.
Jahrhunderte schon bekannt, allein die im 30jährigen Kriege erlittenen

Unfälle hatten sie veranlasst, von dem Adel ihrer Vorfahren lange Jahre hindurch keinen Gebrauch zu machen und zu bürgerlichen Beschäftigungen ihre Zuflucht zu nehmen. Erst der Vater, der in der Malerkunst berühmt gewordenen Zwillinge, der kurkölnische Hofkammerrath v. Kügelchen, nahm den Adel seiner Ahnen wieder auf. Von seinen zu Bacharach am 6. Februar 1772 geborenen Zwillingssöhnen wurde *Gerhard* auf einem Spaziergange bei Dresden 1820 ermordet, und *Karl Ferdinand* starb am 9. Januar 1832 zu Reval als Hofmaler. Er war, wie auch sein Bruder, mit einer von Manteufel vermählt, und der Kaiser von Russland hatte seinen alten Adel, welcher der Reichscanzlei durch die vorgelegten Documente erwiesen worden war, erneuert. M. s. Ludw. Wieland's Auswahl denkwürdiger Briefe. Wien 1815. S. 173.

Kühn, die Herren von.

Der kurbrandenburgsche Geheime Rath *Georg* Kühn wurde im Jahre 1687 vom Kaiser Leopold I. in den Reichsadelstand erhoben. Diese adelige Familie besitzt seit langen Jahren die Güter Schönstedt bei Langensalza, und Grüningen bei Weissensee im Regierungsbezirke Erfurt. M. s. v. Krohne, II. Th. S. 223 u. f. und 437. Hörschelmann, Samml. 43. Neues genealog. Handbuch 1777. S. 277 und 1778 S. 330.

Künsberg (—perg), die Freiherren und Herren von.

Aus dem alten, seinem Ursprunge nach Oesterreich, seinem Besitze nach Franken und dem Voigtlande angehörigen Geschlecht der von Künsberg oder Künsperg wurde im Jahre 1691 die Linie von Thurnau zu Kmreuth vom Kaiser Leopold I. in den Freiherrnstand erhoben. Dieser Familie war auch das Erbmarschallamt im Bisthume Bamberg verliehen. — Im preuss. Staatsdienste steht gegenwärtig der Ober-Regierungsrath Freiherr von Künsberg in Frankfurt a. d. O. — Im Jahre 1820 starb im 11. Infanterie-Regimente ein Capitain v. Künsberg, der früher bei dem Regimente v. Zweiffel in Baireuth gestanden hatte. — Die Familie von Künsberg führt ein durch den Spitzenschnitt getheiltes blau und silbernes Schild, und auf dem Helme einen rothen und weissen Bund, auf dem zwei rothe, an den Mundstücken mit silbernen Kugeln belegte Büffelhörner stehen.

M. s. von der Künspergischen Familie und deren Leben, Saec. XVI. ein Manuscript in d. Ebner. Biblioth. zu Nürnberg. v. Hattstein, III. S. 271—288. Seifert's Genealogie hochadeliger Eltern und Kinder. Gauhe, I. S. 842 u. s. f. Neues geneal. Handb. auf 1778. S. 127—29.

Küsel, die Herren von.

Der König Friedrich II. erhob am 5. Juni 1764 den damaligen Major *Johann Georg* Küsel, nebst seinen beiden Brüdern, in den Adelstand.

Küssow, die Grafen von.

Nach den sichersten Urkunden gehört die Familie v. Küssow zu den ältesten und vornehmsten Familien in Pommern. Zuerst wird *Heinrich* v. K. erwähnt, der um das Jahr 1376 herzogl. pommerscher

Rath war. — *Hans* v. K. erwarb sich durch die Rettung des Herzogs Bogislav X., der in der Belagerung von Pyritz von den Feinden umringt wurde, und in Gefahr war, in Gefangenschaft zu gerathen, Verdienste. — *Jacob* v. Küssow war Hofmarschall des Herzogs Philipp I., nachdem er als Oberster tapfer in Ungarn gefochten hatte. — *Erasmus* v. K. bekleidete um das Jahr 1521 die Stelle eines Kanzlers zu Wolgast. — *Christian* v. K. diente der kaiserl. Armee im Jahre 1637, als sie in Pommern eindrang. — *Johannes* v. K. trat 1678 als Rath in die Dienste des Kurfürsten von Brandenburg. — *Caspar Ernst* v. K. war 1676 kurbrandenburgischer Oberst von der Cavallerie und General - Adjutant. — Dieselbe Charge bekleidete auch *Balzer* v. K. — Der Erstere hatte das Gut Schöning vom grossen Kurfürsten zu Lehn erhalten. — Grampow und Gellin im randowschen Kreise führt v. Gundling als Güter der v. K. auf. Sie sind gegenwärtig neue v. Eickstädt'sche Lehne. — Ferner besassen die v. K. Klein-Küssow und Kunow, auch Megow, Gloxin oder Kloxin im Kreise Pyritz, und ebendaselbst Klücken. Das genannte Gut Klein-Küssow kam von dem Hauptmann *Berndt Christoph* v. K. an seinen einzigen Sohn, den Regierungsrath und Ritter des Johanniterordens, *Johann Friedrich*, Grafen v. K., welcher sich 1776 mit seinen Lehnsvettern aus den Häusern Klücken und Megow verglich, so dass seine einzige lebende Tochter, *Friederike Gottliebe*, geb. Gräfin v. K., Gem. des Obersten Otto Bogislav v. Zastrow, ein Jahr nach dem Tode ihres Vaters, 4000 Thlr. als einen Lehnsstamm den sämmtlichen Lehnsfolgern bezahlen sollte, diese aber dagegen sich aller Ansprüche an die Lehnstücke begaben, und sie dem Obersten v. Zastrow und seiner Gemahlin, gebornen Gräfin v. K., nach dem im Jahre 1777 erfolgten Tode des Regierungsrathes, Grafen v. K., überliessen. — Ein Enkel der Gräfin, der v Zastrow auf Rössow und Sassenberg, im Kreise Saatzig, führt gegenwärtig den Namen v. Zastrow und Küssow. — Der genannte Graf *Johann Friedrich* v. K. erscheint als einer der letzten männlichen Zweige des gräflichen Hauses. — *Karl Wilhelm*, Graf v. K., ein Sohn des Hauptmanns *Ehrenreich* v. K., auf Klücken und Kloxin, so wie seine Vettern, *Balthasar Heinrich Ehrenreich* und *Karl Adam Friedrich*, Grafen v. K., erhielten am 8. August 1752 vom Könige Friedrich II. ein Anerkennungsdiplom ihrer Grafenwürde.

Das Wappen der Grafen v. K. besteht in einem quadrirten Schilde mit einem goldenen Mittelschilde, das mit einer goldenen Krone bedeckt ist, und das alte adelige Stammwappen, nämlich drei rothe Zweige auf einem dürren Aste, enthält. Im 1. und 4. silbernen Felde des Hauptschildes sieht man einen aufgerichteten halben schwarzen Bären, mit einer goldenen Krone und rother ausgeschlagener Zunge, welcher mit dem Kopfe einen rothen Querbalken bedeckt, in der Mitte des Leibes aber durch einen rothen Querbalken bedeckt wird; in dem 2. und 3. goldenen Felde aber zwei schwarze rechte Schrägbalken. Das Hauptschild ist mit einer gräflichen Krone bedeckt und über derselben stehen drei vorwärts gekehrte, frei-offene, roth ausgeschlagene, mit goldenen Bügeln und anhängenden gleichmässigen Kleinodien gezierte Turnierhelme, von denen der rechts über einer goldenen Krone einen aufgerichteten halben schwarzen Bären mit einer goldenen Krone und roth ausgeschlagener Zunge, der mittelste die zum adeligen Wappen der v. K. gehörige roth gekleidete Jungfrau mit einer goldenen Krone und fliegenden Haaren, welche auf dem Kopfe und in jeder Hand einen rothen Zweig hat, und der zur Linken drei Pfauenfedern trägt. Zu Schildhaltern sind auf beiden Seiten zwei aufgerichtete pommersche rothe Greife mit goldener Krone und roth ausgeschlagener Zunge gewählt. Die Abbildung des

Wappens und zwei Ahnentafeln der Familie findet man in Hassen's
Nachrichten vom Johanniterorden S. 257. 298. 337. und 372., auch
findet man das Wappen im neuen preuss. Wappenbuche I. S. 64.
Gauhe gedenkt der Familie I. S. 843. u. f. Micrälius., eben so Brüggemann I. Th. 2tes Hauptstück.

Kukowski, die Herren von.

Diese adelige Familie ist in dem Lauenburg-Bütow'schen Kreise
schon seit langen Jahren begütert. Die Gebrüder *Johann Anton, Caspar Melchior, Joachim Balzer* v. Kukowski, besassen schon in der
Mitte des vorigen Jahrhunderts den Antheil d des Gutes Polzen oder
Poltschen. Gegenwärtig besitzt *Anton Franz* v. K. dieses Gut.

Kulisch, die Herren von.

Der König Friedrich Wilhelm II. erhob am 27. August 1788 den
Major im Regiment Prinz Eugen von Würtemberg-Husaren, *Karl
Joseph* Kulisch, in den Adelstand. — Ein Sohn desselben, der als
Lieutenant und Adjutant in dem genannten Regiment stand, starb
1807. Der v. K., welcher als Rittmeister 1806 in dem Husarenregiment von Pletz stand, starb 1811. — Mitglieder dieser Familie leben
noch in Carlsruh in Ober-Schlesien.

Kummer, die Herren von.

Am 12. November des Jahres 1786 wurde der Geheime Ober-
Finanz-Rath und Präsident der Oberrechnungskammer zu Berlin,
Hans Wilhelm Kummer, in den Adelstand erhoben. Von seinen
Söhnen war der älteste Geheimer Oberrechnungsrath, der jüngere
Oberforstmeister zu Stargard. Zwei seiner Enkel stehen als Berg-
beamten im Staatsdienste. Das Wappen der von Kummer ist ein silbernes, von einem breiten blauen, mit 10 goldenen Sternen belegten
Rande umgebenes Schild, in dem ein schwarzer, gekrönter Adler
zwischen zwei grünen, durch ein roth und grünes Band zusammen-
gebundenen Zweigen dargestellt ist. Auf dem gekrönten Helme steht
eine goldene Sonne zwischen zwei schwarzen Adlerflügeln. Die Farbe
der Decken und des Laubwerks ist blau und silbern.

Kunheim, die Grafen und Herren von.

Die noch in der Gegenwart in der Provinz Preussen begüterte,
altadelige Familie v. Kunheim ist, so wie viele andere Geschlechter,
mit dem deutschen Orden, dem viele Ritter aus ihr erspriessliche
Dienste geleistet haben, aus den westlichen Ländern in die Provinzen
an der Ostsee gekommen. Auch in Schlesien hat sich eine Linie
derselben zeitig niedergelassen. Sie führte das unten beschriebene
Wappen, das noch in der Gegenwart die preuss. v. K. haben. Ihnen
gehörten die Güter Niepern, Gukernwitz, Schickerwitz, Bingerau,
u. s. w., sämmtlich im Breslauischen und Oelsischen gelegen. —
Daniel v. Kunheim, ein Sohn des Ritters *Vollmar* v. K. und einer
v. Sessingen, kam aus der Gegend von Metz in Lothringen, in der

Kunheim. 187

Mitte des 15. Jahrhunderts nach Preussen. Der Hochmeister Ludwig
v. Erlichshausen belohnte ihn, wegen seiner Mitwirkung an der Vertheidigung von Marienburg, durch die Belehnung mit dem Dorfe
Mühlhausen. — Sein Sohn, *Georg* v. K., Geheimer Rath des Herzogs Albrecht von Preussen und Amtshauptmann zu Tapiau, wurde
von diesem Fürsten mit vielen Gütern beschenkt. Nach seinem Tode
vertrat auch der Herzog Vaterstelle bei dem Sohne *Georg's* v. K.,
den er beim Begräbnisse des Vaters **in seine Arme schloss** und ihm die
tröstenden Worte zurief: „**Weine nicht, mein Georg, ich
will dein Vater sein.**" Derselbe *Georg* v. K. vermählte sich am
5. August 1555 nach Beilegung einiger Schwierigkeiten, aber mit der
Zustimmung seines hohen Pflegevaters und Vormundes, mit Margarethe Luther, des grossen Reformators jüngsten Tochter. Er zeugte
mit derselben neun Kinder und verlor seine geliebte Gemahlin nach
fünfzehnjähriger Ehe im Jahre 1570. Die Kirche zu Mühlhausen besitzt noch eine Bibliothek, welche ihre Gründung in der Schenkung
fand, die ihr *Georg* v. K. mit den Schriften seines Schwiegervaters
machte. — Einer seiner Söhne, *Erhard* v. K., starb im Jahre 1645,
und es kamen nach seinem Tode die ansehnlichen Güter durch Kauf
an die Familie v. Kalkstein, die seit zweihundert Jahren im Besitze
derselben ist. — In einer versiegelten Flasche sind die wichtigsten
Nachrichten von Margarethe Luther, vermählten v. Kunheim, unter
beigedrucktem Kirchensiegel, in der Gruft zu Mühlhausen niedergelegt. — *Johann Dietrich* v. K., geb. am 29. Juni 1684, wurde am
12. Mai 1730 Wirklicher Geheimer Staats- und Kriegsrath, auch Ober-
burggraf, Präsident des litthauischen Hofgerichts, sowie Hauptmann zu
Insterburg, und starb am 22. Mai 1752.

N. N. v. K., geboren am 30. Januar 1730, trug schon seit seinem zwölften Jahre die Waffen und war ein thätiger Augenzeuge der
meisten Schlachten des siebenjährigen Krieges, in denen er die Aufmerksamkeit Friedrichs des Grossen auf sich zog. Nachdem er unter
drei Königen die militairischen Grade durchlaufen hatte, erhielt er
im Jahre 1789 den Orden pour le mérite, 1793 aber das in Berlin
garnisonirende Infanterie-Regiment No. 1. Im Jahre 1798 wurde er
zum Generallieutenant ernannt, nachdem ihn des jetzt regierenden
Königs Majestät bei der Huldigung zu Königsberg am 5. Januar 1797
in den Grafenstand erhoben hatte. Mit ihm zugleich wurde seinen
Brüdern, *Erhard Alexander* v. K., Majoratsherrn auf Stollen, und
Ernst Wilhelm Alexander Friedrich v. K., Majoratsherrn auf Spanden,
diese Standeserhebung zu Theil. Im Jahre 1802, bei Gelegenheit
seiner 50jährigen Dienstjubelfeier, schmückte ihn Se. Majestät mit
dem grossen rothen Adlerorden. — Die Ereignisse des Jahres 1806
trafen ihn schon als 76jährigen Greis, wo er anfänglich das märkische
oder erste Reservecorps zwischen Dessau und Wittenberg commandirte, sich aber bald darauf, geschmückt mit dem schwarzen Adlerorden, in den Stand der Ruhe zurückzog. Er starb am 19. Januar
1818, nach einem ruhmvollen 88jährigen Leben. Die Güter in Preussen sind noch in der Gegenwart in den Händen der Familie, namentlich besitzt der königl. Kammerherr v. K. die Stollener Güter,
welche eines der beiden Familienmajorate bilden. — Ein Major v.
K. a. D. erwarb sich bei Magdeburg und Luckau das eiserne Kreuz
2. Classe.

Das v. Kunheim'sche Wappen zeigt im silbernen Schilde einen
nach der rechten Seite aufspringenden schwarzen Löwen mit ausschlagender Zunge; dasselbe Bild wiederholt sich auf dem gekrönten
Helme.

Das gräfl. Wappen hat auf dem Schilde eine neunperlige Krone; auf derselben sind zwei Helme angebracht. Der rechter Hand trägt den Kunheim'schen Löwen, und der links einen preuss. schwarzen Adler. Siebmacher giebt das oben beschriebene Wappen der Herren v. K.; das der Grafen giebt das neue preuss. Wappenbuch I. S. 65. Sinapius erwähnt der schlesischen v. K. I. S. 565. und II. S. 759. Gauhe aber giebt Nachrichten über diese Familie I. S. 842.

Kunitzki, die Herren von.

Aus dieser Familie war der in Pommern um das Jahr 1736 geborene General-Major v. Kunitzki, der früher bei dem Regiment Garde stand, und zuletzt Chef des Infant.-Regiments No. 44. (zuletzt v. Hagken) in Münster war, wo er im Jahre 1798 gestorben ist. — Sein Sohn, *Gneomar* v. Kunitzki, ist gegenwärtig Major und Chef der 13. Infant.-Reg,-Garnison-Compagnie, Ritter des eisernen Kreuzes, erworben 1814 bei Joinvillers in Frankreich. Eine Tochter des Generals v. K. ist die Gemahlin des Generals der Infanterie, ausserordentlichen Gesandten, und bevollmächtigten Ministers am Bundestage, von Schöler, Excellenz.

Kunow, die Herren von.

Diese altadelige Familie in Pommern kommt auch unter dem Namen v. Kohn und v. Conow vor, in der ältesten Zeit aber war ihr Name Kunter, sonst Petrorsch genannt. Ihre Besitzungen lagen im Lauenburg'schen und bei Labes. Von Gundling führt die von Kohn als Herren auf Burghoff an. Gegenwärtig ist diese Familie im Besitz von Dübsow bei Labes, im Kreise Regenwalde. Im preussischen Staatsdienste stehen: der Oberlandesgerichtsrath v. Kunow zu Frankfurt a/O., und der Oberlandesgerichts-Assessor und Criminalrichter v. Kunow in Glogau. — In der Armee stand der Major v. Kunow, früher im Kürassier-Regiment v. Reizenstein, 1809 Commandeur des 6. Kürassier-Regiments, sodann Oberstlieutenant im Pensionsstande; er ist im Jahre 1822 gestorben. Die v. Kunow führen im blauen Schilde zwei in's Andreaskreuz gelegte Weinreben mit Blättern, auf grünem Boden. Auf dem Helme stehen zwei solche in die Höhe gerichtete Ranken, zwischen drei Straussfedern. Helmdecken blau und grün. Brüggemann beschreibt dieses Wappen im 11. Hauptstück. Siebmacher giebt III. Bd. S. 163. das ganz davon verschiedene Wappen der Kunter, genannt Petrorschen; hier steht im blauen Felde über einem silbernen Halbmonde ein goldener Stern; dieses Bild wiederholt sich auf dem Helme. Die Decken sind blau und silbern. Micrälius erwähnt die v. Kunter S. 498.; von Meding beschreibt ihr Wappen II. Theil No. 476.

Kurcewski, die Herren von.

Eine polnische adelige Familie, welcher der Ober-Appellations-Gerichts-Rath von Kurcewski, Justitiarius bei der dritten Instanz, oder dem Prosynodal-Gericht für Gnesen und Posen, angehört.

Kurnatowski, die Herren von.

Eine altadelige in Polen, in der preuss. Provinz Posen und in Sachsen blühende Familie. In der Provinz Posen besitzen die v. Kurnatowski in der Gegend von Meseritz mehrere Güter. — Ein v. K., der früher Landrath des Kreises Birnbaum war, starb im Septbr. 1836. — Einer seiner Brüder, der ebenfalls in jener Gegend begütert ist, war früher Landgerichts-Präsident zu Meseritz, und ein zweiter polnischer General. — Karl v. K. stand früher in der ostpreuss. Füsilierbrigade, zeichnete sich in den Feldzügen 1813 als Commandeur eines Infanterie-Regiments aus, und starb im Jahre 1826 als Generalmajor und Commandant von Königsberg. — Ein Oberstlieutenant v. K., der früher in dem Husarenregiment v. Prittwitz gestanden hatte, schied im Jahre 1817 aus dem 12. Husarenregiment und erhielt im Jahre 1827 den Charakter als Oberst. — Ein Herr v. K., der in dem Regiment v. Köhler-Husaren stand, lebte später in Ruschkowo bei Kolo in Polen. — Ein Hauptmann a. D. v Kurnatowski erwarb sich in Frankreich das eiserne Kreuz.

Kurowski, die Herren von.

Ein altes, edles Geschlecht, das aus Polen nach Preussen gekommen und seit langen Zeiten daselbst schon einheimisch ist. Die uns über diese Familie zugekommenen Notizen beginnen mit einigen interessanten Bemerkungen über das Entstehen der polnischen Familiennamen und ihrer Bedeutung. Es heisst nämlich: Nicht sowohl der Name, als vielmehr das Wappen ist das eigenthümliche Unterscheidungszeichen der polnischen edlen Geschlechter. Im hohen Alterthume wurden die Edelleute nach den Wappen genannt; späterhin nahmen sie grösstentheils die Denominationen ihrer Besitzungen an, und daher kommen die vielen Endungen auf ski, welche den deutschen Endungen auf er entsprechen. Die auf ski ausgehenden Namen sind ursprünglich Beiwörter, deren Hauptwort die Besitzung ist. Z. B. Kurowski heisst so viel, als Herr von Kurow, oder der Kurower, wie im Deutschen der Habsburger, der Wittelsbacher u. s. w. — Daher kommt es, dass polnische Edelleute ursprünglich vom nämlichen Geschlechte ganz verschiedene Namen führen, und nur das Wappen ist das einzige Zeichen, woran sich ihr gemeinschaftlicher Ursprung erkennen lässt, so z. B. das Geschlecht vom Wappen Jastrzębiec hat jetzt über 200 Familien verschiedener Namen. — Es giebt aber auch Familien, welche den Namen ihres Wappens als Familiennamen behielten, z. B. Grzymała, Nałęcz, Strzemię u. s. w. Da aber in Polen sehr viele Dörfer und Städte sind, welche die nämliche, oder eine ähnliche Denomination haben, und die Eigenthümer, aus ganz verschiedenen Geschlechtern stammend, von diesen Dörfern ihren Namen angenommen haben, — so ist es etwas ganz Gewöhnliches, dass Edelleute, die den nämlichen Namen führen, ganz verschiedenen Ursprungs sind, wie z. B. die Górski, Rudnicki, Kurowski u. dgl. Jedes Wappen hat in Polen seinen eignen Namen, und auch jetzt, wenn ein neues Wappen für einen Geadelten gestiftet wird, bekommt es einen Namen. Erst im 16. Jahrhunderte fingen die polnischen Edelleute an, ihrem gehabten Namen standhaft zu bleiben, und ihn nicht mehr nach ihren Besitzungen zu verändern.

Nach diesen erläuternden Voraussendungen ist es zu ersehen, dass die polnischen v. Kurowski aus ganz verschiedenen Geschlechtern herstammen. In Polen giebt es sehr viele Besitzungen, welche von

Kur, Kura (Hahn, Henne), ihren Namen haben, z. B. Kurów, Kurowa, Kurówek, Kurowsk, Kurowo u. s. w., und diese Besitzungen waren das Eigenthum verschiedener edlen Geschlechter, daher kommt es, dass folgende ganz verschiedene adelige Familien den Namen Kurowski führen:

1) v. K. vom Wappen Wężyk (Schlange), waren vom 17. und 18. Jahrhunderte an in der kalischer Wojewodschaft ansässig. Sie führen im rothen Schilde eine schwarze Schlange, welche sich dreimal abwärts und dreimal aufwärts krümmt, auf dem Kopfe eine goldene Krone hat, den Kopf zur rechten des Schildes wendet und im Munde den Zweig eines Apfelbaumes mit einem grünen Apfel und zwei Blättern hält, — auf dem Helme fünf Straussfedern.

2) Kurowski vom Wappen Lubicz (Hufeisen), führen ihren Namen von Kurowsk bei Grodzisko (Grätz), im jetzigen Grossherzogthume Posen. Sie führen im blauen Felde ein Hufeisen mit vier Löchern, im innern Felde des Hufeisens ein silbernes, auf dem Eisen aber ein goldenes Kreuz, und auf dem Helme drei Straussfedern.

. 3) Kurowski vom Wappen Nałęcz (Kopfbinde). Diese Familie war im 16. Jahrhunderte in der Wojewodschaft Kalisch, in Litthauen, Weissrussland, am Dniepr und in Volhynien ausgebreitet. Sie führt im rothen Schilde eine doppelte weisse Kopfbinde, deren Enden kreuzweise zusammengelegt sind, über dem Helme zwei Hirschgeweihe, zwischen denen eine Jungfrau steht und mit den Händen das Geweihe anfasst; ihr Kopf ist mit einer Binde so gebunden, dass man die Enden der Binde auf jeder Seite des Kopfes sieht.

4) Kurowski vom Wappen Sreniawa (ein Fluss dieses Namens, der unterhalb Krakau in die Weichsel fällt). Aus diesem Geschlechte starb Nikolaus v. K. als Erzbischof von Gnesen und Primas regni im Jahre 1411. In der Schlacht bei Grunwald führte das Regiment Reiter, das er zu diesem Feldzuge stellte, sein Wappen. — Im Jahre 1451 war Peter v. K. Castellan von Sącz, und ein anderer Peter v. K. im Jahre 1458 Castellan von Lublin, später von Sandomir. Diese Familie führt im rothen Schilde einen weissen Fluss, in Form eines umgekehrten S; am obern Ende desselben ist ein Kreuz angebracht. Auf dem Helme ist ein Löwenkopf zwischen zwei Büffelhörnern, von denen ein jedes mit vier Glöckchen geziert ist, dargestellt.

5) Kurowski vom Wappen Strzemię (der Steigbügel). Sie schrieben sich im 14. Jahrhunderte de Lencze K., von einer Besitzung, und eine Linie dieser Familie nahm den Namen Lenczowski an. Dieses Geschlecht führt im rothen Schilde einen goldenen alterthümlichen Steigbügel und auf dem Helme fünf Straussfedern. Aus diesen angeführten Familien sind nur Mitglieder des unter No. 4. aufgeführten Geschlechts historisch als höhere Würdenträger bekannt geworden.

Im Jahre 1411 kam der Erzbischof Kurowski-Sreniawa, Primas regni von Polen, nach Marienburg, und schloss, nach der Tannenberger Schlacht, den Frieden Polens mit dem besiegten deutschen Orden ab. (M. s. Baczkow's preuss. Geschichte.) Derselbe unterhandelte Namens der Königin Hedwig von Polen, welche mit Jagiello, Grossherzog von Litthauen, vermählt worden war. Jagiello war als Heide kürzlich getauft worden; die Königin, eine eifrige Christin, sah den deutschen Orden als eine Hauptstütze des Christenthums im Norden an. Sie traute ihrem Gemahle nicht, welcher ihr von den polnischen Magnaten aufgedrungen worden war, da dieser sammt seinem mächtigen Litthauervolke erst jüngst das Heidenthum verlassen hatte. Als Primas regni des Reichs und höchster Geistliche war der Erzbischof Kurowski-Sreniawa der Königin Beichtvater, und im Auftrage derselben, so wie auch im Einverständnisse, erleichterte der hohe geistliche Friedensgesandte den Friedensschluss dem Orden möglichst, dergestalt, dass, obgleich der Orden durch die Tannenberger Schlacht Alles verloren hatte, dieser dennoch nur das längst von Polen abgestrittene Samogitien demselben abtrat und weiter unverletzt blieb. Es ist natürlich, dass der deutsche Orden sich höchst verpflichtet gegen den Erzbischof von Gnesen, Kurowski-Sreniawa, fühlte und sich demselben erkenntlich zeigte. Als Geistlicher hatte derselbe keine Kinder, aber Verwandte, und so ist nichts natürlicher, als dass ein Zweig derselben mit Ordensgütern, Schwaranen, Sporgeln u. s. w., belehnt wurde, ein Wappen erhielt und in den Orden aufgenommen wurde, weshalb auch die Kurowski-Eichen dem Johanniterorden einverleibt, auf den Besitz der Commenden Lagow und Bürschen Anwartschaft hatten, bis sämmtliche Ordensgüter von König Friedrich Wilhelm III. eingezogen wurden, dennoch aber beide Brüder Kurowski-Eichen den Johanniterorden kraft ihrer Ansprüche erhielten. Somit lebte nun der Stamm der Kurowski 424 Jahre in Preussen, und ein Zweig derselben hat sich den deutschen Beinamen Eichen beigelegt, nämlich den ihres Stammhauses zwischen Königsberg und Tapiau. — Molditten, Sporgeln und Bischdorf sind die Hauptbesitzungen der v. K. in Ermelande in Ostpreussen. Molditten besitzt gegenwärtig der Landschaftsrath und Johanniterritter v. K. — Viele Söhne aus diesem Hause haben im preuss. Heere gestanden, namentlich stand ein v. K. im Regimente v. Schöning, der zuletzt Oberst und Brigadier der Invaliden-Compagnien in Preussen war, und 1820 als Generalmajor ausschied. Er hatte sich bei Piontek den Militair-Verdienstorden erworben. — Ein anderer v. K. stand im Regimente v. Auer-Dragoner und war im Jahre 1828 Oberst und Commandeur des ?. Kürassierregiments, auch Ritter des eisernen Kreuzes (erworben bei Magdeburg).

Die Kurowski in Preussen führen einen Hundekopf im silbernen Schilde.

Kurssel, die Herren von.

Aus diesem uralten liefländischen Geschlechte war *Christoph Heinrich* v. Kurssel, königl. schwedischer Oberstlieutenant. Mit Anna Gertrud v. Tiesenhausen, aus dem Hause Kelmes, erzeugte er *Heinrich Adolph* v. K., welcher der Stammvater der jetzt in Preussen lebenden Edelleute dieses Namens ist. Er war am 15. Mai 1693 geboren und trat 1710 in preuss. Militairdienste. Als Stabscapitain wurde er 1734 zu Werbungen im Reiche gebraucht, wobei er sich so geschickt benahm, dass er den Orden pour la générosité erhielt. 1737 ward er Major, 1742 Oberstlieutenant, 1745 Oberst, 1749 Commandeur des Regiments v. Kalsow, 1753 aber Generalmajor und Chef des Regiments du Moulin. Er leistete darauf im siebenjährigen Kriege die erspriesslichsten Dienste, befand sich in der Schlacht bei Prag und erhielt eine Kugel in den Arm und einen Prellschuss in die linke Wade. In der Schlacht bei Zorndorf commandirte er eine Brigade und wurde wieder zweimal verwundet, fiel sodann in ein hitziges Fieber, ward nach Frankfurt a. d. O. gebracht und starb daselbst am 26. Septbr. 1758. Er hinterliess aus seiner Ehe mit Kleonore Luise v. Bardeleben fünf Söhne und acht Töchter. — Von seinen Nachkommen liessen sich mehrere in Schlesien nieder, wo sie noch heute in der Gegend von Nimptsch und Strehlen begütert sind. In der Gegend von Reichenbach besass *Carl Ludwig* v. K. das Gut Költschen. Der schlesischen Linie gehört an der Generalmajor, Commandeur der 5. Cavallerie-Brigade und Ritter verschiedener Orden, namentlich auch des

eisernen Kreuzes 2. Classe (erworben bei Haynau) v. K. Bis zum
Jahre 1806 stand derselbe in dem Kürassierregimente v. Wagenfeld,
später 1. Kürassierregiment, nachmals commandirte er mehrere Jahre
hindurch das 7. Uhlanenregiment. Er ist mit einer v. Lieres, aus dem
Hause Dittmannsdorf, vermählt. — Im Jahre 1806 dienten zwei Brüder in dem Regiment von Pelchrzim zu Neisse. Der ältere von ihnen schied 1817 als Major aus dem 9. Infant.Regimente und starb 1825.

Kurtzbach, die Freiherren von.

Ein uraltes adeliges, schlesisches Geschlecht, dessen Vorfahren
Reichsgrafen am Rheine gewesen sein, und sich nach ihrem Stammsitze Kurtzbach genannt haben sollen. Obgleich diese vornehme Familie im Jahre 1616 in Schlesien erloschen ist, so blüht doch noch
ein Zweig derselben in Polen, der sich nach seinem Stammhause Za-
wada, Zawadzki schreibt. In der Gegenwart führt eine Linie der
Freiherren v. Seidlitz den Zunamen Seidlitz v. Kurtzbach. (M. s. den
Artikel: die Freiherren und Herren v. Seidlitz.) Nach Schlesien kamen sie um das Jahr 1200. — Im Jahre 1292 wird in einem Privilegium, das Herzog Heinrich III. der Stadt Goldberg verlieh, Petrus
Kurtzbach genannt. — Um dieselbe Zeit war Arnold v. K. einer der
treuesten Minister des Herzogs Heinrich zu Breslau. — Um das Jahr
1400 erwarb sich Januschius v. K. grossen Kriegsruhm im Zuge gegen
die Kreuzherren in Preussen und nahm den Fürsten Casimir zu Stettin gefangen. — Sigismund v. K. besass um das Jahr 1500 die Herrschaften Militsch und Trachenberg nebst Zubehör. Er war zuletzt
Rath und Commandant zu Ofen, woselbst er 1513 gestorben ist, aber
zu Prausnitz begraben liegt. — Anna v. K. starb 1560 als Aebtissin
zu St. Clara in Breslau. — Johann v. K. war mit Salome, der Tochter des Herzogs Hans zu Sagan und Glogau, vermählt, und starb 1549
zu Militsch. — Sein Sohn, Sigismund v. K., Freiherr zu Trachenberg, Militsch, Zulauf u. a. w., wird als ein tapferer Kriegsheld gerühmt und war mit Helene, der Tochter des Herzogs Friedrich III.
zu Liegnitz, vermählt. — Heinrich v. K., Freiherr auf Trachenberg,
Prausnitz, Ronau und Lemberg, war ein sehr gelehrter Herr und
Beförderer der Wissenschaften. Er verkaufte im Jahre 1593 die Herrschaft Trachenberg und Prausnitz an Adam v. Schaffgotsch. — Ladislaus Julius Eusebius v. K. starb 1616 als der Letzte seines Stammes. —
Die Freiherren v. K. führten im schwarzen Schilde drei über einander liegende Fische und auf dem Helme eine schwarze tartarische
Mütze mit weissen Aufschlägen, um welche ein weiss und rother Ro-
senkranz gewunden ist. Dieselbe war mit fünf Straussfedern geschmückt. M. s. Sinapius, I. S. 202—6. Gauhe, I. S. 846 u. f. Anhang 1630—3?.

Kutowski, Herr von.

Eine polnische und westpreussische adelige Familie, welcher der
Weihbischof, wirkliche Domherr und General-Vicariats-Amtsrath v.
Kutowski zu Kulm und Pelplin angehört.

Kuylenstierna, die Herren von.

Schon im Jahre 1806 standen mehrere Edelleute schwedischer Abkunft von Kuylenstierna im preuss. Heere, auch besitzt diese Familie

gegenwärtig Güter in Pommern. — Ein v. K., der bis zum Jahre
1806 in dem Regimente v. Pirch zu Cöslin gestanden hatte, schied im
Jahre 1819 als aggregirter Major mit dem Oberstlieutenants-Charakter
aus dem 33. Infant.-Regimente. — Ein anderer v. K. stand bis zum
Jahre 1806 in dem Regimente v. Graevenitz in Glogau, war bis
zum Jahre 1821 Major im 2. Infant.-Regimente, und lebt gegenwärtig
als pensionirter Oberstlieutenant. Beide haben sich das eiserne Kreuz
1. Classe, und namentlich *Karl* v. K. bei Gorkum, und *Otto* v. K. bei
Dennewitz erworben. — Ein Rittmeister v. K., der früher in dem
Husarenregimente v. Rudorf, zuletzt im 1. Husarenregimente stand,
hat sich im Jahre 1793 das goldene Militair-Ehrenzeichen bei Heltters-
berg und den Militair-Verdienstorden im Jahre 1807 bei Kriewitz erworben. — Einer der beiden genannten Oberstlieutenants v. K. besitzt die Hälfte der ehemaligen Domainen-Vorwerke von Cletzin im
Kreise Demmin.

Ein vor uns liegendes Wappen dieser Familie zeigt im goldenen
Schilde acht, einen Triangel bildende Sterne. Zwischen denselben
ist ein kleines blaues Herzschild angebracht, in dem drei Münche
(oder Pilze) dargestellt sind. Auf der Krone des Helmes steht zwischen zwei Fahnen ein Streitkolben.

Kwasniewski, Herr von.

Ein Mitglied dieser adeligen polnischen Familie ist gegenwärtig
Rendant der Haupt-Casse der Posenschen General-Landschafts-Direction.

Kwiatkowski (y), die Herren von.

Aus dieser adeligen polnischen Familie haben mehrere Mitglieder
im preuss. Heere gedient, namentlich stand im Jahre 1806 ein v.
Kwiatkowsky im Regimente Herzog von Braunschweig, der noch vor
wenigen Jahren Oberst und interimistischer Commandeur des 23. Infanterie-Regiments war. Derselbe hat sich bei Ligny das eiserne Kreuz
2. Classe erworben. — Ein anderer v. K. diente im Regimente v.
Kleist zu Magdeburg und war zuletzt aggregirter Major im 25. Infant.-Regim.; er ist im Jahre 1824 gestorben. — Gegenwärtig steht
ein Prem.-Lieutenant bei der 4. Divisions-Garnison-Compagnie, der
sich v. Jaxa, genannt Kwiatkowsky schreibt.

L.

Labbun, die Herren von.

Ein ausgestorbenes Geschlecht in Pommern, welches in einem
oben goldenen, unten blauen Schilde eine schräg von der obern Rechten zur untern linken gelegte französische Lilie, mit abwechselnden
Tincturen, führte. Auf dem Helme steht die Lilie gerade empor-
gerichtet.

Labenski, die Herren von.

Die von Labenski sind in der preuss. Provinz Posen begütert, sie
wurden auch früher zur schlesischen Ritterschaft gezählt und gehören zu

v. Zedlitz Adels-Lex. III. **13**

den zahlreichen Familien, welche aus dem vornehmen Hause der Nowina abstammen. — In dem dritten Musquetier-Bat. des Infant.-Re-
giments von Treuenfels zu Breslau stand ein Hauptmann v. Labenski,
der im Jahre 1812 gestorben ist. — Sie führen im blauen Schilde
einen silbernen Bügel oder Rinken in der Form eines Hufeisens und
auf dem Helme drei goldene Sterne. Die Helmdecken sind blau und
silbern.

Labes, die Freiherren von.

Der König Friedrich Wilhelm II. erhob am 2. October 1786 den
Hans Labes und dessen Mutter, die verwittwete Geheime Räthin *Karoline Elisabeth* Labes, in den freiherrlichen Stand. Der gedachte Freiherr Hans v. Labes wurde der Schwieger- und Adoptiv-Sohn des
k. preuss. Staatsministers, Grafen v. Schlitz, genannt v. Görz. M. s. d.
Artikel. Dieser Familie wurde bei ihrer Erhebung folgendes Wappen
beigelegt: das Schild ist quadrirt und mit einem Herzschildlein versehen, im 1. silbernen Felde liegt ein schwarzes Schwert mit goldenem Griff, und zwar so, dass dieser mit dem Knopfe das Feld Nr. 2.
berührt, hier ist ein nach der rechten Seite aufspringender goldener
Löwe mit roth ausgeschlagener Zunge, auf blauem Grunde, vorgestellt, im 3. ebenfalls blauen Felde liegen drei Stücke einer zerbro-
chenen Kette, jedes besteht aus zwei Ringen, im 4. wieder silbernem
Felde steht ein Mohr, um das Haupt einen blau und silbernen Bund
und eine kurze Schürze von diesen Farben um die Hüften tragend;
in der rechten Hand hält er einen Bogen, in der Linken einen Pfeil.
Im rothen Herzschilde steht eine silberne französische Lilie. Das
Hauptschild ist mit einer fünfperligen Krone bedeckt, sie trägt drei
gekrönte Helme, aus dem rechten wachsen vier grüne blätterreiche
Zweige; auf dem mittelsten steht ein weisses Täubchen und auf dem
linken der oben näher beschriebene Mohr verkürzt. Zwei schwarze
gekrönte Adler sind zu Schildhaltern gewählt. Decken rechts silbern
und blau, links silbern und roth. Wappenbuch der preuss. Monarchie.
2. Th. S. 46.

Lachnitt, die Herren von.

Sie schrieben sich Lachnitt von Hartenberg. Im Jahre 1572 am
10. September starb zu Oels der Kanzler und Burggraf daselbst, *Joseph* Lachnitt v. Hartenberg. Sein Epitaphium befindet sich in der
dortigen Schlosskirche. Er wird in der Aufschrift *Joseph* a Hartenberg
cognomento Lachnitt genannt. — *Martin* v. Lachnitt war des hohen
Domstiftes zu Breslau Praelatus Scholasticus und der beiden Collegiat-
kirchen zu Breslau und Gross-Glogau Canonicus; er starb am 8. März
1584, und ist ein Bruder des Vorigen gewesen. Diese Familie ist längst
erloschen. Sie führte ein gespaltenes silbernes und schwarzes Schild,
im silbernen Felde waren drei schwarze Lilien über einander, im
schwarzen Felde drei silberne Blätter schrägwärts über einander gelegt. Der Helmschmuck bestand aus drei schwarzen Straussfedern, in
der mittelsten war unten die schwarze Lilie angebracht. Die Helmdecken schwarz und weiss. M. s. Sinapius, I. Th. S. 566. II. Th. S.
761. v. Meding, II. Th. N. 477. Olsnogr. P. II. p. 101.

Lada, Herr von.

Ein v. Lada war 1806 königl. preuss. Landrath im Kreise Lenczyc-
Zgierz. Es gehörte ihm das Gut Lesmirz bei Zgierz.

Ladenberg, die Herren von.

Der jetzt regierende König Friedrich Wilhelm III. adelte am 3. November 1817 *Johann Philipp Andreas* Ladenberg, damals Geheim. Oberfinanzrath und Director der General-Controle in Berlin, später Präsident und Chef der Oberrechnungskammer zu Potsdam, gegenwärtig aber wirklichen Staatsminister, Chef der 2. Abtheil. vom Ministerium des königl. Hauses, Director der Verwaltung des Kron-Fideicommiss-Fonds, Mitglied des Staatsraths, Ritter des rothen Adlerordens 1. Classe Excellenz. Einer seiner Söhne ist Präsident der Regierung in Trier, ein anderer ist Oberförster zu Woltersdorf bei Potsdam. Von seinen Töchtern ist eine an einen v. Stodnitz aus dem Hause Schmilzdorf, eine andere an Perrinet v. Thauvenay, (wie der Vorige Officier im 1. Garderegiment), vermählt.

Lage, die Herren von der.

Eine sächsische adelige Familie, aus welcher *Wilhelm* v. d. Lage königl. preuss. Major in dem Infanterieregimente Prinz v. Oranien zu Berlin war. Er starb im Pensionsstande im Sommer des Jahres 1814.

Lagerström, die Herren von.

Eine schwedische, am 29. Januar 1691 geadelte Familie. Viele ihrer Mitglieder dienten im preuss. Heere. Ein Hauptmann v. Lagerström im Regimente v. Zastrow starb 1806 an ehrenvollen Wunden. Gegenwärtig ist ein Oberstlieutenant v. Lagerström Chef der 19. Inf.-Reg.-Compagnie in Posen, er stand früher im 3. Musquetierbataillon des Regiments v. Diericke in Mühlhausen und erwarb sich in Danzig den Orden pour le mérite.

Lahr, die Herren von der.

1) Eine Familie von der Lahr, auch Laer geschrieben, gehört zu den aufgeschworenen westphälischen und märkischen Geschlechtern. Sie soll ursprünglich aus Frankreich stammen, wo *Hugo* v. Laer am Hofe des Königs Heinrich I. Maire de palais in der Provence gewesen, und sein Bruder *Leo* v. d. L. als Bischof von Marseille um das Jahr 1079 gestorben ist. — *Karl* v. L. war geheimer Staatsminister unter dem Könige Philipp August. — *Adam* v. L. begleitete einen Landgrafen von Hessen-Kassel auf einer Reise durch Europa. Auf der Rückreise blieb er als Oberst der Leibwache beim Erzbischof von Köln, wurde 1205 Drost zu Menden und erbaute das Schloss Laer. Er wurde sonach der Stammherr seiner Familie in Deutschland. — Sein Sohn nahm 1208 den Namen Aldinghoven, genannt Laer an, und trat nach dem Tode seines Vaters in die Würden desselben ein. — *Berndt* v. L. war kurkölnischer Hofmeister. — *Heinrich* v. L., der um das Jahr 1400 lebte, war Landdrost des Herzogthums Engern und Westphalen, Gesandter am Hofe des Herzogs von Burgund und Ritter des goldenen Vliesses. — *Vincenz* v. L. war Jülichscher Marschall und General-major. — Im Jahre 1491 blieben drei Söhne aus diesem Hause in der Schlacht bei Strasburg, der vierte Bruder, *Dietrich* v. L., pflanzte den Stamm fort, und nannte sich wieder blos v. Laer. — Ein Nachkomme von ihm, *Melchior Dietrich* v. L., vermählte sich mit Amalie Cle-

13 *

mentine v. Paland, und erzeugte mit derselben fünf Töchter, aber keinen Sohn, und so starb diese Linie im Jahre 1658 aus.

Das Wappen dieses Geschlechtes ist in Beziehung auf den Namen bezeichnend, indem es aus einem leeren, goldenen, damascirten, mit einer goldenen Einfassung versehenen Schilde bestand. Auf dem bewulsteten Helme wiederholte sich dies Schild zwischen offenen goldenen Flügeln; die Decken schwarz und golden. M. s. Robens, II. S. 370—72.

2) Eine aus Holland, zur Zeit der Religionsunruhen, unter dem grossen Kurfürsten in die Marken gekommene Familie, die hier ein zweites Vaterland fand und sich in der Stadt Brandenburg niederliess. Ihr gehörte der Generallieutenant, Chef des Mineurcorps und Ritter des grossen rothen Adlerordens, von der Lahr an. Derselbe war im Jahre 1735 in Brandenburg geboren, mit 19 Jahren in das Ingenieurcorps getreten, hatte sich schon als Hauptmann durch viele militairische Schriften bekannt gemacht, wofür ihm ein rasches Avancement als ein Beweis der Anerkennung des Monarchen für seine Kenntnisse zu Theil wurde. Als Oberst und Chef des Mineurcorps wohnte er der Rheincampagne bei, leistete vor Mainz gute Dienste, und wurde dafür mit dem Verdienstorden geschmückt. Nach dem Frieden kehrte er in seine Garnison Neisse zurück, wo er im Jahre 1799 zum Generallieutenant befördert wurde und im Jahre 1804 den grossen rothen Adlerorden erhielt. Schon in einem hohen Alter wurde ihm noch die Freude zu Theil, für das Vaterland mit jugendlicher Kraft zu wirken und beim Erscheinen der Franzosen vor der Festung Neisse den rühmlichsten Antheil an der langen Vertheidigung dieses Waffenplatzes zu nehmen. Er starb zu Neisse im Jahre 1816. Seine Familie scheint in Beziehung auf die Armee erloschen zu sein, denn wir finden diesen Namen nicht mehr in den Listen des Heeres. (M. s. Pantheon des preuss. Heeres, I. S. 68).

3) Die schon bei dem Adel in Geldern S. 42 u. 47 erwähnten v. Laer auf Bleyrick und Laer (Stockheimer Schanze).

Lalande, de, die Herren.

Dieser bekannten französischen altadeligen Familie gehört der Kriegsrath de Lalande in Berlin an. — *Laurence* de Lalande ist französischer Consul zu Stralsund.

Lamers, Herr von.

Der König Friedrich Wilhelm II. hat am 5. März d. J. 1787 den Geheimen Regierungsrath zu Cleve, *Johann* Lamers geadelt. Das dieser Familie beigelegte Wappen zeigt im blauen Schilde zwei ins Andreaskreuz gelegte Balken. Im obern Felde ist ein goldener Adlerflug vorgestellt, in jedem der andern drei Felder aber eine silberne Schaaf- oder Lammscheere. Aus der Krone des Helmes wächst der Hals und Kopf eines Kranichs mit rothem Schnabel. Die Decken blau und golden.

Lamprecht, die Herren von.

Der König Friedrich Wilhelm II. hatte am 12ten October 1786 den Geheimen Ober-Justiz-, Tribunal- und Oberconsistorial-

Rath, *Joachim Friedrich* Lamprecht in den Adelstand erhoben. Ein
Sohn desselben ist der königl. Geheime Oberregierungsrath, und vor-
tragende Rath im Ministerium der geistl. Angelegenheiten Ritter etc.
G. E. F. v. Lamprecht. Eine Schwester von diesem ist *Sophie Louise
Friederike*, Gemahlin des wirkl. Geh. Staatsministers und General der Infant. etc., Grafen Karl v. Wylich und Lottum (geb. d. 2. Nov. 1772; vermählt
d. 6. Juni 1795).— Ein Major v. Lamprecht steht im königl. Ingenieur-
Corps, und ist Ingenieur des Platzes Magdeburg, auch Ritter des eisernen Kreuzes 2. Classe (erworben bei Longwy). Das dieser adeligen Familie beigelegte Wappen hat ein getheiltes, oben blaues, unten
silbernes Schild. In der obern blauen Hälfte steht eine goldene ge-
henkelte brennende Opferschaale, in der untern silbernen Hälfte ist
ein nach der rechten Seite springender Fuchs natürlicher Farbe vorgestellt. Auf dem Helme steht die Schaale zwischen zwei schwarzen
Adlerflügeln. Decken und Laubwerk blau und silbern.

Lampsins, die Freiherren von.

Ein Freiherr von Lampsins, der gegenwärtig im Haag lebt, wurde
1796 königl. preuss. Kammerherr.

Landeck, die Herren von.

Aus den Rheinlanden, namentlich aus der freien Stadt Frankfurt,
sind Edelleute dieses Namens nach Schlesien gekommen, wo *Adam*
v. Landeck des hohen Domstiftes zu Breslau Domherr und Archidiaconus zu Liegnitz war. Er starb am heiligen Weihnachtsabend des
Jahres 1600, nachdem er 40 Jahre lang in der Kirche St. Johannis
den Gottesdienst verrichtet hatte. Sein Epitaphium befindet sich in
der nach ihm benannten Landecker Kapelle.

Diese Familie führt im Wappenschilde ein durch eine schräge
Strasse gespaltenes Schild, worin ein aufspringendes Einhorn, das im
rechten schwarzen Felde weiss, im linken weissen Felde schwarz ist.
Auf dem Helme ist ein gewappneter Arm, der in der Hand einen Pfeil
zum Werfen hält, dargestellt. M. s. Sinapius, II. S. 762.

Landsberg, die Freiherren und Herren von.

Ein aus dem Elsass stammendes Geschlecht, das auch in Westphalen und in den Rheinlanden verbreitet ist oder war. Der Kurfürst
Joachim II. von Brandenburg bestellte den *Ortrau* v. Landsberg im
Jahre 1530 am Donnerstage Palmarum zum Hauptmann der Stadt Lü-
neburg, und seinem Diener mit vier gerüsteten Pferden vom Hause
aus. Im Jahre 1806 war *J. F. M.* Freiherr v. Landsberg des hohen
Domkapitels zu Münster Praelatus Scholasticus und des Hochstifts zu
Paderborn Canonicus. — Eine Linie des Hauses schrieb sich Lands-
berg-Vehlen, ein Fräulein v. Landsberg-Vehlen war bis zur Aufhebung
Chanoinesse des adeligen jungfräul. Stift zu Freudenberg.

Siebmacher giebt das Wappen der v. L. I. S. 197. unter den El-
sassern. Es zeigt ein grün und silbernes Schild. In der grünen Hälfte
sind sechs über einander gethürmte goldene Berge vorgestellt. Auf
dem Helme steht der nach der rechten Seite gekehrte Rumpf eines
Mohren. Sein Kleid ist grün und silbern und mit den goldenen Bergen
belegt, der Kopf ist mit einer Krone bedeckt und von einer flatternden

silbernen Binde umwunden. Die Decken und das Laubwerk sind grün
und silbern. Ganz anders ist das Wappen der von L. in den Rheinlanden, welches Siebmacher, II. S. 121. giebt. Es zeigt ein mittelst
eines rothen Balkens, der von der obern Rechten, zur untern Linken
gezogen ist, getheiltes, oben silbernes, unten roth und silbern gegit-
tertes Schild. In der silbernen Hälfte ist ein nach der rechten Seite
aufspringender Fuchs natürlicher Farbe vorgestellt. Der Helm ist mit
einer Wulst bedeckt, auf welcher ein unten schmaler, oben breiter,
mit den Bildern des Schildes belegter Hut steht. Die Decken sind
silbern und roth. — Ganz verschieden von beiden, obgleich nicht
ohne alle Aehnlichkeit, ist das der westphälischen v. L. Es zeigt im
goldenen Schilde eine silbern und roth gegitterte Strasse und auf dem
Helme den Hals und Kopf eines goldenen Löwen, mit der beschriebenen Strasse belegt. Decken und Laubwerk roth und golden. Siebmacher, III. S. 178.

Landskron, die Herren von.

Adelige Familien dieses Namens gehörten den Rheinlanden, der
Schweiz, Geldern und Schlesien an. In die letztere Provinz kamen
sie mit Adelheid, Gräfin v. Sulzbach, welche sich 1160 mit dem ersten Grossherzoge von Schlesien, Boleslaus Atus vermählte. Doch
kommen die ersten Edelleute dieses Namens, *Henricus* de Landiskrona
und *Hermann* Landeskron erst am Anfange des 14. Jahrhunderts am
Hofe der Bolkone vor. Im Jahre 1353 besassen sie schon Gross-Wan-
dritsch, und 1397 wurde *Peter* von Landskron Kanzler des Herzogs
Conrad II. zu Oels und Cosel. Nach und nach erwarb diese Familie
viele Güter, nach denen sie sich in verschiedene Häuser theilte, wie
in die Häuser Grebnig, Obsendorf, Zieserwitz, Ausche, Prinznig,
Roin, Schönau u. s. w. Bei Glogau, Liegnitz, Striegau und Neumarkt
waren zahlreiche Dörfer ihr Eigenthum, und das Geschlecht blühte
in vielen Aesten und Zweigen, dennoch sind sie bei uns gänzlich aus-
gegangen. Die Letzten kommen in den ersten Jahrzehnten des vori-
gen Jahrhunderts vor. Die schlesischen Landsberg führten im blauen
Schilde eine rothe Krone, woraus zwei silberne Angelhaken in die
Höhe stiegen. Auf dem Helme wiederholten sich Krone und Haken.
Die Decken sind silbern und roth. M. s. Sinapius, I. Th. S. 567—573.
II. Th. S. 763 u. s. f. Gauhe, I. Bd. S. 860. Anhang, 1631 u. s. f.
Lucä, p. 1814. Nova Liter. German. An. 1705, p. 211. Siebmacher,
I. Th. S. 62.

Landwüst, die Herren von.

Das im sächsischen Voigtlande unweit Plauen gelegene Dorf Landwüst wird als das Stammhaus der adeligen Familie dieses Namens betrachtet. — *Friedrich Ludwig* v. Landwüst war gräfl. stolberg-werni-
gerodischer Forstmeister zu Ilsenburg, sein Sohn aus der Ehe mit einer
von Hohenthal, *Friedrich* v. Landwüst, starb am 9. Mai 1833 als königl. sächsischer Major und Herr auf Groitzsch bei Eilenburg. Er war
im Jahre 1806 der erste sächsische Offizier, der in die Hände der
Franzosen fiel, und seine feste Haltung bei diesem Vorfalle hat ihm
Ehre und Lob vom Feinde, wie vom Freunde, erworben. Im preuss.
Staatsdienste stand im Jahre 1806 der Oberforstmeister von Landwüst,
bei der Kriegs- und Domainenkammer zu Plock in Neu-Ostpreussen.
— Diese altadelige Familie führt im blauen Schilde einen mit drei Ro-

sen belegten Querbalken. Auf dem Helme steht ein goldener Krug (oder Urne) mit zwei Henkeln, auf jeder Seite desselben steckt eine blaue Fahne. Die Decken und das Laubwerk sind in Blau und Silber. M. s. auch Uechtritz diplomat. Nachrichten von 1600 — 1783 aus dem Göstewitzer Kirchenbuche, VI. Th. S. 36 — 42. König, I. Th. S. 883. Gauhe, 1. Th. S. 861. Das Wappen giebt der Ordensrath Hasse in seinem Wappenbuch, Mnsc.

Lange, die Freiherren und Herren von.

Von den verschiedenen adeligen Familien dieses Namens in Deutschland gehören vorzüglich hierher:

1) Die Freiherren v. Lange und Münchhofen in der Mark Brandenburg und in Schlesien, deren ordentliche Stammreihe mit *Georg* v. L. auf Münchenhof, der mit einer v. Löser, aus dem Hause Ahlsdorf, vermählt war, beginnt. In Schlesien lebt *Franz Karl*, Freiherr v. L. und Münchhofen, Ober-Accise-Inspector, zu Breslau. — Ein Vetter von ihm war der Freiherr v. L., der als polnischer General den Posten eines polnischen Gesandten in Moskau bekleidete.

2) Die v. Lange und Langenheim, die aus der Mark nach Schlesien gekommen sind. Von ihnen war *Johann* Langius v. Langenheim Canonikus zn Glogau. Er starb im Jahre 1624.

3) Die Lange von Langendorf. Von ihnen starb *Johann Lorenz* Lange v. Langendorf, am 16. März 1658 zu Liegnitz.

4) Die Lange v. Langenhof. Ihnen gehörte Lange von und auf Langenhof und Taschenberg bei Bernstadt an, der als kaiserl. Ober-Amts- und Regierungsrath am 21. Mai 1631 zu Breslau starb, und von seinen Zeitgenossen als ein sehr gelehrter, erfahrener und redlicher Mann geschildert wird.

5) Die Lange v. Langenau, die nicht mit dem weiter unten vorkommenden, alten und vornehmen Geschlechte der v. Langenau zu verwechseln sind. — *Andreas* Lange v. Langenau war des Markgrafen Johann Georg zu Brandenburg im Fürstenthume Jägerndorf Rath, nachmals fürstl. briegscher Rath und der Herren Fürsten in Schlesien Landesbestellter. Er starb zu Brieg am 13. Decbr. 1657. (M. s. Lucä, pag. 762.)

6) Die v. Lange im Lüneburgischen, aus denen mehrere Mitglieder in den Diensten der ersten Kurfürsten von Brandenburg waren. Dieselben theilten sich in zwei Linien, nämlich in die mit dem halben Bären, und in die mit dem Pantherthiere im Wappen. Die letztere führte einen Flammen speienden Panther mit Hörnern, oder nach Andern, einen rothen Ochsen mit gehörntem Drachenkopfe, Pferdemähnen und einem Löwenschweife im Schilde und auf dem Helme, und starb mit *Leonhard* VIII. im Juli des Jahres 1504 aus. Die letztere führte einen halben weissen Bären in der Mitte des Schildes. Aus ihr war *Gottfried* Lange Bischof von Schwerin, der im 15. Jahrhunderte diese Würde bekleidete. Auch diese Familie starb schon im Jahre 1578 aus.

7) Die v. Lange in Preussen. Dieser adeligen Familie gehörte *Christian Henning* v. L. an, der Oberst und Commandeur des Regiments Fürst Moritz von Anhalt war, und am 16. Febr. 1760 als Chef eines Garnison-Regiments zu Gross-Glogau starb. Er war ein sehr tapferer Offizier, der sich schon in den Niederlanden und in Pommern, und später in den Feldzügen des Königs Friedrich des Grossen bei vielen Gelegenheiten hervorgethan hatte. Er hinterliess mehrere Kin-

der. — In der Gegenwart befindet sich im preuss. Staatsdienste der Landrath v. Lange zu Cosel, der früher in dem Regimente König von Baiern-Dragoner gestanden hatte.

Langelair, Herr von.

Christian Ludwig Langelair, damals Rittmeister im Kürassier-Regiment Prinz August Wilhelm v. Preussen (ältester der Brüder Königs Friedrich II.), wurde am 1. Juni 1731 in den Adelstand erhoben. Das ihm verliehene Wappen war durch zwei ins Andreaskreuz gelegte schmale Balken in zwei silberne Felder (oben und unten), und in zwei schwarze Felder (an den Seiten) getheilt. In der Mitte des Schildes liegt eine silberne und schwarze Rüstung (Panzerhemd), und unter derselben zwei übers Kreuz gelegte Pistolen. Auf dem Helme stehen fünf Straussfedern (zwei schwarz, eine in Silber, zwei in Gold). Die Decken sind schwarz und silbern.

Langen, die Herren von.

Adelige Familien dieses Namens sind in mehreren Provinzen des preuss. Staates verbreitet und begütert, namentlich in Westpreussen, in Westphalen, in der zur Provinz Brandenburg geschlagenen Niederlausitz, und in Pommern in dem Regierungsbezirke Stralsund, auf der Insel Rügen. Der Familie von Langen in Westpreussen gehörte der früher im Regimente von Mannstein-Dragoner zu Löbau in Garnison gestandene Major v. L. an, der im Jahre 1813 als Commandeur einer Dragonerbrigade pensionirt wurde, und im Jahre 1820 gestorben ist. — Der Familie v. L. in der Lausitz gehört Bornsdorf, im Kreise Luckau, welches noch in der neuesten Zeit der Kammerherr und Johanniterritter v. L. besass. — In Pommern besitzt die Familie v. L. Uselitz auf der Insel Rügen, und der Regierungsrath und Ritter des schwedischen Nordsternordens, auch Director der neu-vorpommerschen Feuer-Societät zu Stralsund, v. L., besitzt Parow im Kreise Parow. — Ein Fräulein v. L. ist gegenwärtig Conventualin des Stiftes zum heiligen Grabe in der Ostpriegnitz. — In preuss. Militairdiensten haben schon seit langen Zeiten Edelleute dieses Namens gedient. — Ein v. L., der im Regimente Alt-Larisch stand, ist im Jahre 1806 auf dem Felde der Ehre geblieben. — *Karl Ferdinand* v. L. stand im Jahre 1806 in der niederschlesischen Füsilierbrigade, war in den Feldzügen 1813, 14 und 15 Oberstlieutenant und Regiments-Commandeur, später Oberst und Brigadier im 2. Armeecorps, und wurde 1815 zum Commandanten der durch den Pariser Frieden der preuss. Krone zugefallenen Festung Saarlouis ernannt. Hier ist er am 13. Februar 1820 gestorben. Er war in der niederschlesischen Füsilierbrigade dem Range nach der Hintermann des nachmaligen Feldmarschalls Grafen v. Gneisenau, und hatte, so wie dieser, den Feldzug in Amerika mitgemacht. — In der Gegenwart ist ein der lausitzer Familie dieses Namens angehöriger Generalmajor v. L., Ritter des eisernen Kreuzes (erworben bei Belle Alliance), Commandant der Festung Silberberg. — Ein Prem.-Lieutenant, gegenwärtig a. D., erwarb sich in Holland das eiserne Kreuz.

Es liegen eine grosse Anzahl verschiedener Wappen der v. Langen vor uns; auch giebt Siebmacher viele derselben an, wie das der braunschweigschen v. L., die im silbernen Schilde eine rothe Schaafscheere und auf dem Helme ein weisses und ein rothes Büffelhorn füh-

ren. — Fast ganz gleich ist das Wappen der Familie v. L. in Westphalen, nur führt dieselbe statt der Büffelhörner einen weissen und
rothen Adlerflügel auf dem mit einer Wulst belegten Helme. — Die
Langen in Mecklenburg, Pommern und Liefland führen drei rothe Rosen im weissen Schilde, und auf dem Helme zehn Lanzen, abwechselnd
mit weiss und rothen Fahnen. — Unter den Geadelten oder mit andern Worten, unter den Familien, denen er kein Vaterland anzuwei-
sen vermag, giebt Siebmacher zwei andere Wappen der v. L. Eins
derselben zeigt ein blau und goldenes Schild, in dem mit abwechselnden Tincturen ein nach der rechten Seite aufspringender Löwe, der
einen Streitkolben in der rechten Pranke hält, dargestellt ist, und
der gekrönte Helm ist mit fünf Straussfedern (roth, weiss, blau, golden, schwarz) geschmückt. Das andere ist quadrirt. In den goldenen
Feldern 1 und 4 ist eine silberne Muschel (auf einem vor uns liegenden Abdrucke ist es ein Ei) vorgestellt; in jedem der schwarzen Felder 2 und 3 zeigt sich ein aufspringender goldener Greif. Derselbe
steht verkürzt auf der Krone, in den Krallen das Ei oder die Muschel
haltend. Noch ein anderes v. L'sches Wappen zeigt neben dem Greife
einen schwarzen Adler im Schilde und auf der Krone.

Langenau, die Freiherren und Herren von.

Zwei altadelige und vornehme Geschlechter dieses Namens, von
denen das eine Schlesien, das andere den Rheinlanden angehört, führen, wenn auch nicht gleiche, doch ähnliche Wappen, und dürften aller Wahrscheinlichkeit nach von gleichem Ursprunge sein. Fast zu
gleicher Zeit kommt auf dem Turniere zu Ingelheim am Rhein ein
Werner v. Langenau, und in Schlesien ein *Hanke* v. L. auf Liebenau,
nämlich jener um das Jahr 1337. dieser um das Jahr 1361 vor.'— Im
Jahre 1389 war *Nikolas* v. L. Rath des Herzogs v. Oels, und *Hans*
v. L. begleitete als Hofmarschall den Herzog Ludwig von Brieg auf
das Concilium zu Costnitz. — Eine lange Reihe von Edelleuten aus
diesem Hause kommen als Landeshauptleute, Burggrafen, Räthe, Hofmarschälle und Hofmeister in den Fürstenthümern und an den Höfen
der piastischen Herzöge vor, die zum Theil dem Hause L. - Wandritsch, theils dem Hause L. - Gross-Strenz angehörten. — Dem Hause
Wandritsch gehörte auch Krischitz, dem Hause Gr. Strenz aber Dobrischau, Gr. Tworzumirka, Golgowa, Gellendorf u. s. w., auch besass
Melchior Abraham v. L. eine Zeitlang die Standesherrschaft Goschütz.
— Von dem Hause Wandritsch stammt auch die Linie der L. in der
Lausitz, und es gehörten zu ihr die Häuser Schirna, Tscheschwitz
u. s. w. Uebrigens bleibt Liebenau im Liegnitzschen, welches, wie
wir oben erwähnten, schon im Jahre 1361 *Hanke* v. L. erkaufte, das
älteste Stammhaus, während andere Quellen das Dorf Langenau, bei
Löwenberg gelegen, welches gegenwärtig den v. Förster gehört, als
den ersten Stammsitz der Familie bezeichnen. — Das Haus L.-Streh-
litz im Oelsischen erlosch mit *Sigismund* v. L. im Mannesstamme, der
mit einer v. Rothkirch und Sebnitz vermählt, nur eine Tochter erzeugte. Diese starb im Jahre 1622 als vermählte von Schindel auf
Bomsdorf. — Im Jahre 1806 war ein v. L. erster Director der mün-
sterberg-glazer Landschaft und Herr auf Tarchwitz, Antheil *A*, das
jetzt *August* v. L. besitzt. — Der Kreisdeputirte v. L. besitzt Korsch-
witz und Mischkowitz im Kreise Münsterberg. — Der lausitzer Linie
gehören an: *Friedrich Karl Gustav*, Freiherr v. L., kais. königl. österr.
Kammerherr, Inhaber eines Infanterie-Regiments, zweiter commandirender General in Galizien, Ritter verschiedener Orden, namentlich

Langermann — Langwies.

des Maria-Theresienordens und des preuss. rothen Adlerordens 1. Cl.
— Ein jüngerer Bruder des Vorigen, *Wilhelm*, Freiherr v. L., ist
Major in kaiserl. Diensten. — In preuss. Diensten stand *Ernst Heinrich* v. L., der im 2ten schlesischen Feldzuge als Major des Regiments
Jung-Schwerin ein Grenadierbataillon commandirte, 1751 Oberstlieutenant wurde, 1759 als Oberster das stettinsche Landregiment erhielt,
und in der Nacht vom 24. zum 25. Juli 1761 auf dem Gute Golzow
bei Brandenburg durch seinen Bedienten Stauffenbeil ermordet wurde.
Die v. L. in Schlesien führen im blauen Schilde eine von der untern Rechten zur obern Linken gehende, mit drei blauen übereinander stehenden Rosen belegte silberne Strasse, und auf dem Helme
einen mit der Strasse und den Rosen belegten Adlerflügel. Die Helmdecken sind blau und silbern.
Die v. L. in den Rheinlanden führen im rothen Schilde eine silberne Strasse. Ersteres Wappen giebt Siebmacher, I. S. 55, letzteres
II. S. 108.
Das rheinische Geschlecht der v. L. starb schon im Jahre 1613
mit *Philipp Andreas* v. L. aus. Sie führten im rothen Schilde eine
silberne Strasse, die von der obern Linken zur untern Rechten lief,
auf dem Helme einen Biberschwanz. In einigen vor uns liegenden
Abdrücken ist es ein Palmzweig zwischen zwei rothen Widderhörnern.

Langermann, die Freiherren und Herren von.

Einem Mitgliede der freiherrlichen Familie v. Langermann gehört das Gut Brodelwitz bei Raudten in Schlesien. M. s. auch den
Artikel Erlenkamp, oder Langermann, Freiherren v. Erlenkamp, II.Bd.
S. 140—141. — Die v. Langermann führen im blauen Schilde eine
rothe, vom obern rechten zum untern linken Winkel gezogene Strasse,
mit drei silbernen Sternen belegt. Im linken obern Winkel ist ein
Stern, und im rechten untern sind zwei Sterne angebracht.

Langguth, die Herren von.

Diese adelige Familie stammt aus Franken. *Hans Wolf* v. Langguth war hochfürstlich coburgscher Oberforstmeister; sein Sohn, *Georg*
v. Langguth, kaiserlicher Oberstlieutenant, kam zuerst nach Schlesien; er erwarb hier die Güter Klein-Tinz und Polwitz bei Liegnitz.
Dessen beide Söhne, *Georg Ludwig* und *Gottfried August*, die ihm
im Besitz dieser Güter folgten, wurden im Jahre 1700 böhmische Ritter. Sie vermählten sich mit Töchtern aus altadeligen schlesischen
Familien, und pflanzten ihr Geschlecht fort. — Der Letzte dieses Geschlechtes, der uns bekannt geworden ist, war der Major v. Langguth im Regimente von Müffling zu Neisse. Er starb im Jahre 1821
im Pensionsstande.

Langwies, Herr von.

Ein Major v. Langwies stand im Jahre 1806 bei dem Regimente
v. Alvensleben in Glaz und ist im Jahre 1821 im Pensionsstande gestorben.

Lanius, Herr von.

Der König Friedrich II. erhob am 15. Febr. 1752 den *Alexander* Lanius, Lieutenant im Kleistschen Infanterie-Regimente, in den Adelstand. Der Erhobene fiel im siebenjährigen Kriege auf dem Felde der Ehre.

Larisch, die Grafen, Freiherren und Herren von.

Sie stammen ursprünglich aus Irland, von wo sie nach Polen, und sodann nach Schlesien gekommen sind. In Polen blüheten ihre Vorfahren mit der gräflichen Würde, jedoch mit einem andern Wappen unter dem Namen des Grafen v. Larisse. Schon unter den ersten Piasten kommen in Polen, Schlesien und Mähren zuerst die Larisse, grösstentheils in der gräflichen Würde, die ihnen schon vom Kaiser Otto III. unter dem Könige Boleslav I. zu Anfange des 11. Jahrhunderts verliehen worden war, vor. Uebrigens verbreiteten sich die Nachkommen der polnischen Grafen v. Larisse auch unter dem Namen Domanski, Madlinski, Zdanowski u. s. w. durch ganz Polen. (So meldet Okolski, T. II. p. 41.) Von denen, die sich nach Mähren und Schlesien wendeten, besitzt man schon aus den frühesten Zeiten Nachrichten. (M. s. Paprozius in speculo Morav. pag. 440.) Zuerst schrieben sich die aus Polen nach Schlesien gekommenen edlen Ritter Larisse v. Larisch-Ligoti oder Loty, auf deutsch Larisch und Ellguth. Mehrere Dörfer dieses Namens in den Fürstenthümern Oppeln und Teschen sind noch bis in die neuesten Zeiten das Eigenthum der v. Larisch; andere sind in die Hände der Grafen v. Matuschka und der Familien v. Garnier und v. Gräfe gekommen. Eine andere Linie schrieb sich v. Larisch und Nimbschdorf (Nimsdorf). Am 4. August des Jahres 1654 wurde *Johann Friedrich Heinrich* v. L. auf Ellguth im Oppelnschen und Carwin im Teschenschen, auch mehreren andern Gütern, Landmarschall und Landeshauptmann im Fürstenthume Teschen, in den Freiherrnstand erhoben. Die „schlesischen Curiositäten" bezeichnen diesen ersten Freiherrn v. L. mit den Worten: Heros illustris meritis. Er lebte unvermählt, und die Freiherrnwürde ging auf seinen Bruder, *Johann Franz Wilhelm*, Freiherrn v. L. auf Ellguth und Carwin, auch Erbherrn der Herrschaft Kuja bei Ober-Glogau, über. Er war Oberlandrichter und, mit einer Gräfin v. Tenczin vermählt, pflanzte er sein Geschlecht fort. — Am 22. Mai 1770 wurde bei einem hochlöblichen k. k. Oberamte in Schlesien der Freiherrnstand der Gebrüder *Franz Joseph* und *Karl Ludwig* v. L. und Nimsdorf publicirt. Noch im vorigen Jahrhunderte gehörten den Freiherren v. L. die bedeutenden Güter Gr. und Kl. Stein, die gegenwärtig in den Händen der Grafen von Strachwitz sind. — Im Jahre 1806 war *Gustav* v. L. Herr auf Gr. Wilkowitz, Kempciowitz, Larischhof und Georgendorf, Landrath des Kreises Tost-Gleiwitz. — *Johann* v. L. war des Collegiatstifts St. Crucis zu Oppeln Prälatus Decanus, Hochstifts-Canonicus und polnischer Ambonist daselbst, wie auch durch das Fürstenthum Oppeln in geistlichen Sachen bischöflicher Commissarius. Später war er Prälat, Dechant und Pfarrer zu Gr. Strehlitz, auch Ritter des rothen Adlerordens. Die Gemahlin des Fürsten Johann Nepomuk v. Sulkowski auf Bilitz war *Louise*, Freiin v. L. — Die gräfliche Linie, die sich Larisch von Männich schreibt, gehört den österreichischen Staaten an. Ein Sohn aus diesem Hause wurde im Jahre 1815 beim Städtchen Mirabeau in Frankreich von Marodeurs ermordet. Wir geben unten die gegenwärtig lebenden Mitglieder der

gräflichen Linie. Ihr gehört auch der frühere Besitzer der Bilauer
Güter bei Neisse, nachmalige Oberst und Inspecteur bei der Land-
wehr, auch Ritter des eisernen Kreuzes 2. Classe (erworben bei Dresden und Culm) an, der zuletzt in Breslau lebte.
Die Familie v. L. theilt sich gegenwärtig in die evangelische und
in die katholische Linie. Der evangelischen Linie gehörten an:
Der Generallieutenant und Chef eines Infanterie-Regiments, auch
Ritter des grossen rothen Adlerordens v. L., der im Jahre 1811 gestorben ist. Sein Regiment war mit dem Namen Alt-Larisch bezeichnet.
Der Generalmajor und Ritter verschiedener Orden v. L., der 1750
geboren, mit 16 Jahren in das Dragonerregiment No. 6. trat, 1793
Major, 1802 Oberstlieutenant, 1804 Oberst und 1805 Commandeur des
genannten Regiments, 1808 aber des 4. Kürassier-Regiments war. Im
Jahre 1810 trat er als Generalmajor in den Ruhestand und vom Schauplatze der Welt.
Wilhelm Christian v. L., der jüngere Bruder des zuerst genannten Generals, trat im Jahre 1761 in das damalige Regiment Herzog
Ferdinand von Braunschweig, avancirte 1786 zum Major, 1793 zum
Oberstlieutenant und Commandeur des Regiments v. Amaudrütz. Im
Feldzuge in Polen erwarb er sich den Orden pour le mérite bei Wys-
zogrod, wurde 1795 zum Oberst und Inspecteur der westpreuss. Infanterie, 1800 zum Chef des Regiments v. Anhalt und 1801 zum Generalmajor ernannt. In dem unglücklichen Feldzuge 1802 erhielt der
General v. L. eine Contusion am Fusse, und wurde mit dem Blücherschen Corps bei Lübeck gefangen genommen. Bei der Reorgani-
sation konnte er nicht in Dienstthätigkeit gesetzt werden, und obgleich
ihn der König zum Generallieutenant ernannte, so war er doch im
Jahre 1813 schon völlig invalide und wurde nach 53jähr. Dienstzeit pensionirt. Er starb am 16. Januar 1823 zu Königsberg im 80sten Lebensjahre.
Gegenwärtig besteht das gräfliche Haus der Larisch von Männich
aus folgenden Mitgliedern:
Graf *Heinrich*, vermählt seit 1817 mit Henriette, Gräfin Haugwitz, geboren den 14. Juli 1799.

Schwestern:

1) *Anna*, Wittwe des Freiherrn Joseph von Hauer, Gouverneurs
von Galizien.

2) *Karoline*, vermählt seit dem 10. Febr. 1873 mit dem Grafen
Joseph v. Beroldingen, königl. würtembergschen Generallieutenant und
Minister der auswärtigen Angelegenheiten und des Hauses.

3) *Helene*, vermählt seit dem 18. Mai 1825 mit Eduard Maximilian, Grafen Pückler, königl. preuss. Kammerherrn.

Das ursprüngliche Wappen der v. L. zeigt im rothen Schilde zwei
gegeneinander gekehrte eisenfarbene krumme Messer mit goldenen Heften oder Griffen, und zwischen denselben eine goldene Säule. Der
Helm ist mit drei Straussfedern geziert (blau, gelb, blau). Die Helmdecken sind roth und gelb. Dieses Wappen giebt Siebmacher, I. S. 76.
M. s. auch Origines familiae Larissianae in Silesia; in den diplomat. Beitr. zu den schlesischen Rechten u. Gesch. II. Bd. I. Th. No. 5.
Sinapius, II. S. 363—66. Gauhe, I. S. 868.

Lasberg (ss), die Freiherren von.

Von dem alten vornehmen Geschlecht der v. Lasberg, das in
Braunschweig, in Baiern und Oesterreich sich ausgebreitet hat, ist

Lasch — Lattorff. 205

eine Linie im Jahre 1664 von dem Kaiser Leopold I. in den Freiherrnstand erhoben worden. Im Jahre 1705 brachte *Georg Ehrenreich*,
Freiherr v. Lasberg, die gräfliche Würde auf sich und seine Nachkommen. Gegenwärtig lebt von der gräflichen Linie Graf *Georg
August* v. L.; geb. am 11. Decbr. 1771, dessen Schwester *Eleonore*,
geb. d. 15. Nov. 1774, und dessen Brüder *Georg Rudolph* und *Karl* (beide
kais. öster. Offiziere). Von der braunschweig'schen freiherrlichen Linie
ist der Oberst v. d. Armee v. L. Landrath des Kreises Düsseldorf,
Ritter des Militair-Verdienstordens (erworben bei Kaiserslautern).
Derselbe war im Jahre 1806 Major und Inspections-Adjutant. Das
Wappen der Freiherren v. Lasberg ist quadrirt; die Felder 1 und 4
sind in der obern Hälfte roth, in der untern aber durch einen Spiz-
zenschnitt in roth und Silber getheilt, die Felder 2 und 3 sind
schwarz und in jedem derselben ist ein goldenes Passionskreuz be-
findlich. Zwei Helme bedecken das Schild. M. s. auch Gauhe, I.
S. 860. Raymund Duellii Excerpt. geneal. histor. Lib. II. Tab. genealog. Lasberg f. 301. Bucelin Stemmat. P. III. Wissgrill V. S.
440 — 448.

Lasch, die Herren von.

Ein Herr v. Lasch, einer adeligen Familie in Litthauen angehörend,
war 1806 Landesdirector des litthauen'schen Departements, bei der
General-Land-Armen-Verpflegungs-Direction.

Laskowski, die Herren von.

Dieser altadeligen Familie in Polen gehörte an: *Anton Joseph* v.
Laskowski, Archidiaconus des Domcapitels zu Plock, und des Colle-
giat-Stiftes zu Pultusk.

Lattorff, die Herren von.

Ein ursprünglich anhaltisches adeliges Geschlecht, in dem die
Vornamen *Matthias* und *Otto* sehr gebräuchlich sind, oder waren.
Schon im Jahre 1182 kommt in einer Urkunde ein *Otto* v..L., bei
Gelegenheit einer Schenkung des Abtes zu Nienburg, vor. — *Hans*
v. L. war 1494 Hauptmann zu Giebichenstein bei Halle. — Ein anderer *Hans* v. L. war im Jahre 1511 Dompropst zu Magdeburg. —
Joachim v. L. war um das Jahr 1520 Dompropst zu Havelberg. Er
war ein persönlicher Freund des Fürsten Georg von Anhalt, der
ihn zum Vollzieher seines letzten Willens ernannte. — Am Ende des
16. Jahrhunderts erwarb eine Linie dieses Hauses unter *Hans Wilhelm*
v. L. die Salza'schen Güter und später das Gut Isterbis. Derselbe
war kurpfälzischer Oberjägermeister und Commandeur der Leibgarde,
und hatte zwei Söhne, von denen *Matthias Heinrich* einen Sohn in
brandenburgischen Diensten hatte, der aber unvermählt gestorben ist.
Ein jüngerer Sohn, *Hans Wilhelm* II. v. L., hinterliess mehrere Söhne.
Von ihnen wurde *Wolf Ernst* v. L., im Jahre 1674 von einem brandenburgischen Rittmeister im Duell erschossen: zwei von ihnen kommen weiter unten vor. — Ein anderer *Hans Wilhelm* v. L., auf
Klicke, begleitete als zerbst'scher Schlosshauptmann die Kaiserin Katharina II. nach Moskau. Er starb am 13. Juni 1758. Sein Sohn, *Johann
Friedrich* v. L., war russischer Kammerherr und preuss. Legationsrath.

— *Philipp Friedrich* v. L. erwarb in Schlesien ansehnliche Güter; er war mit einer v. d. Marwitz, aus dem Hause Friedersdorf, vermählt.

Im preuss. Heere haben folgende Mitglieder dieser Familie höhere Ehrenstellen erlangt:

Rudolph Friedrich v. L., ein Sohn des im Jahre 1684 verstorbenen kurbrandenburgischen Hauptmannes, *Rudolph* v. L., Erbherrn auf Holzbeck, erhielt im Jahre 1705 des am Schellenberge gebliebenen Obersten v. Wulffen Regiment zu Fuss. Er blieb im Jahre 1708 in der Schlacht bei Oudenarde auf dem Felde der Ehre und hinterliess aus seiner Ehe mit Margarethe de Bruce zwei Söhne und drei Töchter.

Johann Sigismund v. L., geboren zu Gross-Salza, einem seinem Vater gehörigen Gute, am 23. Juni 1699, trat, nach einer sorgfältigen Erziehung, im Jahre 1714 in das preuss. Regiment v. Varenne, wohnte ein Jahr darauf der Belagerung von Stralsund bei und nahm im Jahre 1719 seinen Abschied. Er nahm aber kurz darauf in demselben Regiment wieder Dienste, ward 1742 Major, 1750 Oberstlieutenant, 1754 Oberst und Commandeur des v. Itzenplitz'schen Regiments, und erhielt 1756 die Amtshauptmannschaft zu Rein in Preussen. Im Jahre 1757 zum Generalmajor ernannt, befand er sich bei der Avantgarde des Königs, wurde an der Lende verwundet und verlor durch einen Schuss das linke Auge. Der Verlust desselben nöthigte ihn, im Jahre 1760 seinen Abschied zu nehmen. Er starb im Jahre 1761 den 3. Septbr. unverehelicht, und sein Leichnam ist im Erbbegräbniss zu Grossen-Salza beigesetzt worden.

Christoph Friedrich v. L., ein älterer Bruder des Vorigen, und Sohn des *Hans Wilhelm* v. L., Erbherrn auf Gross-Salza und Ottersleben, geboren am 7. Septbr. 1696, studirte anfangs zu Halle, nahm aber im Jahre 1713 Dienste in dem Regiment Fürst Leopold von Anhalt-Dessau, wurde 1743 Oberstlieutenant, 1745 Oberst und 1746 Commandeur des Regiments v. Persode. Im Jahre 1748 erhielt er die Amtshauptmannschaft von Stettin und Jasenitz, 1753 wurde er Vicecommandant von Kosel, am 11. Decbr. des gedachten Jahres aber wirklicher Commandant von Kosel, Generalmajor und Chef des v. Bosseschen Garnisonregiments. Für seine tapfere und umsichtige Vertheidigung der genannten Festung ernannte ihn der König Friedrich II. zum Generallieutenant, und schmückte ihn mit dem schwarzen Adlerorden. Er starb im Jahre 1762 am 5. April zu Kosel, obgleich zweimal vermählt gewesen, dennoch kinderlos.

Philipp Friedrich Lebrecht v. L. starb im Jahre 1808 als Generallieutenant a. D. Er war früher Chef eines Infanterieregimentes in Breslau (zuletzt v. Treuenfels), seit dem Jahre 1801 aber Gouverneur der Festung Cüstrin gewesen. Im Jahre 1793 hatte er sich bei Kaiserslautern den Verdienstorden erworben. Bei dem Falle der genannten Festung im Jahre 1806 war der General nicht gegenwärtig. — Im Jahre 1806 war *Friedrich Wilhelm August* v. L. fürstl. anhaltköthen'scher Hofmarschall, Herr auf Klicke. — *Otto* v. L., Lieutenant und Adjutant bei der dritten und 4. Jägerabtheilung, starb am 8. August 1832 zu Halle. — Gegenwärtig ist ein v. L. Rechnungsrath im Finanz-Ministerium zu Berlin; ein anderer v. Lattorff steht als Lieutenant in der 3. Jäger-Abtheilung zu Lübben.

Das Wappen der Herren v. Lattorff zeigt in silbernen Schilde einen drei Mal roth und drei Mal golden wechselweise gebundenen Waizenkranz, woran sechs Bündel hängen; jeder von drei Waizenähren. Auf dem Helme ist derselbe Kranz, nur oben mit einer Oeffnung, vorgestellt. Helmdecken roth und golden.

Laurens, die Herren von.

König Friedrich Wilhelm I. erhob im Jahre 1718 am 13. April die Gebrüder *Matthias Daniel*, Geheimen Rath, und *Joachim Albrecht* Laurens in den Adelstand, auch erhielten der Ingenieur-Capitain v. Laurens, und *Matthias Julius* v. L., Majoratsbesitzer von Molston in Pommern, am 15. Decbr. des Jahres 1787, eine Erneuerung ihres Adels. Ein Enkel des *Matthias Daniel* v. L. war der General-Major und Chef des Infant.-Regiments No. 56., auch Ritter des Verdienstordens, v. Laurens zu Anspach, der im Jahre 180½ gestorben ist. Der erwähnte Ingenieur-Capitain blieb im Jahre 1807 als General bei der Belagerung von Danzig. Ueber den Tod dieses verdienstvollen Mannes erzählt ein achtbarer Schriftsteller: Mit dem Morgen des 30. März 1807 war zwar die feindliche Arbeit nicht merklich weiter gerückt, vielmehr zeigten sich in der zweiten Parallele neue Schrecken. Aber das Bombardement hatte seinen Fortgang, wie überhaupt seit dem Anfange, bald schwächer, bald stärker; jedoch mit dem Unterschiede, dass gegenwärtig das regelmässige, auf die Werke des Hagelsberges gerichtete Bombardement auch durch die Demolirbatterien aus der zweiten Parallele unterstützt wurde. Wie der Gouverneur weiterhin dafür gehalten, und auch gar wahrscheinlich war, mochte dem Feinde der Versammlungsort zur Austheilung der Parole auf dem Hagelsberge durch Deserteure verrathen worden sein. Wie dem auch sei, durch den unglücklichen Wurf einer Bombe, die unserer Seits durch die fehlerhafte Anlage eines Erdprofils begünstigt war, wurde ein bedeutendes Unglück veranlasst. An der einen Seitenwand der Kasematte hatte sich eine Bombe eingewühlt, die Wand gesprengt und einen Balken ins Zimmer geschleudert, wodurch drei darin befindliche Personen, mehr oder weniger heftig verwundet wurden. General Laurens und der Garnison-Adjutant, Lieutenant v. Platen, wurden beide äusserst gefährlich am Kopfe verwundet. Der Erstere starb nach vielen Schmerzen einige Tage darauf. M. s. Pantheon des preuss. Heeres, Bd. II. S. 357. Der oben erwähnte Geheime Rath, *Matthias Daniel* v. Laurens, erkaufte die Güter Maldevin und Wolkow im Kreise Daber-Dewitz.

In dem Adelsbriefe dieser Familie ist das derselben beigelegte Wappen folgendermaassen beschrieben: Das Schild ist durch einen Sparrenschnitt in drei Felder getheilt. In dem 2. silbernen Felde steht ein schwarzer Adlerkopf und Hals, im 2. ebenfalls silbernen Felde sind drei rothe Strassen, und im 3. blauen Felde drei Mohrenköpfe mit silbern und roth gestreiften Binden dargestellt. Das Schild ist mit einem silbernen, blau angelaufenen, und mit goldenen Bügeln, auch dergleichen anhängendem Kleinod gezierten Helme bedeckt. An diesem Helme ruht ein geharnischtes, mit einer rothen Decke behangenes, und mit einer silbern und roth gestreiften Hauptbinde versehenes Brustbild eines Mohren. Die Helmdecken sind silbern und blau. M. s. Brüggemann, I. Bd. 11. Hauptstück.

Lauwitz, die Herren von.

Der König Friedrich I. erhob am 27. Juli 1700 den Ober-Appellations-Gerichtsrath *Johann Philipp* Lauwitz in den Adelstand. Diese Familie scheint wieder erloschen zu sein.

Das Wappen der von Lauwitz hat ein gespaltenes silbernes und blaues Schild, dort einen schwarzen Adler, hier einen Löwen zeigend. Der Löwe steht auch verkürzt auf dem gekrönten Helme, zwischen zwei schwarzen Adlerflügeln.

La Valette, die Grafen von.

Der verstorbene Grossherzog von Sachsen-Weimar sandte den Grafen von La Valette im Jahre 1787 mit der Nachricht nach Potsdam, dass der Freiherr v. Dalberg, Statthalter in Erfurt, zum Coadjutor von Mainz erwählt sei. Bei dieser Gelegenheit suchte und fand der Graf eine Anstellung im preuss. Heere, er wurde in dem Husarenregiment v. Keöszeghi (zuletzt von Gettkant) angestellt. Derselbe ward 1810 Major, 1813 pensionirt, und im Jahre 1825 ist er gestorben. Ein Sohn von ihm stand im Husarenregiment von Plötz und war zuletzt Salzfactor in Glogau, eine Tochter hatte sich zuerst mit einem v. Mletzko vermählt, und heirathete später den Justizrath Schramm in Breslau.

Lavergne-Peguilhen, die Herren von.

Se. Majestät, der jetzt regierende König, erneuerte durch ein Diplom vom 23. August 1821 den alten Adel des Geheimen Oberrechnungsrathes Lavergne-Peguilhen in Potsdam. Ein Sohn desselben ist Lieutenant im 3. Bataillon des 5. Landwehrregiments.

Laxdehn, die Herren von.

Der König Friedrich Wilhelm I. adelte am 20. April 1731 die drei Brüder Laxdehn, alle drei Offiziere seines Heeres. Ein Nachkomme derselben war *Otto Heinrich* v. L., der 1745 Lieutenant, 1756 Compagniechef, 1761 Oberstlieutenant, 1765 Oberst, 1770 Generalmajor wurde und 1773 ein neuerrichtetes Füsilierregiment erhielt, nachdem ihm schon im Jahre 1765 die Amtshauptmannschaft zu Zinna und 1769 die von Rügenwalde übertragen worden war. Im Jahre 1773 nahm er seinen Abschied und ist kurz darauf gestorben. M. s. biogr. Lex. aller Helden, u. s. w. II. S. 374.

Lebbin, die Herren von.

In den Marken und in Pommern ist dieses adelige Geschlecht seit langen Zeiten einheimisch gewesen. In Pommern muss eine Linie schon ausgegangen sein, denn Elzow und nach ihm Brüggemann bezeichnen sie als ausgestorben daselbst; dennoch blüht gegenwärtig wieder ein Zweig dieses Hauses in Pommern; der königl. Forstmeister v. Lebbin a. D. besitzt die Güter Standemin und Naffin im Kreise Belgard. In der Armee haben verschiedene Edelleute dieses Namens gestanden, namentlich der Oberstlieutenant und Chef der Garnison-Compagnie des 2. Infant.-Regiments, v. L., auch Ritter des Militair-Verdienstordens (erworben im Sturme auf Bitsch). Er stand früher bei den Grenadieren des Regiments Prinz Heinrich von Preussen zu Soldin. — Ein anderer v. L. stand als Capitain im Regiment v. Müffling in Neisse und ist im Jahre 1824 im Pensionsstande gestorben. — Ein dritter v. L., der jüngere Bruder des zuerst Genannten, stand ebenfalls in dem Regiment Prinz Heinrich von Preussen, und schied im Jahre 1815 mit dem Majors-Charakter aus dem 21. Infant.-Regiment. Er hatte sich bei Dennewitz das eiserne Kreuz erworben. — Denselben Orden erwarb sich auch ein Oberstlieutenant von Lebbin, gegenwärtig a. D., bei Arnheim. — Gegenwärtig steht in der Armee der Major und Adjutant v. L., im 1. Armeecorps, und Ritter des eisernen Kreuzes (erworben bei Haynau).

Die v. Lebbin führen im goldenen Schilde einen blau und grünen Bogen, und unter demselben ein nach der rechten Seite gehendes weisses Lamm, auf dem Helme aber einen schwarzen Schiffsanker.

Leckow, die Herren von.

In früherer Zeit wurde dieses adelige Geschlecht auch von Lechow, und eben so der Stammsitz der Familie, das Dorf gl. N, das bei Schiefelbein in der Neumark liegt, genannt. Im Jahre 1806 war einer von Leckow auf Leckow Landrath und Kreisdirector des Kreises Schiefelbein. Ein Zweig hatte sich auch in Schlesien niedergelassen, wo ein von Leckow das Gut Pfaffendorf bei Landshut besass. Aus dessen Ehe mit einer Mustowska, nachmals vermählten und wieder geschiedenen Landräthin v. Stosch, Frau auf Kammerswaldau in Schlesien, leben mehrere Söhne. Einer derselben besass einige Jahre hindurch das Gut Mühlrädlitz bei Lüben, und gegenwärtig ist derselbe anderweitig ansässig. Ein anderer ist noch bei Landshut begütert. Die Gemahlin des Präsidenten v. Scheve in Berlin ist eine geborne v. Leckow, aus dem Hause Pfaffendorf.

Ledebur, die Grafen, Freiherren und Herren von.

Unter den uralten adeligen Geschlechtern in Westphalen blüht nach wie vor das Haus Ledebur, es hat sich aber auch in andern Provinzen verbreitet und ansässig gemacht, und namentlich auch in Böhmen bedeutende Herrschaften erworben. Das Stammhaus und der Sitz der Hauptlinie ist Wicheln in Westphalen. Eine Linie hat im 17. Jahrhunderte das Erbjägermeisteramt im Hochstifte Osnabrück, eine andere war schon früher im Besitze des Erbtruchsessamtes im Stifte Hervorden. — *Johann Dietrich* v. L. wurde am 19. Juni 1669 böhmischer Freiherr. Ein Enkel von ihm ist vom Kaiser in den Grafenstand erhoben worden. Diese böhmische gräfliche Linie besitzt die Herrschaften Kostenblat, Krzemusch, Priesnitz und Schöberitz bei Schlahn, und den ehemaligen Fürst Liechtenstein'schen prächtigen Palast auf der Klein-Seite in Prag. — Gegenwärtig ist *Friedrich Clemens*, Freiherr v. Ledebur-Wicheln zu Ostinghausen, Bischof zu Paderborn. — *Leopold* v. L., königl. Hauptmann v. d. A., ist Director der Kunstkammer zu Berlin und Herausgeber des Archivs für preuss. Geschichte. — In der Armee stehen viele Offiziere dieses Namens, namentlich der Generalmajor v. L. I., Commandant der Festung Colberg, Ritter mehrerer Orden, namentlich des Militair-Verdienstordens (erworben bei Bialokowo). — Der Generalmajor v. L. II., Commandeur der 8. Landwehrbrigade, Ritter mehrerer Orden, auch des Militairverdienstordens (erworben bei Weidenthal), und des eisernen Kreuzes (erworben bei Gr. Görschen). — Der Major v. Ledebur, Flügeladjutant Sr. Majestät des Königs. — Ausserdem haben viele Offiziere dieses Namens im Befreiungskampfe, und schon früher mitgefochten. — Ein Capitain v. L., gegenwärtig a. D., erwarb sich bei Ligny das eiserne Kreuz.

v. Zedlitz Adels-Lex. III.   14

Dieses alte vornehme Geschlecht führt im rothen Schilde einen
silbernen, oben spitz zugehenden Sparren, oder Hansgiebel, und auf
dem Helme zwei breite, mit dem Giebel belegte rothe Federn. Auf
einigen andern vor uns liegenden Abdrücken dieses Wappens sind es
breite, oben spitz zugehende rothe Blätter. Die Helmdecken silbern
und roth. Siebmacher giebt dieses Wappen I. S. 187. v. Meding
beschreibt es II. No. 486. III. S. 840. M. s. auch Gauhe, I. S. 876.
Allgemeines genealogisches Handbuch, I. S. 641. u. folg.

Legat, die Herren von.

Sie stammen ursprünglich aus Frankreich, von wo sie in mehrere deutsche Staaten, namentlich auch in die Gegend von Magdeburg kamen. Ihre französische Abkunft deuten auch die Lilien im
Wappenschilde an. Aus dieser Familie war der im Jahre 1807 als
pensionirter Oberst gestorbene, frühere Commandeur des 3. Musquetierbataillons, im Regiment v Kleist zu Magdeburg, v. Legat. Er
hatte sich bei Vicogne im Jahre 1793 den Verdienstorden erworben.
— Von seinen Söhnen stand der ältere ebenfalls in dem Regiment
v. Kleist, und später war derselbe Hauptmann a. D. und Hofrath bei
der Regierungs-Hauptkasse zu Potsdam. Der jüngere ist der gegenwärtige General und Director des königl. grossen Militair-Waisenhauses zu Potsdam, v. L. Er ist Ritter mehrerer Orden, namentlich
des Ordens pour le mérite (erworben bei Gräfenthal), und des eisernen Kreuzes 2. Classe (erworben bei Leipzig). — Das eiserne Kreuz
erwarb sich auch der Rittmeister v. L., gegenwärtig Rendant des
Traindepots zu Bischofswerda bei Liebenwerda. — Noch steht
jetzt im Staatsdienste der Oberforstmeister bei der Regierung zu
Danzig, v. L.

Diese adelige Familie führt im blauen Schilde zwischen drei
Lilien (oben zwei, unten eine) den Kopf eines bärtigen Mannes mit
rothem Angesicht. Der gekrönte Helm ist mit zwei rothen Streitkolben, die oben mit zwei silbernen französischen Lilien besetzt sind,
geschmückt. Auch ist über der Krone der Namenszug D. v. L. in
goldener Schrift so angebracht, dass das v. zwischen den beiden Kolben steht. M. s. auch Zedler's Universal-Lexicon, XVI. S. 1350 —
52. Gauhe, I. S. 877. u. f. Behr, S. 1684.

Lehe, die Herren von der.

Zu Prenzlau lebt der Major a. D., von der Lehe. Er stand vor
dem Jahre 1816 bei dem Infant.-Regiment No. 12., Herzog von
Braunschweig-Oels, zuletzt im 2. kurmärkischen Landwehrregiment.
Im Jahre 1793 erwarb sich derselbe bei dem Angriff auf die Scheer-
höhle bei Weissenburg und Klembach den Orden pour le mérite.
Ein Sohn von ihm ist Pr. Lieutenant bei der Garde-Artillerie.

Lehmann, die Herren von.

1) Der König Friedrich I. erhob bei seiner Krönung am 18. Januar 1701 den *Franz Heinrich* Lehmann in den Adelstand.
2) *Johann Georg* v. Lehmann, aus dem Anhalt'schen, starb am
9. December 1750 als General-Major, Chef eines Garnison-Regiments und Commandant v. Kosel.

3) Ein Rittmeister v. Lehmann vom 1. westpreuss. Landwehr-
Cavallerie-Regiment, wurde 1815 pensionirt, er hatte früher im
Dragoner-Regiment König von Baiern gestanden.

Lehsten, die Herren von.

Ursprünglich gehören die von Lehsten den mecklenburg'schen
Landen an, verschiedene Zweige aber haben sich auch in den dies-
seitigen Staaten, in Dänemark und andern Ländern ausgebreitet und
ansässig gemacht. Sie kommen theils unter dem Namen v. Lehsten,
zum Theil auch von Leesten und von Leisten vor. An die letztere
Benennung erinnert das Wappenbild. — Ein in fremden Diensten
gestandener General v. Lehsten ererbte im Jahre 180½ die Güter
Lessendorf und Altschau, bei Freistadt in Schlesien, von seinem
Oheim, dem Obersten Levin August v. Dingelstätt, die jetzt sein
Sohn, *Karl August* v. Lehsten-Dingelstätt, besitzt. — In dem Regiment v. Thiele in Warschau stand ein Premier-Lieutenant v. Leh-
sten, er blieb im December 1806, bei einem Ausfalle aus Breslau.
Die Franzosen schickten den Leichnam dieses tapfern Offizier's den
Belagerten zurück. Seine Stirne war mit einem Lorbeerkranze ge-
schmückt, ein Beweis, dass er so brav gefochten hatte, dass selbst
der Feind ihm Anerkennung zollte. Diese Familie führt im silbernen
Schilde und auf dem Helme einen schwarzen Adlerflug, zwischen
demselben zeigt sich ein schwebender Schuhleisten von schwarzer Farbe.
Dieses Bild ist in den Wappenbüchern sehr unkenntlich mit dem Adlerfluge in Verbindung gesetzt. Die Helmdecken silbern und schwarz.
Siebmacher giebt dieses Wappen unter den mecklenburg'schen V. Th.
S. 155. v. Meding beschreibt es I. Th. No. 465. Das dänische Adels-
lexicon erwähnt dieses Geschlecht S. 321. Gauhe, I. S. 878. Auch
gedenkt seiner v. Behr im Opus hist. geneal. et herald. de Familiis
nobil. Megapol., einer Handschrift.

Lehwald, die Herren von.

Eine preuss. adelige Familie, von der auch Zweige in Schlesien
ansässig waren und noch sind. Von ihren Mitgliedern ist am bekanntesten geworden, und zur höchsten militairischen Würde in
der Armee gelangt:
Hans v. L., der im Jahre 1685 in Preussen geboren, 1700 in
kurbrandenburgische Dienste trat, 1713 Major im Regiment v. Kamecke, 1728 Oberst und 1740 Generalmajor wurde, nachdem er
schon ein Jahr früher das Regiment von Jung-Kleist erhalten hatte.
Im Jahre 1743 wurde er zum Generallieutenant befördert und erhielt
1744 den schwarzen Adlerorden. Im Jahre 1747 ward er General
von der Infanterie, 1751 Generalfeldmarschall, und bald darauf Gouverneur von Königsberg. Am 30. August des Jahres 1757 lieferte er
bei Gr. Jägerndorf den Russen eine Schlacht, worin er selbstständig
befehligte, und seinen Zweck erreichte, dass die Russen das Königreich Preussen räumten. Im folgenden Jahre zog er mit seiner Armee
gegen die Schweden nach Pommern, und errang daselbst bedeutende
Vortheile, legte aber im April desselben Jahres das Commando nieder,
begab sich nach Berlin, erhielt 1759 das Gouvernement dieser Residenz, und widerstand im Jahre 1760 mit vieler Geistesgegenwart dem
Angriffe der Russen und Oesterreicher so lange, bis er sich genöthigt

14 *

sah, sich nach Spandau zurückzuziehen. Im Jahre 1762 begab er
sich wieder nach Preussen auf seinen Posten, und starb zu Königs-
berg am 16. Novbr. 1768, ohne männliche Nachkommen.
Wenzeslaus Christoph v. L., geboren am 18. Februar 1717, ein
Sohn des gewesenen Hauptmannes bei den Grand-Mousquetair's und
Erbherrn der Ublick'schen Güter in Preussen, trat 1732 in das Regiment v. Röder. König Friedrich II. gebrauchte ihn gleich nach seinem Regierungsantritt zu Werbungen im Reiche und er ward 1759 zum
Major befördert. Im Jahre 1765 wurde er Oberstlieutenant, 1770
Oberst, 1775 Regiments-Commandeur und 1778 Generalmajor, und
Chef des Füsilierregiments Prinz von Nassau-Usingen. Im Jahre
1786 ernannte ihn Friedrich der Grosse zum Generallieutenant und
1788 erhielt er seinen Abschied mit Pension, worauf er auch bald
verstorben ist. Er war dreimal vermählt, 1) mit einer v. Zeppelin,
aus dem Mecklenburgischen, 2) mit einer v. Kunheim, und 3) mit
Katharina Eleonore Charlotte, Baronesse v. Eulenburg, aus dem
Hause Gallingen. Nur in erster Ehe wurden ihm ein Sohn und zwei
Töchter geboren.

Die v. L. führen im goldenen Schilde einen aus den Wolken
kommenden rothen Arm mit silberner Binde; in der Hand hält derselbe einen goldenen Ring. Auf dem Helme ist eine in Gold und
Roth gekleidete, goldgekrönte Jungfrau, den Ring in der Rechten
haltend, vorgestellt. Der Ordensrath Hasse giebt in seinem Wappenbuche das Wappen der v. L., und zwar ausser dem von uns beschriebenen ein von diesem nur dadurch verschiedenes, dass aus der
Krone der Jungfrau drei Hörner emporsteigen. In einem dritten ist
das Schild blau, und auf dem Helme statt der weiblichen, eine männliche Figur dargestellt.

Leipziger, die Herren von.

Kursachsen ist das Heimathsland dieser Familie, ihre Besitzungen
lagen grösstentheils im Kurkreise, und sie sind mit den Hauptbestand-
theilen desselben 1815 preussisch geworden. Alte Güter dieses adeligen Hauses, das sich in die beerwaldische und in die zwetauische
Linie theilte, sind: Beerwalde, Wildenau, Wippersdorf, Freywalde,
u. s. w., sie gehörten sämmtlich der beerwaldischen Linie und liegen
in dem sogenannten Ländchen Beerwalde, zwischen Jüterbock und
Herzberg. In der Gegenwart gehören sie grösstentheils dem Ober-
Mundschenk von Arnim. Das Ländchen Beerwalde erhielt *Christoph*
v. Leipziger, sächsischer Rath, Landvoigt und Abgesandter, um das
Jahr 1490 vom Kurfürsten zum Geschenk. Die zwetauische Linie
besass die Güter Zwetau, Klitschen, Friedrichdorf, Wiederau, Heyde,
u. s. w. bei Liebenwerda und Torgau. In der Gegenwart ist Kropp-
städt, eine Poststation zwischen Berlin und Wittenberg, das Rittergut
in Niemeck bei Bitterfeld u. s. w., Eigenthum dieser Familie. *Georg
Adolph* v. Leipziger, königl. sächs. Kammerjunker, ist Capitular beim
Domcapitel zu Naumburg. — v. Leipziger auf Niemeck, ist Landrath
des Kreises Bitterfeld ein anderer v. Leipziger ist Oberlandesgerichtsrath und Johanniter-Ritter in Naumburg. — In der Armee gelangte
zu höheren Würden: *Heinrich Ernst* v. Leipziger, von der zwetauer
Linie, er trat 1740 in die Dienste König Friedrich II. und wurde
1762 Stabsoffizier, 1772 Oberstlieutenant, 1776 Oberst und 1784 Generalmajor und Chef des erledigten Regiments Fürst Anhalt-Bern-
burg, zuletzt von Renouard in Halle. Er hatte sich bei Schatzlar,
im Jahre 1778, den Verdienstorden erworben. — Im Mai des Jahres

1788 ist der General v. Leipziger mit Pension in den Ruhestand getreten. Er verlebte die letzten Jahre seines Lebens in Gross-Glogau. *Ernst* v. Leipziger, Hauptmann im 22. Infant.-Regim., starb am 27. Sept. 1833 zu Neisse. — Die v. L. führen im goldenen Schilde einen nach der linken Seite aufspringenden rothen Fuchs, der statt des Schwanzes sechs oben silberne, unten schwarze Hahnenfedern trägt. Dieser Fuchs wiederholt sich sitzend auf dem gekrönten Helme. — Siebmacher, I. S. 156. Gauhe, I. B. S. 880. Peckenstein, Theat. Saxon. 1. Th. S. 118. v. Meding, 1. Th. Nr. 467.

Leithold, die Herren von.

Karl Friedrich Andreas v. Leithold, damals Lieutenant im Ingenieurcorps, und dessen Bruder *Johann Gottfried Theodor* v. Leithold wurden den 12. Decbr. des Jahres 1799 von des jetzt regierenden Königs Majestät geadelt. Der Erstere ist im Jahre 1819 als Oberstlieutenant in der 1. Ingenieur-Brigade und Inspecteur der Festungen in Brandenburg und Pommern gestorben. Eine Tochter von ihm ist an den Grafen Constantin v. Ballestrem vermählt. Der Letztere stand im Husarenregimente v. Rudorf zu Berlin und ist im Jahre 1826 als Rittmeister a. D. zu Berlin gestorben, wo noch gegenwärtig seine Wittwe lebt. — Es dienen jetzt mehrere Subalternofficiere dieses Namens in der Armee.

Lemberg, die Herren von.

Man zählt die v. Lemberg zu dem alten Adel ächt deutschen Stammes. In Schlesien, wo auch die Stadt Löwenberg früher Lemberg genannt wurde, war diese Familie schon im 14. Jahrhunderte in Ansehn. Einen neuen Glanz gab ihr *Nikolas* v. Lemberg, der 1410 Landeshauptmann zu Breslau war, und *Clemens* v. Lemberg, der 1511 die Stelle eines Hofmarschalls bei dem Herzog Friedrich II. von Liegnitz bekleidete. Alte Güter der v. Lemberg sind Kummernick, List, Siegendorf, Steudnitz u. s. w. bei Liegnitz, Kunzendorf bei Wohlau, Langenau bei Oels, Tschirnitz bei Glogau u. s. w. Schon im vorigen Jahrhunderte starb die Familie bis auf wenige Glieder aus. Ein v. Lemberg, der 1806 als Prem.-Lieutenant im Regimente v. Kropf zu Warschau stand, besass noch in neuester Zeit, oder besitzt noch das von dem Freiherrn v. Galen erkaufte Gut Jacobsdorf bei Neumarkt.

In Westphalen blühte eine Familie v. Lemberg. Sie führte ein silbernes und blaues, durch einfache Wolken getheiltes Schild. v. Steinen, 4. Th. S. 419.

Lemcke, die Herren von.

Von Lemcke, Lemke, auch Lemmecke ist der Name eines altadeligen Geschlechtes in Pommern, das Brüggemann noch unter dem ansässigen Adel jener Provinz aufführt, in der Gegenwart aber scheint es nicht mehr daselbst begütert zu sein. Namentlich besassen die v. Lemcke Trebben und Soltnitz im Kreise Neustettin. In Colberg war 1806 ein Hauptmann von Lemcke Postmeister. Die Armee zählt verschiedene Officiere dieses Namens. Ein Oberstlieutenant von Lemcke, der 1806 als Capitain im Grenadier-Garde-Bataillon zu Potsdam stand, ist gegenwärtig Chef der Garnison-Compagnie des 20. Infant.-Regim.

219

zu Torgau, er erwarb sich bei Lübnitz das eiserne Kreuz. Ein Major v. Lemke stand im 2?. Infant.-Regim. (früher im Regimente v. Alvensleben), und starb 1815. Ein Hauptmann v. Lemke ist gegenwärtig Landrath des Kreises Strehlen. Zwei Fräulein v. Lemcke sind Stiftsdamen, eine zu Marienfliess, eine andere, *Ulrike* v. Lemcke aber gehört den vereinigten Stiftern Gesecke und Keppel an.

Diese Familie führt im silbernen Schilde ein rothes Herz und auf dem Helme drei rothe Thürme. Die Helmdecken sind silbern und roth. v. Meding beschreibt dieses Wappen im III. B. Nr. 475. Brüggemann im 11. Hauptstück. Siebmacher giebt es III. B. S. 163.

Lemmen, die Freiherren von.

Kaiser Joseph II. ertheilte am 31. März des Jahres 1777 dem kurkölnischen Geheimen Rath Lemmen in Paderborn ein Freiherrndiplom, ein Sohn desselben wurde in Baiern am 17. Novbr. 1787 als Freiherr immatriculirt. M. s. R. v. Lang, A. d. K. B. S. 173.

Lengefeld, die Herren von.

Das Vaterland dieser Familie ist Franken und Thüringen. Hier war sie namentlich in den Landen des Fürsten von Schwarzburg-Rudolstadt begütert. Ihr Stammhaus, das Schloss und Städtchen Lengefeld, liegt an der Werra im Hennebergischen. Die Stammreihe des Hauses beginnt *Heinrich* v. L., der ein berühmter Kriegsheld der Landgrafen in Thüringen am Ende des 14. Jahrhunderts war. Er hatte aber das Unglück, bei einem Angriff auf die Stadt Erfurt gefangen, und daselbst enthauptet zu werden. (M. s. Erfurtsche Historie p. 109). — *Berndt Alexander* v. L. war gräflich Schwarzburg-Rudolstädtscher Hofmeister und Kammerdirector. *August Alexander* v. Lengefeld besass die Rittersitze Lasen, Dölen, Arnsbach u. s. w. — Im Voigtlande war eine Linie, die sich v. Lengefeld-Schweinbach nannte. Von beiden Linien haben sich Söhne im preuss. Heere zu hohen militairischen Graden emporgeschwungen.

Von ihnen nennen wir hier folgende:
Johann Christian Karl v. L., aus dem Hause Schweinbach, der seine militairische Laufbahn in dem Regimente begann, welches Friedrich II. als Kronprinz besass. Im Jahre 1740 ward er zum neuerrichteten Bataillon Garde versetzt, 1741 in der Schlacht bei Molwitz verwundet, 1754 Stabscapitain von der Garde und Major von der Armee, und 1756 Commandeur eines Grenadier-Bataillons. Er starb zu Dresden den 27. Januar 1757 im 36. Lebensjahre.

Christian August v. Lengefeld, geboren den 11. Mai 1728 im Schwarzburg-Rudolstädtschen, trat, nachdem er vorher in kursächsischen, dann in schwarzburg-rudolstädtschen, und zuletzt in würtembergischen Diensten gestanden, in welchen er im siebenjährigen Kriege gegen Preussen unter dem Oberbefehle des Prinzen von Soubise und des Herzogs von Broglio gefochten hatte, im Jahre 1766 als Oberst und Commandeur des Rossierschen Bataillons zu Silberberg in preuss. Dienste. Im Jahre 1770 befand er sich mit königl. Erlaubniss als Freiwilliger bei der russischen Armee am Pruth, welche den Feldzug gegen die Türken eröffnete, und focht tapfer mit. Zurückgekehrt von

dort im Jahre 1771, ward er 1773 zum Generalmajor und Chef eines
neuerrichteten Regiments in Westpreussen befördert. Besonders zeichnete er sich in der Affaire bei Zukmantel am 14. Januar 1779 aus,
wo er mit seinem Regimente und dem Grenadier-Bataillon von Ose-
rowsky die Oesterreicher aus ihren Hauptverschanzungen und Redou-
ten unter einem zweistündigen Kanonen- und Kartätschenfeuer ver-
trieb. Nach dem erfolgten Frieden wurde ihm das Auswechselungs-
geschäft übertragen. Im Jahre 1782 ernannte ihn Friedrich der Grosse
zum Generallieutenant und Ritter des schwarzen Adlerordens, auch
wurde er Chef des v. Salderuschen Regiments, und 1785 Gouverneur
von Magdeburg. Sein Tod erfolgte im Jahre 1789. Er starb mit dem
Ruhme eines tapfern Kriegers, der damit auch die Sitten eines feinen
Hofmannes verband, weshalb er auch zu mehreren Sendungen verwendet worden war.

Friedrich Wilhelm v. L., geboren 1734 im Schwarzburgischen,
kam im Jahre 1762 aus fremden Diensten in preussische, ward als
Major im Regimente v. Lehwald angestellt, im Jahre 1772 zum Oberstlieutenant, 1776 zum Obersten befördert und erhielt im Jahre 1783
seine Entlassung mit der Aussicht, das nächst vacant werdende Garnisonregiment zu erhalten. Der König Friedrich Wilhelm II. ernannte
ihn im Jahre 1787 zum Generalmajor von der Armee.

Diese Familie führt in einem oben goldenen, unten in Roth und
Silber gespaltenen Schilde ein Jagdhorn, dessen Beschlag und Band
mit drei Straussfedern geziert ist. Dieses Jagdhorn liegt auch auf dem
gekrönten Helme, dessen Decken golden und roth sind. M. s. Zedlers
Univers.-Lex. XVII. 85. 87. Gauhe, I. S. 882.

Lentulus, die Freiherren von.

Das Vaterland der Freiherren v. Lentulus ist die Stadt und der
Schweizercanton Bern, wo sie zu den angesehensten Patriziergeschlech-
tern des Freistaates gehören. Sie leiten ihren Ursprung von der ehemaligen römischen Familie dieses Namens her. Diese stammte von
dem *Servius Cornelius*, der ein trefflicher Landwirth war und namentlich den Bau der Linsen oder ihre Verbesserung seinen Mitbürgern
gelehrt hatte, und daher den Ehrennamen Lentulus bekommen haben
soll. So viel ist durch Urkunden bewiesen, dass im 7. und 9. Jahrhunderte Vorfahren der Familie Lentulus in Neapel und Rom ansässig waren. Mehrere Mitglieder derselben sind als Klostergeistliche bekannt geworden. Im Jahre 1560 nahm ein Glied der Familie die evangelische Lehre an. — Ein Sohn des ersten evangelischen Lentulus
war Leibarzt der Königin Elisabeth von England. Er wurde von seiner Vaterstadt Bern im Jahre 1593 zurückberufen, zum ersten Arzt
des Freistaats erklärt und mit dem Erbbürgerrecht beschenkt. Er starb
im Jahre 1613, und hinterliess seinem Sohne *Caesar* die Herrschaft
Corcelles. — Ein Enkel Caesars war *Rupert Scipio* der Aeltere,
der 1712 zu Bern starb und früher in markgräflich Anspach-Bay-
reuthschen Diensten als Commandant zu Erlangen gestanden hatte.
— Von den Söhnen dieses Letztern starb im Jahre 1744 zu Cronstadt
in Siebenbürgen der kaiserl. General-Feldmarschall-Lieutenant *Caesar
Joseph* v. Lentulus, Commandant der gedachten Festung und erster
Freiherr. Er war mit einer v. Wangenheim vermählt. Aus dieser
Ehe wurde geboren:

Rupert Scipio, Freiherr v. L., geb. am 18. April 1714 zu Wien,
trat, nachdem er daselbst und in Prag eine ausserordentlich gute, wis-

senschaftliche Erziehung und Bildung genossen hatte, im Jahre 1728 in österreichische Dienste, focht in denselben tapfer in Italien, am Rhein und in Ungarn. Während dieser Zeit war er zu mehreren Sendungen verwendet worden; auch hatte er verschiedene Reisen gemacht, sogar eine nach Egypten. In den Jahren 1743 und 44 wohnte er den Feldzügen in Böhmen und Baiern bei. Als die Preussen Prag nahmen, wollte er die Capitulation nicht unterschreiben, auch mit seinem Commando das Gewehr nicht strecken, daher er auch, zwischen die preuss. Batterien geführt, den Degen zerbrach. Durch diese Handlung wurde er Friedrich dem Grossen bekannt, welcher ihn in seine Dienste zog, in welchen er als Major und Flügeladjutant im königl. Gefolge angestellt wurde. Im Jahre 1752 ward er Oberstlieutenant, und nach Cassel gesendet, um die Vermählung des Prinzen Heinrich von Preussen zu Stande zu bringen und der Trauung im Namen des Prinzen beizuwohnen. Er entledigte sich seines Auftrages zur vollkommensten Zufriedenheit seines Monarchen, der ihn mit den Baronieen Travers und Colombiers im Fürstenthum Neufchâtel belehnte. Im Juni 1755 ward er Oberst, und folgte im folgenden Jahre dem Könige nach Sachsen. Nach der siegreichen Schlacht von Lowositz musste er dem Könige von England die Nachricht von dem Ausgange derselben überbringen. In der Schlacht bei Rossbach verfolgte er den Feind bis hinter Erfurt und nahm ihm 5 Kanonen, verschiedene Fahnen und 800 Gefangene ab, worauf er zum Generalmajor ernannt wurde. Bei Leuthen verfolgte er den Feind bis Lissa und eroberte dabei 15 Kanonen, Fahnen, Standarten und mehrere Hundert Gefangene. Im Jahre 1758 ward er Chef des Leibregiments und zeichnete sich während des Laufes des siebenjährigen Krieges bei vielen Gelegenheiten rühmlichst aus. Nach dem Frieden berief ihn Friedrich der Grosse nach Berlin, und zog ihn in seine Gesellschaft. Im Jahre 1767 machte er eine Reise nach der Schweiz, wo er zum Generallieutenant über sämmtliche Truppen des Canton Bern ernannt wurde; eben so beförderte ihn Friedrich II. zum Generallieutenant. Ein Jahr darauf stillte er den Aufruhr zu Neufchatel; sein grosser Monarch übertrug ihm das Gouvernement daselbst, und verlieh ihm im Jahre 1770 den schwarzen Adlerorden. Im Jahre 1776 wurde er dem Grossfürsten Paul Petrowitsch bis an die Grenze entgegengesendet, um ihn im Namen des Königs zu empfangen und nach Berlin zu begleiten. Zu Anfang des Jahres 1779 nahm er seines vorgerückten Alters und schwächlicher Gesundheit wegen seinen Abschied, begab sich darauf nach Bern und commandirte bei den 1781 in der Schweiz ausgebrochenen Unruhen die Truppen des Cantons Bern. Sein Tod erfolgte am 26. Decbr. 1787 auf seinem Gute Mon-repos, nachdem er den seines grossen Monarchen und Ziethen's noch hatte erleben müssen, wesshalb er auf seinem Krankenlager zu seinem Arzte scherzend sagte: er solle ihn ganz militairisch behandeln, denn so ginge es beim Sterben her; Ziethen hätte die Avantgarde gemacht, der König folge, und er müsste nun die Arrieregarde machen. Er war ein Mann von ausserordentlich schöner körperlicher Bildung und vereinigte damit einen ausgezeichneten Verstand und vortreffliche Geistesgaben; wesshalb er ein eben so feiner Hofmann, als guter Soldat war. Er war mit Maria Anna, einer Schwester des Oberstallmeisters und Staatsministers Grafen v. Schwerin, vermählt, in welcher Ehe ihm vier Söhne geboren wurden. (M. s. Lexic. aller Helden und Milit.-Pers., die sich in preuss. Diensten ausgez. haben, Bd. II. S. 391 u. s. w.) Nachrichten über diese Familie findet man in Leu, Schweiz. Lex. XII. S. 36 —41, May, hist. mil. de la Suisse, VII. p. 126—129. p. 473—477. Lutz, Nekrolog denkw. Schweizer, S. 294—296.

Lentz (Lenz), die Herren von.

1) Eine adelige Familie dieses Namens, die theils Preussen, theils dem Königreich Sachsen angehört, ist im Jahre 1652 vom Kaiser Leopold I. in den Adelstand erhoben worden. — Sie führen ein quadrirtes Schild ohne Wappenbild. Die Felder 1 und 4 sind golden, die 2 und 3 schwarz. Auf dem gekrönten Helme steht ein nach der rechten Seite gewendeter silberner Schwan.

2) Der König Friedrich Wilhelm II. erhob am 21. Octbr. des Jahres 1786 den Major im Husarenregimente v. Eben, *Johann Friedrich* Lentz mit seinen fünf adoptirten Kindern in den Adelstand. Der gedachte v. Lentz war zuletzt Oberst und Commandeur des Regimentes und wurde 1793 mit Pension in den Ruhestand versetzt. — Gegenwärtig steht bei dem Infanterie-Regimente Kaiser Franz-Grenadier ein Prem.-Lieutenant v. Lentz.

Das dieser Familie beigelegte Wappen zeigt ein oben blaues, unten rothes Schild. Es wird von einem silbernen Balken durchzogen und ist mit einem goldenen Füllhorn belegt, aus dem drei purpurfarbene Rosen am braunen Stengel mit meergrünen Blättern hervorragen. Auf dem Helme liegt zwischen zwei schwarzen Adlerflügeln ein Pfeil, dessen Gefieder blau, das Holz braun und die Spitze silbern ist.

3) Eine adelige Familie, die wir bald Lenz, bald Lentz geschrieben finden, war aus Schwaben im vorigen Jahrhunderte nach Schlesien gekommen. Der erste dieses Geschlechts in jener Provinz war *Christian Albrecht* v. Lenz, Hofcavalier und Hofrath des Herzogs Silvius zu Würtemberg-Oels. Er hat sich durch mehrere genealogische Schriften bekannt gemacht, auch befinden sich in der herzogl. braunschweigschen Bibliothek zu Oels seine Handschriften: 1) der hochfürstlich Würtemberg-Oelsische genealogische Cedern-Garten mit einem Geschlechtsregister bis ins 10. Glied. 2) Der hochfürstl. Würtemberg-Oels-Münsterbergsche Geschlechtskalender. Beide Manuscripte sind aus dem Jahre 1760. — Er hinterliess aus seiner Ehe mit Johanna Eleonora v. Felde mehrere Kinder. — M. s. Olsnograph. P. J. p. 611.

4) Die v. Lenz in Pommern. Sie besassen am Anfange des vorigen Jahrhunderts das Allodialgut Roggow im Kreise Saazig. Ihr Wappen zeigt im silbernen Felde, zwischen zwei schwarzen und rothen, in die Quere gezogenen Schachstrichen, drei grüne Zweige mit Eicheln und auf dem Helme vier rothe und vier schwarze Straussfedern.

5) Die aus Baiern nach Sachsen und Preussen gekommene adeligen Familie v. Lentz. Aus derselben stand ein Lieutenant v. Lentz 1806 in dem Bataillon v. Sobbe der westphälischen Füsilierbrigade zu Werden. Er starb 1808 als Capitain und Kreisoff. der Gensd'armerie zu Brandenburg. Ein Sohn desselben ist der Prem.-Lieut. v. Lentz im Reg. Kaiser Alexander-Grenadier. Derselben Familie gehört auch der königl. sächs. Major und Adjutant des Prinzen Johann von Sachsen, v. Lentz, an. Diese Familie führt im quergespaltenen Schilde, dessen oberes Feld silbern und auf beiden Seiten mit einem goldenen Sterne geziert, das untere aber blau, in dem ein silberner Straussvogel steht, mit dem Kopf und Hals in das obere Feld sehend und in dem Schnabel ein Hufeisen haltend. Dieses Schild ist mit einem adeligen gekrönten Turnierhelm bedeckt, aus dem drei silberne Straussfedern wachsen. Helmdecken blau und silbern. Aus dem Adelsdiplom.

Ein Major v. L., der noch unter Friedrich dem Grossen im preuss. Heere gedient hatte, starb am 5. Juli 1832 zu Berlin, ohne dass wir anzugeben vermögen, zu welcher der verschiedenen Familien v. L. er gehörte.

Leopold, die Herren von.

Der König Friedrich II. ertheilte am 18. Septbr. 1753 den Offizieren, drei Brüdern *Emanuel Christian*, *Ludwig George Vollrath* und
Wilhelm Alexander den Adelsbrief. Wir finden keine Nachkommen
von ihnen angeführt.

Lepel (II), die Grafen und Herren von.

Sie gehören zu dem ältesten Adel in Pommern. In dieser Provinz kommt zuerst *Zabel* Lepel vor, der um das Jahr 1305 am Hofe des
Herzogs Bogislav IV. lebte.   Seine Nachkommen haben zum Theil
ansehnliche Würden bekleidet und viele Güter in mehreren Gegenden
Pommerns erworben, namentlich auf der Insel Usedom, wo Nettelkow,
Lubow und Neuendorf, auf Wollin, wo Schinnow, Reckow und Schwantust, im Kreise Randow, wo Boeck und Blankensee, im alten Kreise
Freienwalde, wo Horst alte Besitzungen dieser Familie sind. Auch
war, wie unten erwähnt wird, Parpart im Kreise Greiffenberg, das
Eigenthum derselben. Die gräfliche Würde brachte *Friedrich Wilhelm*
v. L., ein Sohn des unten näher erwähnten *Otto Gustav* v. L., durch
Diplom vom 26. August 1749 an sein Haus. Der letzte Graf *Wilhelm
Heinrich Ferdinand Karl* v. L. starb, so viel uns bekannt ist, vor einigen Jahren kinderlos.   Er war im Jahre 1787 Kammerherr geworden, nachdem er am 27. Septbr. 1785 auch zum Johanniterritter zu
Sonnenburg geschlagen worden war. Er war ein Beförderer der Künste
und Wissenschaften, auch Mitglied der Akademie der Künste zu Berlin. —
Im Jahre 1806 war ein v. L. Landrath des Kreises Usedom-Wollin.
In derselben Zeit besass *Friedrich* v. L., Postmeister zu Oppeln, das
Gut Gworzemirke. — Gegenwärtig besitzen die Gebrüder v. Lepel
die Güter Goermitz, Netzelkow, Lütow und Neuendorf auf der Insel
Usedom. — Ein Ast der Familie hat sich auch im Hessischen niedergelassen; ein anderer blüht schon seit langen Jahren in den königl.
dänischen Staaten. (M. s. dänisches Adelslexicon 324.) In der preuss.
Armee sind zu höhern Würden gelangt:

Otto Gustav v. L., ein Sohn des *Joachim* v. L. auf Parpart und
der Dorothea v. Manteufel, begann seine militärische Laufbahn schon
unter dem grossen Kurfürsten und war im Jahre 1686 Lieutenant im
Strauss'schen Regimente zu Pferde. Im Jahre 1690 wurde er Rittmeister im Regimente Kurprinz zu Pferde, 1705 Major, 1709 Oberstlieutenant, 1714 Oberst und 1721 Generalmajor. Friedrich Wilhelm I.
ernannte ihn 1730 zum Gouverneur von Cüstrin und 1731 zum Chef
des Kürassierregiments Kronprinz von Preussen. Er starb 1736 mit
dem Ruhme eines erfahrenen Generals. Merkwürdig ist, dass während
seines Gouvernements der Kronprinz, nachmalige König Friedrich II.,
in Cüstrin war, wesshalb auch der Kronprinz besondere Achtung vor
ihm hegte. In seiner Ehe mit Scholastica Luise v. Blankensee, aus
dem Hause Schönwerder, zeugte er einen Sohn, der die Grafenwürde
an sein Haus brachte; s. oben.

Caspar Matthias v. L., ein Sohn des *Caspar Matthias* v. L., Landraths und Erbherrn auf Nettelkow, avancirte bis zum Major und erhielt 1745 das Commando eines Grenadierbataillons. Er nahm im
Jahre 1747 seinen Abschied. — Im Jahre 1806 standen sehr viele
Mitglieder dieser Familie im Heere, so wie noch in der Gegenwart
verschiedene in demselben dienen. Von den erstern nennen wir namentlich den Major v. L. in dem Infant.-Regim. v. Thiele in Warschau, geboren in Schwedisch Pommern. Er hat sich in der Belage-

Leps. 219

rung von Breslau 1806 durch Thätigkeit und tapferes Benehmen rühmlichst vor andern Stabsoffizieren ausgezeichnet. Er ist im Jahre 1819
als pensionirter Oberstlieutenant gestorben. — Zwei Brüder v. L.
standen im Jahre 1806 in dem Regimente v. Winning, ein anderer v. L.
in dem Regimente v. Owstin. — In dem Husarenregimente v. Blücher
stand ebenfalls ein Lieutenant v. L. — In der westphälischen Füsilierbrigade diente 1806 der Stabscapitain v. Lepel. Er ist gegenwärtig Adjutant des Prinzen Heinrich, königl. Hoheit, Generalmajor v.
d. A. und Ritter des Militair-Verdienstordens (erworben bei Kilau)
und des eisernen Kreuzes 2. Classe (für Leipzig). — Ein Major v.
L., gegenwärtig a. D., erwarb sich das eiserne Kreuz 2. Classe bei
Hochkirch, und ein Capitain a. D. v. L. bei Belle Alliance. — Von
der hessischen Linie ist Georg Ferdinand v. L. kurhessischer Ober-
Kammerherr und Minister der auswärtigen Angelegenheiten, und Friedrich Wilhelm Karl Emil v. L., Generalmajor, Generaladjutant und
General-Iutendant der kurprinzlichen Schauspiele.

Die Herren v. Lepel führen im silbernen Schilde eine rothe, von
der Rechten nach der Linken aufsteigende Strasse. Ueber dem Helme
ragt eine rothgekleidete gekrönte Jungfrau mit fliegenden rothen
Haaren, aufgeschürzten Ermeln und in die Seite gestemmten Armen
hervor, auf deren Krone neun silberne Löffel in wedelförmiger Reihe
stehen. Helmdecken roth und silbern.

Das Wappen der Grafen v. L. zeigt dasselbe Wappenbild und
Schild. Auf dem Schilde ruht eine Krone, und auf derselben sind zwei
Helme angebracht. Der erste Helm trägt zwei Büffelhörner, wovon
das rechte silbern und schwarz, das linke schwarz und silbern ist.
Aus dem andern Helme ragt die oben näher beschriebene Jungfrau
hervor. Helmdecken roth und silbern. Zu Schildhaltern sind zwei
preuss. Adler gewählt.

M. s. auch allgemeines genealog.Handbuch I. S. 651 u. f. Gauhe,
I. S. 884. Dienemann, 184. No. 4. Micrälius, S. 500.

Leps, die Herren von.

Aus dieser der Provinz Preussen angehörigen adeligen Familie war:
Otto Friedrich v. L., geboren in Preussen, er trat 1692 in das Regiment
Fürst Leopold von Anhalt-Dessau, ward 1702 Lieutenant und versah
während des spanischen Erbfolgekrieges Adjutantendienste bei dem
Fürsten, avancirte 1706 zum Capitain und 1710 zum Major, in welcher Charge er 1711 dem Könige Friedrich I. die Nachricht von der
Einnahme von Meurs nach Berlin überbrachte. Im Jahre 1716 ernannte ihn Friedrich Wilhelm I. zum Oberstlieutenant im neuerrichteten Regimente Prinz Leopold, dem Patente vom Jahre 1713, 1722
zum Obersten und 1738 zum Generalmajor, nachdem er schon 1734
das Regiment v. Waldow erhalten hatte. König Friedrich II. erhob
ihn 1742 zum Generallieutenant, ertheilte ihm im Jahre 1746 den
schwarzen Adlerorden und 1747 die Würde eines Generals der Infanterie. Er starb noch in demselben Jahre am 9. Octbr. zu Soest nach
einer rühmlichen Dienstzeit von 52 Jahren. — Wir finden diesen Namen nicht mehr in den Listen der Administration und des Heeres.

Das durch eine silberne Strasse der Länge nach getheilte rothe
Schild zeigt in jeder Hälfte einen goldenen Halbmond, mit dem An-
gesichte gegen einander gewendet. Auf dem Helme wächst aus dem
Halbmonde ein Pfauenschweif.

Lesgewang, die Herren von.

Die Familie v. Lesgewang gehört zum uralten Adel der Provinz Preussen. An sie erinnern mehrere wohlthätige Stiftungen, namentlich die für Töchter der Familien Lesgewang, Knohloch u. s. w. Aus derselben Familie hatte *Dietrich* v. L. schon im Jahre 1655 dem grossen Kurfürsten als Oberst der Reiterei gedient, und in der Schlacht bei Warschau gefochten. Er war auch Hauptmann von Johannisburg. *Johann Friedrich* v. L., geboren in Preussen, ward wirklicher Geheimer Staats- und Kriegsrath der königl. Kriegs- und Domainenkammer zu Königsberg, Präsident des Commercien- und Admiralitäts-Collegium, Director der königl. Magazine und des Trankstener-Collegium, Mitglied der preuss. Regierung und Ritter des schwarzen Adlerordens. Er starb im Jahre 1760. Diese Familie führt im rothen Schilde drei eiserne geharnischte Arme, die da, wo die Hände zusammenkommen, mit einer weissen Rose bedeckt sind. Auf dem Helme sind zwei mit dem Bilde des Schildes belegte Adlerflügel angebracht. M. s. auch Gauhe, I. S. 620 u. f. Hartknoch's erläutertes Preussen, IV. S. 810. Altes und neues Preussen, S. 444.

Leslie, die Grafen und Herren von.

Aus dem berühmten uralten Geschlechte der Grafen v. Leslie in Schottland, von dem sich Aeste in Oesterreich, Ungarn und Polen verbreitet haben, finden wir mehrere Mitglieder auch in den diesseitigen Staaten. Die gräfliche Linie des Hauses erlosch im Jahre 1802. Schon im Jahre 1665 war Graf *Jakob* Leslie kaiserl. Feldmarschallieutenant und Inhaber des Infanterie-Regiments No. 36. (jetzt Bar. v. Palombini); später aber erhielt er das Regiment No. 24. (nachmals v. Strauch). Von den v. Leslie dienten und dienen noch mehrere in der Armee. Im Regimente v. Hagken und zwar in dem Grenadier-Bataillon v. Halfmann, stand ein Major v. Leslie, der 1809 gestorben ist. Drei Söhne desselben dienten in dem genannten Infanterie-Regimente, der ältere ist 1821 als Capitain des 5. Infanterie-Regiments gestorben, der zweite ist gegenwärtig der älteste Major im 15. Infanterie-Regimente, und der dritte starb 1819 als pens. Capitain. Ein Major v. Leslie, früher in der ostpreussischen Füsilierbrigade, commandirte zuletzt die Garnison-Compagnie der 1. Division. Er hatte sich in der Schlacht von Gr. Görschen das eiserne Kreuz 2. Classe erworben.

Lessel (Lessl), die Herren von.

Diese alte adelige Familie kommt in Schlesien auch unter den Namen v. Lassal und Lassil vor. Ursprünglich stammt sie aus Böhmen, von da kam sie nach Polen und Schlesien. In früheren Zeiten nannten sie sich nach ihren Gütern mit dem Zusatze der polnischen Endsilbe ky; wie Lessel-Radzinsky, Lessel-Wabiensky u. s. w. Die in Polen nahmen den Namen Grabie (Rechen) an. — *Nikolas* Lesslaw aus diesem Geschlechte war 1446 Hauptmann Herzogs Conrad III. zu Oels. — *Johann* v. Lessel glänzt in der Reihe der berühmten Ahnen dieses Hauses vorzüglich, er war Grossprior des Johanniterordens in Deutschland. (M. s. Gryphii, Ritterorden p. 45.) In Schlesien zerfiel diese Familie in die Linien Gross-Peterwitz, Popschütz, Michelsdorf, Langendorf, Wembowitz u. s. w. Die von Gr. Peterwitz erscheint

als Hauptlinie. Ein Zweig derselben war 1620 mit einer Gräfin von
Buchheim und Heidenreichstein vermählt. — Die jetzt gräfl. schwei-
nitzsche Herrschaft Diebau war in alten Zeiten ein Besitzthum der v.
Lessel, namentlich kommt ein Ritter *Nikolas* Lassil (Lessel) und De-
win Diebau vor. — In der neuesten Zeit waren die v. Lessel noch in
Schlesien begütert. Zwei Brüder, der Oberst von Lessel, Comman-
deur des 1. Kürassier-Regiments, früher Major im Regimente von
Wagenfeld, geb. in Schlesien 1752, und der Major von Lessel im 11.
Infanterie-Regimente, früher im Regimente von Sanitz, geboren in
Schlesien 1757, fielen im Jahre 1813 auf dem Felde der Ehre. Eben
so starb den Tod für König und Vaterland in demselben Jahre ein
dritter Zweig dieses Hauses, der Major v. Lessel im 23. Infanterie-
Regimente. Der genannte Oberst blieb in der Schlacht bei Gross-Görschen. Noch gegenwärtig dienen die Söhne jener tapfern Staabsoffi-
ziere in der Armee. Dieses alte Geschlecht führt im goldenen Schilde
einen silbernen Rechen mit sieben Zanken, Grabie, unter demselben
kommt ein Pfeil zum Vorschein. Auf dem Helme stehen zwei seitwärts gekehrte Pfeile, in deren Mitte ein Busch schwarzer Hahnenfedern steht. M. s. Sinapius, I. S. 583 und II. S. 775. v. Meding beschreibt das Wappen, III. No. 480.

Lest, die Herren von.

Das ausgestorbene, altadelige, einst sehr reiche und in vielen Aesten blühende Geschlecht der von Lest, besass namentlich in den Fürstenthümern Jauer und Glogau viele Schlösser und Dörfer, als Holstein bei Löwenberg, Langenau zwischen Hirschberg und Löwenberg,
Parchau bei Glogau u. s. w. Im Jahre 1469 stand *Hans* v. Lest neben Abraham, Burggrafen zu Dohna, an der Spitze der 400 schles.
Edelleute, die im Heere des Königs Kasemir von Polen waren. —
Adam v. Lest führte das von den Hussitten zerstörte Sch'oss Holstein
im Jahre 1513 wieder auf. — *Heinrich* v. Lest auf Parchau war 1559
Landeshauptmann der freien Standesherrschaft Wartenberg. — *Adam* III.
v. Lest auf Holstein stand im Rufe eines gelehrten Cavaliers, er war
ein Freund und Beförderer der Wissenschaften und ein Beschützer der
Schulen. (Henel, Siles. C. VIII.) — *Melchior* v. Lest auf Röversdorf
bei Schönau und Polkau bei Jauer war kais. Rath und Landeskanzler
der Fürstenthümer Schweidnitz und Jauer. Ausser den oben angeführten Häusern blühte später noch die Kauffunger Linie der v. Lest, und
Wolfram v. Lest vereinigte den Besitz mehrerer Antheile von Kauffungen, wo noch heute ein Rittersitz seinen Namen führt, mit dem
von Langenau, Flachenseifen, Altenberg u. s. w. Als die Letzten des
Geschlechtes erscheinen *Melchior Wilhelm* v. Lest, der am 20. Juni 1665
in einem offenen Zweikampfe erschossen wurde. (M. s. Friedrich Gerst-
mann's Klage- und Trostschrift in 4to. 1 Bog.), und *Abraham Ludwig* v. Lest auf Ober-Kauffungen, der mit einer v. Nimpsch aus dem
Hause Leipe vermählt war, aber schon im 2ten Jahre seiner Ehe am
5. August 1689 starb. Er hinterliess zwei Töchter, von denen *Katharina Hedwig* die Gemahlin des Johann v. Rosenpusch und Zauche auf
Ober-Leipe wurde. In Sachsen waren früher auch Zweige dieser Familie ansässig.

Dieses Geschlecht führte ein getheiltes weiss und blaues Schild. In
der oberen weissen Feldung standen zwei Rosen neben einander, in
der blauen Feldung war eine weisse Rose angebracht. Auf dem Helme
wehten drei Straussfedern, die ersten roth, mit einer weissen Rose,
die zweite oder mittlere weiss, mit einer rothen Rose, die dritte blau,

mit einer weissen Rose. Die Helmdecken silbern und blau. M. s.
Insignia Lestiana, Epigramma in Poemat. Tileni, p. 563. Sinapius,
I. S. 583. II. S. 777 u. s. f. Gauhe, I. Th. S. 887. Zedler, XVII. Bd.
S. 488—91. Siebmacher giebt das Wappen, I. Th. S. 59. v. Meding
beschreibt es, III. Th. No. 481.

Lestwitz, die Freiherren und Herren von.

In dem Jahre 1803 ist die uralte, ursprünglich aus Polen von dem
berühmten Geschlechte Nowina abstammende, zum Theil freiherrliche
Familie erloschen, nachdem sich der Letzte seines Stammes, wie wir
weiter unten sehen werden, für ewige Zeiten ein ehrenvolles Denkmal gesetzt hat. Es sollen die v. Lestwitz, die auch zum Theil den
Beinamen Wandritsch geführt haben, mit dem schon längst erloschenen Geschlechte der Wandritsch, nach welchem die Dörfer Gross- und
Klein-Wandritsch genannt worden sind, Einen Ursprung haben, wie
auch das gleiche Wappen deutlich für diese Behauptung spricht. Ueber dieses Wappen berichtet eine alte vielverbreitete Sage, die auch
Okolski, P. II. p. 281, aufgenommen hat, es sei der Sohn eines Kes-
selschmidts Namens Nowina ein vornehmer Offizier des Königs Boleslav Kriwusti gewesen, und im Jahre 1171 mit seinem Herzoge gefangen worden. Beide sollen an ein und dasselbe Fusseisen geschlossen,
und so fest gehalten worden sein. So habe denn der treue Nowina
seinen Fuss sich abgeschnitten und an den Gurt seines Herrn gehenkt,
und demselben dadurch Gelegenheit gegeben, aus der Gewalt des Feindes zu entkommen. Daher der geharnischte vorn blutspritzende Fuss,
der mit dem Knie den Helm berührt, dem Wappen der Familie verblieben ist. Zuerst kommt in Schlesien ein *Fritzko* de Wandritsch in
einer Urkunde vom Jahre 1288 vor, welche die Gründung des Hospitals St. Nikolas zu Liegnitz betrifft. — *Stephan* von Wandritsch war
um das Jahr 1264 einer der treuesten Minister des Herzogs Heinrich
des Fetten zu Breslau. — Im Jahre 1378 kommt ein *Hans* v. Lestwitz zuerst als Herr auf Alt-Wohlau vor. — *Johann* v. L., Wandritsch genannt, auf Kalteborschen, machte sich auf eine traurige
Weise dadurch bekannt, dass er am 8. Febr. 1552 auf dem Fürstentage zu Breslau den Burggrafen Heinrich zu Dohna-Kraschen erstach.
— In besonderer Wohlhabenheit blühte die Familie am Anfange des
vorigen Jahrhunderts, wo *Adam Melchior* v. L. den Besitz der Güter
Gross-Ober-Tschirnau, Katschau, Sulkau, Ellguth, Neusorge, Gross-
Wirsowitz und Kalteborschen vereinigte. — Uebrigens hatte sich die
Familie nach und nach in viele Häuser ausgebreitet, von denen wir
hier namentlich die von Sulke und Langendorf, Schlaube und Wandritsch nennen. Das Haus Schlaube zerfiel wieder in die Linien zu
Tarpen und Oberschittla, ferner in die von Gr. Wirsowitz, Laschitz,
Kl. Peterwitz, Tschirnitz, Golgewitz, Schabitzen, Meselitz, Mechau
u. s. w. Trotz dieser zahlreichen Zweige erlosch, wie wir schon erwähnt haben, dieses vornehme und reiche Geschlecht am 27. August
1803 mit *Karl Rudolph* v. L. Er bestimmte durch seinen letzten Willen seine Güter zur Gründung eines Fräuleinstifts. Unter einer Aebtissin und einer Priorin ist dieses Stift in das Schloss zu Gross-
Tschirna verlegt. Ausserdem werden auswärts dreizehn arme evangelische Fräulein jede jährlich mit 150 Thalern unterstützt. Diese
grossartige wohlthätige Stiftung wurde am 29. Septbr. 1815 eröffnet
und unter Verantwortlichkeit an die königl. Regierung zwei Curato-
ren, die aus den benachbarten, angesehensten Landständen gewählt
waren, bestellt. Ausserdem hatte *Karl Rudolph* v. einen Fonds von

22,800 Thalern zur Unterstützung von Armen und Schulkindern, der Verbesserung des Gehaltes der Lehrer in der Stadt und der Umgebung, und zur Unterhaltong eines Wundarztes bestimmt.

In der preussischen Armee sind zu hohen militairischen Würden gelangt:

Johann Georg v. L., geboren im Jahre 1688 in Schlesien, der 1704 in dem Regimente Markgraf Albrecht Dienste nahm, 1707 in Italien, von 1708 bis 1711 in Brabant, 1715 in Pommern, wo er im Sturme auf Stralsund gefährlich verwundet ward, tapfer mitfocht, 1716 zum Compagniechef, 1723 zum Major, 1738 zum Oberstlieutenant avancirte, 1739 die Amtshauptmannschaft zu Johannisburg erhielt, 1740 Oberst, 1745 Generalmajor und 1746 Chef des Regiments Schwarz-Schwerin wurde. Im Jahre 1751 ertheilte ihm Friedrich der Grosse eine Präbende zu Wassenberg im Jülichschen, und 1752 die Amtshauptmannschaft zu Lyk in Ostpreussen, 1754 aber ward er zum Generallieutenant befördert und mit dem schwarzen Adlerorden geschmückt. Im Feldzuge 1756 commandirte er die Truppen, welche das sächsische Lager bei Pirna einschlossen. Ein Jahr darauf, nachdem er den Schlachten bei Prag, Collin und Reichenberg rühmlichst beigewohnt hatte, wurde ihm das Commando in Breslau zu Theil. Da aber die Besatzung zu schwach war, und sich gegen die starke österreichische Armee nicht halten konnte, so übergab er die Stadt, vermöge einer am 24. Novbr. 1757 abgeschlossenen Capitulation, den Oesterreichern. Er erhielt mit der Besatzung freien Abzug, musste sich aber verpflichten, in diesem Kriege nicht mehr gegen Oesterreich zu dienen, wonach er aus dem Dienste schied, sein Regiment aber bis zum Jahre 1763 behielt, dann aber Chef des v. Treskowschen Regiments wurde. Sein Tod erfolgte zu Berlin den 27. Juli 1767 in seinem 80sten Lebensjahre. Mit Anna Helena, Freiin v. Kottwitz, erzeugte er

Johann Sigismund v. L., der am 19. Juni 1718 zu Kontop in Schlesien geboren, zu Frankfurt a. d. O. studirte und 1734 Kriegsdienste nahm. Im Jahre 1746 erhielt er im Regimente v. Lengefeld eine Grenadiercompagnie, wurde 1757 Major, 1762 Oberstlieutenant und Regiments-Commandeur, 1765 Oberst, 1766 Chef des später von Rohdigschen Leibgrenadier-Regiments und 1767 Generalmajor. Im Jahre 1779 nahm er seinen Abschied. Er hatte sämmtlichen schlesischen Kriegen mit Auszeichnung beigewohnt, sich in der Schlacht bei Lowositz den Orden pour le mérite erworben, und 1763 das aus acht Dörfern bestehende Amt Friedland zum Mannlehen von Friedrich II. erhalten. Er starb im Jahre 1788 am 16. Februar. Aus seiner Ehe mit Katharine Charlotte v. Treskow, aus dem Hause Schlagentin, wurde ihm eine Tochter geboren.

Die v. L. führten im rothen Schilde einen silbernen Kesselring mit oben krumm gespitztem Haken auf beiden Seiten, und zwischen demselben ein silbernes Kreuz, das auf einem spitzen Nagel steht. Auf dem Helme ist ein geharnischter, vorn blutspritzender, rechts gekehrter Fuss mit goldenem Sporen, mit dem Knie den Helm berührend, vorgestellt. Dieses Wappen giebt Siebmacher, I. S. 54, und v. Meding beschreibt es, III. No. 482. M. s. auch Sinapius, S. 586—92. Gauhe, I. S. 888.

Lethmate, die Freiherren und Herren von.

Aus dem altadeligen westphälischen Geschlechte der Lethmate wurde dem kurbrandenburgischen Obersten *Kaspar Friedrich* v. L. im Jahre

1698 vom Kaiser Leopold I. die Reichsfreiherrenwürde verliehen, und
Kurfürst Friedrich III. bestätigte unter dem 15. Oct. 1698 diese Erhebung. — Kaspar v. Lethmate war schwedischer Kriegsrath und
Pfandinhaber des Amtes Alt-Stassfurt. Mit Johanna Gerbrecht von
Baumgarten, aus dem Hause Bernburg in der Grafschaft Hoya, erzeugte er den oben erwähnten, zum Freiherrn erhobenen Kaspar Friedrich, der am 23. Juli 1652 zu Kloster Gerbstädt in der Grafschaft
Mansfeld geboren war und seine Erhebung der Tapferkeit zu verdan-
ken hatte, mit welcher er die Verschanzungen der Türken bei Zentha erstiegen hatte. Er gelangte 1704 zur Würde eines Regi-
mentschefs und 1705 zu der eines Generalmajors. Kurz vor seinem
Tode erhielt er das bayreuthsche Reiterregiment. Er starb im August
1714. Mit Sabina Christophora Brand v. Lindau vermählt, hinterliess
er sieben Söhne und fünf Töchter. Trotz dieser zahlreichen Nachkommenschaft erscheint kein Mitglied dieser freiherrlichen Familie mehr
in den gegenwärtigen Listen der Administration oder der Armee. Das
Wappen derselben zeigt ein die Quere in drei Theile zerfallendes
Schild. Das obere Feld ist golden, und es ist in demselben der obere
Theil eines rothen nach der rechten Seite aufspringenden Löwen, mit
roth ausgeschlagener Zunge, zwischen zwei goldenen Kornähren vorgestellt. Das mittlere Feld ist durch ein roth und silbernes Schach
ausgefüllt. In dem unteren silbernen Felde stehen drei Kornähren.
Dieses Wappen giebt Siebmacher, I. S. 191, und v. Meding beschreibt
es, II. No. 493 u. 494. v. Steinen erwähnt diese Familie, IV. No. 370.
Tab. 7. Gauhe, I. S. 889.

Lettow, die Herren von.

Micrälius, so wie alle übrigen Autoren, zählen die v. Lettow zu
den ältesten Geschlechtern in Pommern. Sie haben aber den heuti-
gen Namen erst später angenommen, während sie früher v. Vorbecken
hiessen. Der Erste, der sich v. Lettow nannte, war der Sohn des
Paul Erdmann Vorbecken, Erbherrn auf Schwirsen, Drewen, Plözke,
Pritzke und Rochau. Er hatte sich in Litthauen Kriegsruhm erwor-
ben, dem Grossfürsten daselbst gedient und den Namen Lettowen oder
Lettow in die Heimath gebracht. v. Gundling führt sie in Pommern als
Besitzer von Altschlage und Ziezenow, im Kreise Belgard, Drawehn,
Mühlencamp, Carzenburg, Holkewiese, Hohenborn, im Kreise Camin,
Camnitz, Bial, Plötzke, Pritzke, Rochow, Kl. Schwirsen, Kl. Voltz,
Fahrbelow, im Kreise Rummelsburg, Machmin, Klenzin, Dammen, Los-
sin u. s. w. im Kreise Stolpe auf. Das Stammhaus und älteste Lehn
der Familie ist der Rittersitz Drawehn, eine Meile nordöstlich von der
Stadt Bublitz gelegen. Eben so sind Hohenborn und Kl. Carzenburg
sehr alte Lehne dieses Hauses. Noch in der Gegenwart besitzt dasselbe verschiedene Güter in Pommern, namentlich Ravenhorst im Kreise
Camin, Hohenborn im Kreise Fürstenthum, Medewitz im Kreise Greiffenberg, Malschütz, Gr. Pomeiske im Kreise Lauenburg-Bütow, Loh-
rirsen und Wockmin, Gr. Beetz im Kreise Rummelsburg, Zeromin,
Klenzin im Kreise Stolpe; auch besitzt der Capitain Wilhelm v. L.
das Gut Wangritz im Kreise Naugardten. — Im schwiebuser Kreise,
früher zu Schlesien gehörend, besass der königl. Kammerherr Georg
Friedrich Ludwig v. L. das Gut Starpel.
In der preuss. Armee haben sich zu höheren militairischen Wür-
den emporgeschwungen:
Ewald George v. L., ein Sohn des Landraths und Erbherrn auf
Dammen in Hinterpommern, geboren im Jahre 1698, trat im 20sten

Jahre in das Heer, ward 1745 Major im Regimente Hessen-Darmstadt, 1756 Oberstlieutenant und 1757 Oberst. Er wohnte sämmtlichen Feldzügen von 1740 bis 1759 bei, gerieth in letzterm Jahre bei
Maxen als Commandeur des v. Finkschen Regiments in Gefangenschaft,
und war in den Schlachten bei Reichenberg, Prag und Cunnersdorf
schwer verwundet worden. Zum Felddienste untauglich geworden, erhielt er nach seiner Auswechselung das Garnisonregiment v. Jungken
und 1763 seinen Abschied. Die übrige Zeit seines Lebens verlebte er
auf seinem Gute Klenzin, wo er im Januar des Jahres 1777 verstarb.
Heinrich Wilhelm v. L., geboren zu Kl. Karzenburg in Pommern
am 22. Decbr. 1714, erhielt seinen ersten Unterricht bei den Jesuiten
in Thorn, trat sodann 1728 in die polnische Krongarde zu Warschau
ein, erhielt aber, als Friedrich II. den Thron bestiegen und seine Vasallen aus fremden Diensten zurückberufen hatte, eine Anstellung als
Lieutenant in dem Regimente v. Kleist. Im Jahre 1745 ward er Hauptmann im Füsilierregiment Markgraf Heinrich, 1758 Major, 1763 Oberstlieutenant, 1767 Oberst, erhielt 1772 den Orden pour le mérite, 1776
das Füsilierregiment v. Bülow, und avancirte im Jahre 1777 zum Generalmajor. Wegen Kränklichkeit nahm er 1779 seinen Abschied, und
König Friedrich II. gab ihm und dessen Bruder, dem Landjägermeister
v. L., die Anwartschaft auf die zu eröffnenden v. Edlingschen Lehne.
Besonders ausgezeichnet hatte er sich im zweiten und dritten schlesischen
Kriege, war bei Olmütz durch den Leib geschossen worden und hatte
bei Reichenbach die Hauptredoute befehligt. Er lebte nach seiner
Dienstentlassung zu Berlin, und war ein Mann von ausgebreiteten
Kenntnissen.

N. N. v. L. war während des baierschen Erbfolgekrieges Lieutenant im Regimente v. Krockow, und avancirte in demselben bis zum
Obersten und Commandeur. Im Jahre 1804 wurde er zum Generalmajor und Chef des vacanten Infanterie-Regiments v. Schladen ernannt, erhielt auch in demselben Jahre den Orden pour le mérite und
starb am 27. März 1826.

In der Gegenwart lebt zu Stargard der Generallieutenant a. D.
v. L. Derselbe stand im Jahre 1806 als Capitain bei dem Regimente
v. Sanitz und dessen Grenadieren, und commandirte im Jahre 1828
die 4. Infanterie-Brigade. Den Orden pour le mérite erwarb sich dieser verdienstvolle General im Jahre 1812 bei Friedrichsstadt in Kurland, und das eiserne Kreuz 1. Classe in der Schlacht bei Leipzig.

Noch dienen verschiedene Mitglieder dieser Familie in der Armee,
namentlich der Capitain im 10. Infanterie-Regimente und Ritter des
eisernen Kreuzes v. L. (erworben bei Belle Alliance), und der Capitain im 31. Infanterie-Regimente und Ritter des eisernen Kreuzes
v. L. (erworben bei Leipzig). In derselben Schlacht erwarb sich auch
der Rittmeister v. L., gegenwärtig a. D., denselben Orden.

Die v. Lettow führen ein Stück von einem Anker durch einen rothen Querbalken im blauen Felde, und auf dem Helme drei goldene
lange Federn. M. s. Gauhe, I. S. 889 u. f.

Leutrum-Ertingen, die Grafen und Freiherren von.

Dieses gräfliche Haus gehört seinem Ursprunge nach Oesterreich und
Böhmen, nach seinem spätern Aufenthalte und Besitzthume aber Schwaben, dem Königreiche Sardinien, in der Gegenwart aber in den diesseitigen Staaten der Provinz Schlesien, und auswärts dem Königreiche
Würtemberg, so wie auch dem Grossherzogthume Baden an. Der
frühere Name der Familie war Lnitram oder Lutram. Die Urkun-

den des gräflichen Hauses oder das Familienarchiv sind im Laufe der
Kriege nach der Schweiz gebracht worden, und dort verloren gegangen. Jedoch ist so viel gewiss, dass schon im 13. Jahrhunderte die
Ritter aus dem Hause Lutram in hohem Ansehen standen, und vom
14. Jahrhunderte an beweisen beglaubigte Stammbäume die ordentliche
Reihefolge des Geschlechts, das vom 13. Jahrhunderte an als eine alte
freiherrliche Familie der freien unmittelbaren Reichsritterschaft bis zur
Auflösung des heiligen römischen Reichs einverleibt war. *Hans* Lutram besass im 14. Jahrhunderte das nun schon längst in Trümmern
liegende Schloss Ertingen bei dem gleichnamigen Dorfe an der Donau
in Schwaben, von dem noch gegenwärtig die Familie den Namen Leutrum von Ertingen führt. Es bestehen noch jetzt eigentlich zwei Linien, von denen die hier in Rede stehende gräfliche die jüngere ist,
während die freiherrliche oder Majoratslinie, die ältere, bedeutende
Güter im Grossherzogthume Baden und im Königreiche Würtemberg,
auf welche die jüngere die Hand hat, besitzt. — *Karl Magnus*, Freiherr v. L., geb. am 14. Decbr. 1680, war General König Karls XII.
von Schweden und später kais. österreichischer Feldmarschalllieutenant.
Er starb zu Wien am 24. Januar 1739. — *Karl Sigismund Friedrich
Wilhelm*, Freiherr v. Leutrum, geboren am 27. Juni 1692, stand zuerst in österreichischen Diensten, machte sich durch die tapfere Vertheidigung der Festung Cuneo rühmlichst bekannt, und starb als königl. sardinischer General der Infanterie, Inhaber eines deutschen Infanterie-Regiments, Gouverneur der Stadt und Provinz Cuneo zu Cuneo, am 16. Mai 1755. — *Karl August Emanuel*, Freiherr v. L., geboren am 8. März 1732 zu Kilchberg bei Tübingen am Neckar, stand
früher ebenfalls in kais. österreichischen Diensten, und trat im Jahre
1764 mit besonderer Genehmigung der Kaiserin Maria Theresia in die
Dienste des Königs Karl Emanuel von Sardinien. Er starb am 19.
Novbr. 1795 als königl. sardinischer Feldmarschalllieutenant, Inhaber
eines Infanterie-Regiments und k. k. österreichischer wirklicher Kämmerer zu Bibrach. Er hatte im Jahre 1781 die gräfliche Würde auf
sich und seine Nachkommen gebracht. Aus seiner Ehe mit Josepha,
Reichserbtruchsessin zu Wolfsegg, Waldsee und Friedberg (einer
Schwester des verstorbenen Fürsten Anton Waldburg-Wolfsegg), die
sich nach seinem Tode zum zweitenmale mit dem Grafen v. Firmas-
Périés, königl. französischem Generallieutenant, königl. würtembergi-
schem Geheimen Rath und Oberstküchenmeister, vermählte, und vor
wenigen Jahren auf dem Schlosse Aitrach in Schwaben als Wittwe verstorben ist, stammen die jetzt lebenden Grafen v. Leutrum. Von ihnen stand *Joseph Emanuel* im Jahre 1806 als Offizier in dem Husaren-
Bataillon v. Bila, machte den Feldzug 1804 in der Grafschaft Glaz
mit, wurde später in die Dienste seines Vaterlandes Würtemberg zurückgerufen, und trat beim Ausbruche des Befreiungskampfes von
Neuem in die diesseitigen Dienste. Er erwarb sich das eiserne Kreuz
1. Classe bei Ligny, schied im Jahre 1819 als Major aus dem 6. Uhlanenregiment, und erwarb die unten näher bezeichneten Güter in
Schlesien.

Gegenwärtig besteht das gräfliche Haus L. v. Ertingen aus folgenden Mitgliedern:

Graf *Joseph Emanuel Ludwig Wilhelm Ernst*, geb. den 13. Septbr.
1785 zu Susa in Italien, königl. preuss. Major, Ritter des eisernen
Kreuzes 1. Classe, Erb- und Gerichtsherr auf Hökel und Tschirnhaus-
Kauffung in Schlesien, vermählt seit dem 28. Januar 1819 mit *Agnes*,
Gräfin v. Magnis, aus dem Hause Eckersdorf in der Grafschaft Glaz,
geb. den 25. Mai 1798.

Kinder:

a) *Victor Emanuel Ludwig Anton*, geb. den 3. April 1820.
b) *Rudolph Emanuel Ludwig*, geb. den 13. Januar 1823.
c) *Anna*, geb. den 12. Octbr. 1824.
d) *Cäcilie*, geb. den 19. Juni 1826.
e) *Octavia*, geb. den 22. Januar 1829.
f) ......: geb. im September 1836.

Geschwister:

1) Graf *Victor Karl Emanuel Philipp*, geb. den 28. Decbr. 1782 zu Alessandria in Italien, erster Kammerherr des Königs von Würtemberg, Intendant der königl. Schauspiele zu Stuttgart, k. k. österr. wirkl. Kämmerer, vermählt seit dem 17. Septbr. 1811 mit Johanne v. Schad und Mittelbiberach, geb. zu Ulm den 16. Januar 1792.

Kinder:

a) *Hugo Karl Emanuel Friedrich Joseph August Johann Eberhardt*, geb. den 6. August 1814 zu Ulm.
b) *Matthilde Henrike Marie*, geb. den 28. Octbr. 1815 zu Ulm.
c) *Wilhelm Karl Emanuel Heinrich Marcus*, geb. den 5. April 1817 zu Stuttgart.
d) *Pauline Wilhelmine Antoinette Marie Karoline*, geb. den 13. Juli 1820.

2) *Maria Clara Josephe Wilhelmine*, geb. den 7. Nov. 1786 zu Susa, vermählt seit dem 4. August 1812 mit dem Freiherrn Max v. Ow, k. k. österreichischem wirklichem Kämmerer.

3) Graf *Clemens Friedrich Maximilian Wunibald*, geb. den 26. Mai 1788 zu Waldsee in Schwaben, königl. sardinischer Major.

4) *Marie Josephe Alexandrine Charlotte*, geb. den 1. Febr. 1791 zu Alessandria in Italien, vermählt seit dem 4. August 1818 mit dem Freiherrn Ignaz v. Westernach, königl. baierschem Kammerherrn.

Leutsch, die Herren von.

Man zählt die altadelige Familie von Leutsch zu dem Adel des Markgrafthums Meissen. Ihr altes Stammhaus heisst Sograu und liegt im Altenburgischen. In Schlesien kommen die von Leutsch zuerst am Ende des 16. Jahrhunderts vor. Im Herzogthume Magdeburg besass diese Familie das Rittergut Salze. Der Erste des Geschlechtes daselbst war *Hans Friedrich* v. Leutsch, Hofmeister am herzoglichen Hofe zu Oels, er erwarb durch Kauf das jetzt von Helmrichsche Gut Brockschine bei Trebnitz, von seinen Söhnen war *Friedrich*, Erbherr auf Brockschine, des Herzogs Karl Friedrich zu Oels und Münsterberg Rath. (M. s. Olsnogr. P. 1. p. 211—19.) Er starb kinderlos. Dagegen pflanzte sein Bruder, *Hans Ernst* v. Leutsch, der eine v. Falkenberg zur Gemahlin hatte, sein Geschlecht durch eilf Kinder, und dessen Sohn, *Joachim Ernst* v. Leutsch, vermählt mit einer Freiin v. Zedlitz, durch sieben Kinder fort. Von dessen Brüdern starb *Wolfram Leonhard* v. Leutsch als schwedischer Offizier vor Pultawa, *Hans Friedrich* von Leutsch besass Probotschütz, *Hans Ernst* Bischkave, und *Heinrich August* v. Leutsch Prietzen (sämmtliche Güter lagen bei Oels). Von der sächsischen Linie war *Ursula* v. Leutsch um das Jahr 1550 die letzte Aebtissin des Jungfrauenklosters Geringswalde. (M. s. Mag. Heines Beschreibung der Stadt und Grafschaft Rochlitz.) — *Hans August* war fürstlich weimarscher Hofmarschall und Mitglied des Palmordens der

15*

228 Le)cn.

fruchtbaren Gesellschaft. (M. s. sächs. Annalen S. 449.) — Im Jahre
1806 standen zwei Brüder v. Leutsch im Dragonerregimente von Prittwitz zu Polkwitz. Der ältere war zuletzt Rittmeister bei der Gensdarmerie, schied 1826 als Major mit Pension aus derselben, und starb
zu Glaz am 10. Octbr. 1832. Der jüngere stand bis zum Jahre 1816
im 7. Landwehr-Cavallerieregimente, und starb als pens. Major. Es
stehen Söhne dieser Brüder gegenwärtig im 23. und 38. Infanterie-
Regimente. Diese Familie führt im oben silbern, unten grünen Schilde
einen grünbelaubten Lindenbaum mit braunem Stamme, und auf jeder
Seite desselben eine weisse Rose. Auf dem gekrönten Helme steht ein
grüner Pfauenschweif. Die Helmdecken sind grün und silbern. Wegen
der Aehnlichkeit dieses Wappens mit dem der Familie v. L. hält man
dafür, dass beide Geschlechter gleicher Abstammung sind.

Leyen, die Fürsten, Grafen, Freiherren und Herren von und zu der.

Dieses gegenwärtig fürstliche Haus, dessen Stammschloss Leyen
im Trierschen an der Mosel liegt, leitet seine Abkunft von den edlen
Herren oder Dynasten v. Gontroff, genannt de Petra, die von dem Felsen, Schiefersteinberg, als Besitzungsnamen, ab, die edle freie, nur vom
Reiche abhängende Dynasten waren. In den Turnieren und bei den
Kreuzzügen ist der Name von der Leyen vielfach anzutreffen, und
viele Söhne aus diesem vornehmen Hause bekleideten die höchsten
geistlichen und weltlichen Würden, Hof- und Ehrenstellen. Kurfürsten, Erzbischöfe, Fürstbischöfe und Bischöfe sind aus demselben hervorgegangen. Die ordentliche Geschlechtsreihe beginnt zwar erst im
12. Jahrhunderte, doch war schon 968 Magdalena v. Pirmund eheliche
Gemahlin Sigmunds v. d. Leyen, auf dem Turniere zu Mösburg gewählt zur Schau- und Helmtheilung für die am Rheinstrome. In der
Stammreihe erscheint Wolfram als Ahnherr; er lebte um das Jahr
1151. Sein Bruder, Heinrich, wurde 1145 zum Bischof von Lüttich
erwählt. — Kaiser Ferdinand III. erhob im Jahre 1653 die von der
Leyen in den Freiherrnstand. — Karl Kaspar, Freiherr von und zu
der Leyen, wurde im Jahre 1705, zufolge einer im Jahre 1677 erhaltenen Eventual-Belehnung, von Oesterreich mit dem Bergschlosse und
der Reichsherrschaft Hohen-Geroldseck, in der Ortenau am Schwarzwalde, belehnt; er wurde am 7. März 1711 wegen Hohen-Geroldseck
in das schwäbische Grafencollegium aufgenommen und den 22. Novbr.
1711 vom Kaiser Karl VI. in den Reichsgrafenstand erhoben. Durch
die Rheinbundsacte vom 12. Juli 1806, in welcher dem Grafen Philipp
der Fürstentitel beigelegt ward, wurde die Grafschaft Hohen-Gerols-
eck, obgleich nur 2½ QMeile und 4400 Einwohner enthaltend, für
souverain erklärt, durch die Schlussacte des Wiener Congresses aber
der Staatshoheit Oesterreichs unterworfen. Oesterreich trat die Sou-
verainetät in dem Vertrage vom 10. Juli 1819 an Baden ab, und die
Uebergabe erfolgte am 4. October desselben Jahres. Der standesherr-
liche Rechtszustand im Grossherzogthume Baden ist durch eine gross-
herzogliche Verordnung vom 7. Octbr. 1830 festgestellt. Von den übrigen ansehnlichen Besitzungen des Hauses Leyen wurden die auf der
linken Rheinseite gelegenen, zusammen 63 Ortschaften und das Schloss
Bliescastel, von Frankreich während des Revolutionskrieges mit Sequester belegt, auch ein Theil als Nationalgüter veräussert. Die noch
nicht veräusserten erhielt der Fürst zufolge eines französischen De-
crets vom 26. Juni 1804 zurück. Das fürstliche Haus ist katholischer

Confession, und sein Wohnsitz Waal bei Augsburg im Königreiche Baiern. Es besteht gegenwärtig aus folgenden Mitgliedern:

Fürst *Erwin Karl Damian Eugen*, geb. den 3. April 1798, königl. baierscher Oberstlieutenant à la suite, succedirte seinem Vater, dem Fürsten *Philipp Franz*, am 23. Novbr. 1829, vermählt seit dem 18. August 1818 mit Fürstin Sophie Therese Johanne, geboren den 24. November 1798, Tochter des Grafen Franz Philipp von Schönborn-Buchheim.

Kinder:

1) Prinz *Philipp Franz Erwin Theodor*, geb. den 14. Juni 1819.
2) Prinz *Franz Ludwig Erwin Damian*, geb. den 17. Februar 1821.
3) Prinzessin *Amalie Sophie Marie Erwine Karoline Ludovike*, geb. den 17. Decbr. 1824.

Schwester:

Prinzessin *Amalie Theodora Marie Antoinette Charlotte*, geb. den 2. Septbr. 1789, vermählt im August 1810 an den Grafen Tascher de la Pagerie, königl. baierschen Kämmerer.

Nachträglich mögen hier noch einige Notizen, berühmte Vorfahren des Geschlechtes betreffend, folgen:

Heinrich v. d. Leyen, der schon oben erwähnte Bischof zu Lüttich, starb im Jahre 1146.

Theodor v. d. L. lebte als Domherr zu Münster im Jahre 1237.

Werner v. d. L. und seine Gemahlin Sophie Wallbott v. Bassenheim beginnen die regelmässigen Abstammungen mit dem Jahre 1399.

Georg v. d. L. kommt als Domherr zu Trier 1481 vor.

Bartholomäus v. d. L., Herr zu Adendorf, Saffig und Olbrück, war kurkölnischer Landhofmeister und Amtmann zu Andernach um das Jahr 1540.

Bartholomäus der Jüngere v. d. L., ältester Sohn des Vorigen, war Domdechant zu Trier um das Jahr 1570.

Johann v. d. L., zweiter Sohn des Bartholomäus des ältern, ward Erzbischof und Kurfürst von Trier 1576.

Damian v. d. L., früher Domherr zu Trier, resignirte und ward Landhofmeister zu Boppard um das Jahr 1612.

Karl Kaspar v. d. L., der älteste Sohn Damians, ward Erzbischof und Kurfürst v. Trier im Jahre 1648.

Damian Hartart v. d. L. ward Erzbischof und Kurfürst von Mainz.

Karl Kaspar, erster Freiherr und Graf v. d. L., Herr zu Adendorf, gelangte zur Würde eines kurpfälzischen und kurtrierschen Geheimen Raths und Amtmanns zu Hammerstein, Sinzig, Remagen und Neuenahr, starb am 30. Novbr. 1739.

Friedrich Ferdinand, des heil. röm. Reichs Graf v. d. L., Hohengeroldseck und Bliescastell, k. k. wirklicher Geheimer Rath, Ritter des goldenen Vliesses, kurtrierscher Oberlandhofmeister, geb. am 7. Jan. 1709, starb am 16. Febr. 1760.

Franz Karl, Reichsgraf v. d. L., k. k. wirklicher Geheimer Rath und Kämmerer, der kaiserl. und Reichsburg Friedberg Burgmann, Commandeur des kais. St. Josephsordens, kurtrierscher Erbtruchsess, geb. den 26. August 1736, trat die Regierung 1765 an.

Philipp Franz, sonst kurtrierscher Erbtruchsess, Ritter hoher Orden, erster Fürst v. d. L., vermählt mit Sophie Therese, Gräfin von Schönborn-Wiesentheid, Vater des jetzigen Fürsten, starb 1829.

Das Wappen der Fürsten v. d. Leyen zeigt einen geradestehenden silbernen Balken im rothen Schilde.

Robens beschreibt das ursprüngliche Wappen der v. d. Leyen im 2. Bd. S. 271 folgendermassen: das Stammwappen ist von den Turnieren her ein silberner ablanger Balken (Pfahl) in Blau. Helmschmuck: auf dem bewulsteten Helme ein silberner Windspielkopf zwischen blauen, offenen, mit silbernen Seeblättern besäeten Flügeln. Decken und Livree silbern und blau.

Das gräfliche Wappen ist einmal ablangs und zweimal quer in sechs Felder getheilt, und mit obigem Stammwappen als Herzschild belegt, welches mit einer Grafenkrone gekrönt ist; im 1sten rechten obern Felde in Blau drei silberne Hufeisen, im 1sten links obern rothen Schilde ein Baum mit fünf silbernen Lilien, im 2ten rechts mittlern silbernen Felde ein schwarzer Querbalken mit einem Mohrenkopfe im rechten Oberwinkel; im 2ten links mittleren goldenen Felde zwei rothe Querbalken mit einem blauangelaufenen fünflatzigen Turnierkragen; im rechten untersten goldenen Felde ein rother Querbalken in der obern Hälfte, und ein schwarzer gekrönter Löwe in der untern Hälfte; das links untere Feld ist roth und silbern geschachtet. Helmschmuck: auf dem 1sten Helme, wie im Stammwappen v. d. Leyen, auf dem 2ten ein Mohrenrumpf mit silbernem Kleide; auf dem 3ten die zwei rothen Querbalken auf goldenen offenen Flügeln; auf dem 4ten zwei blaue Klephantenrüssel, worauf die drei silbernen Hufeisen wiederholt sind; auf dem 5ten ein rothes achteckiges, mit sieben Pfauenfedern bestecktes Schirmbret mit einer wiederholten silbernen Lilie; auf dem 6ten gekrönten Helme eine rothe Pyramide, mit drei Pfauenfedern besteckt; den 7ten deckt ein Hut, die Kappe Hermelin, die Stülpe oder Krempe roth und silbern geschachtet und mit zwei Pfauenschweifen besteckt. Die Helmdecken und Livree Silber in Blau auswärts. Schildhalter zwei silberne Windspiele mit gespitzten Ohren und geifenden-Zungen, blau beflügelt, mit den wiederholten silbernen Seeblättern besäet.

Leyen, die Freiherren von.

Der König Friedrich II. erhob die Chefs des angesehenen Handelshauses Leyen in Crefeld, die Commercienräthe und Brüder *Conrad Friedrich* und *Johann* Leyen am 21. Febr. des Jahres 1786 in den Freiherrnstand. Diese freiherrliche Familie führt ein quadrirtes Schild mit einem Herzschildlein. Die Felder 1 und 4 sind in der obern Hälfte blau, in der untern silbern, hier steht ein Storch auf grünem Hügel, eine Kugel mit dem rechten Fusse haltend, im 2ten und 3ten goldenen Felde steht ein schwarzer Felsen. Das Herzschild ist roth, und darin stehen drei schwarze Würfel, oben einer, unten zwei. Das Hauptschild ist mit einer Edelkrone, die zwei Helme mit eben solchen Kronen trägt, bedeckt. Auf dem rechten Helme sind drei Straussfedern (blau, silbern, blau), auf dem linken aber sind zwei schwarze Adlerflügel angebracht. Die Decken und das Laubwerk sind rechts silbern und blau, links schwarz und silbern.

Leyser, die Herren von.

Der König Friedrich II. ertheilte dem aus einer altadeligen Familie in Steiermark und Kärnthen stammenden Kriegsrath Leyser, der ein erneuertes Adelsdiplom vom Kaiser Rudolph II., ausgestellt am 22. Decbr. 1590, erhalten hatte, einen Bestätigungsbrief am 23. Mai 1751. Beide Documente findet man auf der königl. Bibliothek zu Berlin in der Sammlung genealogischer Handschriften des Ordensraths König verzeichnet. — *Georg Friedrich* v. L. war königl. preuss. Commissionsrath, Bürgermeister der alten Stadt Magdeburg und Syndikus der dasigen Collegiatstifte zu St. Sebastian und zu St. Gangolf. — *Johann Gottlieb* v. L. auf Gersdorf, der Sohn des Vorigen, war kursächsischer Kriegsrath und starb 1760. — *Polycarpus Friedrich* v. L. war königl. grossbritannischer Leibarzt und starb am 21. April 1795. (M. s. Hamburger Correspondent Jahrgang 1795. No. 73.) — In den Wissenschaften hat sich besonders berühmt gemacht der Rechtsgelehrte *Augustin* v. L., dem Kaiser Karl V. im Jahre 1739 den Reichsadel ertheilte (m. s. Weidlichs Geschichte des Rechts, S. 527), und *Friedrich Wilhelm* v. L., der die „Flora Hallensis. Halle, 1761" schrieb, und ein thätiger Botaniker war. — In königl. sächsischen Diensten stand der General v. L., der bei Pirna begütert und mit einer Gräfin v. Pötting aus Böhmen vermählt ist. — In der preuss. Armee diente ein v. L. als Offizier im Regimente Kaiser Alexander, der gegenwärtig in der Gegend von Leipzig ansässig ist. — Eine Linie des Hauses, die im Oesterreichischen, namentlich in Steiermark und Kärnthen, begütert ist, ist in den Freiherren- und Grafenstand erhoben worden. Dieses Geschlecht soll im Jahre 1642 den Freiherrnstand erworben, und zugleich auch das Erb-Arsenal-Herrenamt in Steiermark, das *David* v. L. auf sein Haus brachte, bekleidet haben. Dasselbe ist später an die Kaisel von Kaltenbrunn übergegangen.

Das Wappen der adeligen Familie v. Leyser zeigt zwei neben einander stehende, mit den Spitzen auswärts gekehrte Halbmonde im schwarzen Schilde. Auf dem gekrönten Helme sind sechs schwarze Straussfedern, belegt mit den beiden goldenen Halbmonden, vorgestellt.

M. s. Coll. gen. hist. Cap. 58. p. 141. Spener, Op. her. P. I. S. V. M. I. S. 271. v. Krohne, II. S. 232. Gauhe, I. S. 896—97. Zedlers Univers. Lexic., XVII. S. 725.

Lichnowsky, die Fürsten, Grafen und Herren von.

Die Abkunft dieses vornehmen Hauses wird auf zweierlei Weise erklärt. Man leitet sie nämlich zuerst aus dem Hause Granson in Hochburgund her. *Otto* v. Granson, ein Edelmann aus Burgund, soll sich nach der Ermordung seines Vaters zu dem Könige Podiebrad geflüchtet, und von diesem mit dem Schlosse Lychen? im mährisch-schlesischen Gebirge belehnt worden sein. Nach andern Autoren, namentlich nach Okolski (Orb. pol. Tom. II. p. 413) stammen die Lichnowsker aus dem mächtigen Hause Pilawa in Polen, welches jedoch ein ganz anderes Wappen, als das heutige Haus L., führte, weil die aus Sendomir in das angrenzende Schlesien gekommene Aeste dieses Hauses, deren Stammsitz Woschczycz wurde, dasselbe änderten, und statt der Kreuze im blauen Schilde die Weintrauben im rothen Felde wählten. (M. s. Paprozius, p. 445.) Das erstere Wappen hatte das Haus Pilawa im Jahre 1179 zum rühmlichen Andenken seines Widerstandes gegen die heidnischen Preussen und den Götzendienst, oder mit andern Worten, wegen seiner Förderung der christlichen Lehre erhalten. Es heisst darüber im genannten Autor: Erant Baptisma bis suscipientes et rejicientes hostes, hinc duae Cruces; cogitarunt fraudem tertio per Baptismum hostes, datur Zyraslao Victori media Crux. Auf diese Weise ist die zweite Ableitung wahrscheinlicher als die erste, wenn nicht vielleicht die Gransons zuerst aus Burgund nach Polen gekommen wären. Doch gehört das Haus Pilawa zum eingebornen al-

ten Adel Polens, da der Ahnherr Zyroslav, wie wir schon an andern
Stellen im Adelslexicon erwähnt haben, ein Pole von Geburt, seinen
Namen und Adel beim Orte Pilawa von Boleslao Crispo erhielt. In
Schlesien sind die v. L. schon im 14. Jahrhunderte erschienen. — Im
Jahre 1550 kommt *Petrus v. L.* als ein angesehener Edelmann im Trop-
panischen vor, der mit einer Kobilkowna und Kobily vermählt war.
(M. s. schlesische Curiositäten Bd. I. S. 650.) Von seinen Nachkommen waren viele durch Vermählungen mit den Freiherren v. Kornitz,
v. Skrebensky und Sedlnitzky verwandt oder versippt. — *Karl Maximilian* L. v. Woschczycz, Herr auf Kuchelna, Pischcz, Borutin, Ste-
pankowitz, Köbrowitz, Strandorf, Treppeln, Liebenthal, u. s. w., war
fürstl. liechtensteinscher Landrichter im Fürstenthume Troppau. Die
zuletzt genannten Güter lagen jedoch im Lande Crossen, wo die v. L.
auch Briesnitz besassen, und v. Gundling bezeichnet die v. L. auf
Liebenthal blos unter dem Namen v. Woschczycz. Somit gehören die
v. L. eben so, wie gegenwärtig den kais. österreichischen Staaten und
der preuss. Provinz Schlesien, auch der Neumark an, während in
Südpreussen adelige Familien dieses Namens ansässig waren. Aus
einer derselben stammt der unten näher erwähnte *Stephan* v. L. —
Von dem oben genannten *Karl Maximilian*, der zuerst mit einer von
Moschewski, später aber mit einer v. Bludowski vermählt war, waren
Söhne aus erster Ehe: a) *Franz Bernhard*, der mit seinen Brüdern im
Jahre 1707 am 12. August in den böhmischen Freiherrnstand erhoben
wurde. Er besass die oben genannten väterlichen Güter im Troppau-
schen und Jägerndorfschen, und bekleidete die Würde eines Landeshauptmanns. In der Ehe mit einer Freiin v. Dambrowka pflanzte er
sein Geschlecht durch zwei Söhne und zwei Töchter fort. b) *Maximilian Ladislaus* auf Eckersdorf, im Namslauischen, war ein für seine Zeit
glücklicher Dichter und vortrefflicher Redner. Er war mit einer v. Schmettau, verwittw. v. Beyer, vermählt. Von den beiden oben erwähnten Söhnen des Franz Bernhard erhielt *Franz Leopold*, Frh. v. L., edler Herr v.
Woschczycz, die Herrschaften und Güter seines Hauses, im Troppani-
schen, namentlich auch die Stadt und Herrschaft Odrau, Mankendorf,
Heinzendorf, u. s. w. Der jüngere erhielt Kuchelna, Pischcz, Borutin, u. s. w. — Von der neumärkischen Linie besass am Anfange
des vorigen Jahrhunderts *Wilhelm Ferdinand* L. von Woschczycz die
Güter Treppeln, Liebenthal u. s. w. bei Crossen. — Sein Sohn
Johann L. auf Treppeln, vermählte sich mit seiner Cousine, einer
Freiin v. L. und Kuchelna, und pflanzte seinen Stamm in der Mark
fort. — Von der schlesischen Linie wurde ein Enkel des oben angeführten Franz Bernhard, *Ferdinand Karl Johann* v. L., vom Könige Friedrich II, am 30. Januar 1773 in den preuss. Fürstenstand
erhoben. Er war kaiserl. Geheimer Rath und Herr vieler Herrschaften, Güter und Dörfer, im preuss. und österreichischen Schlesien und
starb am 20. April 1788. — Seine Gemahlin war Charlotte Karoline,
Gräfin v. Althann, des Grafen Michael Johann IV. von Althann und der
Gräfin Josephine v. Kinsky Tochter. Sie waren vermählt seit dem
Jahre 1757, und die Fürstin starb am 30. Octobr. 1800. Der Sohn
aus dieser Ehe, *Karl*, zweiter Fürst v. L., war im Jahre 1758 geboren, kaiserl. königl. Kämmerer, und starb am 15. April 1814.
Seine Wittwe Christiane, geb. Gräfin v. Thun, s. unten. — Der
Enkel des erwähnten ersten Fürsten Ferdinand Karl Johann, der
jetzt lebende Fürst *Eduard*, wurde auch in den österreichischen Fürstenstand erhoben. In der preuss. Armee ist zu hohen Würden
gelangt:

Stephan v. L., geboren 1724 in Polen, trat 1741 in preuss.
Dienste, ward 1767 Major im Regiment Markgraf Heinrich, 1775

Lichnowsky. 233

Oberstlieutenant, 1779 Oberst und Commandeur des Regiments, und
1786 Generalmajor und Chef des erledigten v. Thüna'schen Regiments,
nachdem er 1767 den Orden pour le mérite erhalten hatte. Er starb
als Generallieutenant im Jahre 1796 unverehelicht, mit dem Ruhme
eines tapfern und vortrefflichen Soldaten. Das seinen Namen führende
Regiment No. 23. hatte sich bei Reichenberg, Prag, Zorndorf, Hochkirch, und vorzüglich bei Torgau mit solcher Auszeichnung geschlagen, dass Friedrich II. zu sagen pflegte: „Will ich Soldaten sehen,
so blicke ich auf dieses Regiment." (M. s. Archenholz, Geschichte
des siebenjährigen Krieges.)

Ludwig Ferdinand v. L. war Oberst, und im Jahre 1763 Commandant von Glogau. — Ein Major v. L. stand im Jahre 1806 bei
dem 3. Bataillon des Regiments v. Tscheppe und war im Jahre 1828
Oberstlieutenant im 18. Landwehrregiment. — Ein anderer Major
v. L. stand in dem Regimente Rudorf-Leibhusaren und starb 1810 im
Pensionsstande. — Ein v. L., der früher in dem Regiment Jung-
Larisch gestanden hatte, starb im Jahre 1813 als Pr. Lieutenant des
17. Infant.-Regiments, an ehrenvollen Wunden.

Die im Preussischen gelegenen Besitzungen des Fürsten v. L.,
meistens Majoratsherrschaften, namentlich Kuchelna, Grabowka, Krzis-
zanowitz, Ballatitz, u. s. w., begreifen im Ganzen über 18 QMeilen;
im Oesterreichischen die Herrschaft Grätz fast 4 QMeilen. Wohnsitz:
Schloss Grätz bei Troppau. Auch im südlichen Russland hat dieses
fürstliche Haus Besitzungen, als die Herrschaften, Güter oder Ortschaften Rosalewska, Czawecdar, Aletschin, u. s. w. Die Einkünfte
der Herrschaft Grätz schlägt man auf fast 50,000 Gulden Conventions-
geld an. — Die Religion dieses fürstl. Hauses ist die katholische.

Gegenwärtig besteht die fürstliche Familie v. L. aus folgenden
Mitgliedern:

Fürst *Eduard*, geb. den 19. Septbr. 1789, österr. kais. kön. Kämmerer, folgte seinem Vater Karl den 15. April 1814; vermählt seit
dem 24. Mai 1813, mit der Fürstin *Eleonore*, geb. den 24. Mai 1797,
Tochter des kaiserl. königl. österreichischen Staats- und Conferenz-
Ministers, Grafen Karl von Zichy, Sternkreuz-Dame.

Kinder:

1) *Felix Marie Vincenz Andreas*, geb. den 5. April 1814.
2) *Maria Adelheid*, geb. den 20. April 1815.
3) *Leocadia Anastasia Constantina*, geb. den 2. Mai 1816.
4) *Antonia Maria*, geb. den 18. April 1818.
5) *Karl Faustus Timoleon Maria*, geb. den 19. Decbr. 1820.
6) *Robert Richard Fortunatus Maria*, geb. den 7. Novbr. 1822.
7) *Ottenio Bernhard Julius Eudoxius Maria*, geb. den 7. Mai 1826.

Mutter:

Fürstin *Christiane*, geb. den 25. Juli 1765, Tochter des Grafen
Jos. v. Thun-Klösterle, und der Gräfin A. M. von Uhlefeld, Wittwe
seit dem 15. April 1814.

Das Wappen der v. L. zeigt im rothen Felde zwei neben einander gestellte Weinreben, jede mit einer blauen Traube und einem grünen Blatte.

Dieses einfache Wappen haben auch die Fürsten v. L. beibehal-
ten, nur das Schild mit einem Hermelinmantel, der oben unter einer
Fürstenkrone zusammengehalten wird, umgeben. M. s. auch Zedler's
Universal-Lexikon XVII. 824. a — c. Sinapius, II. S. 366 — 368.
Gauhe, I. S. 897. Okolzki Orb. Pol. T. II. p. 413. Goth. geneal.
Hofkalender von 1837. S. 115.

Lichtenau, die Gräfin von.

Diesen Namen erhielt die früher verheirathet gewesene Kämmererin Rietz, geborne Encke, Mutter des Grafen und der Gräfin von der Mark (m. s. dies. Art.), Kinder des Königs Friedrich Wilhelms II., bei ihrer Erhebung in den gräflichen Stand, am 28. April des Jahres 1794, nach dem ihr geschenkten Gute Lichtenau in der Neumark, das gegenwärtig dem Kanonikus Rietz gehört. Nähere Nachrichten über die Gräfin v. L. giebt die Schrift: Apologie der Gräfin v. Lichtenau, Breslau. 1806. Es wurde der Gräfin v. L. bei ihrer Erhebung folgendes Wappen beigelegt. Das Schild ist gespalten, die rechte Hälfte silbern und in derselben ein halber preuss. Adler vorgestellt. In der Mitte der linken blauen Hälfte zeigt sich eine Königskrone. Dieselbe wiederholt sich zwischen zwei Adlerflügeln schwebend auf dem Helme. M. s. Neues Wappenbuch der preuss. Monarchie II. S. 67.

Lichtenhain, die Herren von.

Früher wurde dieses alte Geschlecht v. Lichtenhahn genannt. Es gehört Sachsen und Thüringen an, und sein gleichnamiger Stammort liegt bei Jena. Schon zur Zeit des deutschen Ritterordens hat sich ein Ast dieses Geschlechts nach Preussen und Pommern gewendet (Beyer, Jen. pag. 345). Diese Familie erwarb ansehnliche Güter bei Weissenfels, namentlich Ostra und Draschwitz; auch war es beim Städtchen Schlieben ansässig. Bei dem im Jahre 1205 auf dem Culmberge gehaltenen sächsischen Landtage waren schon Ritter aus diesem Hause gegenwärtig (m. s. Wecke, Dresdner Chronik pag. 436.). — *Valentin* v L., auf Baelshain, vertheidigte im Jahre 1542 die Rechte der Katholiken gegen den lutherischen Bischof Nikolas Amsdorf zu Naumburg, und verlor darüber seine Güter und seine Freiheit. Eine Linie in Thüringen erlosch im Jahre 1655 mit *Georg* v. L. auf Glehna. — In der preuss. Armee haben mehrere v. L. gestanden, namentlich von der pommerschen Linie der Oberstlieutenant v. L., früher im Feldjägerregiment, zuletzt Commandeur des ostpreuss. Jägerregiments, gestorben im Jahre 1811. — Ein Pr. Lieutenant v. L., der im 12. Husarenregiment gestanden hatte, starb vor einigen Jahren zu Debitsch bei seiner Mutter, die in zweiter Ehe mit einem v. Minckwitz vermählt war. — Zu Zeitz starb am 7. Novbr. 1833 der königl. sächsische Oberst a. D., *Christian* v. L. Das Wappen der v. L. zeigt im rothen Schilde ein rothes Kammrad, das acht Zacken, und in der Mitte eine Oeffnung hat. Auf dem Helme steht ein eben solches Kammrad, oben mit einem Pfauenschweif, zu dreien und dreien besetzt. Die Helmdecken roth und silbern.

Liebe, die Herren von.

Die, ihrem Ursprunge nach sächsische, adelige Familie v. Liebe kam unter dem Herzoge Karl II. zu Münsterberg und Oels nach Schlesien, wo sie die Güter Neuhof und Allerheiligen im Fürstenthume Oels erwarb. Der Ahnherr des Geschlechtes in Schlesien war *Hans* v. Liebe, Herzogs Karl II. zu Münsterberg und Oels Rath, Herr auf Neuhof und Allerheiligen. Sein zweiter Sohn, *Heinrich* v. L., blieb als königl. schwedischer Oberstlieutenant in einem Treffen am 26.

August 1634, und dessen Neffe, *Johann Georg* v. L., königl. schwedischer Oberst, scheiterte an der Küste der Ostsee, und verlor dabei das Leben. In Schlesien pflanzte *Wenzel* v. L., ein Enkel des oben erwähnten *Hans* v. L., seinen Stamm fort. Als einer der Letzten, vielleicht der Letzte, der schlesischen Linie dieses adeligen Hauses erscheint *Christian Friedrich* v. L., der Sohn des Vorigen, Herr auf Kotzobenitz und Elguth im Fürstenthum Teschen. Er hatte zwar aus der Ehe mit Helena Katharina, Freiin v. Marcklowski, 4 Kinder, sie starben aber bis auf eine Tochter, *Anna Christiane*, im jugendlichen Alter. Diese Familie führt, oder führte, ein quadrirtes Schild; im ersten und vierten goldenen Felde ist eine schwarze schräg laufende Strasse, darin drei goldene Kleeblätter, das zweite und dritte Feld ist roth und mit einer weissen Rose belegt. Auf dem gekrönten Helme sind zwei Adlerflügel, der rechte ist oben gelb, und belegt mit der schwarzen Strasse und den Kleeblättern, unten roth, mit der weissen Rose, der linke ist oben roth, mit der weissen Rose, und unten golden und mit der Strasse und den Kleeblättern belegt. Die Decken sind rechts schwarz und golden, links roth und silbern. Von Meding beschreibt dieses Wappen III. Bd. S. 490. Siebmacher giebt es im 4. Th. S. 114. Nachrichten über die Familie v. L. giebt Sinapius I. S. 594. und II. S. 779., auch Gaube I. S. 902.

Liebeherr, die Herren von.

Matthias Heinrich v. Liebeherr war um das Jahr 1740 Bürgermeister zu Stettin. Er erkaufte am 17. Septbr. 1745 von den Gebrüdern v. Steinwehr das Gut Woitsick, welches man auf alten Charten auch Gutsick geschrieben findet. Es liegt an der Plöne, eine Meile von Pyritz. Die Wittwe des gedachten Bürgermeisters v. L. besass das genannte allodificirte Gut bis zu ihrem am 23. Febr. 1757 erfolgten Tode; dann fiel es den beiden aus dieser Ehe nachgelassenen Söhnen zu. Der ältere, *August Wilhelm* v. L., überliess es nach einem Vergleich vom 23. April 1762 seinem Bruder, dem Landschaftsrath *Karl Albrecht* v. L. — Sehr merkwürdig ist die ansehnliche Bibliothek von gedruckten und geschriebenen Nachrichten, die sich auf die Provinz Pommern beziehen, wobei sich auch ein grosses Wappenbuch befand. Dieser litterarische Schatz gehörte dem Herrn v. L. auf Woitsick und ist namentlich auch von Brüggemann zu seiner Beschreibung des königl. preuss. Herzogthums Vor- und Hinterpommern benutzt worden. — In der preuss. Armee stand ein Enkel des gedachten Bürgermeisters v. L. Er war im Jahre 1806 Stabscapitain im Regiment v. Treskow und zuletzt Major v. d. A. und Postmeister zu Braunsberg. — Ein Bruder des eben Genannten war der Major und ehemalige Commandeur des 1. kurmärkischen Landwehrregiments v. L., und ist im Jahre 1824 gestorben. Vor dem Jahre 1806 stand er als Stabscapitain im Regiment v. Brüsewitz-Dragoner. So viel uns bekannt ist, war derselbe auch der Erbe des im Jahre 1811 verstorbenen Generallieutenants v. Brüsewitz. — Gegenwärtig steht ein Lieutenant v. L. in dem Regiment Kaiser Alexander Grenadier. Diese Familie führt ein quadrirtes Schild, in dessen erstem und 4. silbernen Felde zwei, jede an einem Stocke aufgewundenen, mit drei schwarzen Weintrauben behängte Weinstöcke abgebildet sind, im 2. und 3. rothen Felde zeigt sich ein goldener, einwärts gekehrter Greif mit aufgesperrtem Schnabel, roth ausschlagender Zunge und unten sich windendem Schweife, worüber ein blauer Sparren liegt. Das Schild ist mit einem gekrönten Helme bedeckt, auf welchem sich

der oben näher bezeichnete Greif wachsend wiederholt, der hier in
der rechten Klaue eine schwarze zweiblättrige Weintraube hält. M.
s. Brüggemann.

Liebenau, die Herren von.

1) Eine sächsische, dem Vernehmen nach aus Schwaben gekommene Familie, die schon im 13. Jahrhunderte in Ansehn und Würden
stand. Nicht allein in der sächsischen Armee, sondern auch im
preussischen Heere haben viele Mitglieder derselben gedient. Die
Brüder *Georg Ludwig* und *Heinrich Wilhelm*, und deren Vetter *Wilhelm Ludwig* v. Liebenau, erhielten am 23. Juli 1767 ein Erneuerungsdiplom ihres alten Adels. In der sächsischen Armee gelangte *Johann
Sigismund* v. Liebenau zur Würde eines kursächsischen Geheimen
Kriegsraths, Ober-Inspectors der Fortificationen, und Ober-Comman-
danten der sächsischen Festungen. — In der neuesten Zeit war ein
v. L. sächsischer General. Ein anderes Mitglied dieser Familie, *Friedrich Christian* v. L., starb am 18. Septbr. 1832, nach mehr als 50-
jähriger Dienstzeit, als königl. sächsischer Oberst und Commandant
des 3. Linienregiments. — In der preuss. Armee stand bis zum
Jahre 1820 ein Major v. L. bei dem 9. Garnison-Bataillon. Er war
im Jahre 1806 Capitain in dem Regimente v. Owstin zu Stettin. —
Ein Sohn desselben ist der Hauptmann v. L. im 13. Infanterie-Regiment zu Münster.

2) Eine gleichnamige Familie, die auch v. Liebenow geschrieben
wird, kommt schon im 15. Jahrhunderte in Schlesien vor, wo 1437
ein *Petzko* de Liebenow Miles, ein Ritter am Hofe des Herzogs Bolko
zu Münsterberg war. Siebmacher giebt V. S. 124. das Wappen der
v. L. unter den schwäbischen. Es zeigt im goldenen Schilde und auf
dem Helme ein zusammengebogenes schwarzes Hirschgeweih. M. s.
Sinapius II. S. 780.

Liebermann, die Herren von.

Dieses adelige Geschlecht war früher in Pommern ansässig und
ist gegenwärtig in Schlesien begütert. Das in Pommern finden wir
auch Liebermann v. Sonnenberg geschrieben. In Pommern erwarb
Johann Ludwig v. L. am 17. April 1717 das ehemals alte Lettowsche
Lehn Corow im Kreise Rummelsburg, er verkaufte es aber später
wieder an den Grafen Adam Joachim v. Podewils. In Schlesien besitzt die Familie v. L. die schönen Dalkauer Güter zwischen Glogau
und Neustädtel. Aus dem Hause Dalkau ist der ausserordentliche Gesandte, bevollmächtigte Minister am russischen Hofe zu St. Petersburg, ein Ritter, *August* v. L. —

Sehr viele Edelleute dieses Namens haben in der Armee gedient
und mehrere stehen noch in derselben. — Bei dem Regimente Alt-
Larisch stand ein Major v. L., der schlesischen Linie angehörig. Er
ist im Jahre 1817 im Pensionsstande gestorben. — Ein anderer Major v. L., der Chef der magdeburger Invalidencompagnie zu Mansfeld war, gehörte der Pommerschen Linie an. Er starb im Jahre
1815, fast 90 Jahre alt. — Ein Major v. L. stand bis zum Jahre
1811 im 10. Infant.-Regimente; er hatte früher in der 1. warschauer
Füsilierbrigade gedient. — Ein Capitain v. L. stand in dem Regimente v. Thiele zu Warschau und ist 1814 in Schlesien gestorben. —
Im 34. Infant.-Regim. steht ein Major v. L., der im Jahre 1806 bei

dem Regimente v. Kleist in Magdeburg diente; ein anderer Major, *Eduard* v. l., aus dem Hause Wettschütz, der seine militairische Laufbahn in dem Regimente v. Prittwitz-Dragoner begonnen hatte, und im Jahre 1828 Rittmeister und Adjutant beim Commando des 6. Armeecorps war, ist gegenwärtig Major und dem 1. Uhlanenregimente aggregirt. Er erwarb sich das eiserne Kreuz im Feldzuge 1813. — Ein Capitain a. D. v. Liebermann, der zuletzt der 1. Artilleriebrigade aggregirt war, erhielt diesen Orden für die Schlacht von Gross-Beeren.

Ein vor uns liegender Stammbaum dieser Familie beginnt mit *Johann* v. l., Referendar in Stolpe, vermählt mit Pauline v. Heidebreck. — Abkommen von demselben waren 1) *Georg Matthias* v. l., vermählt mit Dorothea Elisabeth v. Bojanowski, Oberstlieutenant bei dem Regimente Camas in Glogau und Erbherr auf Wettschütz bei Glogau. Ein Sohn des Letztern war *August Gottlob* v. l. auf Dalkau, Reiche, Samitz, Bannau u. s. w. Er starb am 15. April 1803 zu Dalkau. Seine Wittwe, Karoline Wilhelmine Tugendreich, geb. v. Stosch, besass noch in der neuesten Zeit die genannten Güter. — Der älteste Sohn aus dieser Ehe ist der oben erwähnte *August* v. l., geb. zu Dalkau im Jahre 1791. Eine Schwester von ihm ist an den Major v. Niebelschütz vermählt. — Enkelkinder des *Georg Matthias* v. l. sind der oben erwähnte Major im 1. Uhlanenregimente. *Eduard* v. l. und *Eugenia* v. l., Wittwe des Oberstlieutenants im Ingenieurcorps v. Loos, der im Jahre 1813 a. D. zu Breslau starb. Die v. Liebermann führen im silbernen Schilde einen gebarnischten, Schild und Schwert haltenden Ritter, und auf dem Helme zwischen zwei Büffelhörnern eine Sonne (Sonnenberg).

Liebthal, die Herren von.

1) Liebthal, Löwenthal und Liebenthaler ist der Name eines edlen, aber schon seit fast 400 Jahren erloschenen Geschlechts in Schlesien. Aus demselben stiftete *Jutta* oder *Judith* v. l., und ihr Sohn das jungfräuliche Stift vom Orden des St. Benedicti im Jahre 1221, und im Jahre 1291 formte sich der Ort Lieben- oder früher Löwenthal zur Stadt. Dieser Ort, nebst mehreren Schlössern und Dörfern war durch diese Stiftung ein Eigenthum des genannten Klosters geworden. Frau Jutta war die erste Aebtissin und ihr Sohn der erste Propst desselben. Das vornehme Geschlecht der Liebthal oder Liebenthaler erlosch mit *Katharina* v. Liebthal, die sich im Jahre 1450 mit Christoph v. Hohberg vermählte und diesem ihrem Gemahl Giersdorf nebst andern Gütern und demjenigen Erbe ihres Hauses zubrachte, welches nach der Gründung des oben genannten Klosters ihm noch verblieben war. Diese Vermählung war einer der Grundpfeiler des nachmaligen, jetzt gräflich Hohbergschen Hauses.

Das Kloster Liebenthal wurde im Jahre 1810 säcularisirt, jedoch bewirkte die Aebtissin Barbara Friedrich, dass sie mit ihrem Convent hier bleiben und die Nonnen anderer säcularisirter Klöster aufnehmen dürfe, weshalb es jetzt die Benennung des Centralklosters führt.

Die v. L. führten im silbernen Schilde einen von der obern Rechten zur untern Linken gezogenen Balken, der aus einem roth und silbernen Schachbret besteht. Auf dem Helme ist zwischen acht Straussfedern, von denen auf jeder Seite vier herabhängen, ein eben so geschachteter Hut, wie der im Schilde befindliche Balken, dargestellt. Helmdecken roth und silbern. Dieses Wappen giebt Siebmacher, I. S. 57.

2) Ein adeliges Geschlecht in den Marken, von dem wir jedoch nicht anzugeben vermögen, ob es mit dem schlesischen unter No. 1. erwähnten ein und dieselbe Familie ist. Es besass mehrere Güter in der Neumark, namentlich Craatzen, Neuenberg und Rentz im Kreise Soldin.

Liechtenstein, die Fürsten von.

Das fürstliche Haus Liechtenstein gehört unter die regierenden und souverainen Familien und sein Haupt zu den Fürsten des deutschen Bundes; daher nicht in ein Adelslexicon, wohl aber in ein die preussischen Staaten betreffendes Handbuch.

Als Herr der Fürstenthümer Troppau und Jägerndorff preuss. Antheils, ist der Fürst von Liechtenstein preuss. Standesherr in Schlesien, und derselbe schickt seinen Deputirten oder Bevollmächtigten auf die Landtage der Provinzialstände. Dieses fürstliche Geschlecht, dessen Abstammung von vielen Autoren aus dem berühmten und erlauchten Hause Este in Italien abgeleitet wird, kommt schon im 10. Jahrhunderte unter den ritterlichen Familien der österreichischen Erblande vor.

Es erwarb grosse Besitzungen und wusste sich von jeher durch Treue und Ergebenheit die Huld der Kaiser und Fürsten des österreich. Hauses zu erhalten. Früher blühte diese Familie in zwei Hauptlinien: Liechtenstein - Murau in Steyermark, und Liechtenstein - Nikolsburg in Oesterreich. Aus letzterer hatte *Hartmann* II. (starb 1585) die sämmtlichen Besitzungen seines Hauses wieder vereinigt, die sodann seine Söhne *Karl* und *Gundaccar*, Herren v. Liechtenstein, Ersterer 1618, Letzterer 1623, von dem Kaiser mit der erblichen Reichsfürstenwürde bekleidet, aufs Neue theilten, so, dass mit jenem die karolinische, mit diesem die gundaccarsche Linie begann.

Karl erlangte 1614 vom Kaiser Matthias das Fürstenthum Troppau und 1623 vom Kaiser Ferdinand II. das Fürstenthum Jägerndorff in Schlesien. Der Enkel Karls, Fürst *Johann Adam Andreas*, letzter Mannessprosse der karolinischen Linie, erkaufte die unmittelbare Grafschaft Vaduz nebst der Herrschaft Schellenberg, nämlich die letztere im Jahre 1699, die erstere im Jahre 1708, von dem Grafen von Hohenembs. Er erlangte auch ein fürstliches Votum am schwäbischen Kreise, welchem er ein Capital von 250,000 Fl. unverzinslich dargeliehen hatte. Da er den 16. Juni 1712 die karolinische Linie beschloss, so fielen die sämmtlichen Güter an die damaligen beiden Aeste der gundaccarschen Linie. Doch erwähnen wir, dass in weiblicher Linie noch eine Tochter des letzten Fürsten der karolinischen Linie, *Maria Therese Anna Felicitas* lebte. Sie war am 7. Mai 1696 geboren, vermählte sich am 24. Octbr. 1713 mit Thomas Emanuel, Prinzen v. Soissons, wurde Wittwe von demselben am 28. Decbr. 1729, und stiftete im Jahre 1750 eine Academie für junge Cavaliere zu Wien, die später zur Disposition des Kaisers gestellt wurde. Ihr Gemahl, der Prinz von Soissons, war der letzte Sprössling seines aus dem fürstlichen Hause Savoyen stammenden Geschlechtes, das auch den berühmten Helden Eugen zu seinen Zweigen zählte.

Schon mit Gundaccars Enkeln (den Söhnen Hartmanns) hatte sich die letztere Linie wieder getheilt, indem a) *Johann Anton Florian* (starb den 11. Octbr. 1721), kaiserlicher Oberhofmeister, vermählt mit Eleonora Barbara, des Grafen Oswald v. Thun Tochter, den älteren; b) *Philipp Erasmus* (starb 1704) den jüngern Ast derselben begründet hatte. Des Letztern Sohn, *Joseph Wenzel*, und vorgedachter *Johann Anton Florian* waren 1712, da die karolinische Linie erlosch, die damaligen Häupter beider Aeste der gundaccarischen Linie. *Johann Anton Florian* erbte, als Haupt des älteren Astes das alte liechtensteinsche Majorat; *Joseph Wenzel* aber, Haupt des jüngern Astes, erhielt das bei dem schwäbischen Kreise stehende Capital und die unmittelbaren Grafschaften Vaduz und Schellenberg. Letztere verkaufte er sodann an den Fürsten *Johann Anton Florian*, der 1713 für seine Person Sitz und Viril-Stimme auf dem Reichstage erlangt hatte, und zu dessen Gunsten Kaiser Karl VI. die gedachten schwäbischen Besitzungen in ein Fürstenthum unter dem Namen Liechtenstein erhob. Sein Sohn *Joseph Johann Adam* (geb. 1690, starb den 17. Dec. 1732) Grand von Spanien 1. Classe, kaiserl. königl. wirkl. Geheimer Rath, war viermal vermählt, 1) mit Gabriele, Tochter Johann Adam Andreas, Fürsten v. Liechtenstein karolinischer Linie, geboren 1692, gestorben den 8. Octbr. 1713. 2) Maria Anna, Tochter des Grafen Maximilian v. Thun, geb. d. 27. Septbr. 1698, gest. d. 20. Febr. 1716. 3) Maria Anna Katharina, Tochter des Fürsten Franz Albert zu Oettingen-Spielberg, geb. d. 21. Septbr. 1693, gest. d. 15. April 1729. 4) Maria Anna, Tochter des Grafen Franz Karl v Kottulinsky, die sich nach dem Tode des Fürsten Joseph Johann Anton mit Ludwig Ferdinand, Grafen v. Schulenburg-Oeynhausen vermählte.

Er wurde 1723, zwei Jahre nach des Vaters Tode, auf den Grund dieses neuen Fürstenthums, für sich und seine Descendenz in das reichsfürstliche Collegium aufgenommen, allein seine Linie erlosch schon 1748 mit seinem einzigen Sohne *Johann Karl*.

Hierauf folgte im Besitz des Fürstenthums und sämmtlicher übrigen Herrschaften der jüngere Ast der gundaccarschen Linie, dessen damaliges Haupt der schon gedachte Fürst *Joseph Wenzel*, geb. am 10. August 1696, gest. 1772, war. Sein vollständiger Titel war Herzog zu Troppau und Jägerndorff, Ritter des goldenen Vliesses und Grosskreuz des ungarischen St. Stephansordens, kais. kön. wirklicher Geheimer Rath, General-Feldmarschall, General-Feld-Land- und Haus-Artillerie-Director, Oberster über ein Regiment Dragoner und Chef des Artillerie-Regiments. Seine Gemahlin Maria Anna Josepha war Anton Florians, des Fürsten v. Liechtenstein, (seines Oheims) Tochter, vorher vermählt gewesene Gräfin v. Thun, starb am 23. Januar 1753. Dieser Fürst war es, dessen grosse Verdienste um das österreichische Kriegs- und Artilleriewesen von der Kaiserin Maria Theresia durch ein öffentliches Monument in dem Arsenal zu Wien und eine 1773 geprägte Gedächtnissmünze anerkannt wurden.

Da sein einziger Sohn in zarter Jugend verstorben war, so beerbten ihn seines Bruders *Emanuel* Söhne, nämlich:

a) *Franz Joseph*, der als Erstgeborner in der Regierung und in dem Besitze des grössern Majorats folgte, und

b) *Karl Borromäus*, dem das zweite Majorat zufiel.

Beide pflanzten in hohem Ansehen das vornehme Geschlecht fort und wurden die Stifter der noch blühenden Linien.

Gegenwärtig lebende Glieder des fürstlichen Hauses.

Fürst *Aloys Joseph*, geb. d. 26. Mai 1796, Herzog von Troppau und Jägerndorff, succ. seinem Vater, dem Fürsten Johann Joseph den 20. April 1836, verm. den 8. August 1831 mit Francisca de Paula, geb. Gräfin Kinsky, geb. d. 8. August 1813.

Töchter:

1) Prinzessin *Marie*, geb. d. 20. Sept. 1834.
2) Prinzessin *Karoline*, geb. d. 27. Febr. 1836.

Geschwister:

1) Pr. *Marie Sophie*, geb. d. 5. Septbr. 1798, Dd. P. St.-Kr. Dame, vermählt d. 4. August 1817 mit dem Grafen Vincenz Esterhazy v. Galantha, k. k. Kämmerer und Generalmajor, Wittwe seit d. 19. Octbr. 1835.

2) Pr. *Marie Josephine*, geb. d. 11. Januar 1800.

3) Pr. *Franz de Paula Joachim*, geb. d. 25. Febr. 1802, k. k. Oberst bei Kaiser von Russland-Husaren N. 9.

4) Pr. *Karl Johann Nepomuk Anton*, geb. d. 14. Juni 1803, k. k. Major, verm. d. 10. Sept. 1832 mit Rosalie, geb. Gräfin Grunne, geb. d. 3. März 1805, Stkr. D., Wittwe des Grafen Ludwig v. Schönfeld seit d. 19. August 1828.

Sohn:

Prinz *Rudolph*, geb. d. 28. Decbr. 1833.

5) Pr. *Henriette*, geb. d. 1. April 1806, vermählt d. 1. Octbr. 1825 mit dem Grafen Joseph Hunyady, k. k. Kämmerer.

6) Pr. *Friedrich*, geb. d. 21. Sept. 1807, k. k. Rittmeister bei Erzherzog Ferdinand-Husaren N. 3.

7) Pr. *Eduard Franz Ludwig*, geb. d. 22. Febr. 1809, k. k. Hauptmann bei Pollner-Infanterie N. 48.

8) Pr. *August Ignaz*, geb. d. 22. April 1810, k. k. Rittmeister bei Prinz Reuss-Husaren N. 7.

9) Pr. *Ida Leopoldine Sophie Marie Josephine Francisca*, Stkr. D. und D. d. P., geb. d. 12. Sept. 1811, Gemahlin des Fürsten Karl von Paar.

10) Pr. *Rudolf*, geb. d. 5. Octbr. 1816, k. k. Lieutenant bei Wallmoden-Kürassier N. 6.

Mutter:

Fürstin *Josephine Sophie*, geb. d. 20. Juni 1776, des Landgrafen Friedrich zu Fürstenberg-Weytra Schwester, vermählt d. 12. April 1792 mit dem Fürsten *Johann Joseph*, Herzoge v. Troppau und Jägerndorff, k. k. General-Feldmarschall und Inhaber des 7. Husarenregiments, Wittwe seit d. 20. April 1836.

Vaters-Schwester:

Pr. *Marie Josephine Hermengilde*, geb. d. 13. April 1768, Dame de Palais, verm. mit dem Fürsten Nikolaus Esterhazy von Galantha, d. 15. Septbr. 1783. Dessen Wittwe seit d. 24. Nov. 1833.

Nachkommen des Grossvaters-Bruders, des am 21. Febr. 1789 verstorbenen Prinzen *Karl Borromäus Joseph:*

1) Pr. *Karl Johann Nepomuk*, geb. d. 1. März 1765, gest. d. 24. Dec. 1795; dessen Wittwe:

Pr. Marie Anne Josephine, geb. d. 19. Novbr. 1770, des Grafen Franz Anton v. Khevenhüller Tochter.

Sohn:

Pr. *Karl Franz Anton*, geb. am 23. Octbr. 1790, k. k. Kämmerer und Generalmajor, vermählt den 21. August 1819, mit Pr. Francisca, geb. am 2. Decbr. 1799, Tochter des Grafen Rudolph v. Wrbna-Freudenthal, D. d. P.

Kinder:

a) Pr. *Marie Anna*, geb. am 25. Aug. 1820.
b) Pr. *Karl Rudolf*, geb. am 19. April 1827.
c) Pr. *Elise*, geb. am 13. Novbr. 1832.

Liechtenstein. 241

d) Pr. *Francisca*, geb. d. 30. Octbr. 1833.
e) Pr. *Marie*, geb. d. 19. Septbr. 1835.
2) Pr. *Joseph Wenzel*, geb. d. 21. August 1767, k. k. Major.
3) Des Pr. *Moritz Joseph* (starb d. 24. März 1819) Wittwe, Leopoldine, geb. d. 31. Januar 1788, Tochter des verstorb. Fürsten Nikolaus Esterhazy v. Galantha, D. d. P.

Kinder:

a) Pr. *Marie*, geb. d. 31. Decbr. 1808, vermählt d. 9. Septbr. 1826 mit dem Fürsten Ferdinand v. Lobkowitz.
b) Pr. *Eleonore*, geb. d. 25. Decbr. 1812, vermählt d. 23. Mai 1830 mit dem Fürsten Joh. Adolf v. Schwarzenberg, k. k. Kämmerer.
c) Pr. *Leopoldine*, geb. d. 4. Mai 1815.

Eltern des jetzt regierenden Fürsten:

Johann Joseph, geb. d. 26. Juni 1760, Herzog von Troppau und Jägerndorff, k. k. österreichischer General-Feldmarschall, Inhaber des 7. Husarenregiments, Ritter des goldenen Vliesses, Grosskreuz des Maria-Theresienordens starb am 20. April 1836. (M. s. weiter unten die nekrologischen Nachrichten). Er war vermählt mit Josephine Sophie, Landgräfin v. Fürstenberg. (M. s. oben).

Dessen Geschwister:

1) *Aloys Joseph*, geb. d. 14. Mai 1759, gest. am 24. März 1805. Er war vermählt mit Karoline Engelberte Felicitas, Tochter des Grafen Johann Wilhelm zu Manderscheid-Blankenhain und Gerolstein, geb. d. 13. Novbr. 1768, gest. am 11. Juni 1831.
2) *Marie Leopoldine Adelgunde*, geb. d. 30. Januar 1754, war vermählt am 1. Septbr. 1771 mit Karl Emanuel, regierendem Landgrafen zu Hessen-Rheinfels-Rothenburg.
3) *Marie Antonie*, geb. d. 14. März 1756, vermählt d. 16. April 1781 mit dem Marquis Joseph de Santa Cruz, Grand von Spanien.
4) *Philipp Joseph*, geb. d. 7. Juli 1762.
5) *Marie Joseph Hermengilde*, geb. d. 13. April 1768, vermählt den 15. Septbr. 1783 mit Nikolas, Fürsten Esterhazy v. Galantha, Dame de palais (lebt in Wien).

Grosseltern:

Franz Joseph, geb. d. 29. Novbr. 1726, folgte seinem Vaterbruder Joseph Wenzel im grössern Majorat und als Regierer des Hauses am 10. Febr. 1772, k. k. Geheimer Rath und Kämmerer, starb d. 18. August 1781 zu Metz, Gemahlin Leopoldine, des Grafen Franz Philipp v. Sternberg Tochter, geb. d. 11. Decbr. 1733, vermählt d. 6. Juli 1750, Stkr. D., starb als Wittwe d. 5. April 1800 zu Wien.

Grossvatersgeschwister:

A. *Karl Joseph Borromeus*, geb. 1730 am 29. Sept., gest. am 29. Jan. 1789, succ. dem Oheim Johann Wenzel in einigen zum zweiten Majorat gehörigen Herrschaften, wurde Stifter der karlischen Linie und war k. k. wirkl. Kämmerer, General-Feldmarschall, erster Capitain-Lieutenant der Arcieren-Leibgarde, Inhaber eines Regiments Chevaux légers. Seine Gemahlin war Maria Eleonore, des Fürsten Johann Aloys von Oettingen Tochter, geb. am 7. Juli 1745.
B. *Philipp Joh. Franz*, geb. d. 8. Septbr. 1731, starb als k. k. Major d. 6. Mai 1757 in der Schlacht vor Prag.
C. *Emanuel Joseph*, geb. den 24. August 1732, starb d. 10. Decbr. 1738.

v. Zedlitz Adels-Lex. III.   16

D. *Johann Joseph*, geb. d. 2. März 1734, k. k. General-Feldmarschall-Lieutenant der Cavallerie und Chef des Kürassierreg.
Modena, starb d. 18. Febr. 1781.

E. *Anton*, geb. d. 22. Juni 1735, gest. d. 6. Mai 1737.

F. *Joseph Wenzel*, geb. d. 27. Juni 1736, gest. d. 19. März 1739.

G. *Marie Amalie*, geb. d. 11. August 1737, gest. d. 20. Oct. 1787
Gemahl Siegmund Fr., Fürst v. Khevenhüller-Metsch, vermählt 1751, gest. 1801.

H. *Maria Theresia*, geb. d. 15. Octbr. 1738, gest. als Wittwe 1814,
Gemahl Philipp, Grafen v. Waldstein-Dux, vermählt 1757,
gest. 1775.

I. *Maria Franziska*, geb. d. 27. Nov. 1739, starb als Wittwe 1821.
Gemahl Karl Joseph, Fürst v. Ligne, Grand von Spanien, k.
k. Feldmarschall (berühmten Andenkens) starb 1814.

K. *Maria Christine*, geb. als Zwilling den 1. Septbr. 1741, starb
als Wittwe, Gemahl Franz Ferdinand v. Kinsky auf Chlu-
metz, vermählt 1761, gest. 1806.

L. *Marie Therese*, Zwilling mit der vorigen, starb d. 30. Juni 1766,
Gemahl Karl, Fürst von Pálffy, vermählt 1763, gest. 1816.

M. *Leopold Joseph*, geb. d. 20. Januar 1743, k. k. General-Feldwachtmeister, starb d. 31. Decbr. 1771.

Urgrosseltern:

Emanuel (Sohn Erasmus, Enkel Hartmanns, geb. d. 9. Februar
1613, gestorben den 13. Febr. 1685, seine Gemahlin war Lidono Elisabeth, des Grafen zu Salm-Reifferscheid Tochter, geb. 1621, vermählt den 21. Octbr. 1640, gest. d. 23. Septbr. 1688 als Mutter von
vier und zwanzig Kindern, und Urenkel Gundaccars), geb. d. 3. Febr.
1700, k. k. wirkl. Geheimer Rath und Kämmerer, auch der weiland
Kaiserin Wilhelmine Amalia Oberhofmeister, Ritter des goldenen Vlie-
ses, starb d. 15. Januar 1771, Gemahlin Marie Antonie, des Grafen
Karl Ludwig v. Dietrichstein-Weichselstädt Tochter, geb. d. 10. Sept.
1707, vermählt d. 14. Januar 1726, starb d. 7. Januar 1777. Sie war
des Sternkreuz-Ordens-Raths Assistentin.

Vorfahren der karlischen Linie.

Vater des Prinzen *Karl Franz Anton*, Prinz *Karl Johann Nepomuk*, geb. d. 1. März 1765, Sohn des Prinzen Karl Borromäus Joseph, gest. am 24. Decbr. 1795, dessen Wittwe Josephine, Fürstin v.
Khevenhüller, s. oben.

Geschwister desselben:

1) *Marie Josephine Eleonore*, Tochter des Prinzen Karl Borromeus,
geboren am 6. Decbr. 1763, vermählt an den Grafen Johann Nepomuk Ernst v. Harrach, gest. am 23. Septbr. 1833.

2) Prinz *Joseph Wenzel* (s. oben).

3) Prinz *Moritz Joseph*, geb. d. 21. Juli 1775, gest. am 24. März
1819 als k. k. Feldmarschall-Lieutenant, Ritter des Theresienordens, Inhaber eines Kürassierregiments u. s. w.

4) *Franz Aloys Crispin*, geb. d. 25. Octbr. 1776, starb als kaiserl.
Hauptmann 1794 zu Brüssel an den bei Ypern erhaltenen Wunden.

5) *Aloys Gonzaga Joseph*, geb. d. 1. April 1780, starb d. 4. Novbr.
1833 als k. k. Feld-Zeugmeister, commandirender General im
Königreiche Böhmen, Commandeur des Maria-Theresienordens,
Inhaber eines Infanterie-Regiments und ausserordentl. Gesandter

und bevollmächtigter Minister des Johanniterordens am österreichischen Hofe. (War unvermählt).

Die Besitzungen des fürstlichen Hauses.

Das unmittelbare Fürstenthum hat nur einen Flächenraum von 2½ Quadratmeile, worauf gegen 7000 Einwohner, der katholischen Kirche angehörig, in 2 Marktflecken, 9 Dörfern und 2 Schlössern, zusammen mit ungefähr 1300 Häusern, wohnen.

Die mittelbaren Fürstenthümer dieses regierenden Hauses betragen aber mehr als 105 Quadratmeilen und würden, wenn sie einen selbstständigen Staat ausmachten, ein Land bilden, das grösser als das Herzogthum Luxemburg und fast so gross als das Grossherzogthum Oldenburg, mehr als die Hälfte des Kurfürstenthums Hessen und mehr als das dreifache Areal des Grossherzogthums Mecklenburg-Strelitz ausmachte. Diese mittelbaren Besitzungen zerfallen

1) in die schlesischen Fürstenthümer Troppau und Jägerndorff, theils unter kaiserl. österreichischer, theils unter königl. preussischer Hoheit.

2) In die österreichischen und mährischen Herrschaften und Güter, die in 8 grosse Administrations-Bezirke eingetheilt sind. Zusammen umfassen diese mittelbaren Besitzungen 29 Herrschaften, 24 Städte, 46 Schlösser, 35 Marktflecken, 756 Dörfer, 11 Klöster und 164 Meiereien; sie sind von nahe an 400,000 Menschen bewohnt. Nicht darin mit eingeschlossen ist das Majorat der karlischen Linie, der die Herrschaften Gross-Meseritsch, Zhorz u. s. w. mit 70,000 Einwohnern angehören.

Die Einkünfte der fürstlichen Hauptlinie werden auf mehr als 1,300,000 Gulden, wozu das Fürstenthum Liechtenstein kaum 17,000 Gulden beiträgt, angeschlagen, die Einkünfte der karlischen Linie berechnet man auf 300,000 Gulden.

Das Bundescontingent beträgt 55 Mann, die zur 3. Division des 8. Heerhaufen gehören.

An der Spitze der gesammten Administrationen steht ein dirigirender Hofrath (gegenwärtig Joseph, Freiherr v. Buschmann); in Vaduz leitet ein Landvoigt (gegenwärtig Michael Melzinger) die Verwaltung. In der deutschen Bundesversammlung hat das Fürstenthum Liechtenstein gemeinschaftlich mit den Häusern Hohenzollern-Hechingen, Hohenzollern-Sigmaringen, Reuss beider Linien, Lippe-Schaumburg und Waldeck, die 16. Stimme, vertreten durch den von diesen genannten Staaten bevollmächtigten Geheimen Rath, Freiherrn von Leonhardi.

Die Fürsten v. Liechtenstein führen ein in 5 Felder getheiltes Schild, das erste obere Feld enthält einen einfachen Adler, das zweite auf schwarzem Felde 5 goldene Balken, die zwei untern Felder in Schildform, deren ersteres sich in zwei weisse und rothe Felder scheidet, das zweite aber einen schwarzen Adler auf goldenem Grunde führt, bilden einen Ausschnitt zwischen sich, in welchem auf blauem Felde ein goldenes Hifthorn hängt. Das Wappen umgiebt die Decoration des goldenen Vliesses und ein Fürstenmantel, und ist mit einem Fürstenhute bedeckt.

Johann, Fürst v. Liechtenstein.

Wir halten es dem Andenken dieses berühmten Mannes, der für einer der vornehmsten Magnaten des preussischen wie des österreichi-

16 *

schen Staates gilt, für angemessen, die sich auf sein Leben und seinen Tod beziehenden uns vorliegenden Nachrichten unserem das fürstliche Haus Liechtenstein betreffenden genealogischen Aufsatze beizufügen.

Im Jahre 1836 den 20. April starb der Feldmarschall Fürst Johann v. Liechtenstein, geboren am 25. Juni 1760, an den Folgen eines Schlaganfalles. Mit der innigsten Neigung zum Soldatenstande geboren, bildete er sich in der Schule des Grafen Lascy schnell zum tüchtigen Offizier aus. Seine ersten Feldzüge machte er gegen die Türken mit, bei welcher Gelegenheit die Treffen bei Giurgewo und Czettin seinen Namen schon rühmlich bekannt machten. Im Jahre 1792 rief ihn des Kaisers Wille nach den Niederlanden, wo die heissen Tage von Bouchain und Cambray seine Tapferkeit aufs Neue beurkundeten. Nicht weniger geschah dies durch die Vorgänge bei Maubeuge im Jahre 1794, bei Heidenheim, Forchheim, Bamberg und Würzburg im Jahre 1796. In der Schlacht an der Trebia, wo er 5 Pferde unter dem Leibe verlor, verdiente sich der Fürst eines der schönsten Blätter aus dem dort errungenen Lorbeerkranze. Die Schlacht bei Novi, die Eroberung von Coni, der Rückzug nach der Schlacht bei Hohenlinden und das Gefecht bei Salzburg sind insgesammt Zeugen seines Ruhmes. Nach dem Unglücke bei Ulm 1805 wurde er durch ein kaiserl. Handschreiben, das ihn vom Krankenlager aufrief, an die Spitze der Armee gestellt. Seine ruhmvolle Mitwirkung bei Austerlitz ist bekannt. Im December desselben Jahres unterzeichnete er als erster Bevollmächtigter Oesterreichs mit dem Fürsten Talleyrand den Frieden von Pressburg. Das Jahr 1809 gab ihm abermals Gelegenheit, seine militairischen Talente zu entfalten. Es folgten die grossen Tage von Aspern und Wagram, und obgleich schon hundertmal dem Kugelregen blossgestellt, wurde jer doch erst hier zum erstenmale verwundet. Nachdem Se. k. k. Hoheit der Erzherzog Karl den Oberbefehl niedergelegt hatte, wurde derselbe dem Fürsten Liechtenstein übertragen, der jedoch, nachdem er noch in demselben Jahre (4. Octbr.) den Frieden zu Schönbrunn unterzeichnet hatte, sich in die Ruhe des Privatlebens zurückzog. Die höchsten Orden des österr. Kaiserstaates, und namentlich der des goldenen Vliesses, so wie das Grosskreuz des Maria-Theresienordens zierten seine Brust, und die höchsten Militairwürden und Ehren, die ihm in schneller Zeitfolge zu Theil wurden, beweisen, dass das ruhmvolle Wirken des Verewigten Anerkennung fand, so wie die hohe Theilnahme von Seite des Kaiserhauses erst jetzt wieder auf Veranlassung dieses Todesfalles ausgesprochen wurde, wie das durch die Hofzeitung veröffentlichte Handschreiben Sr. Maj. des Kaisers an die hinterlassene Wittwe des Fürsten beurkundet. Dasselbe lautet, wie folgt: „Liebe Fürstin Liechtenstein! Die Nachricht von dem Ableben Ihres Gemahls, des Feldmarschalls Fürsten Liechtenstein, hat Mich recht innig betrübt. Er war eine Zierde der Monarchie und meiner Armee, in deren Gedächtniss das Andenken an seine Heldentugenden nie erlöschen wird; daher beklage Ich seinen Verlust eben so aufrichtig, als Ich seinen hohen Werth zu schätzen wusste. Mit diesem Gefühle für den Verewigten verbinde Ich jenes der herzlichsten Theilnahme an Ihrem gerechten Schmerze, und es ist Mir ein wahres Bedürfniss, Ihnen, liebe Fürstin, diese Empfindungen auszudrücken, indem Ich Sie zugleich Meiner vollen Werthschätzung und Meines besonderen Wohlwollens versichere." Wien, den 21. April 1836.

Ferdinand.

Nekrolog des Feldmarschalls Fürsten Johann
von Liechtenstein.

Am 20. April, an demselben Tage, in derselben Abendstunde,
in der sich ihm vor 27. Jahren (20. April 1809) Regensburg ergab,
wodurch der Rückzug des besiegten Heeres über die Donau gesichert
und unberechenbares Unheil verhütet wurde, am Todestage der zwei
grössten Heeresfürsten Oesterreichs, Tillys (20. April 1632) und Eu-
gens (20. April 1736), verschied zu Wien, kurz vor erfülltem 76. Lebensjahre, Johann, souverainer Fürst und Regierer des Hauses Liechtenstein, Herzog zu Troppau und Jägerndorf, Feldmarschall, Inhaber eines Husarenregiments, Ritter des goldenen Vliesses, Grosskreuz
des Theresienordens u. s. w. Er war einem Hause entsprossen, das
Oesterreich eine unglaubliche Zahl berühmter Krieger gab, vom Grossoheim des Verewigten, dem Fürsten Wenzel, dem Schöpfer der österreichischen Artillerie, bis hinauf zu den Heldenbrüdern Ulrich und
Heinrich, Ueberwindern der Ungarn, der Mongolen und der heidnischen
Preussen, Heldenbrüdern, die das verwaiste Oesterreich und Steyermark, nach dem Erlöschen der Babenberger, dem König Ottocar gaben,
und als er Tyrann wurde, es ihm wieder nahmen und an Rudolph v.
Habsburg überlieferten, und aus denen Ulrich zugleich als der Sänger
des „Frauendienstes" und des „Ytwitz" in der altdeutschen Dichter-
welt einen unvergänglichen Namen hat. — Fürst Johann wurde am
26. Juni 1760 dem Fürsten Franz von der Gräfin Leopoldine Sternberg geboren. Er vermählte sich am 12. April 1792 mit Josephine,
Landgräfin v. Fürstenberg, aus welcher Ehe dreizehn Kinder, worunter sieben Prinzen, hervorgingen. Der junge Fürst verdankte seiner
hochverehrten Mutter das ausgezeichnete Wohlwollen Joseph II., und
die zärtliche Sorgfalt des Schöpfers des neueren Kriegssystems in Oesterreich, des Marschalls Moritz, Grafen von Lascy. Er wurde 1782
Lieutenant, 1783 Rittmeister bei Anspach-Kürassiere, 1787, beim
Ausbruche des Türkenkrieges, Major bei Harrach-Dragoner, 1788
zeichnete er sich unter des Kaisers Augen vor Belgrad durch mehrere
kühne Reiterangriffe dergestalt aus, dass der Monarch ihn zum Oberstlieutenant der alten Pappenheimer, damals Kinsky-Chevauxlegers, ernannte. Der Fürst wurde Oberst, als er in der stürmischen Wetternacht
des 20. Juli 1790 den türkischen Entsatz des von den Oesterreichern belagerten Czettin vereitelte, und erhielt den Theresienorden, als er in
dem gleich darauf erfolgten Sturme mit dem nachmaligen Feldzeugmeister und Kriegspräsidenten, Grafen Ignaz Guilay, der Erste auf der
Mauer war. Auf einem ungesattelten Pferde, mit seinen zur Nacht-
ruhe ausgekleideten Leuten, in Abwesenheit seines Obersten, war der
Fürst auf die weit überlegenen, unvergleichlich berittenen und ver-
zweifelten Spahis losgeprallt, warf sie auf ihr eigenes Fussvolk und
rollte Alles in einem wildverworrenen Knäuel der Flucht auf. Seit
dem in der Lützener Schlacht gefallenen Pappenheim, seit dem bei
Mollwitz umgekommenen Römer, hatte die altberühmte österreichische
Cavallerie keinen kühnern Magister equitum, als „den Fürsten Johannes", wie man ihn zu nennen pflegt, dessen wildverwegenes Reiten
und markdurchdringendes, helles und dünnes Commandowort Jedem
unvergesslich sind, der jenes und dieses einmal gesehen und gehört.
Er hat für keinen seinen Platz neben Ziethen und Seidlitz und neben
dem, nur durch eine noch grössere Schaubühne seiner Thaten, nicht
durch grösseren Muth, nicht durch grössere Geistesgaben unvergesslichen Husarengreise Blücher, dem „Marschall Vorwärts". — In 80
grösseren und kleineren Treffen, in 13 Feldzügen (1788—1790, dann

1792—1797, ferner 1799 und 1800, endlich 1805 und 1809) verlor
Fürst Johann, stets von Lust und Hitze ins wildeste Gemetzel hinein-
gezogen, 23 Pferde unter dem Leibe, ohne ein einzigesmal verwundet oder je gefangen worden zu sein. Nur allein bei Wagram erhielt
er eine leichte Contusion durch den Sturz vom erschossenen Pferde. —
Einzig in der Geschichte der Reitergefechte war jenes vor Bouchain
1793, wo er mit seinen Pappenheimern, mit einigen Kürassieren und
Husaren, ohne Fussvolk, auf Vorposten stand, und der Feind mit
10,000 Infanterie, °000 Pferden und 12 Kanonen ihn aufheben wollte,
der Fürst aber wie ein Donnerkeil zuerst die Reiter ins Weite zer-
sprengte, dann sich selbst, der Erste, von oben, in das Carré der
erschrockenen Infanterie stürzte; 4000 Leichen lagen auf dem Wahlplatze, der Rest streckte mit Geschütz und Trophäen die Waffen. —
1791 machte er einen ähnlichen Chok auf das feindliche Lager bei
Maubeuge, und wurde General. Wenige Tage nach dieser Erhöhung
ritt er, Verschiedenes in Feindes Nähe selbst zu erkunden, mit einer
einzigen Ordonnanz bei einbrechender Dämmerung durch den Wald.
Dem Saume desselben nahe gekommen, nahm er mit Erstaunen ein in
geringer Entfernung aufgestelltes feindliches Regiment leichter Pferde
gewahr, und weiter rückwärts in der Ebene Infanteriemassen, wahrscheinlich zu einem nächtlichen Ueberfalle. Zwischen der Gefangenschaft und einem kecken Einfalle blieb keine Wahl. Wahrnehmend,
er werde in seinem blauen, reich mit Gold verbrämten Mantel für einen französischen General gehalten, befahl er der Ordonnanz, sich
zwischen den Bäumen möglichst zu bergen, und rief den an der Front
heruntersprengenden Obersten mit ein paar französ. Worten zu sich; dieser kam auch sogleich heran, seinen vermeintlichen General schon von
Weitem salutirend. „Sie sind mein Gefangener", sprach der Fürst
Johann, ergriff an der einen Seite des Rosses Zügel, die Ordonnanz auf
der anderen, und so jagten sie mit ihm in solcher Sturmeshast davon,
als wäre des Obersten Pferd durch Zauberkunst mit ihnen in verrä-
therischem Bunde gegen seinen eigenen Herrn gewesen. — Im Feldzuge von 1796, von dem kaiserl. Feldherrn selbst beschrieben, schim-
merte des Fürsten Name an den Tagen von Heidenheim, Forchheim,
Bamberg und vorzüglich vor Würzburg, wo er mit der leichten Cavallerie überflügelte und mit der schweren die feindlichen Massen
durchbrach, dass alle Bemühungen Jourdans, sie wieder zum Stehen
zu bringen, fruchtlos blieben. 1797 richtete der Fürst bei Rastadt
mehrere französische Reiterregimenter zu Grunde; 1799 nahm er sich
das schönste Blatt aus dem Lorbeer der zwei wichtigen Tage an der
Trebia (18. und 19. Juni), welche die Vereinigung Macdonalds und
des Heeres aus Neapel mit jenem von Oberitalien unter Moreau verei-
telten, und den Feinde über 20,000 Mann kostete. Er war eben angekommen, war noch gar nicht eingetheilt, war schmerzvoll krank,
focht bloss in heroischer Ungeduld als Volontair mit, und — entschied!
Wie bei Würzburg der Erzherzog Karl, so hob dem Fürsten hier Su-
warow seine Umarmung vom kleinen Kosackenpferde herunter, im
Hemde, mit herabhängenden Strümpfen und offener Halskrause, den
Kantschu statt des Marschallstabs in der Hand. Fürst Johann hatte in
diesem Blutbade [fünf Pferde unter dem Leibe verloren und eine
Kanonenkugel ihm den rechten Rockschoss abgerissen. Er war der
Unverletzliche geblieben. Auch in der dem edlen Joubert verderbli-
chen Schlacht bei Novi bedeckte sich der Fürst mit Ruhm, wie sein
Vetter, Graf Karl Paar, mit seinem, sprüchwörtlich gewordenen, ta-
pferen Grenadierbataillon, und auch des herrlichen Feldzuges letzte
Waffenthat war sein. Am 3. Decbr. ergab sich ihm das stolze Coni.
— Dass der Fürst in jener gräulichen Verwirrung von Hohenlinden

(3. Decbr. 1800, wo die Franzosen bereits umgarnt waren, und die Vernachlässigung der Wasserburger Strasse und das Verirren Richepanses nach Watterpöt den Anschlag gaben) den Rückzug deckte, und bei Salzburg (14. Decbr.) den allzu rasch verfolgenden Lecourbe und Decaen eine eingreifende Lehre ertheilte, gab ihm das Grosskreuz des Theresienordens, wie Würzburg das Commandeurkreuz.

Am 24. März 1805 erfolgte der erblose Hintritt seines Bruders, des Fürsten Aloys, und Fürst Johann trat die Regierung an. Das Haus Liechtenstein hat beinahe 1 Million Seelen, nahe an 1000 Dörfer, über 40 Städte, Städtchen und 70 Flecken. Fürst Johann hat 20 grössere und kleinere Herrschaften erworben. Er hat beide Stammburgen des Hauses, das österreichische Liechtenstein bei Mödling und das steierische Liechtenstein bei Murau, wieder zurückgebracht. — Sieben Monate nach des Fürsten Regierung geschah das Unheil bei Ulm. Er lag auf dem Krankenbette zu Feldsberg. Ein schmeichelhaftes Handschreiben des Kaisers machte ihn mit der Gefahr des Vaterlandes und der Kaiserstadt bekannt, und übergab ihm den Befehl über einen aus Trümmern und aus sechs Bataillonen erst zu schaffenden Heereshaufen. Wie er jenes Häuflein ermuthigt, wie er, mit der Gesichtsrose behaftet, doch stets an der Spitze der Truppen geblieben, wie er bei Austerlitz (2. Decbr. 1805) gefochten, dass er in namenloser Verwirrung den Rückzug gedeckt, Hut und Kleider von Kugeln durchlöchert, mehrere Pferde unter ihm getödtet oder verwundet wurden, ist bekannt. — Er erhielt in der Nacht darauf einen Waffenstillstand für die durchbrochenen, abgeschnittenen, in völliger Deroute flüchtigen Russen, und leitete die erste Unterredung zwischen den Kaisern Franz und Napoleon bei der Czeitschermühle ein. — Er unterzeichnete am 26. Decbr. 1805 mit Talleyrand den Presburger Frieden. — 1806 wurde er commandirender General ob und unter der Enns, und Commandant von Wien. — Der Einzige aller kleinen Reichsfürsten, wurde er nicht mediatisirt, sondern Liechtenstein dem rheinischen Bunde zugezählt, ohne sein Zuthun, ja ohne sein Vorwissen, so wie er, als Buonaparte (der unverhohlen eine hohe Achtung für seine Kriegstugend aussprach) neben anderen Verheissungen, im Laufe der pressburger Unterhandlungen, auch Liechtensteins „vertragsmässige und vollkommene liquide Forderung" von mehr als 1 Million Gulden schwerer Münze auf Ostfriesland zur Sprache bringen liess, ohne Weiteres davon abbrach, ohne ihr früher oder später die mindeste Folge zu geben. In den grossartigen Vorbereitungen zu dem unvergesslichen, ächt nationalen Kampfe des Jahres 1809, des Jahres der Landwehr, des Tyrolerkrieges, des Jahres von Aspern, ist des Fürsten Thätigkeit offenkundig. Ihm wurde das Grenadier- und Cavallerie-Reservecorps anvertraut, das ergab sich (20. April 1809) bei Regensburg. Dadurch wurde die Verbindung mit dem kleinen Heere Bellegarde's und Kolowrat's, jenseits der Donau, in einem Augenblicke hergestellt, als Oesterreichs Hauptmacht bei Hausen. Rohr und Landshut durchschnitten, in der linken Flanke und im Rücken bedroht, in einzelnen Gefechten versplittert, immer mehr mit den Rücken an die Donau gedrängt, seine Hauptverbindung, Subsistenz und jede Operationsbasis äusserst gefährdet war. Bei dem bedenklichen Uebergange auf das linke Donauufer (23. April) hielt vorzüglich der Fürst den Muth der österreichischen Reiterei aufrecht, und warf sich mehrmals mit wenigen Zügen Kürassieren, einmal im Platzregen ohne Hut, auf dem ersten besten fremden Rosse, mit einem fremden Pallasch, mitten in den übermüthigen Feind. Wie bei Aspern sein Allen wohlbekannter krummgebogener Federbusch, recht mitten im Gedränge, als eine Warte der Zuversicht geweht, spricht die allbekannte Relation am be-

sten aus. — Ein noch herrlicheres Denkmal, als jenes des Fürsten
Wenzel von Erz im Wiener Zeughause, ist die Stelle des Armeebe-
fehls des Erzherzogs Generalissimus vom 24. Mai, der unter den
sämmtlich der öffentlichen Dankbarkeit würdigen „Soldaten von Aspern"
den Fürsten ganz allein vorzugsweise nennt. „Der General der Cavallerie, Fürst Johann v. Liechtenstein, hat seinen Namen verewigt.
Dieses Gefühl und meine warme Anhänglichkeit an seine Person ver-
bürgt ihm die Dankbarkeit unsers Monarchen. Ich kann ihm nur mit
dem öffentlichen Ausdrucke meiner Achtung lohnen." — Eben so heldenmüthig stritt der Fürst am 5. und 6. Juli in der Riesenschlacht bei
Wagram. Er erhielt den Oberbefehl des Heeres, als der Erzherzog
Karl denselben zu Littau am 31. Juli 1809 niederlegte. Ihm wurde
auch das schwere Opfer, am 14. October, am Jahrestage des westphälischen Friedens, den Wiener Frieden zu unterzeichnen mit Cham-
pagny, dem Herzoge von Cadore. Für die von schweren Zahlungen
abhängige frühere Räumung Wiens und Oesterreichs bot der Fürst den
dortigen Wechselhäusern all sein ungeheures liegendes Vermögen als
Unterpfand. — Von dem an war es dem Fürsten vergönnt, einmal
auch sich selbst und den Seinigen zu leben. — Im Befreiungskriege
hat er nicht mehr mitgestritten.

Liedlau, die Freiherren und Herren von.

Das alte ansehnliche, im vorigen Jahrhunderte erloschene Geschlecht der v. Liedlau gehörte zu der vornehmen Ritterschaft in Schlesien und Böhmen.

Sehr bekannt ist der Sinnspruch: Familia de Liedlau ex prisca
fidelitate (die von Liedlau Männer von alter deutscher Treue). Diese
Worte stehen auf einem Schilde, das über der Orgel der Domkirche zu
Gr. Glogau hängt. Ein tapferer Ahnherr des Geschlechtes, *Matthias*
de Liedlau, pflanzte 1187 zuerst die kaiserliche Fahne Friedrich II.
auf die erstürmten Mauern von Halle, er erhielt dafür den Feder-
schmuck ins Wappen.

Schon vor dem Jahre 1000 wurden die Ritter dieses Hauses bei
den Turnieren zu München und Regensburg zugelassen. Auf dem ersteren erwarb *Daniel* v. Liedlau das Kleinod und hatte dafür den Vor-
tanz mit des Grafen zu Stolberg Tochter. Schon 1077 kommt *Christoph* von Liedlau vor, der mit Kaiser Heinrich IV. nach Welschland
zog und zu Ferrara starb. — *Kaspar* v. Liedlau wurde mit einigen
andern vornehmen Rittern vom Herzoge Heinrich dem Löwen ins gelobte Land geschickt. — *Conrad* v. Liedlau zog mit dem Kaiser Friedrich II. ins gelobte Land, ward mit der goldenen Gnadenkette geschmückt, und vermählte sich nach der glücklichen Heimkehr mit einer reichen Freiin v. Waldstein aus Böhmen. Dadurch gelangte die
Familie in hohen Wohlstand. Er starb zu Wien um das Jahr 1250.

Bernhard v. Liedlau war 1271 in hohen Gnaden beim Kaiser Rudolph v. Habsburg. — *Melchior* und *Wilhelm* v. Liedlau wurden von
jenem Kaiser zu wichtigen Gesandtschaften verwendet.

Albrecht v. Liedlau kam mit Ludwig, König von Ungarn, bei Mohacz ums Leben, und liegt bei Weissenburg begraben.

Matthias v. Liedlau war König Ferdinands II. und Maximilians II.
Berghauptmann in Böhmen, er starb 1570. — *Georg* v. Liedlau war
Ober-Kriegscommissarius in Böhmen, und starb 1589. — *Andreas* v.
Liedlau starb 1613 als Ober-Grenzcommissarius in Böhmen. In Schle-

sien kommen die v. Liedlau seit 1300 vor. *Henricus* de Liedlan war 1308 am Hofe des Herzogs von Glogau. Von seinen Nachkommen bekleidete eine lange Reihe hohe Stellen an den Höfen der Piasten. Das Geschlecht zerfiel in Schlesien nach und nach in die Häuser Auris (ras), Ellguth, Adelsdorf, Gölschau u. s. w. In Böhmen besass es die Herrschaften Königsbain bei Trautenau, Betschanowitz, Spraunberg u. s. w. Das Haus Gölschau vereinigte den Besitz von Ober-Gölschau mit den Gütern Gr. Janowitz, Conradsdorf, Tschirbsdorf, Ueberschaar, Dohnau u. s. w.

Von den in dem letzten Jahrhunderte noch lebenden Mitgliedern der Familie finden wir folgende interessante Nachrichten. Am 14. Febr. 1721 starb, so erzählt die Chronik, satt an Glück und Jahren, seines Alters 80 Jahre weniger 1 Monat, der theure Greis, Herr *Heinrich Daniel*, Freiherr v. Liedlau und Ellgut, Herr auf Gölschau, Conradsdorf, Ueberschaar, Gross-Janowitz, Sanitz und Tschirbsdorf, des Fürstenthums Liegnitz hochverehrlich gewesener Landesältester, und im haynauischen Weichbilde königl. Land-Hofrichter. Er war bei damals unglücklichen Zeiten in der nahen Stadt Haynau geboren (den 15. März 1641), dessen Herr Vater war Heinrich v. Liedlau, Herr auf Conradsdorf und Tschirbsdorf, die Frau Mutter Anna Maria, geborne v. Stange, aus dem Hause Kunitz. Diese erzogen ihn anfangs in bemeldetem Haynau, und liessen ihn darauf einen guten Grund in dem Görlitzschen Gymnasium, im hochgräflichen Lynarischen Hause, legen. Von da begab er sich an des Kurfürsten von Sachsen, Johann Georg II. Hof, der damals recht eine hohe Schule für solche edle Schüler war; er frequentirte die vornehmsten deutschen Höfe, und nach durch Holland und Dänemark vollendeten Reisen öffneten ihm seine herrlichen Eigenschaften den Weg an den damals glücklich florirenden Hof Herzogs Ludovici zu Liegnitz. Die Herren Stände des liegnitzschen Fürstenthums erwählten ihn im Jahre 1672 zu ihrem Landes-Deputirten. 1678 ward ihm mit allgemeinem Beifalle das ansehnliche Amt eines Hofrichters, und 1680 die hochwichtige Charge eines Landesältesten anvertraut. Der piastische Herzog setzte ein so gnädiges Vertrauen auf ihn, dass er neben andern auch einmal seine eigene Sache in seine Hände stellte, und in einem gewissen sehr imposanten Werke ihn mit zum Richter erwählte. Er war ein Mann von grosser Autorität, sonderbarer Herzhaftigkeit, Erfahrung und Klugheit, auch von vortrefflicher Natur; doch gab ihm endlich der bei ganz verlorenem Appetit zunehmende Marasmus senilis gar oft die Worte in den Mund: Ich sehe, dass es mit mir ein Ende nehmen will. Er lebte im Ehestande mit Ursula Magdalena v. Hund, aus dem Hause Rausse, vermählt den 17. Octbr. 1668. Sie starb 1699 am 30. Nov. bald nach ihrer Schwester, vermählten Freiin von Abschatz. Von ihr waren vier Söhne und drei Töchter geboren, davon aber alle drei Töchter und ein Sohn dem Vater ins Grab voran gegangen; das noch lebende hochgeschätzte Kleeblatt der Herrn Brüder ist:

I. *Hans Sigismund*, Freiherr von Liedlau und Ellgutt auf Gross-Janowitz und Dohnau, des liegnitzschen Fürstenthums im annehm Kreise Landes-Deputirter. Gemahlin Barbara, Freiin von Morawitzky auf Burg Branitz; von der geboren: ein Sohn, starb; zwei Töchter, *Ursula* und *Juliana*.

II. *Heinrich Daniel*, Freiherr v. Liedlau und Ellgutt, auf Ober-Gölschau und Tschirbsdorf, des liegnitzschen Fürstenthums im haynauschen Weichbilde Deputirter. Gemahlin Freiin Brigitta, geborne Freiin v. Zedlitz und Hohenliebethal; von der geboren: 1) Freiherr *Heinrich Gottlieb*, 2) *Anna Magdalena*.

III. *Wolf Kaspar* auf Conradsdorf und Ueberschaar, des liegnitz-schen Fürstenthums im haynauischen Weichbilde, königl. Land-Hofrich-ter. Gemahlin Freiin Helena Juliana, geborne von Sack und Lübi-chen auf Sabitz u. s. w., vermählt 1720 am 12. Juni, Von ihr gebo-ren: *Anna Magdalena*, geb. 1721. Mens. Mai.

Der letzte Freiherr v. L. starb, so viel uns bekannt ist, durch einen unglücklichen Fall, den er in das Feuer seines Kamins that. Im weiblichen Stamme erlosch das Haus gänzlich mit *Sophie Juliane*, Freiin v. Liedlau, vermählt an den Geheimen Rath Freiherrn von Schweinitz auf Kl. Krichen, Alt-Randen u. s. w. Sie starb am 11. März 1796. Man findet ihren Nekrolog im schlesischen Provinzial-blatt, 1796 Aprilstück S. 119. Die Gelschauer Güter kamen durch *Juliane Elisabeth*, Freiin v. L., vermählt an den Grafen Ludwig Conrad v. Gessler auf Käben, zuerst an einen Sohn des gedachten Grafen von Gessler. Er hatte sich in zweiter Ehe mit einer Berlinerin, Namens Bischkop, verbunden, die nachmals einen Major v. Schmeling heira-thete und von diesem wieder geschieden worden ist. Sie hatte keine Kinder von dem Grafen, und die Güter sind in fremde Hände ge-kommen.

Die v. L. führten im blauen Schilde drei mit den Griffen in ein-ander geschlossene silberne Schlüssel, deren zwei über sich auf beide Ecken des obern Schildes, der dritte aber gleich herunter an die Spitze des Schildes gerichtet sind. Auf dem Helme ist ein stillsitzender Fuchs mit aufgerecktem Wedel oder Feder dargestellt. Auf dem Kopfe des-selben stehen drei Hahnenfedern, die mittelste silbern, die folgenden zwei blau. Die mittelste und die vordere sind beide zur Seite über-gebogen. Die Helmdecken sind silbern und blau. Siebmacher giebt dieses Wappen, I. S. 51, und v. Meding beschreibt es, I. S. 481. Die Familie wird erwähnt in Sinapius, I. S. 596 — 600 u. II. S. 368 u. f. Zedlers Univ. Lex. XVII. S. 1015 — 19. Gauhe, I. S. 903.

Liegnitz, die Fürstin von.

Auguste, Gräfin v. Harrach, geboren am 30. August 1800, eine Tochter des Grafen Ferdinand v. Harrach, jüngerer Linie, und der am 8. Juni 1830 verstorbenen Freiin Christiane v. Raysky, vermählt seit dem 9. Novbr. 1824 (in morganatischer Ehe) mit Friedrich Wil-helm III., jetzt regierenden Königs von Preussen Majestät, wurde von Allerhöchst demselben bei dieser Gelegenheit zur Fürstin v. Liegnitz und Gräfin v. Hohenzollern erhoben.

Das dieser Fürstin bei ihrer Erhebung beigelegte Wappen ist qua-drirt und mit einem Herzschilde versehen. Die Felder 1 und 4, eben so wie der Schmuck des ersten Helmes, zeigten ein silbern und rothes Schach aus dem Wappen der alten Herzöge von Liegnitz. Die Fel-der 2 und 3 sind schwarz und silbern geviertet. Das Herzschildlein enthält den schwarzen preuss. Adler in Silber; derselbe steht auch auf der Krone des mittlern Helmes, und aus der Krone des dritten wächst der Kopf und Hals einer in Schwarz und Silber gevierteten Dogge. Die Helmdecken rechts roth und silbern, links silbern und schwarz, und an den Kronen auf beiden Seiten aufgeschürzt, so dass die Zi-pfel, wie Flügel an den Kronen hervorragen. Zu Schildhaltern sind zwei wilde, am Haupte und an den Hüften grün begränzte, bärtige Männer gewählt, die in den freien Händen Keulen halten. Das Ganze ist mit einem fürstlichen Hermelinmantel, der oben mit einer Fürsten-krone bedeckt ist, umgeben.

Liers (res), die Herren von.

Der Commerzienrath *Otto Gottfried* Liers (Lieres) in Breslau, Herr auf Wilkau bei Schweidnitz, wurde am 11. Juli 1744 vom Könige Friedrich II. in den Adelstand erhoben. Seine Nachkommen erwarben grosse Güter, wie die Herrschaft Königsberg mit dem einst festen Burgschlosse Künau im Schlesierthale bei Schweidnitz. Dittmannsdorf, Wäldchen, Bärsdorf, Hausdorf u. s. w. bei Waldenburg, Stephanshayn bei Schweidnitz, Lübchen bei Guhrau, n. s. w. Im Jahre 1806 war *Otto Conrad Wilhelm* v. Lieres auf Wilkau königl. Justizrath und Commissarius perpetuus im Kreise Striegau. Er starb am 5. Decbr. 1833. — *Otto Sigismund* v. Lieres auf Königsberg, Wäldchen, Dittmannsdorf u. s. w., war Kreis-Deputirter des Schweidnitzer Kreises. Die Güter besitzt gegenwärtig sein Sohn *Friedrich Wilhelm* v. Lieres; eine Schwester des Letztern ist die Gemahlin des Generalmajors v. Kurssel. — *Ernst Samuel* v. Lieres auf Stephansheyn ist Landesältester, u. s. w. Der Rittmeister v. Lieres besitzt Dürrjentsch bei Breslau. Der Landschaftsdirector und Johanniter-Ritter v. Lieres auf Wilkau starb am 22. Febr. 1832. . In dem Kürassier-Regiment v. Dolfs stand 1805 ein Major v. Lieres. Aus dem Hause Wilkau dient ein Sohn als Lieutenant im 1. Kürassier-Regiment. Eine Tochter aus diesem Hause ist mit dem Baron Ferdinand v. Seherr-Thoss vermählt. Die v. Lieres führen ein rothes, von einem schräggelegten Balken durchzogenes Schild, im obern Theile ist ein abgekürzter silberner Hirsch, und im untern Theile eine silberne Rose vorgestellt. Aus der Krone des Helmes wächst der silberne Hirsch. Die Decken roth und silbern. Dieses Wappen giebt der Ordensrath Hasse, S. 246 b, in seinem handschriftl. Wappenbuche, welches sich auf der königl. Bibliothek zu Berlin befindet.

Lignitz, die Grafen und Freiherren von.

Der vorletzte schlesische Fürst aus dem Hause der Piasten war *Christian* (zuerst regierender Herzog zu Wohlau, und nach seines am 4. July 1664, ohne männliche Nachkommen gestorbenen Bruders Hintritt auch Herzog zu Liegnitz und Brieg). Sein einziger Sohn *Georg Wilhelm* starb, 15 Jahr alt, am 21. Novbr. 1675. Mit ihm erlosch das Haus der Piasten, das 900 Jahre mit dem Purpur bekleidet war. Sein Grossvater, der Herzog *Johann Christian* zu Liegnitz und Brieg, konnte bei seinem am 25. Decbr. 1639 zu Osterode erfolgten Tode nicht an das baldige Erlöschen seines Stammes glauben, denn er hatte von seiner ersten Gemahlin, Dorothea Sibylla, des Kurfürsten Johann Georg zu Brandenburg Tochter, 8 Prinzen und 3 Prinzessinnen; von ihnen starben: *Heinrich* und *Ernst*, Zwillinge, schon am Tage ihrer Geburt wieder, *Joachim*, *Rudolph* und *August*, im zarten Kindesalter, *Georg* der 3te, der älteste dieser Söhne, folgte dem Vater am 4. July 1664 in die Gruft. *Ludwig*, der 4te dieser Söhne, war schon am 20. Januar 1652, wie sein Bruder *Georg*, ohne männliche Erben verstorben. Der gedachte Herzog, *Johann Christian* zu Liegnitz, vermählte sich aber, nachdem seine erste Gemahlin, die vorgedachte Tochter des Kurfürsten von Brandenburg, am 19. März 1625 gestorben war, am 13. Septbr. des Jahres 1626 zum 2tenmal mit Anna Hedwig, Freiin v. Sitsch, in früherer Zeit v. Sytzen genannt; diese seine 2te Gemahlin gehörte einem uralten, sehr angesehenen Geschlechte an, sie war eine Dame von ausgezeichneter Schönheit,

nnd dabei geschmückt mit allen weiblichen Tugenden, ihr Vater war
Friedrich v. Sitsch, Hofmarschall bei dem breslauischen Bischof Johann, aus dem Hause Sitsch von Stübendorff, seinem leiblichen Vetter. In dieser zweiten Ehe erzeugte der Herzog *Johann Christian* 3
Söhne und 3 Töchter, die Freiherren und Freiinnen von Lignitz genannt wurden. Namentlich:

I. *August*, Graf v. Lignitz, geb. zu Brieg im Jahre 1627 den
21. August, Herr auf Cantersdorf, war erst nur Freiherr, wurde aber
in den Grafenstand erhoben. Er war Landeshauptmann des briegischen Fürstenthums, wohnte die meiste Zeit in Brieg. als er aber auf
die Landeshauptmannschaft resignirte, residirte er gewöhnlich auf dem
fürstlich gezierten Schlosse Cantersdorf, und starb 1677 ohne Erben.
Sein herzogl. Stiefbruder *Georg* hatte ihm durch seinen letzten Willen das durch seine schönen Marmorbrüche weitbekannte Amt Priborn
mit allen dazu gehörigen Gütern vermacht, und nach seines jüngern
Bruders, *Sigismund*, Tode hat er auch den Rittersitz Kurtwitz mit
den dazu gehörigen Dörfern ererbt; er war auch nach des Herzogs
Christians im Jahre 1672 erfolgtem Tode, laut dessen Testament, mit
den drei Landeshauptleuten der Fürstenthümer, namentlich: dem
briegischen Landeshauptmann Hans Adam v. Posadowsky, dem liegnitzschen Landeshauptmann Hans v. Schweinichen, nnd dem woblau'schen
Landeshauptmann Siegismund v. Nostiz, unter der Obervormundschaft
und Regentschaft der fürstlichen Frau Wittwe zum Vormunde seines
Neffen *Georg Wilhelm* ernannt worden. Er war zweimal vermählt,
zuerst mit Elisabeth, Freiin von Ruppa, die, nachdem sie ihm drei
Kinder, 1 Sohn und 2 Töchter, geboren hatte, mit Tode abging.
Zum zweitenmale hatte er sich mit Charlotte, des Fürsten Georg
Ludwig zu Nassau-Dillenburg Tochter, verbunden; diese Ehe blieb
ohne Kinder. Nach dem Tode des Grafen *August* v. Lignitz vermählte sich diese Dame mit dem kaiserl. General, Grafen v. Aspermont und Reckheim; sie starb in Ungarn im Jahre 1706, worauf
Priborn und Kurtwitz als Lehn dem Kaiser anheim fielen, Cantersdorf erbte aber seine zweite Gemahlin, welche es jedoch bei ange-
tretener anderweitiger Heirath mit dem Grafen Aspermont an den
Freiherrn v. Zierotin verkaufte. — Des Grafen *August* 1ste Gemahlin
war Elisabeth, Freiin v. Ruppa, Karl Deodat, Freiherrn von Zah-
radeck nachgelassene Wittwe, vermählt 1653 zu Brieg; von ihr war
geboren:

1) Graf *Christian August*.
2) *Dorothea Sibylla*, Freiin v. Lignitz, geboren 1628 zu Brieg,
    starb 1629.
3) Ein todtgeborner Sohn.
4) Freiherr *Ernst*, geb. 1630, starb 1631.
5) *Sigismund*, Freiherr v. Lignitz, geb. zu Brieg den 31. Januar
    1632, Herr auf Kurtwitz, Jonsdorf, Nieder-Rudelsdorf, Dober-
    gast, Ossig, Borsau und Borsitz. Er starb 1664, nachdem er
    mit Eva Eleonore, Freiin v. Bibran, vermählt war.
6) Freiin *Johanna Elisabeth*, geb. 1636, vermählt an Zdenko Howora,
    Freiherrn v. d. Leipe, Herrn der Herrschaft Schwednig am
    Zobtenberge, den Letzten seines Geschlechts; sie starb im Jahre
    1678, und mit ihrem Gemahl erlosch im Jahre 1683 das Ge-
    schlecht der Freiherren v. d. Leipe. Die Herrschaft Schwednig
    mit den dazu gehörigen Dörfern kam darauf zuerst an einen
    Herzog zu Holstein-Norburg, später an das Haus Würtemberg-
    Oels, und ist in der Gegenwart ein Eigenthum der Grafen v.
    Zedlitz-Trützschler.

Lilgenau, die Freiherren von.

Vortrefflich beginnt ein Autor die Genealogie dieses Hauses mit den Worten: „Durch Tugend und Glück erwarb sich die Familie von Lilgenau grosses Ansehen."

Zuerst kommt von diesem erloschenen Geschlecht vor: *Johannes Jonas* v. Lilgenau, Erbherr auf Haltauf und Kulendorff bei Strehlen, Kammerrath des Herzogs Georg II. zu Brieg, und dessen Prinzen, Joachim Friedrich, Dompropstes zu Magdeburg und Fürsten Johann's Georg zu Liegnitz und Brieg Rath und Kammerpräsident; hinterliess 2 Söhne.

I. Von dem ältern Sohne wurden erzeugt:

1) *Friedrich.*

2) Eine Tochter, die 1694 zu Lomnitz bei Dresden starb.

Der erwähnte *Friedrich* v. Lilgenau (nicht Jonas, wie in Lucae Chron. p. 1531. steht), Johannes Enkel, war fürstl. briegischer, hernach kaiserl. Forst- und Jägermeister zu Ohlau, und starb 1690 im Monat März, nachdem er 1) mit einer von Börstel, aus dem Fürstenthume Anhalt, gewesenem fürstl. briegischen Hof-Fräulein, 2) mit Anna Margaretha v. Wirsewinsky (deren Mutter eine v. Rohr, a. d. H. Klein-Peisskerau im Ohlauischen), im Ehestande gelebt und mit ihr gezeugt hatte:

1) *Georg Wilhelm* von Lilgenau, Hauptmann Sr. kaiserl. Majestät, braunschweig-beverischen Regiments zu Fuss.

2) *Friedrich Erdmann*, Grenadier-Lieutenant, starb 1719 auf der Insel Schütt in Ungarn.

3) *Helena Louise.*

II. Der jüngere Sohn, *Cyprian Jonas* v. Lilgenau auf Eulendorff, war 1639 Hofmarschall des Herzogs Christian zu Brieg, wurde 1648 in den Palmen-Orden der Frucht-bringenden Gesellschaft recipirt, unter dem Namen des Reichenden, mit dem Gewächse: Katzen-Nept, oder Katzen Müntze, und mit dem Worte: Hülfe zur Reinigung. Er war Vater dreier Söhne, namentlich:

1) Des *Wilhelm Wenzel*, ersten Freiherrn v. Lilgenau (geb. 1634), Herrn auf Prauss, Ranchwitz, Golsche, Gurcke, Plotnitz, Neudorff, Haltauf, Ober- und Nieder-Rudelsdorff im Briegischen, wie auch auf Oys und Hünern im Liegnitz'schen, gelangte zu den Würden eines römisch kaiserl. wirklichen Kämmerers, und Ober-Amts-Raths im Herzogthume Ober- und Nieder-Schlesien. Er war vorher kur-brandenburgischer Oberst-Lieutenant, nachmals des Herzogs Christian zu Liegnitz und Brieg vornehmster Rath, Etats-Director, Ober-Hof-Marschall, und Landes-Hauptmann, erstlich 1665 des wohlau'schen Fürstenthums, darauf Landes-Hauptmann und Kammer-Director zu Brieg, wurde vom Herzog in den wichtigsten Angelegenheiten nach Wien geschickt, und daselbst im Jahre 1667 von dem Kaiser Leopold I. mit dem Freiherrn-Diplom begnadigt, erhielt vom Herzog 1668 die zu Lehn eröffneten ansehnlichen Borschnitzischen Güter, die Herrschaft Prauss und die dazu gehörigen Dörfer bei Nimptsch, im Briegischen Fürstenthum. Er war zuletzt wirklicher Kämmerer und Ober-Amtsrath. Seine Zeitgenossen schildern ihn als einen im Kriege, bei Hofe und im Staatsdienste höchst erfahrenen Mann, bei dem die Dichtkunst, die Baukunst und Reitkunst, sammt andern Künsten und Wissenschaften mit Gerechtigkeit und Weisheit verschwistert waren, dessen einzige Sorge nur der Dienst des Kaisers, und der Wohlstand des Lan-

des, auch in der grössten Krankheit blieb. Er starb am 26.
Juli des Jahres 1693. Seine Gemahlin war Charlotte v. d. Grö-
ben aus Preussen; von ihr wurden geboren:
a) Freiherr *Ludwig Reinhold*.
b) Freiin *Marie Louise*, vermählt an den Grafen von Zierotin auf
Ullersdorff in Mähren.
Der Freiherr *Ludwig Reinhold* v. Lilgenau, Herr auf Prauss,
Oyss, Hünern, u. s. w., war vermählt mit Marie Charlotte Susanna,
Gräfin v. Hohberg und Fürstenstein; sie gebar eine Tochter; nachdem ihr Gemahl gestorben war, vermählte sie sich wieder an den
Grafen Giannini zu Wien. —
2) *Friedrich* v. Lilgenau zu Neuen im Neumärkisch-Breslauischen;
er war Land-Commissarius im breslauischen Fürstenthume.
3) *Gottfried* v. Lilgenau auf Eulendorff, Land-Commissarius des
brieg'schen Fürstenthums, vermählt mit dem Kammer-Fräulein
von Ostrobowsky aus Preussen, von der geboren wurden:
a) *Leopold*, Lieutenant im Graf Schlickischen Dragoner-Regiment,
starb in Ungarn.
b) *Bogislaus*, unter eben dem Regiment, starb auch in Ungarn.
c) *Gottfried*, Fähnrich unter dem kaiserl. Holstein-Beckischen Regimente, nachher Brigittiner-Mönch zu Cöln am Rhein.
Nach dem Testamente des Freiherrn *Wilhelm Wenzel* v. Lilgenau ist die Herrschaft Prauss, nach seines Sohnes *Ludwig Reinhold*
ohne männliche Erben erfolgtem Tode, an seine Tochter, die Gräfin
v. Zierotin, gefallen. Das gräfl. Haus v. Zierotin führt seitdem den
Namen Zierotin-Lilgenau; denn der Graf *Johann Ludwig* v. Zierotin
erhielt vom Kaiser am 3. April 1740 die Erlaubniss, für sich und
seine Nachkommen den Namen eines Grafen und Herrn v. Zierotin,
Freiherrn v. Lilgenau anzunehmen. Dessen Enkel, der Graf *Franz
Joseph* von Zierotin, Freiherr v. Lilgenau, geb. am 6. April 1772,
k. k. Kämmerer und Geh. Rath, Director der mährisch-schlesischen
Gesellschaft, zur Beförderung des Ackerbaues u. s. w., Herr der
Herrschaften Krumpisch, Blauda, und Walachisch-Meseritsch in
Mähren, besitzt auch gegenwärtig die zu einem Fideicommiss gemachte Herrschaft Prauss in Schlesien (m. s. auch den Artikel: die
Grafen v. Zierotin).
Das Wappen der Freiherren v. L. zeigt im quadrirten Schilde im
1. und 4. goldenen Felde einen schwarzen gekrönten Löwen, im 2.
und 3. rothen Felde einen silbernen, schräg gelegten Balken. In dem
obern rechten und untern linken Winkel steht eine silberne Lilie. Auf
dem gekrönten Helme ist eine roth und silberne Lilie zwischen zwei
Büffelhörnern, von denen das rechte schwarz, das linke silbern ist,
angebracht. Zwischen den Büffelhörnern liegen zwei roth und silberne
Fahnen. Die Decken rechts roth und silbern, links silbern und
schwarz.

Lilien, die Freiherren von.

1) Das uralte freiherrliche Geschlecht der von Lilien stammt aus
Westphalen. Es gehört zu den sieben Familien, welche schon zu
Kaiser Karl's des Grossen Zeiten Erbsätzer (Besitzer von Salzwer-
ken) in der Stadt Werle waren. Sie verloren durch die grosse Feuers-
brunst im Jahre 1382, welche die Stadt Werle in Asche legte, ihre
Urkunden, und wurden deshalb im Jahre 1432 vom Kaiser Sigismund
mit Erneuerungsdiplomen versehen. Kaiser Joseph I. erneuerte den
ritterbürtigen Adel der Erbsätzer und namentlich auch den der v. Li-

lien. Kaiser Franz I. erhob im Jahre 1747 und durch ein wiederholtes Diplom vom 24. Febr. 1756 diese Familie in den Freiherrnstand. Zu Wien lebte noch in neuester Zeit *Friedrich* Freiherr v. L., kaiserl. königl. General-Feldmarschall-Lieutenant. — Gegenwärtig ist ein v. Lilien zu Echthausen Landrath des Kreises Arnsberg.

2) Eine adelige Familie dieses Namens gehörte der Mark Brandenburg und den markgräflich bayreuthischen Landen an. Ihr Stammvater war *Sebastian* Lilien, kais. Oberst, der vom Kaiser Rudolph II. im Jahre 1592 in den Adelstand erhoben worden war.

Siebmacher giebt das Wappen der v. L. unter den österreichischen doppelt. Das erstere zeigt im blauen Schilde eine silberne französische Lilie, und aus dem bewulsteten Helme wächst ein silbernes geflügeltes Ross. Das zweite Wappen ist in der obern Hälfte blau, in der untern goldenen gespalten. In dem blauen Felde ist ein schwarzer Adler, in der rechten Hälfte des untern die silberne Lilie, in der linken aber ein spitzer grüner Hügel dargestellt. Dieses Schild ist mit zwei Helmen bedeckt. Der rechte ist gekrönt, und es wächst aus demselben ein gegen die linke Seite aufspringender goldener Löwe. Der linke ist mit einer Wulst belegt, und es springt aus demselben ein geflügeltes silbernes Ross nach der rechten Seite auf, so dass Löwe und Ross sich gegen einander wenden. M. s. Krohne, II. S. 252 o. f. Ritter v. Lang, A. d. K. B. S. 176 u. 431. Gauhe, II. S. 636 u. f.

Lilienanker, die Herren von.

Eine adelige Familie, die aus Schweden stammt und gegenwärtig in Pommern ansässig und begütert ist, namentlich besitzt sie im Regierungsbezirk Stralsund den Rittersitz Daskow.

Lilienhoff, die Herren von.

König Friedrich II. ertheilte am 18. Novbr. 1763 dem *Adalbert Paul Swini* v. Lilienhoff einen Anerkennungsbrief seines im Jahre 1756 von der Kaiserin Maria Theresia erhaltenen Adels. Der Erhobene hatte in einer geheimen, aber rechtmässigen Ehe mit der Fürstin Katinka Sapieha auf Freihahn, gelebt. In dieser Ehe wurden zwei Söhne geboren, die unter den fremden Namen v. Adelstein und v. Zwowitzki im Auslande erzogen worden waren, nämlich der Aeltere, *Joachim Anton Ignaz Franz Xaver*, geb. 1755, nahm den Namen v. Zwowitzki, und der Jüngere, *Johann Nepomuk Anton Ignaz*, geb. 1757, den Namen v. Adelstein an. Im Jahre 1775 stellte König Friedrich II. unter dem 27. April diesen beiden Edelleuten ein besonderes Legitimationspatent ihres adeligen Standes aus. Der erwähnte *Joh. Nep.* v. Lilienhoff-Adelstein war Landesältester, Herr auf Strebitzko und Wensowitz. Er hatte früher als Hauptmann in der Armee gedient. Ein Sohn desselben *L.* v. Adelstein (m. s. den Art. Adelstein) stand als Major im 7. Infanterie-Regimente und erwarb sich bei Ligny das eiserne Kreuz. — Ein Sohn des v. L.-Zwowitzki stand als Hauptmann im 23. Infant.-Regim. und hat sich bei Ligny das eiserne Kreuz erworben. Er ist im Jahre 1836 als Major aus dem activen Dienst getreten. — Ein jüngerer Bruder des Letztern steht als Lieutenant im 23. Infanterie-Regimente.

Lilienstern, Herr von.

M. s. den Art. Rühle v. Lilienstern.

Linckensdorf, die Herren von.

Eine würtembergische adelige Familie, aus welcher *Johann Jacob* v. Linckensdorf als königl. preuss. Generalmajor von der Infanterie im Jahre 1783 starb. Er hatte früher in würtembergischen Diensten gestanden und war 1766 in preuss. getreten. Er hinterliess mehrere Söhne, die ebenfalls im preuss. Heere gestanden haben.

Lindainer (einer), die Herren von.

Das altadelige Geschlecht von Lindainer gehört Schlesien an, wo seine Stammhäuser Rosen bei Oppeln und Schleibitz bei Oels liegen. Beide sind lange schon in andere Hände gekommen. In der Gegenwart besitzt *Gustav* v. Lindeiner, Lieutenant v. d. Armee, das Gut Kuhnsdorf bei Nimptsch, er ist mit Karoline, Gräfin v. Rödern vermählt und ein Sohn des Majors im 7. Landwehr-Regimente v. Lindeiner. Von den Vorfahren dieser Familie kommt zuerst *Friedrich* Lindainer, Erbgesessener auf Schleibitz vor, der um das Jahr 1590 lebte. Sein Sohn, *Georg Ernst* v. Lindainer, geb. am Martinstage 1692, Landesbestallter im Fürstenthume Oels, wird Eques multi laboris et experientiae genannt (Olsnogr. P. I. p. 948 — 51). Lucä führt in seiner Chronik den *Rudolph Josua* und den *Wilhelm Gideon* v. Lindainer als qualificirte Cavaliere an. Der Erstere starb am 13. Januar 1666 als Wittwer von Maria Elisabeth v. Näfe, die nur ein halbes Jahr mit ihm in der Ehe gelebt hatte. Von Wilhelm Gideon giebt Hallmanns Leichenrede nähere Nachrichten. — *Georg Ernst* v. Lindainer auf Schleibitz bei Oels und Lorzenberg bei Strehlen hatte Anna Elisabeth, Freiin v. Kittlitz und Mechwitz, zur Gemahlin, er pflanzte sein Geschlecht durch 4 Söhne und 2 Töchter fort. Der zweite seiner Söhne, *Ernst Julius*, starb als Volontair im kaiserlichen Heere 1717 vor Semlin.

Diese Familie führt im silbernen Schilde drei Hügel, aus dem mittlern höheren Hügel wächst ein Lindenzweig. Auf dem Helme wiederholt sich dieses Bild. Die Helmdecken silbern und schwarz. M. s. Sinapius, I. B. p. 600 u. II. B. p. 781. Zedlers Univers.-Lexicon, P. XVII. p. 1319. Gauhe, I. B. S. 907.

Lindau (ow), die Grafen von.

Das alte vornehme, längst erloschene Geschlecht der Grafen v. Lindau war aus dem Hause der Grafen v. Arnstein im Mansfeldischen entsprungen und gehörte den fürstl. anhaltischen Staaten an. Nach andern Nachrichten ist dieses Grafengeschlecht von den Grafen von Rohrbach, welche die Abtei Lindau am Bodensee stifteten, entsprungen. Sein Stammschloss, mit den dazu gehörigen Gütern, einst die Grafschaft Lindau bildend, versetzte *Albrecht*, der ältere Graf zu Lindau, schon im Jahre 1370 an die Fürsten von Anhalt für 1300 Mark Silber, zwei Jahre später wurde ihm ein neues Darlehn von 400 Mark darauf gemacht. Im Jahre 1457 überliess *Albrecht*, der jüngere Graf zu Lindau, den beiden Fürsten Adolph und Albert von Anhalt die Grafschaft als Eigenthum, mit dem Vorbehalt des Wiederkaufes, des Titels und einiger Lehnsstücke. Ausser dieser genannten Grafschaft im Anhalt'schen besassen sie aber auch die Grafschaft Ruppin in der Mittelmark. Markgraf Albrecht gab einem Grafen *Johann* v. Lindau, der unter dem Kaiser Lothar tapfer gegen die Wenden gefochten hatte, diese Grafschaft zum Lehn. Sie erbauten das Schloss zu Alt-Ruppin und gründeten das Nonnenkloster Lindau, das gegenwärtig als Fräulein-Stift besteht (m. s. I. Band des Adelslexicons S. 54.). Im Jahre 1256 gab Graf *Günther* v. Lindau-Ruppin der Stadt Ruppin ihre Privilegien. — *Agnes*, Gräfin von Ruppin, soll im Jahre 1329 die dritte Gemahlin des Herzogs Heinrich des Löwen von Mecklenburg, nach Andern aber die Gemahlin eines Sohnes desselben geworden sein. Im Jahre 1337 verkauften die Grafen von Ruppin ihre Grafschaft Lindau um 12,400 Schock Prager Pfennige. — Im Jahre 1373 starb *Elisabeth*, Gräfin von Ruppin, Gemahlin des Kurfürsten Rudolph II. zu Sachsen. Diese Grafen waren Landstände der Mark Brandenburg, und folgten den Landesherren in den Kriegszügen. Mit dem Grafen *Wichmann* v. Lindau, Herrn zu Ruppin, der, 21 Jahre alt, starb, erlosch dieses gräfliche Haus im Jahre 1524, und die Grafschaft Ruppin fiel unter der Regierung des Kurfürsten Joachim des I. der Krone anheim. Der letzte Graf, *Wichmann* v. L., war im Jahre 1503 geboren und starb, wie wir erwähnten, im Jahre 1524, und zwar am Sonntage Oculi, sehr plötzlich. Seine Eltern waren *Joachim*, Graf v. L. (gestorben 1507), und Margarethe, Gräfin v. Hohenstein (gestorben 1508). Gegenwärtig bildet diese Grafschaft den landräthlichen Kreis Ruppin, zum Regierungs-Bezirke Potsdam gehörig. Die Grafschaft enthielt bei ihrem Heimfall 3 Land- und zwei Amtsstädte, zwei kleine Städte, einen Flecken, und 96 Dörfer. Zu denselben gehörten, ihrem Besitz nach, 37 adelige Geschlechter. Namentlich liegt auch das schöne Schloss Rheinsberg in dieser Landschaft. Siebmacher giebt im III. Band. S. 25, das Wappen der Grafen v. Lindau; es zeigt im silbernen Schilde einen goldenen Adler und auf dem gekrönten Helme zwischen zwei breiten, oben spitzigen Blättern eine sitzende, nach der rechten Seite gekehrte Dogge. M. s. Dietrich, hist. Nachrichten von den Grafen v. Lindau, Herren zu Ruppin, Berlin 1725. Zedler's Univ.-Lexicon XVI. Band S. 1312. Gauhe, II. Th. S. 639.

Linde, die Herren von der.

In Schlesien und in Preussen kommt ein altes vornehmes Geschlecht dieses Namens vor, das noch heute in verschiedenen Zweigen blüht. Zu Breslau starb am 11. Septbr. 1679 *Petrus* von der Linde, ein Sohn des *Johann Georg* v. d. L. — In dem Regiment v. Besser stand im Jahre 1806 ein Capitain v. d. L., der zuletzt Oberstlieutenant und Commandeur des 1. Garnisonbataillons war. Er erwarb sich den Militair-Verdienst-Orden bei Macniazewo, und das eiserne Kreuz bei Gr. Beeren. — Ein anderer Capitain v. d. L., der 1806 im Regiment v. Natzmer stand, war später Major in der westphälischen Invaliden-Compagnie; ein jüngerer Bruder, damals Pr. Lieutenant in dem genannten Regiment, schied im Jahre 1826 als Oberstlieutenant aus dem 16. Infant.-Regiment. Er ist Ritter des eisernen Kreuzes (erworben bei Dennewitz). — Ein Capitain v. d. L. im 21. Landwehr-Regiment erwarb sich das eiserne Kreuz vor Danzig.

v. Zedlitz Adels-Lex. III.   17

Die Familie v. d. L. führt im rothen Schilde einen goldenen
Lindenast mit fünf grünen Blättern, auf dem gekrönten Helme
aber zwei gegen einander gestellte Lindenäste. Die Helmdecken
golden und roth.

Lindemann, die Herren von.

Der Stammherr dieser Familie ist *Lorenz* v. Lindemann, Herr
auf Sädlitz, welcher des Kurfürsten von Sachsen wirklicher Geheimer Rath,
und ein sehr berühmter Rechtsgelehrter war. — Von seinen Nachkommen haben mehrere in der preuss. Armee gedient, namentlich
sind von dem sächsischen Heere Offiziere dieses Namens nach den
Jahren 181½ in die diesseitigen Dienste getreten, wie der Major und
Ritter des Heinrichsordens v. L., der dem 31. Infanterie-Regiment
aggregirt war. In der Gegenwart steht beim 26. Infanterie-Regiment zu Magdeburg ein Pr. Lieutenant v. L. M. s. Gauhe, Anhang
1656. Müller's sächsische Annalen 1563 — 77.

Linden, die Herren von.

1) Ein pommersches Geschlecht, aus welchem der schwedische
Commerzien-Commissarius *Christian* v. L. am 17. Juli 1705 mit den
Gütern Brook, Hohenbüssow, Buchholz, Siedenbüssow und Tellin
belehnt wurde. — Sein Sohn, *Karl* v. L., erbte diese Lehne. —
Der Letztere hatte drei Söhne, welche durch einen Vergleich vom 26.
Januar 1733 festsetzten, dass der unten näher erwähnte General v.
L. die Güter Brook, Hohenbüssow und Buchholz, dem Kriegsrathe
Detlef Gustav Friedrich v. L. die Güter Siedenbüssow und Tellin zu-
fielen. Der dritte Bruder, *Karl Friedrich* v. L., besass Witzow und
Bartow im Anclamschen, und Daberkow, Pritzenow, Tützpatz u. s. w.
im Demminschen Kreise. Nach dem Tode des Kriegsraths fielen die
Güter Siedenbüssow und Tellin an den Generalmajor v. L. Sowohl
dieser Letztere, als auch *Karl Friedrich* v. L. haben keine Söhne
hinterlassen, daher fielen 1786 die Güter an einen Neffen des Generals v.
L., den Prälaten des Domstifts zu Camin, v. Heyden, der mit königl. Bewilligung den Namen und das Wappen der Familie v. L.
mit dem seinigen vereinigte. (M. s. den Art. v. Heyden, Bd. II. S.
388. u. 389.) Sämmtliche Güter waren am 27. Januar 1763 allodificirt worden. — Zu höhern militairischen Würden gelangte:
Christian Bogislav v. L., ein Sohn des *Karl* v. L., Erbherrn auf
Brook und Sydenbusch, und einer Schwester des Generalfeldmarschalls v. Schwerin, durchlief nach und nach die subalternen Grade
und wurde 1756 Major. In der Schlacht bei Cunnersdorf zeichnete
er sich so aus, dass er gleich zum Obersten avancirte, und 1761 zum
Generalmajor und Chef des v. Wedelschen Regiments ernannt wurde.
Doch schon im Jahre 1764 nahm er seinen Abschied und begab sich
auf seine Güter in Pommern, wo er am 7. Febr. 1779 in einem
Alter von 72 Jahren starb. Er war mit Henriette Sophie v. Rohr
vermählt.
Die v. L. in Pommern führen in einem in die Länge herab dreifach getheilten Schilde im mittelsten silbernen Felde eine Linde, in
dem rechten, rothen Felde einen Merkurstab, und in dem linken goldenen Felde ein roth und silbernes Schach. Auf dem Helme ragt aus
einem Adlerflügel ein geharnischter Arm hervor, der in der Hand
einen Flitzbogen hält, über welchem zwei kreuzweise gelegte Pfeile
dargestellt sind. Die Helmdecken sind roth und silbern.

Linden. 259

2) Das uralte adelige Geschlecht der v. Linden, das aus Italien und namentlich aus dem Grossherzogthume Florenz nach Baiern, und von da nach Schlesien gekommen ist. Es nannte sich zuerst de Linda, von seinem alten Stammhause Linda bei Florenz. Des *Rudolph* v. Linden und Pepingen, Herrn auf Ehingen und Trauenhausen, kurfürstlich baierischen Obersten, und seiner Gemahlin Ursula v. Belheim und Paar Sohn, *Leopold* v. L., kaiserl. Capitain des Graf Götzischen Reiterregiments, vermählte sich in Schlesien mit einer v. Rothkirch und Sämitz. Aus dieser Ehe war *Leopold Friedrich* v. L., Herr auf Scharffenort bei Goldberg, kaiserl. Hauptmann in einem Dragonerregiment. — Dessen mit Dorothea Elisabeth v. Gersdorf erzeugter Sohn, *Ernst Leopold* v. L. auf Scharffenort, war königl. dänischer Offizier. Er zog mit den dänischen Hülfsvölkern nach Ungarn und Siebenbürgen, und wurde bei Hermannstadt am 6. April 1706 von den Türken getödtet. Er erscheint als der Letzte aus diesem Hause, welches im blauen Schilde eine grüne Linde, und auf dem Helme einen aus der Krone hervorspringenden, links gewendeten Hirsch führte. Helmdecken blau und silbern. Dieses Wappen giebt Siebmacher III. S. 167. und Zusatz V. S. 15. M. s. auch Sinapius II. S. 781.

Nachträglich sind uns noch von einem Mitgliede der freiherrlichen Familie v. Linden folgende Nachrichten über die verschiedenen, den Namen Linden, Lynden, führenden Familien, welche zwar grösstentheils nicht zum preuss. Adel gehören, zugekommen; wir geben sie aber hier zur Vervollständigung des Gesagten:

In den ältesten und neueren Zeiten führten mehrere gräfliche, freiherrliche und adelige Familien, die aber sämmtlich ganz verschiedenen Ursprungs waren und sind, und daher in gar keinem Zusammenhange mit einander stehen, diesen Namen. Mehrere sind ausgestorben, und manche in älteren Urkunden und Werken unter diesem Namen vorkommende Personen sind in keines der bekannten oder noch blühenden Geschlechter dieses Namens einzureihen. So z. B. war in der Mitte des 13. Jahrhunderts eine *Adelheid* v. Linden die 14. Aebtissin im Kloster Hecklingen, wie Beckmann in seiner anhaltischen Historie I. Bd. S. 149. anführt. In Estor's Ahnenprobe werden Seite 62. 395. und 465. mehrere Geschlechter v. Linden aufgeführt, welche zu keinem der jetzt blühenden zu gehören scheinen; desgleichen nennt Burgermeister in seinem Grafen- und Rittersaal, Seite 495, ein Linden'sches Geschlecht, von welchem Glieder den Turnieren beigewohnt haben sollen; und Humbracht in seiner Zierde des deutschen Adels führt in der v. Schutzbar'schen Stammtafel um das Jahr 1315 eine *Irmengard* v. Linden, und in der v. Müdersbach'schen Stammtafel eine *Else Schlune* v. Linden um das Jahr 1471 auf. Zu den abgestorbenen Geschlechtern dieses Namens scheint (mancher andern in Butkens Annalen angeführten und ausgegangenen nicht zu gedenken) unstreitig das zuletzt in Schlesien angesessen gewesene Geschlecht v. Linden zu gehören, welches im blauen Schilde eine grüne Linde (freilich gegen die heraldischen Regeln), und zur Helmzierde einen zur Hälfte hervorbrechenden Hirsch führte, dessen Hinterhorn und Vorderfuss goldfarben war, mit herabhängenden, blau und weissen Helmdecken. Diese Familie stammte, nach Sinapius, schlesischen Curiositäten II. Thl. p. 781., aus dem Grossherzogthume Florenz; nannte sich de Linda, begab sich von Florenz nach Baiern und nahm den Namen v. Linden an. Von hieraus wendete sich das Geschlecht nach Schlesien, und erwarb Scharffenort. Die letzten Nachrichten, welche von dieser Familie aufzufinden waren, betrafen *Ernst Leopold* v. Linden, geb. 1683 zu Scharffenort, welcher, nachdem er

17 *

sich in verschiedenen Diensten versucht hatte, endlich als Lieutenant 1706 bei Hermanstadt in Siebenbürgen vor dem Feinde blieb.

Unter den noch jetzt blühenden Geschlechtern der v. Linden, Lynden oder Lijnden, sind zu bemerken:

I. Die Freiherren van der Linden von Hooghvorst in Belgien, welche seit mehreren Jahrhunderten ihren Aufenthalt in Brüssel aufgeschlagen haben. Das Geschlecht leitet seinen Ursprung von einem 1½ Stunde von Löwen auf der Strasse nach Tiremont gelegenen Dorfe ab, in dessen Besitz sich die Familie jedoch schon lange nicht mehr befindet; dieses Dorf kam durch Verheirathung an das Haus Calsteren, sodann an jenes der Roellants, hierauf an das der van der Tommen u. s. w. Sie hat sehr bedeutende Besitzungen und grossen Einfluss, vorzüglich in Brabant.

Johann van der Linden, **Herr zu Marneffe**, wurde von Karl V. im Jahre 1544 zum Ritter gemacht, und ein Abkömmling von diesem, *Philipp*, Grossforstmeister von Brabant, welche Bedienung auch dessen Vater und Grossvater besessen hatten, ward 1663 zum Freiherrn v. Hooghvorst erhoben. Die Herrschaft Hooghvorst liegt zwei Stunden von Brüssel, und in der spanischen Urkunde wird gesagt, dass dieses Geschlecht von den Herzögen von Brabant abstamme. *Matthias*, ein Bruder des gedachten Philipp, blieb als Hauptmann in der Belagerung vor Armentiers.

Drei Personen dieser Familie, welche theils Brüder, theils Kinder des erwähnten Ritters *Johann* van der Linden und seiner Gemahlin Katharine von Marneffe waren, haben sich im geistlichen Stande in der Mitte des 16. Jahrhunderts hervorgethan, so *Karl* van der Linden Abt von Perk bei Löwen, *Johann* v. d. Linden, Abt von St. Gertrud zu Löwen, und *Anton* v. d. Linden, Prior in der Abtei von Villers. Zur Zeit des Bestands des gesammten Königreichs der Niederlande, noch 1830, gehörte diese Familie zur Ritterschaft in Brabant.

Das Wappen der Familie besteht nach der Erhebung in den Freiherrnstand aus einem rothen Schilde mit goldenem Haupte, worin drei rothe Schlägel mit Stielen erschienen, das Schild ist mit einer freiherrlichen Krone bedeckt und hat rechts einen Löwen mit der Fahne, nach dem Wappen der van der Lyken, welche einen getigerten Hund mit der Fahne, nach dem van der Lindenschen Familienwappen, zu Schildhaltern. Der Vater des jetzigen Freiherrn von Hooghvorst war mit dem Erbfräulein und einzigen Tochter des Grafen Gage, kaiserl. königl. Kammerherrn, aus dem Geschlechte der Lord Gage stammend, in erster Ehe, und mit einer Gräfin v. Roose aus Antwerpen in zweiter Ehe verheirathet. Aus erster Ehe sind vorhanden 1) *Emanuel*, Frhr. v. Hooghvorst, Graf von Hombeek, Chef der Bürgergarde, verheirathet mit einer Freiin von Wal von Aretinne, Bruderstochter eines Deutschordens-Commandeurs, aus welcher Ehe vier Kinder entsprossen sind. 2) *Joseph*, Maltheserritter, verheirathet an Maria, Gräfin v. Argenteau, die Ehe blieb ohne Kinder. Aus zweiter Ehe gingen hervor: 3) *Karl*, ohne Nachkommen, verheirathet an Mademoiselle Moretus, Wittwe vom Freiherrn *Constant* v. Hooghvorst. 4) *Emilie*. 5) *Ludovika*, verheirathet an Frhrn. Friedrich v. Secus, auch ohne Kinder.

II. Ein anderes Geschlecht, welches unter dem Namen Linden blüht, ist jenes der Freiherren von Linden in Geldern, in den Niederlanden, welches sich auch später nach Brabant und in das Bisthum Lüttich verbreitet hat. Die Glieder desselben bedienen sich zwar des Buchstaben y, allein in allen Urkunden, wenigstens bis zum Jahre 1626, ist der Name mit dem einfachen i geschrieben.

Linden. 261

Die Familie leitet ihren Ursprung von den alten Grafen v. Aspermont in Lothringen ab. Die Schriftsteller, welche über dieses Geschlecht geschrieben haben, als: Butkens Annales de la maison de Lynden, — Johann Holtacker, Decan zu Worms 1676, — Moreri in seinem Diction. histor. 1740, so wie auch Hübner in seinen genealogischen Tabellen von 1728, behaupten, dass Albert III., Graf v. Aspermont zwei Söhne gehabt, wovon Gobert I. die Grafen von Aspermont in Lothringen fortgepflanzt, Arnold II. aber durch seine Frau, Helena von Boisichem und Cuilenburg, die im Lande Bethuven im Herzogthum Geldern gelegene Herrschaft Linden 1170 an sich gebracht, sich dann dahin gewendet, und der Stammvater der jetzigen Freiherren v. Linden daselbst, welchen Namen er angenommen habe, geworden sei. Das Geschlecht erlangte nach und nach viele Güter und grosses Ansehen, und theilte sich in mehrfache Zweige. *Theoderich* v. Linden erwarb 1500 die Herrschaft Dormal in Brabant und *Mathiwan* im Bisthume Lüttich. *Hermann* v. Linden aber erkaufte die Herrschaft Reckheim bei Lüttich. Des Letzteren Nachkommen, *Ferdinand Gobert* v. Linden auf Reckheim und sein Bruder liessen sich von Samuel v. Sorci dessen vermeintliche Rechte auf die Herrschaft und den Namen v. Aspermont cediren, und wurden unter diesem Namen am 5. Januar 1686 vom deutschen Kaiser in den Grafenstand erhoben, nachdem sie am 16. März 1676 schon die Freiherrenwürde erlangt hatten.

Unterdessen ist die Linie von Reckheim, welche durch den Reichsdeputationshauptschluss von 1804 für ihre im westphälischen Kreise verlorenen reichsunmittelbaren Besitzungen die Herrschaft Baindt in Schwaben erhalten hatte, auf ihren Gütern in Ungarn 1824 im Mannsstamme erloschen. Die Linie der Freiherren v. Linden-Hemmen blüht nebst mehreren anderen Zweigen noch fort.

So viel das Wappen dieses Geschlechts betrifft, so sollen die Aspermont, als angebliche Abkömmlinge des Estéschen Hauses in Italien, einen silbernen Adler im blauen Felde geführt haben. Die beiden oben erwähnten Brüder aber, *Gobert* I. und *Arnold* II., sollen zur Erinnerung an ihren Zug nach Jerusalem, der Erstere ein silbernes Kreuz, und der Andere ein goldenes Kreuz, beide im rothen Felde, angenommen und auf ihre Nachkommen fortgepflanzt haben. Auf dem gekrönten Helme des Aspermontischen Schildes mit dem silbernen Kreuze ist eine achteckige rothe Tafel zu sehen, deren Ecken mit goldenen Kügelchen und Pfauenfedern geziert sind, und auf welcher das silberne Kreuz des Schildes erscheint. Auf dem goldgekrönten Helme des Schildes mit dem goldenen Kreuze erscheint ein rechts gekehrter, sitzender, schwarzer Windhund mit goldenem Halsbande.

Beide Stammwappen wurden von Zeit zu Zeit nach den verschiedenen Besitzthümern vermehrt, so wie die Linie zu Reckheim auch den silbernen Adler wieder aufgenommen hatte.

III. Eine dritte freiherrliche Familie des Namens v. Linden gehörte vor Auflösung des deutschen Reichs zum reichsunmittelbaren Adel in Schwaben, und zwar vermöge ihrer Besitzungen zum Rittercanton Neckar-Schwarzwald. Im Jahre 1806, bei Auflösung des deutschen Reichsverbandes, kam dieselbe unter die Hoheit des Königs von Würtemberg, und gehört dermalen der dortigen Ritterschaft an. Sie leitet ihre Niederlassung in Deutschland von *Peter* v. Linden ab, welcher um das Jahr 1660 Hex in Brabant, woselbst er begütert war, verliess, sich nach Deutschland in die Gegend des mittleren Mains wendete, und dessen Nachkommen sodann unter *Johann Heinrich* v. Linden die freiherrliche Würde erlangten und sich in Schwaben ankauften. Es ist nicht unwahrscheinlich, dass dieses Geschlecht von einer jüngeren Linie der unter II. angeführten Familie abstamme, welche in jener Gegend einheimisch sind, wo die in der Mitte des 17. Jahrhunderts stattgehabten Unruhen so manchen Familienvater veranlasst haben, seinen frühern ruhigen Wohnsitz mit dem einer anderen Gegend zu vertauschen. Dermalen theilt sich dieses Geschlecht in die zwei Hauptzweige von Neunthaussen und von Nordstetten.

Im verflossenen und zu Anfange dieses Jahrhunderts haben sich vorzüglich *Franz Joseph Ignaz*, Freiherr von Linden auf Neunthaussen, und *Hugo Heinrich*, Freiherr v. Linden im diplomatischen Fache ausgezeichnet. Ersterer, königl. würtemberg. wirklicher Geheimer Rath, Kammerherr, Grosskreuz des Civilverdienstordens und des Maltheserordens Ritter, war abwechselnd als ausserordentlicher Gesandter an den Höfen von Dresden, Hannover, bei dem Congress in Wien u. s. w. verwendet worden.

Hugo Heinrich war Anfangs kurhessischer Kammerjunker, dann k. würtemberg. Kammerherr, Gesandter u. s. w. — Ausser diesen verdienen noch bemerkt zu werden *Johann Philipp Heinrich*, Frhr. v. Linden, grossherz. hessischer Kammerherr, Maltheserordensritter, und *Franz Ignaz*, Frhr. v. Linden-Nordstetten, königl. würtemb. Kammerherr, Legationsrath und Geschäftsträger zu Berlin.

Das Wappen besteht nach dem officiell erschienenen würtembergischen Wappenbuche in einem goldenen Kreuze im rothen Felde; auf dem goldgekrönten Helme ist ein schwarzes sitzendes Windspiel mit goldenem Halsbande zu sehen; die Helmdecken sind golden und roth; man vergl. J. W. K. Steiner, Gesch. des Freigerichts Alzenau. — Königl. würtemb. Regierungsbl. von 1808, 1819, 1823 u. s. w. — Königl. würtemb. Staatshandbuch von 1835; Convers.-Lex. v. Brockh. 5. Aufl. 12. Bd. 1. Abtheil. S. 123 und 2. Abthl. S. 647; Memminger, topograph. Beschreib. von Würtemb. 4. Abthl. 2. Aufl.; Würtemberg. Wappenbuch; v. Hellbach, Adelslexicon u. s. w.

IV. Auch in Schlesien befindet sich gegenwärtig eine, hierher gehörige Familie v. Linden, welche in der Vermuthung steht, dass ihre Vorfahren aus Schweden gekommen seien. Es sollen nämlich, ihrer Meinung gemäss, nach dem Tode Karls XII. von Schweden ihre Vorfahren in drei Zweigen dieses Land verlassen haben. Der eine Zweig soll sich nach Westphalen, wo derselbe erloschen sei; der andere nach Niedersachsen, und der dritte nach einer ihnen unbekannten Provinz begeben haben. Aus dem Zweige, welcher nach Niedersachsen sich gewendet, leiten sie ihre Abstammung her; der erste Ankömmling daselbst, N. N. v. Linden, kam mit der v. Brabeckschen Familie in nähere Verhältnisse, erwies derselben in Wien nützliche Dienste, und wurde dafür von Jobst Edmund v. Barbeck auf Söhlder bei Hildesheim mittelst Lehnbriefs vom 31. Mai 1740 mit dem halben Zehnten zu Woltorf und Viertelzehnten zu Rodekampf belehnt. Dieser N. N. von Linden verheirathete sich im Hildesheimischen, und hinterliess bei seinem Absterben zwei Söhne und eine Tochter; nämlich 1) *Maximilian* v. L., welcher in kaiserl. königl. österreich. Militairdienste trat. Im Jahre 1795 war er Oberst gewesen. Er soll sich mit einer Hofdame in Wien verheirathet haben, und ohne Kinder gestorben sein. 2) *Jobst Edmund* v. Linden hat wahrscheinlich als Hauptmann in kön. preuss. Diensten gestanden. Im J. 1787 verkaufte er seine Besitzungen im Hildesheimschen, und lebte von seiner Pension in Berlin; später begab er sich nach Petersburg, wo er 1791 starb. Er hinterliess 5 Söhne und 1 Tochter; als

1) *Joseph* v. Linden, stand 1790 als Junker beim königl. preuss. Feldjägerregimente in Mittelwalde und trat später in englische Dienste.

2) *Friedrich Adolph* v. Linden, stand 1795 als Lieutenant beim königl. preuss. Regim. Tschammer.

3) *Friedrich Wilhelm* v. Linden, stand 1795 als Lieutenant beim königl. preuss. Regim. Jung-Larisch und befand sich 1806 als Gefangener in Nancy; er starb später und war mit N. N. Lippold vermählt. Er hinterliess drei Söhne; nämlich: a) *Friedrich Wilhelm* v. Linden, geb. d. 1. Septbr. 1819 in Stargard; b) *Karl Friedrich Ernst* v. Linden, geb. d. 19. Juni 1824 ebendaselbst; c) *Heinrich August Edmund* v. Linden, geb. zu Stargard d. 31. August 1826.

4) *Edmund* v. Linden, stand bei dem königl. preuss. Regimente Kurfürst von Hessen, trat als Hauptmann aus und wurde Oberzolleinnehmer und Salzfactor zu Löwen in Schlesien; ist verheirathet mit N. N. Bischoff. Seine Kinder sind a) *Joseph* v. Linden, geb. d. 30. März 1813. b) *Marie Dorothea* v. L., geb. d. 27. Octbr. 1814 in Stadt Worbis. c) *Marie Anna* v. L., geb. zu Magdeburg am 14. Oct. 1815. d) *Ferdinand* v. L., geb. zu Halberstadt am 23. Decbr. 1817. e) *Edmund* v. L., geb. zu Brandenburg am 4. April 1828.

5) *Adolph Ludwig* v. Linden, stand anfangs in königl. preuss. Militairdiensten, ging dann in kais. kön. österreich., und hierauf wieder in königl. preuss. Dienste, und endlich nach Amerika.

6) Eine Tochter, welche Gesellschaftsfräulein bei Frau v. Löschbrand auf Sarwei ist.

Lindenau, die Grafen, Freiherren und Herren von.

Der schöne Rittersitz Lindenau bei Leipzig ist das Stammhaus dieses alten vornehmen Geschlechtes. (M. s. Pfeiffers Leipziger Chronik p. 262.) *Heinrich* v. Lindenau kommt im Jahre 1216 in einer Urkunde, die das Kloster Zell betrifft, vor. (M. s. Schlegel, Tract. de Celle vet. p. 39.) — *Achatz* v. L., der um das Jahr 1400 lebte, wird als ein sehr gelehrter und grossmüthiger Mann geschildert. — *Albrecht* v. L. zeichnete sich im Jahre 1438 im Treffen bei Brix in Böhmen gegen die Hussiten aus. — *Wolf* v. L., der um das Jahr 1530 mit Dr. Luther zum Reichstage nach Regensburg reiste, war ein eifriger Beförderer der Reformation, starb aber auf dieser Reise. — *Sigismund* v. L. starb 1544 als der letzte katholische Bischof zu Merseburg. — Ein anderer v. L. war Domdechant zu Merseburg und wurde 1545 von Dr. Luther getraut. — *Wolf* II. v. L. war zuerst kurfürstl. sächs. Oberküchenmeister und zuletzt Oberlandfischmeister. — Im J. 1530 erwarben die v. L. den schönen Rittersitz Machern bei Leipzig; auch waren damals schon Kreysche, Cossen, Amelshain, Döllingen, Eulenfeld, Gotta, Gross-Hermsdorf, Kobershain, Neukirchen, Ottendorf, Polenz, Schmorkau, Tammenhain, Zeititz u. s. w., ein Eigenthum dieser Familie. Später kam sie auch in den Besitz der schönen Herrschaft Siegersdorf zwischen Bunzlau und Görlitz. — *Heinrich Gottlieb* v. L., geboren am 9. Juli 1729, war kurfürstl. sächs. wirklicher Geheimer Rath und Oberstallmeister, und wurde im Novbr. des Jahres 1764 vom Kaiser Franz I. in den Reichsgrafenstand erhoben. Seine Gemahlin war Auguste Charlotte, geb. v. Seydewitz und Wittwe des kurfürstl. sächs. Amtshauptmannes v. Kühlemann auf Skasse. — Sein Sohn, *Karl Heinrich August*, Graf v. L., geb. den 20. Febr. 1760, ist königl. preuss. Generallieutenant a. D., Ritter des grossen rothen Adlerordens, des Militair-Verdienstordens (erworben bei Troyes), des eisernen Kreuzes 2. Classe (erworben vor Torgau). Er ist auch einer der ältesten Johanniterritter, indem er noch im Jahre 1790 zu Sonnenburg den Ritterschlag erhielt. Er lebt gegenwärtig auf seinem Gute

Barensdorf bei Beeskow. — In königl. sächs. Diensten steht der hochverehrte Staatsminister Freiherr v. L., Grosskreuz und Ritter verschiedener Orden, namentlich des preuss. Johanniterordens. Auch ist dieser berühmte Staatsmann Ehrenmitglied der königl. Akademie der Wissenschaften zu Berlin, und der Generalmajor à la suite v. L., erwarb
sich im Jahre 1793 bei Bliskastel den Militär-Verdienstorden. —
Gustav Friedrich Rudolph v. L. ist gegenwärtig Minor praebendatus
des Domcapitels zu Naumburg. — Noch ist anzuführen *Karl* v. L.,
der früher in preuss. Diensten war und im Jahre 1818 als kaiserl.
österreichischer Feldmarschall-Lieutenant, Inhaber des Infanterie-Regiments No. 29 und Ritter des Maria-Theresien-Ordens gestorben ist.
Er war wegen seines Muthes, seines Biedersinns, seines scharfen Ver-
standes und treffenden Witzes sehr bekannt.

Das Wappen dieses alten vornehmen Geschlechts besteht aus einem oben silbernen, unten grünen Schilde; darin steht ein belaubter
Lindenbaum. Am Fusse des Stammes ist auf jeder Seite eine rothe
Rose mit goldenem Samen und unter demselben eine eben solche Rose
dargestellt. Auf dem Schilde ruht ein adeliger Turnierhelm, der mit
einem Fürstenhute mit Hermelinaufschlage bedeckt und zu beiden Seiten mit goldenen Köchern besteckt ist, aus deren Mündung ein Busch
Straussfedern (silbern und roth) wächst. Die Helmdecken silbern und
roth. — Ein anderes giebt der Ordensrath Hasse in seinem Wappenbuche S. 476. Hier ist das Schild gespalten, die rechte Hälfte roth,
die linke silbern. In der linken steht halb sichtbar der grüne Baum;
er wiederholt sich auf dem Helme zwischen einem silbernen und einem rothen Büffelhorne. Siebmacher giebt das Wappen I. S. 159, und
v. Meding beschreibt es 483 u. 484. Das Wappen der Grafen v. L.
hat dasselbe Schild, nur ist es mit drei gekrönten Helmen bedeckt;
der mittlere ist der alte v. L.'sche Helm, der zur rechten trägt einen
Thurm, der zur linken zwei Büffelhörner, zwischen denen zwei Stangen kreuzweise liegen. M. s. auch König, III. S. 727—39. Schnei-
ders Nachr. von dem adeligen Lindenauischen Geschlechte älterer Linie zu Machern und Polenz in Klotsch und Grundigs Sammlung zur
sächs. Geschichte. Bd. VI. S. 169—220 und VII. Bd. 344—359. Gauhe,
I. S. 910 und Anhang S. 16. Zedlers Universal-Lexicon XVII. S.
1375—1380. Allgemeines geneal. Handbuch I. S. 653.

Lindenberg, die Herren von.

Diese adelige Familie führt im silbernen Schilde einen rothen,
nach der rechten Seite aufspringenden Edelhirsch mit einem Fischschwanz und auf dem gekrönten Helme eine blaue Mütze mit silbernem Aufschlag. Die Decken sind roth und silbern.

Lindenfels, die Freiherren von.

Ein altes reichsfreiherrliches Geschlecht in Franken und Schwaben, von dem ein Zweig nach Schlesien kam und daselbst das Schloss
und Gut Wättritsch bei Nimptsch besass. Eine Tochter aus diesem
Hause, *Karoline*, Reichsfreiin v. Lindenfels, ist die Gemahlin des Grafen Friedrich Moritz v. Pfeil-Klein-Elguth. — Ein Prem.-Lieute-
nant und Adjutant v. Lindenfels steht im 1. Infanterie-Regimente zu
Königsberg. Im Jahre 1806 stand ein Capitain Baron v. Lindenfels
im Regimente v. Schimonski in Schweidnitz, er lebte später als Major
a. D. in München. Im Jahre 1793 stand ein v. Lindenfels als Oberst-

Lieutenant und Commandeur eines Grenadier-Bataillons bei dem Regimente von Hahnefeld in Neisse; er war im Baireuthschen um das Jahr 1731 geboren.

Wir finden zwei Wappen dieser Familie. Eins zeigt im silbernen Schilde einen schräg gelegten Balken mit drei goldenen Sternen belegt. Auf dem gekrönten Helme ist ein silberner Jünglingsrumpf, belegt mit den sternbeladenen Balken, dargestellt. Das Jünglingshaupt ist gekrönt und hat fliegende braune Haare und eine flatternde silberne und schwarze Stirnbinde. Die Helmdecken sind silbern und schwarz. — v. Hattstein giebt III. S. 316 dasselbe Wappen, doch ist der Helm nicht gekrönt. Ein anderes Wappen dieser Familie giebt Salver, S. 707. Hier liegt in dem untern Theile des rothen Schildes ein brauner Ring, von drei Schwertern durchstochen. Auf dem Helme sind zwei geharnischte Ellenbogen, die gemeinschaftlich einen goldenen Ring emporhalten, dargestellt. Die Helmdecken sind roth und silbern.

Lindenhofen, die Herren von.

M. s. v. Prüschenk.

Lindenowski, die Herren von.

1) Die adelige schlesische Familie dieses Namens, welche das Gut Begschütz im Oelsischen besass. Man findet von derselben Nachrichten bei Sinap. in der Olsnogr. I. S. 926. Der Autor derselben giebt mit wenigen Worten Nachrichten von diesem Geschlechte im 2. Bande der schlesischen Curiositäten, S. 783.

2) Dem Kriegsrathe *Johann Christian* v. Lindenowski, der wahrscheinlich von dem No. 1. genannten Geschlechte abstammte und damals Resident in Danzig, später aber Stadtpräsident, Oberbürgermeister und Geheimer Kriegsrath wurde, ward am 21. Decbr. im Jahre 1799 von des jetzt regierenden Königs Majestät ein Anerkennungsdiplom seines alten Adels ertheilt.

Lindern, die Herren von.

Zu Burg bei Magdeburg lebt im Pensionsstande der Oberst von Lindern und Ritter des Militair-Verdienstordens (erworben in dem Gefechte bei Edinghofen im Jahre 1794). Derselbe stand bis zum Jahre 1806 als Prem.-Lieutenant in dem Bataillon v. Bila der magdeburgischen Füsilierbrigade. Ein Sohn dieses verdienstvollen Stabsoffiziers steht als Lieutenant im 11. Husarenregimente.

Lindheim, die Herren von.

Das Städtchen Lindheim bei Gelnhausen in der Wetterau ist muthmasslich das Stammschloss dieses altadeligen Rittergeschlechts, aus dem zuerst *Marcolfus* de Lindheim, der um das Jahr 1305 lebte, vorkommt. (M. s. Analect. Hass. Coll. VIII. p. 304.) Man findet es auch in früheren Zeiten v. Lintheim geschrieben. Dieser Familie gehörte an: der Major im Regimente v. Diereke und spätere Postmeister zu Graudenz v. L., der im Jahre 1825 gestorben ist. Er war Ritter des Militair-Verdienstordens (erworben im Jahre 1807 bei der langen, eh-

renvollen Vertheidigung von Danzig). Von seinen Söhnen standen
zwei in dem gedachten Regimente; der ältere starb im Jahre 1816 als
Major und Commandeur des Garnison-Gardebataillons zu Spandau, der
jüngere als Capitain und Commandeur eines Jäger-Detaschements an
ehrenvollen Wunden in dem Feldzuge des Frühjahrs 1814. Ein dritter Sohn des Majors stand 1806 als Lieutenant im Bataillon v. Stutterheim zu Heilsberg, und ist gegenwärtig Oberst, Flügeladjutant Sr.
Majestät des Königs und Referent der persönlichen Angelegenheiten
u. s. w., Ritter vieler Orden, auch des eisernen Kreuzes (erworben bei
Gr. Görschen). — Nach mehreren Autoren ist die altadelige Familie
v. Lindheim von gleicher Abstammung mit dem freiherrlichen Geschlechte v. Lindesheim, das sich früher auch v. Lindheim schrieb.
Aus demselben war *Anton*, Freiherr v. L., im Jahre 1734 kais. Oberst,
der bei Cortona und bei Guastalla das Regiment Welsek führte und
mit ehrenvollen Wunden bedeckt wurde.

Die v. Lindheim führen im quadrirten Schilde im 1. und 4. silbernen Felde einen Löwen und daneben drei Kleeblätter an einem
Stiele, im 2. und 3. rothen Felde eine grüne reichbelaubte Linde. Auf
dem gekrönten Helme springt der Löwe am Stamme der Linde empor. Die Helmdecken sind roth und silbern. (M. s. Rauft geneal. Archiv, IX. pag. 119. XIII. pag. 456 und Suppl. pag. 708.) Einige Nachrichten über die Familie v. Lindheim giebt auch Zedler's Universal-
Lexicon, XVII. S. 1465.

Lindner, die Herren von.

1) Die altadelig schlesische Familie von Lindner, auch Lindener.
Ihr gehörten die Güter Romberg bei Breslau und·Kachel bei Oels,
auch Scharffenort und Strachwitz im Fürstenthume Liegnitz. — *Tobias* v. Lindner und Grüneiche, Herr auf Romberg, war 1587 Rathsherr der Stadt Breslau und starb am 14. März 1611. — *Hermann* v.
Lindner commandirte 1712 die rothe Compagnie von der Garnison der
Hauptstadt Breslau, er wurde am 3. August 1715 böhmischer Ritter.

2) Der König Friedrich II. erhob im Jahre 1773, am 29. Novbr.,
die Brüder *Ferdinand Friedrich*, *Karl Reinhold* und *Gustav Heinrich*
Lindener in den Adelstand. Der älteste dieser Brüder, Ferdinand Friedrich, stand damals als Rittmeister im Husarenregimente von Werner. — Nicht zu bestimmen vermögen wir, ob die beiden jüngern
Brüder die hier folgenden beiden von Lindener waren; nämlich der
Generalmajor v. Lindener im Ingenieurcorps, ein sehr kenntnissrei-
cher Mann, der in der Rheincampagne treffliche Dienste leistete, und
sich vor Mainz den Verdienstorden erwarb. Im J. 1806 war er Brigadier der schlesischen Festungen, und sein Verhalten im Laufe der Belagerung von Breslau, wo er dem Gouverneur, Generallieutenant v. Thile,
zur Seite stand, zog ihm eine langwierige Festungsstrafe in Glaz zu,
wo er im hohen Alter gestorben ist. — Ein Bruder von ihm war kais.
russischer Generallieutenant, Generaladjutant des Kaisers Paul, und
einer der wenigen Zeugen des unglücklichen Lebensendes jenes Monarchen. Er verliess nach dem Tode desselben das russische Reich, und
erkaufte 1801 das schöne Gut Cammerswaldau bei Hirschberg in Schlesien. Mit vielen Orden geschmückt, aber vergessen, und fast in Armuth, starb er um das Jahr 1812 zu Hirschberg. Seine Gemahlin
war eine v. Brixen.

Die oben unter Nr. 1. erwähnte Familie führte im quadrirten
Schilde im 1. und 4. Felde einen wilden bekränzten Mann auf schwarzem Grunde; er hielt in der rechten Hand einen entwurzelten Linden-

baum, in 2. und 3. stand im rothen Felde ein auf einen Felsen springendes Einhorn. Auf dem Helme zeigte sich zwischen Adlerflügeln, von denen der rechte schwarz und golden, der linke roth und silbern war, der wilde Mann mit dem Lindenbaume.

Die v. Lindener Nr. 2. führten im silbernen Schilde einen aus zwei grünen Zweigen gewundenen Kranz. Derselbe wiederholte sich auf dem Helme zwischen zwei weissen Adlerflügeln.

Lindstedt, die Herren von.

Ein altadeliges Geschlecht in der Altmark, das sich Lindstedt zu Lindstedt, auch Lindstetten und Linstetten schrieb, und in jener Landschaft die Güter Lindstedt, Schwachten und Jarchau besass. Ein Ast dieser Familie hatte sich auch in Pommern, und namentlich im Wolgastschen, ansässig gemacht. Auch in der Uckermark besass die Familie Güter. Derselben gehörte an: *Daniel Georg* v. L., ein Sohn des *Joachim Andreas* v. L., Erbherrn auf Lindstedt in der Altmark, geboren am 22. Jan. 1705, war im Jahre 1724 Reitpage Friedrich Wilhelms I., trat sodann ins Heer ein, ward 1740 Grenadiercapitain bei dem Füsilier-Regimente v. Dossow, 1745 Major, 1755 Oberstlieutenant, 1757 Oberst und 1758 Generalmajor. 1759 erhielt er 'das erledigte Regiment von der Asseburg, trieb sodann, bei dem Corps des Generals v. Hülsen angelangt, den österreichischen General Campitelli auf Hof zurück, hatte aber das Unglück, bei Maxen gefangen, und erst nach geschlossenem Frieden befreit zu werden. Er starb am 6. Juli 1764 zu Stendal mit dem Ruhme eines tapfern Generals. Besonders ausgezeichnet hatte er sich in den Schlachten bei Prag und Collin, wo er auch verwundet wurde. Er war mit einer v. Pieverling vermählt.

Die märkischen v. Lindstedt führen im goldenen Schilde drei Widerhaken, oben zwei, unten einen, und auf dem Helme zwischen zwei Büffelhörnern, von denen das rechte roth; das linke golden ist, drei Straussfedern (roth, golden, roth). Die Helmdecken sind roth und golden.

Die pommerschen v. L. führen im blauen Felde einen goldenen Ring mit drei neben einander liegenden Schwertern, die goldene Griffe hatten, besteckt, auf dem Helme zwei wachsende, gerüstete, emporgehobene Arme, in den Händen drei rothe Straussfedern haltend.

M. s. auch Gauhe, I. S. 911. Micräl., Vanselo. S. 285. Grundmann, S. 45.

Lingelsheim, die Herren von.

Das Stammhaus der adeligen Familie v. Lingelsheim war das bei dem gleichnamigen, eine Meile von Strassburg im Elsass entfernten, Flecken gelegene Schloss, das schon im Jahre 1262 von den Strassburgern zerstört wurde. (M. s. Könighofer's Chronik von Strassburg, p. 252, und Tromsdorf's neue und alte Geographie, IV. S. 231.) Dieser Familie gehörte *Georg Michael* Lingelsheim an, der im Jahre 1620 Lehrer des Kurfürsten von der Pfalz war, und als Gelehrter und Schriftsteller bekannt geworden ist. — In holländischen Diensten stand ein Oberstlieutenant v. L. Er war mit einer gebornen Gräfin zu Solms-Hungen, die einer Nebenlinie des jetzt fürstlichen Hauses Solms-Braunfels angehörte, vermählt. Aus dieser Ehe wurde am 13. Novbr. 1757 zu Hungen geboren:

Friedrich v. L., der seine erste Erziehung auf dem Schlosse zu Utphe in der Wetterau erhielt. Im 10. Jahre ward er in das Cadettencorps zu Berlin aufgenommen und 1773 trat er als Lieutenant in das Regiment Garde zu Potsdam; 1790 kam er als Capitain und Compagniechef zum Berliner Cadettencorps, und sein langjähriges Wirken gehörte sodann ausschliesslich dieser Anstalt. 1793 ward er Major, und nach dem im Jahre 1799 erfolgten Tode des Generals v. Be lwitz Commandeur der Anstalt. Schon ein Jahr früher hatte er den Verdienstorden erhalten. Das unglückliche Jahr 1806 fand ihn als Oberst und Chef sämmtlicher Cadettenhäuser. Im Jahre 1807 übernahm er auch das Directorium der Militair-Akademie, im Jahre 1810 ward er zum Generalmajor befördert, und 1817 ihm der nachgesuchte Abschied mit dem Range eines Generallieutenants und Beibehaltung seines ganzen Gehalts ertheilt. Er hatte 27 Jahre der Cadetenanstalt angehört und an 2000 Zöglinge aus derselben in die Armee eintreten sehen. Sein Tod erfolgte am 13. Januar 1845 nach kurzem Krankenlager in einem Alter von 80 Jahren. Ein jüngerer Bruder des Generallieutenants stand im Jahre 1806 als ältester Capitain in dem Regimente Prinz von Oranien zu Berlin und zuletzt als Oberstlieutenant im 1sten schlesischen Landwehr-Regimente. Er ist im Jahre 1822 im Pensionsstande gestorben. So viel uns bekannt ist, hat er Kinder hinterlassen.

Dieses adelige Geschlecht führt ein durch einen Spitzenschnitt in drei Theile zerfallendes Schild, von welchem jedes der beiden oben rothen Felder drei silberne Pfähle (oben zwei, einen unten) enthält. In dem untern silbernen Felde ist eine rothe Rose vorgestellt. Das letzte Bild wiederholt sich auf dem gekrönten Helme zwischen zwei schwarzen, mit den Pfählen belegten Adlerflügeln. Die Helmdecken sind roth und silbern.

Linger, die Herren von.

1) Der König Friedrich I. erhob am 12. März 1705 den damaligen Major und weiter unten näher bezeichneten spätern General der Infanterie, *Christian* Linger, in den Adelstand, welcher dem Oberstlieutenant der Artillerie, *Peter Salomon* von Linger, am 3. December 1787 erneuert wurde. Der Urgrossvater des Christian, *Wilhelm Heinrich* Linger, war kaiserl. Oberstlieutenant. — Sein Grossvater, *Martin Ferdinand* L., war Capitain und Zeugmeister bei der Artillerie in der Armee des Kurfürsten Friedrich Wilhelm. — Des Letzteren Sohn, *Salomon* L., und der Vater des Erhobenen, diente ebenfalls in der Armee des grossen Kurfürsten als Zeugmeister und wohnte 21 Campagnen und allen Belagerungen damaliger Zeit bei. — Zu der Würde eines Generals der Infanterie schwang sich empor:

Christian v. L., der Sohn des letztgenannten Salomon L., der 1688 bei der Artillerie eintrat, 1701 Hauptmann, 1705 Major wurde, als solcher dem spanischen Erbfolgekriege beiwohnte, und 1709 zum Oberstlieutenant avancirte. Im Jahre 1715 zeichnete er sich bei der Belagerung von Stralsund so vortheilhaft aus, dass er nach dem Tode des Generalmajors v. Kühl, im Jahre 1716 als Oberst, Chef des damals aus einer Compagnie Bombardieren und neun Compagnien Kanonieren bestehenden Artilleriecorps wurde. Im Jahre 1724 erhielt er die Amtshauptmannschaft zu Rosenburg, 1728 aber ward er zum Generalmajor und 1741 zum Generallieutenant ernannt. Er errichtete im Jahre 1742 ein Feldartillerie-Regiment, das er innerhalb zwei Jahren von 600 Mann bis auf 1570 vermehrte und mit unermüdetem Fleisse einübte. Friedrich II. erkannte die Verdienste dieses ausgezeichneten Mannes und belohnte sie im Jahre 1743 durch die Ernennung zum General der Infanterie, und 1744 durch Ertheilung des schwarzen Adlerordens. Im letztgenannten Jahre leitete er die Belagerung von Prag so zweckmässig, dass sich dieser Platz am 16. Sept. ergeben musste. Hohes Alter nöthigte ihn, sich dem Dienste zu entziehen, dennoch blieb er Chef der gesammten Artillerie, die damals aus 4123 Mann bestand. Er starb 1755 den 17. April im 86, Lebensjahre zu Berlin, und genoss bis an sein Ende die ausgezeichnete Gnade seines Monarchen. Er war mit Elisabeth Gräfe verehelicht, aus welcher Ehe ihn fünf Kinder überlebten. Im Jahre 1806 stand ein v. L. im Regimente v. Arnim zu Berlin; derselbe starb im Jahre 1813 als Lieutenant des 8. Infanterie-Regiments an ehrenvollen Wunden. — Gegenwärtig steht ein Major v. L. in der 1. Artillerie-Brigade; er ist auch Ritter des eisernen Kreuzes (erworben in Frankreich). — Ein anderer v. L. ist Capitain in der Garde-Artilleriebrigade und Ritter des eisernen Kreuzes (erworben bei Compiegne). — Ein dritter v. L. ist Prem.-Lieutenant in der Garde-Artilleriebrigade und bei der Gewehr-Revisionscommission zu Suhl commandirt. Die drei letztgenannten sind Brüder.

Die v. L. führen ein gespaltenes silbernes und blaues Schild. In dem rechten silbernen Felde ist der Fuss eines schwarzen Adlers, in dem linken blauen sind drei goldene Sterne, oben zwei, unten einer vorgestellt. Auf dem Helme steht zwischen zwei schwarzen, mit dem blauen Balken und den Sternen belegten Adlerflügeln ein silbern gerüsteter Arm, der ein Schwert mit goldenem Griffe und silberner Klinge, die Spitze in die Höhe gerichtet, hält. Die Decken sind silbern und blau.

2) Ein adeliges brandenburgisches Geschlecht, das Zedler in seinem Universal-Lexicon, Band XVII. S. 1426, erwähnt.

Linnenfeld, die Herren von.

Eine adelige Familie in der Oberlausitz, aus welcher *Gustav* von Linnenfeld das Gut Berna bei Lauban besitzt.

Linstow, die Freiherren und Herren von.

Die von Linstow haben früher den Namen von Lustenau geführt, und man zählt sie zu dem alten Adel Mecklenburgs, der, wie die Landesfürsten selbst, von den Obotriten abstammt. Zweige dieses Geschlechtes haben sich auch im Herzogthume Bremen und in den brandenburgischen-preussischen Landen niedergelassen. In dem Regimente von Pritwitz-Dragoner stand der Oberst und Commandeur Baron v. Linstow, er war aus dem Reich gebürtig, hatte sich im Jahre 1778 bei Braunau den Orden pour le mérite erworben, und war 1802½ als Generalmajor in den Ruhestand getreten. Zwei Söhne desselben waren 1806 Offiziere in demselben Regimente, der jüngere blieb in der Schlacht bei Auerstädt, der ältere stand zuletzt als Major im 1. Uhlanen-Regimente und lebt gegenwärtig als Oberstlieutenant a. D. in Breslau. Er ist Ritter des eisernen Kreuzes, erworben in der Schlacht bei Leipzig. Gegenwärtig steht ein Baron v. Linstow als ältester Capitain im 10. Infanterie-Regimente, er ist Ritter des eisernen Kreuzes, erworben bei Gr. Görschen.

Dieses Geschlecht führt ein schwarz und silbern quergetheiltes lediges Schild. Auf dem Helme stehen über einem Wulst zwei aufwachsende Jungfrauen, die zur Rechten silbern, die zur Linken mit braunem Gesichte (wahrscheinlich Mohrin), schwarz gekleidet, jene mit goldenen, diese mit schwarzen fliegenden Haaren. Beide biegen den Leib schräg auswärts, und jede hält mit der einen Hand, die erste mit der rechten, die zweite mit der linken, einen grünen Kranz gegen den Schooss. In der andern, nämlich der linken Hand der erstern und der rechten Hand der zweiten, hält jede einen mit den Hörnern abwärts gekehrten goldenen Mond in die Höhe. Zwischen diesen, die Hörner gegen einander kehrenden Monden schwebt ein goldener Stern. Die Helmdecken sind silbern und schwarz. Das mecklenburgische M. S. beschreibt den Helmaufsatz also: Auf dem Helme, welcher mit einer offenen Krone gedeckt, erscheinen zwei goldgekrönte Jungfern, welche beide einen Lorbeerkranz zwischen sich in die Höhe halten, und jede hält einen dergleichen in ihrer andern Hand vor sich nieder; die zur Rechten ist eine Mohrin mit kurzen Haaren, weiss gekleidet, mit einer schwarzen Binde um den Leib; die zur Linken hat lange goldfarbige Haare, ist schwarz gekleidet, mit einer weissen Binde.

In Fürstens W. B. 5. Th. S. 157. N. 11. Lindlow, ist das Schild silbern und schwarz quergetheilt, auch der Helmschmuck verändert. Der Helm ist gekrönt. Die Jungfrauen tragen weder fliegendes Haar noch Krone, keine von ihnen ist eine Mohrin, beide sind schwarz gekleidet, mit krausen, in Falten gelegten silbernen Halskragen und silbernem Schurz, welcher sich aber einwärts kehrt, so dass man ihn nur zur Hälfte sieht. Sie halten gemeinschaftlich einen grünen Lorbeerkranz, der einen goldenen Stern umgiebt. Unten im Kranze ist ein goldener Ring durchgezogen, der herabhängt, und dessen spitziger Stein unterwärts gekehrt ist. Jede Jungfrau hat die andere Hand in die Seite gesetzt.

In von Westphalen mon. inedit. Tom. 3. Tab. 6. ist das Schild von 1387 quergetheilt und oben geschachtet, vermuthlich soll dieses die schwarze Tinctur andeuten.

Lipinski, die Herren von.

1) Eine preussische und pommersche adelige Familie, die im Lanenburg-Bütowschen begütert war, und die noch in der zweiten Hälfte des vorigen Jahrhunderts den Antheil 6 von Zemmen besass, namentlich war *Albrecht* v. Jand-Lipinski Besitzer desselben. — In der Armee stand ein Hauptmann v. L., der eine Invaliden-Compagnie zu Wartha commandirte, und im Jahre 1816 in der 1sten ostpreussischen Provinzial-Invaliden-Compagnie gestorben ist. — Ein anderer Capitain v. L. stand im Jahre 1806 im Regimente v. Schöning. — Ein Lieutenant v. L. erwarb sich das eiserne Kreuz 2. Classe bei Leipzig. Im Jahre 1806 war ein v. L. Canonikus des Domstifts zu Plock, und ein anderer v. L. war Custos beim Archidiakonat ad St. Mariam in Summo zu Posen. — Diese Familie führt in einem ovalen blauen Schilde einen sechseckigen goldenen Stern, der sich auch auf dem gekrönten Helme wiederholt. Die Helmdecken sind blau und golden.

2) Die v. Lipinski in Schlesien. M. s. den Artikel Rosenberg.

3) Ein v. Lipinski-Pich stand in dem Infanterie-Regimente von Schenk in Westphalen, und war später Capitain und Chef einer Invaliden-Compagnie.

Lipowski, die Herren von.

Ein preussisches adeliges Geschlecht, das im vorigen Jahrhunderte vorkam.

Lippa (Lippe), die Herren von.

1) Ein adeliges Geschlecht, welches in Oberschlesien begütert ist. Der Lieutenant und Landesälteste v. Lippa besitzt Nieder-Marklowitz bei Loslau im Kreise Rybnik. In den Ranglisten der Armee findet wir diese Familie, namentlich auch den erwähnten Landesältesten, der im Jahre 1800 in dem Regimente v. Sanitz und dessen 3. Musquetierbataillon in Cosel stand, v. Lippe geschrieben. — Ein jüngerer Bruder von ihm, der im Jahre 1806 in demselben Regimente stand, war noch im Jahre 1834 Hauptmann im 19. Infanterieregimente. Er erwarb sich das eiserne Kreuz bei Leipzig.

2) Eine adelige Familie dieses Namens blühte schon im Jahre 1357 in Pommern, sie ist aber gegenwärtig unter den ausgestorbenen Geschlechtern aufgeführt.

Lippe, die Fürsten, Grafen und Herren von der.

Dieses vornehme Haus gehört unmittelbar nur in Beziehung auf die beiden gräflichen Seitenlinien Lippe-Biesterfeld, jetzt Sternberg-Schwalenberg, und Lippe-Weissenfeld hieher, während die beiden älteren Hauptlinien den souverainen Fürstenhäusern des deutschen Bundes einverleibt sind. Schon Jahrhunderte hindurch blühte dieses Geschlecht in der Reihe der mächtigsten Dynasten, unter dem einfachen Namen: „Edle Herren von der Lippe," und fast eben so lange besass es schon zwei Grafschaften, in denen es viele Städte und Schlösser erbaut hatte, als es erst im 16. Jahrhunderte den gräflichen Titel annahm. Als die Ersten aus diesem Geschlechte kommen *Hermann* I. und sein Bruder *Bernhard* mit der Bezeichnung: Edle Herren v. d. Lippe, in einer Urkunde, die vom 16. Decbr. 1121 ausgestellt ist, vor. — *Bernhard* II. erschien im Jahre 1184 auf dem Reichstage zu Mainz mit glänzendem Gefolge, und man räumte ihm schon damals einen Sitz unter den vornehmsten deutschen Grafen ein. — Graf *Simon* IV. hinterliess, nach seinem im Jahre 1597 aufgesetzten letzten Willen, Verordnungen, auf die sich alle spätern Hausverträge beziehen, von denen namentlich der vom Jahre 1616 als eines der Haupt-Familiendocumente betrachtet wird. Er starb im Jahre 1613 und hatte vier Söhne, von denen der älteste Graf *Simon* VII., der Stifter der ältesten Hauptlinie oder des jetzt regierenden fürstl. Lippe-Detmoldschen Hauses wurde. Er starb 1641. Sein Bruder *Otto* stiftete die Brackische Linie, welche mit dem Grafen *Ludwig Ferdinand* im Jahre 1709 erloschen ist. Sein Bruder *Philipp* aber gründete die Schaumburger Linie; er war im Jahre 1601 geboren und starb im Jahre 1681. *Hermann*, der vierte Bruder, war schon im Jahre 1620 im jugendlichen Alter verstorben. Als die Linie Bracke erlosch, wurde das Besitzthum derselben, nämlich die vier Aemter Bracke, Blomberg, Barntrupp und Schieder, nach einem langen Rechtsstreite durch das reichskammergerichtliche Erkenntniss vom Jahre 1744 in die beiden Hauptlinien getheilt. Es bestehen demnach in der Gegenwart die beiden Hauptlinien Lippe-Detmold, Lippe-Schaumburg, und die beiden Seitenlinien Lippe-Biesterfeld oder Sternberg-Schwalenberg und Lippe-Weissenfeld.

In Beziehung auf den preuss. Staat gehören hieher noch folgende, das Fürstenthum Lippe betreffende Notizen. Im Jahre 1366 verpfändete *Bernhard* V., Edler Herr v. d. Lippe, die Stadt Lippe oder Lippstadt für 8000 Mark löthigen Silbers Hammscher Währung, allein im Jahre 1445 hat Herzog Johann von Cleve an *Bernhard* VII. v. d. Lippe

272 Lippe.

die Hälfte der Stadt mit aller Herrlichkeit wieder abgetreten, und sich
nur das Festungs- und Besatzungsrecht, nebst dem Postwesen ausdrücklich vorbehalten; und noch in der Gegenwart besitzt das Haus
Lippe-Detmold die Stadt Lippstadt, unter denselben Verhältnissen, mit
der Krone Preussen gemeinschaftlich. Das Lippesche Amt Lipperode
ist vom preuss. Gebiet enclavirt.

I. Lippe-Detmold.

Schon Kaiser Karl VI. erhob den Grafen *Simon Heinrich Adolph*
von der Lippe-Detmold im Jahre 1720 in den Reichsfürstenstand;
doch machte dieses fürstliche Haus erst im Jahre 1789 Gebrauch davon. Sein Sohn, *Simon August*, trat am 18. Octbr. 1747 die Regierung an und starb 1782. — Sein Enkel, *Friedrich Wilhelm Leopold*,
starb im Jahre 1802, als der Sohn des Letztern, *Paul Alexander Leopold*, erst sechs Jahre alt war; er erhielt seine vortreffliche, mit
hohen Vorzügen des Herzens und des Geistes begabte Mutter Pauline
Christine Wilhelmine, Tochter des Fürsten Friedrich Albrecht v. An-
halt-Bernburg, geboren am 21. Febr. 1769, zur Vormünderin (m. s.
unten).

Fürst *Paul Alexander Leopold*, geb. den 6. Novbr. 1796, succedirt seinem Vater am 4. April 1802 unter mütterlicher Vormundschaft,
übernimmt die Regierung am 3. Juli 1820, vermählt seit dem 23. April
1820 mit Emilie Friederike Karoline, geb. den 23. April 1800, Tochter von Günther Friedrich Karl, Fürsten von Schwarzburg-Sondershausen.

Kinder:
1) Erbprinz *Paul Friedrich Emil Leopold*, geb. den 1. Sept. 1821.
2) Prinzessin *Christine Luise Auguste Charlotte*, geb. den 9. Novbr.
1822, Aebtissin zu Cappel und Lemgo.
3) Prinz *Günther Friedrich Woldemar*, geb. d. 18. April 1824.
4) Prinzessin *Marie Karoline Friederike*, geb. d. 1. Decbr. 1825.
5) Prinz *Paul Alexander Friedrich*, geb. d. 18. Octbr. 1827.
6) Prinz *Emil Hermann*, geb. d. 4. Juli 1829.
7) Prinz *Karl Alexander*, geb. d. 16. Januar 1831.
8) Prinzessin *Karoline Pauline*, geb. d. 2. Octbr. 1834.

Bruder:
Prinz *Friedrich Albrecht August*, geb. den 8. Decbr. 1797, königl.
hannöverscher Oberst des 5ten oder bremischen Cavallerie-Regiments
„Königs Uhlanen", und k. k. österreich. Oberstlieutenant des 4. Kürassier-Regiments (St. Görgen in Ungarn).

Des Grossvaters-Bruders, des am 31. August 1800
verstorbenen Grafen Ludwig Heinrich Adolph
Wittwe:

Emilie Luise, geborne Gräfin v. Isenburg-Philippseich, geb. den
10. Decbr. 1764, vermählt am 10. April 1786.

A. Erbherrlich Lippe-Biesterfeldische oder Stern-berg-Schwalenbergsche Linie.

Simon VII., jüngerer Sohn Jobst Hermanns, ist der Stifter dieser
erbherrlichen paragirten Nebenlinie. Sie trat die ihr gehörigen Aem-

ter Schwalenberg, Oldenburg und Stoppelberg der Hauptlinie nach langem Prozesse um die Primogenitur im Jahre 1762 ab, und erhielt dafür eine jährliche Rente.

Graf *Wilhelm Ernst*, geb. den 15. April 1777, vermählt seit dem 26. Juli 1803 mit Modesta, Freiin v. Unruh.

Kinder:

1) *Paul Karl Johann Friedrich*, geb. den 20. März 1809.
2) *Agnes Juliane Henriette Ernestine*, geb. den 30. April 1810, Gemahlin des Prinzen Karl Friedrich Wilhelm von Biron-Wartenberg.
3) *Julius Peter Hermann August*, geb. den 2. April 1812.
4) *Mathilde Marie Johanne Modeste*, geb. den 28. Novbr. 1813.
5) *Emma Luise Hildegard Friederike*, geb. den 17. August 1815.
6) *Hermann Friedrich Wilhelm Eberhard*, geb. den 8. Juni 1818.
7) *Leopold Karl Heinrich*, geb. den 19. Januar 1821.

Bruder:

Graf *Johann Karl*, geb. den 1. Septbr. 1778, vermählt seit dem 9. Juni 1806 mit Bernhardine, Freiin v. Sobbé.

Kinder:

1) *Pauline Luise Modesta*, geb. den 22. Mai 1809.
2) *Constantin Christian Wilhelm*, geb. den 14. März 1811, königl. preuss. Lieutenant beim 8. Husarenregimente.
3) *Amalie Henriette Julie*, geb. den 4. April 1814.
4) *Karl Friedrich*, geb. den 28. Septbr. 1818.

B. Lippe-Weissenfeldische Linie.

Graf *Ferdinand*, geb. den 20. Novbr. 1772, Herr auf Saaleben bei Kalau in der preuss. Niederlausitz, ein Sohn Karl Christians, früheren Reichshofraths und mecklenburgischer Comitialgesandten in Regensburg, auch Verfassers der Schrift: „die Alterthümer der Mannus Söhne", vermählt seit dem 23. Novbr. 1804 mit Eleonore Gustave, Baronin v. Thermo, geb. den 19. Octbr. 1789 (Baruth in der Lausitz).

Kinder:

1) *Gustav*, geb. den 21. August 1805.
2) *Agnes*, geb. den 1. Octbr. 1806.
3) *Francisca*, geb. den 1. Juni 1808, vermählt seit dem 1. Juni 1831 mit Alexander Hermann, Freiherrn v. Patow.
4) *Hugo*, geb. den 13. Decbr. 1809.
5) *Bertha*, geb. den 21. Juni 1817.
6) *Gabriele*, geb. den 24. März 1827.

Geschwister:

1) *Christian*, geb. den 24. Febr. 1777, vermählt 1) am 25. Juli 1809 mit Friederike, Gräfin v. Hohenthal (geb. den 25. Juli 1790, gest. den 27. Nov. 1827); 2) den 23. Mai 1836 mit Wilhelmine, Fräulein v. Egidy, aus dem Hause Krainitz (Teichnitz bei Bautzen)

Kinder:

a) *Marie*, geb. den 10. Juni 1810, vermählt seit dem 26. August 1828 mit Albrecht, Grafen v. Löben, geb. den 29. April 1800.
b) *Oscar*, geb. den 26. August 1813.
c) *Clementine*, geb. den 10. Febr. 1815.
d) *Friedrich*, geb. den 12. Januar 1817.

v. Zedlitz Adels-Lex. III.   18

e) *Ida*, geb. den 16. Januar 1819.
f) *Franz*, geb. den 17. Septbr. 1820.
g) *Theodor*, geb. den 3. Febr. 1822.
h) *Lydia*, geb. den 24. Febr. 1824.

2) *Ludwig*, geb. den 14. Juli 1781, vermählt seit dem 24. Juni 1811 mit Auguste, Gräfin v. Hohenthal, geb. den 16. August 1795. (See in der Lausitz.)

Kinder:
a) *Adolph*, geb. den 11. Mai 1812.
b) *Pauline*, geb. den 26. August 1813.
c) *Leopold*, geb. den 19. März 1815.
d) *Therese*, geb. den 23. Juli 1816.
e) *Otto*, geb. den 3. Mai 1818.
f) *Anton*, geb. den 29. Decbr. 1819.
g) *Mathilde*, geb. den 31. Juli 1821.
h) *Ernst*, geb. den 21. Febr. 1825.
i) *Robert*, geb. den 30. März 1826.
k) *Sophie*, geb. den 21. Septbr. 1827.
l) *Johanne*, geb. den 6. Decbr. 1828.

Wittwe des Oheims, Grafen Karl Christian, k. k. wirklichen Geh. Raths und wirklichen Kämmerers:

Isabelle Luise Constanze, Gräfin v. Solms-Baruth, geb. den 15. Mai 1774, vermählt am 29. Juni 1800, Wittwe seit dem 5. April 1808 (Armenruh bei Goldberg in Schlesien).

Dessen Kinder erster Ehe mit der Gräfin Henriette Luise von Callenberg zu Muscau:

I) *Ludwig Alexander Bernhard*, geb. den 30. November 1776, k. k. wirklicher Kämmerer (Dresden).
II) *Bernhard Heinrich Ferdinand*, geb. den 22. Febr. 1779, vermählt seit dem 21. Mai 1820 mit Emilie v. Klengel (Oberlösnitz bei Dresden).

Kinder:
a) *Isolda*, geb. den 16. Juni 1821.
b) *Cölestine*, geb. den 20. Octbr. 1823.
c) *Armin*, geb. den 15. Octbr. 1825.

3) *Karl Friedrich Hermann*, geb. den 20. März 1783, vermählt 1) am 5. Januar 1808 mit Lina v. Lang auf Mutenau (geb. den 10. Januar 1782, gest. den 7. Januar 1815); 2) den 4. Septbr. 1815 mit deren Schwester Dorette v. Lang auf Mutenau (geb. den 6. Juli 1779, geschieden den 13. Januar 1831, gest. den 12. Decbr. 1835); 3) seit dem 24. März 1831 mit Mathilde v. Hartitzsch, geb. den 24. Novbr. 1828 (Braunschweig).

Söhne erster Ehe:
a) *Karl Octavio*, geb. den 6. Novbr. 1808, vermählt seit dem 24. Decbr. 1833 mit Maria Thusnelde, Gräfin v. Mengersen, geb. den 4. August 1809 (Schloss Neuland in Schlesien).
b) *Curd Reinicke*, geb. den 29. Januar 1812 (Wien).

Kinder zweiter Ehe des Grafen Karl Christian:
4) *Henriette Luise Hermine*, geb. den 30. Septbr. 1801.
5) *Karoline Isabelle Irmengard*, geb. den 23. April 1803.

II. Schaumburg-Lippe, auch Lippe-Bückeburg genannt.

Dieser zweite Hauptast des Hauses erlosch im Jahre 1777 mit dem berühmten Grafen *Wilhelm* I. zu Schaumburg-Lippe-Bückeburg, königl. portugiesischem Generalissimus der Landmacht, königl. grossbritannischem und kurbraunschweigschem Generalfeldmarschall, Ritter des schwarzen Adlerordens, Ehrenmitglied der königl. preuss. Societät der Wissenschaften. Er war am 24. Januar 1724 geboren und kämpfte im siebenjährigen Kriege als ein Bundesgenosse Friedrichs II. tapfer für die Sache des grossen Königs, und zu Gunsten Preussens schloss er am 26. August 1756 einen wichtigen Staatsvertrag mit England. (M. s. Denkwürdigkeiten des Grafen Friedrich Wilhelm Schaumburg-Lippe-Bückeburg, von Theodor Schmalz. Hannover. 1783.) Es bestand aber ein Nebenast des Hauses unter dem Namen Lippe-Alberdissen. Derselbe succedirte nun in den Besitzungen des Hauptastes. Im Jahre 1640 war das Haus Holstein-Schaumburg mit Otto, einem Schwester sohne des oben erwähnten Philipp, Stifters dieser zweiten Hauptlinie, erloschen, und es fielen demnach die Schaumburger Besitzungen an das Haus Lippe. *Georg Wilhelm*, Graf v. Schaumburg-Lippe, nahm am 18. April 1807 die fürstliche Würde an und wurde Mitglied des Rheinbundes.

Fürst *Georg Wilhelm*, geb. den 20. Decbr. 1784, succedirt seinem Vater am 13. Febr. 1787 unter Vormundschaft, übernimmt die Regierung am 18. April 1807, vermählt seit dem 23. Juni 1816 mit Prinzessin Ida Karoline Luise, geb. den 26. Septbr. 1796, Tochter des Fürsten Georg v. Waldeck.

Kinder:

1) Erbprinz *Adolph Georg*, geb. den 1. August 1817.
2) Prinzessin *Mathilde Auguste Wilhelmine Karoline*, geb. den 11. Septbr. 1818.
3) Prinzessin *Adelheid Christine Juliane Charlotte*, geb. den 9. März 1821.
4) Prinzessin *Ida Marie Auguste Friederike*, geb. den 26. Mai 1824.
5) Prinz *Wilhelm Karl August*, geb. den 12. Decbr. 1834.

Schwestern:

1) Prinzessin *Wilhelmine Charlotte*, geb. den 18. Mai 1783, vermählt seit dem 7. Novbr. 1814 an den Grafen Ernst Friedrich Herbert von Münster, königl. grossbrit. hannöverschem Minister und hannöverschem Erblandmarschall, geb. den 1. März 1766.
2) Prinzessin *Karoline Luise*, geb. den 29. November 1786.

Das Wappen.

A. Lippe-Detmold.

Sie führen ein neunfeldriges Hauptschild, mit einem Herzschildlein versehen; in letzterem ist die goldene Rose wegen Lippe im silbernen Felde dargestellt. Das mittlere obere und untere rothe Feld zeigt eine Schwalbe, die auf einem goldenen Sterne steht (Schwalenberg). In den mittlern goldenen Seitenfeldern ist ein rother Stern vorgestellt (Sternberg). Die Eisenhüte und Mühleneisenkreuze beziehen sich auf die vormals in den Niederlanden besessenen Herrschaften Vianen und Ameyden.

M. s. d. Gothaischen geneal. Hof-Kalender. 1837. S. 31 u. s. f. Geneal. histor. statist. Almanach.

18*

B. Schaumburg-Lippe.

Sie führen ein Haupt- und ein Mittelschild. Ersteres in 4 Felder
getheilt, wovon 1 und 4 die Lippesche Rose, 3 und 4 die Schwalen-
bergsche Schwalbe enthält. Auf dem Mittelschilde sieht man das
Schauenburgsche Nesselblatt mit drei eingesteckten Nägeln.

Lippe, die Freiherren und Herren von der.

1) Dieses freiherrliche Geschlecht, das in Westphalen den Rittersitz Winsbeck seit langen Zeiten besitzt oder besass, stammt aus der
morganatischen Ehe *Bernhard's*, Reichsgrafen von der Lippe, und der
Margaretha v. Reden, die am Ausgange des 15. Jahrhunderts lebten.
Der älteste Sohn aus dieser Ehe, *Bernhard v. d. L.*, war fürstl. lip-
pescher Kanzler und starb muthmasslich an Gift. Er hatte drei Söhne,
Heinrich, Simon und *Christoph*, die ihr Geschlecht fortpflanzten.
Ein Zweig dieses Hauses hatte sich in den kurpfälzischen Landen, ein
anderer in den königl. dänischen Staaten niedergelassen. Dem ersteren gehörte an *Friedrich v. d. Lippe*, genannt Huno oder Hoen, der um
das Jahr 1658 kurpfälzischer Geheimer Rath und Vicedom zu Neustadt
war. Die letztere Linie gründete *Christoph v. d. L.*, ein Sohn des
oben genannten Heinrichs, dänischer Kanzler und im dreissigjährigen
Kriege Gesandter bei verschiedenen Kreisen des deutschen Reiches.

Diese freiherrliche Familie führt im silbernen Schilde zwei über
einander gesetzte schwarze Turnierkragen. Auf dem Helme liegt eine
Wulst, über welcher zwei silberne Adlerflügel, mit den Turnierkragen belegt, dargestellt sind, und zwar so, dass die Turnierkragen in
der Mitte liegen und auf diese Weise beide Flügel berühren.

2) Ein adeliges, zum Theil auch freiherrliches Geschlecht in Sachsen und Westphalen, das schon im 12. Jahrhunderte ansehnlich begütert war. Sein Stammhaus ist das Schloss Wintrup. In den Marken
war es ebenfalls begütert. In dem Kreise Teltow gehörten ihm die
Güter Blankenfelde und Glasow. Nicht zu bestimmen vermögen wir,
ob der Oberst v. d. Lippe, der im Jahre 1715 Commandant der Pee-
namünder Schanze war, und diese sehr ehrenvoll vertheidigte, dieser
oder der vorerwähnten Familie v. d. L. angehörte. Dasselbe ist bei
einer langen Reihe von Offizieren der Fall, die den Namen v. d. Lippe
und v. Lippe führten. Namentlich standen zwei Brüder v. L. in dem
Infanterie-Regimente v. Sanitz. (M. s. den Art. v. Lippa.) Eben so
standen zwei Brüder v. Lippe in dem Kürassierregimente v. Bünting,
der ältere trat 1808 in kaiserlich österreichische Dienste, und ist im
Jahre 1819 als Rittmeister des Regiments Kaiser Franz-Kürassier in
Ungarn gestorben, der jüngere blieb im Jahre 1813 als Lieutenant des
3. Dragonerregiments auf dem Felde der Ehre. — Noch gegenwärtig
dienen Offiziere dieses Namens in der Armee, namentlich der Prem.-
Lieutenant v. d. L. im 13. Infanterie-Regimente zu Münster, und der
Prem.-Lieutenant und Ritter des eisernen Kreuzes (erworben in Frankreich) v. L. im 3. Dragonerregimente.

Lipski, die Herren von.

Eine adelige polnische Familie, die in der Provinz Posen ansässig ist, wo namentlich der Landschaftsrath v. Lipski das Gut Uzar-
zewo besitzt. — Im Jahre 1806 war ein v. Lipe-Lipski Propst am
Collegiatstift zu Chocz. — Zwei Offiziere dieses Namens standen im

Jahre 1806 im preuss. Heere, einer war Offizier im Regimente von
Katte-Dragoner, und lebte noch vor einigen Jahren als Rittmeister
a. D. zu Jastrow. Ein anderer stand in dem Regimente v. Manstein-
Dragoner, und lebte später a. D. zu Sensburg in Ostpreussen.

Liptay, die Herren von.

Eine adelige Familie, die ursprünglich Mecklenburg angehört, von
der aber mehrere Zweige sich nach Preussen gewendet haben. — Ein
Major v. Liptay commandirte im Jahre 1806 das 3. Musquetierbataillon von dem Regimente v. Chlebowski in Warschau und ist im Jahre
1808 gestorben. — Ein Capitain dieses Namens stand in dem 3. Musquetierbataillon des Regiments v. Möllendorf zu Neustadt E.-W. —
Im Jahre 1806 waren zwei Fräulein aus dieser Familie Conventualinnen des Stiftes zum heiligen Grabe.

List, die Herren von.

Diese adelige Familie schreibt sich zuweilen auch v. Listen. Sie
gehört Sachsen und Schlesien an. In der Grafschaft Hoya und in
Schlesien im Fürstenthume Sagan war sie seit langen Zeiten begütert,
ja sie kommt in diesen Landschaften schon im 12. Jahrhunderte vor.
Bucelin und Spener geben schon Nachrichten von ihnen. — Von der
sächsischen Linie, und namentlich von einem Aste in der Lausitz,
war der Major v. List in dem Regimente v. Wedel zu Bielefeld, der
im Jahre 1818 im Pensionsstande gestorben ist. — Ein Bruder von
ihm stand als Hauptmann in dem Regimente v. Lettow zu Minden
und zuletzt im 2. pommerschen Landwehrregimente. — Ein Capitain
v. L., der in dem Regimente Prinz v. Oranien zu Berlin stand, starb
1808, u. s. w.
Die v. L. führen ein von vier silbernen und blauen Streifen pfahlweise gespaltenes, oder der Länge nach getheiltes Schild und mitten
durch das Schild einen rothen Balken. Auf dem gekrönten Helme sind
zwei mit dem Balken belegte Flügel angebracht. Die Helmdecken sind
blau und silbern. M. s. Sinapius, I. S. 601.

Lith, die Freiherren und Herren von der.

Von der Lith, auch von der Lieth und von der Lyd, ist der Name
eines uralten, theils freiherrlichen Geschlechts, das zum Reichsadel
gehörte und in dieser Eigenschaft am 22. Novbr. des Jahres 1698 einen kurfürstl. brandenburgischen Bestätigungsbrief erhielt. Es war im
Bremischen und in Franken, hier namentlich im Anspachschen ansässig. Der letztern Linie gehörte der Major und Commandeur des
Garde-Grenadierbataillons zu Potsdam v. d. Lith an, der um das Jahr
1752 in Anspach geboren war und im Jahre 1819 im Pensionsstande
gestorben ist. — Im Bremenschen besass diese Familie in der Herrschaft Bederkäsa das Burglehn Schloss Bederkäsa. — *Hartwig* v. d. L.
starb im Jahre 1208 als Erzbischof von Bremen. Er war früher bei
Heinrich dem Löwen Notarius, und bei dem Dome zu Bremen Thesaurarius. Er gehörte zu den geistlichen Fürsten, die sich grossen
Kriegsruhm erworben haben, denn er bestand tapfere und glückliche
Kämpfe mit den Dittmarsen und Stedingern, und führte selbst eine
Flotte gegen die Sarazenen in die morgenländischen Gewässer. —

Jürge v. d. L. war Präsident der bremischen Ritterschaft, und sein Bruder, *Claus*, kaiserl. Oberster. — Von diesem haben verschiedene Nachkommen in den brandenburg. und preussischen Diensten gestanden, namentlich sein Enkel, *Johannes* v. d. L., der königl. preuss. Hof- und Kammerrath, Director des Kreises Jerichow und der Stadt Burg, auch Kriegscommissarius war. — Ein jüngerer Bruder desselben, *Albert* v. d. L., bekleidete bei dem Czaar die Stelle eines Geheimen Kriegsraths und Kriegscommissarius und starb im Jahre 1718 als königl. polnischer bevollmächtigter Minister und Gesandter am preussischen Hofe. Um dieselbe Zeit war *Johann Conrad* v. d. L. königl. preuss. Hofrath und Geheimer Archivar.

Dieses Geschlecht führte im silbernen Felde einen mit erhobenen Flügeln stehenden Kranich natürlicher Farbe, der in der aufgezogenen Klaue des rechten Fusses einen Stein hält. Auf dem Helme sind zwei (in Holzschnitt schwarze, vermuthlich Kranichs-) Flügel dargestellt. Die Tinctur der Helmdecken fehlt.

Musharil c. 351. sagt: ein altes, im Bremischen ansässig gewesenes Geschlecht, aus welchem *Hartwig* v. d. Lith schon 1184 den 29. Januar zum bremischen Erzbischof erwählt worden war. M. s. auch Gauhe I. S. 913. u. f. Zedler's Universal-Lexicon XVII. S. 1657 — 1664.

Lobenstein, die Herren von.

Hofer zu Lobenstein und Siching ist der Name einer baierischen adeligen Familie, welche ehedem das Erbmarschallamt beim Stifte Regensburg besass. — Eine Linie derselben war im Anspach'schen begütert. Derselben gehörte der Major Baron *Hofer* v. Lobenstein an. Er hat 45 Jahre lang in preuss. Diensten gestanden, und ist im Jahre 1813 im Pensionsstande gestorben.

Das Wappen der Herren v. L. zeigt im silbernen Felde drei rothe Sparren übereinander, jeden dreimal oberwärts geastet. Auf dem gekrönten Helme ist ein Käfig, in Gestalt eines länglichrunden Reisskorbes, in die Höhe gestellt. in welchem in der Mitte eine Oeffnung sich befindet, deren Thür nach der linken Seite auswärts aufgeschlagen ist. Der Käfig ist oben gekrönt und mit drei Pfauenfedern nebeneinander besteckt. Helmdecken silbern und roth. — Die Beschreibung der Figuren nehme ich von einem Abdrucke des Wappens, die Farben aus Fürstens W.-B. I. Theil S. 78. No. 11. Hofer zum Lobenstein Baierisch, woselbst der Käfig zwar keine Thür, wohl aber etwas Schwarzes zeigt, welches ein in demselben sitzender Vogel sein mag. Die Pfauenfedern stehen daselbst 2, 1.

Lobenthal, die Herren von.

Aus dieser adeligen Familie war *Karl Friedrich* v. Lobenthal, geboren im Jahre 1766, der seine militairische Laufbahn im Infanterie-Regiment v. Tschammer begann. Im Jahre 1806 war er Grenadier-Capitain. Den Feldzügen 1813 und 1814 wohnte er sehr ehrenvoll bei, zuerst als Oberst und Commandeur des 1. ostpreuss. Infanterie-Regiments, zuletzt als Brigade-Commandeur. Ganz vorzüglich glänzt in seinem Kriegerleben die heldenmüthige Vertheidigung der Stadt Merseburg am 29. April 1813 gegen eine grosse feindliche Uebermacht. Nicht minder ausgezeichnet waren die Dienste, die er als Führer der Avantgarde des v. York'schen Corps an der Katzbach

leistete. Im Jahre 1814 war er Commandeur in der 7. Brigade und
1815 der 2. Brigade im 6. Armeecorps. Ausser mehreren fremden
Orden war er mit dem Orden pour le mérite, und dem eisernen
Kreuze 1. Classe geschmückt worden, wozu sich noch später der
rothe Adlerorden 2. Classe gesellte. Nach dem zweiten Pariser Frie-
den ward er Generalmajor, Brigadier zu Magdeburg, 1818 Divisions-
Commandeur und Commandant dieser Festung. Er starb am 14.
März 1821 auf seinem Gute Alt-Krakelitz in der Altmark. Ein Bru-
der desselben stand im Jahre 1806 in dem Regiment v. Winning zu
Berlin und ist im Jahre 1820 als Major und Kreis-Brigadier bei der
Gensdarmerie ausgeschieden.

Lochau (ow), die Herren von.

Man hält dafür, dass das Schloss und Städtchen Annaburg, im
Regierungsbezirke Merseburg gelegen, das früher, wie bekannt, Lo-
chau hiess, das Stammhaus dieser altadeligen Familie ist. Sie hat
sich von da in der Niederlausitz, im Magdeburgischen und in den
Marken verbreitet. In der Grafschaft Ruppin ist der Rittersitz Dretz
ein altes Besitzthum dieser Familie, in der Niederlausitz aber das
Gut Tschorne, und im Magdeburgischen Belleben. Mit dem deutschen
Orden ist sie nach Liefland und Preussen gekommen. Schon 1161
wurde *Berthold* v. Lochau, früher Abt zu Bremen, und Bischof in
Liefland. Er verbreitete mit Feuer und Schwert die christliche
Lehre in jener Landschaft, kam aber in einem Treffen im Jahre
1196 um. — Noch früher, im Jahre 1130, kommt *Burchard* v. L.
als des Kaisers Lothar Geheimer Rath und Statthalter in Friesland
vor. Er wurde von einem Grafen v. Winzenburg im Zweikampfe getödtet. — Am Anfange des 14. Jahrhunderts war *Peter* v. L. Landvoigt in der Oberlausitz. — *Friedrich* v. L. war des Markgrafen
Ludwig zu Brandenburg Hauptmann. Er vertheidigte die Stadt Lübeck gegen die Grafen v. Holstein. — *Martin* v. L., Dr. und Professor der Theologie und des Cisterzienserordens General-Commissarius, starb im Jahre 1522 als Abt zu Zelle in Sachsen. Er hatte
eine vortreffliche Bibliothek gesammelt, die nach seinem Tode der
Universität Leipzig zu Theil wurde. (M. s. Schlegelii Tr. de Zella
veter. p. 110.). — *Ludwig* v. L. war um das Jahr 1596 Domdechant
und Thesaurarius zu Magdeburg, auch Dompropst zu Brandenburg. —
Im preuss. Heere haben viele Edelleute aus diesem Hause gedient,
und noch in der Gegenwart dienen mehrere in demselben. — Im
Jahre 1806 stand in dem Regimente Prinz v. Oranien zu Berlin ein
Capitain von der Lochau, ein Anderer in dem Regiment von Winning. — Ein Lieutenant v. Lochow, früher in dem Bataillon Schacht-
meier der 2. ostpreuss. Füsilierbrigade; er ist gegenwärtig Capitain
im 5. Infanterie-Regiment und Ritter des eisernen Kreuzes (erwor-
ben bei Dennewitz). — Zwei Brüder v. L. standen ebenfalls im
Regiment v. Winning, der ältere als Lieutenant, der jüngere als
Fähnrich. — Ein Capitain v. L., gegenwärtig a. D., erwarb sich das
eiserne Kreuz bei Belzig. — Diese Familie führt im silbernen
Schilde drei Mannsköpfe, oben zwei, unten einen (mit aufgesetzten
Bärten und einer Sturmhaube ähnlichen Mützen). Auf dem Helme
steht der Rumpf eines Mannes, in Blau und Silber gekleidet. Der
Kragen hat die abwechselnden Tincturen des Kleides. Seine Mütze
ist wie die der Köpfe im Schilde, jedoch mit drei schwarzen Hahnenfedern besetzt. Helmdecken silbern und blau. Im Anhaltischen blühte
eine Familie v. Lochau, die folgendes Wappen führte. Im silbernen

Schilde einen schwarzen aufrecht stehenden Bären, und auf dem Helme zwei gestürzte Bärentatzen. Helmdecken blau und silbern. Dieses Geschlecht erwähnt Gauhe I. S. 922. u. f. Grosser, Laus. Merkw. III. S. 38. Sinap. II. S. 786.

Lockstaedt, die Herren von.

Zu den angesehenen Geschlechtern und zu dem alten Adel der Provinz Pommern gehören die v. Lockstaedt (auch Lockstedt und Lochstädt). Sie sollen, nach einigen Autoren, in früheren Zeiten Schlossgesessene zu Woldenburg gewesen sein. Die Güter Kl. Leistikow, ein Theil von Gr. Sabow, und ein Theil von Maskow sind seit 400 Jahren Lehne der Familie; denn *Henning* v. L. erkaufte sie im Jahre 1430 von den Grafen v. Eberstein; eben so besass sie hier auch das Dorf Hindenburg bei Naugardt. Namentlich war der Major *Adolph Heinrich* v. L. Erbe dieser vereinigten Güter. Nach seinem Tode fielen sie im Jahre 1765 an seine drei Söhne. Der Hauptmann *Christoph Heinrich* v. L. erhielt Maskow, *Karl Friedrich* v. L. Hindenburg, *Johann Adolph* v. L. Kl. Leistikow und den Theil an Gr. Sabow. Der zuerst genannte der Brüder starb kinderlos, und der jüngste, *Johann Adolph* v. L., wurde Erbe von Maskow. Der genannte *Karl Friedrich* v. L. hatte einen Sohn, *Philipp*, der das Gut Hindenburg erbte. Ein Theil dieser Güter ist noch gegenwärtig in den Händen der Familie. Auch besitzt gegenwärtig der Landschaftsdeputirte *Ferdinand* v. L. zugleich den Rittersitz Carow bei Regenwalde und Labes. Dieses Gut hat die verwittwete v. L., geborne v. Weyher, dem Sohne ihrer Stieftochter, *Philipp Friedrich* v. L., vermacht, der auch nach dem am 11. Januar 1778 getroffenen Vergleiche davon Besitz nahm. — Auch in Preussen, namentlich in der Gegend von Tilsit, ist ein Zweig dieser Familie zu Hause. — *Eduard* v. Lockstädt starb am 10. Januar 1833 als Oberlandesgerichtsrath zu Insterburg. Im 1. Husarenregiment stand bis zum Jahre 1812 ein Major v. L., der früher im Husarenregiment v. Prittwitz gedient hatte. Er trat als Oberstlieutenant in den Pensionsstand und ist im Jahre 1819 gestorben.

Die v. L. führen ein aus einem schräglinken blauen und silbernen Schach von der Linken zur Rechten hervorspringendes silbernes Einhorn im rothen Felde und auf dem Helme. Helmdecken blau und silbern. M. s. genealogische Beschreibung des hochadeligen Geschlechtes von Lockstädt in Pommern, 1744. 4. B. M. s. Brüggemann, Beschreibung d. Herz. Pommerns.

Loden (de), die Herren von.

Ein altes, einst sehr reiches Geschlecht in Pommern, das die Güter Gust, Gramenz u. s. w., auch pfandweise mehrere Jahre hindurch die Stadt Bublitz besass. *Caspar* v. Loden, Herr zu Gust, erhielt die eben genannte Stadt im Jahre 1445 als Pfand von dem Bischof zu Camin, Ludwig Graf v. Eberstein, er trat sie 1449 wieder ab (Brüggemann 2ter Th. 2ter Bd. S. 530.). — *Simon* v. Loden wurde von den Colbergern im Jahre 1512 gefangen genommen, und als Raubritter und Wegelagerer hingerichtet (Wutstrack, Beschreibung von Pommern S. 602.). Einige Jahre später ereilte seinen Vetter, *Curt* von Loden zu Stettin, dasselbe Schicksal (Wutstrack a. a. O.

S. 118.) M. s. auch Karl v. Simmern, Beschreibung von Pommern.
Gauhe, II. B. S. 643. und Hupel's Materialien 1789. S. 187.

Loder, die Herren von.

Se. Majestät, der jetzt regierende König, erhob am 27. Novbr.
1809 den Geheimen Rath und Dr. der Medicin, *Ferdinand Christian*
v. Loder, in den Adelstand. Er starb am 16. April 1832 zu Moskau
als kaiserlich russischer wirklicher Staatsrath, Leibarzt des Kaisers
zu Moskau, Ritter des Sct. Wladimir- und des Sct. Annenordens,
Präsident des Kirchenraths der evangelischen Gemeinde zu Sct. Michael in Moskau und der zu derselben gehörigen Schule, Mitglied
der kaiserl. Gesetzcommission und der moskauischen Ritterschaft, auch
des medicinischen Reichscollegiums und der Akademieen der Wissenschaften und gelehrten Gesellschaften zu Sct. Petersburg, Berlin,
Paris, Göttingen, Wien, Padua, Zürich, Erlangen, Hanau, Jena,
Halle, Wilna, Moskau, und Ehrenmitglied der kaiserlichen Universität zu Moskau. Folgende interessante Notizen aus dem Leben dieses berühmten Mannes dürften hier an ihrer Stelle sein.

Er war 1753 zu Riga geboren. Sein Vater, Pastor und Consi-
storialassessor daselbst, war aus Franken, seine Mutter, eine geborne
Cappel, aus Liefland. Nachdem er das kaiserliche Lyceum zu Riga
von 1769 bis 1773 besucht hatte, studirte er in Göttingen Medicin.
1778 am Stiftungstage der Universität, promovirte er als Doctor der
Medicin und Chirurgie, und trat darauf die ihm angetragene Stelle
als ordentlicher Professor in der medicinischen Facultät zu Jena an.
Auf einer zweijährigen Reise (1780 fg.) nach Frankreich, Holland
und England machte er in Holland mit Camper, Sandsfort, Bonn
und Lyonet Bekanntschaft, eben so wie er auch zu Paris mit Desault
(in dessen Hause er 3 Monate wohnte, um sich unter seiner Anleitung . in chirurgischen Operationen zu üben), Louis, d'Azyr,
Daubenton, Franklin, Portal, Baudelocque (bei welchem er einen
Cursus über die Operationen der Geburtshülfe hörte) in nähere Be-
rührung kam. In Rouen übte er sich vier Monate lang im grossen
Militairhospital unter David in der chirurgischen Praxis. In London,
wo er 5 Monate zubrachte, besuchte er die anatomischen Vorlesungen
von Will. Hanter, bis zu dessen Tode, und beschäftigte sich vorzüglich in dessen Museum; auch hatte er öfteren Umgang mit Banks,
Schleden, und mehreren anderen. 1782 kam er nach Jena zurück,
errichtete daselbst ein neues anatomisches Theater, auch eine Ent-
bindungsanstalt, bei welcher Stark der Aeltere ihn unterstützte, und
ein Naturalien-Kabinet, bei welchem er Lenz zum Gehülfen hatte;
auch gründete er ein medicinisch - chirurgisches Klinicum, woran
Hufeland, Himly, Succow und Bernstein Antheil nahmen. 1782 ward
er Geheimer Hofrath und Leibarzt des Herzogs von Weimar, und
Physikus der Stadt und des Kreises von Jena; lehrte Anatomie, Physiologie, Chirurgie, Entbindungskunst, medicinische Anthropologie,
gerichtliche Arzneikunde und Naturgeschichte, hielt ein lateinisches
Disputatorium und ertheilte den Hebammen Unterricht. 1803 trat er
als Geheimer Rath in preussische Dienste und ward als ordentlicher Professor der Medicin zu Halle angestellt. Daselbst errichtete
er eine chirurgische Krankenanstalt, bei welcher Bernstein sein Ge-
hülfe war, und lehrte Anatomie, Physiologie, Chirurgie, Entbindungskunst und gerichtliche Medicin. Nachdem nun Halle, während eine
Reise nach seinem Vaterlande (1806) ihn von hier entfernt hatte, an
das Königreich Westphalen gefallen war, schlug er den Antrag, in

die Dienste dieses Staates zn treten, ans, wurde 1808 königl. preussischer Leibarzt zu Königsberg, und privatisirte hierauf als solcher zu Petersburg und dann zu Moskau. In Petersburg wurde er dem Kaiser Alexander vorgestellt, der grosses Wohlgefallen an seiner Alles schnell bethätigenden Lebendigkeit und Weltkenntniss fand, und ihn (1810) zum wirklichen Staatsrath und Leibarzt ernannte, nachdem er von dem König von Preussen seines Dienstes entlassen, und zur Belohnung in den Adelstand versetzt worden war. Da Alexander es ihm freigestellt hatte, seinen Aufenthaltsort in Russland nach Belieben zu bestimmen, so wählte er Moskau. Hier wurde Graf Ostermann, von ihm geheilt, sein grosser Beschützer. Als Mitglied des medicinischen Rathscollegiums erhielt er im Jahre 1812, in welchem Napo'eon Russland mit Krieg überzog, den Auftrag, für die in Moskau befindlichen russischen Verwundeten zu sorgen, und nachdem die französische Armee diese Stadt besetzt hatte, errichtete er für 600 verwundete Offiziere und 31,000 Gemeine in mehreren entfernten Städten und Dörfern Militairhospitäler, deren Leitung er 8 Monate lang bis zum Ende führte. Im Jahre 1813 wurde ihm eine Criminaluntersuchung über den Commissariats- und medicinischen Theil des grossen Militairhospitals zu Moskau übertragen. Mit Muth und Kraft enthüllte er in dieser Untersuchung, die ein Jahr lang dauerte, die dort stattgefundenen Vergeudungen und Missbräuche, worauf ihm die neue Einrichtung und Oberdirection dieses Hospitals übertragen wurde. Er führte dieselbe vier Jahre, und fügte ein besonderes Hospital für Offiziere hinzu, zu dessen bequemerer Einrichtung er von einigen patriotischen Mitgliedern der moskauischen russischen Kaufmannschaft einen freiwilligen Beitrag von 25,000 Rubeln erhielt. 1817 bekam er die gewünschte Entlassung von dieser Anstalt, wurde aber zur Verbesserung anderer Hospitäler, so wie verschiedener Kasernen und Gefängnisse gebraucht. Die Ritterschaft des moskauischen Gouvernements ehrte diese eben so uneigennützige, als rastlose Thätigkeit im Dienste der Menschheit dadurch, dass sie ihm ein Mitglieddiplom, und die zum Andenken des beendigten Krieges für den Adel gestiftete Medaille ertheilte. — Als Kaiser Alexander im Jahre 1818 eine Sammlung von anatomischen Präparaten gekauft, und der Universität zu Moskau geschenkt hatte, erbot er sich, ein neues anatomisches Institut zu errichten, und öffentliche Vorlesungen über die Anatomie unentgeltlich zu halten, auch die Uebungen an Leichnamen zu leiten. Er baute hierauf, im Auftrage und auf Kosten des Kaisers, ein prachtvolles, mit Hörsälen versehenes, anatomisches Museum, welches über 100,000 Rubel kostete, und wurde alsdann mit dem Diamantenordensschmuck geziert, der dem für Ehre mehr noch als für Geld empfänglichen Greis viele Freude machte. — Ohne eigentliche Praxis, aber als Hausfreund von den höchsten und reichsten Familien zu Moskau consultirt (er war einst einer der ersten Operateurs und Chirurgen gewesen), widmete er jede freie Minute den anatomischen und physiologischen Vorlesungen, welche er unentgeltlich als blosser Ehrenprofessor der Universität in lateinischer Sprache vor mehr als 100 Zuhörern, auch Nichtärzten, hielt, und dadurch freilich mit den zum Theil eingerosteten Professoren jener Hochschule in allerlei Zwiespalt gerieth. Denn er hatte auch im hohen Alter dasselbe Feuer im lichtvollen Vortrage bewahrt, womit er einst am Schlusse des vorigen Jahrhunderts in Jena Alles elektrisirte, und nicht selten auch Goethe unter seine Zuhörer zog, bei dessen Jubiläum er in Moskau eine glänzende Feierlichkeit veranstaltete. Alles, was im Bereich der Heilkunde lag, ergriff er bis kurz vor seinem Tode, mit der ihm auch noch als Greis beiwohnenden Lebhaftigkeit. —

Dieser hochbejahrte, durch das Zutrauen des Gouverneurs von Moscau, Fürsten Golyzin, doppelt wirksame Mann war auch Präsident des Kirchenraths der ältesten evangelischen Gemeinde des russischen Reichs zu St. Michael zu Moskau. Er stiftete oder erweiterte mehrere Lehranstalten und Schulen mit Beihülfe edler **Männer** dieser Gemeinde und stellte sich manchen Anmuthungen und **Unbilden** unerschrocken entgegen, sie mochten von St. Petersburg oder Saratow kommen.

Er verschied mehr an Ermattung der Lebenskraft **als** an einer Krankheit. Vermählt hatte er sich mit der Tochter **des Professors** der Medizin Richter in Göttingen. Von Gestalt war er klein; körperliche Beweglichkeit zeichnete ihn aus. Aus seinem ganzen Benehmen leuchtete grosse Heiterkeit und Freundlichkeit hervor. —

Seine Schriften sind: Uebers. des 3. Theils von Eulers lettres à une Princesse d'Allemagne. Riga u. Leipzig 1772. — Vitet's Unterricht in der Vieharzneikunst, aus dem Französischen. 1. Th. 2. B. Lemgo 1776. — Diss. de ossium pubis sectione in partu difficili etc. Gott. 1778. — D. Primae lineae neurologiae corporis humani, comment. J. Jen. 1778. — Pr. quo pulmonum docimasia in dubium vocatur. Ibid. 1779. — Pr. observatio anatomica tumoris scirrhosi in basi cranii aperti. Ibid. 1779. — Pr. III. de vaginae uteri procidentia. Ibid. 1781. — Pr. Arteriarum varietates nonnullae. Ibid. 1781. — D. de musculosa uteri structura. Ibid. 1782. — Johnson's neues System der Entbindungskunst; aus d. Engl. Leipzig 1782. 2 Th. — Anzeige eines Collegiums über die Anatomie und Physiologie des menschlichen Körpers. Jena 1784. — Pr. VIII. de nova amputationis methodo. Ibid. 1787. — Anfangsgründe der mediz. Anthropologie und der Staatsarzneikunde. Jena 1788. 3. A. 1800. — Pr. Observatio herniae diaphragmatis. Jena 1784. — Pr. quo probatur circularem orificii uterini formam certum ineuntis graviditatis signum non esse. Ibid. 1785. — Pr. lithotomiae emendatae descriptio. Ibid. 1785. — Pr. de renum coalitione. Ibid. 1786. — Pr. de succi gastrici in chirurgia usu. Part. I. Ibid. 1787. — Anatomisches Handbuch 1. B. Ebend. 1788. 2. A. 1800. — Pr. historiae amputationum feliciter institutarum partic. 1—XIX. Ibid. 1789. 1793. — Pr. Observationis hypopii et inde enatae synizeseos pupillae partic. I. et II. Ibid. 1791. — Beobacht. u. Erfahr. über d. Balggeschwülste; aus d. Lateinischen. Leipz. 1793. — Pr. Paracenteseos sinus maxillaris historia. Jenae 1793. — Pr. Cancri labii inferioris feliciter exstirpati historia. Ibid. 1794. — Digitipedis per amputationem curati historia. Ibid. 1794. — Chirurgisch-medizin. Beobachtungen 1. B. Weim. 1794. — Anatomische Tafeln zur Beförderung der Kenntniss des menschl. Körpers, deutsch u. lateinisch. Ebend. 1794. 1803. 6 Liefer. — Pr. Historiae aneurysmatis spurii arteriae brachialis feliciter curati partic. tres. Jen. 1795 — 96. — Pr. Observationis scroti per sphacelum destructi et reproductionis ope restituti part. I. et II. Ibid. 1795. — Journal der Chirurgie, Geburtshilfe und gerichtl. Arzneik. Jena 1797— 1806. 4 B. oder 16 St. — Pr. Meletematum ad medicinam forensem spectantium part. I. et II. Ibid. 1797. — Pr. Descriptio calculi urinarii singularis. Ibid. 1798. — Anfangsgründe d. Chirurgie. 1. Th. Ebend. 1800. — Pr. descriptio calculi renalis conspicuae magnitudinis. Jenae 1801. — Pr. Observatio I. calculi vesicae urinariae feminae sponte excussi. Ibid. 1801. — Pr. Obs. II. calculorum renalium ingens numerus in femineo cadavere observatus. Ibid. 1801.— Pr. Arteriolarum corneae brevis descriptio. Ibid. 1801. — Pr. I—IV. Prima myologiae elementa. Ibid. 1802. — Gutachten der medizin. Facultät zu Jena über die Impfung der Kuhpocken. Ebend. 1802. — Grundriss der Anatomie des menschl. Körpers. 1. Th. Ebend. 1806. — Elementa anatomiae

humani corporis, t. I. Mosc. 1823. — Einige einzelne philosophische
Abhandlungen 1773. — Beiträge zu dem Naturforscher, Schlözer's
Briefwechsel, dessen neuen Briefwechsel, dem deutschen Mercur.
Buchholz, Bejträge zur gerichtl. Arzneigel. — Vorreden zu Hirsch's
Bemerk. über die Zähne. (Jena 1796.) u. d. Froriepschen Uebers. von
Home's Beobacht. über die Fussgeschwüre. (Leipzig 1799.) Seine letz-
ten Schriften betrafen die Cholera. — Dem Institute der allgem. Li-
teraturzeitung trat er gleich bei dessen Entstehen im J. 1785 als Mit-
arbeiter bei und lieferte von da an viele und ausgezeichnete Beiträge
für dieses Blatt, besonders in den früheren Jahren.

Loë, die Grafen und Freiherren von.

Der Ursprung dieses alten freiherrlichen Geschlechts verliert sich
bis in die frühesten Zeiten, und der Name soll von dem Worte Lo,
der bei den alten heidnischen Urdeutschen ein Götze der Haine oder
Wälder war, oder dem keltischen Worte Lo herstammen. Für diese
Ableitung spricht auch der Opfer-oder Kesselhaken, den dieses alte
vornehme Geschlecht im Wappen führt. Der erste, der aus dieser
Familie bekannt geworden ist, ist *Walter* v. Loë, vermählt mit einer
v. Mirbach. — *Gerhard* v. Loë kommt im Jahre 1200 als Zeuge bei
einem Vergleich des Herzogs Heinrich v. Lothringen mit den Grafen
v. Geldern vor. — Schon mit dem Enkel desselben, *Wessel* v. Loë,
Herrn zu Marlé, beginnt die ordentliche Stammreihe dieses Hauses,
namentlich die der noch heute blühenden Linie der Freiherren Loë
zu Wissen. Viele andere Linien sind erloschen, namentlich die der
Loë zu Dornenberg, Holte, Knippenberg, Steinhaus, Overleick, Loë,
Funderen, Stadt u. s. w. — *Wessel* v. L. II. wurde im Jahre 1416
der Ehrenwein zu Wesel gereicht. — *Loeff* v. L. war Deutsch-Or-
densmeister. — *Balthasar* v. L. blieb in Siebenbürgen im Türkenkriege. — *Wessel* v. L., Wilre und Konradsheim, Clevescher
Kammerpräsident, war ein sehr gelehrter Mann und Alterthumsfor-
scher. In seiner Ehe mit Sophia v. Hacs, Erbtochter zu Conradsheim, erzengte er 13 Kinder, von denen jedoch nur *Degenhart-Ber-
tram*, Freiherr v. Loë, Herr zu Wissen, kurbrandenburgischer Kammerherr, sein Geschlecht fortpflanzte. Er wurde im Jahre 1629 den 20.
Octbr. mit seinen Schwestern in den Freiherrenstand erhoben. Seine
Gemahlin war Anna Francisca, Freiin v. Nesselrode zu Ehreshoven,
die ihm 13 Kinder gebar, von denen *Bertram Wessel* deutscher Ordensritter und Comthur zu Gemert, *Friedrich Wilhelm* Domherr zu
Trier und Speier, auch Propst zu Cleve, *Matthias Balthasar* Domherr zu Minden, *Johann Adolph* Domherr zu Hildesheim und Propst
zu Cleve, *Wilhelm Arnold* Domherr zu Lüttich, [Abt zu Eussernthal,
pfälzischer Geheimer Rath und Präsident des Polizei- und Commer-
zienraths, *Karl Gottfried* deutscher Ordensritter, Comthur zu Cöln
und Landcomthur zu Koblenz war, *Philipp Christoph* aber, welcher
kurpfalz-neuburgischer Geheimer Rath war, die Güter ererbte. *Heinrich Friedrich Philipp* Freiherr v. L., war Domdechant zu Hildesheim
und Statthalter zu Paderborn, — *Johann Adolph Joseph Alexander*
Freiherr von Loë zu Wissen u. s. w. war mit Maria Anna Katharina
Freiin v. Wachtendonk zu Germenseel vermählt. — Von seinen Söhnen
war *Franz Karl Christoph* Freiherr v. L., 'Herr zu Wissen, Mheer, Im-
stenroth, Aubel, Conradsheim, St. Martin-Fouron, Vehlar und Puffen-
dorf, Landhofmeister des Herzogthums Jülich, Geheimer Rath und
Amtmann zu Miselve. — *Friedrich Christoph* Freiherr v. Loë, kurpfälzischer Generallieutenant, Gouverneur von Düsseldorf, u.s.w., ein

jüngerer Bruder des Franz Karl Christoph, war mit Anna Maria Theresia
Freiin zu Winkelhausen, einer Schwester des Freiherrn Philipp Wil-
helm Johann v Winkelhausen, mit dessen Sohn Franz Karl Grafen v.
Winkelhausen dieses Geschlecht im Mannsstamme erlosch, vermählt.
Durch einen Familien-Vertrag wurde daher bestimmt, dass die zweite
Linie der Freiherren v. Loë das Wappen und den Namen der Grafen
v. Winkelhausen mit dem ihrigen vereinigen, und sich Freiherren v.
Loë, Grafen v. Winkelhausen schreiben sollte. (M. s. den Artikel Winkelhausen.) Dieser setzte seinen Neffen, den Freiherrn *Gerhard An-*
ton Edmund Assverus v. Loë, der vor der französischen Revolution
königl. preuss. Major und Amtmann zu Miselve war, 1804 Staatsrath
und Ritter der Ehrenlegion, 1806 aber Senator, Grosskreuz des Re-
unions-Ordens, und im Jahre 1808 den 6. Juni in den Grafenstand erhoben wurde, zum Universalerben ein. Da der gedachte Graf v. Loë
kein Majorat gestiftet hatte, so zog es die Familie vor, den alten
deutschen Freiherrntitel beizubehalten und den Grafenstand aufzuge-
ben. Von den Geschwistern des Grafen war *Franz Anton* Domherr
und Archidiakonus zu Lüttich, *Karl* Maltheserordensritter und Rittmeister in kurpfälzischen Diensten, *Ludwig Anton* Johanniterritter,
Comthur zu Rothweil und königl. baierscher Kammerherr, *Clemens*
Domcapitular zu Münster und Hildesheim, *Johann Wilhelm* Maltheserritter, Comthur zu Welheim, königl. baierscher Oberst und Kammerherr und *Johann Adolph* in französischen Diensten. — Der erwähnte
Graf hatte zehn Kinder. Ein Sohn desselben, *Maximilian*, Freiherr
v. Loë, ist seit dem Jahre 1823 königl. preuss. Kammerherr.

Das Wappen der Freiherren v. Loë zeigt im silbernen Schilde einen schwarzen Kesselhaken in Gestalt eines Hufeisens. Derselbe ist
an den beiden untern Spitzen doppelt sechsmal widergehakt. Der
Helm ist mit einer Wulst umwunden, aus welcher drei Paar silberne
und schwarze, abwechselnd über einander liegende Straussfedern hervor-
kommen, über jedem Paar Straussfedern ist der beschriebene Kesselhaken schwebend dargestellt.

Das Wappen der Freiherrn v. Loë, Grafen v. Winkelhausen, bestand in einem quadrirten Schilde, welches mit einem Herzschilde
versehen war. Das letztere zeigte das Stammwappen der v. Loë,
nämlich den Kesselhaken in Silber. Im 1. und 4. silbernen Felde des
Hauptschildes war ein schwarzes Theer-Kranz-Eisen, im 2. und 3.
rothen Felde ein rechts aufgerichteter Hase dargestellt. Dieses Schild
trug drei gekrönte Helme, von denen der mittelste den Schmuck der
v. Loë zeigte, auf dem rechten Helme zeigte sich zwischen einem
schwarzen und einem silbernen Adlerflügel das v. Winkelhausensche
Wappen, nämlich das schwarze Theerkranz-Eisen im silbernen Schilde,
aus dem linken Helme wächst ein Hase. Die Helmdecken rechts
schwarz und silbern, links roth und golden. Zu Schildhaltern waren
zwei goldene Greife gewählt.

Nachrichten über das alte freiherrliche Geschlecht der v. Loë findet man in Robens, II. S. 18 u. s. f. Reimann, histor. lit. genealog.
Sect. II. p. 98. Zedlers Universal-Lexic. XVIII. S. 149.

Löbell, die Herren von.

Die theils adelige, theils freiherrliche Familie v. Löbell soll aus
dem Elsass nach Schwaben und Oesterreich gekommen sein. Hier
schrieben sich die Freiherren dieses Namens v. Löbell, ·Freiherren
v. Greinburg und Treissdorf. — *Johann* v. Löbell, Freiherr v. Greinburg, war kaiserl. Rath und Obermünzmeister; sein Urenkel, *Hans*

Christoph v. Löbell, Freiherr v. Greinburg und Treissdorf, bekleidete um das Jahr 1650 die Würde eines kaiserl. Kriegsrathes, Generalmajors und Stadt-Obersten der Haupt- und Residenzstadt Wien. — In der preuss. Armee sind zwei Brüder v. Löbell zu hohen Würden gelangt. Der ältere Bruder war 1806 Hauptmann in dem Infant.-Regim. v. Courbière; er commandirte 1828 die 16. Landwehr-Brigade in Trier und ist gegenwärtig General-Lieutenant a. D. Er erwarb sich im J. 1812 den Militair-Verdienstorden bei Gräfenthal in Kurland, und im Jahre 1814 wurde demselben der Schmuck des Eichenlaubes für den rühmlichen Antheil an dem Gefecht bei Meaux hinzugefügt. Bei Leipzig hatte dieser tapfere General das eiserne Kreuz 1. Classe erworben. Der jüngere Bruder, der 1806 als Prem.-Lieutenant und Adjutant im Kürassier-Regimente v. Quitzow stand, ist der gegenwärtige General-Lieutenant, Commandeur der 8. Division, 1. Commandant von Erfurt, Ritter des eisernen Kreuzes 1. Classe (erworben bei Leipzig) u. s. w. von Löbell. — Ein Major v. Löbell, früher in der ostpreuss. Füsilier-Brigade, zuletzt Major im 3. Infant.-Regimente, erwarb sich in Danzig 1807 den Militair-Verdienstorden und bei Coulommiers in Frankreich (1814) das eiserne Kreuz.

Löben, die Grafen, Freiherren und Herren von.

Dieses Geschlecht wird zu dem ältesten und angesehensten Adel in Sachsen, Schlesien, der Mark Brandenburg und in Böhmen gezählt. Aeste von demselben haben den freiherrliche, und einer die gräfliche Würde erlangt. Die freiherrliche Würde brachte *Johann Friedrich* v. L., den wir unten näher erwähnen werden, 1642 an sein Haus, und die gräfliche erwarb *Otto Ferdinand* Freiherr v. L., kursächsischer Geheimer Rath und Conferenzminister, im Jahre 1790. — Als Stammgüter des Hauses werden Drehno und Nickern im Crossenschen, Klein-Rosen im Striegauschen, Kontopp im Glogauschen, Ziebingen und Palzig in der Mark u. s. w. aufgeführt. Auch Kurtschau, Schönfeld und Mertzdorf im Crossenschen, Blumberg, Dalwitz und Falkenberg bei Berlin waren Besitzungen der v. L. In der Lausitz war Schönberg eins ihrer Hauptgüter, in Böhmen waren sie im Prachiner Kreise ansässig, und schrieben sich hier nach ihrem Rittersitze v. Löben-Rozmital und Blatna, nach Anderen nannten sie sich hier nicht Löben, sondern Löw. *Daniel Lost*, welcher sich im Jahre 723, wie die Familiensage erzählt, auf Leben und Tod mit einer afrikanischen Königin in ein Schachspiel eingelassen hatte, soll sein Spiel gewonnen und dabei durch seine ritterliche Tapferkeit in den gegen die Ungläubigen geführten Kriegen den Namen Löwen oder Löben erhalten haben. So erklärt man die Ableitung des Namens, wie die Bedeutung des Wappenbildes, die wir bei demselben näher zu erwähnen Gelegenheit haben werden. In Schlesien soll ein Zweig dieses Hauses das Städtchen Löwen, jetzt der gräflichen Familie v. Stosch gehörig, erbaut haben. Mehrere Ritter aus diesem Geschlechte blieben in der Tartarenschlacht bei Liegnitz.

Melchior v. Löben, in der Mitte des 15. Jahrhunderts, war General der schlesischen Fürsten und Stände im Feldzuge wider die Polen. Er besass ansehnliche Güter im Lande Crossen und war ein Ahnherr der Freiherren v. L., auf Schmachtenhagen und Schönfeld. Auch sollen die Häuser Drehno und Nickern von ihm abgestammt haben. — *Heinrich* v. Löben war im Jahre 1625 fürstl. Briegscher Rath und Hofmarschall. — *Johann* v. L. trat im Jahre 1587 in brandenburgische Dienste und gelangte in denselben zur Würde eines wirkl. Geheimen Raths und Kanzlers des Kurfürsten Joachim Friedrich, der ein unbeschreibliches Vertrauen auf seine Redlichkeit und auf seine Kenntnisse im Staatsdienste setzte. Er verlor aber dieses Ansehen unter dem Kurfürsten Johann Sigismund und wurde im Jahre 1609 seiner Dienste entlassen. Nach zwanzig Jahren rief man ihn zwar zurück in den Geheimen Rath, jedoch nicht als Kanzler. Er starb am 22. Juli 1636. Er war Besitzer der schönen Güter Blumberg, Dalwitz und Falkenberg bei Berlin, auch gehörte ihm Bölendorf. — *Johann Friedrich* Freiherr v. L., geb. am 27. Febr. 159%, wurde nach sorgfältigen Studien und grossen Reisen durch alle Länder Europas im Jahre 1624 kursächsischer Oberamtsverweser der Niederlausitz, 1630 Landrichter dieser Provinz; im Jahre 1632 trat er in die Dienste des Kurfürsten Georg Wilhelm, der ihn zum Oberhauptmann und Verweser der Herzogthümer Crossen und Züllichau bestellte und zu vielen Gesandtschaften nach Regensburg, Nürnberg und Wien brauchte. Er empfing im Namen des Kurfürsten im Jahre 1642 die brandenburgischen Reichs- und die böhm. Lehne, bei welcher Gelegenheit ihn der Kaiser in den Reichsfreiherrenstand erhob. Zugleich ernannte ihn sein Kurfürst zum wirkl. Geheimen Rath. Er vermittelte im Jahre 1643 den Frieden zu Kopenhagen und wurde in den Angelegenheiten der Königin Marie Eleonore von Schweden, Gemahlin Gustav Adolphs und Tochter des Kurfürsten Johann Sigismund von Brandenburg, so wie der Wittwe des Kurfürsten Georg Wilhelm, gebraucht. Er war auch brandenburgischer Bevollmächtigter bei den Friedenstractaten zu Osnabrück und Münster; eben so war er kurfürstl. Commissarius bei der Vermählung des Fürsten Ragotzi zu Crossen im Jahre 1651, auch bei der Wahl des neuen Herrenmeisters in Sonnenburg, wo er zum Johanniterritter geschlagen wurde. In den folgenden Jahren ward er von Neuem zu verschiedenen Gesandtschaften gebraucht, er erhielt im Jahre 1660 die Comthurei zu Lagow, und starb am 16. Mai 1667.

Im Jahre 1724 kommt *Curd Hildebrand* Reichsfreiherr v. L., vor, der im Magdeburgischen ansässig war. Hin und wieder finden wir auch das Geschlecht v. Löbe geschrieben, namentlich bei dem unten näher erwähnten Wappen, was auch Siebmacher mit dem Namen v. Löbe bezeichnet. — Sehr zahlreich sind die Mitglieder dieser Familie, die in den Johanniterorden aufgenommen wurden. Namentlich waren zu Sonnenburg zu Rittern geschlagen worden:

Johann Friedrich Freiherr v. Löben (Commendator) am 10. Decbr. 1652.

Maximilian Freiherr v. L. (Commendator) am 11. Sept. 1658.

Friedrich Wilhelm Freiherr v. L. am 7. April 1728.

Heinrich Otto Freiherr v. L. am 7. April 1728.

Wolf Christoph Freiherr v. L. am 16. August 1731.

Friedrich Adolph Freiherr v. L. am 26. Februar 1737.

Von der gräflichen Linie lebt gegenwärtig: der Graf *Albrecht*, geboren am 29. April 1800, früher Amtshauptmann im meissnischen Kreise des Königreichs Sachsen, Herr auf Nieder-Rüdelsdorf und Ober-Gerlachsheim bei Görlitz. Er ist seit dem 26. August 1828 mit Maria, Gräfin Lippe-Weissenfeld, geb. den 10. Juni 1810, vermählt.

Ein Bruder desselben war der vor einigen Jahren zu Dresden verstorbene Dichter Graf v. L. Seine Gemahlin, eine Gräfin v. Bressler, ist ihm bald im Tode gefolgt.

In der brandenburgischen und preuss. Armee kommen folgende Mitglieder, dieser Familie vor:

Kaspar v. L. ward am 1. Aug. des Jahres 1597 vom Kurfürsten Johann Georg zum Diener und Rittmeister auf fünf reisigen Pferden, aus welchen damals die Leibwache des Kurfürsten bestand, bestellt.

Curt Hildebrand, Freiherr v. L., der als Generallieutenant Gouverneur von Colberg, Chef eines Regiments zu Fuss, Domherr zu Magdeburg, Amtshauptmann von Suckow und Sulzhorst, Erbherr auf Schönefeld, Schidlo, Siebenbeuthen u. s. w. war. Seine Eltern waren *Maximilian*, Freiherr v. L., Johanniterritter und Comthur auf Lagöw, und Luise Hedwig v. Burgsdorf. Am 11. August 1661 zu Hohenziethen geboren, genoss der nachmalige Generallieutenant eine sorgfältige Erziehung, studirte zu Frankfurt a. d. O. und begab sich sodann auf Reisen. Nach seiner Zurückkunft machte ihn der Kurprinz, spätere König Friedrich, zu seinem Kammerjunker, und brauchte ihn zu einer Sendung nach Hannover. Von da zurückgekehrt, bestellte ihn der grosse Kurfürst zum Generaladjutanten des Generals v. Schöning, der eben nach Ungarn gegen die Türken marschirte, und von dem er zum Generalquartiermeister ernannt wurde. Diesen Posten bekleidete er bis zum Rückmarsche mit der grössten Umsicht. In Berlin angelangt, legte er die Kammerherrnstelle nieder und übernahm dagegen eine Compagnie bei dem 4. Bataillon der kurmärkischen Leibgarde, worauf er nach dem Rheinstrome gesendet wurde. Im Jahre 1689 ward er Major, den 12. März 1705 Oberstlieutenant bei der Grenadiergarde, und einen Tag darauf Oberst bei der Füsiliergarde. Er wohnte dem ganzen spanischen Erbfolgekriege bei, und zeichnete sich rühmlichst dabei aus. König Friedrich Wilhelm I. ernannte ihn 1713 zum Generalmajor, zugleich ertheilte er ihm eine Domherrnstelle zu Magdeburg, und 1714 ein neuerrichtetes Regiment, das er ein Jahr später nach Pommern ins Feld führte. Im Jahre 1721 ward er zum Generallieutenant und 1724 zum Gouverneur von Colberg befördert. Sein Tod erfolgte zu Berlin am 3. Febr. 1730. Er war zweimal vermählt, 1) mit Dorothea Juliane v. Krosegk, aus dem Hause Hohenerxleben, die ihm vier und zwanzig Kinder gebar, von denen ihn vier Söhne und vier Töchter überlebten. Nach dem Tode seiner ersten Gemahlin vermählte er sich 2) mit Theodora Hedwig v. Burgsdorf.

Rudolph Curt Leberecht, Freiherr v. L., starb als Generalmajor, Chef eines Garnisonregiments und Erbherr auf Falkenberg, Matzdorf, Schildtow u. s. w. Er war ein Sohn des vorerwähnten Generallieutenants aus erster Ehe, und trat 1712 in preussische Kriegsdienste. Im Jahre 1723 ward er Capitain, 1730 Major, 1738 Oberstlieutenant, 1743 Oberst, 1745 aber Generalmajor und Chef des von Reckschen Garnison-Regiments. Er starb am 22. Novbr. 1746 zu Habelschwerdt in der Grafschaft Glaz. Seine Gemahlin, Sophie Friederike, war eine Tochter des Generalfeldmarschalls v. Arnim.

Karl Friedrich Albrecht v. L., ein Sohn des Majors und Johanniterritters *Heinrich Otto* v. L. und der Christine v. Hagen, geboren 1730 zu Königsberg in der Neumark, ward 1743 Page des Markgrafen Karl, 1750 aber Fähnrich bei dessen Regimente, 1758 Prem.-Lieutenant, 1760 Stabs-, 1762 wirklicher Hauptmann und bekam 1763 den Orden pour le mérite. Im Jahre 1773 wurde er zum Major, und 1782 zum Chef des Berliner Garnisonregiments befördert. Er hatte seit 1756 bis zur unglücklichen Affaire bei Maxen, wo er gefangen wurde, sämmtlichen Schlachten mit ausgezeichneter Tapferkeit beigewohnt und bei Leuthen, Hochkirch und Lauban ehrenvolle Wunden erhalten. Seine Gemahlin war Philippine von Wollmirath.

Im Jahre 1806 stand ein Oberst v. L. bei der magdeburgischen Füsilierbrigade. Er war in Südpreussen geboren und erwarb sich den

Militair-Verdienstorden bei Neukirch. — Ein in Preussen geborner Major v. L. stand in der westphälischen Füsilierbrigade. Er wurde im Jahre 1807 dimittirt und starb im Jahre 1813. — Ein anderer Major v. L., der in Pommern geboren war, stand 1806 im Regimente vacant v. Manstein-Dragoner. Derselbe schied 1810 als Oberstlieutenant aus dem 3. Husarenregimente aus und war im Jahre 1828 Postmeister in Müncheberg. — In dem Regimente v. Arnim zu Berlin diente ein v. L., der 1813 als Lieutenant im 8. Infant.-Regim. an seinen ehrenvollen Wunden starb. — Mehrere Officiere dieses Namens stehen jetzt noch in der Armee.

Das Wappen der v. L. giebt Siebmacher, I. S. 166. und II. S. 49. Es zeigt ein durch eine silberne Strasse getheiltes Schild, in dessen oberm schwarzem Felde zwei Löwenköpfe und in der untern ebenfalls schwarzen Hälfte ein silberner Löwenkopf dargstellt sind. Auf dem Helme sind drei goldene Löwenschweife, kreuzweise in die Höhe gekehrt, vorgestellt. Helmdecken rechts golden und schwarz, links silbern und schwarz. Das freiherrliche Wappen zeigt ein halb quer und in die Länge getheiltes Schild. Im ersten silbernen Felde ist ein zweiköpfiger Adler; mit dem Namenszuge F. III. vorgestellt; das zweite schwarze Feld ist von zwei silbernen Balken durchzogen. Das dritte Feld zeigt das ursprünglich v. L.'sche Wappen. Der erste Helm trägt den gekrönten Doppeladler, der zweite einen wachsenden Mohren.

Nachrichten über dieses Geschlecht findet man in dem allgem. genealog. Handb. I. S. 666. Geneal. Stammtafel des hochfreiherrl. und hochadel. Geschlechts der v. L.; ein Manuscript in 5 Bogen. Sinapius, I. S. 603—607 und S. 371 und 786. Gauhe, I. S. 924—28.

Löbenstein (Löwenstein), die Freiherren von.

In der preussischen Oberlausitz ist diese adelige Familie begütert. Wir finden sie auch unter dem Namen Löbenstein, genannt Völckel, aufgeführt. Die Mutter des ersten Freiherrn v. Houwald, königl. schwedischen, kursächsischen und kurbrandenburgischen Generals u. s. w., war Ursula Löbenstein, genannt Völckel. — Robert v. Löbenstein besass Ober- und Nieder-Wartha (Stroza) in dem zum Regierungsbezirk Liegnitz gehörigen Kreise Hoyerswerda der Oberlausitz. Diese Güter besitzt jetzt sein einziger Sohn, der Lieutenant Baron v. L. im 18. Landwehrregimente, vermählt mit einer v. Muschwitz. — Luise Freiin v. Löbenstein ist die Gemahlin des Grafen Rochus Ernst zu Lynar. (M. s. diesen Artikel.)

Löfen, die Herren von.

Eine adelige Familie dieses Namens, die muthmasslich gleiche Abstammung mit den Herren v. Löben hat, kommt in der preuss. Provinz und im Königreiche Sachsen vor. Im Jahre 1806 war ein v. Löfen Kohlen-Brenn- und Stabholz-Spediteur in Saalhorn. — In demselben Zeitraume dienten verschiedene v. L. im preuss. Heere, und in der Gegenwart steht ein Major v. L., der im Jahre 1806 in dem Regimente v. Kleist zu Magdeburg diente, im 37. Infanterie-Regimente in Thorn. — Ein Capitain dieses Namens steht bei dem 7. Landwehrregimente.

v. Zedlitz Adels-Lex. III.   19

Loellhoefel, die Herren von.

Die adelige Familie Loellhöfel v. Löwensprung gehört der Provinz Preussen an, wo die Güter Friedrichsheide und Stirlauken alte Besitzungen derselben sind. *Georg Friedrich* Loellhöfel, Hofrath und Gesandter in Warschau, wurde mit seinen Brüdern und Vettern mit dem Zunamen v. Löwensprung am 1. Januar 1713 vom König Friedrich I. in den Adelstand erhoben. Sie sind von Preussen auch nach Pommern gekommen, wo der unten näher erwähnte Generallieutenant *Friedrich Wilhelm* v. L. am 9. Sept. 1766 die Güter Schwellin im Fürstenthumskreise und Voldekow im Belgarder Kreise erkaufte. Er erbaute auf dem zuletzt genannten Gute ein schönes Schloss, und nach seinem am 14. Februar 1780 erfolgten Tode fielen diese Besitzungen an seine Gemahlin Elisabeth Luise, geborne v. Bröseke, mit welcher er keine Kinder erzeugt hat. — In der preuss. Armee sind zu höheren Würden gelangt:

Friedrich Wilhelm Loellhöfel v. Löwensprung, geboren am 16. Mai 1717 zu Königsberg in Preussen, ein Sohn des Kriegs- und Domainen-Raths *George Albrecht* v. L. und der Anne Regine v. Schrötern, der zur Würde eines Generallieutenants von der Cavallerie, Chefs eines Kürassierregiments, General-Inspecteurs der Cavallerie in Pommern, Ritters des Ordens pour le mérite und Amtshauptmanns zu Johannisburg gelangte. Er trat im Jahre 1731 in das Kürassierregiment v. Egel, ward 1736 Cornet, 1743 Lieutenant, 1749 Stabs-, 1750 wirklicher Rittmeister, 1757 Major, 1758 Oberstlieutenant und Commandeur, 1760 Oberst, erhielt 1761 bei Langensalza den Orden pour le mérite und 1763 das Kürassierregiment Markgraf Friedrich, welches nach dem im Jahre 1771 erfolgten Tode des Markgrafen seinen Namen erhielt. Im Jahre 1764 ward er zum Generalmajor und General-Inspecteur der pommerschen Cavallerie, 1776 zum Amtshauptmann zu Johannisburg, und 1777 zum Generallieutenant ernannt. Sein Tod erfolgte im Februar des Jahres 1780 zu Belgard. Während seiner 49jährigen Dienstzeit hatte er vielfache Gelegenheit, seinen Muth, seine Tapferkeit und Umsicht an den Tag zu legen. Er war mit Luise v. Bröseke vermählt; diese Ehe war aber kinderlos. — *Otto Friedrich* v. L., geboren im Jahre 1728, ein Sohn des Kriegs- und Domainenraths *Otto* v. L. ward 1743 in das Cadettencorps aufgenommen, und trat 1746 als Fähnrich in die Armee. Im Jahre 1753 wurde er Seconde-, 1759 Prem.-Lieutenant, 1762 Stabs-, 1764 wirklicher Hauptmann, 1773 Major und Commandeur eines Grenadierbataillons, und 1782 Oberstlieutenant. Er starb am 10. Februar 1783 unvermählt, hatte den Schlachten des siebenjährigen Krieges rühmlichst beigewohnt, und war bei Zorndorf verwundet und gefangen worden. (M. s. biogr. Lex. aller Helden u. Milit.-Pers. Bd. II. S. 427 u. f.)

Im Jahre 1806 stand in dem Regimente v. Pelchrzim der Lieutenant v. L., der zuletzt als Major im 31. Infanterie-Regimente diente und gegenwärtig im Pensionsstande zu Weissenfels lebt. Im königl. Ingenieurcorps stand damals ein Lieutenant Loellhöfel v. Löwensprung, ein Bruder des Vorigen, zugleich Lehrer beim Cadettencorps zu Berlin. Er war zuletzt Inspecteur der sächsischen Festungen und starb als Generalmajor a. D. im October 1836 zu Weissenfels. Er hatte sich bei la Chausée das eiserne Kreuz 1. Classe erworben. — Gegenwärtig steht ein Capitain v. L. im 4. Infanterie-Regimente und zwar bei dessen Füsilierbataillon in Graudenz.

Loën, die Freiherren von.

Sie sind von gleicher Abstammung mit dem freiherrlichen Hause v. Loë aus dem Geldernschen, von woans sich eine Linie nach Frankfurt am Main, eine andere nach Schlesien gewendet hat. In dieser letztern Provinz kommen sie auch unter dem Namen v. Lohn vor. Im Jahre 1806 war *Ernst Heinrich Christian* v. Loën königl. Justizrath und Commissarius perpetuus principalis zu Breslau. In der preuss. Armee sind zu höheren Würden gelangt:

Johann Bernhard v. L., der, im Jahre 1700 geboren, 1718 bei dem v. Goltzschen Regimente zu Wesel Dienste nahm, 1740 Major und zum Kreytzenschen Füsilierregimente versetzt wurde, 1745 zum Oberstlieutenant, und 1747 zum Oberst befördert wurde. Im Jahre 1757 ernannte ihn Friedrich II. zum Generalmajor und Chef eines Regiments, das aus den bei Pirna gefangenen Sachsen errichtet worden war; dieses lief aber schon bei der Hadik'schen Invasion zu Berlin aus einander, und ein Jahr darauf erhielt v. L. die erbetene Dienstentlassung. Er starb im December des Jahres 1766 und hatte sich namentlich im zweiten schlesischen Kriege rühmlich ausgezeichnet. — Im Jahre 1806 stand bei dem Regimente Sr. Majestät des Königs zu Potsdam ein Baron v. Loën, der zuletzt Rittmeister im 7. Husarenregimente war und 1816 als Major ausgeschieden ist. — Ein Capitain v. L. stand in dem Regimente v. Puttkammer in Brandenburg; später war er bei der Gensd'armerie angestellt, und gegenwärtig ist er Major a. D. — Ein Freiherr v. L. ist Major a. D. und herzogl. anhalt-dessauischer Hofmarschall. Er erhielt bei Belle Alliance das eiserne Kreuz 2. Classe und ist auch Ritter des Johanniterordens. Seine Gemahlin ist eine geborne v. Hedemann, Schwester des preuss. Generals v. Hedemann. — Ein Freiherr v. L. zu Dresden vermählte sich im Jahre 1813 mit Charlotte Bernhardine, Gräfin v. Redern.

Nachrichten über diese Familie findet man im neuen genealogischen Handbuche 1777. S. 294 u. f. 1778. S. 841.

Loeper, die Herren von.

Eine adelige Familie in Pommern. *Johann Georg* Loeper, Regierungs-Assessor, wurde am 2. Septbr. 1786 vom Könige von Preussen geadelt. Er ererbte nach dem Testamente des Hofraths *Johann Wilhelm* Loeper zu Halle am 3. April 1775 die am 25. Juni 1742 von dem Geheimen Tribunalrathe *Johann Friedrich* Loeper erkauften alten v. Borckeschen Güter Stramohl, Wedderwyll, Zachow und Schmorow. Gegenwärtig besitzt der Hauptmann und Ritter des eisernen Kreuzes (erworben vor Paris) v. Loeper das Gut Schmorow, und der Major a. D. und Ritter des eisernen Kreuzes (erworben bei Bautzen) v. L. das Gut Stoelitz im Kreise Regenwalde. Das Gut Stramehl ist jetzt in den Händen des Landschafts-Deputirten v. L., und Wedderwyll gehört dem General-Landschaftsrath v. L.

Löschebrand, die Herren von.

Ein adeliges Geschlecht in den Marken, dem vom Anfange des vorigen Jahrhunderts schon der Rittersitz Bollersdorf im Kreise Ober-Barnim, und die Güter Radelow, Pleskow, Selckow und Sarow angehörten. Gegenwärtig ist der Landrath des Kreises Beskow-Storkow v. Löschbrand, Besitzer des Gutes Selckow bei Storkow. Dieser

19 *

angesehenen Familie gehörte der Major und Commandeur des Regiments Gensd'armerie v. Löschebrand an. Er starb a. D. im Jahre 1819. Ein Sohn desselben stand 1806 als Prem.-Lieutenant im Regimente Garde du Corps, er starb 1807 als Rittmeister. Er war Canonicus bei dem Stifte Peter und Paul in Halberstadt. Seine Wittwe, eine geborne Gräfin v. Herzberg, lebt in Berlin.

Löwenberger, die Herren von.

Löwenberger v. Schönholtz ist der Name einer altadeligen Familie, die am 19. Novbr. 1736 vom König Friedrich Wilhelm I. ein Anerkennungsdiplom erhielt. Seit dieser Zeit haben fortwährend in der preuss. Armee Offiziere dieses Namens gestanden, und mehrere dienen auch noch darin. *Christian Ludwig* Löwenberg v. S. erhielt im siebenjährigen Kriege nach der Schlacht von Prag als Lieutenant im Regimente v. Itzenplitz den Orden pour le mérite; nach Beendigung des Krieges wurde er als Grenadier-Capitain wegen vielfach erhaltener Wunden in der Grafschaft Mark im Forstfache versorgt, und hat sowohl im Militair- als im Civilfache dem Staate 60 Jahre gedient. — Sein Bruder *Friedrich Wilhelm* L. v. S. wohnte jener glorreichen Schlacht als Offizier im damaligen Dragoner-Regimente Anspach-Bayreuth bei, und ging später in hessen-casselsche Dienste. — Ein anderer Bruder, *Karl Anton* L. v. S. war Capitain bei der Artillerie. — Ein Sohn des erwähnten Christian Ludwig L. v. S., *Johann Matthias Christian* L. v. S., lebt gegenwärtig als Oberst a. D. zu Wriezen an der Oder. Er stand bis zum Jahre 1806 in dem Regimente Kurfürst v. Hessen und erwarb sich das eiserne Kreuz 2. Classe bei Wesel. — Ein anderer L. v. S., der zuletzt Oberst und Commandeur des 2. Dragoner-Regiments war, wurde als Generalmajor pensionirt. — Im 10. Infanterie-Regimente standen zwei Lieutenants L. v. S., wovon der eine in der Schlacht von Gross-Görschen auf dem Felde der Ehre seinen Tod fand, der andere an seinen in derselben Schlacht ehrenvoll erhaltenen Wunden starb.

Das Wappen dieser Familie besteht aus einem silbernen Schilde, in welchem ein zum Springen sich anschickender goldgekrönter rother Löwe mit aufgesperrtem Rachen und ausgeschlagener Zunge dargestellt ist. Auf dem gekrönten Helme sind zwei silberne und rothe Büffelhörner angebracht. Helmdecken roth und silbern.

Löweneck, die Herren von.

Ein am 11. Octbr. des Jahres 1601 vom Kaiser Rudolph II. in den Adelstand erhobenes Geschlecht, dessen Adel König August von Polen und Kurfürst von Sachsen, als Reichsvicar, am 21. Octbr. 1711 durch ein Erneuerungsdiplom bestätigte. Aus dieser Familie war der Oberst und Commandeur des ehemals v. Ziethenschen Husaren-Regiments v. Löweneck; er soll früher den Namen Schöps v. Löweneck geführt, aber diesen Beinamen auf Befehl Friedrichs II. abgelegt haben. Bei Kaiserslautern erwarb sich derselbe den Militair-Verdienstorden. — Ein Sohn desselben stand im Jahre 1806 als Rittmeister in dem Leibhusaren-Regimente v. Rudorf zu Berlin und war im Jahre 1825 königl. baierischer Major im 4. Chevaux legers Regimente. Gegenwärtig ist er Oberstlieutenant a. D. und Ritter des preuss. Militair-Verdienstordens (erworben bei Zelle).

Löwenfeld, (dt) die Herren von.

Das alte vornehme Geschlecht v. Löwenfeld hat seinen Ursprung
aus der alten Reichsstadt Ulm in Schwaben genommen. Mehrere
Söhne dieses Hauses hatten im kaiserlichen Heere mit der Kühnheit
eines Löwen gegen die Türken gefochten. Einige von ihnen waren
mit den kaiserlichen Völkern auch nach Schlesien gekommen, wo sie
sich am Ende des 15. Jahrhunderts in den Fürstenthümern Oppeln,
Troppau und Ratibor ansässig machten. Als der Stammherr des Geschlechts erscheint *Rupertus* Löwenberg zu Ulm, der am Ende des
13. Jahrhunderts lebte. — Sein Sohn, *Albert*, war Syndikus der freien
Stadt Ulm. — Ein Enkel desselben, *Wenzel* Löwenfeld, diente drei
römischen Kaisern und wurde Oberstlieutenant. Von seinen Verwandten aus Ofen nach Ulm zurückgerufen, erhielt er daselbst den Beinamen der Ungar. Der Kaiser Ruprecht erhob ihn am 10. Decbr. 1405
aus dem Patrizier- in den Reichsadelstand mit dem Beinamen: *Ungar*
oder *Hungar* v. L. — Ein Urenkel von ihm, *Johannes Hungar* v. L.,
kaiserl. Oberstwachtmeister, wurde in Beziehung auf seine treu geleisteten Dienste vom Kaiser Rudolph II. durch einen Brief d. d. Prag,
den 29. Mai 1597 ermächtigt, das ihm schon von dem Kaiser Maximilian II. am 20. Mai 1573 vermehrte Wappen zu führen. Seitdem hält
der Löwe im Schilde einen Pfeil in den Pranken. — Im Jahre 1717
starb am heiligen Christtage zu Freystadt in Niederschlesien kinderlos
der tapfere Ritter *Johann Thomas Hungar* v. L., ein in kais. Heere
lang gedienter und renommirter Offizier, der bei Salankemen 1691 als
kais. Hauptmann von den Türken gefangen und nach vielen Leiden und
trüben Schicksalen durch den Friedensschluss von Carlowitz erst befreit
worden war. — Von dieser adeligen Familie haben sich Zweige in Schlesien, Mähren und Sachsen verbreitet. In Mähren besitzt dieses Haus
noch in der Gegenwart einen schönen Rittersitz bei Gaya; in Böhmen wurde *Johann Wolfgang Böheim* v. Löwenfeld im Jahre 1680 böhmischer Ritter.

2) Eine gleichnamige Familie war auch in Pommern ansässig.
Ihr gehörte namentlich der Major v. L. im 3. Musketierbataillon des
Regiments v. Malschitzki in Brieg an, der 1810 im Pensionsstande
starb. — *Wilhelm* v. L. stand 1806 als Stabscapitain in dem Regi-
mente Garde zu Potsdam und starb im Jahre 1827 als Oberst und 2.
Commandant zu Torgau, Ritter des eisernen Kreuzes 1. Cl. u. s. w.
Dieser Offizier hat, würdig der Tapferkeit seiner Vorfahren, seine
Bahn durchlaufen. Er hatte sich schon im Jahre 1806 sehr ausgezeichnet, und gehörte zu denjenigen Offizieren der Garde, die fest
entschlossen waren, sich nach der Capitulation von Prenzlau mit Gewalt einen Weg zu bahnen. (M. s. Pantheon des preuss. Heeres I.
S. 125.) — Ein Hauptmann v. L., Chef einer Invaliden-Compagnie,
wurde im Jahre 1805 von einem Grafen v. Sandretzki im Duell erschossen.

Das Wappen zeigt im blauen Schilde eine weisse Mauer mit drei
Zinnen, aus welcher ein gelber Löwe emporsteigt, einen Pfeil in den
Pranken haltend. Auf dem gekrönten Helme wiederholt sich der Lö-
we. Helmdecken blau und gelb.

Löwenfels, die Herren von.

1) Die v. Löwenfels stammen von dem berühmten Geschichtsforscher, Juristen und Dichter *Ephraim Ignaz Naso* ab, der, in der

Stadt Bunzlau in Schlesien geboren, Amtsadvocat und Stadtvoigt zu Schweidnitz war und um das Jahr 1652 in jener Stadt lebte. Er gab im Jahre 1667, wo er schon zum Oberamt nach Breslau versetzt worden war, den Phoenix Redivivus der Fürstenthümer Schweidnitz und Jauer, den Prodromus Historiae Silesiae und mehrere andere Werke heraus — Sein Sohn, *Joseph Naso*, wurde Prior des Benedictinerklosters zu Braunau in Böhmen. — *Karl Ehrenfried Joseph Naso* v. Löwenfels lebte um das Jahr 1671 zu Breslau und soll Eine Person mit dem erwähnten Prior gewesen sein. — *Matthias Max Naso* v. L. wurde am 1. Juli des Jahres 1669 in den böhmischen Ritterstand erhoben.

2) Eine altadelige Familie v. Löwenfels gehört oder gehörte der damaligen Provinz schwedisch Pommern, oder dem jetzigen Regierungsbezirke Stralsund an.

Löwenklau (clau), die Herren von.

Ein vornehmes pommersches Geschlecht, das auch in Sachsen, und namentlich im Halberstädtischen begütert war. In der letztern Landschaft besass der Kammerherr v. Löwenclau den Rittersitz Grünenthal. — Gegenwärtig lebt ein v. L. zu Treptow a. d. Rega. — Ein anderer v. L. ist Regierungs- und Forstrath zu Rheinsberg. — Zwei Brüder v. L. standen in dem Kürassierregiment v. Quitzow, der ältere erhielt später durch Adoption den Namen *Dorville* v. Löwenklau. Er war im Jahre 1814 Lazareth-Commandant zu Magdeburg und trat nach seiner Verabschiedung zu Halle an der Saale. Sein jüngerer Bruder trat in die Dienste des Königs von Westphalen, und ist im Jahre 1808 gestorben. Sie führen in einem blauen Schilde zwei Löwenklauen auf einem mit einer Decke versehenen Altare.

Löwenich, die Herren von.

Eine von dem Könige von Preussen in den Adelstand erhobene Familie, deren Stammherr *Peter Löwenich*, königl. preuss. Geheimer Kammerrath war. — Das ihm beigelegte Wappen zeigt im blauen Schilde drei goldene Sterne (oben zwei, unten einen), und zwischen denselben einen aufspringenden gekrönten goldenen Löwen. Derselbe steht verkürzt auf dem gekrönten Helme zwischen zwei schwarzen Adlerflügeln. Das Schild ruht auf einem Fussgestelle von violettem Marmor und wird durch zwei schwarze Adler gehalten.

Logau, die Grafen, Freiherren und Herren von.

In der Reihe der ältesten schlesischen Ritterschaft stehen die v. Logau. Altendorf, Schlaupitz und Jenschwitz sind Stammhäuser dieses Geschlechts, während auch Krayn bei Strehlen, Ullersdorf bei Glaz, Rosenthal und Künsberg bei Schweidnitz, Diersdorf bei Nimptsch, Sämitz und Ober-Bielau bei Liegnitz, Olbersdorf bei Frankenstein, und das Städtchen Miesko im Teschenschen alte Besitzungen der Familie sind; auch hatte diese Familie im Jahre 1569 das Fürstenthum Münsterberg erkauft. (M. s. weiter unten.) Thebesius führt in seiner berühmten Handschrift den Ritter *Heinrich* Logau, der im Schweidnitzschen seine Burg hatte, um das Jahr 1341 auf. — *Hans* v. L. war um das Jahr 1342 Burggraf zum Hayn und Hofrichter zu Jauer. — Zu Anfange des 16. Jahrhunderts kommt *Wenzel* v. L. auf Olbersdorf

im Glazischen als Marschall der Herzoge Albrecht und Karl zu Münsterberg vor. — Im Jahre 1536 starb *Hedwig* v. L. als Aebtissin des
Stifts Trebnitz. — *Matthias* v. L., der Aeltere, wurde im Jahre 1542
zum Landeshauptmann der Fürstenthümer Schweidnitz und Jauer ernannt. Im Jahre 1548 war er bei des Herzogs Friedrich III. Ritter-
spielen, und wohnte den allgemeinen schlesischen Fürstentagen bei. —
Georg v. L. und Schlaupitz starb 1553 als Protonotarius, Comes Palatinus, königl. Rath, Kanonikus zu St. Johann und Propst zum heil.
Kreuze in Breslau. Er war zu seiner Zeit als glücklicher Dichter bekannt. — Im Jahre 1562 ward *Kaspar* v. L., aus dem Hause Altendorf im Schweidnitzschen, zum Bischof zu Breslau und obersten Hauptmann im Herzogthume Schlesien erwählt — *Matthias* v. L., der Jüngere, war ,um das Jahr 1566 Landeshauptmann der Fürstenthümer
Schweidnitz und Jauer, und wurde im Jahre 1569 Kammerpräsident
von Schlesien. Er hatte der Familie einen neuen Glanz gegeben, auch
gemeinschaftlich mit seinen drei Brüdern, *Georg*, *Heinrich* und *Gotthard*, das Fürstenthum Münsterberg 1569 für 180,000 Gulden erkauft.
Es wurde jedoch von Seiten der Landstände dieser Erwerb nicht geneh-
migt und das Fürstenthum wieder dem Kaiser Maximilian II. überlassen. Der gedachte Kammerpräsident Matthias v. L. starb am 2. März
1593. — *Heinrich* v. L. und Altendorf war im Jahre 1573 Landeshauptmann zu Canth. 1580 wurde er Landeshauptmann des Fürstenthums Breslau. — Ein anderer, *Heinrich* v. L., zog am Gründon-
nerstage des Jahres 1601 als Landeshauptmann der Grafschaft Glaz zu
Glaz ein. Sein Titel war: Heinrich v. L. und Olbersdorf auf Güs-
mannsdorf und Schlaupitz, St. Johannis-Ordensritter zu Maltha, Commendator zu Troppau, Mackoff und Fürstenfeld, des böhmischen Priorats Receptor, römisch kais. Maj. Kammerrath und Landeshauptmann
der Grafschaft Glaz. — Um das Jahr 1616 starb *Friedrich* v. L. als
Regierungsrath des Herzogs Ludwig zu Liegnitz und Brieg. Er war
zu seiner Zeit als Dichter sehr geschätzt. — Sein Sohn, *Balthasar
Friedrich*, brachte die freiherrliche Würde am 31. Decbr. 1687 auf sein
Haus, und war als ein sehr gelehrter Mann und Beförderer der Wissenschaften bekannt. Er starb zu Breslau am 9. Februar 1702. —
Gotthard v. L. war eine Reihe von Jahren Kämmerer der Königin Elisabeth von England. Den Grafenstand brachte *Heinrich Friedrich* Frh.
v. L. 1733 auf sein Haus. — Im J. 1806 stand ein Capitain v. L. im
Musquetier-Bataillon des Regiments v. Strachwitz, der im Jahre 1824
im Pensionstande gestorben ist. — Ein Graf v. Logau stand in dem
Dragonerregiment v. Katte, und ist im Jahre 1813 als Rittmeister im
7ten schlesischen Landwehrregimente auf dem Felde der Ehre geblieben. Ein anderer Graf v. Logan, Offizier in dem Regimente Kaiser
Alexander-Grenadier blieb im Jahre 1819 in einem Zweikampfe in
Berlin. — Ein dritter Graf v. L. diente früher in dem Dragonerregi-
mente v. Irwing, und ist im Jahre 1848 als Rittmeister aus dem 1.
Kürassierregimente aus dem activen Dienste geschieden. Ein Rittmei-
ster Graf v. L. erwarb sich das eiserne Kreuz vor Leipzig. — Die
in den Grafenstand erhobene Linie dieses Hauses besitzt die Güter
Bansau und Tornau bei Polkwitz, namentlich ist *August*, Graf v. L.,
Herr auf Tornau. Reutau bei Sprottau besitzt oder besass Graf von
Logan und Altendorf, Rittmeister v. d. A. — Eine Gräfin v. L. ist
an den Landesältesten v. Eckartsberg vermählt.

Das Wappen der v. L. zeigt ein blau und weiss gewecktes Schild,
das von der obern Rechten zur untern Linken von einem rothen
Strich durchschnitten ist. Auf dem Helme wiederholt sich das gewechte
Bild mit dem rothen Striche, oben aber steht an der äussersten Vor-
derecke ein rothes, an der hintern ein weisses Kügelchen oder Ei,

und in der Mitte derselben ein Federbusch. Die Helmdecken sind weiss und roth. Dieses Wappen giebt Siebmacher, I. S. 62. Nachrichten über dieses Geschlecht findet man in Sinapius, I. S. 607 — 11. II. S. 371. v. Krohne, II. S. 287 — 89. Gauhe, I. S. 938 — 40.

Lohenstein, die Herren von.

Diese berühmte Familie, welche sich in Schlesien, in der Mark Brandenburg und in Pommern verbreitet hatte, hat ihren Namen von dem Flusse Loh oder Lohe, einem kleinen Seitenstrome der Oder, und von einem hohlen Stein, durch den dieses Flüsschen in der Gegend von Nimptsch floss. Dieses erloschene Geschlecht führte in seinem Wappen ein gespaltenes Schild, dessen Vordertheil roth, darin ein gelb-grüner, einwärts gekehrter Drache mit gewundenem Schweife, ausgestreckten Flügeln, vorgeschlagenen Krallen, über sich gerecktem spitzigen Rachen, nach zwei über ihm an einem grünen Zweige hangenden Granatäpfeln fliegend. Das Hinterfeld war blau, darin drei nacheinander mit den Spitzen gerade über sich gewendete und gleichsam in die Luft fliegende Pfeile, unten, nächst den Federn, mit einer goldenen Kette zusammen gelegt: auf jedem dieser Pfeile erscheint über der Spitze ein sechseckiger goldener Stern. Auf dem gekrönten Helme zeigt sich ein einfacher, gerade vorwärts gekehrter schwarzer Adler mit zur Linken (des Anschauers) gewendetem Kopfe und Augen, ausgeschwungenen Flügeln, beiden von sich gestreckten Krallen, welcher im Schnabel einen Pfeil gerade nach der Mitte der Zweige hält. Die vordern Helmdecken weiss und blau, die hintern roth und weiss. (So beschreibt Sinapius dieses Wappen.)

Hans Kaspar von Lohenstein zeichnete sich im Jahre 1633 im Nimptisch-Briegischen bei den damaligen Kriegszeiten durch geleistete grosse Dienste für sein Vaterland aus, indem er mit Gefahr seines Lebens und Vermögens die Stadt Nimptsch mehreremal von der Plünderung befreiete, und die kaiserl. Cassen dadurch rettete. Für diese wichtigen Dienste erhielt er vom Kaiser eine goldene Gnadenkette, die bei der Familie noch lange verblieben ist. Im Jahre 1642 legte ihm die kaiserliche Huld den Adel mit dem Geschlechtsnamen Lohenstein, von dem Wasser die Loh, welche auf seinem Gute bei Nimptsch durch einen durchlöcherten Stein floss, wie wir oben schon erwähnten, bei. Dieser erste von Lohenstein war Vater von zwei Söhnen; der ältere, *Daniel Kaspar* v. Lohenstein auf Kittlau, Reisau und Roschkowitz im Nimptisch-Briegischen, war zu Nimptsch den 25. Januar 1635 geboren, kaum 15 Jahre alt, dichtete er die drei Trauerspiele Ibrahim Bassa, Agrippina und Epicharis, und zwar, wie ein geschätzter Kritiker sagt: — mit grosser Gelehrsamkeit und recht männlichem Geiste. Er studirte in Leipzig und in Tübingen, besuchte sodann die kurfürstlichen und fürstlichen Höfe in Deutschland. Die italienische, französische und spanische Sprache hatte er ohne Lehrmeister erlernt. Im Jahre 1668 wurde er fürstl. ölsischer Regierungsrath, hierauf Rath des römischen Kaisers und Ober-Syndikus der Stadt Breslau. Der Schwung und die Macht seiner Rede wurden bewundert, er glänzte, als Dichter, als Geschichtsforscher, als Philosoph, und war dabei ein vortrefflicher Jurist. Er hatte den Tag seinen Amtsgeschäften, die Nacht seinen Studien gewidmet. Sehr zahlreich sind die Gedichte und Schriften, die aus seiner Feder flossen. Die letzten seiner Arbeiten waren die Romane Thusnelda und Arminius. Thomasius sagt: er habe noch in keinem Buche eine gründlichere Gelehrsamkeit gefunden, als in der Thusnelda.

Lom.

Dieser merkwürdige Mann starb 1683 den 28. April am Schlagfluss und hinterliess drei Kinder. Sein Sohn:

Daniel von Lohenstein war kurbrandenburgscher Amtshauptmann der Commende Lagow in der Mark, und von den Töchtern wurde Helene mit Timotheus v. Schmettau, Hof- und neumärkischer Amtsrath in Preussen, Herrn auf Arnsdorf, vermählt; sie gebar eine Tochter, die an den Oberstlieutenant v. d. Gröben vermählt wurde. Die zweite Tochter Daniel Kaspar's war an den königl. preussischen Rath Johann Magnus von Goldfuss auf Kittlau und Reissen, vermählt. Die dritte wurde die Gemahlin Heinrich's von Gloger auf Zettritz und Schüren im Brandenburgischen.

Der einzige Bruder des berühmten Dichters, Johann Kaspar von Lohenstein auf Klein-Ellgut, Mittel-Peilau und Klein-Belmsdorf, war 1640 auf dem fürstlichen Schlosse zu Nimptsch geboren, studirte zu Breslau, Jena und Leipzig, suchte sein höchstes Vergnügen in den Wissenschaften und Künsten, und vollendete das letzte Werk seines Bruders, den Roman Arminius; er hinterliess sechs Söhne und zwei Töchter, davon zwei Söhne und die Töchter vor ihm starben; so wurde doch sein Stamm durch folgende Söhne in und ausser Schlesien fortgepflanzt:

1) *Hans Siegesmund* von Lohenstein auf Gross-Silber in Pommern, war königl. preussischer Major, und vermählt 1) mit der Tochter des Generals von Peickolt, die ihm eine Tochter gebar; 2) mit einer v. Bünau, mit der er zwei Söhne und eine Tochter erzeugte.

2) *Hans Christian* von Lohenstein auf Klein-Ellgut und Neudorf im Nimptschen, Landcommissarius beim nimptischen Weichbilde. Gemahlin Eleonore Theresia von Gellhorn und Petersdorf. Sie zeugten:
   a) *Johanna Sophia.*
   b) *Karl Gustav.*
   c) *Charlotte Sophie.*
   d) *Christian Philipp.*

3) *Johann Ernst* v. Lohenstein auf Merzdorf im Münsterbergschen, königl. polnischer und kurfürstlich sächsischer Capitain, war mit einer v. Seidlitz und Bögendorf unweit Schweidnitz vermählt, und zeugte mit ihr eine Tochter.

4) *Johann Gottlieb* v. Lohenstein auf Ober-Arnsdorf im Briegischen, kaiserl. Hauptmann im d'Arnauischen Regimente. Gemahlin eine von Zedlitz und Kleppelsdorff.

In der letzten Hälfte des vorigen Jahrhunderts ist das Geschlecht der von Lohenstein erloschen.

M. s. Sinapius, II. S. 787 — 94. v. Krohne, II. S. 439 — 41. Gauhe, II. S. 652 u. f.

Lom, die Herren von.

Ein altadeliges **Geschlecht** in Geldern, das namentlich im Lande Kessel das Haus Westerink, und im Amte Geldern das Haus Bärsdonk, das Haus **Semond**, Unterthönnisberg und den Bertelscatelszoll, auch einige Güter im Jülichschen und Lüttichschen besass oder noch besitzt. — Zwei Söhne aus diesem Hause standen im Jahre 1806 in dem Regimente v. Hagken zu Münster; der ältere derselben starb im

Jahre 1825 als Capitain im Bataillon des 17. Landwehrregiments, der jüngere schied im Jahre 1820 als Oberstlieutenant und Bataillons-Commandeur aus dem 2. Landwehrregimente zu Gumbinnen.

Lonicer, Herr von.

Der Major v. Lonicer erhielt im Jahre 1721 vom König Friedrich Wilhelm I. einen Adelsbrief.

Loos, die Herren von.

Eine adelige, aus Schweden stammende Familie. Aus derselben sind verschiedene Mitglieder in preussische Dienste getreten. Ein Major v. Loos commandirte die Invaliden-Compagnie des Regiments v. Arnim in Spandau und starb 1818 a. D. — Ein Capitain v. Loos im Regimente v. Möllendorf starb 1774. Zwei Söhne desselben dienten ebenfalls im Heere; der älteste stand im Ingenieurcorps und war zuletzt 2ter Director der Artillerie- und Ingenieurschule zu Berlin. Er ist im Jahre 1836 als pens. Oberstlieutenant in Breslau gestorben. Von seiner Gemahlin, einer geborenen v. Liebermann, aus dem Hause Wettschütz in Schlesien, sind ihm mehrere Söhne und Töchter geboren worden. Ein Sohn steht als Lieutenant im 2. Garde-Regimente. Der jüngere Bruder des Oberstlieutenants stand zuerst im Regimente v. Natzmer in Posen, zuletzt im 20. Infanterie-Regimente, und lebt gegenwärtig als pensionirter Major zu Berlin. Eine Schwester dieser beiden Brüder ist die Wittwe des letzten v. Alimb, Majoratsherrn auf Ringenwalde.

Die Familie von Loos führt ein silbernes, durch einen Spitzenschnitt in drei Felder zerfallendes Schild. In jedem der beiden obern Felder ist ein halber goldener Mond, in dem dritten untern Felde aber ein zur rechten Seite aufspringender goldener Löwe, der ein Schwert in den Pranken hält, vorgestellt. Das letztere Bild wiederholt sich auf dem Helme.

Looz und Corswarem, die Herzoge und Fürsten von.

Dieses alte, gegenwärtig fürstliche Geschlecht stammt von den Grafen von Hennegau und Hasbaye ab. Der Stammvater desselben ist nach dem gedruckten Stammbaume der Familie Raoul, der zweite Sohn Raginers II., Grafen v. Hennegau, dessen Grafschaft schon in einer Urkunde des Kaisers Otto I. vom Jahre 941 erwähnt wird. Dieses vornehme Geschlecht führt seinen Namen von dem Schlosse Looz. — In Urkunden von den Jahren 1016 und 1034 kommt *Gilebert*, Graf v. Los, vor; er war zugleich Herr von Corswarem, einem der ältesten Stammgüter der Grafen v. Looz. — *Arnold*, Graf v. Looz und Valenciennes, ein Sohn *Rudolph's*, Grafen v. Looz, und ein Enkel Rainders, Herzogs von Nieder-Lothringen, vererbte seine Güter auf seinen Bruder, *Ludwig*, Grafen v. Looz und Hasbaye, dessen Nachkommen sich in mehreren Linien verbreitet haben. Des erwähnten Arnold wird in Urkunden von 1092 und 1107 gedacht; er hatte sieben Söhne, von denen der erste, *Arnold*, die Grafschaft Looz erhielt und Stifter der ältern Hauptlinie des Hauses Looz wurde; *Johann*, der

zweite Sohn, bekam die Herrschaft Corswarem und stiftete die jüngere
Linie der Grafen v. Corswarem; *Theoderich*, Herr v. Horne, gründete
das Haus der Grafen und späteren Fürsten v. Horne; *Heinrich* erhielt
die Herrschaft Steinvort. — Die Linie zu Looz, aus der *Ludwig* im
Jahre 1306 seine reichsunmittelbare allodiale Grafschaft dem Hochstifte
Lüttich zu Lehn aufgetragen hatte, erlosch mit dem Grafen *Dietrich* II., worauf Lüttich im Jahre 1367 die Grafschaft als heimgefallen einzog. Der fortwährende Widerspruch der Agnaten des Hauses
blieb unbeachtet. Noch auf dem Rastadter Friedenscongresse am 9.
Decbr. 1797 suchte der Herzog *Wilhelm* seine Ansprüche auf Looz,
wie auf Horne geltend zu machen, allein sie blieben abermals, eben
so wie ein Antrag der Zurückgabe anderer Familiengüter, ohne Erfolg. Namentlich war dieses mit der Grafschaft Nyel, in der Gegend
von Mastricht gelegen, die, wie wir weiter unten sehen werden, durch
Heirath im 13. Jahrhunderte an das Haus gelangt war, der Fall. —
Die Grafen v. Horne erloschen im Jahre 1763 mit dem Fürsten *Maximilian Emanuel*. — Von allen Linien dauerte allein die Linie *Johanns*
Herrn zu Ghoer, Nandrin, Fresin und Corswarem fort; sie hatte
sich in Unterlinjen getheilt, von denen noch die jüngste besteht. Durch
ein Diplom vom 24. Decbr. 1734 wurden die Brüder *Ludwig* und *Joseph*, Grafen von Looz, vom Kaiser Karl VI. in seiner niederländisch-
erbländischen Eigenschaft in den Herzogsstand, mit Vererbung dieses
Titels von Sohn auf Sohn nach dem Rechte der Erstgeburt, und in
Ermangelung männlicher Nachkommen, auf eine der Töchter erhoben.
Joseph starb kinderlos, *Ludwig* aber hinterliess einen Sohn, *Karl August Alexander*, welcher, in Ermangelung eigener Nachkommen, bei
seinem im Jahre 1790 erfolgten Tode durch ein Testament vom 23.
August 1785 den Grafen *Wilhelm Joseph* v. Looz (einen Urenkel des
Grafen *Franz* II., des Bruders seines Urgrossvaters *Hubert*), dem die
Kaiserin Maria Theresia in ihrer niederländischen Regenteneigenschaft
durch einen Wappenbrief vom 22. Decbr. 1778 das Recht verliehen
hatte, sein gräfliches Wappen mit dem Herzogshute zu bedecken, zum
Nachfolger in der Herzogswürde und in dem dazu gehörigen Besitzthume ernannte. *Wilhelm Joseph* hatte zwei Söhne, *Karl* und *Joseph
Arnold*, von welchen der Letztere zufolge väterlichen Testaments, mit
Widerspruch des Erstern, succedirte, aber ohne männliche Nachkommen am 30. Octbr. 1827 starb. In Folge seines letzten Willens gelangte dessen Wittwe in den Besitz des Niessbrauchs seiner standesherrlichen Besitzungen. Die im Jahre 1817 von dem Herzoge Karl
gerichtlich erhobenen Ansprüche hatten keinen Erfolg. Nach seinem
Tode setzten seine Kinder den Prozess fort; sie wurden, so viel die
unter preuss. Hoheit gelegenen Besitzungen betrifft, durch ein Urtheil
des Oberlandesgerichts zu Münster vom 29. März 1829 in erster Instanz abgewiesen. — Das Haus Looz besass, wie wir schon oben erwähnt haben, die Grafschaft Nyel unweit St. Trond und Tongern bei
Mastricht, welche durch Heirath mit der Erbtochter des letzten Herzogs von Nyel in der Mitte des 13. Jahrhunderts an dasselbe gekommen war. Seit Eroberung der Niederlande und des Bisthums Lüttich
durch Frankreich im Jahre 1794 ward Nyel von Frankreich sequestrirt
und im Lüneviller Frieden 1801 an Frankreich abgetreten. Die Grafschaft Nyel war freies Eigenthum, jedoch nicht reichsständisch; in
dem Reichs-Deputations-Hauptschluss von 1803 erhielt aber der Herzog einen Theil der münsterschen Aemter Bevergern und Wolbeck,
das Fürstenthum Rheina-Wolbeck genannt, mit der Zusicherung einer
Virilstimme im Reichsfürstenrathe. In der rheinischen Bundesacte
wurde Rheina-Wolbeck dem Grossherzoge von Berg standesmässig untergeordnet, dann durch einen französischen Senats-Consult vom 13.

Dechr. 1810 dem französischen Kaiserreiche mit Verlust der Standesherrlichkeit einverleibt; durch die Wiener Congressacte von 1815 aber der preuss. und hannöverschen Staatshoheit als Standesherrschaft untergeordnet. Durch Uebereinkunft mit Preussen im Jahre 1824 hat der Herzog *Joseph Arnold* die Ausübung der Gerichtsbarkeit und standesherrlichen Verwaltungsrechte an Preussen abgetreten und auf gewisse Geldansprüche verzichtet, gegen eine immerwährende Rente von 2000 Thalern; dasselbe ist in einem Vertrage mit Hannover (m. s. königl. Verordnung vom 11. Septbr. 1826) gegen eine immerwährende Rente von 1200 Thalern geschehen. Im Jahre 1800 befreite Napoleon die niederländischen Besitzungen, so weit solche nicht veräussert waren, von dem Sequester; doch wurden die Waldungen in Belgien durch ein französisches Decret vom 12. Octbr. 1809 mit den französischen Krondomainen vereinigt. Der König der Niederlande gab inzwischen auch diese durch ein Decret vom 1. Januar 1815 zurück. Das auf die oben angegebene Weise gebildete Fürstenthum Rheina-Wolbeck hat ein Areal von 15 QMeilen. Auf demselben leben in einer Stadt und in 100 Bauerschaften und Weilern gegen 22,000 Menschen. Der grösste Theil des Fürstenthums steht unter preussischer, der kleinere unter hannöverscher Hoheit. Man schätzt die Einkünfte aus dem Fürstenthume Rheina-Wolbeck auf 60,000 Gulden, während sich das Total-Einkommen des Fürsten von allen seinen Besitzungen, namentlich von den grossen unmittelbaren Gütern in den Niederlanden auf 200,000 Gulden belaufen soll. — Die Residenz des Fürsten ist das Schloss Bentlage, ein ehemaliges Kloster bei Rheina an der Ems. — Das herzogliche Haus ist katholischer Religion und besteht gegenwärtig aus folgenden Mitgliedern:

Herzog *Karl Franz Wilhelm Ferdinand*, geb. den 9. März 1804, Sohn des am 16. Septbr. 1822 verstorbenen Herzogs *Karl Ludwig August Ferdinand Emanuel*, und Enkel des Herzogs *Wilhelm Joseph*, vermählt seit dem 15. Octbr. 1829 mit Anna Hermine Gertrude Jacobine, geb. den 31. Octbr. 1802, Tochter des Ritters von Lockhorst, Herrn de Toll-Veenhuisen und der Baronie von Boulez.

Kinder:

1) Prinzessin *Hermine Karoline Amalie*, geb. den 16. Juni 1830.
2) Prinzessin *Octavia Alphonsine Hermine*, geb. den 24. Febr. 1832.
3) Prinz *Leopold Karl August Ludwig Philipp*, geb. den 25. Februar 1833.

Geschwister:

1) Prinz *August Franz Karl*, geb. den 9. März 1805, königl. belgischer Capitain der Guiden.
2) Prinzessin *Arnoldine Karoline Irenäa*, geb. den 28. Juni 1807, vermählt seit dem 26. Juli 1826 mit Don José Mariano de la Riva-Aguero, Nachfolger im Marquisat von Monte-Alegre de Aulestia, vormaligem Präsidenten der Republik Peru, und Grossmarschall der peruanischen Armee.
3) Prinzessin *Stephanie Adolphine Felicitas Emanuele*, geb. den 21. Januar 1810.
4) Prinzessin *Octavie Victorie Antonie Zoë*, geb. den 7. Juni 1811.
5) Prinzessin *Josephine Zephirine Arnoldine Karoline*, geb. den 26. August 1812.
6) Prinz *Edmund Prosper Perpetuo Theodor*, geb. den 9. November 1813.
7) Prinz *Wilhelm Desideratus Poluder*, geb. den 2. Januar 1817.

Mutter:

Marie Karoline, Tochter von Ferdinand Joseph, Baron de Nue, Wittwe des Herzogs *Karl Ludwig August Ferdinand Emanuel*, wieder vermählt an Alphons Prudentius Huyttens, Grafen von Beaufort (Brüssel).

Vaters-Brüder und Vaters-Schwestern:

1) *Charlotte*, geb. den 14. Septbr. 1766, Wittwe seit dem 3. Juni 1807 von Baron Florent de Vaulthier de Baillamont.
2) *Therese*, geb. den 14. Mai 1768.
3) Wittwe des Herzogs Arnold, Fürsten von Rheina-Wolbeck (geb. den 14. Septbr. 1770, gestorben den 30. Octbr. 1827), *Charlotte Constanze*, Tochter von Victorin, Grafen v. Lasteyrie-Dusaillant, vermählt den 18. August 1813.
4) *Marie*, geb. den 24. Septbr. 1774.
5) *Amor*, geb. den 16. Juni 1782.

Wittwe, und zwar die Gemahlin des Grossvaters, des Herzogs Wilhelm Joseph:

Herzogin *Constanze Rosalie*, Tochter von Siegmund, Grafen von Byland, geb. den 3. August 1759, Wittwe seit dem 20. März 1803.

Das Wappen ist quadrirt und mit einem Herzschilde versehen. Im 1. und 4. goldenen Quartiere sind fünf rothe Balken, im 2. und 3. silbernen zwei schwarze Balken gezogen, und das Herzschild zeigt zwei rothe Balken in Hermelin. Um das Schild schwebt ein mit einem Fürstenhute bedeckter Hermelinmantel. Zu Schildhaltern sind zwei Hunde mit Halsbändern gewählt.

M. s. Allgemeines genealogisches Handbuch I. S. 338. u. f. Gothaischer geneal Hofkalender 1837 S. 121.

Loppenow, die Herren von.

Das am Anfange des 18. Jahrhunderts erloschene Geschlecht der v. Loppenow, gehörte Pommern an. Hier besass diese Familie schon im 15. Jahrhunderte das Rittergut Loppenow bei Greiffenberg als Afterlehnsleute der Osten und Blücher. *Joachim* v. Loppenow sass im Jahre 1463 auf Loppenow. Sein Nachkomme, *Jacob* v. Loppenow, errichtete im Jahre 1665 einen Vergleich mit denen v. d. Osten und v. Blücher, darauf bekamen, laut eines Briefes vom Kurfürsten Friedrich Wilhelm, erlassen zu Cöln an der Spree am 21. Novbr. 1666, die v. Loppenow das gleichnamige Stammgut als ein Immediat-Lehn. Jedoch wurde ihnen die Bedingung gemacht, dass nach der Erlöschung ihres Stammes das Anwartschafts- und Lehnseröffnungsrecht, nach wie vor, den von d. Osten verbleibe, auch mussten *Jacob* v. Loppenow und seine männlichen Erben das Lehnspferd, das seit alten Zeiten von Loppenow gehalten worden war, beiden Lehnspferden der v. d. Osten stellen. Wirklich erfolgte, wie wir schon oben erwähnt haben, am Anfange des vorigen Jahrhunderts der Ausgang des Stammes. Die letzten ihres Geschlechtes waren die Söhne des *Claus* v. Loppenow, nämlich der Regierungsrath *Adam Bernhardt* v. Loppenow, und der königl. schwedische Oberstlieutenant und General-Adjutant, nachmalige preuss. Landrath, *Johann Karl* v. Loppenow. Das Gut Loppenow erhielt der damalige Major im Regiment v. Grumkow, nachmalige Oberstlieutenant und Commandant von Friedrichstadt, Hans Gebhard Edler v. Plotho, am 20. Juli 1720 vom König Friedrich Wilhelm I. zu Lehn. (Brüggemann a. a. O. II. Theil 1. Band, Seite 433.)

Los (oos), die Freiherren und Herren von.

Sinapius erwähnt dieses Geschlecht I. S. 611. unter dem Namen
v. Losen, und sagt: „es führt im goldenen Schilde einen schwarzen
Büffelkopf und auf dem Helme zwischen zwei mit Roth und Silber-
bändern umwundenen, und mit Pfauenfedern gezierten Stäben einen
Kranz von silbern und rothen Rosen, in dessen Mitte sich der Büffelkopf wiederholt. Helmdecken golden und schwarz." —
Georg Wilhelm v. Loos, königl. preuss. wirklicher Kammerherr,
wurde am 6. Septbr. des Jahres 1646 in den Freiherrnstand erhoben.
Diese freiherrliche Linie der Familie ist am 10. August 1823 gänzlich
erloschen, denn nach dem im Jahre 1780 erfolgten Tode der Wittwe
des letzten Freiherrn v. Loos, Sophie Therese, geb. v. Gutsmuth,
ererbte der Neffe derselben, ein Freiherr v. Canitz, deren Rittergut
Jakschenau bei Domslau in Schlesien. Er nahm am 28. Octbr. 1780
mit königl. Bewilligung den Namen eines Freiherrn v. Canitz und
Loos an, und führte das verbundene Wappen beider Familien. (M.
s. Bd. I. S. 347.)

Losch, die Herren von.

Eine adelige Familie in der Provinz Preussen, welche die Güter
Aweide, Dohlen, Deuguhn und Faulheide im Insterburg'schen besass
oder besitzt. Im Jahre 1806 war ein v. L. in Tilsit Landesdirector
und Landrath des Kreises Insterburg. — Es haben viele Offiziere
dieses Namens im Heere gedient, und noch jetzt stehen mehrere in
demselben. Im Jahre 1806 stand ein Lieutenant v. L. im Regiment
v. Diereke, der 1807 im Feldzuge in Preussen auf dem Felde der
Ehre geblieben ist. — Im Regiment v. Natzmer diente früher einer
v. L., der im Jahre 1828 Capitain in der 1. Invaliden-Compagnie
war. — Ein v. L. stand im Jahre 1806 als Fähnrich in dem Dragonerregiment vacant v. Rhein; er ist gegenwärtig aggregirter Major
des 1. Dragonerregiments, und Präses der Remonte-Ankaufs-Com-
mission in Preussen.

Loss, die Grafen, Freiherren und Herren von.

Schon seit dem Jahre 1486 ist die Familie der Herren v. Loss,
von denen *Georg Wilhelm* v. L. im Jahre 1746 den 6. Septbr. die
freiherrliche Würde erwarb, bekannt. Sie soll den Namen v. Loss
durch ein glücklich gefallenes Loos in einer hochwichtigen Sache
während eines Krieges erhalten haben. Sie gehört Meissen, Schlesien
und Sachsen an. In Schlesien zerfiel das Geschlecht der v. L. in
verschiedene Linien und Häuser, namentlich in die Häuser Hermsdorf, Polkwitz, Dammer und Osten, und in die Linien Simbsen,
Gramschütz, Kunzendorf und Wilke. Zuerst erscheint in Schlesien
Daniel v. L. zu Hainbach, der um das Jahr 1500 des gloganischen
Fürstenthums Landesältester war (m. s. Schickfuss, Lib. 3. pag. 424.
u. s. f.). — *Christoph* v. L. auf Pilnitz bekleidete am Ende des
16. Jahrhunderts die Stelle eines kaiserl. Raths und Reichs-Pfennig-
meisters. — Im Jahre 1605 war *Christoph* v. L. der Jüngere, kursächsischer Geheimer Rath und Ober-Hofmarschall. — Um dieselbe
Zeit war *Heinrich Otto* v. L. auf Könarow Landgraf in Böhmen und
Burggraf zu Karlstein. — Im Jahre 1681 kommt *Hans* v. L. auf

Gramschütz vor. Er war des königl. Hof- und Landgerichts-Beisiz-
zer im Fürstenthume Glogan. — *Hans Caspar* v. L. war um das
Jahr 1700 kursächsischer Appellations- und hochfürstlich-weissen-
felsischer Geheimer Rath und Oberhofmarschall. — Im Jahre 1717
wird eines *Hans Wolf* v. L., Landesdeputirten im Fürstenthum Glogau und des Guhrau'schen Kreises, erwähnt.

Von der sächsischen Linie wurde *Johann Adolph* v. L., Herr auf
Hirschstein, Naundorf und Naunhof, königl. polnischer und kursächsischer Cabinetsminister, wirklicher Geheimer Rath und gewesener
Gesandter in England und Frankreich, mit seinem Bruder, unter dem
kursächsischen Reichsvicariat, 1741 in den Reichsgrafenstand erhoben.
Er war mit Erdmuthe Sophie v. Dieskau vermählt, und starb den
21. April 1769.

Von seinen Söhnen war *Christian*, Graf v. L., geb. den 12.
Decbr. 1697, kursächsischer Cabinets- und Conferenzminister.

Johann Adolph, Graf v. L , Herr auf Olbernhau, Hirschstein,
Naundorf, kursächsischer Kammerherr, geb. den 1. Februar 1731,
vermählt gewesen zuerst mit der Erbtochter, Johanna Karoline Tugendreich v. Metzradt, und zum zweiten mal mit Auguste Amalie, des
Grafen v. Löser, Tochter. Aus dieser Ehe ist *Johann Adolph*, Graf
v. L., gegenwärtiger Majoratsherr auf Olbernhau, Hirschstein u. s.
w., am 16. Mai 1769 geboren worden. Er ist königl. sächsischer
Kammerherr, Geheimer Rath und Hausmarschall, vermählt mit Isidore
Margarethe, Gräfin Knuth zu Gyldenstein, geboren den 26. Februar
1774.

Töchter:

1) *Johanne Mathilde Amalie*, geb. den 5. Juli 1804, vermählt den
5. Juli 1820 mit ihrem Vetter, dem Grafen Karl v. Zedlitz-
Leipe, königl. preussischem Kammerherrn auf Rosenthal, Bankau , u. s. w.

2) *Amalie*, geb. den 2. Januar 1807, vermählt seit 1828 mit Eckardt
v. Stammer auf Görlsdorf, königl. preuss. Kammerherrn.

Die älteste Tochter des Grafen v. L., *Auguste*, geb. den 6. Febr.
1797, gestorben am 9. Juni 1828, war an den gegenwärtigen königl.
preuss. Hofjägermeister Wilhelm Bogislav v. Kleist, der durch
Diplom vom 21. Januar 1823 zum Grafen Kleist vom Loss erhoben
wurde, vermählt, und die einzige Schwester des Majoratsherrn, Karoline Auguste, starb im Monat Decbr. 1835, als Wittwe des Grafen
Gottlob Sigismund v. Zedlitz-Leipe zu Breslau.

Das ursprüngliche Wappen der v. L. zeigt im rothen Schilde
einen mit allen vier Füssen ausgestreckten grünen Frosch, der mit
einem grünen Lorbeerkranze umgeben ist. Auf dem Helme ist ein
Stück von dem Lorbeerkranze vorgestellt, auf welchem ein Frosch
sitzt. Helmdecken roth und grün. Dieses Wappen giebt Siebmacher
I. S. 152. M. s. auch Sinapius I. S. 611—618. II. S. 789—791.
Gauhe I. S. 942. u. f. Nachrichten vom Grafen Christoph v. Loss in
dem Lausitzischen Magazin. 1770 S. 263.

Lossau (aw), die Herren von.

In Schlesien, den Marken, und in Preussen ist das altadelige
Geschlecht der v. Lossau, Lossaw und Lossow, schon seit dem 13.
Jahrhundert angesehen, begütert und verbreitet. In Schlesien sind
Ludwigsdorf und Bankau bei Kreuzburg, Niedewitz und Starpel, frü-
her zum Fürstenthum Glogau gehörig, in den Marken aber Gross

Gander, u. s. w. alte Besitzungen dieses vornehmen Geschlechtes. In Schlesien kommt zuerst *Otto* de Lossow, einer der vornehmsten Räthe des Herzogs Conrad zu Oels, vor, der um das Jahr 1320 lebte. — *Tasso* v. L., wahrscheinlich der Sohn des Vorigen, leistete dem genannten Herzoge Conrad wichtige Dienste, und starb um das Jahr 1354. — *Kaspar* v. L. war der schlesischen Fürsten und Stände Hauptmann. Er zeichnete sich besonders am 6. Septbr. des Jahres 1623 in einem Treffen mit den Polen, unter dem Obersten Stroinowski, aus (m. s. Oisnogr. P. I. pag. 211.). — *Bernhard* v. L. kommt als Besitzer von Ludwigsdorf bei Kreuzburg vor. Er pflanzte sein Geschlecht durch vier Söhne und zwei Töchter fort. Einer der Söhne war *Kaspar Heinrich* v. L., der sich in der Standesherrschaft Pless ansässig machte, und mit Maria v. Larisch und Ellguth vermählt war. — Ein Sohn aus dieser Ehe, *Georg Wilhelm* v. L., stand als Hauptmann in kaiserl. Diensten. — Bei dem hohen Domstifte St. Johannis zu Breslau war *Petrus Loslovius* v. L. Prälat, Cantor und Kanonikus. Er starb daselbst am 8. April 1606 plötzlich im kräftigsten Mannesalter von 40 Jahren (m. s. Conradi Siles. Tog.). — *Johann George* v. Lossow war königl. polnischer Oberstlieutenant, und königl. preussischer Verweser des Amtes Oletzko. Er war mit Johanne Constanze v. Zastrow, aus dem Hause Bankau, vermählt. In dieser Ehe wurde am 7. Octbr. 1717 geboren:

Matthias Ludwig v. L., der im Jahre 1734 beim Regiment v. Glasenap in preuss. Kriegsdienste trat, 1744 eine Grenadier-Compagnie im Regiment l'Hopital erhielt, 1753 Major, und 1755 Commandeur eines zu Königsberg in Preussen garnisonirenden Grenadierbataillons ward. Im Jahre 1758 ward er zum Oberstlieutenant, und 1759 zum Obersten befördert. Als solcher zeichnete er sich in der Action bei Strehlen besonders aus, indem er mit seinem Bataillon den ihm weit überlegenen Feind mit vielem Verluste zurücktrieb, und wofür er mit dem Orden pour le mérite geschmückt wurde. 1765 ward er zum Chef des Neuwied'schen Regiments, 1766 zum Generalmajor, und 1777 zum Generallieutenant ernannt. Er hat allen Feldzügen Friedrichs II. beigewohnt, viel Muth und militairisches Talent in denselben gezeigt, und war bei Jägerndorf und Torgau verwundet worden. Bei Töplitz nahm ihm eine Stückkugel den Degen aus der Hand. Im Jahre 1782 erhielt er wegen Altersschwäche seinen Abschied mit Pension, und sein Tod erfolgte im Jahre 1783. Er war unverehelicht.

Daniel Friedrich v. L., aus dem Hause Niedewitz, geboren im Jahre 1722, trat mit 20 Jahren in das Husarenregiment v. Natzmer, ward im Jahre 1756 Prem.-Lieutenant, 1757 als Capitain zum Husarenregimente v. Ruesch versetzt, 1759 Major und Oberstlieutenant, 1760 Commandeur, 1761 Oberst, 1762 Chef des Regiments, 1766 Generalmajor, auch Amtshauptmann zu Preussisch-Mark und 1781 Generallieutenant. Er hat sämmtlichen Feldzügen von 1744 bis 1779 rühmlichst beigewohnt und sich bei Pretsch den Militairverdienstorden erworben. In den Jahren 1774 und 1776 war er erster königl. Commissarius zur Berichtigung der Grenzen mit Polen. König Friedrich II. achtete ihn sehr und gab ihm mehrere Beweise seines Wohlwollens, unter andern schenkte er ihm eine prächtige, mit Brillanten besetzte Tabatiere. Er starb 1783 den 12. Octbr. zu Goldap in Preussen, und die Officiere der beiden Regimenter, die dieser tapfere General commandirt hatte, liessen ihm in der reformirten Kirche, früheren Garnisonkirche, ein Monument errichten. Da seine Ehe mit Sophie Eleonore v. Zedmar kinderlos war, so adoptirte er den Prem.-Lieutenant vom Bosniakencorps, Johann Christoph Köhler, an Sohnes Statt, und

der König erhob denselben unter dem Namen Köhler v. Lossow am
6. Mai 1777 in den Adelstand.
Friedrich Constantin v. L., königl. Generallieutenant v. d. A., Ritter des rothen Adlerordens 1. Cl. des Ordens pour le mérite (erworben 1812 in Kurland), des eisernen Kreuzes 2. Cl. (vor Magdeburg) u. s. w., geboren in Westphalen. Im Jahre 1806 stand derselbe als Major im Generalstabe, im Jahre 1813 commandirte er als Oberstlieutenant in der Festung Graudenz, deren Commandant er als Generallieutenant im Jahre 1820 wurde, im Jahre 1825 aber ernannte ihn Se. Majestät zum Commandeur der 2. Division und 1. Commandanten zu Danzig. Seit dem Jahre 1834 lebt derselbe zu Berlin. Die Militair-Literatur verdankt demselben einen höchst schätzenswerthen Beitrag durch ein im Jahre 1835 erschienenes, und noch gegenwärtig fortgesetztes grosses militairisches Werk über die Systeme der Kriegführung der berühmtesten Feldherren, älterer und neuerer Zeit.
Im Jahre 1806 standen folgende Mitglieder dieser Familie im preuss. Heere: der Major v. L. in dem Kürassierregiment Graf v. Henckel, der später ein Gut in der Nähe von Breslau besass, und im Jahre 1816 als pensionirter Oberstlieutenant gestorben ist. Er gehörte der schlesischen Linie an. — Der Oberst und Commandeur des Regiments v. Prittwitz, v. L., Sohn des Generallieutenants v. L. Er wurde noch in demselben Jahre pensionirt, und starb 1820. — Ein jüngerer Bruder von ihm war Rittmeister in demselben Regimente, und zuletzt Rittmeister im 2. Husaren-Regimente, und starb 1824 im Pensionsstande. — Ein Major v. Lossau commandirte die Garnisoncompagnie des 22. Infant.-Regiments zu Neisse. Er hatte sich in den Gefechten vom 19. bis 21. August 1813 das eiserne Kreuz erworben, und ist gegenwärtig Oberstlieutenant a. D. und Erbpächter auf Koppendorf bei Grottkau. Zwei Söhne von demselben dienen in der Armee, der ältere als Prem.-Lieutenant im 23sten, ein jüngerer als Lieutenant im 11. Infant.-Regimente. In der Gegenwart dient auch ein Lieutenant v. Lossow, der sich Kopka v. L. schreibt, im 3. Kürassierregimente zu Königsberg in Preussen. Die v. L. führen ein schräg getheiltes, links silbernes, rechts rothes Schild, in dessen Mitte ein geflecktes Pantherthier springend zu sehen ist. Der Helm ist mit einem Bunde umwunden, auf welchem das springende Pantherthier abgekürzt sich wiederholt. Hinter demselben sind sechs Straussfedern angebracht. Helmdecken silbern und roth.

Lostanges, die Grafen von.

Unter den französischen Flüchtlingen, welche im vorigen Jahrhunderte der Religion wegen ihr Vaterland verliessen, und sich in die brandenburgischen Staaten begaben, befand sich Karl, Graf v. Lostanges. Es ist wahrscheinlich, dass er bereits bei der französischen Armee gedient hatte, als ihn Kurfürst Friedrich III. zum Obersten ernannte, und ihm ein eigenes Regiment zu Pferde (zuletzt v. Quitzow-Kürassier) gab. Er starb im Jahre 1703, nachdem er sein Geschlecht in Preussen fortgepflanzt hatte. — Gegenwärtig lebt ein v. Lostanges zu Paris, der im Jahre 1796 die preuss. Kammerherrenwürde erhielt.

Losthin, die Herren von.

Die Herren v. Losthin, auch v. Lostin geschrieben, gehören zum Adel in Pommern, wo sie Brüggemann ihrem Besitze nach mit

v. Zedlitz Adels-Lex. III.   20

dem Zusatz: im Lauenburg'schen, bezeichnet; aber weder Abel, im Rittersaal, noch v. Gundling führt den Grundbesitz dieser Familie an. Dieses adelige Geschlecht scheint sehr schwach an Mitgliedern zu sein. Uns sind nur folgende bekannt geworden: Der General-Lieutenant a. D. von Lostin, der im Jahre 1806 ältester Major im Infant.-Regimente v. Müffling, Commandeur eines Grenadier-Bataillon, und zuletzt Chef der 4. Brigade war, im Jahre 1815 aber als General-Lieutenant in den Pensionsstand trat. Dieser General steht in dem wohlverdienten Rufe, bei allen Gelegenheiten grosse Entschlossenheit und unerschütterliche Tapferkeit bewiesen zu haben. Er gehört zu der Zahl derjenigen Männer, die in der Zeit des Unglückes, wie in der der Erhebung des Vaterlandes, nicht vom Kampfplatze gewichen sind. In dem Treffen bei Canth (1807) führte er die Infanterie des schwachen Corps, das von Glaz aus den Versuch machte, den zahlreichen Feinden den Besitz von Schlesien streitig zu machen; er erwarb sich hier den Verdienstorden, dessen Schmuck mit Eichenlaub sich sein Heldenmuth auf dem Schlachtfelde von Belle-Alliance gewann. Für seinen ruhmvollen Antheil an der Schlacht bei Leipzig schmückt ihn das eiserne Kreuz 1. Classe. Er lebt jetzt in Neisse, und ist, so viel uns bekannt ist, unvermählt. Ein jüngerer Bruder desselben, früher Capitain im Regimente v. Müffling, starb 1826. Ein dritter v. Lostin, früher im Regimente v. Puttkammer zu Brandenburg, starb 1820 als Major; er hatte zuletzt im 32. Garnison-Bataillon gestanden. Diese Familie führt im blauen Schilde einen goldenen sechseckigen Stern, über einem wachsenden, mit den Spitzen nach oben gekehrten silbernen Monde. Dieses Bild wiederholt sich auf dem Helme. Die Decken blau und silbern.

Lottum, die Grafen von Wylich und.

Das uralte Geschlecht der v. Wylich, Bylich, Wylack, Wylleck, Wylick, Walach und Walack geschrieben, gehört dem Niederrhein und Westphalen an. Der wirkliche Stammherr desselben ist *Peter von und zu Wylich*, der im Jahre 1446 Erblandhofmeister des Herzogthums Cleve war. Seine Gemahlin war Hille v. Hessen, eine Tochter des Landhofmeisters Arnold von Hessen, wodurch diese Würde an die Familie kam. Als ältestes Besitzthum dieses vornehmen Hauses wird Diesfort genannt; später erwarb es bedeutende Güter und Herrschaften, namentlich Rosaw, Kervendonk, Döringen, Pröbsting, Selem, Huet, Lottum, Gribbenforst, Winnenthal, u. s. w. Nach und nach zerfiel das Haus in mehrere Linien, als in die von Wylich-Rosaw, Wylich-Huet-Lottum, Wylich-Pröbating-Winnenthal, Wylich-Winnenthal. Da die übrigen Linien nicht in diesen Artikel gehören, so verweisen wir auf den v. Wylich, und behalten nur die v. Wylich-Huet-Lottum im Auge. Lottum ist der Name einer Herrlichkeit in dem ehemaligen, zum Herzogthume Geldern gehörigen Amte Kessel. Der Stifter dieser Linie ist *Otto v. W. zu Huet*, ein Enkel des Ahnherrn *Peter v. W.* Er war mit Liefferta Schenkin v. Niedegg vermählt. — Sein Sohn, *Otto II. v. W.*, Herr zu Huet, zeugte mit Elisabeth v. Büderich, Erbtochter von Gronstein, vier Kinder. — Des letztern Sohn, *Otto Christoph v. W.*, Herr zu Huet, Gronstein und Gribbenfort, erwarb die Herrschaft Lottum. — *Johann Christoph v. W.* ward vom Erzherzog Albert von Oesterreich im Jahre 1608 zum Freiherrn von Lottum erhoben, und sein Wappen vermehrt. Es ist demnach der Name Lottum nur dem ursprünglichen Geschlechtsnamen beigefügt worden, und wenn die heutigen Grafen im gewöhnlichen Sprachgebrauche blos von Lottum genannt werden, so wird doch bei allen Verhandlungen und bei jedem Act von Wichtigkeit der Doppelname gebraucht. — Ein Enkel des ersten Freiherrn v. Lottum, *Philipp Karl*, Freiherr v. Lottum, ward am 20. Januar 1701 vom Kaiser Leopold I. mit seiner Nachkommenschaft in den Grafenstand erhoben, und erhielt am 14. Juni desselben Jahres vom Könige Friedrich I. ein Anerkennungsdiplom.

Im preuss. Heere sind zu höhern und zu den höchsten Würden gelangt:

Der in den Grafenstand erhobene *Philipp Karl*, Graf v. Wylich und Lottum, der als preuss. General - Feldmarschall, Ritter des schwarzen Adlerordens, wirklicher Geheimer Kriegsrath, Oberpräsident der cleve-märkischen Regierung und übrigen Collegien, Gouverneur zu Wesel, Oberster eines Regiments zu Fuss, Drost der Aemter Rees, Hetter und Iserlohn, Curator der Universität Duisburg, Bannerherr des Herzogthums Geldern, und der Grafschaft Zütphen, Erbkämmerer des Herzogthums Cleve, Herr zu Huet, Gronstein, Gribbenforst, Wahl, Offenberg u. s. w., starb. Er war am 27. August 1650 geboren, und hatte sich schon in den Kriegen wider Frankreich, am Rhein und in den Niederlanden Kriegsruhm erworben, als er 1688 zum Obersten, 1690 zum Generalmajor, und 1694 zum Generallieutenant, Chef eines Regiments zu Fuss, Gouverneur und Oberhauptmann der Festung Spandau, im Jahre 1695 aber zum Oberhofmarschall ernannt wurde. Im Jahre 1698 ward er Oberdirector der Domainen in allen kurfürstlichen Provinzen, 1702 erhielt er den Oberbefehl über die preuss. Truppen in holländischen Diensten, und eroberte 1703 Rheinsberg und Geldern. Zum General der Infanterie ward er 1704 befördert, und 1705 zum Obergouverneur der westphälischen Festungen. Im ganzen spanischen Erbfolgekriege zeichnete er sich rühmlichst aus, namentlich in der Schlacht bei Malplaquet, wo er nicht wenig zum Siege beitrug. Im Jahre 1713 ernannte ihn König Friedrich Wilhelm I. zum General - Feldmarschall. Sein Tod erfolgte am 14. Februar 1719. Er war zweimal vermählt, mit Marie Dorothea, Freiin v. Schwerin, aus dem Hause Alt-Landsberg, und nach deren Tode mit Albertine Charlotte, Freiin v. Quadt-Wickerad zu Zoppenbruch. In erster Ehe wurden ihm fünf Söhne und drei Töchter, in zweiter Ehe ein Sohn und vier Töchter geboren.

Johann Christoph, Reichsgraf von Wylich und Lottum, ein Sohn erster Ehe des erwähnten General-Feldmarschalls, geboren den 9. Mai 1681, wurde im Jahre 1708 Oberstlieutenant im Regimente seines Vaters, 1714 Oberst im Regimente v. Schlabrendorf, 1718 Chef desselben, und 1721 Generalmajor. Er starb am 16. Octbr. 1727, und liegt zu Huet begraben. In seiner Ehe mit Hermine Alexandrine Friederike Wilhelmine, Freiin v. Wittenhorst-Sonsfeld (starb am 17. April 1747), erzeugte er zwei Söhne.

Ludwig, Reichsgraf v. Wylich und Lottum, ebenfalls ein Sohn des Generalfeldmarschalls, trat am Ende des 17. Jahrhunderts in brandenburgische Dienste, ward im Jahre 1709 Oberstlieutenant, 1714 Oberst, 1717 Chef eines Kürassierregiments und 1721 Generalmajor. Sein Tod erfolgte am 11. Juli 1729. Er war mit Louise v. Wylich-Kervendonk vermählt, welche Ehe aber kinderlos war.

Friedrich Wilhelm, Reichsgraf v. Wylich und Lottum, ein Sohn des genannten *Johann Christoph*, Reichsgrafen v. Wylich und Lottum, geboren am 18. März 1716, trat, 16 Jahre alt, in das Regiment v. Kröcher, und wohnte als Lieutenant den ersten schlesischen Feld-

20 *

zügen bei. Im Jahre 1747 erhielt er eine Compagnie, und 1753 eine Präbende zu Magdeburg; 1757 ward er Major, 1758 Oberstlieutenant, und noch in demselben Jahre Oberst, im Jahre 1762 Generalmajor, und 1763 Chef des Regiments, welches sich der russische Kaiser Peter III. gewählt hatte. Im Jahre 1764 ernannte ihn Friedrich II. zum Commandanten von Berlin, zugleich erhielt er auch den Ritterschlag zu Sonnenburg. 1765 ward er zum Amtshauptmann von Spandau ernannt, und 1766 erhielt er das Lehn Gotteswykersham im Cleveschen. Sein Tod erfolgte am 17. Decbr. 1774. Er verband mit Tapferkeit und Muth die feinsten Hofsitten, und war ein eben so guter Soldat, als Hofmann. Von seinen Söhnen ist Graf *Karl Friedrich Heinrich* von Wylich und Lottum, General der Cavallerie, und Staatsminister (m. s. unten), und Graf *Karl Friedrich Johann Gustav* war Kanzler des Johanniterordens, und königl. Kammerherr. Er starb am 1. März 1828. Die Nachkommen desselben s. m. unten.

Friedrich Albrecht Karl Hermann, Reichsgraf zu Wylich und Lottum, ein jüngerer Bruder des Grafen Fried. Wilh., geb. den 20. April 1720 zu Anclam, trat nach einer sorgfältigen Erziehung im Jahre 1737 in das später v. Görtz'sche, früher v. Seidlitz'sche Kürassierregiment, avancirte in demselben 1755 zum Stabs-, 1756 zum wirklichen Capitain, 1758 zum Major, 1763 zum Commandeur des Regiments, 1769 zum Oberstlieutenant, und 1772 zum Obersten. Im Jahre 1774 ward er Chef des erledigten Dragonerregiments v. Zastrow, 1777 Generalmajor, und 1787 Generallieutenant. Er wurde im Jahre 1791 mit dem schwarzen Adlerorden geschmückt, trat im Jahre 1795 wegen seines hohen Alters mit dem Charakter eines Generals von der Cavallerie in den verdienten Ruhestand, und ist am 3. März 1797 gestorben. Sein Regiment erhielt nach ihm der Prinz Ludwig von Preussen, und nach dessen Tode der Herzog Max von Pfalz-Zweibrücken, nachmaliger König von Baiern, und es besteht noch gegenwärtig unter dem Namen des 1. Dragonerregiments. Von 1740 an wohnte er allen Feldzügen Friedrichs des Grossen mit Ruhm und Auszeichnung bei; 1757 war er bei Breslau von den Oesterreichern gefangen, jedoch schon im folgenden Jahre ausgewechselt worden. Als Anerkennung seiner militairischen Kenntnisse ertheilte ihm sein Monarch 1753 eine Domherrnstelle zu Halberstadt, und 1758 für seine in der Schlacht bei Zorndorf bewiesene Tapferkeit den Orden pour le mérite. Er war mit der Tochter des Landraths Alexander v. Schlichting vermählt, in welcher Ehe er mehrere Söhne und Töchter erzeugte.

Heinrich Christoph Karl Hermann, Reichsgraf v. Wylich und Lottum, ein Sohn des Vorigen, geboren am 8. Januar 1773 zu Cleve, trat im Jahre 1786, 13 Jahre alt, in das Dragoner-Regiment, welches den Namen seines Vaters führte. In demselben avancirte er 1787 zum Fähnrich, 1788 zum Seconde-Lieutenant, 1798 zum Prem.-Lieutenant, 1803 zum Capitain, 1808 zum Major, 1813 zum Oberstlieutenant und in demselben Jahre zum Obersten. Als Commandeur desselben in den Feldzügen von 1813 und 14 erntete er bei mehreren Gelegenheiten Ehre und Ruhm ein. Während des Feldzuges 1814 in den Niederlanden ward er zum Militair-Gouverneur von Brabant und Flandern ernannt. 1815 befehligte er eine Cavallerie-Brigade beim 3. Armeecorps. Nach dem Friedensschlusse wurde er Inspecteur der Landwehr im Regierungsbezirke Arnsberg, vertauschte aber diese Anstellung 1816 mit dem Commando der 2. Artilleriebrigade in Danzig, ward daselbst 1817 Generalmajor, 1823 Commandeur der 1. Division in Königsberg und 1829 Generallieutenant. Zu Ende Novembers des letztgenannten Jahres berief ihn Se. Majestät zum Commandeur der 6. Division und ersten Commandanten nach Torgau. Obgleich schon kränklich, liess ihn sein reger Diensteifer nicht bis zu seiner völligen Genesung in Königsberg verweilen. Die Beschwerden der Reise und die strenge Kälte verschlimmerten seinen Zustand so sehr, dass bei seiner Ankunft in Berlin an die Fortsetzung der Reise nicht zu denken war. Hier starb er trotz aller angewandten Mühe und Pflege am 7. Febr. 1830 nach 44jähr. ehrenvoller Dienstzeit. (M. s. Pantheon des preuss. Heeres II. S. 75 u. f.)

Gegenwärtig besteht das gräfliche Haus Wylich and Lottum aus folgenden Mitgliedern:

Graf *Karl Friedrich Heinrich*, geboren in Berlin den 5. Novbr. 1767, ein Sohn des am 17. Dec. 1774 verstorbenen Generalmajors *Friedrich Wilhelm* Grafen v. Lottum, königl. preuss. General der Infanterie, wirklicher Geheimer Staats- und Schatzminister, Chef des Potsdamer grossen Militair-Waisenhauses, Mitglied des Staatsraths, Ritter des schwarzen Adlerordens, des Ordens pour le mérite, des eisernen Kreuzes u. s. w., vermählt seit dem 6. Juni 1795 mit Gräfin Sophie Luise Friederike, Tochter des königl. preuss. Geheimen Ober-Justiz-, Tribunal- und Ober-Consistorialraths Joachim Friedrich von Lamprecht, geboren den 2. Novbr. 1772.

Kinder:

1) *Friedrich Hermann*, geb. den 3. Mai 1796, königl. preuss. Kammerherr, ausserordentlicher Gesandter und bevollmächtigter Minister am königl. niederländischen Hofe im Haag und Major a. D., vermählt seit dem 7. Oct. 1828 mit Clotilde, geb. Gräfin und Herrin zu Putbus, Tochter des Fürsten Wilhelm Malte von Putbus, geb. den 25. April 1809.

Kinder:

a) *Moritz Wilhelm Friedrich*, geb. d. 19. Juli 1829.
b) *Luise Friederike Agnes*, geb. d. 25. Sept. 1830.
c) *Wilhelm Karl Gustav Malte*, geb. d. 16. April 1833.

2) *Hermann Heinrich*, geb. d. 24. Sept. 1797, königl. preuss. Rittmeister a. D.

Bruders, des in Berlin am 30. Januar 1801 verstorbenen Grafen Friedrich Christoph Karl, Wittwe:

Wilhelmine Henriette Karoline Luise, Tochter des königl. preuss. Geheimen Ober-Finanz-, Kriegs- und Domainen-Raths und Präsidenten, Johann August v. Beyer, geb. den 12. Juni 1774 (lebt zu Potsdam.) — Wittwe von ihrem zweiten Gemahl Wilhelm Heinrich Franz Rimbert v. Piper, königl. preuss. Rittmeister, seit d. 6. Sept. 1813.

Vaters-Bruders, des am 3. März 1797 verstorbenen Generals der Cavallerie, Grafen Friedrich Albrecht Karl Hermann, Kinder:

1) Wittwe des Grafen Karl Friedrich Johann Gustav, (geb. den 29. Oct. 1762, gest. den 1. März 1828): Magdalena Sophie Ernestine, Tochter des königl. preuss. Ober-Tribunalraths und Präsidenten Theodor Christian v. Clermont, geb. den 30. Juni 1772, vermählt den 28. Sept. 1790.

Kinder:

a) *Karl Hermann*, geboren den 19. März 1792, königl. preuss. Rittmeister im Garde-Dragoner-Regimente.
b) *Sophie Charlotte*, geb. d. 22. August 1793, vermählt seit dem 29. April 1811 mit Karl Adolph Ferdinand v. Strantz, geb. d. 13.

310 Loucey — Lubath.

Mai 1783, königl. preuss. Oberst und Commandeur des 4. Kürassier-Regiments.

c) *Emma Constanze*, Chanoinesse im Stifte Heiligen Grabe, geb. d. 7. Nov. 1799, vermählt seit dem 7. Oct. 1834 mit dem königl. preuss. Oberstlieutenant v. Beyer, Commandeur des 7. Kürassier-Regiments Grossfürst Michael.

2) *Friedrich Ludwig August Georg*, geb. d. 15. Oct. 1776, königl. preuss. Major der Cavallerie a. D. (lebt zu Schwedt).

Das uralte Familienwappen der von Wylich zeigt im silbernen Schilde einen rothen, etwas erhabenen Sparren, zwischen dessen Schenkel ein rother Ring angebracht ist. Auf dem gekrönten Helme ist ein silberner Drachenkopf, mit rothgelfender, wiedergehakter Zunge, das ganze Schild an einem rothen Bande um den Hals gehängt, dargestellt. Helmdecken und Laubwerk roth und silbern.

Das Wappen der Freiherren v. Wylich und Lottum war quadrirt. Im 1. und 4. silbernen Sparren zeigte sich der Wylichsche rothe Sparren und der rothe Ring, im 2. und 3. goldenen Felde aber ein breiter, viermal silbern und dreimal roth ablangs gestreifter Querbalken. Der Helmschmuck wie beim Stammwappen.

Die Grafen v. Wylich und Lottum führen ein quadrirtes Schild. Im 1. und 4. silbernen Felde ist das Wappenbild der v. Wylich, im 2. und 3. goldenen Felde aber ein rothes, mit neun Byzantinen beladenes Kreuz vorgestellt. Dieses Schild trägt zwei gekrönte Helme; der rechte derselben ist mit dem Wylichschen Drachen nebst Schild geschmückt; auf dem linken aber sind zwei goldene, mit dem Wappenbilde des 2. Feldes belegte Standarten angebracht. Die Helmdecken und das Laubwerk rechts roth und silbern, links roth und golden. Zu Schildhaltern sind zwei goldene Löwen gewählt.

Nachrichten über dieses vornehme Geschlecht findet man in Robens II. S. 292 u. f. Genealogisches Taschenbuch der gräflichen deutschen Häuser 1837. S. 297 u. 98. Biograph. Lex. aller Helden und Militairpersonen. Bd. II. S. 434. u. f. Zedlers Univers.-Lex. XVIII. S. 574. Gauhe, I. S. 945.

Loucey, die Grafen von.

Im Jahre 1784 trat ein v. Loucey, aus Frankreich gebürtig, in die Dienste König Friedrichs II. Derselbe stand mehrere Jahre bei einem Husarenregimente und wurde am 16. Sept. 1804 Major. Im Jahre 1806 finden wir denselben als Graf v. Loucey, Adjut. des Generals der Infanterie, Fürsten v. Hohenlohe-Ingelfingen, aufgeführt. Er hat sich im Jahre 1794 bei Limbach den Verdienstorden erworben. In den Jahren 1815—18 war er Oberst und Ober-Kriegs-Polizei-Director bei dem in Frankreich zurückgebliebenen Armeecorps. Im Jahre 1818 als Generalmajor verabschiedet, lebte er von da an in Schlesien.

Lubath, die Herren von.

König Friedrich Wilhelm I. erhob am 13. Januar 1716 den nachmaligen Oberstlieutenant im Regimente v. Wartensleben, *Johann Lubath* in den Adelstand. — Sein Sohn, *Karl Aemilius* v. L., trat 1727 in das Regiment v. Thiele ein, ward 1740 Prem.-Lieutenant, 1751 Capitain, 1757 Major und Commandeur eines Grenadierbataillon, 1762 aber Oberstlieutenant. Er starb in demselben Jahre 59 Jahre alt. — Ein Enkel desselben stand im Jahre 1806 als Major in dem Infanterie-Regimente v. Rüchel in Königsberg und wurde später als Oberstlieutenant pensionirt.

Lubienski, die Grafen und Herren von.

Ein Zweig der altadeligen Familie von Lubienski in Südpreussen wurde am 5. Juni 1798 bei der Huldignng zu Königsberg in den Grafenstand erhoben. Der vormalige Justizminister im Königreiche Polen v. Lubienski wurde im Jahre 1796 königl. preuss. Kammerherr und erhielt im Jahre 1805 den grossen rothen Adlerorden. — *Joseph* von Lubienski auf Budziszewo im Posenschen ist Landschaftsrath. — Die v. Lubienski führen im silbernen Felde einen schwarzen, von einem Degen durchstochenen Büffelkopf. Die Grafen v. Lubienski haben ein quadrirtes Schild mit einem Herzschildlein. Im ersten rothen Felde steht ein nach der rechten Seite sich wendender Widder, im zweiten blauen Felde aber das ursprüngliche Wappenbild der Familie, der schwarze durchstochene Büffelkopf, im dritten goldenen Felde zeigt sich auf weissem, nach der rechten Seite galoppirendem Rosse ein mit dem weissen Ordenskreuze, auf rothem Schilde, geschmückter Ritter mit geschwungenem Schwerte, das vierte grüne Feld zeigt zwei gegen den obern rechten Winkel aufspringende weisse Edelhirsche; zwischen denselben ist ein rother, mit drei weissen Rosen belegter Balken von der obern rechten zur untern linken Seite gezogen. Im Herzschildlein zeigt sich der schwarze durchstochene Büffelkopf im silbernen Felde. Das Hauptschild ist mit einer neunperligen Krone bedeckt, aus der ein geharnischter, ein Schwert führender Arm wächst.

Lucadou, die Herren von.

Eine Familie in der Schweiz, aus welcher *Ludwig Friedrich* v. Lucadou, geb. im Jahre 1741 in der Schweiz, Oberst und Commandant der Festung Colberg wurde. In diesem Commando im Winter 1806—7 von dem damaligen Major v. Gneisenau abgelöst, trat er mit dem Grade eines Generalmajors in den Pensionsstand und ist im Jahre 1812 gestorben. Sein Sohn stand im Jahre 1806, bei dem Regimente Herzog von Braunschweig, wurde Flügel-Adjutant Sr. Majestät, Oberst und Commandeur des 25. Infanterie-Regiments, und ist gegenwärtig Generalmajor und Commandeur der 11. Infanterie-Brigade, Ritter vieler Orden, namentlich des eisernen Kreuzes, erworben vor Paris.

Lucanus, die Herren von.

Der König Friedrich Wilhelm II. erhob am 15. Oct. 1786 den Rath bei der Oberamts-Regierung und beim Consistorium zu Glogau, *Johann Simon* Lucanus, mit dem Prädicat v. Rauschenberg, in den Adelstand.

Diese Familie führt ein quadrirtes Wappenschild; im 1. rothen Felde steht ein silberner Löwe, das 2. Feld ist achtmal der Länge nach in Roth und Gold getheilt, das 3. eben so in Gold und Roth, im 4. silbernen steht ein schwarzer Adler mit Scepter und Krone. Auf dem gekrönten Helme wächst zwischen zwei goldenen Hirschstangen ein gekrönter Löwe. Die Decken rechts silbern und schwarz, links silbern und roth.

Luck, die Herren von.

1) Die v. Luck sollen polnischer Herkunft sein, so schliesst man aus dem Namen, der das polnische Wort für arcus oder Bogen ist. Noch in der Gegenwart sind Aeste dieses adeligen Stammes in Polen verbreitet, die einen gespannten scythischen Bogen mit aufgelegtem Pfeile im Wappen führen, weil ihr Ahnherr in einer Schlacht mit den Litthauern einen Gegner, der eben einen Pfeil auf ihn abdrücken wollte, durch einen glücklichen Streich überwältigte. (M. s. Okolski Orb. Pol. T. II. p. 207.) Ganz anders erzählt Albertus Kranz die Abkunft des Geschlechts. Nach ihm sind die v. L. die Abkömmlinge eines Grafen zu Ditmarsen. Es hatte nämlich eine hohe Frau, die Tochter aus der Ehe eines Bruders Kaiser Heinrich III., mit Brunonis, der Schwester des Papstes Leo IX., in Schwaben gewohnt. Sie wurde hier Wittwe und heirathete sodann zuerst den Grafen Dedo zu Dittmarsen und nach dessen Tode einen Bruder desselben, den Grafen Ethelero. Aus diesen beiden Ehen waren verschiedene Söhne, und einer derselben soll der Ahnherr des Geschlechts der v. Luck sein. Der Freiherr v. Abschatz zählt die v. L. unter die alten Ritter der Quaden und Lygier. In Schlesien erscheinen sie zuerst am Ende des 13. Jahrhunderts, wo ein Ritter Lucke der Günstling des Herzogs Konrad zu Glogau war. Er soll auch bei der Gefangennehmung des Herzogs Heinrich des Fetten zu Breslau behülflich gewesen sein. — *Opetzke* oder *Opitz* v. L. erwarb im Jahre 1337 das Gut Peterwitz bei Trebnitz. — Im Jahre 1402 war *Peter* v. L. Landeshauptmann des Gurauisches Kreises. — Dieselbe Würde bekleidete im Jahre 1588 *Johann* v. L. auf Klein-Kloden. — Im Jahre 1610 trat *Maria* v. L., Aebtissin zu Trebnitz von der römisch-katholischen zur evangelischen Religion über. — Um dieselbe Zeit versah v. Luck und Witten auf Paulsdorf das Amt eines Hauptmanns des fürstlichen Stifts zu Trebnitz. (M. s. Schickfuss, 2s Buch S. 221.) — Diese Familie hatte sich unterdess in viele Zweige verbreitet, woraus unterschiedliche Häuser, namentlich das zu Mechau, das zu Sälisch, das zu Märzdorf und das zu Klein-Kloden entstanden. Das Mechauer zerfiel wieder in die Zweige von Witten und Mestigen, Guckelitz, Paulwitz, Mlitsch, Zwekwronze, Gross-Tschuder sind ebenfalls alte Besitzungen der v. L., meistens im Guhrauschen, Herrnstädtschen und Schwiebusschen gelegen. Auch Kottwitz bei Sagan und das noch bis in die neueste Zeit sächsische Lehn Teichenau, das gegenwärtig Eigenthum einer Linie der Freiherren v. Zedlitz ist, war Eigenthum der v. L. Endlich schrieb sich auch ein Zweig des Hauses v. Luck und Wickoline. Im Jahre 1806 besass *Adam Sigismund Ernst* v. Lucke, Kreis-Deputirter und Marschcommissarius des Glogauer Kreises, das Gut Bansau (jetzt in den Händen der Grafen v. Logau) und noch in der neuesten Zeit war Jakobsdorf bei Nimptsch ein Eigenthum dieser Familie. — In Pommern ist einer v. L. Herr auf Borrenthin bei Demmin.

2) Nicht zu verwechseln mit diesem Geschlechte sind die v. Luck, genannt v. Boguslawitz, die aus einer bürgerlichen Familie in Oels abstammen und von denen folgendes Epitaphium zu Friedland in Böhmen Kunde giebt: Quis est, quamvis sit adolescens, cui sit exploratum, se ad vesperam esse victurum? Magdalenae Weintritin in Palwitz, Virgini nobili, Sponsae lectissimae, omnes laudes, quae in hunc sexum cadere possunt, supergressae, et ab omnibus adamatae, Caspar Luck a Boguslawitz U. J. D. Sponsus moestissimus monumentum hoc sinceri amoris et debitae gratitudinis officio p. moritur Pragae XXIV. Augusti. tumulatur sic desiderans Friedlandii IX. Septembr. Anno CIƆIƆIC. —

In den Marken kommen ebenfalls mehrere Zweige des Hauses vor.
Einer besass den Rittersitz Plauen bei Crossen, ein anderer Kriewen
in der Uckermark. — In der preuss. Armee sind zu höheren Würden gelangt:

Christoph George v. Luck, im Crossenschen geboren, begann seine
militairische Laufbahn im Regimente Prinz Dietrich von Anhalt, in
welchem er die subalternen Grade nach und nach durchlief, und 1744
als Major ein Grenadierbataillon commandirte. Im Jahre 1754 ward
er Oberst und Chef des erledigten v. l'Hopitalschen Garnisonbataillon.
Nachdem er im Jahre 1757 pensionirt worden war, starb er 1766 in
einem hohen Alter.

Kaspar Fabian Gottlieb v. L., ein Sohn Friedrich Wilhelms v. L.
und der Ursula Beate v. Knobelsdorf, aus dem Hause Topper, war
anfangs Page Königs Friedrich II. und trat 1743 in Kriegsdienste. Im
Jahre 1750 ward er Hauptmann, 1757 Major, 1764 Oberstlieutenant
und Commandeur des v. Götzenschen Regiments, 1767 Oberst und 1774
Generalmajor und Chef eines neuerrichteten Füsilierregiments. Er
hatte seit 1744 allen Feldzügen Friedrichs des Grossen rühmlichst beigewohnt, war in der Belagerung von Schweidnitz verwundet worden,
hatte sich in der Affaire am Basberge 1760 den Orden pour le mérite
erworben und 1765 die Amtshauptmannschaft Ruppin erhalten. Im
Jahre 1780 ward er pensionirt und starb einige Jahre darauf. Er war
mit Ernestine v. Luck vermählt und hinterliess zwei Söhne.

Gegenwärtig lebt zu Berlin der Generallieutenant, General-Inspecteur des Militair- Unterrichts- und Erziehungswesens, der Comthur und Ritter hoher Orden, namentlich auch des rothen Adlerordens
1. Cl. mit Eichenlaub, des eisernen Kreuzes 1. Cl. u. s. w. v. Luck.
Er stand bis zum Jahre 1806 in der niederschlesischen Füsilierbrigade. — Ein Generalmajor v. L. a. D. war früher Oberst im Regimente v. Prittwitz-Dragoner und ist vor einigen Jahren in Liegnitz
gestorben. Er hatte sich im Jahre 1793 im Gefechte bei Herzogshand
am Rhein den Militair-Verdienstorden erworben. — Im Jahre 1806
stand ein Capitain v. L. im Regimente v. Möllendorf, der zuletzt Major und Adjutant bei dem General v. Krauseneck war und 1815 pensionirt wurde. — Ein anderer v. L. diente früher in dem Regimente
v. Wedell; er ist gegenwärtig Major und Brigadier der 6. Gensdarme-
riebrigade, auch Ritter des eisernen Kreuzes 1. Cl. (erworben bei la
Chaussée). — In dem Garde-Husarenregimente zu Potsdam ist jetzt
ein Rittmeister und Escadronchef v. L.

Die v. Luck in Schlesien führen im rothen Schilde ein Hirschgeweih und ein Büffelhorn, die in Silber sind, und auf dem Helme
eine silberne Tartarenmütze mit rothen Aufschlägen, die mit sechs Federn geziert ist. Die Helmdecken sind silbern und roth. Dieses Wappen giebt Sinapius, I. S. 62. Sinapius erwähnt die von Luck, I.
S. 619—23. II. S. 793 u. f. v. Krohne, II. S. 290—95. Gauhe, I.
S. 948.

3) Am 22. Juli des Jahres 1707 ertheilte König Friedrich I. dem
Kammerdiener *Daniel* Luck einen Adelsbrief.

Ludewig, die Herren von.

1) Kaiser Karl VI. erhob am 11. April des Jahres 1719 den berühmten Rechtsgelehrten *Johann Peter* Ludewig in den Adelstand. Er
starb am 6. Sept. 1743 kinderlos, und sein Geschlecht erlosch demnach wieder mit ihm. Das ihm von Sr. kais. Majestät beigelegte
adelige Wappen bestand in einem gespaltenen Schilde, dessen hintere

Feldung der Quere nach getheilt war; darin unten ein goldener Triangel im rothen und oben im grünen Felde drei silberne Schreibfedern von Schwanenkielen. Im vordern blauen Felde stand ein goldener Brunnen, oben mit einer Kugel spielend. Auf dem Helme zeigte sich ein silberner Schwan mit goldenem Schnabel, in dem er drei Federn hielt, zwischen zwei goldenen Brunneneisen stehend. Dreyhaupt a. a. O., II. Th. S. 28. v. Meding beschreibt das Wappen, II. Th. Nr. 570.

2) Eine adelige Familie in der Oberlausitz. Aus derselben ist der Hauptmann v. Ludwig im 6. Landwehr-Regimente.

Ludwig, die Herren von.

1) Die adelige Familie von Ludwig in Schlesien. Ihr gehörte *Romanus* a Ludwig, Eques Silesius et gente et mente Nobilissimus etc. etc. an. Er war kais. gekrönter Poet. Ein v. Ludwig besass am Anfange des vorigen Jahrhunderts das Dorf Walddorf bei Sprottau. Ein Offizier dieses Namens diente in dem Regimente v. Prittwitz-Dragoner.

2) Die adelige Familie v. Ludwig in der Neumark. Sie besass die Rittergüter Wangern, Kuhlow, Lubichow bei Zielenzig. Es leben noch Nachkommen derselben, aber die Güter sind in neuer Zeit in andere Hände gekommen.

3) Die von Ludwig im Magdeburgschen, denen im vorigen Jahrhunderte Benndorf bei Halle gehörte. M. s. Abels Rittersaal, S. 66.

Ludwigs, Herr von.

Peter Ludwigs, Amtsrath, erhielt von brandenb. Seite am 3. Sept. 1662 eine Anerkennung seines ihm vom Kaiser ertheilten Adels.

Ludwigsdorf.

Ein Beiname des altadeligen Geschlechtes der von Frankenberg.

Ludwiger, die Herren von.

Der Kaiser Rudolph II. ertheilte im Jahre 1597 dem *Jonas* Ludwiger nebst seinem Sohne einen Adelsbrief und eine Vermehrung des schon früher der Familie, die zur Pfännerschaft in Halle gehörte, eigenthümlichen Wappens. Im blauen Schilde ist eine goldene Sonne vorgestellt, die sich zwischen blau und silbern übereck getheilten Büffelhörnern auf dem Helme wiederholt. Gegenwärtig ist ein v. Ludwiger Assessor bei dem samländischen Landgerichte zu Königsberg. M. s. Dreyhaupt, Beschreibung des Saalkreises, II. Th. Beil. sub B 88. 28 Taf. v. Meding, II. N. 522.

Lübbers, die Herren von.

Eine adelige Familie in Schlesien, die den Rittersitz Michelwitz, im Kreise Trebnitz, besitzt. Ein Sohn aus diesem Hause ist der Rittmeister im 4. Uhlanen-Regimente v. Lübbers zu Treptow an der Rega. Er stand 1806 als Cornet im Regimente v. Pletz-Husaren, und erwarb sich bei Leipzig das eiserne Kreuz.

Lübtow, die Herren von.

Das zum alten pommerschen Adel gehörige, jedoch auch in mehreren andern Provinzen, namentlich auch in Schlesien verbreitete Geschlecht der v. Lübtow ist noch gegenwärtig in jener Provinz begütert. Es wurde in früheren Zeiten auch v. Lubetow und Lübetow genannt und geschrieben. Sein Stammhaus, das Dorf Lübtow mit drei adeligen Rittergütern, liegt nahe an der Ostsee im Lauenburgschen. Gegenwärtig besitzt *Eduard* v. L. Labohn, und *Franz Matthias* v. L. einen Antheil von Gr. Lübtow, ein anderer v. L. einen Antheil von Kl. Lübtow. *Eduard Ernst Albert Jakob* v. L. ist im Besitze von Sterbenin im Kreise Lauenburg-Bütow. — Ein Major v. L., aus Schlesien, stand in dem Füsilierbataillon v. Erichsen in Breslau. Er war im Jahre 1814 Lazareth-Commandant in Ratibor, und ist im Jahre 1816 gestorben. — Ein anderer v. L. stand in dem Regimente von Möllendorf zu Berlin, und ist im Jahre 1817 als Major a. D. gestorben. — Ein dritter war Capitain im Regimente v. Renouard zu Halle, und lebt jetzt als Major im Pensionsstande. — Ein vierter war Capitain in dem Regimente v. Dierecke, und war zuletzt Major und Kreisbrigadier bei der Gensdarmerie. — Ein Capitain a. D. erwarb sich das eiserne Kreuz 2. Cl. bei Leipzig. — Ein Capitain v. L. im 6. Infanterie-Regimente starb 1813 an ehrenvollen Wunden. Er hatte früher in der ostpreuss. Füsilierbrigade gestanden. Ein Fräulein v. L. war 1836 Conventualin zu Runow.

Die v. L. führen einen silbernen Querbalken im blauen Schilde, aus dessen unterm Felde, in dem sich drei sechseckige goldene Sterne befinden, ein wildes Schwein mit dem halben Leibe in das obere Feld springt. Auf dem Helme wiederholt sich dieses Bild zwischen zwei Büffelhörnern, von denen das rechte oben blau, unten golden, das linke oben golden, unten blau ist, und aus deren jedem eine goldene Blume hervorgeht. Die Helmdecken sind blau und golden.

Lüdecke, die Herren von.

Der König Friedrich I. erhob im Jahre 1704 seinen Geheimen Rath und Stiftshauptmann zu Quedlinburg, Erbherrn auf Hohenthurm und Rosenfeld bei Halle, *Dietrich* Lüdecke, in den Adelstand. Dieser verdienstvolle Beamte war auch herzogl. braunschweig-wolfenbüttelscher Geheimer Rath und Kanzler. Er war am 8. Septbr. 1654 geboren, und starb den 15. Novbr. 1729. Von seinen Nachkommen haben mehrere in der Armee gedient. Die Familie v. Lüdecke besass auch das Gut Pustleben in der Grafschaft Hohenstein.

Lüdemann, die Herren von.

Der König Friedrich Wilhelm III. erhob bei der Huldigung zu Breslau, am 6. Juli 1798, den Kriegs- und Domainenrath zu Cüstrin, nachmaligen Kammerdirector Lüdemann in den Adelstand. Sein Sohn ist der als Schriftsteller rühmlichst bekannte *Georg Wilhelm* v. L., geb. den 15. Mai 1796.

Lüderitz, die Freiherren und Herren von.

Sie gehören zu dem ältesten Adel der Mark Brandenburg, und haben sich von da aus auch nach Preussen, Braunschweig und in andero Länder verbreitet. In der Kurmark sind Lüderitz, Wittenmoor, Einwinkel, Schönwolke und Ottersburg, in der Priegnitz Nackel und Seglitz, in der Neumark Kl. Mantel, im Lande Sternberg Frauendorf, in Preussen aber Kl. Geruten, Friedrichshofen, Dothen, Werglienen u. s. w., alte Besitzungen dieses Geschlechts, die jedoch nur noch theilweise in den Händen der Familie sind. Im Fürstenthume Zelle ist das Rittergut Hohne ein altes Besitzthum der v. L. — Im Jahre 1388 war *Conrad* v. L. Abt zu Nienburg. — *Arndt* v. L. war im Jahre 1469 kurbrandenburgischer Voigt zu Tangermünde. Er steht als Zeuge in einem Stiftungsbriefe des Klosters zum heiligen Geist in Stendal aufgeführt. — *Andreas* v. L., Abt zu Erfurt, starb im Jahre 1598. — Im Jahre 1716 war ein v. L. fürstl. hessen-casselscher Minister am preuss. Hofe.

In der preuss. Armee haben höhere Würden erlangt:

Friedrich Wilhelm v. L., der im Jahre 1689 Generalmajor von der Infanterie und im Jahre 1690 Commandant zu Cüstrin war.

Karl v. L., der als königlich preussischer Oberst im Jahre 1707 blieb.

Hans Erdmann v. L., der als Generalmajor von der Cavallerie und Erbherr auf Wittenmohr und Einwinkel starb. Schon 1692 war er Major bei den Gensdarmen; 1708 Oberst, und nicht lange darauf erhielt er seinen Abschied als Generalmajor. Sein Tod erfolgte im Februar des Jahres 1732.

David Hans Christoph v. L., geboren am 16. November 1699 zu Nackel in Ruppinschen, trat 1715 bei den grossen Grenadieren zu Potsdam ein. Im Jahre 1723 wurde er in den Johanniterorden aufgenommen, 1740 aber Major im Kürassierregimente Markgraf Friedrich. Als Oberstlieutenant ward er im Jahre 1743 zu dem Dragonerregimente, das zuletzt den Namen v. Katte führte, versetzt, und 1745 zum Oberst und Commandeur desselben befördert. Er führte es mit der grössten Auszeichnung bei Kesselsdorf, wo es den grössten Theil der sächsischen Grenadiergarde niederhieb. 1752 wurde er Generalmajor und Chef des Kürassierregiments Markgraf Friedrich. — Dieses Regiment hatte in der Schlacht bei Lowositz ein starkes feindliches Kanonenfeuer auszuhalten, der General v. L. wurde durch eine Kartätschenkugel getödtet, und, nach Beendigung der Schlacht, in den Weinbergen, zwischen denen dieser Kampf vorfiel, feierlich beerdigt. (M. s. Panth. des pr. Heeres, I. S. 364.)

Karl Ludwig v. L., ebenfalls zu Nackel geboren, war 1738 Capitain im Leibregimente des Königs Friedrich Wilhelm I., und wurde 1740 als Oberstlieutenant zu dem von Weyherschen Garnisonbataillon versetzt, im Jahre 1747 aber zum Oberst und Chef des berliner Landregiments ernannt. Sein Tod erfolgte am 29. Januar 1762 auf seinem Gute Nackel.

Karl Ludwig v. L., ein Sohn des im Jahre 1751 verstorbenen königl. preuss. Oberforstmeisters des Herzogthums Magdeburg und Fürstenthums Halberstadt v. L., trat im Jahre 1730 bei der Artillerie ein, und durchlief nach und nach die subalternen Grade, bis er im Jahre 1759 zum Major, 1761 zum Oberstlieutenant, 1765 zum Obersten und 1770 zum Chef des 2ten Artillerie-Regiments ernannt ward.

Im Jahre 1806 dienten mehrere v. L. in der preussischen Armee, namentlich der Prem.-Lieutenant v. L. im Regimente v. Tschammer, der dem Hause Lüderitz bei Stendal angehörte, und der Fähnrich v. L. im Regimente v. Winning, der gegenwärtig Capitain, Chef der 5. Invaliden-Compagnie und Ritter des eisernen Kreuzes (erworben

bei Gross-Beeren). — Noch jetzt stehen ausserdem mehrere Offiziere
dieses Namens im Heere, wie der dem 8. Kürassierregimente aggre-
girte Rittmeister v. L., der Capitain v. L. im 39. Infanterieregimente,
der Prem.-Lieutenant v. L. im 20., und die beiden Lieutenants v. L.
im 6. Kürassierregimente.

Die v. L. führen im silbernen, mit Gold eingefassten Schilde einen
mit den Spitzen nach oben gekehrten rothen Anker. Auf dem Helme
wiederholt sich derselbe, oben mit sieben Straussfedern geschmückt.
Die Helmdecken sind silbern und roth. M. s. auch Brüggemann, I. Th.
2s Hauptstück. Gauhe, I. S. 948. Angeli Annales March. S. 148.

Lüskow, die Herren von.

Das adelige Geschlecht dieses Namens war noch in der Mitte des
vorigen Jahrhunderts in Pommern begütert; hier gehörten dieser Familie die Güter Lüskow und Butzow, die alte Lehne des Hauses waren und in der Nähe der Stadt Anklam liegen. Der Letzte seines
Stammes in Pommern war *Jakob Albrecht* v. Lüskow, königl. Hauptmann, er hinterliess vier Töchter. Die Güter fielen in Concurs und
wurden im Jahre 1773 einem von Schwerin zugeschlagen.

Lüttichau, die Grafen und Herren von.

Das alte vornehme Geschlecht der von Lüttichau oder Litichaw
stammt aus dem Markgrafthum Meissen. Hier sind die Güter Gross-
und Kl. Kmehlen, Crausnitz, Mertenskirch, Ober- und Nieder-Ulbers-
dorf, Bernstein, Falkenhayn, Voigtshayn, Noskowitz, Stanchitz, alte
Besitzungen dieser Familie, die auch in der Oberlausitz Ober-Erd-
mannsdorf und später in Preussen und Polen Güter besass. Der Kaiser Joseph II. erhob am 5. August 1769 den *Ludwig Gottlob* v. L. in
den Reichsgrafenstand. — In preuss. Diensten haben mehrere Nachkommen desselben gedient. Ein Graf v. L. stand als Rittmeister
in dem Regimente Gensdarmen zu Berlin; er war im Jahre 1816 aggregirter Rittmeister des 3. Husarenregiments, und trat in demselben
Jahre mit Majorscharakter aus dem activen Dienste. Er ist Ritter des
eisernen Kreuzes (erworben bei Wartenburg im Jahre 1813). Ein anderer Graf v. Lüttichau, der in dem Regimente v. Möllendorf stand,
starb 1824 als Capitain im 12. Infanterie-Regimente. — Gegenwärtig stehen in der Armee: der Major Graf v. L. beim 4. Husarenregimente, Ritter des eisernen Kreuzes (erworben bei Haynau); ein Hauptmann Graf v. L. im 8. Infanterie-Regimente; ein anderer Graf v. L.
ist Hauptmann im 39. Infanterie-Regimente und Ritter des eisernen
Kreuzes (erworben 1814 in Frankreich). — Ein Lieutenant Graf v. L.
steht bei dem 11. Infanterie-Regimente zu Breslau. — Ein Graf v. L.
vermählte sich im Jahre 1836 mit der einzigen Tochter des Freiherrn
Karl v. Hohberg auf Prausnitz und Hasel.

Das Wappen der Grafen v. L. besteht aus einem rothen Schilde,
und zwei in demselben gegen einander gekehrten Sicheln mit goldenen Heften, aus deren Rücken an drei verschiedenen Orten drei
schwarze Hahnenfedern hervorragen. Das Schild ist mit einer gräflichen Krone bedeckt; auf dieser steht ein Helm, der die beiden Sicheln trägt. Zu Schildhaltern sind zwei Leoparden mit Freiherren-
kronen gewählt.

Lüttwitz, die Freiherren und Herren von.

Die Herren und nachmaligen Freiherren v. Lüttwitz, die in früheren Zeiten auch v. Littwitz geschrieben wurden, kommen schon im 14. Jahrhunderte in Schlesien vor und haben sich nachmals in verschiedene Häuser oder Linien verbreitet, von denen die bekanntesten die Häuser Reute und Heinersdorf im Glogauischen, und die Linie Golschwitz im Polkwitzischen sind. Ein anderer Ast dieses Geschlechts wird mit dem Namen: die Militsch-Wohlauische Linie bezeichnet. Ausser Reute, Heinersdorf und Golschwitz sind aber auch Alt-Gabel und Sukau im Sprottauischen, Seiffersdorf, Sprottenau und Druse im Freistädtischen, Gotschdorf und Kollhöhe im Schweidnitzschen, Bischwitz im Breslauischen alte Güter der zuerst genannten Häuser und Linien. Der Militsch-Wohlauer Linie gehörte Lentschitz, Alt-Rauden, Wangezinowo, Lesewitz, Mittel-Dammer, Rogesage, Greblin, Welefronze, auch Wettritsch im Nimptschen. In neuerer Zeit erwarben die Herren und Freiherren v. L. auch die Güter Schönau und Leskowitz bei Glogau, Mittel-Steine in der Grafschaft Glaz, Hartlieb und Ruks bei Breslau, die Propstei Gurkau am Zobtenberge, Simmenau im Kreuzburgschen, Naselwitz im Nimptschen. Ein Ast dieser Familie hatte sich auch in der Provinz Preussen niedergelassen und daselbst die Solnikischen Güter erworben. Aus dieser Linie war der weiter unten erwähnte kurbrandenburgische General v. L. — Von den Vorfahren dieses Geschlechtes kommen zuerst *Hinco* und *Schmilo* v. Lettewitz am Hofe des Herzogs Wenzel I. zu Liegnitz um das Jahr 1342 vor. — Man vermuthet, dass es die beiden ersten aus Böhmen nach Schlesien gekommenen Ritter dieses Namens waren. — *Hans* v. L. auf Lentsch oder Lentschütz war im Jahre 1498 des Herzogs Hans zu Glogau und Wohlau Marschall. — *Nikolas L.* v. Bischwitz starb im Jahre 1539 als Abt des Klosters und fürstlichen Gestifts Unserer lieben Frauen, auf dem Sande bei Breslau (Polii Hemerolog). — *Barbara* v. L. ging am 25. Juni des Jahres 1546, bekleidet mit der Würde einer regierenden Aebtissin des fürstlichen Klosters zu Trebnitz, in die Ewigkeit. (Leben und Wohlthaten der heiligen Hedwig, und Olsnogr.) — *Christoph* v. L. war um das Jahr 1558 General-Steuereinnehmer der Herren Fürsten und Stände in Liegnitz. — *Melchior* v. L. auf Mittel Dammer starb am 3. August 1684 als königl. Hofrichter und Landesältester. — *Balthasar*, Freiherr v. L., ward am 6. Novbr. 1741 bei der Huldigung in den preuss. Freiherrenstand erhoben, welche Standeserhebung am 20. Febr. im Jahre 1788 auf den Landschafts-Repräsentanten *Hans Wolf* v. L. ausgedehnt wurde. — In der brandenburgischen Armee gelangte von der preuss. Linie *Georg Wilhelm* v. L. zur Würde eines Generalmajors und Chef des Markgraf Ludwigschen Dragonerregiments. Er starb im Jahre 1693. — In dem Regimente Königin-Dragoner stand im Jahre 1806 ein Oberst v. L., der im Jahre 1814 in den Pensionsstand trat. — Ein Major v. L., der im Regimente zu Warschau stand, starb 1815 im Pensionsstande. — Ein anderer Major v. L., der in dem Husarenregimente v. Gettkandt diente, starb 1814. — Ein v. L., der in dem Regimente v. Brüsewitz-Dragoner stand, schied 1816 in den Pensionsstand. Er erwarb sich 1814 in Frankreich das eiserne Kreuz. — Ein anderer v. L. stand in dem Regimente v. Gettkandt-Husaren, und schied 1819 als Capitain aus dem 25. Infanterie-Regimente. Er hat sich in den Niederlanden das eiserne Kreuz erworben. — Ein Seconde-Lieutenant a. D. erwarb sich bei Bautzen das eiserne Kreuz. Im preuss. Staatsdienste stand namentlich der Chef-Präsident der Regierung zu Reichenbach, Frei-

herr v. L., der gegenwärtig auf seinem Gute, der ehemaligen Propstei, oder Abtei Gorkau lebt. Man verdankt diesem ausgezeichneten
Staatsbeamten viele vortreffliche Einrichtungen, besonders auch den
Bau schöner Kunststrassen in seinem ehemaligen Departement. Schon
in dem unglücklichen Zeitraume der Jahre 1804 hat er sich, so wie
sein Bruder, der Freiherr v. L. auf Hartlieb, durch aufopfernden Patriotismus den Dank des Landes und des Landesfürsten erworben. —
Ein Sohn des Präsidenten ist mit seiner Cousine, einer Tochter des
verstorbenen Staatsministers von Schuckmann, vermählt und besitzt das
Gut Bartsch bei Steinau. — Durch Adoption hat ein Zweig der v. L.
den Namen v. Frankenberg-Lüttwitz angenommen, namentlich der
früher im Regimente Graf Henckel-Kürassier gestandene Lieutenant
v. L., welcher im Jahre 1818 als Major aus dem Regimente Garde du
Corps ausschied, und das Frankenbergsche Fideicommiss Bielwiese ererbte. (M. s. d. Art. v. Frankenberg.) — Von ihm leben zwei Söhne,
Balthasar und *Otto.*

Das ursprünglich v. L.'sche Wappen zeigt im silbernen Schilde
drei schwarze Adlerflügel, den obersten mit den Federn querüber gegen den Helm und unter diesem zwei von einander gekehrt. Auf dem
Helme sind zwei neben einander gestellte silberne Mühlräder mit Zähnen und dahinter drei Straussfedern (schwarz, silbern, schwarz) dargestellt. Die Helmdecken sind silbern und schwarz.

Die Freiherren v. L. führen im damascirten silbernen Schilde die
drei oben näher bezeichneten schwarzen Adlerflügel. Dieses Schild ist
mit zwei Helmen bedeckt, welche beide die mit den Mühlrädern belegten Straussfedern tragen. Zu Schildhaltern sind zwei schwarze gekrönte Adler gewählt. M. s. Sinapius, I. S. 674. II. S. 784. v. Krohne,
II. S. 298 — 301. Gauhe, I. S. 952.

Lützow, die Grafen, Freiherren und Herren von.

Das uralte adelige Geschlecht der Lützow soll nach Bucelin von
den Scaligern zu Verona abstammen, und zur Zeit Kaiser Karls des
Grossen in das nordöstliche Deutschland und namentlich nach Mecklenburg gekommen sein. In Mecklenburg besitzt es seit der Mitte
des 14. Jahrhunderts die Erblandmarschallwürde. Man unterscheidet
in früheren Zeiten drei Hauptlinien, nämlich die zu Pritzier und
Schwechau, die zu Duzow und Turow, und die zu Eckau und Hülsenberg.
Auf eine andere Weise wird dieses Verhältniss folgendermassen aus
einander gesetzt, nämlich, es haben die Söhne des *Wipert* v. Lützow,
Ritter auf Drei-Lützow und Horst, der am Ende des 13. Jahrhunderts
gelebt hat, drei Linien gegründet, diese drei Söhne waren *Borschard*
v. L., Ritter auf Drei-Lützow und Horst, *Johann* v. L., Ritter auf
Pritzier, und *Wipert* v. L., Ritter und Landmarschall auf Grabow.
Dieses letztere Haus theilte sich wieder in mehrere Zweige. Seit der
Reformation hat der katholische Ast dem deutschen Kaiserhause vielfache Dienste geleistet, der evangelische Ast aber widmete seine Kräfte
den protestantischen Fürstenhäusern, namentlich Preussen und Dänemark. Durch diesen Umstand hat sich die Familie der v. L. in verschiedene Länder verbreitet und ansässig gemacht. Von der Linie zu
Drei-Lützow, welche sich zur katholischen Religion bekennt, wurde
Gottfried v. L. am 13. Februar 1692 vom Kaiser in den Reichsgrafenstand erhoben. Er war mit einer Gräfin von Wesselwitz vermählt und
erwarb in Böhmen die Herrschaften Tuppau und Sachsengrün. Da er
ohne Leibeserben zu hinterlassen starb, so erhielt seines Bruders Sohn,
Barthold Heinrich v. L., der mit der Gräfin Johanna Elisabeth von

Metternich-Winneburg-Beilstein vermählt war, im Anfange des vorigen Jahrhunderts die Grafenwürde. Dessen Nachkommen, welchen die Herrschaften Tuppau und Sachsengrün gehören, bilden gegenwärtig das gräfliche Haus, und er ist also der Stammherr der heutigen Grafen v. L.

Hierher gehören namentlich folgende Mitglieder des freiherrlichen Astes der v. L., welche sich in der preuss. Armee zu höheren Würden emporgeschwungen haben:

Johann Adolph Freiherr v. L., aus der mecklenburgischen Linie, ward am 19. Mai 1748 zu Naumburg geboren und in Schulpforte erzogen. Er trat 1762 zuerst in das Regiment Bernburg, war 7 Jahre hindurch Inspections- und Gouvernements-Adjutant, im baierschen Erbfolgekriege Brigademajor und Generaladjutant des Generals von Rammin. Er avancirte 1790 zum Major, dann zum Commandeur eines Grenadierbataillon, 1798 zum Oberstlieutenant, 1799 zum Regiments-Commandeur und 1800 zum Obersten. Im Jahre 1806 ernannten ihn Se. Majestät zum Commandanten von Berlin und 1808 zum Generalmajor. Wegen Kränklichkeit trat er 1813 in den Ruhestand, und starb am 6. Novbr. 1819, auf einer Reise nach Pommern, zu Stargard. Im Jahre 1805 war er Dompropst des Capitels zu Colberg geworden.

Adolph, Freiherr v. L., der älteste Sohn des Vorigen, geboren um das Jahr 1770, nahm zeitig Kriegsdienste, und hatte die Feldzüge am Rhein mitgemacht. Im Jahre 1806 stand er als einer der ältesten Seconde-Lieutenants in dem Kürassierregimente v. Reitzenstein zu Tangermünde. Er war Zeuge der ruhmvollen Vertheidigung Colberg's, und seine Mitwirkung verschaffte ihm den Militair-Verdienst-Orden. Ganz besonders aber ist sein Name berühmt geworden durch die Errichtung eines nach ihm benannten Freicorps. Se. Majestät, der König, ertheilte ihm am 18. Febr. 1813 die Erlaubniss dazu, und er fand an dem Major v. Petersdorf einen thätigen und treuen Gehülfen. Die Formation dieser Freischaar fand im Städtchen Zobten statt. Der Plan fand grossen Beifall, und von allen Seiten strömten Freiwillige, namentlich auch viele Studenten hinzu. Im April 1813 war es auf 1200 Mann Infanterie, ferner 400 Mann zum Stamme eines zweiten Bataillon, und 400 Mann Cavallerie herangewachsen. Nach und nach im Mai wuchs die Infanterie bis auf 2000 Mann, und v. L. machte mit der Cavallerie Streifzüge am linken Elbufer, durchschnitt die feindlichen Militairstrassen, hob Couriere und Transporte auf und machte Scheinüberfälle auf Magdeburg und Hof. Erst am 4. Juli erhielt er die Nachricht von dem am 18. Juni abgeschlossenen Waffenstillstande, und wollte eben zurückgehen, als das Freicorps bei Kitzen angegriffen, und theils gefangen, theils zersprengt wurde. Die Waffenruhe benutzte er dazu, sein Corps zu sammeln und zu organisiren, so dass es nach derselben aus 2800 Mann Infanterie, 480 Mann Cavallerie und 1 Compagnie Artillerie, die 1 siebenpfündige Haubitze, 4 dreipfündige Kanonen und 3 eiserne zwei bis vierpfündige Kanonen bediente, bestand. In dem ganzen Kriege leistete der Freiherr v. L. mit seiner fliegenden Schaar nicht unbedeutende Dienste. Bei der neuen Formirung der preuss. Armee, wobei die Infanterie des Freicorps als 25. Infanterieregiment in das 2. Armeecorps, die Cavallerie aber als 6. Uhlanenregiment in das 1. Armeecorps eintrat, wurde der Baron v. L. Commandeur des 6. Uhlanenregiments, hatte aber in der Schlacht bei Ligny das Unglück, in Gefangenschaft zu gerathen, aus der ihn jedoch der bald darauf erfolgte Friede wieder befreite. Für die Auszeichnung, die er sich im Allgemeinen erworben hatte, ward ihm das eiserne Kreuz 1. Classe 1814 verliehen; im Jahre 1818 erhielt er eine

Brigade zu Torgau, und nach und nach zum Obersten und Generalmajor befördert, mit dem rothen Adlerorden 2. Classe mit dem Sterne
begnadigt, blieb er in diesem Wirkungskreise bis zum Jahre 1833, wo
er zur Disposition gestellt ward und zu Berlin lebte. Obgleich noch
im besten Mannesalter, hatte er das Ansehen eines muntern Greises,
dem ehrenvolle Wunden den Krückstock zum unentbehrlichen Beglei-
ter gemacht hatten. Sein Tod erfolgte am 6. Decbr. 1834, durch einen
Schlagfluss, ohne vorhergegangene Krankheit. Besonders rührend
sprach sich die Stadt Bremen über den Tod des verehrten Generals
aus. Er war zuerst mit Elisabeth, Gräfin v. Alefeld, vermählt, wurde
aber von derselben im Jahre 1824 geschieden. Zum zweitenmale verehelichte er sich mit der Wittwe seines Neffen, des Rittmeisters v. L.
zu Berlin, der Tochter des Amtsraths Uebel zu Paretz.

Ein Bruder des Vorigen, Freiherr v. L., ist gegenwärtig Generalmajor, interimistischer Commandeur der 9. Division, Commandant
von Glogau, Ritter des Militair-Verdienstordens (erworben bei Leipzig), des eisernen Kreuzes (im Jahre 1815) u. s. w. Er stand im Jahre
1806 in dem Regimente Garde zu Potsdam, wurde später im Generalstabe angestellt und avancirte in demselben bis zum Obersten. Zum
Generalmajor befördert, war er auch Director der allgemeinen Kriegs-
schule und Mitglied der Ordens-Commission.

Das gräfliche Haus der v. L. besteht gegenwärtig aus folgenden
Mitgliedern:

Hieronymus, Graf v. L., aus dem Hause Drei-Lützow und Seedorf, geb. den 6. Januar 1776, k. k. wirklicher Kämmerer und Hofrath bei dem Gubernium in Böhmen, Herr der Herrschaft Lochewitz,
Wittwer seit dem 27. April 1826 von Karoline, Gräfin Kolowrat-Liebsteinski, geb. den 9. Juni 1779.

Kinder:

1) *Rudolph*, geb. den 23. Septbr. 1813, k. k. Gubernial-Concepts-
Practicant zu Prag.
2) *Franz*, geb. den 2. Novbr. 1814, k. k. Gesandtschafts-Attaché zu
Dresden.
3) *Rosa*, geb. den 6. März 1816.

Geschwister:

1) *Rudolph*, k. k. Kämmerer, wirklicher Geheimer Rath und Ambas-
sadeur am päpstlichen Stuhle (früher Gesandter in Dänemark,
Würtemberg, Internuntius in Constantinopel und Gesandter in
Turin), vermählt mit Maria Ignacia, geb. Freiin v. St. Justin.

Kind:

Eine Tochter, geboren 1828.

Stiefbrüder:

2) *Johann Nepomuk Gottfried*, k. k. Oberlieutenant im Regimente
Chevaux-legers Baron v. Wernhardt No. 3.
3) *Ludwig*, königl. baierscher Lieutenant im 4. Jägerbataillon.

Das Wappen der v. L. zeigt im goldenen Schilde eine schräg rechts
liegende schwarze Leiter mit vier Sprossen. Jeder Leiterbalken hat
oben eine rechtsgekehrte Krümmung zum Anlehnen. Auf dem gekrönten Helme ist eine niedrige rothe, oben dreimal gezinnte Mauer,
und über derselben ein Pfauenwedel, der an jeder Seite, oben sowohl, als unten, mit einer silbernen, an einem grünenden Stengel sich
neigenden Rose bedeckt ist. Die Helmdecken sind golden und roth.

M. s. auch Gauhe, I. S. 952—54. Bucelini Stemmatogr. P. I.
v. Westphal, Monum. ined. Tom. IV. Tab. 19. No. 57 und 61.

v. Zedlitz Adels-Lex. III.   **21**

Luge, die Herren von.

Eine alte, wahrscheinlich schon lange erloschene Familie in den Marken, aus welcher *Albrecht* v. Luge im Jahre 1227 von dem Markgrafen Johann die Erlaubniss erhielt, Landsberg a. d. W. zu erbauen. Er war kein eigentlicher Baumeister, sondern ein Edelmann, der in der Nähe jener nachmaligen Stadt seinen Sitz hatte. Auch kommt dieser *Albertus* de Luge als Zeuge in einer Urkunde des Grafen von Rupin vor. M. s. Beckmanns Geschichte der Stadt Frankfurt, S. 29. Gerkens Cod. diplom. brand. Th. V. S. 167, und Dietrichs Nachrichten von den Grafen von Lindau und Rupin, S. 27.

Lukomski, die Herren von.

Eine adelige Familie in Polen, von welcher ein Zweig in der Provinz Posen begütert ist, namentlich besitzt der Landschaftsrath *Marcellus* v. L. das Gut Paruszewo.

Lukowitz, die Herren von.

Dieses altadelige vornehme Geschlecht, welches besonders Schlesien, Sachsen und hier der Niederlausitz und dem Stifte Merseburg angehörte, kommt auch häufig unter dem Namen v. Luckowien vor. In Schlesien war *Hans* v. Lukowitz im Jahre 1546, ein kaiserl. Major, bekannt. — In der Niederlausitz besass die Familie das Dorf Görlsdorf, und im Amte Kilenburg das Gut Döbernitz, — *Cornelius* v. L. auf Görlsdorf und Döbernitz war königl. polnischer und kursächsischer Steuereinnehmer und Landeshauptmann in der Niederlausitz. Er starb im Jahre 1717, und mit ihm ist eine Linie dieses Geschlechtes erloschen. — In der preuss. Armee steht der frühere Oberst und Commandeur des 2. Infanterieregiments, jetzige Generalmajor v. L. Er stand im Jahre 1806 bei dem Infanterieregimente v. Kunheim in Berlin, erwarb sich das eiserne Kreuz 1. Classe bei Ligny, und besitzt das Gut Dunow im Kreise Camin. — Ein anderer v. L., der früher in dem Regimente v. Natzmer stand, ist gegenwärtig Major im 18. Infanterieregimente. Ein dritter v. L. steht als Capitain beim 1. Infanterieregimente in Königsberg. Er ist Ritter des eisernen Kreuzes 2. Classe (erworben bei Leipzig).

Die v. L. in Schlesien und Sachsen führen im goldenen Schilde und auf dem Helme ein sich zum Fluge bereitendes Wasserhuhn natürlicher Farbe.

M. s. Sinapius, II. S. 795. König, II. S. 654 — 61. Gauhe, I. S. 947.

Lund (dt), die Herren von.

In der Armee standen im Jahre 1806 zwei Offiziere dieses Namens. Ein Lieutenant v. Lund stand im Regimente Prinz Heinrich von Preussen, und war später Kreisoffizier bei der Gensdarmerie. — Bei dem Bataillon v. Wackenitz der 1. ostpreussischen Füsilierbrigade in Bialystock stand *Friedrich Wilhelm* v. Lund; dieses ist der gegenwärtige Generalmajor und 2. Commandant von Cöln, Bar. Kellermeister v. Lund; er hat sich in der Campagne 1804 in Preussen den Orden pour le mérite und bei Gr. Görschen das eiserne Kreuz erwor-

ben. Zwei Söhne desselben dienen als Offiziere in der Armee, der
ältere beim 31. Regimente in Erfurt, der jüngere beim 34. Regimente
in Colberg.

Lupinski, die Herren von.

In dem Regimente Towarzysz standen im Jahre 1806 zwei Brüder aus der adeligen polnischen Familie von Lupinski. Der ältere war
zuletzt (1820) Rittmeister und Kreisoffizier bei der Gensdarmerie, und
ist als Major a. D. am 24. Juni 1836 gestorben. Der jüngere war im
Jahre 1835 Major und Commandeur des Landwehrbataillon vom 37. Infanterie-Regimente im 3. combin. Reserve-Landwehrregimente. Dieser verdienstvolle Stabsoffizier erwarb sich den Orden pour le mérite
im Jahre 1813, und im Jahre 1815 (bei Belle Alliance) das eiserne
Kreuz 1. Classe.

Lusi, die Grafen von.

Das Geschlecht Lusi blühte schon im 13. Jahrhunderte in Griechenland; ein Zweig desselben hatte sich auf der Insel Cephalonien,
einer der gegenwärtig unter englischem Schutze stehenden ionischen
Inseln, niedergelassen, und daselbst das noch heute stehende feste
Schloss Lusi erbaut. Von demselben kam *Spiridion*, Graf v. Lusi, im
Jahre 1772 nach Berlin, wo er als Offizier bei einem Freicorps angestellt wurde. Bald wurden seine Talente und Kenntnisse Friedrich
dem Grossen bekannt; er ward nach der Auflösung des Freicorps, in
dem er stand, nach London als Gesandter gesendet. Er verschaffte
hier dem preuss. Handel wesentliche Vortheile, und setzte durch energische Thätigkeit, was mehrere seiner Vorgänger zu bewirken nicht
im Stande gewesen waren, durch. Später wurde ihm auch eine Sendung nach Petersburg übertragen, bei der er nicht minder das Vertrauen seines Monarchen rechtfertigte. Er gehörte zu den wirklichen
Offizieren der Armee, erhielt als Oberst bei der grossen Revüe im
Jahre 1789 den Militair-Verdienstorden, und am 20. Mai 1792 das
Patent als Generalmajor. Se. Majestät der jetzt regierende König beförderte ihn 1798 zum Generallieutenant, und verlieh ihm 1800 den
grossen rothen Adlerorden. Er starb am 1. Sept. 1815 zu Potsdam.

Sein einziger hinterlassener Sohn, Graf *Friedrich Wilhelm Ludwig
August*, geboren zu Berlin am 7. Januar 1792, königl. preuss. Major
und Minister-Resident am königl. griechischen Hofe; er ist seit dem
27. Mai 1818 vermählt mit Gräfin Marie, Tochter des Lord Gifford
und der Marquise v. Lansdowne, geboren am 29. Novbr. 1798.

Kinder:

1) *Friedrich Ernst Karl Spiridion*, geboren den 26. Mai 1820.
2) *Marie Arabelle Aurora*, geb. den 7. Juli 1821.
3) *Henriette Luise*, geb. den 28. Januar 1825.
4) *Julie Wilhelmine*, geb. den 23. Januar 1827.
5) *Eliza Camilla Leopoldine*, geb. den 14. Juni 1829.
6) *Adelaide*, geb. den 10. April 1833.

Luze, die Herren von.

Die Familie Luze in Neufchâtel wurde am 7. November 1777 vom
Könige Friedrich II. in den Adelstand erhoben.

21 *

Dieser Familie wurde folgendes Wappen beigelegt. Das Schild ist quadrirt; im 1. und 4. silbernen Felde sind zwei schwarze Adlerflügel angebracht, im 2. und 3. blauen Felde aber ist ein goldener Sparren, und unter demselben eine französische Lilie dargestellt. Diese wiederholt sich auf dem Helme zwischen zwei schwarzen Adlerflügeln. Die Decken sind blau und weiss, und zu Schildhaltern sind zwei Panther gewählt.

Lynar, die Fürsten und Grafen zu.

Im Grossherzogthume Florenz lag das Haus und Schloss Lynari, bei Faenza zwischen Modigliano und Maradia, ein Eigenthum des uralten, edlen Grafengeschlechtes Guerini. Nach diesem Stammhause, das schon im Jahre 1360 in dem Kriege, welchen Städte und Adel führten, zerstört wurde, und zu dem die unmittelbare Grafschaft gleiches Namens gehörte, nannte sich das erwähnte vornehme Geschlecht. Namentlich war Graf Johann di Lynari gerade in dem Besitze des gleichnamigen Castelles, als es die Florentiner zerstörten. Seine Nachkommen entsagten nach dem Verluste ihres Besitzes dem Namen Lynar und führten bloss den ursprünglichen, Guerino, doch behielten sie das Lynarische Wappen bei. *Johannes Baptista* Guerino starb im Jahre 1416. — Sein Urenkel war der berühmte *Rochus* Guerino, Graf zu Lynar, der sein uraltes edles Geschlecht nicht minder durch einen seltenen persönlichen Werth und einen reichen Schatz von Kenntnissen, die er mit ausserordentlichem Glücke auf das praktische Leben anwendete, und die ihm zum gesuchten Rathgeber der mächtigsten Fürsten seiner Zeit machten, als durch erworbene Ehrenstellen, Würden und Güter zu neuem Glanze erhob. Aus dem Leben dieses merkwürdigen, in der vaterländischen Geschichte so vielfach genannten hochverdienten Mannes mögen hier folgende biographische Notizen ihren Platz finden, die wir besonders in seinen Beziehungen zu den Kurfürsten von Brandenburg hier so ausführlich, als sie uns vorlagen, geben. Graf *Rochus* wurde am 25. Decbr. 1525 zu Maradia in Italien geboren. Schon in früher Jugend theilte er Erziehung, Unterricht und Auszeichnung mit Cosmo de Medici, dem nachmaligen Grossherzoge von Florenz. Im 14. Jahre trennte er sich von diesem berühmten Jugendgefährten, um den Kriegsdienst, als er bestimmt war, am Hofe des Herzogs Alphons von Ferrara, der im hohen Ruhme eines eben so erfahrenen, als kenntnissreichen Generals stand, zu erlernen. Nach dem Tode dieses Fürsten ging Graf Rochus, noch im Jünglingsalter, mit seinem Vater, der als Oberst in den Diensten Kaiser Karl V. stand, nach Afrika, um einem Angriffe auf die Raubstaaten beizuwohnen. Nach der Rückkehr von diesem Zuge trat er in die Dienste des Herzogs Alexander von Florenz. Bald trübte sich hier sein Schicksal, denn sein Vater tödtete im Zweikampfe einen Marchese di Malaspina; ein Vorfall, der dem Sohne Hass und Verfolgung der mächtigen Familie Malaspina zuzog und ihn nöthigte, den Hof des Herzogs von Florenz zu verlassen und in fremden Staaten einen Zufluchtsort zu suchen. Hier beginnt der Zeitraum, wo ihm sein persönlicher Werth eine ehrenvolle Bahn in Frankreich und Deutschland eröffnete, die, wie es schien, das Unglück seines Vaters ihm in Italien verschlossen hatte. Am Hofe der Könige von Frankreich machten sich seine Talente, verbunden mit einer angenehmen Persönlichkeit, bald geltend. Gewandt als Hofmann, vertraut mit den Künsten der Diplomatie und unerschütterlich tapfer vor dem Feinde, wurde er mit gleichem Glücke im Cabinette, wie im Felde gebraucht. Im Jahre 1552 vertheidigte er mit Heldenmuthe die wichtige Festung Metz gegen ein kaiserl. Heer.

Bald nach dem Abzuge der Feinde ergänzte er nach eigener Angabe und unter seiner persönlichen Leitung die bis dahin mangelhaften Festungswerke dieses Platzes mit regelmässigen Basteien und verschiedenen Lünetten. Er hatte bei dieser Gelegenheit auf eine so glänzende Weise seine Kenntnisse als Ingenieur an den Tag gelegt, dass er mit 27 Jahren zum Generallieutenant und General-Commissarius aller Festungen der Krone Frankreich ernannt wurde. Im Jahre 1554 erschien der Graf zu Lynar zum erstenmale als Gesandter Frankreichs am Hofe des Kurfürsten Joachim II. von Brandenburg. Im Jahre 1558 war er wieder bei der Armee thätig; er leitete den Angriff auf Dietenhofen und verlor bei dieser Gelegenheit durch einen Büchsenschuss ein Auge. Im Jahre 1560 nahm er die protestantische Religion an, behielt aber doch ausnahmsweise seine Würden und Aemter, und wurde noch im Jahre 1563 zu einer Gesandtschaft von König Karl IX. nach Deutschland an die sächsischen, brandenburgischen und hessischen Höfe gebraucht. Im Jahre 1564 vermählte er sich mit einer reformirten Französin, Anna, gebornen v. Montot, verwittweten v. Barbé, und wohnte mit derselben zu Metz. Als 1567 die Religionsunruhen in Frankreich sich schrecklich erneuten, stellte der Prinz v. Condé sich an die Spitze der Protestanten, gab dem Pfalzgrafen Herzog Casimir, der mit einer Armee zu Hülfe gekommen war, den Grafen Rochus zum Feldmarschall, und dieser nahm ihn 1568 mit nach Heidelberg. So kam dieser merkwürdige Mann nach Deutschland. Er schlug die Anerbietungen und grossen Versprechungen des Königs von Frankreich aus, eben so auch die verschiedener deutscher Fürsten, als des Herzogs von Zweibrücken und des Prinzen von Oranien, um in kurpfälzischen Diensten zu bleiben. Daselbst ward er Oberster und Kriegsrath, und befestigte Bellikheim unweit Heidelberg. — 1569 wurde er, doch mit Beibehaltung der pfälzischen Dienste und Besoldung, beim Kurfürsten von Sachsen Ober-Artilleriemeister und Befehlshaber seiner Festungen, und zog im Jahre 1570 nach Dresden. Im Jahre 1572 sendete ihn der Kurfürst von Sachsen an verschiedene italienische Höfe, und so sah er sein schönes Vaterland und seine ihm immer noch theure Heimath wieder, wo der Grossherzog von Florenz ihm die Einsetzung in seine Güter, Dienste und Gehalt anbot, doch mit der ausdrücklichen Bedingung, dass einer seiner Söhne beständig daselbst residiren sollte; ein Anerbieten, welches annehmbar war. Im Jahre 1574 liess er einen Fehdebrief in deutscher Sprache gegen mancherlei Beschuldigungen und Verläumdungen seines Standes und seiner Ehre drucken. Dieser im Patentformat gedruckte Bogen zeigt den Charakter der damaligen Zeit, und den des Grafen selbst. Einer von den Punkten, wegen deren man ihn verachten und verstossen zu können meinte, war: dass er ein Baumeister sei. Hierauf erwiederte er: „Deshalben bekenne ich freylich, dass ich nicht allein mich dafür ausgebe, sondern auch mir solches zu grossen Ehren vnd Ruhm achte, vnd Gott dem Herrn für solche Gnad nicht genug zu danken wisse, in Betrachtung, solche Gabe und Kunst seltzam, im Krieg vnd Frieden hochnöthig vnd dann einem Rittern vnd Kriegsmann so ehrlich vnd rühmlich ist, dass in Italia, wie der Landart vnd des Kriegs erfahren wol wissen, nicht allein die vom Adel, sondern auch die fürnembsten Fürsten vnd Herren, sich darinn wissentlich vnd zu Ruhm vben vnd gebrauchen lassen." Und am Ende setzt er hinzu: „Solchs alles, was obstehet, vnd schliesslich, dass kein Mensch mich einiger Sachen und Thaten, die einem ehrlichen redlichen Mann mit wohlanstehen, mit Recht beschulden kan, gedenke, wille vnd erbiete ich mich, vermittelst Göttlicher Gnaden, jederzeit, als lang ich das Leben haben werde, gegen menniglichen mit Hand vnnd, wie einem Rittermässigen

Ehrliebenden zustehet, zu vertheidigen vnd zu uerfechten.“
In demselben Jahre reiste er auch in eigenen Angelegenheiten nach
Frankreich. In Sachsen baute er Schlösser und Festungswerke, besonders befestigte er Augustusburg im erzgebirg. Kreise, wovon noch seine
Originalzeichnung vorhanden ist. Ferner reiste er auch nach Cassel und
an andere Höfe, wo er zum Rathgeben eingeladen, und auszeichnend empfangen und belohnt wurde. — 1577 ward er, mit Bewilligung des sächs.
Hofes, Geheimer Rath beim Fürsten von Anhalt, und zog nach Dessau. Von da reiste er zuweilen zum Kurfürsten von Brandenburg. —
1578 kam er in brandenburgische Dienste, auf sehr ansehnliche Be-
dingungen. Sein Gehalt war 1000 Thaler jährlich, Hofkleidung für
acht Bedienten, zweimal des Jahres, ansehnliches Deputat an Natu-
ralien, und seine Reisen besonders bezahlt. Die Natural-Lieferungen
machten aus: 2 Wispel Weizen, 12 Wispel Roggen, 250 Tonnen Bier,
2 Fuder Rhein-Wein, 3 Fuder blanker Landwein, 1 Fuder rother Landwein, 6 fette Ochsen, 50 fette Hammel, 25 Stück Heide-
schaafe, 20 Saeger, 30 Kälber, 2 Tonnen Heringe, 2 Tonnen Rot-
scher (oder Stockfisch), 20 Schock Schollen, 8 Centner Hechte, 8
Centner Karpfen, 100 Thaler zu frischen Fischen, Gewürze und
Zucker, 4 Tonnen Butter, 6 Tonnen Käse, 4 Scheffel Hafergrütze,
2 Scheffel Hirse, 8 Scheffel Buchweitzen, 8 Scheffel Erbsen, 6 Tonnen Salz, 1½ Schock Gänse, 8 Schock Hühner, 8 Centner Talg, 50
Wispel Hafer, und das Nöthige an Heu, Stroh und Holz. Dabei
behielt er vom Kurfürsten zu Sachsen 500 Thaler jährlich, vom Landgrafen zu Hessen 300 Thaler, vom Fürsten zu Anhalt 300 Thaler, vom
Herzoge Kasimir 300 Thaler. Jeder dieser Herren liess ihn im benö-
thigten Falle kommen, wobei ihm immer die Reisekosten besonders
bezahlt wurden. Er wohnte in Spandau, wo ihm der Kurfürst ein
Haus schenkte, das er hernach wie einen Palast baute. Dieser Palast wurde vom Kurfürsten Friedrich Wilhelm wieder erkauft, und
gegenwärtig ist das Zuchthaus in demselben, daher alles geändert
worden, bis auf ein Zimmer, welches noch nach alter Art getäfelt
ist. 1580 ward ihm sein Gehalt auf 1200 Thaler erhöht, und noch
dazu bekam er von dem Kurfürsten Johann Georg ein Geschenk von
30,000 Thalern, in 10 Jahren (jährlich 3000 Thaler) an ihn oder seine
Erben auszuzahlen. Man kann aus diesem, für die damaligen Zeiten
äusserst ansehnlichen Geschenke auf die Achtung schliessen, in welcher er stand, und auf die Dienste, welche er leistete. Er wird in
dem darüber ausgefertigten Schenkungsbriefe vom 13. Januar 1580,
und auch in andern Urkunden genannt: Rath, General, und oberster
Artillerie-Munition-Zeug- und Baumeister. Er hat auch wirklich
nicht allein die wichtigsten Kriegs- und Civilbauten betrieben, zuerst
die Artillerie in guten Stand zu setzen gesucht, und das Giesshaus
verbessert, sondern auch einen sehr einträglichen Salzhandel nach
Lüneburg angelegt, Salzwerke, Salpetersiedereien und Eisenwerke
anzulegen gesucht, viele fremde Künstler und nützliche Leute ins
Land gezogen, und brauchbare Maschinen erfunden. 1578 den 3.
Decbr. nach Absterben des kurfürstl. Zeugmeisters und Giessers, Michael Kesslers, machte der Graf Lynar ein Inventarium des Zeug-
hauses und Giesshauses, und es waren, nach einem im königl. Archive
vorhandenen, von ihm unterschriebenen Aufsatze, im Zeughause vorhanden: „2 scharfe Metzen, scheust eine 90 Pfund Eisen; 2 ganze
ungefasste Cartaunen, à 52 Pfund; 4 neue halbe Cartaunen, unge-
fasst, und ist eine zu Cüstrin; 2 Nachtigallen uff Rädern, 1522,
schiessen jede 48 Pfund Eisen; 2 schlechte halbe Cartaunen uff Rädern, à 22 Pfund; 10 magdeburgische Stück uff Rädern, à 7 Pfund
Eisen; 3 halbe Falkaunen uff Rädern, à 4 Pfund Eisen; nebst einer

verhältnissmässigen Anzahl von Kugeln. Im Pulvergewölbe an der Mauer am St. Gertruden-Thore: 157 Centner 53 Pfund mit dem Holze. Noch im Zeughause: 55 Centner 58 Pfund Salpeter, 35 Centner 33 Pfund Schwefel (dies beweist, dass man schon damals hier Pulver gemacht habe)." Im Giesshause war das nöthige Giesswerkzeug, Blasebälge, u. s. w., und in der Schmiede, was dazu gehört. Mit der Befestigung von Spandau beschäftigte er sich lange, und endigte sie endlich völlig, da Christoph Römer und Friedrich Chiramella sie nur angefangen hatten. An den Festungswerken zu Cüstrin und Peiz, desgleichen an dem kurfürstl. Schlosse zu Bötzow (jetzt Oranienburg), gab er Verbesserungen an. Er theilte den Vortheil der, vermuthlich in Belitz anzulegenden Salzwerke mit dem Kurfürsten. Dies erhellt deutlich aus einem Briefe. Er schreibt 1580 aus Spandau: „Wie dass der Salzmeister bei mir ist — auch ganz kein Zweifel habe, dass Ew. kurfürstl. Gnaden und ich mit demselben werden wohl versehen seyn; Alldieweil ich aber zum Anfange eine ziemliche Anzahl Blech zu den Pfannen benöthiget bin, als habe ich mich morgens Tages mit ihm gen Zehdenik zu reisen, alle dasselbe zu schmieden, und auch eine rechte Probe von Osemund machen zu lassen, vorgenommen." Das Ende dieses Briefes, zum Charakterzug damaliger Zeiten, ist: „U. will Ewr. Churfürstl. Gnaden, sammt Derselben herzlieben Gemahl und junge Fröwichen hiemit in den Schuz des Allerhöchsten befohlen haben. Ewr. Churfürstl. Gnaden underthenigster, gehorsamer, und ganz williger Diener." Er wollte auch Salpetersiedereien anlegen; daher 1594 ein Befehl an die Städte und Innungen erging, die Salpetersiedergraben zu lassen, „und wen sie sich unrichtig halten, sollen die Städte und Innungen an den obersten Zeugmeister Grafen Roch zu Lynar berichten." Desgleichen legte er zuerst die Eisenwerke zu Zehdenik an. Er schreibt 1579 den 16. April aus Spandau: „er habe die beiden Hammermeister zur Besichtigung des Eisensteins nach Zehdenik geschickt," und da er aus ihrem Berichte derer recht gute bequeme Gelegenheit, „daraus Ewr. Churfürstl. Gn. bester Nutz entstehen möchte," vernommen, so wolle er sich Dienstags selbst zum Churfürsten verfügen, und mündlich berichten. Er ward 1582 nach Brandenburg berufen, um seinen Rath, wegen des baufälligen Thurms der Katharinenkirche zu geben. Der Thurm stürzte aber den 30. März ein, ehe er ankam. Es ist sehr wahrscheinlich, dass man ihn 1585 beim Baue des neuen Thurmes werde zu Rathe gezogen haben, zumal, da versichert wird, der Thurm sei von einem Baumeister aus Mailand gebaut worden. Dieser Italiäner war höchstwahrscheinlich ein von dem Grafen in's Land gezogener, und also von ihm abhängig. Graf Roch war 1585 mit dem Kurfürsten in Dresden gewesen, und da der Kurfürst gern einen Gärtner haben wollte, „der mit Bäumen umzugehen wüsste," hatte Graf Roch einen Gärtner aus dem Hofzwinger in Dresden durch Kaspar Schwabe beredet, mit nach Berlin zu gehen. Aber der Kurfürst von Sachsen nahm dies übel, und der Gärtner ward zurückgesandt. — Er reiste öfter nach Dresden, z. B. im Jahre 1590 zweimal, wo er Dresden befestigte, und auch andere Städte, z. B. Herzberg, wegen anzulegender Festungswerke besah. Er befestigte auch 1585 Wülzburg, im Fürstenthume Anspach. 1582 baute er den Altar in der Nikolaikirche zu Spandau. Seine erste Gemahlin starb daselbst 1585. Er heirathete 1588 in zweiter Ehe Margaretha v. Terniow, die ihn überlebt hat. Er starb 1596 den 22. December, nachdem er vorher, am Sonntage nach Andreä, ein Capital von 2000 Thalern für Studirende vermacht hatte. Man hat eine gegossene Münze, die auf der einen Seite ihn, und auf der andern seine erste Gemahlin vorstellt.

Ein Sohn dieses berühmten Mannes war *Johann Kasimir*, Graf
zu Lynar, kurbrandenburgischer Geheimer Rath und Oberkammerherr,
auch Statthalter in Bayreuth. Er wohnte im Jahre 1611 als kurfürstl.
Bevollmächtigter den Verhandlungen zu Jüterbogk in Sachen der Jülich'schen Erb- und Successionsangelegenheit bei. Seine Gemahlin
war Elisabeth v. Distelmeyer, die Enkelin des hochberühmten Kanzlers. Diese erkaufte nach dem Tode ihres Gemahls die Herrschaft
Lübbenau in der Niederlausitz, die noch heute ein Besitz der älteren
gräflichen Linie des Hauses ist; eben so erwarb sie die Herrschaft
Glienike. Der Sohn aus dieser Ehe, *Johann Sigismund*, Graf zu
Lynar, war kursächsischer Geheimer Rath, Landrichter in der Niederlausitz, und Herr der Herrschaften Lübbenau und Glienike. Er
starb im Jahre 1665, nachdem er die Feldzüge des dreissigjähr. Krieges mitgemacht, und besonders 1642 in der Schlacht bei Leipzig sich
ausgezeichnet hatte. Kais. Ferdinand III., an dessen Hofe er Gesandter
war, schätzte ihn vorzüglich. — Der Enkel desselben, *Friedrich Kasimir*,
Graf zu Lynar, geb. den 27. Juli 1673, Herr der Herrschaften Liebenau und Bucko, Johanniterritter, kursächsischer Kammerherr und
Oberamtsrath in der Niederlausitz, starb am 27. April 1716. Er war
mit Eva Elisabeth, Tochter des Grafen Adam v. Windischgrätz, vermählt. Aus dieser Ehe wurde geboren *Moritz Karl*, Graf zu Lynar,
kursächsischer wirklicher Geheimer Rath und Präsident der Oberamts-Regierung in der Niederlausitz, Gesandter am kaiserl. Hofe zu
St. Petersburg, um das Jahr 1740. Er starb am 24. April 1784,
nachdem er schon seit dem 24. März 1730 Wittwer von Christiane
Friederike Henriette, Gräfin v. Flemming, einer Tochter des Grafen
Joachim Friedrich v. Flemming, geb. am 27. Septbr. 1709, und vermählt am 7. Novbr. 1728, war. — Der gelehrte Bruder des Grafen Moritz
Karl, *Rochus Friedrich*, Graf zu Lynar, geb. am 16. Decbr. 1708,
war königl. dänischer Conferenzrath, Statthalter in Oldenburg und
Dölmenhorst, Ehrenmitglied der Gesellschaft der Wissenschaften in
Kopenhagen, Ritter des Elephantenordens, und des Ordens de l'Union
parfaite. Er ererbte von seinem kinderlos verstorbenen Bruder Moritz Karl die Herrschaften Lübbenau und Bucko, war seit dem 22.
Mai 1735 mit Sophie Marie Helene, des Grafen Heinrich XXIV.
Reuss zu Köstritz, Tochter (geb. am 30. Novbr. 1712) vermählt, erzeugte mehrere Söhne und Töchter, und starb am 13. Novbr. 1781.
Ehe wir dieselben näher erwähnen, bemerken wir hiermit, dass dieser gelehrte Graf verschiedene Werke und Schriften hinterliess, die
in Johann Georg Meusel's gelehrtem Deutschland, Bd. II. S. 676. folgendermaassen verzeichnet stehen. Seneca, von der Gnade, übersetzt
mit Anmerkungen. Hamburg. 1753. Seneca, von der Kürze des Lebens. 1754. Versuch einer Paraphrasis des Briefes Pauli an die Römer. 1754. Erklärende Umschreibung des Briefes an die Ebräer.
Bremen. 1756. Der Sonderling. Hannover. 1761. Franz. L'homme
singulier, à Copenhag. 1771. Erklärende Umschreibung sämmtlicher
apostolischer Briefe. Halle. 1765. Rede bei der kurfürstl. Huldigung
in Lübben 1768. Erklärende Beschreibung des Evangelii Johannis.
1770. Erklärende Umschreibung der vier Evangelisten. Halle. 1775.
Neue Miscellaneen, historischen, politischen, moralischen, auch sonst
verschiedenen Inhalts. 2 Stücke. Leipzig. 1775. — Der älteste der
Söhne des Grafen Rochus Friedrich war *Friedrich Ulrich*, Graf zu
Lynar, geb. am 16. März 1736, königl. dänischer Kammerherr u. s. w.
So viel uns bekannt ist, ist derselbe nicht vermählt gewesen, oder
doch kinderlos gestorben. — Der zweite der Söhne, *Christian Ernst*,
Graf zu Lynar, Ritter des Johanniterordens, starb am 28. April 1784.
Er ist der Stammherr der heutigen Grafen zu Lynar. — Der dritte

der Söhne, *Rochus*, geb. am 18. März 1745, war königl. dänischer Generaladjutant. — Der vierte war *Heinrich Kasimir Gottlob*, Graf zu Lynar, geb. am 7. Mai 1748. Er war Schriftsteller, und hat namentlich drei Briefe über das Entstehen, den Fortgang und den Verfall des guten Geschmacks, und einen Brief an Lavater. Jena, 1774, drucken lassen (m. s. Meusel's gelehrtes Deutschland II. S. 676.). — Der fünfte aber, *Moritz Ludwig Ernst*, Graf zu Lynar, geb. am 15. Decbr. 1754, war früher ebenfalls in königl. dänischen Kriegsdiensten. Er erwarb im Jahre 1793 die freie Standesherrschaft Drehna, und die Stadt Vetschau in der Niederlausitz, 1805 die Herrschaft Brandeis in Böhmen, und wurde im Decbr. des Jahres 1806 mit der Nachfolge für den jedesmaligen Erstgebornen seiner männlichen Nachkommen in den Fürstenstand erhoben. Er wurde demnach Stammherr des fürstlichen Hauses Lynar. Seine Gemahlin Friederike Juliane, Gräfin v. Ranzau-Brahesburg (s. unten).

Die fürstliche Linie des Hauses zu Lynar besteht gegenwärtig aus folgenden Mitgliedern:

Fürst *Rochus Otto Manderup Heinrich*, geb. den 21. Februar 1793, k. k. österreichischer Kämmerer, Sohn des am 15. August 1807 verstorbenen Fürsten *Moritz Ludwig Ernst*, vermählt am 15. August 1816 mit Eleonore Louise Hedwig, gebornen Gräfin v. Bose, geb. am 15. Septbr. 1797; Wittwer seit dem 26. Septbr. 1831.

Söhne:

1) Graf *Alfred Hermann Otto Ludwig*, geb. den 9. Septbr. 1820.
2) Graf *Arthur Hugo*, geb. den 8. Juli 1822.
3) Graf *Ernst Ottokar*, geb. den 1. Januar 1824.

Geschwister:

1) Gräfin *Sophie Isabelle Henriette*, geb. den 11. Septbr. 1791.
2) Graf *Rochus Heinrich*, geb. den 5. Febr. 1796.
3) Graf *Rochus Ernst*, geb. den 13. April 1797, königl. preuss. Rittmeister im 1. Garde-Landwehr-Uhlanenregimente, Herr der Lindenauer Güter bei Ortrand in der Niederlausitz, vermählt seit dem 19. Novbr. 1833 mit Louise, Freiin v. Löbenstein.

Mutter:

Fürstin *Friederike Juliane*, Tochter des Grafen Otto Manderup v. Ranzau-Brahesburg, geboren am 23. Octbr. 1755, vermählt seit dem 8. Octbr. 1784; Wittwe seit dem 15. August 1807.

Die ältere gräfliche Linie dieses Hauses besteht gegenwärtig aus folgenden Mitgliedern:

Graf *Hermann Rochus* zu Lynar, geboren den 4. Febr. 1797, königl. preuss. Kammerherr, succedirte seinem Zwillingsbruder *Rochus Karl*, am 4. Septbr. 1801 in der freien Standesherrschaft Lübbenau, vermählt seit dem 12. Octbr. 1821 mit Mathilde Sophie Friederike Wilhelmine Henriette, geb. Gräfin v. Voss, geb. am 1. Decbr. 1803.

Kinder:

1) *Anna Mathilde*, geb. den 23. Juli 1822.
2) *Hermann Maximilian*, geb. den 24. April 1825.
3) *Hermann Albert*, geb. den 7. Januar 1827.
4) *Mathilde Louise*, geb. den 20. April 1830.
5) *Hermann Gustav*, geb. den 17. Juli 1831.
6) *Mathilde Marie*, geb. den 27. Septbr. 1835.

Mutter:

Auguste Charlotte, geborne v. Schönberg, geb. den 18. Mai 1777, Wittwe den 1. August 1800 vom Grafen Rochus August; wieder ver-

330 Lynar.

mählt am 10. April 1802 mit Ferdinand Ludolf Grafen v. Kielmannsegge; geschieden.

Vaters-Geschwister:

I. *Heinrich Ludwig*, geb. den 14. März 1779, königl. sächsischer Kammerherr, vermählt seit dem 25. August 1802 mit Karoline Ernestine Friederike, geb. v. Knoch, geb. den 18. August 1784.

Töchter:

1) *Marie Agnes Rosalie*, geb. den 19. Sept. 1803, vermählt im Jahre 1826 mit Friedrich Hermann v. Röder, königl. preuss. Major.
2) *Ernestine Isabelle Luise*, geb. den 30. Octbr. 1808, vermählt seit dem 2. Octbr. 1826 mit Theodor Freiherrn von Lüttwitz auf Mittelstein.
3) *Isabelle Leontine Sophie*, geb. den 24. Januar 1815, vermählt seit dem 2ª. Mai 1833 mit Leonhardt v. Zabeltitz, aus dem Hause Eichow.
4) *Isabelle Adelaide Isidore*, geb. den 26. Nov. 1816, expect. auf das St. Johannis-Kloster vor Schleswig.
5) *Julie Karoline Luise Adelaide*, geb. den 7. August 1818, expect. auf das St. Johannis-Kloster vor Schleswig.
6) *Amalie Luise Ernestine*, geb. den 24. Sept. 1820, expect. auf das St. Johannis-Kloster vor Schleswig.

II. *Isabelle Johanna Wilhelmine*, geb. den 17. Nov. 1781, vermählt 1) den 28. Juli 1803 mit Karl Ludwig Christian Grafen v. Wartensleben (gest. den 1. April 1805), und 2) den 28. Oct. 1806 mit Hans Karl Frhr. v. Manteuffel, Oberlandesgerichtspräsidenten zu Magdeburg.

In der Kirche zu Sonnenburg findet man die Wappentafeln folgender Mitglieder aus diesem Hause, welche zu Rittern vom Orden des heiligen Johannes zu Jerusalem den Ritterschlag erhielten:

Christian Ernst Graf v. Lynar, geschlagen am 14. Septbr. 1762.
Sigismund Casimir Graf v. Lynar, geschlagen am 17. April 1671.
Moritz Karl Graf v. Lynar, geschlagen am 16. August 1731.
Moritz Ludwig Ernst Graf v. Lynar, geschlagen am 1. Sept. 1772.
Otto Rochus Manderup Heinrich Fürst zu Lynar.
Rochus Ernst Graf zu Lynar, königl. Rittmeister und Escadronschef im 1. Garde-Landwehr-Uhlanenregimente.
Rochus Heinrich Graf v. Lynar.
Hermann Rochus Graf zu Lynar, königl. Kammerherr auf Lübbenau, sind sämmtlich Ritter des preuss. Johanniterordens.

Der Herzog Cosmo von Medicis stellte dem hochberühmten Grafen *Rochus* v. Lynar auf sein Begehren ein unter dem 12. Mai 1564 datirtes Attest über seinen uralten adeligen Stand aus. Dieses merkwürdige Document wird auf dem Schlosse zu Lübbenau aufbewahrt, in dem sich das Familienarchiv dieses vornehmen Hauses befindet.

Das Familienwappen der Grafen zu Lynar besteht in einem quadrirten Schilde. Im 1. und 4. blauen Felde ist ein runder Festungsthurm, dessen Zinnen mit drei Rosen besteckt sind, im 2. und 3. goldenen Felde aber eine blaue Schlange, welche drei Lilien zwischen den Zähnen hält, vorgestellt. Das Schild ist mit zwei gekrönten Turnierhelmen, mit anhängendem Kleinode, bedeckt. Auf dem rechten Helme zeigt sich der Festungsthurm und auf dem linken die Schlange, wie im Schilde. Das fürstliche Wappen unterscheidet sich nur durch die fürstliche Krone und durch die beiden zu Schildhaltern gewählten Löwen.

Lyncker, die Freiherren von.

Dieses Geschlecht gehört ursprünglich den hessischen Landen an; es besass schon vor Jahrhunderten das in der Grafschaft Holzappel gelegene Schloss und Gut Debertshausen. Später hat es sich im Oesterreichischen und in Schlesien niedergelassen und Güter erworben. Ein Ast des Hauses schreibt sich Linker v. Lützenwiek. Derselbe hat, trotz der gleichen Abstammung, ein anderes Wappen als die Freiherren v. Lyncker. Die in Oesterreich ansässige gräfliche Linie schreibt sich Linker und gehört der katholischen Confession an, die Freiherren aber sind lutherisch.

Durch ihren gelehrten Ahnherrn ist diese Familie der Welt bekannt geworden: *Nikol. Christoph* Frhr. v. Lyncker, Reichs-Hofrath des Kaisers. Er ist zu Marburg in Hessen in Palatio Wolliano, der Wolfsburg, geboren und kam hernach mit seinen Eltern, als das Fürstenthum Marburg von Hessen-Darmstadt an Hessen-Cassel übergegangen, nach Giessen, woselbst er erzogen wurde. Von hier begab er sich nach Jena, wo er viele vortreffliche und zum Theil zu hohen Würden bei Königen und Fürsten gelangte Männer für die Justizverwaltung ausgebildet hat. Im Jahre 1669 trat er in Herzog Johann Georg des Aelteren zu Sachsen-Eisenach Dienste als Rath ein, und wurde 1673 Hofrath. Sodann bekleidete er 1683 zu Jena den Posten eines Regierungs- und Consistorial-Raths bei der fürstlich eisenachschen Vormundschaft, wurde 1686 von Sachsen-Weimar zum wirklichen Geheimen Rath bestellt, und erhielt später am fürstlichen gesammten Ober-Consistorium die Präsidentenstelle. Er verrichtete 1688 die vom sämmtlichen fürstlichen Hause Sachsen ihm anfgetragene Legation in Wien zum kaiserl. Lehns-Empfängniss, wurde nachmals fürstl. sachsen-weim. Geheimer-Raths-Präsident, wie auch der gesammten fürstl. Häuser Ernestinischer Linie Hofgerichts- und anderer Rechts-Collegien zu Jena wirklicher Director. Die ihm von dem Kaiser conferirte wirkl. Reichs-Hofrathsstelle trat er 1707 an. Seine Gemahlin war Margarethe Barbara Widmark, die Tochter eines hessen-casselschen Geheime Raths.

Er starb 1726 d. 28. Mai zu Wien und hinterliess 3 Söhne und 3 Töchter: 1) Frhrn. Ernst Christian, 2) Wilhelm Ferdinand, 3) Gustav Ludwig, 4) Freiin Jeannette Maria, Vermählte v. Hendrich, 5) Eleonore Sophie, 6) Philippine Henriette.

Von den Söhnen wurde Wilhelm Ferdinand würtemberg-stuttgartscher Geheimer Rath, er besass im Herzogthume Jena in Thüringen die Rittergüter Fluhrstädt und Kötschau, und in Schlesien den Rittersitz Dammer im Namslauisch-Breslauschen. Von seinen Verwandten lebte 1696 *Johann* Lyncker von Lützenwiek auf Dennstedt und Nieder-Tiefenbach, kurfürstl. trierscher Geheimer Rath und Resident. — Das oben erwähnte Gut Dammer oder Dambrowa bei Namslau war noch in der neuesten Zeit in den Händen der Familie der Freiherren v. Lyncker, aus der mehrere Söhne in der preuss. Armee gedient haben und zum Theil noch dienen; namentlich standen in dem Regimente v. Holtzendorff-Kürassier zu Oppeln drei Brüder v. Lyncker. Der ältere derselben war Rittmeister, hat im Jahre 1807 den Abschied genommen und lebte später als Major a. D. zu Oppeln; der zweite nahm ebenfalls seinen Abschied, der dritte aber ist gegenwärtig Rittmeister und Offizier bei der Landgensd'amerie in Berlin. Er ist mit der Tochter des verstorbenen Generallieutenants der Cavallerie, Chef eines Kürassier-Regiments v. Holtzendorf vermählt und hat zwei Söhne, von denen der ältere Offizier der Garde-Artillerie, und der jüngere

Offizier bei dem Regimente Kaiser Franz-Grenadieren ist. — Ausserdem dienen gegenwärtig noch mehrere andere Mitglieder dieser Familie als Subaltern-Offiziere im Heere. — Der gegenwärtig grossherzogl. sachsen-weimarsche Oberstlieutenant und Oberforstmeister v. Lyncker erwarb sich in der Schlacht bei Leipzig das eiserne Kreuz 1. Classe. — Im königl. Civildienste steht der Hauptmann v. d. A., Regierungsrath und Landrath des Kreises Gumbinnen, Frhr. v. Lyncker. Er ist Ritter des Militair-Verdienstordens (erworben im Jahre 1807 im Feldzuge in Preussen).

Von der Linie in Böhmen wurde der Adjutant bei der böhm. Leibwache und Ehrenritter des Malteser-Ordens, *Clemens Wenzel*, Frhr. v. Linker, im Jahre 1816 vom Kaiser Franz I. in den Grafenstand erhoben. Derselbe ist am 18. Juli 1785 geboren, k. k. Kämmerer und Herr v. Schlüsselburg, von seinen Geschwistern ist *Sigismund* Frhr. v. Linker, geb. d. 27. Juni 1787, k. k. Kämmerer. 2) *Christine* Freiin v. Linker, geb. d. 10. Sept. 1789, vermählt mit dem k. baierschen Kämmerer Frhrn. v. Lilgenau. 3) *Anna*, geb. den 12. Febr. 1793, Stiftsdame zu Brünn.

Die Mutter des Grafen und seiner Geschwister ist Margaretha Freiin v. Linker, geb. Freiin v. Malowetz und zu Malowetz, geb. den 7. Sept. 1756.

Das freiherrl. Lynckersche Wappen ist zweimal gespalten, einmal getheilt, und also sechsfeldig mit einem Mittelschilde. Das gekrönte Mittelschild zeigt im himmelblauen Felde ein weisses Lamm, welches auf einen schrägen schwarzen Balken hinaufsteigt, unter dem Balken ist im gelben Felde eine Perle in offener Muschel zu sehen. Im 1. und 6. Quartier präsentiren sich im rothen Felde zwei weisse Winkelmaasse, darüber im schwarzen Felde zwei Sterne, und darunter auch im schwarzen Grunde ein Stern. Im 2. rothen Quartiere 3 Löwenköpfe. Im 3. und 4. Quartiere drei Garben (2. 1.) und zwischen diesen Garben 2 fliegende Kraniche. Im 5. blauen Quartiere ein silbernes Kreuz. Auf diesen Schilden stehen zwei gekrönte Helme, auf dem vordern erscheint zwischen 2 roth und weiss getheilten Büffelshörnern, aus deren Mündung zwei Siegesfahnen gelb und schwarzer Farbe hervorgehen, das halbe weisse Lamm. Der Hinterhelm trägt zwei rothe Marmorsäulen, worauf eine Citrone mit 5 Straussfedern.

Nachrichten über diese Familie findet man in Sinapius, II. S. 374 —66. Hörschelmanns Sammlung 49. Dessen genealogische Adelshistorie, I. S. 11—15. Neues genealog. Handbuch. 1777. S. 280 u. f. 1778. S. 137 u. f.

M.

Mach, die Herren von.

Ein adeliges Geschlecht in Pommern, das namentlich im Lauenburgischen District seit langen Zeiten schon begütert ist, wo Gross-Schwichow, Schlussow und Slaichow alte Besitzungen dieses Hauses sind. Noch in der Gegenwart besitzen mehrere Mitglieder dieser Familie Güter in Pommern, namentlich gehört ihnen Gaffert im Kreise Stolpe, Klein-Volz im Kreise Rummelsburg und Antheile von Gross-Löbtow und Klein-Perlin im Kreise Lauenburg-Bütow. — Sehr viele Edelleute aus diesem Hause haben in der preuss. Armee gedient, und einige dienen noch in derselben. Ein v. Mach, der als Hauptmann im 3. Musketierbataillon des Regiments v. Kleist stand, ist im Jahre

1821 als Canal-Schleusenmeister zu Plauen gestorben. — Ein Prem.-Lieutenant v. Mach, im Regimente v. Besser, ist im Jahre 1807 den Tod fürs Vaterland gestorben. — Ein Rittmeister v. M., der früher im Regimente v. Treskow zu Danzig gestanden hatte, starb im Jahre 1874 als Rittmeister im 5. Landwehrregimente. — In dem Regimente v. Zastrow in Posen stand ein Lieutenant v. M., der im Jahre 1813 als Major bei der englisch-deutschen Legion diente und später in Berlin lebte. — Der gegenwärtige Major und Adjutant beim commandirenden General des 6. Armeecorps, v. Mach, erwarb sich das eiserne Kreuz 1. Classe bei Sombref.

Diese Familie führt ein von Klzow folgendermassen beschriebenes Wappen: Ein halber Mond über einem goldenen Sterne, und auf dem Helme drei goldene Sterne.

Machui (oi), die Herren von.

Am 15. April des Jahres 1744 gab König Friedrich II. der in Schlesien und namentlich bei Canth begüterten Familie Machoi den Adel und das Incolat. Sie besitzt das Gut Ocklitz zwischen Schweidnitz und Neumarkt. Der erste Besitzer davon war *Anton Ludwig* von Machui aus einer angesehenen Familie in Irland. Ein Enkel desselben ist der Controleur beim Train-Depot zu Ehrenbreitenstein, der Prem.-Lieutenant v. Machui. Diese adelige Familie führt im silbernen Schilde, das von der obern Linken zur untern Rechten durch einen rothen Balken in zwei Theile zerfällt, im obern rechten und im untern linken Winkel einen rothen Stern und auf dem Helme zwei schwarze Adlerflügel. Decken silbern und roth Dieses Wappen findet man in dem Wappenbuche des Ordensraths Hasse, das ein werthvolles Manuscript der königl. Bibliothek zu Berlin ist.

Machnitzki, die Herren von.

Eine polnische und schles. adel. Familie, aus welcher ein Mitglied im Jahre 1806 Justiz-Commissarius und Notar zu Bialystock in Neu-Ost-Preussen war. Zwei Brüder v. Machnitzki standen 1816 in der Armee, der ältere war Capitain im Infanterie-Regimente v. Kalkreuth, er blieb im Feldzuge 1813 als Compagniechef im 2. ostpreuss. Landwehr-Regimente, der jüngere stand 1806 als Lieutenant im Regimente Prinz v. Oranien und ist gegenwärtig Major und Chef der 12. Divisions-Compagnie in Cosel.

Mackerodt, die Herren von.

Eine Familie aus dem Schwarzburgischen. Ihr gehörte *Georg Heimbert* v. Mackerodt an, der im Jahre 1717 aus den kursächsischen in die preussischen Dienste trat und bis zum Oberstlieutenant und Commandeur eines neu errichteten Husarenregiments stieg. Er starb im Jahre 1742 auf dem Marsche nach Schlesien und hinterliess fünf Kinder. — Ein Prem.-Lieutenant v. Mackerodt stand 1806 bei dem Dragoner-Regimente v. Esebeck in Insterburg und wurde später Rittmeister bei der Land-Gensd'armerie. Ein Stabscapitain v. M. ist gegenwärtig Postmeister in Rastenburg.

Diese Familie führt im rothen Schilde zwei übers Kreuz gelegte kurze Säbel, die Klingen in Silber, der Griff in Gold. Dieses Schild liegt auf zwei kreuzweis gelegten Flinten. Der Ordensrath Hasse setzt diese Familie unter die preuss. Geschlechter.

Macquier, die Grafen und Freiherren von.

Die Familie von Macquier, von welcher ein Zweig in den Freiherrenstand erhoben worden ist, und ein anderer die Grafenwürde erlangt hat, stammt aus Irland, wo die in der Provinz Ulton gelegene Stadt Iniskeling ihre Heimath ist. Nach diesem Stammorte schrieben sie sich auch Macquier Freiherren von Iniskeling. — *Cornelius* Macquier Freiherr v. Iniskeling gelangte am 22. April 1717 zum Incolat in Schlesien. Er war Oberstlieutenant in königl. Diensten. — *Joseph Sigismund* Graf v. Macquier (oder Macquire) kaiserl. General-Feldwachtmeister, erhielt 1747 das Grenzregiment No. 5, und im Jahre 1751 das schöne Tyroler Feldjägerregiment. Sein Name kommt oft in der Geschichte des siebenjähr. Krieges vor.

Madai, die Herren von.

Eine altadelige Familie in Halle, die aus Ungarn stammt. Sie besass die Rittergüter Benkendorf und Tscherben bei Merseburg und Halle. — *David Samuel* v. Madai, geboren im Jahre 1709 zu Schemnitz in Ungarn, war fürstl. anhalt-cöthenscher Leibarzt, Hofrath, praktischer Arzt am Waisenhause zu Halle u. s. w. Das Laboratorium, in welchem die bekannte Hallesche Medizin bereitet wird, das zu den Anstalten der Frankeschen Stiftungen gehört oder die Direction der Medicamenten-Expedition ist ein vom Vater auf den Sohn in dieser Familie fortgeerbtes Eigenthum. — Von den Enkeln David Samuels lebt gegenwärtig noch *Karl* v. Madai, Dr. der Medizin zu Halle und Director der Medicamenten-Expedition. Derselbe ist mit einer Tochter des verstorbenen Generals v. Schubert, früher vermählten Baronin von La Motte Fouqué, verehelicht. Aus dieser Ehe leben Söhne, von denen einer Lieutenant in dem Kürassierregimente No. 7. zu Halberstadt ist. — Von den Brüdern Karl's starb einer als Regierungsrath zu Merseburg; er war mit einer v. Uckermann vermählt; ein anderer, *August* v. M., starb im Jahre 1827 als Steuerrath zu Potsdam. Er war mit einer v. Schlegel vermählt. Ein Sohn aus dieser Ehe ist der gegenwärtige Professor der juristischen Facultät zu Halle, Dr. v. M.

Madeweiss, die Herren von.

Der König Friedrich Wilhelm II. erhob am 2. Octbr. 1786 den Geheimen Legationsrath, Minister und Gesandten am schwäbischen Kreise, *Johann Georg* Madeweiss, und dessen Bruder *Matthias Wilhelm* Madeweiss, damals Kriegsrath, später Geheimer Rath, Postdirector und Rendant des Intelligenz- und Adress-Comptoir zu Halle, in den Adelstand. Ein Sohn des Letzteren ist der Major und Adjutant beim Commandeur der 1. Division, v. Madeweiss. Diese adelige Familie führt im gespaltenen, rechts goldenen, links blauen Schilde hier einen grauen, auf grünem Hügel stehenden, einen Stein im rechten Fuss haltenden Storch. Auf dem gekrönten Helme ist ein weisser, sich mit dem Schnabel in die Brust beissender Schwan vorgestellt. Die Decken silbern und roth.

Madritzki, die Herren von.

In Schlesien kommt eine Familie v. Madritzki, sonst Schütz genannt, vor. Sie blühte noch im Anfange des vorigen Jahrhunderts. Sinap. II. B. S. 798.

Mäck, die Herren von.

Die Herren v. Mäck gehören dem Adel in Schweden und Liefland an; aber einige von ihnen sind auch in die preuss. Lande gekommen. In ihrem Vaterlande führen sie das Prädicat v. Nordenfliet. *Georg* v. Mäck Nordenfliet, ein Edelmann in Liefland, war der Vater des *Otto* v. Mäck Nordenfliet, der einige Güter erwarb. Sein Enkel, *Hans* v. Mäck, war Oberst in königl. schwed. Diensten, er wurde 1656 mit der Würde eines Reichsraths bekleidet. *Jakub* v. Mäck war im 18. Jahrhunderte Castellan von Wenden und Herr auf Sunzel, ein Rittersitz, den in der Mitte des vorigen Jahrhunderts noch *Gustav* v. Mäck, königl. schwed. Rittmeister, besass. *Erich Johann* v. Mäck, Secretair der lief- und esthländischen Ritterschaft schrieb 1772 die gekrönte Preisschrift: Die eigenthümlichen Besitzer der Bauern. Riga in 8. 1772. — In Schlesien besitzt gegenwärtig der Major a. D. v. Mäck, früher in dem Regimente v. Grävenitz in Glogau, das Gut Ketschdorf im Kreise Schönau und an dem Bassin der Katzbach gelegen. Er war mit einem Fräulein v. Ketschdorf und nach deren Tode mit einer Schwester derselben vermählt. Aber auch von dieser wieder Wittwer, hat er sich vor einigen Jahren zum dritten Male vermählt.

Sie führen im getheilten Schilde, in der obern rothen Hälfte eine silberne Rose; die untere Hälfte ist in Schwarz und Silber geschacht. Auf dem Helme stehen zwei schwarze, dornige Rosenstengel, an jedem eine halbe silberne Rose. Die Decken sind silbern und roth.

Magallon, die Herren von.

Mehrere Mitglieder aus dieser adeligen französischen Familie dienten im Jahre 1806 in der Armee, einer stand in dem Regimente Graf v. Kunhein in Berlin, ein anderer bei dem Regimente Prinz Louis Ferdinand in Magdeburg, und ein dritter im Regimente v. Schöning in Königsberg. Sie sind sämmtlich in den Jahren 1806 und 1807 in ihr Vaterland zurückgekehrt.

Magir, die Herren von.

Von Magir und Logau ist der Name einer adeligen Familie aus Schlesien. — Ein v. Magir und Logau, königl. preuss. Oberst, besass die Güter Brusewitz und Hönigern bei Oels. Er war mit einer v. Frankenberg und Proschlitz vermählt und hatte eine Tochter von derselben, die sich im November 1718 mit einem v. Koschenbar vermählte. — Ein Bruder des Obersten besass die Güter Sasor, Rackelsdorf und Golkave. Diese Familie führt ein quadrirtes Schild, im 1. und 4. Quartier, wie auf dem Helme einen weissen Schwan. Olsnograph. P. I. p. 840. Schles. Curiositäten, II. Th. S. 798.

Magnis, die Grafen von.

Die in Mähren und Schlesien, hier namentlich in der Grafschaft Glaz reich begüterten Grafen v. Magni oder Magnis gehören ursprünglich dem Königreiche Schweden an, und stammen aus einem uralten, seit Jahrhunderten in Ansehen stehenden Geschlechte in Darlekarlien ab. Hier, in ihrem Heimathslande, kommen sie auch unter dem Namen Magnus vor. Unter diesem erscheinen viele vornehme Männer, die theils als hohe Hof- und Staatsbeamte, theils durch grossen Grundbesitz, in Macht und Ansehen standen. Einzelne Zweige finden wir auch schon damals Magni oder Magnis genannt, wie den *Johannes* Magni, der im 16. Jahrhunderte die erzbischöfliche Würde zu Upsala bekleidete. Die Stadt Linköpping in der Provinz Ostgothland war sein Geburtsort; hier erblickte er im Jahre 1488 das Licht der Welt. Er war ein eifriger Gegner der Reformation und vertheidigte mit Aufopferung seiner Verhältnisse in Schweden die katholische Kirche. Als er sich genöthigt sah, sein Vaterland zu verlassen, suchte und fand er einen Zufluchtsort am päpstlichen Stuhle zu Rom. Der heilige Vater entschädigte ihn für sein verlornes Erzbisthum durch die Verleihung des Bisthums von Mantua, er starb jedoch schon im J. 1541 zu Rom. Einige seiner Anverwandten waren ihm aus Schweden nach Italien gefolgt; sie wurden die Stammherren des Hauses Magni in Italien, das um das Jahr 1710 erloschen ist. Es hatte sich aber ein Zweig desselben in die Staaten des Kaisers gewendet und in Mähren Güter erworben. Der Stammherr dieser mährischen, noch heute daselbst und in Schlesien blühenden Magnis war *Lazarus*, Freiherr v. Magni. — Sein Sohn, *Constantin*, Freiherr v. M., pflanzte mit seiner Gemahlin Octavia, aus dem Hause der Carcasola in Italien, sein Geschlecht durch mehrere Söhne fort, von denen *Franz* und *Philipp* (m. s. unten) tapfer in der Schlacht am weissen Berge bei Prag 1620 gefochten und zur Belohnung dafür die gräfliche Würde vom Kaiser erhalten hatten, auch waren sie Beide mit den höchsten militairischen Würden bekleidet. Von ihnen war *Franz*, Graf v. Magni, vermählt mit der Tochter des Freiherrn Perger v. Perck aus Oesterreich. Er starb im Jahre 1654. In ihm verehrt das adelige Fräuleinstift zu Brünn seinen Gründer; auch hatte er mehrere Klöster gestiftet oder durch Schenkungen verbessert und bereichert. Für die Erhaltung des Wohlstandes in seiner Familie sorgte er durch die Gründung eines Majorats, das aus der, in Mähren ganz in der Nähe der ungarischen und österreichischen Grenze, unweit Schkalitz liegenden Stadt Strasnitz und vielen dazu gehörigen Dörfern besteht. Diese Herrschaft war früher das Eigenthum der Grafen und Herren Krawazz und Trorlau gewesen. Er starb kinderlos. Von seinen beiden Brüdern war *Valerian* in den Orden der Kapuziner getreten und hatte sich durch verschiedene theologische Schriften bekannt gemacht. Er starb im Jahre 1661 zu Salzburg, *Philipp* aber ererbte die Herrschaft Strasnitz. — *Maximilian*, Graf v. Magnis, Enkel des Grafen Philipp, war Herr der Herrschaft Przestawlk, zu der auch die heutige Kreisstadt Prerau gehört. Er war mit Maria Angelica, Gräfin von Braida, vermählt. In dieser Ehe wurde *Johann Franz*, Graf von Magnis, geboren, der sich mit Maria Francisca, Tochter des Reichsgrafen Johann Franz von Götzen auf Eckersdorf und Scharfeneck in der Grafschaft Glaz und Marianen's Freiin von Stillfried vermählte. Er starb im Jahre 1756 und hatte seinen Nachkommen durch seine eheliche Verbindung mit der Gräfin von Götzen die Erbfolge in den Gütern der Grafen v. Götzen gesichert. Denn als die böhmisch-glazische Linie der Grafen v. Götzen im Jahre 1771 ausstarb, gingen die

Allodialgüter derselben an *Maria Friederike*, Gräfin Magni, und die Gräfin Marie Elisabeth Götzen über. *Anton Alexander*, Reichsgraf zu Magni, der zweite Sohn der Gräfin Maria Friederike, Gräfin Magni, vermählte sich mit der genannten Gräfin Götzen, welche im Jahre 1780 alle Eigenthumsrechte ihrem Gemahl abtrat. Sein älterer Bruder, Besitzer von Strasnitz, vermählte sich mit Luise, der ältesten Tochter des Generallieutenants und Gouverneurs von Glaz, Friedrich Wilhelm von Götzen von der brandenburgischen Linie. Gleich ausgezeichnet als Landwirth, als umsichtsvoll und günstige Zeitumstände weise benutzend, fand Graf Anton Gelegenheit, seine Besitzungen in Mähren zu vergrössern; nach seinem am 5. Juli 1817 erfolgten Tode theilten seine beiden Söhne die weitläuftigen Güter.

Gegenwärtig besteht dieses gräfliche Haus aus folgenden Mitgliedern:

Graf *Anton Friedrich*, geb. den 27. Mai 1786, königl. preuss. Rittmeister a. D., Erbherr der Herrschaften Eckersdorf, Neurode, Albendorf, Waltersdorf und Gäbersdorf in der Grafschaft Glaz, vermählt seit dem 2. Decbr. 1820 mit Sophie Ludovica, Gräfin Stadion, geb. den 13. Decbr. 1802, Sternkreuzdame.

Söhne:

1) *Philipp*, geb. den 29. Juni 1822.
2) *Anton*, geb. den 21. Octbr. 1823.
3) *Wilhelm*, geb. den 2. April 1832.

Geschwister:

1) Graf *Wilhelm*, geb. den 17. Mai 1787, Landesältester, Erbherr der Herrschaften Prerau und Przeztawlk in Mähren, Ullersdorf, Schnallerstein, Rosenthal, Wölfelsdorf, Kieslingswaldau und Hausdorf in der Grafschaft Glaz.
2) *Charlotte*, geb. den 19. Sept. 1791, vermählt mit dem Oberstlieutenant Friedrich Freiherrn v. Falkenhausen auf Pischkopitz u. s. w.
3) *Antonie*, geb. den 29. Januar 1792, Wittwe seit dem 8. Novbr. 1830 von August Grafen v. Pfeil zu Diersdorf.
4) *Gabriele*, geb. den 11. Septbr. 1794, vermählt mit dem königl. preuss. Major Otto Freiherrn von Zedlitz-Neukirch auf Hartmannsdorf.
5) *Luise*, geb. den 4. Mai 1795.
6) *Octavia*, geb. den 24. Sept. 1796.
7) *Agnes*, geb. den 25. Mai 1798, vermählt mit dem königl. preuss. Major Grafen Leutrum v. Ertingen auf Kauffungen.

Mutter:

Luise, geb. Gräfin Götzen, geb. den 4. Octbr. 1764, vermählt am 20. Juni 1785 mit dem Grafen Anton Alexander, Wittwe seit dem 5. Juli 1817.

Magusch, die Herren von.

Die adelige Familie v. Magusch in Schlesien wurde vom Kaiser Karl VI. im Jahre 1722 in den Reichsadelstand und im Jahre 1729 in den böhmischen Ritterstand erhoben. Ihr Stammherr ist *Kaspar* Magusch, Arendator der Medziborschen Güter im Fürstenthume Oels. — Dieser Familie gehörte der im Jahre 1815 verstorbene General von Magusch, ein tapferer Degen der alten preuss. Armee, an. Unter dem Fürsten Moritz von Anhalt-Dessau hatte er das Kriegshandwerk

v. Zedlitz Adels-Lex. III. **22**

erlernt, bei Prag, Collin, Rossbach, Leuthen, Kay, Landshut und
Torgau heldenmüthig gefochten. Er war in den Reihen der Tapfern,
die unter den Augen des grossen Monarchen bei vielen Gelegenheiten
sich auszeichneten. Der damalige Oberst v. Möllendorf nannte den
Lieutenant v. Magusch in seinem Berichte über die Erstürmung der
Anhöhen von Burkersdorf am 21. Juli 1762, unter den Offizieren, die
sich besonders hervorgethan hatten. Im baierschen Erbfolgekriege be-
währte er bei Weisskirchen und in der polnischen Campagne bei
Raffka oder Seelze an der Spitze eines Grenadier-Bataillon seinen alten Ruhm. In dem letztern Treffen erwarb er sich den Verdienstorden. Am 21. Mai 1799 ernannte ihn Se. Majestät zum Oberst und
Commandeur des Regimentes v. Pirch, in dem er von Stufe zu Stufe
seine Bahn ehrenvoll durchlaufen hatte.

Mahlen, die Herren von.

Aus einer Familie in Preussen war *Johann Christoph* v. Mahlen,
geb. 1720; seit 1738 im preuss. Kriegsdienste, stieg er im Laufe der
Feldzüge König Friedrichs II. bis zum Major, 1771 zum Commandeur eines Kürassier-Regiments, 1775 zum Obersten. Im Jahre 1781
wurde er Chef des ehemaligen Prinz v. Würtembergschen Dragoner-
Regiments in Lüben in Schlesien und am 24. Sept. 1782 Generalmajor. Er hatte 10 Hauptschlachten, 18 Treffen und Gefechten, auch
5 Belagerungen beigewohnt. Bei Hochkirch, bei Kay und bei Kunzendorf war er verwundet worden. Er starb zu Lübben den 11. Nov.
1789 nach 50jähriger ehrenvoller Dienstzeit. Seine Gemahlin Sophie
Christiane Tugendreich v. d. Marwitz war ihm schon im Jahre 1782
im Tode vorangegangen. Kinder scheint der General nicht hinterlassen zu haben.

Mahrenholz, die Herren von.

Das altadelige Geschlecht v. Mahren- oder Marenholz gehört Niedersachsen an und war im Braunschweigschen, Halberstädtschen, Magdeburgschen und Mansfeldschen begütert. In der Grafschaft Mansfeld
besass es die Rittergüter Nienhagen, Döhren u. s. w. Aus der Braunschweigschen Linie war *Karl Ascher* v. Mahrenholz, Hauptmann zu
Gattersleben, Gesandter des Kurfürsten Friedrich Wilhelm am Reichstage zu Regensburg. Er wurde am 31. August 1661 wirklicher Geheimer Rath und starb am 18. Sept. 1689 in dem Rufe eines eben so
thätigen als geschickten Diplomaten. Wir haben später kein Mitglied
dieser Familie mehr im preuss. Dienste aufgefunden. Siebmacher giebt
das Wappen derselben unter dem Namen v. Marenholt II Th. S. 169.
Das Schild ist in der obern Hälfte roth, in der untern schwarz, in
der Mitte liegt eine goldene Rose. Der gekrönte Helm ist mit drei
Straussfedern (weiss, roth, weiss) geschmückt. v. Meding beschreibt
dieses Wappen I B. N. 510. M. s. a. Zedlers Univ.-Lexic. XIX. S.
1623 u. s. w.

Maier, Herr von.

Der König Friedrich Wilhelm II. erhob am 19. Sept. 1786 den
Kriegsrath *Daniel Wilhelm* Maier in den Adelstand. Das ihm beigelegte Wappen ist quadrirt, im 1. und 4. blauen Felde ist eine Sichel
oder Heppe, der Stiel braun, die Sichel silbern, vorgestellt; die Fel-

der 2 und 3 zeigen zwei übers Kreuz gelegte grüne Zweige. Auf dem Helme sind zwei schwarze Adlerflügel angebracht, zwischen denen wieder eine Heppe oder Sichel liegt. Die Decken sind silbern und blau.

Maizeroi, die Herren von.

Im Jahre 1806 standen zwei französische Edelleute dieses Namens in der Armee. Einer war Stabs-Capitain im Regimente v. Strachwitz in Liegnitz, er stand bei den Grenadieren dieses Regiments in Striegau, und lebte mit N. N. Scheurich verheirathet noch vor einigen Jahren in Liegnitz. Ein zweiter v. Maizeroi stand als Stabs-Capitain in dem Regimente Prinz Louis Ferdinand in Magdeburg. Er erhielt im Jahre 1808 die Erlaubniss, in fremde Dienste zu treten.

Majewski, die Herren von.

Aus dieser adeligen polnischen Familie haben mehrere Mitglieder in der Armee gedient. Zwei Brüder v. Majewski standen im Regimente Prinz v. Oranien in Berlin, der jüngere stand später als Capitain im 10. Infanterie-Regimente und ist gegenwärtig Major und Commandeur der 9. Divis.-Garnison-Compagnie zu Glogau.

Malachowski, die Herren von.

Ein adeliges Geschlecht in Polen und Galizien. Von der Linie in Galizien wurden *Hyazinth* v. Malachowski im Jahre 1800 und *Stanislaus* Malachowski im Jahre 1804 vom Kaiser in den Grafenstand erhoben. Aus kursächsischen Diensten trat in die des Königs Friedrich II.: *Paul Joseph Malachow* v. Malachowski. Er trat 1742 als Rittmeister in das Husarenregiment v. Natzmer (zuletzt Prinz Eugen v. Würtemberg) ein, machte alle Feldzüge seines grossen Königs ehrenvoll mit, wurde mehrere Male verwundet und bei Landshut gefangen. Im Jahre 1753 erhielt er als Oberst das Husarenregiment Nr. 7 (zuletzt v. Köhler), 1757 erwarb er sich den Verdienstorden, 1758 ward er zum Generalmajor und 1771 zum General-Lieutenant befördert. Der Tod dieses tapfern Generals erfolgte am 15. Decbr. 1775 zu Filehne in Westpreussen. Er hinterliess aus seiner Ehe mit Sophia Jungin v. Jungenfels mehrere Kinder. — *Hyazinth Malachow* v. Malachowski, der ältere Bruder des Generals, starb als Oberst und Chef eines Husarenregiments (zuletzt v. Pletz), zu Brieg in Schlesien am 17. April 1745 an seiner im Gefecht bei Gross-Strelitz von einem seiner Husaren aus Unvorsichtigkeit erhaltenen Wunde. — Ein anderer v. M. war Oberst und Commandeur des Husarenregiments v. Eben zu Berlin (1794). Er war 1741 aus französischen Diensten in die preussischen getreten und berechtigte durch Einsicht und Muth zu grossen Erwartungen. Ein Sohn des Generals stand 1806 als Major in dem ehemaligen Regimente seines Vaters und starb 1818 im Pensionstande. Ein Enkel des Generals ist der gegenwärtige Commandeur der 8. Cavallerie-Brigade, früher Flügel-Adjutant Sr. Majestät, General-Major v. Malachowski, Ritter mehrerer Orden, auch des eisernen Kreuzes. Diese Familie führt im silbernen Schilde und auf dem gekrönten Helme einen nach der rechten Seite aufspringenden goldenen Greif. Decken silbern und roth.

22 *

Mallinkrodt, die Grafen und Herren von.

Ein altes vornehmes Geschlecht in Westphalen, das besonders im
Stifte Münster begütert ist oder war. Eine Linie ist auch in den Grafenstand erhoben worden. v. Meding beschreibt das Wappen.

Malottka, (ki) die Herren von.

Sie gehören dem Adel der Provinz Pommern an, wo sie im
Lauenburgischen schon im vorigen Jahrhunderte begütert waren und
noch daselbst ansässig sind. *Jakob* v. Malottka besitzt einen Antheil
von Trzebiutkow bei Bütow, *Friedrich* v. Malottka aber Gross-Gustkow a) auf der Strasse von Stolpe nach Bütow. Viele Offiziere dieses
Namens haben in der Armee gestanden, einige dienen noch in derselben, namentlich der Major im 32. Infanterie-Regimente zu Erfurt,
Malotki v. Trzebiatowski, Ritter des eisernen Kreuzes. Ein Lieutenant v. Malotki, der im Jahre 1806 in dem Regimente v. Kauflberg
in Danzig gestanden hatte, erwarb sich 1807 den Orden pour le mérite, wurde später bei der Gensd'armerie angestellt und ist gegenwärtig Rittmeister v. d. A. und Postmeister zu Gnesen. Ein Major
v. Malotki starb 1818 als Commandeur eines Bataillon im 2. Posenschen Landwehr-Regimente, er hatte früher bei der magdeburgischen
Füsilier-Brigade gestanden. — Ein Major v. d. Armee, Malotki von
Trzebiatowski, ist gegenwärtig Landrath des Kreises Wiedenbrück im
Regierungsbezirke Minden. Die v. Malottka führen im silbernen Schilde
drei neben einander liegende Hammer und auf dem Helme einen gerüsteten Arm, der einen solchen Hammer schwingt.

Malsburg, die Freiherren und Herren von der.

Ein vornehmes, zur alten hessischen Ritterschaft gehöriges Geschlecht, in welchem das Schenkenamt des Stiftes Corvey erblich
war. Mehrere Söhne aus diesem Hause haben in der preuss. Armee
gestanden, namentlich der Oberst v. d. A. und Ritter v. d. Malsburg,
der bis zum Jahre 1806 in dem Regimente Königin-Dragoner stand,
aber im Jahre 1820 Oberst und Kreis-Brigadier bei der Gensd'armerie
war. Schon im Gefechte bei Stromberg (1793) hatte sich dieser Stabsoffizier den Militair-Verdienstorden erworben. Diese Familie führt ein
getheiltes, oben goldenes, unten blaues Feld, in diesem sind drei Rosen, oben zwei, unten eine, in jenem aber ist ein rother Löwe vorgestellt. Auf dem Helme steht ein verkürzter gekrönter Löwe, der
statt der Pranken ausgestreckte menschliche Arme mit erhobenen
Händen, und auf der Krone zwei Widderhörner hat. Siebmacher giebt
dieses Wappen I. Th. S. 134. Ein vor uns liegender schöner Abdruck
zeigt den Löwen auf dem Helme ohne Krone und Hörner, und das
Schild ist ausserhalb mit einem Bande eingefasst, das die Aufschrift:
Honneur pour But hat. Nachrichten über die Familie v. d. Malsburg geben: Letzner in seiner Corv. Chronik Cap. 56. 1200, und in
dessen Stammbaume des Geschlechtes Mühlhausen 1587. Seifert in der
Genealogie adeliger Eltern und Kinder Tab. 28. und Ahnentafel im 1.
Thl. Büschings Erdbeschreibung III Th. 1 B. S. 813. v. Meding, I.
B. Nr. 504. Gauhe, I. S. 965. Spangenbergs Adels-Spiegel II. Zed-
lers Univ.-Lexic. XIX. B. S. 768.

Malschitzki, die Herren von.

Die Herren v. Malschitzki, auch Kokoske genannt, gehören zum alten Adel in Hinter-Pommern. Zwei Antheile von dem Dorfe Vargow bei Stolpe sind alte Lehne dieser Familie. *Franz Matthias* v. Malschitzki war der Vater des *Christian Ernst* v. Malschitzki, der im Jahre 1835 als königl. Oberst v. d. Armee in dem ehrwürdigen Alter von 76 Jahren zu Berlin starb. Er stand lange Jahre bei dem Oberkriegs-Collegium, als Director der geheimen Kriegskanzlei. Früher war er zweiter Gouverneur des Prinzen Ludwig von Preussen. In seiner Jugend war er Leibpage bei dem König Friedrich II. Sehr bekannt ist der Vorfall, dass, als der junge v. Malschitzki einst im Vorzimmer des Königs fest eingeschlafen war, Friedrich II. einen Brief bemerkte, den der Page an seine Mutter nach Pommern geschrieben hatte. Der dankbare Sohn hatte seine kleinen Ersparnisse der nicht reichen Mutter zugedacht. Der König, gerührt von diesem Zuge kindlicher Liebe, steckte dem schlafenden Pagen eine Rolle mit Goldstücken in die Tasche und erwartete ruhig sein Erwachen. Erschrocken warf sich, seine Unschuld betheuernd, der durch das Gold in seiner Tasche überraschte Jüngling zu den Füssen des Königs, der ihm mit einem Lobspruch über seine Denkungsart, den Vorfall erklärte und das Geld als einen Beitrag zu der Sendung nach Pommern bestimmte. Der gedachte Oberst hat eine Tochter hinterlassen, die an den Major in der Garde-Artillerie und Adjutant des Prinzen August, v. Röhl, vermählt ist. — Ein Generalmajor v. Malschitzki aus Pommern, Chef des zu Brieg garnisonirenden Infanterie-Regiments No. 28, starb im Jahre 1814. — Ein anderer General v. M., ebenfalls aus Pommern, war Chef des Kürassierregiments No. 2, nachmals v. Schleinitz. Er hatte sich 1794 bei Aubagne den Verdienstorden erworben. — Ein Lieutenant v. M. blieb im Jahre 1813 in der Garde-Husaren-Escadron auf dem Felde der Ehre.

Diese Familie führt im blauen Schilde einen silbernen Stern über einem liegenden Monde und auf dem Helme einen Stern zwischen einem Hirschgeweihe. Siebmacher V. S. 170. v. Meding beschreibt das Wappen III. No. 507 M. s. auch Micrälius S. 501.

Malsen, die Herren von.

Die von Malsen, die auch in einer Linie den Titel Barone v. Tilborg führten, stammen aus den Niederlanden, und wendeten sich von da nach Cöln und in den Elsass. Ein Oberst v. Malsen zu Erlangen gehörte 1806 unter die Titulair-Offiziere der Armee. Ein Sohn desselben stand im Infanterie-Regimente v. Zweiffel, er trat 1809 in baiersche Dienste, wo er 1828 Capitain bei der Gensdarmerie war. Siebmacher giebt das Wappen dieser Familie unter den cölnischen Geschlechtern. Es ist ein grünes, durch einen silbernen Balken schräg von der obern linken zur untern rechten Seite getheiltes Schild. Auf dem Helme stehen drei grüne Straussfedern. Die Decken sind silbern und grün.

Maltzan (Maltzahn), die Grafen, Freiherren und Herren von.

Dieses vornehme Geschlecht kommt unter dem Namen v. Malzan, Maltzahn und Molzan vor, und gehört zu den ältesten Geschlechtern in Mecklenburg, Pommern und Schlesien. Die Schreibart *Maltzan* haben

mehr die Grafen, *Maltzahn* die Freiherren angenommen. In Pommern
gehört es zu den Schlossgesessenen, auch besitzt es das Erbmarschallamt
daselbst, welches jedoch gegenwärtig, wie es scheint, ausser Observanz,
oder vacant ist, in Schlesien aber besitzt es das Oberkämmereramt, welches gegenwärtig Graf *Joachim Alexander Kasimir* v. M. bekleidet. Schon
vor Jahrhunderten zerfiel es in verschiedene Haupt- und Nebenlinien,
namentlich in die Osten - Cummerowschen, Penzelin - Wartenbergische
und in die Sarow-Schorsowsche. — Als der erste bekannte Ritter aus
diesem Geschlechte erscheint *Lüdert* v. Malzan oder Molzan, der sich
um das Jahr 1060 in Pommern aufhielt und einer der ersten Edelleute
war, die sich zum christlichen Glauben bekannten. Er hat das Schloss
und die Kirche zu Engelmünster an der mecklenburgischen Grenze erbaut. Mit seiner Gemahlin, Gisela, zeugte er den *Bolco* v. M., der
sein Geschlecht weiter fortpflanzte. Von seinen Nachkommen hatte
Georg v. M., ein Sohn des *Heinrich* v. M. und einer v. Ahnen, durch
seine Heirath mit einer v. Königsmark bedeutende Güter in der Mark
Brandenburg erworben. — Sein Urenkel, *Heinrich* v. M., der um das
Jahr 1370 lebte, hatte sich mit einer Tochter des Fürsten zu Wenden
und Herrn zu Morellin vermählt, und mit dieser die Herrschaft Penzelin in Mecklenburg erworben. Er brachte auch die Erbmarschall-
würde in den Herzogthümern Pommern und Kassuben an sein Haus;
zugleich war er auch der erste Freiherr v. M. aus der Penzeliner Linie. — Sein Sohn, *Joachim*, Freiherr v. M., Erbmarschall von Pommern, erfreute sich der besondern Gunst des Markgrafen Joachim von
Brandenburg. Er besass in Mecklenburg und Pommern die Schlösser
Penzelin, Swold, Osten und Parow. — *Bernhard* II., Freiherr v. M.,
reisete mit dem Herzoge Boguslav dem Grossen ins gelobte Land, und
kaufte im Jahre 1491 die Herrschaft Graupen in Böhmen für 75,000
Gulden. Seine Gemahlin war Gundelina, Freiin v. Alvensleben. —
Joachim II., Freiherr v. M., wurde im Jahre 1541 des Landes und der
Stände in Schlesien oberster Feldhauptmann wider die Türken. Er
war zugleich Rath und Statthalter des Markgrafen Joachim Christian
zu Brandenburg. Im Jahre 1552 erkaufte er die freie Standesherrschaft
Wartenberg, und wurde dadurch der Stammvater der v. M. in Schle-
sien. — Sein Sohn, *Johann Bernhard* v. M., Freiherr in Wartenberg
und Penzelin, war kais. Rath und Landeshauptmann der Fürstenthü-
mer Oppeln und Ratibor. Eine seiner Schwestern, *Magdalene*, war an
Wilhelm, Freiherrn v. Kurzbach, Herrn der von dem ölsischen Fürsten-
thume abgesonderten Herrschaften Militsch und Trachenberg. Das
Schloss Militsch mit aller Herrlichkeit und Zubehör hatten die von
Kurtzbach vom Könige Wladislav erb- und eigenthümlich erhalten. —
Joachim III., Freiherr v. Wartenberg und Penzelin, vermählt mit Eva
v. Lobkowitz, deren Mutter, Anna, Freiin v. Kurtzbach, Erbin von
Militsch geworden war, brachte die gegenwärtig freie Standesherrschaft
Militsch an sein Haus und starb 1675. Er hatte an die Burggrafen zu
Dohna die früher zu Militsch gehörige Herrschaft Suhla verkauft. —
Joachim IV. v. M., Freiherr v. Militsch und Penzelin, war mit Anna,
Freiin v. Kochtitzki, vermählt, und starb 1654. — Von seinen fünf
Söhnen setzte der ältere, *Joachim Andreas*, seinen Stamm fort. Sein
Wahlspruch war: „Nil timide, nil tumide, sed omnia moderata." Er
starb im Jahre 1693. Er war zuerst mit Anna Judith, Freiin v. Bo-
reck, zum zweitenmale aber mit Maria Elisabeth, Freiin v. Sauerma,
Laskowitz und Jeltsch vermählt. — Im Besitze von Militsch folgte ihm
sein ältester Sohn erster Ehe, *Joachim Wilhelm*, erster Graf v. M.,
Freiherr von Wartenberg und Penzelin, freier Standesherr auf Militsch,
Herr auf Freihahn, Gr. Peterwitz und Prustawa, sammt den zu Militsch gehörigen Kammer- und adeligen Gütern, sowohl auf der deut-

Maltzan. 343

schen, als polnischen Seite. Er war kais. Geheimer Rath und starb
am 6. Septbr. 1728, nachdem er zweimal vermählt gewesen, zuerst mit
Anna Maria v. Studnitz, aus dem Hause Gr. Peterwitz, und nach deren Tode mit Anna Christiane Sophie, Gräfin v. Krbach - Fürstenau.
— Sein ältester Sohn und Nachfolger war *Joachim Andreas*, Graf v. M.,
geboren den 13. Jan. 1706, königl. preuss. wirklicher Geheimer Staats-
und Cabinetsminister, Ritter des schwarzen Adlerordens. Er war mit
Friederike Luise, Gräfin v. Platen, vermählt. — In dieser Ehe wurde
geboren: *Joachim Karl*, Graf v. M., geb. den 28. Decbr. 1733, königl. preuss. Kammerherr, ausserordentlicher Gesandter und bevollmächtigter Minister zu London, der in einem sehr hohen Alter verstorben ist. Er brachte die Herrschaft Lissa durch Heirath der Chri-
stina Charlotte, Erbtochter des letzten Freiherrn v. Mudrach, an sein
Haus. Diese Herrschaft ist im Jahre 1835 an die Grafen v. Lottum
übergegangen. — Sein Sohn, *Joachim Alexander Kasimir*, Graf v. M.
(s. unten).
Gegenwärtig besteht das gräfliche Haus der v. M. aus folgenden
Mitgliedern:

A. Graf *Joachim Alexander Kasimir* Maltzan, Freiherr v. Wartenberg und Penzlin, Standesherr in Militsch, Ober - Erblandkämmerer in
Schlesien, geboren den 24. Juni 1764, königl. preuss. Kämmerer, vermählt 1) den 16. Mai 1788 mit der Gräfin Antonie von Hoym (gest.
am 27. Novbr. 1799). 2) seit dem 17. Februar 1817 mit der Gräfin
Ernestine von der Gröben.

Kinder erster Ehe:

1) *Luise Francisca*, geboren den 23. Septbr. 1790, vermählt am 8.
   Septbr. 1806 mit dem Prinzen Gustav Biron v. Kurland, der am
   20. Juni 1821 starb; sie ist wieder vermählt seit dem 28. Juli
   1833 mit dem königl. preuss. Generalmajor v. Strantz II., Commandeur der 1. Garde - Landwehrbrigade.
2) *Joachim Karl Ludwig Mortimer*, geb. den 15. April 1793, königl.
   preuss. Kämmerer, ausserordentlicher Gesandter und bevollmächtigter Minister am k. k. Hofe zu Wien; er ist vermählt mit Gräfin
   Auguste von der Goltz.

Kinder:

a) *Alexandrine Juliane Therese Wilhelmine Sophie*, geb. den 5. Januar 1818.
b) *Alexander August Mortimer Joachim*, geb. den 13. Octbr. 1820.
c) *August Mortimer Joachim*, geb. den 16. Aug. 1823.
d) *Antoinette Luise Emilie Julie*, geb. den 25. Novbr. 1825.
e) *Charlotte Luise Auguste*, geb. den 20. Decbr. 1827.
f) *Mortimer Ferdinand Ludwig Joachim*, geb. den 19. Mai 1832.
3) *Antonie Charlotte Sophie Anna*, geb. den 1. Juni 1794, vermählt
   den 24. Juni 1816 mit dem Grafen Erdmann v. Pückler, königl.
   preuss. Kammerherrn, Wittwe seit dem 12. Octbr. 1826.
4) *Joachim Karl Ludwig Heinrich*, geb. den 18. Octbr. 1799, königl.
   preuss. Kammerherr, vermählt seit dem 7. Octbr. 1823 mit Me-
   nassine, geb. v. Dykmanns und Secherau.

Bruder:

B. *Joachim Cäsar Eugen*, geb. den 12. Septbr. 1765, königlich
preuss. dienstthuender Kammerherr bei dem Prinzen Wilhelm von Preussen, Legations- und Forstrath u. s. w., vermählt 1) am 26. Juli 1790
mit Luise Henriette, Gräfin v. Wedell (geb. den 9. April 1776, gest.
den 12. Decbr. 1829), geschieden; 2) wieder vermählt mit Friederike
Heloise Henriette, Tochter des Justizraths Seelmann.

Kinder erster Ehe:

1) *Alfred Karl Joachim*; s. Maltzan-Wedell.
2) *Joachim Karl Leopold Eugen*, geb. den 29. Novbr. 1796.
3) *Cölestine Eugenie Francisca Emma*, geb. den 22. März 1803.

Kinder zweiter Ehe:

4) *Luise Charlotte Hildegarde Malvina*, geb. den 10. August 1812.
5) *Luise Elisabeth Alexandrine*, geb. den 14. Febr. 1814.
6) *Joachim Heinrich Wilhelm Eugen*, geb. den 8. März 1825.

Maltzan - Wedell.

Durch ein Diplom Sr. Majestät des jetzt regierenden Königs von Preussen d. d. 23. Febr. 1833, wurde dem ältesten Sohne des Grafen Joachim Cäsar Eugen, *Alfred Karl Joachim* v. Maltzan-Wedell, Freiherrn v. Wartenberg und Penzlin, Herrn von Gross-, Klein- und Neu-Bresa bei Auras in Schlesien, geb. den 7. Septbr. 1793, gestattet, Namen und Wappen der gräflichen Familie v. Wedell dem seinigen hinzuzufügen. Seine Mutter war die Tochter des königl. preuss. Landjägermeisters von Schlesien, Leopold Magnus Gottlob, Grafen v. Wedell.

Ein Zweig der Freiherren v. M. in Mecklenburg besitzt die Majoratsherrschaft Ivenack im Schwerinschen. Der älteste derselben, der jedesmalige Majoratsherr, führt den Titel eines Grafen v. Plessen, während seine Kinder und Geschwister den Namen und Titel der Freiherren v. M. führen. Der gegenwärtige Majoratsherr ist Graf *Gustav Hellmuth Theodor Dietrich*, Freiherr v. Maltzan, Graf v. Plessen, geb. den 3. Decbr. 1788, succedirte seinem Vater, dem Grafen *Albrecht Joachim*, am 12. Juli 1828, königl. preuss. Oberstlieutenant a. D. und Johanniterritter. Er ist vermählt seit dem 3. Decbr. 1811 mit Cecilie Wilhelmine Adelaide, Tochter des am 14. Febr. 1814 verstorbenen königl. preuss. Generalmajors v. Rauch, geb. den 10. December 1795.

Hellmuth Bogislav, Freiherr v. M., aus dem Hause Ivenack, Bruder des Vorigen, königl. preuss. Kammerherr, ausserordentlicher Gesandter und bevollmächtigter Minister am kais. Hofe zu Wien, starb daselbst im Jahre 1833. Er war im Jahre 1793 geboren. Seine Gemahlin war eine De Bray. — Ein zweiter Bruder, *Otto Rudolph Friedrich*, Freiherr v. M., königl. Kammerherr, war ebenfalls im diplomatischen Corps angestellt, und Geschäftsträger an verschiedenen Höfen. — Gegenwärtig bekleidet Se. Excellenz der Freiherr v. M., wirklicher Geheimer Rath, Ritter des rothen Adlerordens 1. Classe u. s. w., die Stelle eines Obermarschalls und Intendanten der königl. Gärten. — Der Freiherr v. M. auf Sommersdorf, Rittmeister a. D., ist gegenwärtig Landrath des Kreises Demmin.

In dem Regimente vacant v. Rhein-Dragoner stand im Jahre 1806 der Oberst v. M. Er gehörte der pommerschen Linie an und hatte seine Laufbahn in dem Regimente Gensdarmen begonnen, war sodann Inspections-Adjutant beim Generallieutenant v. Elsner, und wurde im Jahre 1805 Oberst des gedachten, zu Tilsit garnisonirenden Dragonerregiments. Er machte im Jahre 1806 die Campagne in Preussen mit, und schlug am 8. März 1807 einen Angriff der Franzosen unter dem General Dupont auf die Stadt Braunsberg zurück. In den Feldzügen 1813 und 14 commandirte er einze Brigade beim 3. Armeecorps in der Reserve-Cavallerie des Generals v. Oppen, und wurde 1815 Generalmajor. Er trat bald darauf in den Pensionsstand und starb am 15. Decbr. 1826 zu Demmin in Pommern.

Ein Capitain v. M. war im Jahre 1806 Adjutant des Generallieutenants v. Küchel. Er blieb im Feldzuge des Jahres 1813 als Major und Commandeur des 5. schlesischen Landwehr-Infanterieregiments. Das alte freiherrliche Wappen der v. M. zeigt ein gespaltenes Schild, dessen rechte Hälfte blau ist, und in derselben zwei über einander gestellte Hasenköpfe zeigt. In dem linken goldenen Theile ist ein grüner Stamm, woran oben zwei grüne Blätter, und zwischen denselben eine Weintraube angebracht ist, dargestellt. Der gekrönte Helm ist mit einem Pfauenschweife geschmückt. Die Helmdecken sind blau und golden. — Die Grafen v. M. führen ganz dasselbe Wappen.

Nachrichten über dieses alte Geschlecht giebt Sinapius, I. S. 56 — 67. II. S. 144. Gauhe, I. S. 1043. v. Krohne, II. S. 301 — 306 und 441. Hübners Genealogie, III. S. 923 — 26. Micrälius, S. 507. Das Wappen giebt Siebmacher, I. S. 166, und V. S. 153. v. Meding beschreibt dasselbe, I. No. 555.

Malyszewski, die Herren von.

Die Herren v. Malyszewski oder Maliszewski gehören dem polnischen Adel an. Ein Zweig derselben ist in der Provinz Posen ansässig, der Hauptast aber gehört Südpreussen und dem ehemaligen Neu-Ostpreussen an. Im Jahre 1806 war ein v. M. Dekan zu Bielsk. — Gegenwärtig steht der Major v. Maliszewski beim Kriegsministerium, und zwar bei der geheimen Kriegskanzlei. Er ist Ritter des eisernen Kreuzes 1. Classe (erworben bei Leipzig). — Nicht zu behaupten vermögen wir, ob die Familie von Malszewski, die zu den zahlreichen Geschlechtern gehört, welche von den Abdanks oder Habdanks abstammen, ein und dasselbe Geschlecht mit dem v. Maliszewski ist. Sie gehört, wie die vorige, Polen und besonders der Provinz Posen an. — Ein v. Malszewski war im Jahre 1805 Dompropst zu Gnesen und General-Administrator des dasigen erzbischöflichen Stuhles. — Ein anderer v. M. war Coadjutor des Decans und Prälat im Domcapitel zu Warschau.

Mandel, die Herren von.

Eine adelige Familie dieses Namens in Schlesien war noch vor wenigen Jahren reich begütert am Fusse des Zobtenberges im Kreise Schweidnitz, wo sie Gr. Mohnau und Proskenhayn besass. Einer verwittweten v. Mandel gehörte das Gut Wernersdorf an der von Schweidnitz nach Breslau führenden Kunststrasse. — Die Gräfin Dorothea v. Matuschka ist die Wittwe eines v. Mandel. — Ein Lieutenant v. M. steht im 10. Infanterie-Regimente zu Breslau.

Mandelsloh (he), die Grafen und Herren von.

Das sehr alte Geschlecht der v. Mandelsloh und Mandelslohe gehört seinem Ursprunge nach Mecklenburg und Hannover an, hier war das Dorf Mandelsloh, dort das Dorf Toitenwinkel bei Rostock ihr Stammsitz. Diese Familie besass in früheren Zeiten grosse Herrschaften, die ihr im Laufe des dreissigjährigen Krieges verloren gegangen sind. Im vorigen Jahrhunderte gehörte ihr auch das Gut Pustleben in der Grafschaft Hohenstein. Gegenwärtig besitzt die seit 1808 gräfliche Linie die Güter Ribbesbütel, Ausbitel, Hilperdingen u. s. w. im Lüneburgschen. Von den berühmten Vorfahren dieses vornehmen Geschlechtes nennen wir namentlich *Johann Albrecht* v. M., der im Jahre 1636 eine Reise nach Moskau, Persien und Indien antrat, dessen Tagebuch, von Olearius herausgegeben und in die meisten Sprachen übertragen, bis auf neuere Zeiten die genauesten, oft einzigen Nachrichten über Ostindien enthält. — Ein anderer v. M. war der Erste in Europa, der seidene Strümpfe getragen und ein Paar derselben Heinrich IV. von Frankreich zum Geschenk darreichte.

Ernst v. M. wurde am 9. April 1588 von dem Markgrafen Joachim Friedrich v. Brandenburg zum Obersten von Haus aus bestellt, um 1000 bis 1500 Pferde gegen einen Sold von 700 Guld. meissn. Währung. Er hatte den Kurfürsten Joachim II. im Jahre 1562 zur Wahl und Krönung Kaiser Maximilian II. nach Frankfurt a. M. begleitet.

Ulrich Lebrecht v. M., königl. würtemberg. Staats- und Finanzminister, geboren am 16. Februar 1760, gestorben am 30. April 1827, ward am 17. März 1808 mit seinen Nachkommen in König Friedrich von Würtemberg in den Grafenstand erhoben, und diese Würde sogleich von der königl. hannöverschen Regierung für die dortigen Besitzungen anerkannt und ausgedehnt. Er war mit Karoline Philippine, Tochter des herzogl. braunschweigschen Staatsministers Freiherrn von Cramm vermählt, und ist der Vater der jetzt lebenden Grafen. Das gräfliche Haus besteht gegenwärtig aus folgenden Mitgliedern:

Graf *Karl August Franz*, geb. den 4. Decbr. 1788, königl. würtembergischer Kammerherr, Staatsrath und ausserordentlicher bevollmächtigter Gesandter am Hofe zu London.

Bruder:

Graf *Friedrich*, geb. den 29. Decbr. 1795, königl. würtemberg. Oberforstmeister zu Urach, vermählt seit dem 1. April 1823 mit Josephine Luise, Gräfin von Degenfeld-Schomburg, geboren den 19. August 1800.

Kinder:

1) *Ulrich Ferdinand*, geb. den 10. März 1824.
2) *Gustav August*, geb. den 18. Januar 1825.
3) *Albrecht Friedrich*, geb. den 30. August 1830.
4) *Marianne Ernestine Francisca*, geb. den 12. April 1834.

In der preuss. Armee haben mehrere v. M. gedient, namentlich der Major v. M., der in der Neumark geboren war. Er stand in dem Regimente v. Renouard in Halle; ein anderer v. M., der früher im Feldartilleriecorps stand, ist gegenwärtig Oberst a. D. Schon im Jahre 1794 erwarb er sich das goldene Militair-Ehrenzeichen alter Art und das eiserne Kreuz bei Gr. Görschen. — Gegenwärtig stehen einige Offiziere dieses Namens im Heere.

Das gemeinschaftliche Wappen der v. M. besteht in einem roth und silbern getheilten Jagdhorne im blauen Schilde, das sich auf dem Helmbusche unter einem mit zwei Schwertern durchstochenen Todtenkopfe wiederholt.

Nachrichten über diese Familie findet man in Gauhe, I. S. 967—69. Pfeffingers Historie von Braunschweig, I. Seite 265 — 76. Sagittar, Historie, S. 320. Einige Anmerkungen von dem Geschlechte der von Mandelsloh giebt die Wochenschrift für die Noblesse, 4tes Stück, S. 349—52, und 5s Stück, S. 65—72.

Manderscheid, die Grafen von.

Das hochberühmte Geschlecht der Manderscheid gehörte seinem Ursprunge, wie seinen Besitzungen nach den heutigen preussischen Rheinlanden an. Der Ahnherr des Hauses, Schwantibold, war ein Sohn des römischen Kaisers Arnolph, und gehörte demnach dem Stamme der Karolinger an. Zu den mächtigsten Dynasten der Eifel gezählt, zerfiel es in viele Aeste und Linien, namentlich in die v. Virneburg oder Schleiden, Geroldstein und Blankenheim, Kayl-Falkenstein und Daun. Im Jahre 1780 am 6. Decbr. erlosch dieses reichsgräfliche Haus im Mannsstamme. Es hatte Sitz und Stimme im westphälischen Collegium. Die Linie zu Manderscheid und Virneburg erlosch schon 1593 mit Theoderich VI. Von der andern, in zwei Aeste verbreiteten Linie erlosch der jüngere Ast zu Kayl oder Falkenstein 1742 gänzlich; der ältere, oder Manderscheid-Blankenheim, erlosch im Mannsstamme 1780, dauerte aber in einigen weiblichen Gliedern bis zu unsern Zeiten fort. Von diesen erhielt die älteste Tochter des vorletzten Grafen *August*, als Erbin ihres Oheims, für die an Frankreich gekommenen Grafschaften Manderscheid durch R. D. Hauptschluss von 1803 die Abteien Schüssenreid und Weissenau gegen Auszahlung gewisser immerwährender Renten, zur Entschädigung; sie brachte solche ihrem Gemahl, dem Grafen Christian v. Sternberg, zu. (S. den Art. v. Sternberg und vergl. den Art. Salm-Salm.)

Letzter Graf war: *Franz Joseph Georg*, geb. den 15. April 1713, gest. den 6. December 1780, Gemahlin Charlotte, des Grafen Anton Sigm. von Fuggerheim-Dietenheim Tochter, geb. den 3. Novbr. 1749, vermählt den 15. Juni 1773, gest. als Wittwe. Dessen Bruder, *Johann Wilhelm* (geb. 1708, gest. 1772), hinterliess von seiner zweiten Gemahlin Ludovike, einer Tochter des Fürsten Max. Leopold Salm-Salm, so wie von der dritten Gemahlin, Joh. Francisca Maximiliane, geb. Gräfin v. Limpurg-Bornhorst-Styrum, folgende Töchter:

a) *Auguste*, geb. den 28. Jan. 1749, Erbin ihres Oheims, des letzten Grafen Franz Joseph Georg, Gemahlin Christian Grafen v. Sternberg, vermählt 1762.

b) *Felicitas Joh. Mar. Charlotte*, geb. den 4. Novbr. 1753, Gemahlin Franz Jos., Grafen v. Nesselrode-Reichenstein, vermählt 1777.

c) *Mar. Christine Jos.*, geb. den 31. Juli 1767, gest. den 19. Aug. 1875, Gemahlin Ernst, Grafen v. Königsmark-Aulendorf, vermählt den 6. Juli 1783, gest. den 10. Mai 1803.

d) *Karoline (Auguste Felicitas)*, geb. den 13. Novbr. 1768, gest. als Wittwe den 1. März 1831. Gemahl Aloys, Fürst v. Liechtenstein, vermählt 1783, gest. 1805.

e) *Francisca Wilhelmine Auguste*, geb. den 13. März 1770, gest. den 26. August 1789. Gemahlin Ludw. Aloys, Fürsten von Hohenlohe-Bartenstein, vermählt den 18. Novbr. 1786, gest. den 31. Mai 1829.

f) *Louise Henr. Francisca Sophie*, geb. den 27. August 1771. Stiftsdame zu Essen und Verden.

Dieses gräfliche Haus führte ein quadrirtes Schild. In den goldenen Feldern 1 und 4 war ein schlangenweise gezogener rother Querbalken angebracht. Das 2te und 3te Feld war roth und golden geschachtet oder gegittert. Auf diesem Schilde lag ein Herzschildlein, in dem sich ein schwarzer Löwe mit einem schwarzen Turnierkragen, im goldenen Felde befand. Das Hauptschild war mit zwei Helmen bedeckt. Auf dem ersten lag ein rother, mit Gold ausgeschlagener Hut, mit zwei Pfauenschweifen geschmuckt, der andere trug einen sitzenden silbernen Schwan zwischen zwei schwarzen Adlerflügeln. — Ein anderes gräfl. Manderscheidsches Wappen ist ebenfalls quadrirt; die Felder 1 und 4 sind wie im vorigen, in den Feldern 2 und 3 steht der Löwe mit dem Turnierkragen. Das Herzschild zeigt im 1. und 4. Felde den Löwen, im 2. und 3. Felde aber ein blaues Band mit sechs kleinen rothen Sternen umgeben. Das Hauptschild ist mit drei Helmen bedeckt; der 1ste ist der Manderscheidsche mit dem rothen Hute und den Pfauenschweifen, der mittlere zeigt einen sitzenden schwarzen Hund mit goldenen Flügeln und goldener Krone, der dritte aber einen rothen, mit Gold aufgeschlagenen Hut, den schwarzen Löwen mit dem Turnierkragen zwischen zwei Pfauenschweifen. Die Decken rechts roth und golden, links schwarz und silbern. M. s. auch Hartmann's Sammlung. Zedler's Universal-Lex. XIX. S. 915—22. Durchlaucht. Welt, II. S. 678—80.

Mansbach (Manns-), die Herren von.

1) Ein altadeliges Geschlecht, welches in Franken, und namentlich in dem Rittercanton Rhön und Werra ansässig und begütert war.

2) Ein altadeliges Geschlecht in Hessen. — Mehrere v. M. haben in preuss. Diensten gestanden. Ein Major v. Mansbach stand in dem Regimente v. Manstein in Bromberg, und ist im Jahre 1813 gestorben. Er gehörte dem Geschlecht v. M. in Franken an. — In dem Regimente v. Alvensleben stand im Jahre 1806 ein Lieutenant v. M., der in der Schlacht von Auerstädt schwer verwundet wurde und später in Sorge bei Meiningen lebte. — In dem Regiment v. Möllendorf stand im Jahre 1806 ein Fähnrich v. M., der im Jahre 1815 an ehrenvollen, bei Belle-Alliance erhaltenen Wunden gestorben ist. — Gegenwärtig steht ein Capitain v. M. in dem Grenadierregiment Kaiser Franz.

Siebmacher giebt I. S. 142. das Wappen der hessischen v. Mansbach. Es ist ein durch Spitzenschnitte in acht Triangel getheiltes, auf der rechten Seite silbernes, auf der linken rothes Schild. Aus dem ungekrönten Helme wächst der Rumpf eines in Silber und Roth gekleideten Mannes mit spitziger, schwarzer Mütze. M. s. Gauhe I. S. 969. Schannat, Client. Fuld. p. 129. Bucelini German. Sacra.

Mansfeld, die Fürsten und Grafen von.

Die Grafen v. Mansfeld, Mannsfeld, auch Mansfeld und Fondi geschrieben, gehören Thüringen an, und schrieben sich ursprünglich Edle Herren von Querfurt. Ihre Besitzungen waren früher reichsunmittelbar, und sie wurden im Jahre 1437 das letztemal vom Kaiser Sigismund mit denselben belehnt. Doch ging diese Reichsunmittelbarkeit dem gräflichen Hause nach und nach verloren, und mit Genehmhaltung Kaiser Friedrichs III. wurde der grösste Theil ihrer Besitzungen im Jahre 1466 zu Lehnen von Kursachsen, Magdeburg und Halberstadt. Diese neuen Lehnsherren, besonders Kursachsen und Magdeburg, erweiterten ihre Lehnsherrschaft von Zeit zu Zeit durch die mit dem Domcapitel zu Halberstadt am 26. Octbr. 1573, und am 10. Juni 1579 zu Eisleben, unter dem Namen des magdeburgischen Permutations-Rezesses, geschlossenen Verträge. Durch den ersten erhielt Halberstadt gegen die Abtretung der Lehne von Eisleben,

Hettstedt, Polleben, Wimmelburg, u. s. w. in Kursachsen, von dem
Kurfürsten von Sachsen die Lehnsherrschaft über die Herrschaft Loh-
ra, nebst Zubehör, durch den letztern aber bekam Sachsen verschiedene magdeburgische Lehne. Im 16. und 17. Jahrhunderte war die
gräfliche Familie v. M. sehr zahlreich an Mitgliedern, und in mehrere Linien zerfallend, in welche sich der ehemalige so reiche Besitz
des Hauses vertheilte. Im Jahre 1533 war zu diesem Zwecke die Grafschaft in fünf Theile getheilt worden, von welchen die ältere Hauptlinie, auch die Vorderortische genannt, ¼ erhielt, das vierte Fünftheil besass die mittelortsche oder mittlere, und das fünfte Fünftheil
die hinterort'sche oder jüngere Linie. Neben dieser grossen Vermehrung der Familie und dem Verluste der Reichsunmittelbarkeit drückte
eine grosse Schuldenlast das gräfliche Haus, welche bei der vorder-
ort'schen Linie am Ende des Jahres 1569: 2,066,916 meissnische Gulden betrug. Die drei Lehnsherren glaubten sich daher berechtigt,
über die ¼ der vorderortschen Linie 1570 die Sequestration zu führen. Damals bestanden die ⅔ aus der Stadt Eisleben, mit dem Schlosse
und der freien Strasse, der Stadt und dem alten Schlosse Hettstedt,
der Stadt und dem Amte Artern, dem Schlosse und Amte Arnstadt,
dem Amte Vogtstädt, dem Schlosse und Amte Arnstein mit Endorf,
nebst Pertinenzien, dem Schlosse und Amte Heldrungen, dem Amte
Leinungen, den Klöstern Wiederstädt und Walbeck, der Stadt und
dem Amte Mansfeld, dem Amte Leimbach und Friedeburg, und den
Klöstern Helfta, Gerbstädt und Polleben. Im Jahre 1598 wurde das
hinterortsche Fünftheil auf Verlangen der Gläubiger schuldenhalber
ebenfalls zur Sequestration gezogen. Dasselbe Schicksal traf bald darauf auch das mittelort'sche Fünftheil. Diese Sequestration wurde
theilweise 1716, zum Theil aber auch erst 1780 bei dem Aussterben
der Grafen v. M. aufgehoben. Durch das Erlöschen des Stammes
fielen die kursächsischen und preuss. Antheile an die betreffenden beiden Kronen. Im Jahre 1709 erhielt *Heinrich Franz*, Graf v. M.,
Fürst von Fondi, so genannt nach einem im Königreiche Neapel liegenden ererbten Fürstenthume, eine Bestätigung der ihm im Jahre
1691 ertheilten Reichsfürstenwürde, die auch auf seine Brudersöhne
und dessen Kinder übergegangen war. Das genannte Fürstenthum
Fondi wurde im Jahre 1751 von dem Fürsten *Heinrich Paul Franz* an
das neapolitanische Haus Sangro abgetreten, und das ganze Haus erlosch am 31. März 1780 mit *Joseph Johann Wenzel Nepomuk.* Er
war am 12. September 1735 geboren, kaiserlicher wirklicher Kämmerer, Commerzienrath und Polizei-**Assessor** in Böhmen. Die Gemahlin dieses letzten v. M. war Elisabeth, Gräfin v. Regal. — Zu
den berühmtesten Mitgliedern dieses alten Hauses gehörten *Philipp*,
Graf v. M., kaiserl. Feldmarschall, und *Heinrich Franz*, Fürst zu M.
und Fondi, kaiserl. Feldmarschall, Hofkriegsrath-Präsident (starb
1702). Er war der Urgrossvater des letzten v. M. Beide genannte
Feldmarschälle waren Inhaber des Infanterieregiments No. 24., nachmals v. Strauch. — In den kurfürstl. brandenburgischen Diensten
stand *Philipp Ernst*, Graf v. M., Edler Herr zu Heldrungen, der 1593
am Tage Johannis Baptista vom Kurfürsten Johann Georg als Rath
und Rittmeister über 400 reisige Pferde bestellt wurde. Er starb
im Jahre 1632.

Die Grafen v. M. führten in einem Quartiere sechs silberne und
rothe Balken, und sechs rothe Rauten, sodann einen silbernen Adler
im schwarzen Felde, und endlich einen goldenen gekrönten Löwen
mit einem rothen und silbernen Schachbande überzogen, im blauen
Felde. — Die Fürsten v. M. führten über diesem Wappen einen
Fürstenhut. M. s. Gottfr. Hoffmann's Ehre des fürstl. und gräfl. Hau-

ses v. Mansfeld. Leipzig. 1712. Cyr. Spangenberg, Mansfeld. Chronik. Eisleben. 1572. Querfurtische Chronik. Erfurt. 1590. Euseb. Christ. Franke, genaue und ausführliche geneal. histor. Beschreibung der mansfeldischen Grafen und Herren. Leipzig. 1723. Johann G. Zeidler, achthundertjähriger Stammbaum der Grafen v. Mansfeld. 1703. Gauhe, II. S. 670—691. u. s. w., u. s. w.

Manstein, die Herren von.

Ein adeliges, der Provinz Preussen angehöriges Geschlecht, dem in derselben die Güter Gr. Warckau, Kanckern, Kurapschen, Juckstein u. s. w. gehörten. Mehrere Zweige haben sich in Liefland und Russland niedergelassen. — *Ernst Sebastian* v. Manstein war kaiserl russis. General-Lieutenant, Gouverneur von Reval, und mit einer v. Dittmar vermählt. Auch in Schlesien waren die von Manstein begütert; hier gehörte ihnen namentlich Fuchswinkel bei Neisse, Kaschefen bei Herrnstadt u. s. w.

In der preussischen Armee sind zu höhern militairischen Würden gelangt:

Christoph Hermann v. M., geb. den 1. Septbr. 1711 zu St. Petersborg, ein Sohn des erwähnten kaiserl. russischen Generallieutenants und Commandanten zu Reval, *Ernst Sebastian* v. Manstein, genoss im elterlichen Hause eine vorzügliche Erziehung, und, durch den preuss. Generalmajor v. Kalsow bewogen, trat er in das Cadettencorps zu Berlin, und dann in das Regiment Markgraf Karl ein. Als Fähnrich wurde er einige Jahre mit Nutzen auf Werbungen gebraucht. Bei einem Besuche, den er seinen Eltern abstattete, beredete ihn sein Vater, wegen des schnellern Avancements, in russische Dienste zu treten, welches er auch that. Er zeichnete sich in denselben bei vielen Gelegenheiten gegen die Tartaren und Türken aus. Wichtiger Dienste wegen, welche er, nach dem im Jahre 1740 erfolgten Tode der Kaiserin Anna, der Grossfürstin Anna geleistet hatte, ward er zum Obersten und Chef des Astrachan'schen Regiments ernannt. Als ein Jahr später der Krieg zwischen Russland und Schweden ausbrach, zeigte er in demselben wieder viel Muth, Entschlossenheit und Umsicht. Um seine Gesundheit wieder herzustellen, welche durch Strapazen und erhaltene Wunden sehr erschüttert worden war, kam er nach Petersburg. Unterdessen hatte die Kaiserin Elisabeth den Thron bestiegen, und er fiel in Ungnade, wozu noch kam, dass er der Verrätherei angeklagt ward. Obgleich er für unschuldig befunden worden war, so hatten ihm diese Umstände den russischen Dienst verleidet, er forderte seinen Abschied, der ihm abgeschlagen wurde; so ging er ohne denselben nach Berlin und erhielt hier im Jahre 1745 als Generaladjutant Friedrichs des Grossen eine Anstellung. Als solcher wohnte er dem Feldzuge in diesem Jahre bei, und erwarb sich das Vertrauen und die Gnade des Monarchen. Zu verschiedenen Staatsgeschäften verwendet, ernannte ihn Friedrich II. im Jahre 1754 zum Generalmajor, und 1756 zum Chef des bei Pirna gefangenen sächsischen Regiments v. Minckwitz. In dem Treffen bei Collin befehligte er eine Brigade auf dem rechten Flügel und erhielt einen Gewehrschuss in den linken Arm, blieb aber demungeachtet bis zum Ausgange der Schlacht thätig. Nach derselben befahl ihm der König, nach Dresden zu gehen, um seine Gesundheit wieder herzustellen. Er trat diese Reise in Begleitung von mehreren Offizieren und 100 Mann Bedeckung an, jedoch ward das Detaschement am 27. Juli 1757 bei Welmina von 800 Kroaten angegriffen, und nach der tapfersten

Gegenwehr der General v. M. durch die Brust geschossen. Er starb
im kräftigen Mannesalter viel zu früh für die Hoffnungen, die man
von ihm hegte, und hinterliess den Ruhm eines eben so gelehrten,
als einsichtsvollen und tapfern Generals. In seiner Ehe mit Juliane,
Tochter des ehemaligen russischen Stallmeisters v. Funk, hatte er
zwei Söhne und vier Töchter erzeugt.

Albrecht Ernst v. M., geboren in Preussen, ein Sohn des königl.
preuss. Hauptmanns und Erbherrn auf Kankern, v. M. Er befand
sich erst im Gefolge König Friedrichs II. und befehligte beim Ausbruche des siebenjährigen Krieges ein Grenadierbataillon. Sein Tod
erfolgte am 8. Januar 1758 an den in der Schlacht bei Gr. Jägerndorf
ehrenvoll empfangenen Wunden. Er war mit einer v. d. Trenk vermählt, in welcher Ehe ihm ein Sohn geboren wurde.

Leopold Sebastian v. M., geboren 1717 in Preussen, begann seine
militairische Laufbahn im Dragonerregiment v. Normann, und avancirte in demselben 1758 zum Major, 1759 zum Oberstlieutenant, und
in demselben Jahre zum Obersten. Im Jahre 1762 ward er Chef des
Kürassierregiments v. Horn, und 1764 Generalmajor. Durch Tapferkeit und Umsicht hatte er sich die Gnade seines Monarchen erworben, der ihn mit dem Orden pour le mérite schmückte, ihm 1768
die Amtshauptmannschaft zu Tilsit, und 1770 die zu Cöslin übertrug.
Er starb zu Tangermünde am 26. April 1777. In seiner Ehe mit
einer v. Barfus wurde ihm ein Sohn und eine Tochter geboren.

Johann Wilhelm v. M., geboren am 16. Octbr. 1729, ein Sohn
des Hauptmanns a. D., und Erbherrn auf Juckstein, v. M., war Anfangs Page bei dem Generalfeldmarschall, Grafen v. Gessler, und
begleitete ihn in den beiden ersten schlesischen Kriegen. Im Jahre
1745 trat er in königl. polnische und kursächsische Dienste, und
avancirte in demselben zum Major. König Friedrich II. berief ihn
zurück, und er kam als solcher 1777 in preuss. Dienste; er blieb ein
Jahr in der königl. Suite, erhielt sodann eine Compagnie im Kürassierregimente v. Dalwig, ward 1780 Oberstlieutenant, 1783 Oberst,
1787 Generalmajor und Chef des Kürassierregiments von Braunschweig
zu Oppeln. Er trat um das Jahr 1794 als Generallieutenant in den
Pensionsstand, und ist im Anfange dieses Jahrhunderts auf seinen
Gütern gestorben. Er war mit einer v. Normann, und nach deren
Tode mit einer v. Skrbensky, aus dem Hause Goldmannsdorf, vermählt, beide Ehen blieben aber kinderlos.

Ernst Johann v. M., geboren um das Jahr 1742 in Preussen,
starb im Jahre 1808 als Generallieutenant a. D., ehemaliger Vice-
Gouverneur von Danzig und Ritter des grossen rothen Adlerordens,
und des Militair-Verdienstordens (erworben bei Weisskirch im Jahre
1778). Er war früher Chef des Infanterie-Regiments No. 55. Er war
ein Enkel des russischen Generallieutenants, *Ernst Sebastian* v. M.,
und Sohn des preuss. Generalmajors, *Christoph Hermann* v. M., und
stand früher im Ober-Kriegscollegium. Im Jahre 1806 dienten ausser
dem erwähnten Generallieutenant noch zwölf Officiere dieses Namens
in der Armee, namentlich der Major v. M. in dem Kürassierregiment
v. Reitzenstein. Er gehörte der schlesischen Linie an und starb im
Jahre 1825 im Pensionsstande. — Ein Rittmeister v. M., der in dem
Kürassierregimente v. Wagenstein gestanden hatte, ist im Jahre 1821
als Major und Kreisbrigadier von der Gensdarmerie gestorben. —
Ein Capitain v. M. in dem Dragonerregimente v. Auer ist gegenwärtig
Generalmajor a. D. und Ritter des eisernen Kreuzes 1. Cl. (erworben
bei Leipzig). Er hatte als Oberst das 3. Kürassierregiment commandirt. — Ein Lieutenant v. M. stand in dem Regiment v. Besser; er
hatte sich das eiserne Kreuz 1. Cl. erworben, und ist vor einigen

Jahren als Major im 11. Infanterieregiment gestorben. — In dem Kürassierregiment v. Beeren stand ein Lieutenant v. M., der gegenwärtig als Major dem 2. Garde-Landwehr-Uhlanenregiment aggregirt ist, und sich bei Gr. Görschen das eiserne Kreuz 2. Cl. erwarb. — In dem Regiment v. Esebeck-Dragonern standen zwei Brüder v. M. der jüngere starb schon im Jahre 1907 an ehrenvollen Wunden, der ältere blieb 1812 auf dem Schlachtfelde.
Sehr bekannt ist der Umstand, dass die Familie v. Steinmann (m. s. diesen Art.) von den v. Manstein abstammt.
Siebmacher giebt das Wappen der v. M. IV. S. 120. Die v. M. führen ein, durch einen Spitzenschnitt in drei Theile zerfallendes Schild. In dem untern schwarzen Felde ist ein in Silber gekleideter Bergmann vorgestellt, der in der Linken den Hammer oder das Eisen, und in der Rechten einen Stein hält. In den beiden obern rothen Feldern zeigt sich ein silberner Kübel. Auf dem gekrönten Helme steht der erwähnte Bergmann verkürzt zwischen zwei Adlerflügeln, von denen der rechte golden, der linke roth und silbern ist.
M. s. Abel's Rittersaal II. S. 223. Hörschelmann's Leben und Charakter preussischer Helden, Erfurt und Leipzig. 1762. S. 1. u. f. Die bekannten Mémoires du Général de Manstein, franz. und deutsch. Pauli, Leben grosser Helden, III. Biogr. Lex. aller Helden und Milit.-Personen, III. S. 6. u. f.

Manteufel, die Grafen, Freiherren und Herren von.

Ein uraltes, vornehmes, seinem Ursprunge nach Pommern angehöriges, aber in vielen Linien auch in andern Ländern, namentlich in Baiern, Preussen, Mecklenburg, Polen, Schweden, Kurland und Liefland blühendes Geschlecht. In Pommern gehört dasselbe zu den schlossgesessenen 7 Familien. Nach einigen Autoren stammen die v. Manteufel aus dem englischen Hause der v. Mandevel, ein Titel, dessen sich auch die Grafen v. Essex bedienten. Nach andern Nachrichten stammen sie von den Freiherren v. Quarne, Ritter v. Mandevil, die vor 700 Jahren im Braunschweigschen blühten, ab. In Pommern hatten die v. M. vor Zeiten nicht allein sehr bedeutende Lehne, sondern auch viele Afterlehnsmänner, und noch gegenwärtig sind sie namentlich im Kreise Belgard reich begütert. In dieser Landschaft sind Buslar und Quisternow, im Kreise Neustettin aber Lumpzow, Gajetto und Kollatz, im Kreise Schlawe Crolow alte Lehne der v. M. Kölpin im Kreise Greiffenberg ist ein altes Stammhaus der v. M. Es hatte früher ein altes festes Raubschloss, das im Jahre 1532 am Tage Peter und Paul vom Abte zu Belbuk, mit Hülfe der Colberger zerstört wurde. Die Stadt Polzin und das Dorf Arnhausen, das ehemals auch eine Stadt war, erhielt von den v. M. städtische Rechte. Curd v. M., ein Neffe des Bischofs von Camin, wurde der einzige Erbe der Polziner Güter, so wie auch fast aller Dörfer um Belgard, Stettin und Naugardt. Polzin und mehrere andere Güter fielen später an die v. Krockow. Poppelow ist ebenfalls ein altes Stammhaus der v.M., so wie auch Kerschtin und Kruckenbeck. In Polen besassen sie das Indigenat und den Rittersitz Popielewo, wovon sie den Namen Manteufel-Popielewski annahmen, in Schweden und Liefland nannten sie sich Zegen v. M. — In der Stammreihe dieses Geschlechts erscheint zuerst Heinrich v. M., der um das Jahr 1288 lebte und sein Geschlecht durch drei Söhne fortpflanzte. — Ein Urenkel von einem dieser Söhne war Erasmus v. M., der 26ste Bischof zu Camin. Er schrieb sich Erasmus M. von Arnhausen, und erhielt im Jahre 1521 die bischöfli-

che Würde. Er war anfänglich ein heftiger Gegner der Reformation,
im Jahre 1536 aber soll er sich zur protestantischen Kirche bekannt
haben. Andere Autoren sagen von ihm, dass er als letzter katholischer Bischof zu Camin im Jahre 1544 starb. — Sein Bruderssohn, *Christian* v. M., war Kriegsoberst des Kurfürsten von Sachsen, später herzogl. pommerscher Geheimer Rath, Hofmarschall und Landvoigt zu
Greiffenberg. — *Christoph* v. M. auf Kerschtin, der nach und nach
eine grosse Anzahl von Lehngütern ererbt hatte, pflanzte durch vier
Söhne, *Hennig*, *Anton*, *Nikolas* und *Jakob*, sein Geschlecht fort.
Er starb um das Jahr 1634. — Von seinen Söhnen starb *Nikolas*
1638, und *Jakob* 1665 ohne Erben. *Hennig* setzte die Krukenbeck'-
sche Linie fort. — Von seinen Söhnen starb *Hennig* v. M. unverheirathet zu Paris, *Christoph* v. M. aber trat in würtembergische
Dienste, und wurde Oberstmarschall und Obervogt zu Marbach. Er
starb 1689. Mit ihm erlosch die Kruckenbeck'sche Linie, und ihre
Güter fielen an den nächsten Lehnsvetter, *Christoph Arnold* v. M. auf
Kerstin, welcher mit seiner Gemahlin, Elisabeth v. Bonin, vierzehn
Kinder zeugte. Von ihnen wurde *Ernst Christoph*, Freiherr v. M.,
königl. polnischer und kurfürstl. sächsischer Geheimer Rath, Staats-
minister und Gesandter an den königl. Höfen zu Kopenhagen und
Berlin. Er war im Jahre 1756 geboren.

In der Armee sind folgende Mitglieder zu hohen militairischen
Würden gelangt:

Jakob v. M., der als kurbrandenburgischer Oberster zu Pferde,
und Erbherr auf Nessin, Krühne, Gandelin, Trinke, u. s. w. starb.
Er war im Jahre 1607 zu Kerstin geboren, studirte in Leipzig und
Stettin, nahm 1630 bei der kursächsischen Cavallerie Dienste, und
wohnte der Schlacht von Lützen bei. Nach dem im Jahre 1634 erfolgten Tode seines Vaters trat er aus denselben, setzte sich mit seinem Bruder auseinander, reiste nach Frankreich, nahm dort Dienste,
lernte das Kriegshandwerk unter dem grossen Turenne, und avancirte
bis zum Major. Nach dem westphälischen Frieden begab er sich auf
seine Güter, bis ihn der Kurfürst Friedrich Wilhelm im Jahre 1655
zum Obersten und Commandeur der pommerschen und des Stifts
Camin Lehnpferde bestellte, und trat nach Beendigung des Krieges
mit Polen in den Ruhestand zurück. Er starb auf seinem Gute Kerstin am 25. April 1661. Er war mit Hedwig Maria v. Budden vermählt gewesen.

Franz Christoph v. M., ein Sohn des *Franz Heinrich* v. M., Erb-
herrn auf Paplow, Petershagen u. s. w., stand im Jahre 1729 bei dem
Füsilierregimente v. Dossow, und hatte es nach 18jähriger Dienstzeit
bis zum Hauptmann gebracht. Im Jahre 1740 ward er Major, 1743
Oberstlieutenant, 1745 Oberst und Commandeur des Regiments v.
Lestwitz, 1748 aber Chef des v. Puttkammer'schen Garnisonregiments.
Er starb am 10. Octbr. 1759 zu Schweidnitz mit Hinterlassung eines
Sohnes, nachdem er von 1741 an den Feldzügen in Pommern, Schle-
sien, Böhmen und Preussen beigewohnt hatte.

Paul Anton v. M., geboren 1708 in Pommern, trat 1723 in preuss.
Dienste, ward 1741 Prem.-Lieutenant bei dem neuerrichteten Füsilierregiment du Moulin, 1750 Capitain, 1756 Major und Commandeur
eines Grenadierbataillons. In der Schlacht bei Breslau 1757 wurde
er so schwer verwundet, dass er erst im Jahre 1761 davon genas und
weiter diente, worauf er in demselben Jahre zum Obersten befördert
wurde. In der Belagerung von Schweidnitz 1762 wieder gefährlich
verwundet, trat er 1763 in den Ruhestand.

Heinrich v. M., geboren 1696 in Pommern, nahm 1714 bei dem
Regimente v. Schwendi Dienste, ward 1720 Sec.-Lieutenant, 1721

v. Zedlitz Adels-Lex. III.   23

Adjutant, **1723** Prem.-Lieutenant, **1734** Hauptmann, **1743** Major, **1744** Oberstlieutenant, **1746** Oberst und Commandeur des Regiments, **1756** Generalmajor und Chef des Regiments v. Jeetz, **1758** aber Generallieutenant, und **1759** Ritter des schwarzen Adlerordens. Im Jahre **1757** sah er in der Schlacht bei Prag den Generalfeldmarschall Schwerin den Heldentod sterben; er nahm ihm die Fahne aus der Hand, und gab sie dem nächsten Junker, doch in demselben Augenblick streckte auch diesen eine Kugel nieder. Trotz dieser grossen Gefahr bewies er bis ans Ende der Schlacht eine ausserordentliche Geistesgegenwart. Im Septbr desselben Jahres ernannte ihn Friedrich der Grosse zum commandirenden General sämmtlicher preussischen Truppen in Pommern. Hier traf er mit vieler Umsicht so zweckmässige Anstalten, dass er den weit überlegnen Feind nicht nur in Schranken hielt, sondern ihn auch zurücktrieb. Als die Preussen in Anclam von den Schweden überfallen wurden, erhielt er sogleich drei Wunden, worauf er als Gefangener fortgeführt wurde. Hier blieb er bis zum Friedensschlusse. Nach der Auswechselung nahm er seiner vielfachen ehrenvollen Wunden und seines Alters wegen seinen Abschied, und starb am 10. Juli 1778, in einem Greisenalter von 82 Jahren, auf seinem Gute Collatz. Im Jahre 1806 stand ein Major v. M. im Regimente v. Tschepe, der im Jahre 1823 als Oberstlieutenant im Pensionsstande gestorben ist. — Im Regimente v. Prittwitz diente ein v. Manteufel; er wurde im Jahre 1809 als Rittmeister bei der Cavallerie in Schlesien dimittirt, erhielt 1825 den Charakter als Major, und hatte sich im Erlebacher Thale den Militair - Verdienstorden erworben. — Im Jahre 1815 starb der frühere Oberst und Commandeur des 3. Musketierbataillons im Regiment v. Zenge. — Ein v. Manteufel, genannt Zögen, der früher im Regimente vacant v. Borcko stand, erwarb sich bei Ligny das eiserne Kreuz 2. Cl., und ist gegenwärtig Major und Commandeur des 3. Bataillons im 6. Landwehrregiment. — Im königl. Civildienste steht jetzt *Hans Karl*, Freiherr v. M., als Chef-Präsident des Oberlandesgerichts zu Magdeburg. Er ist mit Isabelle Johanne Wilhelmine, Gräfin zu Lynar, früher verwittwet gewesene Gräfin v. Wartensleben, vermählt; — und der Landrath des Kreises Luckau, Freiherr v. M.

Die v. M. führen im silbernen Schilde einen rothen breiten Querbalken, und auf dem gekrönten Helme zwei schwarze Adlerflügel. Die Helmdecken silbern und roth. Dieses Wappen giebt Siebmacher III. S. 166. v. Meding beschreibt es II. No. 527. Nachrichten über dieses alte Geschlecht giebt Micräl. S. 501. Gauhe, I. S. 969 — 72. Krohne, II. S. 306 — 317. und S. 441. u. f. Sinapius, I. S. 154. II. S. 145 — 147.

Marck, die Herren von.

Eine adelige Familie v. Marck, die zuweilen auch v. Margk geschrieben wird, gehört Pommern an. Sie ist im Bütowschen begütert gewesen, wo namentlich noch in den letzten Decennien des vorigen Jahrhunderts *Ludwig Wilhelm* v. Marck einen Theil des Dorfes Modro (Modrzewo) besass.

Diese Familie führt in einem der Länge nach gespaltenen blauen Schilde, in dem rechten Felde eine rothe Rose, in dem linken Felde drei über einander stehende goldene Sterne, und auf dem Helme einen halben silbernen Mond.

*

Marck, die Herren von der.

Ein altes westphälisches und niederrheinisches Geschlecht, aus welchem viele Mitglieder im preuss. Civil- und Militairdienst gestanden haben. — Der Major v. d. M. erwarb sich während der Belagerung von Danzig 1807 den Verdienstorden; früher hatte derselbe in der niederschlesischen Füsilierbrigade gestanden, und zuletzt bekleidete er den Posten eines Salzfactors in Bunzlau. — In der Gegenwart stehen im preuss. Staatsdienste der Landrentmeister bei der Regierung zu Arnsberg, v. d. M., und der Intendanturrath beim 8. Armeecorps, v. d. M.; der letztere ist Ritter des eisernen Kreuzes am weissen Bande mit schwarzen Streifen.

Diese Familie führt im goldenen Schilde ein in der Mitte liegendes, aus drei Reihen (jede zu neun Steinen), geformtes Schach, und auf dem Helme zwei Widderhörner; das rechte ist roth und silbern geschachtet, das linke golden. Siebmacher giebt dieses Wappen II. S. 121. v. Meding beschreibt dasselbe I. No. 509. Nachrichten giebt v. Steinen, westphälische Geschichte, I. Theil, Tabelle 14. No. 2.

Marconnay, die Herren von.

Ein altadeliges vornehmes französisches Geschlecht, von dem verschiedene Zweige sich zur Zeit der Religionsunruhen aus ihrem Vaterlande flüchteten, und in Deutschland, namentlich auch in den Landen Friedrich Wilhelm's, Kurfürsten von Brandenburg, eine Zuflucht und Aufnahme fanden. — Ein Herr v. Marconnay, der in dem Infanterieregimente v. Möllendorf zu Berlin stand, verliess im Jahre 1806 eigenmächtig die preuss. Fahnen, und diente zuerst in dem Isenburg'schen Corps, später trat er in die Dienste des Königs der Niederlande.

Mardefeld, die Freiherren von.

Mit dem Könige Gustav Adolph von Schweden kam ein geschickter Ingenieur-Offizier, Namens Konrad Maasberg, nach Deutschland, er stieg von Stufe zu Stufe bis zur höchsten militairischen Würde. Im Jahre 1646 wurde er unter dem Namen von Mardefeld geadelt, und am 9. Juni 1677 in den Freiherrnstand erhoben. Er erwarb in Pommern die Güter Vanselow, Plötz und Siedenbüssow, und starb im 76. Jahre seines Alters. Sein Sohn war *Axel Arwed* v. Mardefeld, königl. schwedischer General en chef, und Oberst eines Infant.-Reg. *Gustav*, Freiherr v. Mardefeld, geb. 1664, war landgräfl. hessen-kasselscher Geheimer Rath; er trat 1711 in derselben Eigenschaft in die Dienste des Königs Friedrich I. von Preussen, der ihn zum Kammerherrn ernannte, und als Gesandten und bevollmächtigten Minister an den kaiserlichen Hof nach St. Petersburg schickte. Er vermittelte hier mit Thätigkeit und Gewandtheit die Friedens-Unterhandlungen mit Schweden und wurde dafür vom Czar mit dem Andreas-Orden, und von seinem Monarchen, dem König Friedrich Wilhelm I., mit dem schwarzen Adlerorden geschmückt. Auch hatte der König Friedrich I. schon am 15. Decbr. 1712 den Freiherrnstand desselben durch ein Diplom anerkannt. Im Jahre 1720 erfolgte seine Ernennung zum wirklichen Geheimen Staats-Kriegs- und Cabinetsminister, auch zum Präsidenten der Kammer in Magdeburg. Es verzögerte sich jedoch

23 *

seine Ablösung vom Gesandtschaftsposten bis zum Jahre 1724. Sein
Tod erfolgte 1728. In St. Petersburg hatte ihn sein Neffe, der Freiherr *Axel* v. Mardefeld, ersetzt. Dieser ward 1742 wirklicher Geheimer Staatsrath, und 1747 auf wiederholtes Ansuchen von seiner Ge-
sandten-Stelle zurückgerufen, in's Cabinetsministerium gesetzt, und
mit dem schwarzen Adlerorden geschmückt. Er starb aber schon 1748.
Seitdem ist der Name v. M. nicht mehr bei uns vorgekommen.

Die Freiherren v. Mardefeld führten ein quadrirtes Schild mit
einem Herzschildlein. Im 1. blauen Felde ist eine aus den Wolken
kommende Hand, die einen Lorbeerkranz, durch welchen ein Feld-
herrnstab gezogen ist, hält, vorgestellt, im obern rechten Winkel
des Feldes schwebt eine Königskrone; im 2. goldenen Felde steht ein
nach der rechten Seite aufspringender schwarzer Greif, im 3. ebenfalls goldenen Felde sind drei brennende Granaten, oben zwei, unten
eine, angebracht, im 4. blauen Felde zeigt sich der Lauf einer Kanone
zwischen vier in's Andreaskreuz gelegten Lanzen, mit roth und goldenen Fahnen. Im Herzschildlein, das schräg in Blau und Gold getheilt ist, steht ein nach der rechten Seite aufspringender weisser Mar-
der. Dieser ist verkürzt auf der Krone des rechten Helmes, zwei
Fahnen (grün und golden gestreift) haltend, wiederholt. Der linke
Helm trägt einen sitzenden, eine Granate haltenden schwarzen Adler.
Die Decken sind blau und golden.

Marées, Herr von.

In preuss. Diensten steht zu Elberfeld der Landgerichtsrath v. Marées. Es ist ein Sohn des am 6. April 1833 zu Dessau verstorbenen
herzoglichen Cabinetsraths de Marées.

Marescotti, Herr von.

Ein italienischer Edelmann dieses Namens, gegenwärtig in Bo-
logna lebend, war im Jahre 1806 königl. preuss. Major unter den
Titulair-Offizieren der Armee.

Marquart (dt), die Herren von.

1) Eine adelige Familie dieses Namens gehört den braunschweig-
lüneburgischen Landen an.

2) Kaiser Leopold I. ertheilte im Jahre 1721 dem berühmten Rechtsgelehrten und kaiserl. Kammergerichtsassessor *Johann* Marquart einen
Adelsbrief.

3) Die altadelige Familie v. Marquardt in Schlesien, die im Neisseschen und im Striegauischen ansässig war, und hier namentlich einen Antheil von Preilsdorf besass. Eine Linie derselben blüht noch
gegenwärtig in Böhmen. — Diese Familie führt im rothen Schilde
ein silbernes, aus einer goldenen Krone hervorspringendes Pferd. Dasselbe wiederholt sich auf dem gekrönten Helme zwischen zwei Büffelhörnern, von denen das rechte oben golden, unten schwarz, das linke
oben roth, unten silbern ist. Helmdecken rechts golden und schwarz,
links roth und silbern. M. s. Sinapius, I. S. 628. II. S. 801. Der
Kaiser Leopold I. ertheilte *Johann* v. Marquart, der Ritter des
venetianischen Marcus-Ordens geworden war, eine Vermehrung seines
Wappens. Seitdem führt diese Familie ein quadrirtes Schild; im 1.

und 4. blauen Felde zeigt sich der Marcus-Löwe, oder ein geflügelter, goldener Löwe, mit einem Scheine auf dem Kopfe, und beide Augen zeigend, auch ein Kreuz haltend. Im 2. Felde befindet sich das oben angegebene Stamm-Wappenbild, und im 3. goldenen Felde ein links gekehrter, aufgerichteter schwarzer Bär, einen Stab haltend.
4) Eine adelige Familie von Marquart in Preussen. Sie besass in dieser Provinz das Gut Mitzullen.
Nicht bekannt ist es uns, zu welcher dieser verschiedenen Familien der wirkl. Geheime Kriegsrath und Ritter v. Marquardt, früher beim Kriegs-Ministerium angestellt, gehörte.

Marschall, die Grafen, Freiherren und Herren von (Erbmarschälle in Thüringen).

Ein uraltes in Thüringen blühendes Geschlecht, das seinen Namen von dem officio palatino herleitet, welches dasselbe am Ende des 12. Jahrhunderts unter den Landgrafen zu bekleiden begann. Nach den meisten Historiographen Thüringens war der ursprüngliche Name der Marschälle „von Ebersberg" und scheint von einem Schlosse am Harz entlehnt zu sein, das (Albinus Geschlechte der Grafen und Herrn von Werthern) ehedem der Sitz einer gleichnamigen Grafschaft war. Demnach ist nicht zu bezweifeln, dass die Urahnen der Marschälle Dynasten waren, um so weniger, als aller Wahrscheinlichkeit gemäss, den vornehmsten Geschlechtern die Würde eines Erbamtes anvertraut wurde. Schon im 13. Jahrhunderte verschwindet der Name von Ebersberg, und während man in dieser Periode noch zuweilen findet: „Heinrich Marschalk von Ebersberg" oder Heinrich von Ebersberg, Marschalk, wurde nun die im letztern Namen ausgedrückte Würde allein zum Geschlechtsnamen. Man findet z. B. Heinrich, Rudolph, Albert, die Marschälle. Als sich später das Geschlecht weiter ausbreitete, nahmen die verschiedenen Linien die Namen ihrer Güter an, um sich zu unterscheiden. So entstanden die Marschälle von Gosserstedt, Gutmanshausen, Holzhausen.
Das Geschlecht der Erbmarschälle in Thüringen (an welchem Erbamte der königl. Kammerherr, Julius August und Karl Adolph Friedrich Marschälle auf Altengottern, von der ältern Linie, die Grafen Theodor und Friedrich August Marschälle auf Burgholzhausen, von der jüngern Linie, die gesammte Hand und Mitbelehnschaft haben) zerfällt in die Hauptlinien Herrngosserstedt und Burgholzhausen, die sich schon seit Jahrhunderten trennten.
Im Jahre 1227 begleitete Heinrich, Marschalk von Ebersberg, Ludwig den Heiligen nach Palästina.
Im Jahre 1242 war Cunemund Marschalk Mönch im Kloster Georgenthal.
Im Jahre 1318 war Rudolph Marschalk ein getreuer Minister Landgraf Friedrich des Freudigen.
Im Jahre 1403 starb Rudolph Marschalk und wurde bei den Barfüssern in Erfurt begraben, wie sein noch vorhandenes Epitaphium bezeugt.
Im Jahre 1431 wurden Heinrich und Gerhard, die Marschälle, mit dem Schlosse Ischerstedt beliehen.
Ein Sohn dieses Gerhard, Namens Heinrich, war zu Anfange des 15. Jahrhunderts Abt zu St. Georgen in Naumburg.
Im Jahre 1436 kaufte Rudolph Marschalk die Hälfte der Herrschaft Niederkranichfeld. Er wurde nach der Niederlage der Hussiten bei

Brix von Friedrich dem Sanftmüthigen, Kurfürsten von Sachsen, zum Ritter geschlagen und begleitete den Herzog Wilhelm von Sachsen 1461 zum heiligen Grabe.

Wolf auf Herrngosserstedt, Ritter, des Kurfürsten Moritz zu Sachsen Landrath und Hofrittmeister. Sein Sohn *Rudolph* war Kaiser Rudolph II. Kriegsrath und Oberster über ein deutsches Regiment zu Ross; der Kaiser beklagt in einem Schreiben an den damaligen Administrator von Kursachsen, den Herzog Wilhelm von Weimar, den Tod dieses Marschalls mit den Worten: „Des Obersten Marschalls Absterben ist uns leyd, bevorab wir Denselben die zeithero allbereit als einen ritterlichen, erfahrnen und aufrichtigen Kriegsmann und also erkannt, dass er uns und dem Reich wider den gemeinen Erbfeind, trefflich und rühmlich, noch mehr hätte dienen können." Er hinterliess zwei Söhne, *Wolf* und *Ludwig Ernst.* Der ältere, *Wolf* auf Herrngosserstedt u. s. w., war kurfürstl. sächsischer Oberster zu Ross und Hauptmann der Aemter Langensalza und Weissensee. Der jüngere, *Ludwig Ernst,* wurde Statthalter der gefürsteten Grafschaft Henneberg, und rettete im Jahre 1634 die Stadt Schleusingen von Plünderung und Einäscherung, indem der Croatengeneral Graf Isolani in ihm einen Jugendfreund entdeckte. Er brachte Schwarzbach und Brattendorf in sein Haus, und wurde der Stifter einer Herrngossersteldter Nebenlinie, die im Jahre 1779 mit dem sächsischen hildburgh. Geheimen Rathe und Landschaftsdirector *Christian Friedrich* erlosch.

Rudolph Levin, ein Sohn obigen Wolfs, brachte durch Vermählung mit Anna Gertrud, Adolph Georgs von Tagen Tochter und Erbin, im Jahre 1616 Altengottern an das Geschlecht. Er war Kammerherr der Kurfürsten zu Sachsen, Johann Georg I. und II., und trug bei den Funeralien des gedachten Kurfürsten als Erbmarschall die thüringsche Fahne. Sein Sohn, *Levin Adolph* auf Altengottern und Schönstedt, legirte 10,000 Thlr. zu Stipendien für arme Studirende auf der Universität Wittenberg.

Wolf Adolph, ältester Sohn Rudolf Levins, stiftete durch Heirath mit der Erbtochter Georg Adams von Brand, die Linie zu Brand und Hesselbach im Voigtlande, wurde Ritterhauptmann im Fürstenthume Baireuth, und seine Nachkommen nahmen in Bezug auf die Qualität erwähnter Güter als Reichsritterschaftliche, den Freiherrntitel an.

Friedrich August aus dem Hause Altengottern starb im Jahre 1758 als Gouverneur der Insel Ceylon.

Der Sprosse einer schon seit Jahrhunderten von der herrngosserstedter abgezweigten und mit Dannheim im Schwarzburgischen ansässig gewesenen, jetzt aber in Kurhessen begüterten Linie, ist der kurhessische Generallieutenant und sonstige Commandant von Cassel, *August Ludwig Ernst,* geb. im Jahre 1759.

Wolf Dietrich Marschall auf Burgholzhausen (gest. 1675) war ein Mitglied des Palmordens oder der fruchtbringenden Gesellschaft. Sein Enkel, *Ernst Dietrich* auf Burgholzhausen, Tromsdorf und Pauscha (geb. 1692) war kaiserlich königl. wirkl. Geheimer Rath, General-Feldmarschall, des Militair-Maria-Theresienordens Grosskreuz, Oberster über ein Regiment zu Fuss, Gouverneur von Luxemburg, vertheidigte 1758 Olmütz rühmlichst und ward 1760 vom Kaiser Franz I. in den Reichsgrafenstand erhoben.

Gegenwärtig ist *Julius August* v. Marschall auf Altengottern, königl. preuss. Kammerherr und Johanniterritter.

Das Wappen der Marschälle zeigt im silbernen Felde zwei rothe Scheeren.

Marschall (von Biberstein), die Herren.

Das vornehme Geschlecht der Marschalle v. Biberstein gehört ursprünglich Sachsen und namentlich Meissen an, wo schon bei den ältesten Markgrafen eine Linie des alten Hauses Biberstein das Erbmarschallamt bekleidete. Schon im 13. und 14. Jahrhunderte kommen viele Ritter aus diesem Geschlechte vor, die mit hohen Magistratswürden bekleidet waren. Uebrigens erscheint der frühere Hauptname Marschall allein, und der Rittersitz Möckeritz als der Stammsitz derselben. Sie erhielten im Jahre 1368 die förmliche Belehnung über denselben. Erst später erwarben sie das Schloss Biberstein bei Freiberg und von da an nannten sie sich Marschall v. Biberstein. Das Schloss Biberstein kam darauf an das Haus Schönberg, dagegen erwarben die Marschalle v. Biberstein ansehnliche Güter im Magdeburgischen, in Preussen und in andern Provinzen. In dieser letzteren Landschaft besassen sie Gross- und Klein-Gnie, Eichen, Dwillinen, Friedrichsfelde und Numaiten. Von diesem uralten Geschlechte findet man schon *Heinrich* Marschall, der im Jahre 1198 dem meissnischen Landtage auf dem Culmberge beiwohnte, die ordentliche Stammreihe aber beginnt mit *Heinrich* Marschall von und zu Biberstein, der um das Jahr 1498 lebte. — Sein Sohn, *Nicolaus* M. von und zu B., Herr auf Hermsdorf und Debschitz, überliess das Stammhaus Biberstein um das Jahr 1510 verkaufsweise denen v. Schönberg. — Ein Vermehrer seines Geschlechts war *Alexander* M. von und zu B., Herr auf Hermsdorf, Korn und Malitz, kursächsischer Obersteuereinnehmer, der sieben Söhne hinterliess, die in sächsischen, namentlich in merseburgischen, weissenfelsischen, auch in braunschweigschen und polnischen Diensten sich Ehrenstellen und Verdienste erwarben. Vorzüglich sind die beiden jüngsten Söhne hier anzuführen, besonders *Moritz* M. v. B., der als wirkl. Geheimer Rath und gesammter Obersteuereinnehmer starb, und *Georg Hiob* M. v. B. auf Hederleben, der fürstl. sächsisch-magdeburgischer Oberhofmarschall, Domherr und Senior des Erzstifts zu Magdeburg und im Jahre 1668 Abgesandter auf dem Reichstage zu Regensburg war, und fünf Söhne hinterliess. Ein Sohn des ebenerwähnten *Moritz* war *Johann August* M. v. B., der am 18. Juli 1736 als königl. preuss. wirkl. Geheimer Staatsrath und Staatsminister starb. Er war im Jahre 1711 zur Würde eines wirkl. Geheimen Raths und Ober-Heroldmeisters gelangt und hatte auch den wichtigen Posten eines ausserordentlichen Gesandten und bevollmächtigten Ministers am englischen Hofe bekleidet; eben so erschien er auch als Bevollmächtigter bei dem Utrechter Friedenscongress (171?). Schon im Jahre 1706 hatte ihn König Friedrich I. mit dem schwarzen Adlerorden geschmückt. — Im preuss. Militairdienste haben sich ausgezeichnet:

Conrad Leberecht Marschall v. B., der als königl. Generallieutenant und Erbherr auf Reichsstädt und Bethenhausen starb. Er hatte erst in sachsen-gothaischen, dann in würtembergischen Diensten gestanden, und als die Herzogin von Würtemberg im Jahre 1741 ein Dragonerregiment in preuss. Dienste treten liess, ward er darin Oberst und Commandeur. Im Jahre 1745 wurde er zum Generalmajor und 1753 zum Generallieutenant befördert. Er hatte auch 1752 die Amtshauptmannschaft zu Acken, Calbe und Gottesgnade erhalten und starb am 28. Januar 1768 zu Berlin. Er war zweimal vermählt gewesen; 1) mit Wilhelmine Friederike Gayling v. Altenheim und 2) mit einer v. Treskow. In letzter Ehe wurden ihm zwei Söhne und zwei Töchter geboren.

August Friedrich M. v. B., der im Jahre 1767 als Oberst und Chef eines Grenadierbataillon starb.

Gegenwärtig steht ein Offizier dieses Namens im 33. Infanterieregimente zu Thorn.

Die Marschalle v. Biberstein führen im silbernen Schilde ein rothes Gitterwerk und auf dem mit einem Bunde belegten Helme zwischen zwei silbernen Büffelhörnern eine rothe mit sechs Hahnenfedern geschmückte Säule. Dieses Wappen giebt Siebmacher, I. S. 155. M. s. auch v. Uechtritz, diplomat. Nachrichten V. S. 110—15. Gauhe, I. S. 977. v. Krohne, I. S. 329—35. II. S. 320. 442.

Marsleben, die Herren von.

Die von Marsleben oder Marsleven gehörten zum alten ritterbürtigen Adel im Herzogthume Magdeburg. Sehr bekannt ist es, dass aus demselben stammte: *Conrad* v. Marsleven, zuerst Domherr von Magdeburg, sodann Bischof und Patriarch von Aquileja. Noch merkwürdiger ist es, dass aus dieser Familie *Suidguirus*, zuerst Domherr zu Halberstadt und 1042 Bischof zu Bamberg stammte. Im Jahre 1046 wurde er sogar zum Papst gewählt, er zog es aber vor, zu den Kindern seines deutschen Kirchsprengels oder Bisthums zurückzukehren. Seit Jahrhunderten schon ist dieses edle Geschlecht erloschen. M. s. Zedlers Univers.-Lexic. P. XIX. S. 1773. Gauhe, Anhang S. 1677. Abels sächsische Alterthümer, II. Th. C. I. §. 19.

Martines, die Herren von.

Ein adeliges waadtländisches Geschlecht, aus welchem zuerst *Michael*, 1440 bekannt als Schloss- und Amtshauptmann (Castellan) von Aubonne, vorkommt. Ein anderer Martines war Castellan zu Morges ums Jahr 1757; am 19. August 1692 huldigte die Edle Herrin Louin v. Crousaz von Crissier, Wittwe des Edlen *Johann Franz* v. Martines und Tochter des verstorbenen Edlen Claude v. Crousaz, Herrn zu Prilly, Crissier mit ihrem Schwiegersohne *Jacquet Nikolaus* v. Martines, Sohn des verstorbenen *Jacques* v. Martines, Herrn v. Sergis, der regierenden Stadt Bern, lehnsgemäss, wegen der Herrschaft Crissier und adeliger Güter und Herrschaftsrechte zu Laosanne, Pülly, Romanel, Ecublans, Chavannes, Regnens, Rapes, Chailly, Lutry, Paudex, Rochart, Mont, Villars St. Croix u. a. m.

In der Waadt hat diess Geschlecht ausser obigen Herrschaften und Gütern die Herrschaften Reverolle, Courtilles, Sergier, Bourgeaud, Pally und die Mitherrschaft von St. George besessen. Sie hat dem Auslande verdiente Krieger gegeben, von denen sich namentlich verewigt haben: *Franz Peter*, geb. 1721 zu Morges, königl. franzős. Brigade-General, starb 1790, *Jacquet Imbert*, Herr zu Reverolles, geb. 1710, Generalmajor in holländ. Diensten 1772, starb 1776, *Johann Ludwig*, Herr zu Bourgeaud, geb. 1712, Generalmajor 1779 in holländ. Diensten, starb 1784. Ein v. Martines war unter dem Namen v. Crissier (dieser Herrschaft) 1793 Hauptmann im königl. preuss. Bataillon v. Troschke.

Das Wappen enthält im rothen Felde einen Drudenfuss oder ein Alpenkreuz. Das Attribut ist Accordise (man verwechsele nicht das Attribut, eine geschichtliche volksthümliche Bezeichnung, mit dem Geschlechterwahlspruche).

Martitz, die Herren von.

Die v. Martitz gehören zu dem alten märkischen Adel, und besassen in dem zur Neumark gehörigen Kreise Arnswalde die Güter Rahnwerder, Spiegel, Butow, Mellen u. s. w. — Ein Oberstlieutenant v. Martiz stand 1806 im Husarenregimente v. Usedom, er hatte sich im Jahre 1794 in Süd-Preussen den Verdienstorden erworben.

Marval, die Herren von.

Eins der alten adeligen Geschlechter in der Stadt, in dem Fürstenthume und Canton Neufchâtel, welches seinen Ursprung von Genf hat. *Mermet* war 1464 Syndicus der Stadt Genf, und *Peter* besass verschiedene bischöfliche Lehne, Letzterer wurde Vater von *Peter*, Domherrn zu Genf, *Andreas* bischöflichem Vicar (1473) und *Petermann*, der 1496 Rathsherr war, und einen Sohn *Nikolaus* hatte, der eine gleiche Stelle bekleidete, und Vater von *Franz*, der 1573 als pensionirter Hauptmann starb, wurde. *Franz's* Sohn, *Johann*, zog 1590 nach Neufchâtel und wurde Vater von *Franz* II., der als Hauptmann in savoyschen Diensten stand, 1648 vom Herzog v. Longueville Fürsten v. Neufchâtel, eine Adelsbestätigung und die Castellanstelle von Boudry erhielt, Staatsrath, und 1656 Schatzmeister wurde. Sein Sohn *Ludwig* trat 1640 in kön. französ. Dienste, ward 1652 Gardehauptmann und blieb 1654 im Zweikampfe zu Rheims. Die Gardecompagnie blieb erblich bei seiner Familie, bis sie 1668 abgedankt wurde. Des letztgedachten *Ludwig* Bruder, *Samuel*, wurde 1694 Staatsrath und Mayer der Stadt Neufchâtel, war 1707 Beisitzer des souverainen Gerichts der 3 Stände bei der Wahl König Friedrich I. von Preussen und starb als ältester Staatsrath 1733; von seinen Söhnen wurde *Ludwig* Vater von *Samuel*, der 1733 Mayer von Cortaillod und 1740 Staatsrath wurde; *Franz* aber, geb. 1692, starb 1773 als königl. französ. Brigade-General und Ritter vom Kriegsverdienstorden.

Marwitz, die Herren von der.

Dieses uralte vornehme Geschlecht gehört ursprünglich den Marken und Pommern an. Die erste Urkunde, welche dasselbe erwähnt, ist der Stiftungsbrief des Doms zu Soldin vom 30. Mai 1298, von Markgraf Albrecht V. (aus dem anhaltschen Hause). Diese Urkunde haben *Zabel* und *Henning* v. Marwitz als Zeugen unterschrieben. Sie schliesst mit folgenden Worten: „Ut autem omnia haec in perpetuo maneant, et inconvulsa, praesentes inde confectas sigillo nostro jussimus communiri. Testes quoque hujus sunt Betheco de Jagow, Reineke de Wulkow, *Zabellus* et *Henningius* de Marwitz etc."

Ob damals schon die Erneuerung des Geschlechtes eingetreten war, welche allen v. d. Marwitz bekannt und durch ihr Wappen aufbewahrt ist, oder ob sie später erfolgte, ist unbekannt. Die Sage lautet nämlich: Von dem ganzen Geschlechte sei nur eine einzige Jungfrau übrig geblieben. Wie diese zum mannbaren Alter gelangt sei, und auch einen Brautwerber gefunden habe, sei sie darüber betrübt geworden, dass ihr Name und ihr Geschlecht aussterben werde. Sie sei deshalb an den Hof des Kaisers gereist, habe ihren Gram vorgestellt, sich ihm zu Füssen geworfen, sich die Haare ausgerauft, und gebeten, dass, wenn ihre Ehe mit Kindern gesegnet würde, sel-

Lige den Namen und das Wappen der v. Marwitz fortführen dürften.
Der Kaiser habe ihre Bitte gewährt, und wie sie denn wirklich Söhne
bekommen, habe er befohlen, dass selbige von *der* Marwitz heissen,
und das alte Wappen, einen goldenen Baumstamm im blauen Felde,
dergestalt vermehrt fortführen sollten, dass dieser Stamm neun Sprossen treibe (revirescit steht bisweilen darunter), und als Helmschmuck
die Jungfrau zwischen die Flügeln des kaiserlichen Adlers gesetzt
werde, welche sich die Haare ausrauft.

Einige bilden letztere auch so ab, dass sie sich den Brautkranz
aufsetzt, so dass jenes die Erscheinung vor dem Kaiser im Kummer,
dieses aber die Zubereitung zur Vermählung, nach Erhörung ihrer
Bitte, versinnlichen würde.

Wahrscheinlich ist es, dass die v. d. Marwitz ihren Namen von
dem alten Stammgute Marwitz bei Landsberg an der Warthe bekommen, oder ihn demselben gegeben haben, denn Alles was man von ihnen weiss, zeigt, dass sie beständig in jener Gegend gewohnt und
gewirkt haben. Die noch vorhandenen Lehnbriefe von 1614 (Kurfürst
Johann Sigismund) bis 1714 (König Friedrich Wilhelm I.), zeigen,
dass sie diese Zeit hindurch die Güter Grünrade, Beerfelde, Sellin,
Balbin halb, den Warnitz-See, Neuen-Zaatoch sammt dem halben
Städtchen Bennewitz, Pyrehne, Hohenwalde, Tornow, Marwitz, (sammt
dem Dammbruch, bis so weit als das Feld zu Schönfelde und der
Marwitz geht und sich streckt), endlich Schönfelde und Kahnsdorf
ununterbrochen besessen haben.

Ob folgende Orte: Marwitz im Havellande, unweit Kremmen.
Marwitz in Pommern an der Oder, Gartz gegenüber. Gross- und
Klein-Marwitz in Ostpreussen bei Preussisch-Holland, Marwitz bei
Braunschweig, welches 1480 *Kaspar* v. d. Marwitz gehörte, dessen
Sohn *Wolff* nachher Gross-Voigt in Wolfenbüttel war, und ein Mar-
witz in Böhmen unweit Chrudim, von den Marwitzen erbaut worden,
oder woher sonst der Name, ist unbekannt.

Ausserdem besass die Familie (nach Gundling) im Jahre 1724
noch in der Neumark Gleissen, Liebenfelde, Dölzig, Hohen-Lübbi-
chow und Bellinchen.

In Gleissen befindet sich noch gegenwärtig das v. d. Marwitzsche
Wappen auf Glas gemalt in der alten Kirche.

Forner in der Mittelmark und zwar in Lebus, Friedersdorf und
Clessin. In Berskow Gross- und Klein-Rietz, Rassmannsdorf, Birk-
holz und Drahendorf. In Nieder-Barnim Lohme. In Ober-Barnim
Weesow. In Teltow Diedersdorf: In der Zauche Kemnitz und Föben.

Welches die directen Nachkommen der vorerwähnten *Zabel* und
Henning v. d. Marwitz gewesen sind, weiss man nicht, wohl aber,
dass 1403 *Konrad* von der Marwitz, wie der nachherige Kaiser Sigismund die Neumark dem deutschen Orden, und dessen Hochmeister
Konrad v. Jungingen verpfändete, mit anderen von der Ritterschaft
Zeugniss ablegte, dass die ganze Neumark, so weit sie von der pommerschen Grenze, der Oder und Warthe sich erstreckte, dem deutschen Orden gehuldigt habe.

Ferner ist bekannt, dass *Alexander* oder *Zander* v. Marwitz Landvogt
der Neumark für den Orden war und als solcher 1420 den v. Sydow ihr
Lehn über Fürstenfelde bestätigte. Zwar will Herr Wohlbrück in seiner Geschichte des Bisthums Lebus behaupten, dieser Landvogt sei
ein bürgerlicher gewesen und habe Alexander Machewitz geheissen,
also stelle es im Codex diplomaticus polonicus. Es ist aber den Sitten jener Zeit zu sehr entgegen und daher nicht glaublich, dass ein
Bürgerlicher, und wenn er auch ein ganz freier Mann gewesen, als
Landvoigt die ganze Provinz regiert, also ritterbürtige Leute beherrscht

und sie statt des Landesherrn belehnt habe; dazu musste man offenbar selbst ein ritterbürtiger Mann sein, und daher ist eine unrichtige Schreibung des Namens weit glaublicher, als eine solche Anomalie.

Otto v. d. Marwitz war 1466 unter denen, die den soldinschen Vertrag unterzeichneten, und Kurfürst Friedrich II. bestätigte ihm das Dorf Sellin zum Leibgedinge seiner dritten Tochter. Seitdem ist dieses Gut über 300 Jahre bei der Familie gewesen.

Zu Anfang des 16. Jahrhunderts lebte *Peter* v. d. Marwitz auf Grünrade, Beerfelde und Sellin. Er trat zur lutherischen Confession über und hielt sich schon 1529 einen eigenen lutherischen Hauscaplan. Von diesem stammen die vier Linien von Friedersdorf, Sellin, Beerfelde und von Leine in Pommern, welches letztere Gut wahrscheinlich von seinem Sohne *Moritz* acquirirt wurde und über 200 Jahre dessen Nachkommen gehört hat.

Nur die Linie zu Marwitz stammte nicht von diesem *Peter* v. M. ab, und ist erloschen. Nach einem alten Stammbaume, der alle Zeichen der Glaubwürdigkeit trägt, ist *Peter*, der Lehnsverhältnisse wegen, mit seinem Vetter *Kaspar* am 20. Juni 1550 zusammengetreten, sich der Freundschaft berechnet und den Stammbaum also zusammengetragen, damit sie und nahe Anverwandte mit den Vettern nicht ausser Gedächtniss kämen u. s. w.

Diese Linie zu Marwitz stammt von *Wulff Joachim Asmus* v. d. Marwitz auf Marwitz und Grabow. Sie ist, wie wir schon erwähnt haben, erloschen. *Peters* v. d. M. auf Grünrade, Beerfelde und Sellin Nachkommen sind sämmtlich bekannt und deren beglaubigte Stammbäume vorhanden; denn es waren von ihnen viele Ritter des Johanniterordens, auch kommen sie nach und nach in den Lehnbriefen vor. Wie wir ebenfalls gesagt haben, theilten sie sich: 1) in das Haus Friedersdorf, gegründet von *Georg* v. d. M. auf Dölzig, kurfürstl. brandenburg. Obersten, gestorben 1678. — Sein Sohn, *Hans Georg* v. d. M., war Ritter des Johanniterordens, Comthur zu Wittersheim, herzogl. anhalt-zerbster Geheimer Rath, Kammerpräsident und Hofmarschall, Herr auf Gross- und Klein-Rietz, Friedersdorf, Kinitz, Birkholz und Rasmannsdorf. Er starb 1704. — Sein Enkel, *Berndt Friedrich August* v. d. M., Hofmarschall des Königs Friedrich Wilhelm II., Herr auf Friedersdorf u. s. w., starb 1793, und dieses letztern Sohn ist das gegenwärtige Haupt dieser Linie, der unten näher erwähnte *Friedrich August Ludwig* v. d. M. auf Rüdersdorf u. s. w.

2) Das Haus Sellin gründete *Balzer* v. d. M., kurfürstl. Oberst. Sein Sohn war der unten näher erwähnte *Curt Hildebrand* v. d. M. Der letzte Besitzer der Selliner Güter war der Hauptmann *Georg Friedrich* v. d. M. — Von seinen Söhnen lebt *Johann Ludwig* v. d. M. als Major v. d. A., früher im Regimente Garde du Corps, zu Berlin, *Georg Adolph Casimir* v. d. M., königl. Oberst, wird weiter unten erwähnt.

3) Das Haus Beerfelde beginnt mit *Christian* v. d. M. — Sein Urenkel *Otto Friedrich Ludwig* v. d. M. war der letzte Besitzer von Beerfelde.

4) Das Haus Leine in Pommern beginnt mit *Berndt* v. d. M., dessen Enkel, *David Berndt Friedrich* v. d. M., letzter Besitzer von Leine war.

Die vollständigen vor uns liegenden Stammbäume ganz wiederzugeben, erlaubt uns der für das Adels-Lexicon angewiesene Raum nicht, so schätzbare Beiträge sie auch für die specielle Genealogie der Mark sind. Doch sind folgende Nachrichten, die sich auf die Vermählungen im Hause Marwitz und auf den heutigen Besitz desselben beziehen, noch hinzuzufügen:

Hans Georg v. d. M., der oben erwähnte Gründer des noch heute blühenden Hauses Friedersdorf, hatte sich im Jahre 1673 mit Maria Elisabeth v. Görzke, der ältesten Tochter des berühmten General-Lieutenants v. G. (m. s. Bd. II. S. 250 u. 251) vermählt. Nach dem im Jahre 1675 erfolgten Tode des Generals wurde Friedersdorf, welches im Jahre 1652 von den v. Pfuel erkauft worden war, das Eigenthum des Hauses Marwitz. Die gedachte Maria Elisabeth starb schon im Jahre 1684. Sie hinterliess nur drei Töchter, und Hans Georg v. d. M. vermählte sich 1687 zum zweitenmale mit Sibylla Elisabeth von Osterhausen, aus welcher Ehe ihn vier Söhne überlebten. Von ihnen bekam *August Gebhard* v. d. M. Friedersdorf und Kienitz, ein anderer Bruder erhielt die Gross-Rietzer Güter. Seine Nachkommenschaft aber ist mit seinem Sohne im Jahre 1810 erloschen. *August Gebhard* aber, der sich im Jahre 1720 mit Helene Sophie v. Löben, welche 1736 starb, vermählt hatte, pflanzte sein Geschlecht durch 7 Söhne fort, von denen ihn jedoch nur zwei, nämlich *Johann Friedrich Adolph* und *Gustav Ludwig* v. d. M., die beide zu hohen militairischen Würden gelangten, überlebten (m s. w. u.) Im Jahre 1739 vermählte sich August Gebhard zum zweitenmale mit Johanna Ulrike Freiin v. d. Goltz, einer Schwester der berühmten Freiherren v. d. Goltz, die in dem Heere Friedrichs II. zu grossem Kriegsruhme und hohen militairischen Würden gelangten. Auch mit dieser zweiten Gemahlin zeugte August Gebhard mehrere Kinder, von denen ihn wieder nur zwei Söhne überlebten, namentlich *Berndt Friedrich August* v. d. M., der schon oben erwähnte Hofmarschall König Friedrich Wilhelm II., geb. im Jahre 1740. Er war zuerst Kammerherr des Prinzen Ferdinand, Bruders Friedrichs des Grossen, auch Johanniterritter und Erbherr auf Friedersdorf. Er hatte sich im Jahre 1776 mit Susanne Sophie Marie Luise, der Tochter des Justizministers Johann Ludwig Duchat v. Dorville und Henriette v. Béville, vermählt und starb im Jahre 1793. Er hinterliess drei Söhne und vier Töchter. Sein ältester Sohn ist, wie wir schon erwähnt haben, das heutige Haupt der Familie, der Generallieutenant *Friedrich August Ludwig* v. d. M. (m. s. u.) Ein jüngerer Bruder desselben, *Christian Alexander Gustav* v. d. M., geb. 1787, stand früher in österreichischen Diensten; er focht und starb in dem Befreiungskampfe. Schon im Jahre 1813 war er schwer verwundet (und gefangen worden; er befreite sich selbst und blieb am 11. Febr. 1814 in dem Treffen bei Montmirail als Adjutant des Generals v. Pirch II. — Ein zweiter Bruder war schon im Jahre 1809 in der blutigen Schlacht von Aspern für die deutsche Sache gefallen. — Von seinen Töchtern sind zwei im jugendlichen Alter gestorben, die dritte, *Henriette Karoline Julie* v. d. M., ist an den Obersten, Grafen v. Münster-Meinhövel auf Schartow in Pommern vermählt. Die vierte, *Julie Luise Albertine*, ist die Gemahlin des königl. wirkl. Geheimen Staatsministers v. Rochow auf Rekan u. s. w. Zu hohen militairischen Würden gelangten im preuss. Heere:

Curt Hildebrand v. d. M. aus dem Hause Sellin, ein Sohn des kurbrandenburg. Oberstlieutenants und Commandanten von Cüstrin, *Balthasar* v. d. M., ward 1677 Oberst und commandirte das Infanterie-Regiment des Feldmarschalls v. Derfflinger in der Belagerung von Stettin. Im Jahre 1684 wurde er zum Generalmajor, 1689 zum Generallieutenant und 1690 zum Gouverneur von Cüstrin befördert. Er war auch Amtshauptmann zu Marienwalde und Reetz, Johanniterritter und designirter Comthur zu Lietzen. Seine Gemahlin war Beate Luise, Tochter des Generalfeldmarschalls Freiherrn v. Derfflinger, in welcher Ehe ihm vier Söhne und zwei Töchter geboren wurden.

Friedrich Wilhelm v. d. M., ein Sohn des kurbrandenburgischen

Obersten *Hans George* v. d. M., Erbherrn auf Lüssow und Bischofs-
see. Er wurde im Jahre 1679 Oberstlieutenant, 1691 Oberst, einige
Jahre darauf Brigadier, 1698 Commandant zu Oderberg und 1705
Generalmajor. Sein Tod erfolgte am 10. Juli 1716. In seiner Ehe
mit Hedwig Sophie v. Straussen erzeugte er drei Töchter.

Heinrich Karl v. d. M., aus dem Hause Sellin, ein Sohn des erwähnten Generallieutenants Curt Hildebrand v. d. M., geboren 1680,
war 1704 Stabscapitain beim Regimente v. Kanitz, 1707 Major im
kronprinzlichen Regimente, 1715 Oberst bei der weissen Grenadiergarde, 1725 Generalmajor, 1737 Generallieutenant, 1739 Ritter des
schwarzen Adlerordens, 1741 Gouverneur von Colberg, im August
desselben Jahres von Breslau und 1742 General der Infanterie. Er
starb am 22. Decbr. 1744. Schon im Jahre 1715 hatte er das Indigenat in Preussen erhalten, war 1741 in dem Treffen bei Mollwitz so
schwer verwundet worden, dass er für todt auf dem Kampfplatze liegen blieb und erst am folgenden Tage gefunden wurde, hatte 1742
zu Neisse von den oberschlesischen Ständen diesseits der Neisse und
im folgenden Jahre von den übrigen oberschlesischen Ständen die
Erbhuldigung im Namen des Königs angenommen. Seine Gemahlin
war Albertine Eleonora, Tochter des preuss. Generallieutenants von
Wittenhorst-Sonsfeld, mit welcher er einen Sohn, der ihm im Tode
vorangegangen war, und drei Töchter erzeugte.

Johann Fridrich Adolph v. d. M., aus dem Hause Friedersdorf,
ein Sohn August Gebhards v. d. M., geb. 1723, nahm im Jahre 1740
bei dem Regimente Gensd'armen Dienste, ward 1750 Lieutenant, 1756
Rittmeister, kam als Oberst und Commandeur des Regiments aus
dem siebenjährigen Kriege zurück und erhielt 1769 den gesuchten
Abschied. In den Jahren 1778 und 1779 hatte ihn der König mit
Generalmajors-Charakter zum General Intendanten und Chef des Feld-
kriegs-Commissariats bei der zweiten Armee unter dem Oberbefehl
des Prinzen Heinrich ernannt. Er starb am 14. Decbr. 1779 zu Berlin, unvermählt.

Friedrich Wilhelm Siegmund v. d. M., ein Sohn des gewesenen
Hauptmanns *Magnus Curt* v. d. M., Erbherrn auf Grabow, geboren
1726, nahm 1746 bei dem Regimente Prinz Ferdinand Dienste, und
kam als Hauptmann aus dem siebenjährigen Kriege zurück. Im Jahre
1768 ward er Major, 1777 Oberstlieutenant, 1779 Oberst, 1787 aber
Generalmajor und Chef des Regiments v. Stwolinsky. Bei vielen Gelegenheiten sich rühmlichst auszeichnend, hatte er nach der Schlacht
bei Liegnitz den Orden pour le mérite erhalten. Sein Tod erfolgte
am 22. Novbr. 1788 zu Bielefeld. Er war mit einer v. Woldeck,
Halbschwester des Generallieutenants v. Woldeck, vermählt gewesen,
in welcher Ehe ihm drei Söhne geboren wurden.

Gustav Ludwig v. d. M., ein jüngerer Bruder des gedachten Generalmajors Johann Friedrich Adolph v. d. M., geb. 1730, nahm 1746
Dienste im Regimente Gensd'armen, ward 1753 Lieutenant, 1758
Stabsrittmeister, 1759 Major, 1769 Oberstlieutenant, 1772 Oberst,
1777 Regimentscommandeur, in demselben Jahre noch Generalmajor
und Chef des Kürassierregiments v. Manstein, im Jahre 1779 aber
Generallieutenant und Chef des v. Backhofschen Kürassierregiments.
Im Jahre 1784 trat er aus dem activen Dienste. Sämmtlichen Feldzügen des siebenjährigen Krieges hatte er mit Auszeichnung beigewohnt
und war nach der Schlacht bei Rossbach mit dem Orden pour le mérite
geschmückt worden. In seiner Ehe mit Karoline Ernestine, der ältesten Tochter des Generallieutenants Karl Christoph v. d. Golz, hat
er zwei Töchter gezeugt und starb im Jahre 1797.

Otto Siegfried Albrecht Alexander v. d. M., geboren 1743, ein

Bruder des oben erwähnten Generalmajors Friedrich Wilhelm Sigismund v. d. M. Er stand im 1. Bataillon Garde als Major und wurde am 8. Januar 1795 zum Oberstlieutenant und Commandeur dieses ausgezeichneten Bataillon befördert. Im Jahre 1798 ernannte ihn Se. Majestät zum Obersten und Commandeur des Regiments v. Stockhausen, zuletzt v. Tschepe, und im Jahre 1803 zum Generalmajor und Commandanten von Glogau. Er starb im Jahre 1807.

Georg Adolph Casimir v. d. M., Oberst und Commandeur des Regiments v. Rudorf-Leibhusaren, ehemals v. Zieten, hatte sich im Gefechte bei Limbach im Jahre 1793 den Verdienstorden erworben, und in vielen Treffen und Gefechten vorzüglich ausgezeichnet. Er ist im Jahre 1823 gestorben.

Friedrich August Ludwig v. d. M., geboren im Jahre 1777, königl. preuss. Generallieutenant v. d. A., Mitglied des Staatsraths, Ritter vieler Orden, namentlich des rothen Adlerordens 2. Classe mit dem Stern, des Ordens pour le mérite mit Eichenlaub, des eisernen Kreuzes 1. Classe u. s. w., Erbherr auf Friedersdorf u. s. w. Schon mit 13 Jahren war derselbe in das Regiment Gensdarmen eingetreten, und in sehr jugendlichem Alter machte er den Feldzug in Polen mit. Nach erlangter Majorennität verliess er die militairische Laufbahn, um die väterlichen Güter anzunehmen; doch schon beim Ausbruche des Krieges 1806 trat er von neuem in die Reihen. der Vertheidiger des Vaterlandes ein, wurde als Rittmeister und Adjutant bei dem commandirenden General, Fürsten zu Hohenlohe-Ingelfingen, angestellt, und blieb an der Seite dieses edlen und tapfern, aber am Ende seiner Feldherrn-Laufbahn so unglücklichen und vielfach unrichtig beurtheilten Fürsten, bis zur Katastrophe bei Prenzlau. Herr v. d. Marwitz begab sich darauf noch im Herbste 1806 zu Sr. Majestät dem Könige nach Preussen. Er wurde ausgewechselt und im Mai 1807 zum Major befördert. An der Spitze eines selbsterrichteten Freicorps zog er mit dem nachmaligen Feldmarschall Fürsten Blücher nach Rügen. Gemeinschaftlich mit den Schweden und Engländern war ein Angriff auf die Franzosen beschlossen, als der Friede von Tilsit diesen Feldzug beendigte. Die Preussen zogen durch ein französisches Armeecorps nach Colberg, die Engländer schifften sich zu andern Bestimmungen ein, und die Schweden, nun allein da stehend, wurden geschlagen, aus Stralsund und ganz Pommern verdrängt. Das erwähnte Freicorps wurde nun aufgelöst und Herr v. d. M. begab sich auf seine Güter zurück, die unterdessen von den Franzosen, die sehr wohl mit den Verhältnissen des Eigenthümers bekannt, verwüstet worden waren. Im Jahre 1813 ergriff Herr v. d. M. von neuem zum drittenmale zur Vertheidigung des Vaterlandes das Schwert; er formirte einen grossen Theil der brandenburgischen Landwehr, wurde Chef der dritten Brigade derselben, welcher die Bestimmung wurde, Wittenberg zu blokiren. Als nach dem Waffenstillstande eine neue Eintheilung der Truppen stattfand, wurde Herr v. d. M. Commandeur der Brigade unter dem General v. Puttlitz. Sehr bekannt ist es, dass dieselbe einen Theil der Truppen ausmachte, die am 27. August den blutigen und ehrenvollen, fast bloss durch Landwehr erkämpften Sieg bei Hagelsberg unweit Belzig, unter dem Oberbefehl des Generallieutenants v. Hirschfeld, gegen den aus Magdeburg vorrückenden Generallieutenant und gegenwärtigen Marschall Gérard erfocht. Später auf das linke Elbufer detachirt, hatte Herr v. d. Marwitz die Bestimmung, die Streifereien der Magdeburger Garnison zurückzuweisen. Er reinigte dabei die Altmark vom Feinde, und am 25. Septbr. nahm er durch einen glücklichen Ueberfall die Stadt Braunschweig. Noch später standen seine Truppen vor der Festung Wesel und zwischen den Feldzü-

gen von 181$\frac{4}{7}$ war derselbe Inspecteur in der kurmärkischen Landwehr.
Aber im Jahre 1815 führte der Oberst v. d. M. eine Cavalleriebrigade
im 3. Armeecorps auf die Schlachtfelder im kurzen und letzten entscheidenden Kampfe. Nach dem zweiten Pariser Frieden, und nachdem seine Brust mit wohlverdienten Ehrenzeichen geschmückt war,
erhielt Herr v. d. M. das Commando der 5. Cavalleriebrigade in Frankfurt a. d. O., im Jahre 1817 wurde er zum Generalmajor befördert,
und im Jahre 1827 zog er sich in der Würde eines Generallieutenants
aus dem Dienste zurück, dem sein Degen immer in der Zeit der Gefahr angehört hatte. Noch in demselben Jahre wurde er in die Zahl
derjenigen hohen Staatsdiener gestellt, die durch besonderes Vertrauen
von Sr. Majestät in den Staatsrath berufen sind. Schon seit dem Jahre
1808 hatte sich der gegenwärtige Generallieutenant v. d. M. vielfach
um die ständischen Angelegenheiten verdient gemacht; ein neuer Beweis der Anerkennung seiner Mitstände war die auf ihn gefallene Wahl
zum Landtagsmarschall in den Jahren 1829 und 1831. Der Generallieutenant hatte sich im Jahre 1803 mit Karoline Francisca, Gräfin v.
Brühl, einer Tochter des am 4. Juli 1802 zu Berlin verstorbenen königl. preuss. Generals der Cavallerie, Karl Adolph, Graf v. Brühl, vermählt. Sie starb schon im Jahre 1804 im Wochenbette. Im Jahre 1809
vermählte er sich zum zweitenmale mit Charlotte Ernestine Emilie Elisabeth v. Moltke, einer Tochter des im Jahre 1815 verstorbenen Oberjägermeisters Friedrich Detlef, Grafen v. Moltke, und der bereits im
Jahre 1786 verstorbenen Charlotte Antonie, gebornen Burggräfin zu
Dohna, früher vermählten Herzogin v. Holstein-Beck. Aus der ersten
Ehe unsers Generallieutenants lebt eine Tochter, die an den Rittmeister v. Arnstedt auf Grossenkreuz bei Brandenburg vermählt ist, aus
der zweiten Ehe aber leben ein Sohn, *Bernhard*, und vier Töchter,
nachdem schon drei Söhne, zwei im Kindesalter und einer im Jahre
1833 in den blühenden Jünglingsjahren verstorben sind.

Im Jahre 1806 standen siebzehn v. d. M. in der Armee, namentlich ein Major v. d. M. im Regimente v. Kleist, der noch in demselben Jahre starb. — Ein anderer v. d. M. stand früher im Regimente
vacant v. Grävenitz; er war 1828 Major im 11. Infanterieregimente,
und hatte sich in Frankreich das eiserne Kreuz 1. Classe erworben. —
Im Regimente v. Irwing-Dragoner standen zwei Brüder v. d. M., wovon der älteste 1807 ausschied und gegenwärtig Landrath des saatziger Kreises ist (m. s. u.). — Im Regimente v. Kunheim stand ein
v. d. M., der im Jahre 1813 als Lieutenant im 1. Garderegimente zu
Fuss an ehrenvoll empfangenen Wunden starb. — Ein anderer v. d.
M., der im Regimente v. Kleist stand, starb ebenfalls als Lieutenant
im 6. Infanterieregimente an seinen Wunden. — Im preuss. Staatsdienste stehen gegenwärtig *Ludwig* v. d. M., Landrath des Kreises
Saatzig und Klostervater des Fräuleinstiftes zu Marienfliess. — Ein
anderer, *Heinrich* v. d. M., Herr auf Rützenow, ist Landrath des
Kreises Stargard und Generaldirector der hinterpommerschen Land-
feuersocietät. — Ein v. d. M. auf Wardin im Kreise Arnswalde ist
gegenwärtig Landschaftsrath.

Nachrichten über die Familie v. d. Marwitz findet man in Gauhe,
I. S. 985 u. f. Nic. Janticovii Libellus de antiquo et novo genere Mar-
witzior. Frankfort. 1610. Biogr. Lex. aller Helden und Militairpersonen, III. S. 21 u. f.

Maschkow, die Herren von.

Eine anhaltsche Familie, aus welcher im Jahre 1806 ein Mitglied
in preussischen Diensten stand, es war der Oberst und Commandeur

des 3. Musquetierbataillons im Regimente v. Plötz zu Czenstochau v. Muschkow. Er war um das Jahr 1742 in Dessau geboren, und starb im Jahre 1808.

Massenbach, die Freiherren und Herren von.

Von dem alten, ehemals zur Ritterschaft des heiligen römischen Reichs gehörigen Geschlechte, das ursprünglich Schwaben und den Rheinlanden angehört, und noch heute in den königl. baierschen und würtembergischen Staaten in verschiedenen Linien blüht, sind schon mit dem deutschen Orden Zweige nach Preussen gekommen. Hier finden wir dieses vornehme Geschlecht öfters auch v. Masbach genannt und geschrieben. Das eigentliche Stammhaus der Familie liegt im Würtembergischen; es ist das Pfarrdorf Massenbach im Oberamte Brackenheim des würtemberg. Neckarkreises, welches zur Zeit des deutschen Reichsverbandes zum Rittercanton Craichau gehörte. Eine Linie des Hauses führt gegenwärtig den Beinamen v. Gemmingen. Das Stammhaus ist gegenwärtig in dem Besitze der jüngern Linie des Hauses, der namentlich der unten näher angeführte Freiherr *Christian* v. M. angehörte, der auch in dem Familienschlosse Massenbach geboren war. Der Stammherr der preuss. Linie war *Bechtold* v. M., ein angesehener Ritter des deutschen Ordens, der mit dem Heermeister Hermann v. Salza in die östlichen Länder kam. Ein Enkel desselben, *Barthold* v. M., leistete, unter dem Ordenshofmeister Hans Truchsess zu Vitzenhausen, dem Orden wichtige Dienste, und wurde dafür mit ansehnlichen Gütern belohnt. Stutehnen, Cordammen und Pablauken, auch Rodimannshöfen bei Königsberg sind alte Besitzungen der v. M. in Preussen. — Fünf Brüder v. M., aus dem Hause Rodimannshöfen, traten um das Jahr 1660 in holländische Dienste. Vier blieben auf dem Felde der Ehre, nur *Wilhelm Albrecht* v. M. erlebte den Ausgang der Feldzüge. Er ging als Chef eines Dragonerregiments mit dem Könige Wilhelm III. nach England. Aus seinen Dragonern wurde die sogenannte blaue Garde errichtet, und ihr Führer kam nach einem vielbewegten, thatenreichen Leben nach Preussen zurück, und pflanzte hier sein Geschlecht fort. — Es haben sich im preuss. Heere vorzüglich bekannt gemacht:

Ehrhard Friedrich Fabian v. M., von der preuss. Linie. Er hatte seine militärische Laufbahn in dem Dragonerregimente v. Meyer, zuletzt v. Auer, begonnen, und war in demselben bis zum Oberstlieutenant gestiegen. Als im Jahre 1802 das Dragonerregiment v. Rouquette errichtet ward, wurde er Commandeur desselben, auch erhielt er in demselben Jahre den Orden pour le mérite. Den Feldzug von 1806 machte der damalige Oberst, bei vielen Gelegenheiten sich auszeichnend, mit; namentlich leistete er in der ehrenvollen Vertheidigung Danzigs vortreffliche Dienste, und ward nach dem Frieden Generalmajor und 1812 Generallieutenant und Commandeur der Cavallerie des v. Grawertschen Corps. Hier verdient die umsichtige Art und Weise, wie er seine Truppen, nach dem vom General v. York gethanen Schritte, dem französischen Einflusse entzog, besonders erwähnt zu werden. Als Danzig wieder in den Besitz Preussens kam, ward er zum Gouverneur dieser Festung ernannt. Im Jahre 1815 trat er mit dem Charakter eines Generals der Cavallerie in den Ruhestand, und starb am 3. Juni 1819 auf seinem Gute Johrengen bei Bartenstein.

Karl Wilhelm v. M., ein Enkel des oben erwähnten Wilhelm Albrecht v. M., und ein Sohn Karl Wilhelms v. M., königl. Landraths und Erbherrn auf Rodimannshöfen bei Königsberg in Preussen, geb. am 7. Mai 1752, der anfangs zu Königsberg studirte, sodann aber in das Dragonerregiment v. Platen trat. Im Jahre 1774 ward er als Werbeoffizier nach dem Rhein geschickt, der baiersche Erbfolgekrieg rief ihn zu seinem Regimente zurück. Hier wurde er 1783 durch Friedrich den Grossen zum beständigen Ordonnanzoffizier der Cavallerie bei Sr. Majestät bestimmt. Als Oberstlieutenant wohnte er dem Feldzuge von 1806 bei. Nach erfolgtem Frieden erhielt er den Auftrag, sich als Mitglied der Reorganisations-Commission anzuschliessen, und im Jahre 1810 trat er als Mitglied bei der Militair-Untersuchungs-Commission ein, nachdem er 1809 schon Oberst und Commandeur des Regiments v. Esebeck-Dragoner geworden war. Nach einer gefährlichen Krankheit trat er im Jahre 1810 als Generalmajor in den Ruhestand. Die Ereignisse des Jahres 1813 riefen ihn noch einmal als Divisionair des in dem zaug-luckenwalder Kreise gebildeten Landsturms in den Dienst seines Königs, wo er sich, namentlich vor und nach der Schlacht von Dennewitz, durch zweckmässig getroffene Maassregeln den Dank und Beifall der Behörden erwarb. Er starb am 10. August 1821, geehrt als treuer Diener seines Königs.

Christian, Freiherr v. Massenbach zu Massenbach, aus der jüngern würtembergischen Linie. Er trat in den letzten Lebensjahren Friedrichs des Grossen, der sehr bald den kenntnissreichen Mann in ihm erkannte, in den preuss. Generalstab ein, und wurde in der holländischen Campagne dem Stabe des Herzogs v. Braunschweig zugetheilt. Hier erwarb er sich bei Cortenhof den Verdienstorden. Sehr bekannt ist es, wie thätig er in seinem Berufskreise war, während sein nicht zu beschwichtigender Hang zum Organisiren und Reorganisiren, und seine freie Art und Weise, sich in Sprache und Schrift auszudrücken, schon im Laufe seiner Dienstzeit ihm viele Feinde zuzog. Sein Benehmen im Jahre 1806, sein Antheil an der Capitulation bei Prenzlau, und ganz besonders die zur Publicität gebrachten, grossentheils nur aus Dienstpapieren gezogenen Nachrichten und ein anderweitiger Missbrauch des in ihn gesetzten Vertrauens, zogen ihm später Verantwortung und eine lange Haft zu. Er starb, befreit von seinem Festungsarreste im Jahre 1827 auf seinem Landgute im Grossherzogthume Posen in dem Rufe eines Mannes von grossen Geisteskräften, die er bei vielen Gelegenheiten auf eine energische Weise angewendet hatte.

Das eiserne Kreuz erwarben sich auch der Major v. M. im 1. Garderegimente, ein Sohn des oben erwähnten Generals Karl Wilhelm v. M., 1815 vor Paris, und der Rittmeister v. M. im 6. Kürassierregimente bei Ligny.

Auch im preuss. Civildienste haben verschiedene Mitglieder dieses Hauses gestanden, und noch gegenwärtig stehen deren in demselben. Im Jahre 1806 war ein v. M. Geheimer Ober- Kriegs- und Domainen-Rechnungsrath. — Ein anderer v. M. war Tribunalrath zu Königsberg. — Gegenwärtig ist ein Geheimer Regierungsrath v. M. königl. preuss. Commissarius oder Bevollmächtigter bei der Zolladministration in Karlsruhe. Er ist Ritter des eisernen Kreuzes 2. Classe (erworben bei Gr. Görschen).

Das Wappen dieses vornehmen Geschlechts zeigt ein blaues, von drei goldenen Querbalken durchzogenes Schild und auf dem Helme zwei gold und blau gestreifte Büffelhörner. Dieses Wappen giebt Siebmacher, I. S. 113.

Massow, die Herren von.

Die ältesten Autoren leiten den Ursprung dieses edlen und vornehmen Geschlechtes aus Massovien ab. Der erste Ritter, der aus

v. Zedlitz Adels-Lex. III.   24

demselben nach Pommern kam, war Hofcavalier bei der Tochter des
Herzogs Semovitus von Massovien, die sich mit dem Herzoge Wratislav III. von Pommern vermählte. Andere nennen die Gemahlin dieses
Herzogs Sophie, Tochter des Herzogs Primislav von Gnesen. Der
Herzog Wratislav III. starb um das Jahr 1264. Kurze Zeit vor seinem Tode hatte er dem Ritter Massow den District zu Lehn gegeben,
in welchem die heutige Stadt Massow liegt, die von den v. Massow
angelegt, bald darauf aber mit den dazu gehörigen, später eine Herrschaft bildenden Ländereien an den Bischof Hermann von Camin, aus
dem gräflichen Hause Gleichen, überlassen worden ist. (M. s. v. Dre-
ger, Codex diplomat. I. S. 314 u. f.) Dieses Besitzthum ging im Jahre
1523 an die Grafen v. Eberstein über und wurde mit der Grafschaft
Naugardt vereinigt, die in der Gegenwart ein königl. Domainenamt
bildet. Dafür erwarben die v. Massow später zahlreiche andere Güter
in dieser Provinz, und nach diesem ihrem Besitzthume verbreiteten
sie sich in viele Häuser, namentlich in die von Rohr, Bartin, Woblanse und Selitz; auch bekleideten sie seit dem 16. Jahrhunderte die
Präsidentenstelle im Schöppenstuhle zu Stettin. Die Stadt Rummelsburg, die Güter Zetzenow, Dargerose, Manwitz, Gr. Podel, Grumbkow, Zirchow, Somzkow im Kreise Stolpe, Thürzig, Wusseken im
Kreise Schlawe, Bartin, Woblanse, Brunnow, Heinrichsdorf, Camnitz,
Falkenhagen, Reinfeld, Rohr, Gr. Schwirsen, Turtzig, Treblin, Gr.
Volz, Waldow, Lodder, Waldow im Kreise Rummelsburg, Dobber-
pfuhl im Kreise Pyritz, sind sämmtlich alte v. Massowsche Lehne und
Besitzungen. Der grösste Theil dieser Güter ist noch heute ein Ei-
genthum der Familie. Die Stadt Rummelsburg, die in älteren Zeiten
Rommelsburg genannt wurde, ist seit langen Zeiten ein Besitz der v.
Massow aus den Häusern Rohr, Woblanse und Selitz, die sämmtlich
Antheile daran hatten. Woblanse, eins der ältesten Lehne der Fami-
lie, ist ein 2¼ Meile von Schlawe entfernter Rittersitz. Denselben mit
dem Gute Selitz und einen Antheil an der Stadt Rummelsburg erkaufte
der Landvoigt zu Stolpe und Hauptmann zu Bütow, *Ewald* v. M., am
Donnerstage nach Martini 1516 von seinem Vetter *Mikes* v. M. zu
Wusseken. Diese Güter sind später von dem Landrathe *Kaspar Ewald*
v. M. an seinen Sohn, den Rittmeister *Hans Wedig* v. M., gekommen.
Nach dessen Tode fiel, nach dem Theilungsvergleiche seiner Söhne
vom 10. Novbr. 1753, Woblanse dem ältesten Sohne, dem Hauptmann
Kaspar Otto, und Selitz dem jüngsten Sohne, dem Hauptmann *Karl*
August v. M., zu, der auch nach dem Tode seines ältern Bruders, nach
dem mit seinem Bruder, dem Obersten *Friedrich Eugen* v. M., am 15.
Octbr. 1759 und 15. Mai 1764 getroffenen Vergleiche, nicht nur das
Gut Selitz behielt, sondern auch das Gut Woblanse bekam und nach
seinem am 10. März 1778 erfolgten Tode beide Güter seiner Wittwe
und drei Söhnen, als *Valentin Wedig Ewald*, *Karl Friedrich Heinrich*
v. M. und *Ernst August Wilhelm* v. M., hinterliess. Bartin, ein anderes der oben genannten Stammhäuser, ist ein Rittersitz, 2 Meilen
von Schlawe gelegen. Mit den Gütern Bartin, Darwin, Treten, Rummelsburg, Landtow, Suckow, Quesdow, Quatzow, Runow, Reblin,
Cunsow, Suchersin, Manewitz, Warbelow, Reinfeld und Falkenhagen
wurden *Henning* von Massow, dessen Bruder *Mikes* und dessen Vettern *Ewald*, *Thomas* und *Claus* zu Bartin, nach dem zu Garz am
Sonnabende vor Michaelis 1478 gegebenen Lehnbriefe von dem Herzoge Bogislaus belehnt. Diese Güter besass am Anfange des vorigen
Jahrhunderts der Oberstlieutenant *Ewald* v. M. Er hinterliess keine
männlichen Leibeserben. — Sein Schwiegersohn, der Oberstlieutenant
und nachmalige Geheime Staatsminister *Joachim Ewald* v. M., nahm
diese Güter an und verglich sich mit dem Lehnsfolger, dem Rittmei-

ster *Hans Wedig* v. M., durch einen Vergleich vom 21. Juni 1742.
Der gedachte Staatsminister besass auch die von seinem Vater ererbten Güter Zezenow und Dargeröde im Kreise Stolpe. Das erstere
war ebenfalls ein altes v. Massowsches Lehn. Noch bei Lebzeiten trat
er seine sämmtlichen Güter mit Einwilligung seiner Gemahlin, *Elisabeth Sophie*, geb. v. Massow, am 22. Novbr. 1768 seinen beiden Söhnen, namentlich dem gewesenen Major bei dem Regimente Prinz Leopold v. Braunschweig die Güter Bartin, Barwin, Treten, den Antheil
an Rummelsburg u. s. w., dem jüngeren Sohne aber, dem Hauptmanne
und spätern Landrathe *Karl* v. M., die Güter Zezenow und Dargeröde
im Kreise Stolpe ab. Der Letzte verkaufte sie nach dem Vergleiche
vom 12. Decbr. 1777 an Moritz Heinrich v. Weyher. — Gegenwärtig besitzen die v. Massow in der Provinz Pommern die Stadt Rummelsburg, die Güter Löst und Gr. Möllen im Kreise Greiffenberg,
Rohr, Schwersin, Falkenhagen, Reinfeld, Woblanse, Gross-Schwir-
sen und Gr. Volz im Kreise Rummelsburg. — In Schlesien besass
Ewald Georg v. M. (m. s. w. unt.) die Güter Neugut, Gr. Heinzendorf, Heinzenburg u. s. w. bei Lüben. — *Karl Ludwig Ewald* v. M.,
königl. Landrath, besass im Jahre 1806 Globitschen bei Guhrau u. s. w.
In den Marken besass der Obermarschall *Valentin* v. Massow die Güter Steinhöfel u. s. w. Eben so ist Stock bei Lagow das Eigenthum
eines v. M.

Von den berühmten Vorfahren dieses Hauses führen wir hier nur
folgende an:

Kaspar Otto v. M., geboren am 21. März 1665, königl. preuss.
wirklicher Geheimer Staats- und Kriegsminister, Ober-Präsident in
Pommern, Amtshauptmann zu Rügenwalde, Prälat des Stiftes zu Camin, Schloss- und Burggesessener zu Rummelsburg, Erbherr auf Bartin,
Dobberpfuhl u. s. w., starb am 20. Juni 1736.

Joachim Ewald v. M., geboren am 19. Octbr. 1697, ein Sohn des
Vorigen, war zuerst im Kriegsdienste bis zum Oberstlieutenant avancirt, verliess im Jahre 1750 die militairische Laufbahn und wurde seiner
ausgezeichneten Kenntnisse wegen Kammerpräsident zu Königsberg in
Preussen, am 17. Oct. 1753 aber ernannte ihn sein Monarch zum wirkl.
Geheimen Staats- und Kriegsrathe, Chef-Präsidenten der schlesischen
Kammer und dirigirenden Minister von Schlesien. Im Jahre 1754 erhielt er den schwarzen Adlerorden, die Amtshauptmannschaft zu Rügenwalde und die Johanniter-Commende Supplingenburg. Im Jahre
1755 wurde ihm die nachgesuchte Entlassung aus seinen Diensten bewilligt, und er starb am 17. Octbr. 1769.

Valentin v. M. war zuerst Präsident bei der Kriegs- und Domainenkammer zu Minden, und am 9. Mai 1763 wurde er zum wirklichen
Geheimen Staats- und Kriegsrathe, Vice-Präsidenten und dirigirenden
Minister bei dem Generaldirectorium, Chef des zweiten Departements
von der Kurmark und Magdeburg, später aber von Preussen und Litthauen, auch aller Cassensachen bestellt. Er starb am 20. Sept. 1775.

Eberhard Julius Wilhelm Ernst v. M. begann seine juristische Laufbahn im Jahre 1770 als Referendar bei dem ostpreuss. Hofgerichte in
Königsberg; im Jahre 1777 ward er Vicepräsident, 1784 erster Präsident der pommerschen Regierung und aller übrigen Landes-Justizcol-
legien daselbst. Am 2. April 1798 erhob ihn des jetzt regierenden
Königs Majestät zum wirklichen Geheimen Staats- und Justizminister,
und übertrug ihm das geistliche und Schuldepartement so wie das
Ober-Curatorium der Universitäten. Er starb im Jahre 1816.

Ewald Georg v. Massow war im Jahre 1806 Geheimer Ober-Finanzrath, Kammer-Vicepräsident und erster Kammerdirector der Kriegs-
und Domainenkammer zu Glogau, und wurde später Oberlandeshaupt-

24*

mann von Schlesien, Staatsminister und Ritter des grossen rothen Adlerordens. Er starb am 30. Juli 1820.

Im preuss. Heere sind zu höheren Würden gelangt:

Hans Jürge Detlef v. M., ein Sohn des *Hans* v. M. auf Brunnow, erhielt seine erste Erziehung auf dem v. Podewils'schen Gute Suckow, kam 1715 in die Ritterschule zu Colberg, und stand schon im Jahre 1717 als Capitain bei den grossen Grenadieren des Königs Friedrich Wilhelm I., der ihn dazu verwendete, das Montirungswesen in Ordnung zu bringen und ihn nach und nach zum Obersten beförderte. König Friedrich II. ernannte ihn im Jahre 1741 zum Generalmajor, und übertrug ihm ebenfalls die Montirungs-Angelegenheiten mit dem Charakter eines General-Commissarius. Im Jahre 1750 ward er zum Generallieutenant befördert, und sein Tod erfolgte zu Berlin am 24. Juli 1761.

Wedig Karl Gottlob v. Massow, der im Jahre 1806 als Major im Regimente v. Sanitz stand, 1809 Oberstlieutenant und Commandant der Festung Silberberg, zuletzt aber Oberst und Commandeur des 18. Landwehrregiments war, und im Jahre 1821 als Generalmajor und Ritter des eisernen Kreuzes (erworben bei Belle Alliance) aus dem activen Dienste geschieden ist. Er ist aus dem Hause Bartin, und seine Gemahlin war eine v. Favrat, die Tochter des Generallieutenants und Gouverneurs von Glaz, v. Favrat.

Im preuss. Staatsdienste und in der Armee stehen gegenwärtig namentlich die drei Söhne des verstorbenen Obermarschalls v. M. auf Steinhöfel, der Oberst und Flügeladjutant von der Cavallerie, *Valentin* v. M., Commandeur und Ritter hoher Orden, auch des eisernen Kreuzes (erworben bei St. Julien im Jahre 1815). Der Hofmarschall Sr. Majestät des Königs, Ritter des eisernen Kreuzes (erworben vor Paris), *Ludwig* v. M. auf Demnitz, vermählt mit der Gräfin Hermine v. Schulenburg-Emden, aus welcher Ehe fünf Söhne leben. Der Geheime Regierungsrath *Wilhelm* v. M. auf Rummelsburg, vermählt mit Laura, Gräfin von Wartensleben, zu Berlin. — Aus der Ehe des oben erwähnten Landeshauptmanns und Staatsministers Ewald Georg v. M. lebt ein Sohn, der königl. Kammerherr und Geheime Regierungsrath a. D. *Karl Georg Ewald* v. M., Herr auf Neugut, Heinzendorf u. s. w., gegenwärtig zu Berlin. Er war vermählt mit Katharine Christine Wilhelmine, Gräfin v. Reichenbach-Zessel, geboren am 4. Octbr. 1784, geschieden im Jahre 1834. Aus dieser Ehe leben mehrere Kinder.

Anmerkung. Die genannte Gräfin v. Reichenbach, vermählt gewesene v. Massow, fehlt in dem sonst vollständigen Artikel Reichenbach im genealogischen Taschenbuche der deutschen gräflichen Häuser auf das Jahr 1837. S. 373, ist aber S. 566 im Nachtrage aufgeführt.

Ein Bruder des genannten Landeshauptmanns und Staatsministers war *Hans Christlieb* v. M., Major a. D. Er besass früher die Güter Brieg bei Glogau und Rüstern bei Liegnitz. Aus seiner Ehe mit einer v. Rado lebt ein Sohn, der Major a. D. und Ritter des eisernen Kreuzes, *August* v. M. zu Berlin. Eine Schwester desselben starb als vermählte Gräfin v. Massencourt. — Der schlesischen Linie der v. M. gehörte auch der zu Polkwitz verstorbene Oberst a. D. v. M. an. Ein Sohn von ihm ist der Oberstlieutenant a. D., Ritter des Militair-Verdienstordens (erworben im Jahre 1812 bei Garossenkrug) und des eisernen Kreuzes 1. Classe (bei Belle Alliance), und vormalige Remonte-Inspecteur *Friedrich* v. M., jetzt zu Berlin, ein zweiter Sohn aber lebt ebenfalls als Oberstlieutenant a. D., Ritter des eisernen Kreuzes 1. Cl. (erworben bei Neuss), zu Guben. Er stand früher im Leibregimente.

Ein Major v. M., der früher beim 1. schlesischen Kürassierregimente
stand, war später Commandeur eines Landwehrregiments, erwarb sich
den Orden pour le mérite bei Szulitz im Jahre 1807, und das eiserne
Kreuz im Gefechte bei Hainau. — Mehrere Mitglieder der Familie
besitzen ausserdem den Orden des eisernen Kreuzes, namentlich auch
der gegenwärtige Besitzer von Schwersin, v. M. Eben so besitzen
viele v. M. den preuss. Johanniterorden, und drei v. M. wurden zu
Sonnenburg zu Rittern geschlagen, namentlich:

    Joachim Ewald v. M. den 16. August 1731.
    Philipp Gustav v. M. den 1. September 1772.
    Ewald v. M. den 1. September 1772.

Der Besitzer des oben erwähnten Gutes Stock bei Lagow ist *Albert* v. M., Rittmeister a. D., früher im Regimente v. Brüsewitz-Dragoner. Sein Bruder, *Friedrich* v. M., Lieutenant a. D., ist Arendator des Gutes Stensch bei Schwiebus. Ein anderer v. M., Major v. d. A., lebt zu Schmarse bei Schwiebus.

Die v. Massow führen im silbernen Schilde zwei rothe Querbalken, und auf dem gekrönten Helme zwei roth und silbern gestreifte Büffelhörner. Die Helmdecken sind silbern und roth. Dieses Wappen giebt Siebmacher, I. S. 177. v. Meding beschreibt dasselbe, I. N. 526. Nähere Nachrichten über dieses alte Geschlecht giebt Micrälius, S. 503. Gauhe, I. S. 986 u. f. Zedler's Univers.-Lex. XIX. S. 1980. Klaproth, der geheime Staatsrath, S. 403. 434. 442 und 539. Biograph. Lex. aller Helden u. Militairpers., III. S. 27.

Mathessen, Herr von.

Karl v. Mathessen, Artillerieoberst a. D., starb am 14. Dec. 1833 zu Nieder-Popschütz bei Neustädtel im 77. Jahre.

Mathy, die Herren von.

Die adelige Familie v. Mathy gehört der katholischen Kirche und bei uns der Provinz Preussen an. Der Ahnherr des Hauses, *Johann* v. Mathy, hatte zwei Söhne, der ältere, *Claude* v. Mathy, war 1721 königl. französ. Resident und Consul bei der freien Hansestadt Danzig, der jüngere, *Ignaz Johann* v. M., war Finanzrath zu Danzig. *Claude* v. M., vermählt mit einer Gräfin Wrschowitz-Sekerka, pflanzte sein Geschlecht mit zwei Söhnen, *Ignaz Johann* v. M., der die Tochter des Gross-Schatzmeisters Grabowski zur Gemahlin hatte, mit drei Söhnen und zwei Töchtern fort. Von den beiden Söhnen des älteren Bruders (Claude) war *Victor* v. M. Oberst in französischen Diensten, der andere war Abt zu Lüneville und Domherr zu Frauenburg. Die Söhne des jüngern Bruders (Ignaz Johann) waren *Ludwig* v. M. Bischof zu Posen (1798), *Anton* Banquier zu Danzig, und *Hyazinth* Gutsbesitzer. Von den Töchtern war *Adelgunde* mit dem Obersten von der polnischen Krongarde v. Hirsch, und *Marie Louise* mit Thomas von Hanmann auf Rodelshöfen und Rosenort vermählt. Ein Sohn des erwähnten Hyazinth v. Mathy war *Ignaz Stanislaus* v. Mathy, der als Bischof von Culm, Ritter des rothen Adlerordens u. s. w., am 20. Mai 1832 zu Pelplin starb. Er war bei den Protestanten, nicht minder wie bei den Katholiken durch die Vorzüge seines Herzens wie seines Geistes hochverehrt. — *Anton* v. Mathy, der Enkel des oben erwähnten Anton v. M., ist gegenwärtig der Chef des Hauses in Danzig. Eine Schwester desselben ist die Gräfin Friederike v. Krokow.

Die adelige Familie v. Mathy führt im Wappenschilde einen Sparren oder Hausgiebel und zwei Sterne.

Mattinclot, die Freiherren und Herren von.

Die Herren und Freiherren von Mattinclot oder Mattincloit sind vom Rhein und zwar nach der Versicherung mehrerer Autoren aus Jülich und Geldern nach Oesterreich und Schlesien gekommen. Eine lange Reihe von Mitgliedern dieser Familie hat in ansehnlichen Bedienstungen am kurpfälzischen Hofe gestanden. In Schlesien erschien 1680 zuerst *Joachim* Mattinclot, der des Pfalzgrafen, nachmaligen Kurfürsten Johann Wilhelm, Rath war. — Im Jahre 1700 war *Johannes Petrus Gabriel* v. Mattinclot Prälatus Präpositus des Collegiatstiftes zu St. Jacob in Neisse. — *Bartholomäus Gottfried* v. Mattinclot besass das Rittergut Grieven im Kreise Grottkau, er war kaiserl. Kammerrath und des Fürstbischofs von Breslau Hofkanzler; sein Sohn, *Franz Ludwig* v. Mattinclot, war Regierungsrath zu Liegnitz. Schon in der Mitte des vorigen Jahrhunderts hat sich diese Familie ganz in die kaiserlichen Lande begeben, wo sie noch heute blüht und ansässig ist. Das v. Mattinclotsche Wappen ist quadrirt, in dem 1. und 4. rothen Felde ist ein auf einer blauen Kugel liegendes weisses Einhorn vorgestellt, die Felder 2 und 3 enthalten im ebenfalls rothen Felde drei goldene Querbalken. Dieses Schild ist mit zwei gekrönten Helmen bedeckt. Der vordere trägt zwei auf einander gefügte Adlerflügel, unten ist an denselben die Kugel angebracht, der hintere Helm trägt einen sitzenden Hund. Die Decken sind golden und roth. Sinapius, II. Th. S. 802. Gauhe, II. Th. S. 700 u. f.

Matuschka, die Grafen und Freiherren von.

Die heutigen Grafen v. Matuschka und Topolczan, Freiherren v. Spättgen, stammen aus Böhmen, wo ihr Stammhaus Topolczan liegt. Den Namen Matuschka leitet man von Matusch, dem böhmischen Worte für Matthias, ab. Nach dem heiligen Matthias haben sich in vielen Ländern Familien genannt, und sie haben sich zu Ehren desselben diesen Geschlechtsnamen beigelegt. Die böhmischen Ritter dieses Namens setzten dem Namen Matusch die Sylbe ka, die in Polen die Endung czewski, die in Russland ansässigen Edelleute wic oder wicz hinzu. In dem letzteren Reiche blühen unter den gräflichen Geschlechtern noch gegenwärtig die Grafen von Matuszewic, von denen einer in der Reihe der ausgezeichnetsten Diplomaten unserer Zeit glänzt. Derselbe ist auch Ritter des rothen Adlerordens 1. Cl. Die ordentliche Stammreihe des Hauses Matuschka in Böhmen beginnt mit *Matthias* Matuschka und Topolczan, der mit Anna Chapner und Podmiel vermählt war. (M. s. Balbinus in Miscell. Bohem. Dec. 2. lib. 2. Tabula Genealogica Antiquissimorum Equitum Matuschka de Topolczan.) Ein Sohn des Matthias, *Nikolas* Matuschka und Topolczan war mit Elisabeth Wielopolski vermählt, und zeugte mit derselben *Matthias* II. Matuschka und Topolczan. Die Mutter seiner Gemahlin, der Eva Kobilka-Kobili, war eine v. Schindel, und des Matthias II. Sohn, *Heinrich*, ehelichte eine v. Skrbenski aus Schlesien. In dieser Ehe wurde *Karl* Matuschka und Topolczan, königl. Appellationsrath in Prag, geboren. Dem Grundbesitze nach erscheinen in dieser Provinz die v. Matuschka zuerst als Herren von Möstichen, einem Rittersitze bei Schwiebus, jetzt zur Provinz Brandenburg gehörig. —

Matuschka. 375

Ernst Rudolph, erster Freiherr v. Matuschka und Topolczan, erhoben dazu vom Kaiser im Jahre 1715, war zuerst herzoglicher Regierungsrath in Liegnitz, später kaiserl. und der Fürstenthümer Schweidnitz und Jauer Landeskanzler, Landesbestallter, Deputatus ad Conventus Publicos in Breslau, Herr der Güter Börnchen bei Bolkenhayn, und Thomaswaldau bei Striegau. — *Rudolph*, erster Graf v. Matuschka und Topolczan, der Sohn des Vorigen, königl. preuss. Oberamtsrath, vermählte sich mit Josepha, Freiin v. Spättgen, des Geheimen Raths und Hofkanzlers Heinrich Gottfried, letzten Freiherrn v. Spättgen auf Merzdorf, Koppitz, Waldau, Tiefensee u. s. w., Erbtochter. Er erwarb die Herrschaft Zülz in Oberschlesien und die Güter Pitschen am Berge mit Zubehör. Er fügte mit königl. Bewilligung bei seiner Erhebung in den Grafenstand den Namen und Titel eines Freiherrn v. Spättgen dem seinen bei, und erbaute, so viel uns bekannt ist, das Schloss zu Pitschen mit ansehnlichen Nebengebäuden. Der König Friedrich II. erhob ihn mit seinen Nachkommen am 10. Septbr. des Jahres 1742 in dem Grafenstand. — *Heinrich Gottfried*, Graf v. Matuschka, war königl. Oberamtsregierungsrath und der erste General-Landschafts-Repräsentant für Mittelschlesien. Der gelehrten Welt ist er bekannt, um sein Vaterland aber verdient geworden durch viele gelehrte, aber auch ihren Werth im praktischen Leben bekundende Schriften, ganz besonders durch seine Flora silesiaca. Er wurde den Wissenschaften, und namentlich dem ihm vor Allem liebgewordenen Studium der Naturwissenschaften, so wie der Bahn seines Berufes, zu früh in dem kräftigen Mannesalter von 45 Jahren (1779) entrissen. Von seinen Brüdern überlebte ihn lange Zeit *Franz*, Graf v. Matuschka, fürstbischöfl. Baurath und Intendant (seine Kinder s. u.). Von des Grafen Gottfried Heinrich Söhnen lebt nur noch der Graf *Heinrich* (s. u.). *Joseph* erhielt die Herrschaft Zülz, auch Pitschen am Berge u. s. w. Er war zuerst mit einer Freiin v. Strachwitz und Zauche, und nach deren Tode mit einer Gräfin v. Hoverden-Plenken vermählt (m. s. u.). Er unterhielt mit grosser Vorliebe für die dramatische Kunst sein Schlosstheater und starb am 2. Juni 1820. Ein jüngerer Graf *Bernhard* v. Matuschka war am 27. Septbr. 1820 ihm im Tode vorangegangen. Derselbe war Justizrath des hirschberger Kreises und Landesältester. Er vermählte sich im Jahre 1791 mit der Gräfin Therese v. Lodron, Erbtochter des letzten Grafen v. Lodron-Laterano, böhmisch-schlesischer Linie (m. s. u.). Jetzt besteht das gräfliche Haus aus folgenden Mitgliedern:

Graf *Anton* Matuschka v. Topolczan Freiherr v. Spättgen, Erbherr auf Zülz und Pitschen am Berge, vermählt mit Heloise v. Montbach.

Kinder:

a) *Alfred.*
b) *Octavia.*
c) *Angela.*
d) *Anton* } Zwillinge.
e) *Eloa.*

Mutter:

Clementine, geborne Gräfin v. Hoverden, geb. den 3. Febr. 1783, zweite Gemahlin des am 2. Juni 1829 verstorbenen Grafen Joseph Matuschka.

Geschwister aus des Vaters erster Ehe:

1) Graf *Victor* auf Ober- und Nieder-Conradswaldau, k. k. Lieutenant a. D., vermählt 1) mit Babet v. Woykowski, geschieden; 2) mit Wilhelmine v. Bärenhorst.

Sohn erster Ehe:
Victor.

2) Graf *Gustav,* Herr der Herrschaft Kupferberg, königl. preuss. Landrath des hirschberger Kreises und Hauptmann im 7. Landwehr-Infanterie-Regimente, vermählt mit Julie, Gräfin Hoverden, geb. den 9. März 1788.

Kinder:

a) *Hugo.* b) *Eva.* c) *Antonie.* d) *Gabriele.* e) *Heinrich.*

3) *Josephine,* vermählt an den herzoglich gothaischen Kammerherrn, Freiherrn Joseph v. Schlichten.

Halbgeschwister aus der zweiten Ehe des Grafen Joseph:

1) *Johanna.* 2) *Otto.* 3) *Emanuel.* 4) *Valerius.*

Vaters Brüder und deren Nachkommen.

1) Graf *Heinrich,* geb. den 18. August 1768, königl. preuss. Geheimer Justiz- und Oberlandesgerichtsrath in Breslau, seit des Grafen Joseph Tode (1829) Senior der Familie, Erbherr auf Drzewohostiz in Mähren; Wittwer 1) von Josephe, Gräfin v. Oppersdorf; 2) von Antonie, Schwester der Vorigen.

2) Des am 27. Sept. 1820 verstorbenen Vatersbruders, Grafen Bernhard, königl. preuss. Kreis-Justizraths, Wittwe:
Gräfin Therese, geb. Gräfin Lodron, Erbfrau der Herrschaft Arnsdorf, geb. den 12. Januar 1772.

Kinder:

a) *Julie,* geb. den 16. Decbr. 1792, vermählt seit dem 16. Mai 1811 mit dem Grafen Constantin von Schlabrendorf auf Stolz.

b) *Minna,* geb. den 8. April 1794.

c) *Theodor,* geb. den 10. August 1795, königl. preuss. Lieutenant, vermählt seit dem 21. Juni 1824 mit Anna, Gräfin Hoverden, geb. den 29. Juni 1803.

d) *Maria Clara,* geb. den 4. Februar 1801, vermählt seit dem 17. August 1823 mit Joseph, Grafen von Hoverden, auf Herzogswaldau.

e) *Gabriele,* geb. den 5. Novbr. 1803.

f) *Walpurge,* geb. den 3. Juni 1805.

g) *Emma,* geb. den 12. Octbr. 1806.

h) *Angelica,* geb. den 25. Juni 1808.

Grossvaters Bruders, des Grafen Franz, Kinder:

1) *Peter,* herzogl. sachsen-altenburg. Kammerherr und Hauptmann.

2) *Therese,* vermählt mit Joseph, Freiherrn v. Rottenberg auf Maltwitz u. s. w.

3) *Benigna,* verwittwete v. Rottenberg, Aebtissin des adeligen Fräuleinstifts zu Barschau bei Glogan.

4) *Dorothee,* vermählt gewesene v. Mandel, Wittwe.

Sie führen ein quadrirtes Wappenschild. Die Felder 1 und 4 sind der Länge nach in Gold und Roth getheilt und mit schwarzen Fäden eingefasst; es liegen darin zwei ins Andreaskreuz gelegte Spaten (golden und grün, und zwar so, dass die goldenen Theile im rothen Felde, die grünen im goldenen liegen). Die Felder 2 und 3 sind schwarz gegittert und ebenfalls mit einem schwarzen Faden eingefasst; darin steht ein spitziger trichterförmiger Hut mit goldenem Aufschlage,

aus welchem drei silberne, in der Mitte mit grünem Laubwerk umwundene Straussfedern emporsteigen. Auf diesem Hauptschilde liegt
ein Herzschildlein, bedeckt mit einer adeligen Krone und enthaltend
im rothen Felde einen Ritter mit silberner Rüstung, offenem Visir und
geschwungenem Schwerte in der Rechten, die Linke auf die Hüfte gestützt. Das Hauptschild trägt vier gekrönte Helme. Auf dem 1sten
schwebt der preussische Adler mit Scepter und Reichsapfel. Auf dem
2ten steht der im Herzschilde näher bezeichnete Ritter, hier aber nach
der linken Seite gewendet; der 3te Helm trägt das Bild des 2ten und
3ten, der 4te Helm das des 1sten und 4ten Helmes. Zu Schildhaltern sind zwei gerüstete Ritter, deren Helm mit grünen und silbernen
Straussfedern geschmückt ist, gewählt. Ein jeder hält eine Lanze mit
goldenem Kolben und blauen, mit goldenen Franzen eingefasstem Fähnlein, in dem der gekrönte königl. Namenszug FR steht.
  M. s. Sinapius, II. S. 380 u. f. Gauhe, I. S. 487.

Maubeuge, die Herren von.

  Der Stammvater dieses Geschlechtes war *Jakob* Heizelmann, genannt Polladt, aus Schwaben, der wegen seiner Auszeichnung in der
Schlacht von Maubeuge vom Kaiser Ferdinand II. unter dem Namen
v. Maubeuge in den Adelstand erhoben wurde. Er starb als Oberst
und Chef eines Kürassierregiments in Schlesien. Von seinen Nachkommen war *Philipp* v. M., Herr auf Deutsch-Wette und Cammerau,
Landesältester und Regierungsrath. — Ein Sohn desselben, der gegenwärtige Besitzer von Deutsch-Wette und Cammerau, königl. Landrath des Kreises Neisse, ist mit einer v. Gilgenheimb, aus dem Hause
Franzdorf, vermählt.
  Diese Familie führt ein quadrirtes Wappen; im 1. und 4. goldenen Felde ist ein halber schwarzer gekrönter Adler mit ausgeschlagener rother Zunge vorgestellt; im 2. und 3. silbernen Felde steht ein
rother, goldgekrönter Löwe. Diese Bilder wiederholen sich auf den
beiden gekrönten Helmen. M. s. Möller im R. A. 1823. No. 195.
von Krohne, II. S. 335 u. f.

Mauderode, die Herren von.

  Die Herren von Mauderode stammen aus der Grafschaft Hohenstein in Thüringen, wo ihr gleichnamiger Stammsitz bis zum Anfange
des vorigen Jahrhunderts in ihren Händen war, und um das Jahr 17$\frac{18}{19}$
von dem König Friedrich Wilhelm I. erkauft wurde. Es bildete diese,
aus den Dörfern Mauderode und Hochstedt bestehende Herrlichkeit
seitdem ein königliches Amt, das später mit Klettenberg vereinigt worden ist, und gegenwärtig zum Kreise Nordhausen des Regierungsbezirks Erfurt gehört. Viele Mitglieder des altadeligen Geschlechtes von
Mauderode haben im preussischen Heere gedient, und mehrere dienen
noch in demselben. Im Jahre 1817 starb der Oberstlieutenant v. Mauderode, gebürtig aus der Grafschaft Hohenstein. Er hatte bis zum
Jahre 1806 das 3. Musquetierbataillon des Regiments von Grawert in
Silberberg commandirt, zuletzt aber war er Chef des Garnisonbataillon vom 11. Infanterieregimente gewesen. Ein Bruder von demselben
stand als Capitain in dem Regimente v. Grawert zu Glaz, und starb
als pensionirter Major am 23. Oct. 1833 zu Wünschelburg; ein anderer Bruder war Stabscapitain in jenem Regimente und ist 1811 gestorben. In dem Regimente Herzog von Braunschweig standen zwei

Brüder v. Mauderode, der ältere war später Major im 18. Infanterie-Regimente und wurde nachmals Kreissteuer-Einnehmer in Nordhausen, der jüngere starb 1818 im Pensionsstande. In dem Regimente v. Renouard in Halle stand ein Lieutenant v. Mauderode, der gegenwärtig Stabsoffizier in Diensten des Grossherzogs von Weimar ist. Ein jüngerer Bruder desselben stand im Regimente v. Hohenlohe zu Breslau, gegenwärtig ist derselbe Oberst, Adjutant des General-Inspecteur der Festungen und Chef des Ingenieurcorps, Mitglied der Studiencommission der Artillerie- und Ingenieurschule, Ritter des Johanniterordens u. s. w. — Im 12. Infanterie-Regimente starb 1813 ein Lieutenant v. Mauderode an ehrenvollen Wunden. — Ein Bruder des Obersten ist der königl. Rechnungsrath v. Mauderode in Berlin. Einer v. Mauderode ist Land- und Stadtgerichtsrath in Bromberg.

Mauntz, die Herren von.

Zwei Brüder von Mauntz, der ältere Premierlieutenant, der jüngere Secondelieutenant, stehen im 29. Infanterie-Regimente in Cöln. Es sind die Söhne des am 17. Oct. im Jahre 1806 bei Halle gebliebenen Capitains im Regimente Jung-Larisch, *Felix* v. Mauntz und der Gräfin Karoline v. Krokow.

Mauschwitz, die Herren von.

Diese adelige, der Lausitz und Schlesien angehörige Familie hat eine gleiche Abstammung und ein gleiches Wappen mit den v. Debschitz. Das Stammhaus der Familie Malschwitz oder Mauschwitz liegt bei Baudissin, nach diesem ihren Besitzthume nannten sich die Vorfahren der Mauschwitzer, die einen Ast der Debschitzer ausmachten. Am Ende des 15. Jahrhunderts erwarben sie die Güter Armeruh, Harpersdorf und Alzenau bei Löwenberg, Leusersdorf bei Liegnitz, Bautmansdorf bei Haynau, Dittersbach bei Lüben, Barzdorf bei Striegau u. s. w.; später auch Lederhose bei Jauer. Zuerst kommt *Christoph* v. Mauschwitz vor, der um das Jahr 1500 lebte. *Sigismund* II. v. Mauschwitz besass 1596 Alzenau. — *Friedrich* v. Mauschwitz war 1639 Regierungs- und Landrath des Herzogs Georg Rudolph zu Liegnitz, ein gelehrter und hochverdienter Cavalier (vir charus et fidus amicus). — Am 12. Januar 1712 starb *Karl Sigismund* v. Mauschwitz auf Armeruh, des Fürstenthums Liegnitz und der Stände Bestallter, auch Deputirter beim öffentlichen Convent in Breslau. — *Wolf Christian* v. Mauschwitz auf Ulbersdorf, Landes-Hofrichter, starb 1721.

Im preuss. Staatsdienste zeichneten sich aus: *Karl Maximilian Ferdinand* v. Mauschwitz, der schnell vom Kriegs- und Domainenrathe zum Chef-Präsidenten der kurmärkischen Kammer, und am 5. Decbr. 1786 zum wirkl. Geheimen Staats-, Kriegs- und dirigirenden Minister befördert wurde und das Departement von der Kurmark, Ostfriesland und Neufchatel, wie auch von den Stempelsachen erhielt; er trat es aber später und ihm wurde dafür das Departement von Ost- und West-Preussen und das der Kassensachen zugetheilt. Im Jahre 1791 nöthigten ihn Krankheits-Umstände, seinen Abschied zu erbitten; schon ein Jahr später erfolgte sein Tod.

In der Armee gelangte zu höheren Würden *Maximilian* v. Mauschwitz, der im Jahre 1782 als Generalmajor und Chef eines Küraßierregiments starb. Er hatte sich im siebenjährigen Kriege bei vielen

Gelegenheiten, namentlich bei Crefeld, Soest, Bergen, Minden und
Zorndorf, rühmlichst hervorgethan und dafür manche Gnadenbeweise
von seinem Könige erhalten. In der Gegenwart leben nur noch wenige
Mitglieder dieser adeligen Familie. Die in der Lausitz zurückgebliebene Linie erlosch schon um das Jahr 1707 mit *Kaspar Sigismund* v.
Mauschwitz auf Waltersdorf, Paserin u. s. w. Seine Güter fielen an
die Söhne seiner Töchter, an die v. Rex.

Gegenwärtig steht *Ernst* v. Mauschwitz als Regierungsrath und
zweiter Justitiarius bei der General-Commission in Breslau. Eine
Schwester desselben ist mit dem Oberstlieutenant v. Schweinitz (im
34. Infanterie-Regimente zu Saarlouis) vermählt. Im 6. Infanterie-
Regimente steht ein Hauptmann, und im 5. Kürassier-Regimente ein
Lieutenant v. Mauschwitz. Der Erstere erwarb sich bei Laon das eiserne Kreuz. — Diese Familie führt im silbernen Schilde ein grünes
Seeblatt an einem zur linken Seite gekehrten Stengel. Dieses Bild
wiederholt sich auf dem Helme zwischen zwei ausgebreiteten Adlerflügeln. M. s. Gauhe, I. Th. S. 311. Sinapius, I. Th. S. 631 und
II. Th. S. 802. Zedler, XIX. S. 2239. Siebmacher giebt I. Th. S. 72
das Wappen.

May, die Herren von.

Ein adeliges Geschlecht in Westphalen, von dem man einige Nachrichten in Zedlers Universal-Lexicon XIX. Th. S. 2312 findet.

Mayenn, die Herren von.

Eine adelige Familie in Pommern und Mecklenburg; in Pommern
besitzt sie mehrere Güter in dem zum Regierungsbezirke Stettin gehörigen Kreise Demmin, namentlich Ganschendorf, Wadarg, Werder
u. s. w. Die Herren von Mayenn führen einen die Länge herab getheilten Schild, in dessen rechtem goldenem Felde eine auf einem grünen Rasen stehende aufgeblühete Maiblume von sieben Glocken mit
grünem Stiele, in dem linken blauen aber ein aus dem linken Rande
hervorgehender schwarzer Adlerfuss, welcher in seinen goldenen Klauen
vier goldene Pfeile hält. Das Schild ist mit einem blau angelaufenen
roth ausgeschlagenen, mit goldenen Bügeln und anhängendem gleichmässigen Kleinod gezierten und vorwärts gekehrten, frei offenen adeligen Turnierhelme bedeckt, über welchem eine goldene Krone, woraus ein schwarzer goldgekrönter Adlerkopf nebst dem Halse, mit einem goldenen Schnabel und roth ausgeschlagener Zunge hervorragt.
Die Helmdecken sind an den Seiten golden und blau.

Mayer, Herr von.

Der König Friedrich Wilhelm II. erhob im Jahre 1787 den Major
Christoph Friedrich Mayer in den Adelstand. Das ihm beigelegte Wappen zeigt im silbernen Schilde einen nach der rechten Seite aufspringenden Tiger. Aus dem Helme wächst ein gerüsteter Arm, der eine
braune Lanze mit rothem Fähnlein und goldener Spitze führt. Die
Decken sind silbern und roth.

Meckel v. Hemsbach, die Herren.

Johann Ludwig Meckel v. Hemsbach war Oberamts-Regierungs-rath, nachmals Vice-Präsident des Oberlandesgerichts zu Glogau, und zuletzt Oberlandesgerichts-Chefpräsident a. D. Ein Sohn dessel-ben stand als Lieutenant im 11. Infanterieregimente, und ist vor eini-gen Jahren in Jauer verstorben. Er war Ritter des eisernen Kreuzes (erworben bei Bautzen).

Mecklenburg, die Freiherren und Herren von.

Mehrere Edelleute dieses Namens haben in der preuss. Armee ge-dient und einer ist noch gegenwärtig in Pommern ansässig, wo ihm die Güter Pontlitz und Todenhagen im Kreise Franzburg gehören. — Der Baron von Mecklenburg-Kleeberg, ein natürlicher Sohn des re-gierenden Grossherzogs v. Mecklenburg-Schwerin, vom Kaiser v. Oester-reich mit diesem Beinamen in den Freiherrenstand erhoben, stand früher in kaiserl. österreichischen Diensten und später in königl. preuss., wo er als Rittmeister und Escadronchef im Gardehusaren-Regimente zu Potsdam stand. Er ist gegenwärtig grossherzogl. meck-lenburg. Major und Commandeur des Chevauxlegers-Regiments. Im Jahre 1814 erhielt derselbe den preuss. Militair-Verdienstorden; er ist mit einer Freiin v. Strachwitz, aus dem Hause Kleutsch in Schlesien, vermählt. Eine Schwester desselben ist an den grossherzogl. mecklen-burgschen Major, Flügel-Adjutanten und Commandanten von Rostock, Herrn v. Dutrossel, Ritter des preussischen Johanniterordens, ver-heirathet.

Medem, (Médem) die Grafen und Freiherren von.

Das ursprüngliche Vaterland dieses sehr alten und vornehmen Geschlechts ist Schottland. Von da hat sich ein Zweig im 10. Jahr-hunderte in Deutschland und namentlich im Braunschweigschen an-sässig gemacht. Hier gehörte es zu den Geschlechtern, die des Her-zogs Heinrich von Sachsen Sache gegen Kaiser Conrads Eingriffe und Gewaltthätigkeiten zu vertheidigen suchten. Verschiedene Ritter aus diesem vornehmen Geschlechte zogen mit dem Orden nach Liefland und Kurland. Von ihnen wurde *Conrad* v. Medem, genannt Maudern, im Jahre 1270 Meister des deutschen Ordens. Er baute mehrere Schlösser und Städte. Unter den letztern verdankt ihm auch Mitau seine Gründung. Von seinen Nachkommen brachte am 16. Nov. 1779 *Johann Friedrich* v. M. die reichsgräfliche Würde an sein Haus, die ihm und allen seinen ehelichen Nachkommen Kaiser Joseph II. verlieh. Dieser erste Graf v. M. war am 16. Septbr. 1722 geboren, besass die Herrschaften Alt-Autz und Elley in Kurland und starb als königl. polnischer Kammerherr und Starost von Oknian am 4. August 1785. Er war zweimal vermählt, zuerst mit Luise v. Korff, und nachmals mit Luise Charlotte v. Manteufel, genannt Zögen. Aus der ersten Ehe hatte er eine Tochter und einen Sohn. Dieser, Graf *Fried-rich* v. M., ist unvermählt in Strassburg gestorben, die Tochter, die geistreiche Elise, nachmals vermählte v. d. Reck, war als Dichterin und Schriftstellerin, und nicht minder durch die Vorzüge ihres Herzens eine Zierde ihres Geschlechts, und ist erst vor we-nigen Jahren zu Dresden verstorben. Aus der zweiten Ehe überlebten den Grafen zwei Söhne und eine Tochter. Letztere, *Anna Charlotte Dorothea*, geb. am 3. Febr. 1761, wurde am 16. Nov. 1779 die dritte Gemahlin des Herzogs Peter von Kurland und Semgalien (seit dem 20. März 1770 Herzog von Sagan in Schlesien), eine ebenfalls sehr hochverehrte, durch die Eigenschaften ihres Geistes und Herzens sehr schätzenswerthe Frau. Sie starb im Jahre 1822 auf ihrem reizenden Landsitze Löbichau bei Altenburg. Von den beiden Söhnen starb *Karl Johann Friedrich* im Jahre 1827. Er war kurländischer Landesbevollmächtigter, Erb- und Majoratsherr auf Rempten, Cappeln und Wehsahten, Herr auf Alt-Auss, Dselsen, Behren, Gross-Autz, Neu-Autz, Kewein und Weitenfeld. Das gräfliche Haus zerfällt gegenwärtig in die Linien 1) Rempten und Alt-Autz, 2) in die von Elley.

A. Linie von Rempten und Alt-Autz.

Kinder des im Jahre 1827 gestorbenen Reichsgrafen Karl Johann Friedrich v. Medem und der Elisabeth, Reichsgräfin v. Browne (gest. 1821).

1) *Johann Friedrich Otto Karl*, Reichsgraf v. Medem, geb. den $\frac{1}{16}$. Febr. 1801, Curator des adeligen Stifts zu Mitau, Erb- und Majoratsherr auf Rempten, Wehsahten und Cappeln, Herr der Herrschaften Alt-Autz, Dselsen und Behren, vermählt seit dem 29. Juli 1822 mit Elisabeth v. Fircks, aus dem Hause Waldegahlen in Kurland, geb. den 1. August 1804.

Kinder:
   a) *Karl*, geb. den 23. Decbr. 1824.
   b) *Friedrich*, geb. den 19. Octbr. 1826.
   c) *Paul*, geb. den 9. April 1834.

2) *Karoline*, geb. den 13. Juni 1795, Erbfrau auf Neu-Autz, vermählt mit Ferdinand v. d. Ropp, Erbherrn auf Bixtau.
3) *Dorothee*, geb. den 8. Febr. 1798, Erbfrau auf Kewein, vermählt mit Magnus Ernst op dem Hamme, genannt Schoppingk, kais. russ. Kammerherr und Geheimer Rath, Majoratsherr auf Bornsmünde.
4) *Sophie*, geb. den 8. April 1800, Erbfrau auf Weitenfeld, vermählt mit Johann Grafen v. d. Pahlen, Frhrn. v. Astrau, kais. russ. Garde-Capitain a. D.
4) *Elisabeth*, geb. den 29. Mai 1807, Erbfrau auf Gross-Autz, vermählt mit dem Grafen Kleist-Tycho-Loss, königl. preuss. Hofjägermeister und Major a. D.

B. Die Linie von Elley.

Christoph Johann Friedrich Reichsgraf v. Medem, geb. den $\frac{12}{23}$. August 1763, kaiserl. russ. wirkl. Kammerherr, Herr der Herrschaften Elley, Blieden, Durben, Sehmen, Abgunat, Grünfeldt, Abgulden, Duhren und Jordanitz, vermählt mit Marie Luise, Gräfin v. d. Pahlen, Freiin v. Astrau, geb. den 18. Sept. 1778, Wittwer seit dem 23. Mai 1831.

Kinder:
1) *Paul*, Reichsgraf v. Medem, geb. den $\frac{1}{13}$. Januar 1800, kais. russ. Kammerherr und Staatsrath, Chargé d'affaires an den Höfen von London und Paris.
2) *Peter*, Reichsgraf von Medem, geb. den $\frac{4}{15}$. Januar 1801, Erbherr

der Suttenschen Güter, vermählt seit dem 21. Octbr. 1825 mit
Julie v. Behr, geb. den ¹⅟₁. August 1807, aus dem Hause Sutten
in Kurland.

Kinder:

a) *Johanna*, geb. den 15. Juli 1876.
b) *Theodor*, geb. den 27. Mai 1827.
c) *Luise*, geb. den 19. Mai 1879.

3) *Alexander*, Reichsgraf v. Médem, geb. den ⁷⁄₁₇. März 1803, kaiserl.
    russ. Kammerjunker u. Gesandtschafts-Secretair in Constantinopel.
4) *Theodor*, Reichsgraf v. Médem, geb. den ¹⅟₂. Febr. 1805, kaiserl.
    russ. Garde-Rittmeister a. D.
5) *Ludwig* } geb. den ⁷⁄₁₇. Mai 1814, Lieutenants im kais. russ. Gar-
6) *Julius* } de-Dragoner-Regimente.

Von der freiherrlichen Linie starb am 28. Decbr. 1814 *Karl*, Freiherr v. Médem, königl. preuss. Kammerherr, dessen Wittwe Johanne
Karoline Henriette, geb. Gräfin v. Wallwitz, zu Berlin lebt. — Ein
Bruder desselben, *Heinrich*, Baron v. M., ist Quästor und Secretair
der Universität zu Berlin. Er ist mit einer v. Vinanko und Werten-
stein vermählt, aus welcher Ehe ein Sohn und mehrere Töchter leben. Der Sohn ist der Lieutenant Baron v. M. in dem Grenadier-
regimente Kaiser Franz. Von den Töchtern ist eine an einen Baron
v. Lefort, eine andere an einen Herrn v. Flotow in Mecklenburg vermählt. — Ein zweiter Bruder des Freiherrn *Karl* v. M. ist königl.
Archivarius bei dem Provinzialarchiv zu Stettin. — In Mitau lebt der
königl. preuss. Kammerherr, Freiherr v. M. — In dem Regimente
v. Rüchel stand im Jahre 1806 ein Lieutenant v. M., der im Jahre
1807 an ehrenvollen Wunden starb.

Das ursprüngliche Wappen der Familie v. Médem zeigt im blauen
Schilde ein rothes Jägerhorn mit goldenem Beschlage und Ringe. Dasselbe schwebt über dem ungekrönten offenen Helme zwischen einer
silbernen und einer rothen Pfauenfeder. Helmdecken silbern und roth.
Siebmacher giebt dieses Wappen V. S. 155, und v. Meding beschreibt
es II. N. 536.

Meding, die Herren von.

Das Vaterland der Familie v. Meding sind die braunschweig-lüne-
burgischen Lande. Hier besitzt dieses Haus das Erbmarschallamt im
Fürstenthume Lüneburg. Für die Genealogie und Heraldik hat sich
Chr. Fr. v. Meding durch die Herausgabe einer vortrefflichen Wap-
penbeschreibung in drei Bänden verdient gemacht. Derselbe war
Domherr zu Naumburg. — Gegenwärtig steht im preuss. Staatsdienste
der Präsident der Regierung zu Merseburg, früher Präsident der General-Commission für Sachsen, v. Meding, vermählt mit Marie, Gräfin
v. Itzenplitz.

M. s. Pfeffingers braunschweig-lüneburgische Historie I. S. 633
u. f., auch dessen Geschlechtsgeschichte von dieser Familie, ein Manuscript, das Herr v. Meding besass. Gauhe, I. S. 991.

Medrzeki, die Herren von.

Eine polnische Familie, die vom Könige v. Preussen einen Adelsbrief erhielt. Sie führt ein in die Queere durch einen goldenen, mit

drei rothen Rosen belegten Balken getheiltes, oben rothes, unten
blaues Schild. In dem rothen Felde steht ein weisser, die Flügel
ausbreitender Adler, in dem blauen Felde sind 7 durch ein grünes
Band umwundene Federn angebracht. Auf dem gekrönten Helme
wächst zwischen zwei weissen Adlerflügeln ein blauer, eine Schreib-
feder emporhaltender Arm. Die Decken und das Laubwerk blau und
golden.

Meelbeck, die Herren von.

König Friedrich II. erhob den Major im Regimente von Stosch
v. Meelbeck am 15. Januar 1746 in den Adelstand. Das dieser adeligen Familie beigelegte Wappen zeigt im gespaltenen, rechts silbernen', links blauen Schilde, hier zwei goldene Sparren oder Hausgiebel, dort einen halb sichtbaren schwarzen Adler. Auf dem Helme
steht zwischen zwei silbernen Büffelhörnern eine Lanze mit einer rothen, mit goldenen Franzen eingefassten Fahne. Decken und Laubwerk schwarz und silbern.

Meerheim, die Freiherren und Herren von.

Das alte vornehme Geschlecht der Freiherren und Herren von
Meerheim, auch Meerheimb geschrieben, stammt vom Niederrhein.
Bei Cöln liegen auf beiden Seiten des Flusses Orte, die beide noch
heute bestehen, und Merheim heissen; in den Urkunden der Stadt
Cöln, des Klosters Berg, der Burg Sterle u. s. w. von den Jahren
1216, 1330, 1336, 1338, 1354, 1357 u. s. w. findet man viele jenes
Namens als Ritter, milites, erwähnt, unter diesen um das Jahr 1330
besonders einen *Johannes* v. Merheim, der als Bruder- Herrn v.
Levenburg sowohl, als seiner Persönlichkeit wegen, bedeutend gewesen zu sein scheint. Dieser Johann v. M. stammte in gerader Linie
von Gottfried Grafen v. Sponheim ab, dessen zweiter Sohn Heinrich
Agnes, die letzte Erbin des mächtigen und reichen Hauses der Herren v. Heinsberg, heirathete, den Namen Heinsberg annahm und eine
neue Linie, welche sich wieder in die v. Heinsberg und Levenburg
theilte, stiftete. Die Levenburg liegt im Siebengebirge, jetzt Ruine.
Doch weit früher, als jene oben erwähnte Heirath geschlossen worden
war, gab es Herren v. Meerheim, und so ist es wahrscheinlich, dass
jener Johann v. Meerheim eines der Schlösser Meerheim besass und
den Namen davon annahm, wie die Sponheim den Namen Heinsberg
und Levenburg annahmen, als sie Besitzer davon wurden.
In dem Jahre 1592 wurden die v. Meerheim sowohl von Cöln, als von
ihren Besitzungen vertrieben, sie waren Protestanten, und dieses die
Ursache jener Gewaltthat; sie wanderten nach Halle, kauften sich
dort, mit den wenigen Trümmern ihres Vermögens in den Salzwer-
ken ein, und wurden also Mitbesitzer, Pfänner; es waren vier Brüder.
Ein Anderer v. Meerheim kam auch nach Sachsen, heirathete dort
Anna v. Winkelholz und diente als Soldat dem Kurfürsten von Sach-
sen. Im Jahre 1628 war er in Dresden; er hatte nur ein Kind, *Hans
Wilhelm*; dieser verliess in achten Jahre seine Eltern und zog mit
den sächsischen Truppen, dort wurde er später Offizier, trat in 21.
Jahre in österreichische Dienste, zeichnete sich vielfältig aus, war im
32. Jahre Oberst und Commandeur der Garde Montecuculi's. Kaiser
Ferdinand III. und Erzherzog Leopold schenkten ihm eine goldene
Kette mit ihren Bildnissen, und Leopold erhob ihn 1661 in den Frei-

herrenstand „wegen seiner Thaten im deutschen Kriege." Im Jahre
1660 war er in Mecklenburg, lernte dort Kleonore v. Oertzen aus
dem Hause Roggow in Mecklenburg kennen und heirathete sie, kaufte
das Lehngut der ausgestorbenen Familie v. Vinecke, Ghemern cum
pert. in Mecklenburg-Schwerin, nahm 1661 seinen Abschied und lebte
auf seinen Gütern, die er durch Ankauf mehrerer Besitzungen noch
vergrösserte. Im Jahre 1676 trat er auf den Wunsch des Königs Christian
V. von Dänemark als General in dessen Dienste, doch mit der Clausel,
„nie und nimmer gegen Kaiser und Reich zu fechten," er machte
die Kriege von 1676 bis 1680 in Schonen, gegen Karl XI. von Schweden mit, die Festung Christianstadt vertheidigte er 6 Monate gegen
die Schweden, zum Lohn dafür wurde er Generallieutenant, erhielt
den Danebrogorden und eine Dotation von 1200 Species, die auch
auf seinen Sohn überging, in der Schlacht bei Lund führte er den
rechten Flügel und siegreich, bei Engelholm befehligte er selbstständig und glücklich. Nach dem Frieden wurde er Gouverneur von
Nackow, erhielt jedoch die Erlaubniss, auf seinen Gütern leben zu
können, 1688 starb er, in Folge seiner vielen erhaltenen Wunden.
Er hinterliess fünf Söhne und zwei Töchter, die Söhne waren alle
Soldaten, der älteste Oberst und Commandeur eines mecklenburgischen
Cavallerie-Regiments in österreichischem Solde und bei der Armee
dieser Macht, drei von ihnen blieben oder starben am Rheine, in Irland und Dänemark. *Helmuth Joachim v. M.* war Adjutant des Königs Friedrich IV. von Dänemark, später Major. Jung nahm er seinen Abschied, heirathete Katharine v. Zülow aus dem Hause Schimm,
und wurde Besitzer der väterlichen Güter Wokrent, Gross-Belitz u. s.
w. in Mecklenburg; er starb um das Jahr 1716 und hinterliess drei
Söhne und vier Töchter. Die beiden ältesten Söhne starben jung in
Verona und Warschau, der jüngste, *Jasper Friedrich*, vereinigte
sämmtliche Familiengüter; er war vermählt mit Ilsabe v. Molzahn
aus dem Hause Grubenhagen in Mecklenburg. *Jasper Friedrich* starb
1797 und hinterliess drei Söhne, *Levin Joachim*, mecklenburg. Landrath, erhielt Ghemern, *Hans Helmuth*, hannöverscher Major bei der
Garde du Corps, erhielt Wokrent c. p., *Ferdinand Volrath*, Kammerherr, erhielt Gr. Gischow und Reinsdorf. Letzterer beerbte seine Brüder und vereinte wiederum die Güter; er war verheirathet mit Auguste
v. Hugo, aus dem Hause Liethe bei Hannover, *Ferdinand Volrath* starb
1826, hinterliess drei Söhne und eine Tochter. *Johann Friedrich*,
Oberstlieutenant a. D., diente in der preuss. Armee von 1800 bis 1822
im Regimente v. Beeren-Kürassier, der Garde du Corps u. s. w., und
war zuletzt Adjutant des Prinzen Friedrich von Preussen, verheirathet
mit Emilie v. Kleist, aus dem Hause Stavenow in der Priegnitz. Er
hat drei Söhne, *Hans Wilhelm*, mecklenburg. Geheimen Kammerrath,
verheirathet mit Katharina v. Bülow, aus dem Hause Dussin, *Ludwig
Wilhelm*, mecklenburg. Kanzleirath, *Johann Friedrich* ist Besitzer der
Güter Ghemern, beide andere Brüder haben bis jetzt noch ungetheilt
die Güter Wokrent, Gross-Belitz, Gross-Gischow und Reinsdorf besessen; sämmtliche Güter, in Mecklenburg gelegen, sind unveräus-
serliche Fideicommiss-Besitzungen, in drei Theile, der Stiftung von
1789 gemäss, vertheilt.

Das Wappen der in Mecklenburg angesessenen Freiherren von
Meerheim ist ein quadrirtes Schild, worin der königl. dänische Adler
mit goldener Krone, ausgebreiteten Flügeln, ausgereckter Zunge und
schwarzem Gefieder im goldenen Felde in zwei Quadraten sichtbar
ist, in den andern beiden das alte Familienwappen, ein weisser Strauss
mit einem Hufeisen im Schnabel, im hellblauen Felde. Ueber dem
Wappen zwei offene stahlblaue Helme, roth ausgeschlagen und mit der

Krone, über dieser rechts der gekrönte schwarze Adler, links der
weisse Strauss mit dem Hufeisen.   Die Verzierungen rechts schwarz
und golden, links hellblau und silbern.
    Noch ist zu bemerken, dass ein Capitain v. Meerheim, der frü-
her um das Jahr 1817—19 im Generalstabe der preuss. Armee gedient
hat, jetzt bei der würtembergischen Legation in Paris ist, ferner
dient in der sächsischen Armee ein Oberstlieutenant v. Meerheim, dessen Garnison vor zwei Jahren Dresden war.   Es ist wahrscheinlich,
dass Beide zu ein und derselben Familie gehören, und dass die Letzteren von dem Professor v. Meerheim in Wittenberg abstammen, der
zu Ende des vorigen Jahrhunderts dort ein eben so geachteter, als
geistreicher Lehrer war.

Meerkatz (Mer-), die Herren von.

    Johann Friedrich Meerkatz, damals Major beim königl. Artillerie-
corps in Pillau, ein Sohn des im Jahre 1719 zu Wesel verstorbenen
königl. Oberstlieutenant in der Artillerie, Meerkatz, wurde am 28.
Septbr. 1737 vom Könige Friedrich Wilhelm I. in den Adelstand erhoben. Er leistete auch unter dem Könige Friedrich II. während der
beiden schlesischen Feldzüge und im siebenjährigen Kriege rühmliche
Dienste, und starb als Oberst und Chef des schlesischen Artilleriecorps.
    Zwei andere Mitglieder dieser Familie gelangten zu dem Grade
eines Generals in der preuss. Artillerie; der ältere, geboren am 24.
Januar 1729 zu Brandenburg, trat am 6. Decbr. 1746 in das Artilleriecorps, machte den siebenjährigen Krieg in demselben mit und erhielt als Major am 9. Novbr. 1770 vom Könige Friedrich II. einen
Adelsbrief. Nachdem er die andern Grade durchlaufen hatte, ward
er 1793 zum Generalmajor und 1798 zum Generallieutenant befördert.
Schon am 6. Decbr. 1796 feierte er sein 50jähriges Dienstjubiläum
und nahm nach 60jähriger Dienstzeit seinen Abschied. Zuletzt war
er General-Inspecteur der sämmtlichen Feld- und Festungs-Artillerie
und Chef des 1. Artillerie-Regiments. Er starb am 27. August 1815.
— Sein Stief- und Adoptivsohn starb im Jahre 1823 als Generalmajor
und Brigadier der Artillerie zu Cosel.

Meerstädt, die Herren von.

    Ein Fräulein v. Meerstädt ist gegenwärtig Conventualin des Stif-
tes zum heiligen Grabe in der Ostpriegnitz.

Meerveldt, (Merveldt) die Grafen von.

    Ein uraltes adeliges Geschlecht, den Rheinprovinzen und dem
Hochstifte Münster angehörig. Schon in Urkunden vom Jahre 1169
kommt ein *Heinrich* v. Mervelde vor. — *Bernd* und *Hermann* v. M.
waren Zeugen und Burgmänner auf dem Schlosse Dülmen. Es ge-
schieht ihrer unter dem Bischof von Münster, Ludolph, im Jahre
1231 Erwähnung. — Im Jahre 1292 waren *Hermann* und *Heinrich* v. M. Burgmänner zu Stromberg. Erst mit *Hermann* v. M., der
in der ersten Hälfte des 14. Jahrhunderts lebte, fängt die ordentliche
Stammreihe an. — *Gerard* v. M., der um das Jahr 1415 lebte, hatte
fünf Söhne, von denen *Hermann* Domherr zu Münster, *Johann* deut-
    v. Zedlitz Adels-Lex. III.   25

scher Ordensritter, *Heinrich* Domherr zu Worms und Canonicus zu Varlar war, *Bernd* aber die Bernhardinische Linie, und *Adolph* die Adolphinische Linie stiftete. Erstere Linie erlosch schon mit *Johann* v. M. im 16. Jahrhunderte, letztere aber ist die noch heute blühende. — *Friedrich Wilhelm*, Freiherr v. M., starb 1691 kinderlos. — *Dietrich Burchard*, Graf v. M., kurkölnischer Geheimer Rath, münsterscher Obermarschall und Droste zu Wolbeck wurde in den Reichsgrafenstand erhoben. — Als ein ausgezeichnetes Mitglied der Familie verdient der k. k. österreichische Feldmarschall-Lieutenant, Ritter des deutschen Ordens u. s. w., Graf v. M., der bald nach dem deutschen Befreiungskampfe gestorben ist, Erwähnung. — *August Ferdinand*, Graf v. Meerveldt zu Huxdick u. s. w., wurde am 8. April 1759 geboren und starb am 6. Mai 1834 zu Münster. Aus seinen Geschwistern und Kindern besteht gegenwärtig die gräfliche Familie, welche folgende Mitglieder zählt:

Graf *Ferdinand Anton Wilderich*, geb. den 18. April 1789, königl. preuss. Kammerherr, vermählt in Octbr. 1876 mit Sophie Freiin v. Ketteler zu Harkotten, geb. den 1. Januar 1801.

Geschwister.

a) Aus des Vaters erster Ehe mit Theresia, Gräfin v. Pergen:

1) *Sophie Maria Francisca Huberta*, geb. den 18. März 1786, vermählt seit dem 24. Mai 1808 mit Franz Grafen v. Spee.
2) *Karl Hubert*, geb. den 26. Octbr. 1790, königl. preuss. Major a. D. und Landrath, vermählt 1) mit Therese, Freiin v. Nagel-Dornick (gestorben 1828); 2) mit Marie, Freiin v. Nagel-Dornick (gest. 1833); 3) seit dem 17. Mai 1836 mit Marie, Freiin v. Vitinghof, genannt Schell.
3) *Maximilian Friedrich*, geb. den 8. März 1797, k. k. Kämmerer, Major und Adjutant bei dem Erzherzog Franz Karl.
4) *Amalie Adolphine Huberta*, geb. den 2. Juni 1800.
5) *Marie Therese Pauline Huberta*, geb. den 15. Novbr. 1802.

b) Aus des Vaters zweiter Ehe:

6) *Paulina Marie Francisca*, geb. den 14. Juni 1807, vermählt den 2. Mai 1829 mit Clemens, Grafen v. Schmising zu Thatenhausen.
7) *Marie Huberta*, geb. den 24. Decbr. 1809, vermählt seit dem 15. Mai 1834 mit Joseph, Reichsgrafen v. Plettenberg-Lenhausen.
8) *Auguste Charlotte*, geb. den 26. August 1812.
9) *Huberta Marie Therese*, geb. den 3. April 1814, vermählt seit dem 14. Mai 1833 mit August, Freiherrn v. Nagel-Dor..ick.
10) *Clemens August*, geb. den 19. Decbr. 1815, königl. preuss. Lieutenant in 11. Husarenregimente.
11) *Friedrich Ferdinand*, geb. den 8. Septbr. 1820.
12) *Antonia Marie*, geb. den 13. Mai 1824.

Des Vaters, des am 6. Mai 1834 verstorbenen Grafen August Ferdinand, Wittwe:

Antonia, Freiin v. Twickel zu Havixbeck, geb. den 2. Sept. 1784, vermählt am 13. Juni 1816.

Vaters Geschwister:

1) *Ludovica Clara*, Aebtissin des Stiftes Langenhorst.
2) *Marianne*, Stiftsdame ebendaselbst.
3) *Paul Burchard*, königl. hannöverscher Geheimer Rath.
4) *Sophia*, Stiftsdame im Stift Freckenhorst.

Das Wappen der Familie ist ein dreifaches goldenes Gatter im blauen Schilde, oder blau mit Gold dreifach gegittert. Das ganze Wappenbild wiederholt sich auf dem gekrönten Helme zwischen zwei blauen, dreimal goldgestreiften Fasanenfedern. Die Decken blau und golden. M. s. Robens, II. S.322. Geneal. Taschenbuch der deutschen gräflichen Häuser 1837 S. 313.

Mees, die Herren von.

Zu Wesskallen im Regierungsbezirke Gumbinnen lebt gegenwärtig ein Oberförster v. Mees. — In der Armee dienen zwei Offiziere dieses Namens, der ältere als Lieutenant im 7. Uhlanenregimente zu Bonn, ein anderer ist Lieutenant im 2. Bataillon des 1. Landwehrregiments. Vielleicht ist derselbe mit dem oben erwähnten Oberförster Eine Person.

Meier, die Herren von.

Aus der ursprünglich Mecklenburg angehörigen Familie v. Meier stehen mehrere Mitglieder im preuss. Staatsdienste, namentlich der Landrath des Kreises Steinau, Stiftspropst zu Barschau, Ritter von Meier, Herr auf Ransen.

Meihers, die Herren von.

Ein adeliges Geschlecht in Westphalen, das in der Grafschaft Tecklenburg schon im Anfange des vorigen Jahrhunderts die Herrlichkeit Velpe besass. M. s. Abels Rittersaal S. 74.

Meinders, die Herren von.

Franz v. Meinders wurde vom Kaiser Leopold I. im Jahre 1682 in den Adelstand erhoben. Diese Erhebung erhielt unter dem 31. August desselben Jahres und unter dem 2. Mai 1703 ihre Bestätigung von brandenburg-preussischer Seite. Er war im Jahre 1630 in der Grafschaft Ravensberg geboren, ward 1667 Hof- und Kriegsrath, 1672 wirklicher Geheimer Rath, kurbrandenburgischer Gesandter zu Regensburg und an verschiedenen europäischen Höfen. Sein Tod erfolgte am 27. April 1695. Es scheint, als wenn derselbe keine Nachkommenschaft hinterlassen habe, da wir diesen Namen nicht mehr in den Listen der Armee und der Administration finden. Wir vermögen nicht zu bestimmen, ob die Brüder Clamor Hermann, k. k. Gesandtschafts-Secretair, und Arnold Heinrich v.M., die Beide im Jahre 1704 in den Reichsadelstand erhoben wurden, zu der Familie des erwähnten Franz v. M. gehörten. C. O. Loniceri Prosphonema gratulatorium ad mathematicam amussim formatum Franc. a Meinders, quum ob virtutum claritatem nobilitatis insignibus S. C. M. indultu esset dignatus. Berol. 1682 f. 1 Bogen. Das dem Franz v.Meinders beigelegte Wappen zeigt im gespaltenen silbernen Schilde rechts einen rothen Adler mit ausgebreiteten Flügeln, links ein rothes, unten spitzig endendes Kreuz zwischen zwei goldenen Halbmonden. Auf dem Helme liegt ein grün und silberner Bund, aus dem zwei roth und silbern geviertete Adlerflügel wachsen.

25 *

Meinecke, (Meineke) die Herren von.

1) Eine altadelige Familie, die sehr oft auch blos Meinke geschrieben wird, gehört Pommern und Preussen an. Sie besass in
Pommern das Gut Cunow bei Stargard, im Kreise Saatzig. — *Joachim* v. M. erwarb dasselbe im Jahre 1642 von dem Magistrate zu
Stargard, und *Joachim Moritz* v. M., königl. Hauptmann, war der
letzte Besitzer diesex Gutes. Er starb im Jahre 1724 kinderlos. Durch
seinen letzten Willen kam das Gut an die v. Wenden.

2) *Peter* v. Meinecke, der Sohn eines Rathmanns aus Rathenau,
stieg bis zum königl. preuss. Generalmajor und Chef eines Dragonerregiments. Er nahm, nachdem er studirt hatte, 1713 Kriegsdienste,
stieg nach und nach bis zum Major, ward 1750 Oberstlieutenant und
Commandeur des Regiments Prinz Schönaich-Kürassier, 1753 Oberst,
1757 Generalmajor und Chef des Dragonerregiments v. Truchsess.
Er hatte sämmtlichen schlesischen Kriegen mit Auszeichnung beigewohnt und starb im Sept. des Jahres 1775 zu Ilsenburg in der Grafschaft Wernigerode. Bei seiner Erhebung in den Adelstand wurde
ihm folgendes Wappen beigelegt: das Schild ist gespalten, in der
rechten silbernen Hälfte wird ein gekrönter schwarzer Adler sichtbar,
die linke Hälfte ist im obern Theile grün, unter demselben aber roth
und von zwei silbernen Balken durchzogen. Auf dem gekrönten Helme
liegt zwischen zwei schwarzen Adlerflügeln ein Schwert mit goldenem
Griff, die Spitze nach aufwärts gewendet. Decken und Laubwerk
sind roth und schwarz.

Meinertshagen, die Herren von.

Ein adeliges Geschlecht, das zu den alten edlen Familien der
freien Reichsstadt Cöln gehört. Ein Zweig desselben erhielt von dem
grossen Kurfürsten, unter dem 28. Januar des Jahres 1764, ein Anerkennungs-Diplom seines alten Adels. Das Wappen ist quadrirt und
mit einem Herzschildlein versehen. Im 1. und 4. goldenen Felde
zeigt sich der gekrönte schwarze Adler, im 2. und 3. Felde steht auf
grünem Boden eine grüne, acht Früchte oder Blumen tragende Staude.
Im silbernen Herzschildlein ist ein grüner, mit drei blauen Weintrauben belegter Balken von der obern rechten zur untern linken Seite
gezogen. Das Hauptschild ist mit zwei gekrönten Helmen besetzt.
Auf dem rechten steht zwischen zwei blau und silbern gevierteten
Büffelhörnern ein Weinstock, mit sechs blauen Trauben behangen. Auf
dem linken Helme zeigt sich zwischen zwei golden und schwarz gevierteten Adlerflügeln die erwähnte Staude. Die Decken und das
Laubwerk sind rechts blau und silbern, links schwarz und golden.
Unter dem Schilde ist ein silbernes Band gezogen, auf dem die Worte
stehen: Favente Jove crescunt uvae.

Melitz, die Herren von.

Eine adelige Familie aus Westpreussen. Ihr gehörte der Major
v. Melitz im Dragonerregimente v. Auer an, der im Jahre 1810
Oberstlieutenant im 4. Kürassierregimente wurde und 1827 im Pensionsstande starb. — Ein Lieutenant v. M., der früher in dem Regimente v. Dierike gestanden hatte, starb an ehrenvollen Wunden, die
er 1813 empfangen hatte.

Mellenthin, die Herren von.

Ein altes pommersches Geschlecht, dessen gleichnamiges Stammhaus auf der Insel Usedom liegt, und das später auch in andern Theilen von Pommern und in Schlesien Güter erwarb. Im Kreise Pyritz ist ein Theil des Dorfes Loist ein altes v. Mellenthinsches Lehn, auf welches der Generalfeldmarschall Friedrich Wilhelm v. Grumbkow im Jahre 1737 die Anwartschaft und gesammte Hand erhalten hatte, und es am 15. April 1737 von Joachim Sigismund v. M. erkaufte. Woltersdorf im Kreise Saatzig war ebenfalls eine Besitzung der Familie, welches Kaspar Heinrich v. M., königl. Landrath, in der letzten Hälfte des vorigen Jahrhunderts seinem Sohne, dem Hauptmann Kaspar Heinrich Friedrich v. M, überliess. Gegenwärtig besitzt in Pommern der Oberlandesgerichtsrath v. M. zu Danzig das Gut Gersdorf im Kreise Dramburg, die Wittwe v. M. das Gut Heide im Kreise Dramburg, und die Gebrüder v. M. Klein-Lienchen und einen Antheil an Langenhagen im Kreise Saatzig. — In Schlesien ist diese Familie in den Besitz des Gutes Gassendorf bei Liegnitz gekommen. Von dem verstorbenen Major v. M. auf Gassendorf stehen noch gegenwärtig Söhne in der Armee, wie der Prem.-Lieutenant und Adjutant v. M. im 1. Garde-Regimente zu Potsdam. — Ein Major v. Mellenthin commandirt das 1. Bataillon des 9. Landwehrregiments zu Stargard, und ist Ritter des eisernen Kreuzes 1. Cl. (erworben bei Gross-Beeren). — Ein Major v. M., gegenwärtig ausser Dienst, erwarb sich in Frankreich das eiserne Kreuz 2. Classe.

Die v. Mellenthin führen in einem in die Länge herab getheilten Schilde in dem Felde zur rechten einen schwarzen und gelben Schach und in dem andern Felde zur Linken einen Weinstock mit drei grünen Blättern und drei rothen Trauben. Der Helm trägt einen schwarzen und gelben Schach, auf welchem drei Straussfedern stecken, von welchen die zur rechten gelb, die mittlere schwarz und die zur Linken weiss ist. Dieses Wappen giebt Siebmacher V. S. 166. v. Meding beschreibt es II. Nr. 538. Micrälius erwähnt dieses Geschlecht VI. S. 404. Gauhe, I. 996.

Mellersky, die Herren von.

Aus dieser adeligen Familie haben verschiedene Mitglieder in preuss. Diensten gestanden, namentlich stand im Jahre 1806 ein Hauptmann v. Mellersky im Regimente v. Braunschweig. Er war zuletzt Major im 5. kurmärkischen Landwehr-Infanterieregimente und ist gegenwärtig pensionirter Oberst-Lieutenant und Ritter des eisernen Kreuzes (erworben bei Dennewitz). — Ein anderer v. M. stand in dem Regimente v. Manstein, und schied 1820 als Major aus dem 9. Garnisonbataillon. — Ein anderer v. M., der früher im Regimente v. Pirch stand, war später Capitain im 14. Infanterie-Regimente und starb im Jahre 1824.

Mellet, die Herren von.

Ein adeliges waadtländisches Geschlecht, welches das Bürgerrecht zu Vevay und Latour de Peilz im Canton Waadt besitzt. Zuerst findet man einen Aymon v. Mellet, Bürger von la Tourde Peilz, unter den Zeugen in der Eidesleistung des Edlen Franz Probi, „Praecepto-

ris," der Stadt Vevay im Jahre 1479. *Judith* v. M., Tochter *Johann's*
v. Mellet und der Edlen Johanna Loys, war in der Mitte des 17.
Jahrhunderts Ehefrau des Edlen Franz Crousaz-Chexbres, Schloss-
und Amtshauptmanns (Châtelain et Capitain zu Glerolles). — *N.* v.
M. ist gegenwärtig Lieutenant im königl. preuss. neuenburger Garde-
Schützenbataillon.

Das Wappenschild enthält im silbernen Felde einen wilden Apfel-
baum (Meley, en Vaudois), an welchen ein schwarzer Bock emporsteigt; auf dem adeligen Tournierhelme ein wachsender schwarzer
Bock. Helmdecken grün, schwarz und silbern. Diese Nachrichten
sind aus den uns vorliegenden Familienmittheilungen und dem Stammbaume des edlen und vornehmen Geschlechts der Freiherren v. Crousaz-Chexbres und aus vidimirten Abschriften der Manualen der Stadt
Vevay, die sich im Familienarchive befinden.

Mellier, Herr von.

Der König Friedrich Wilhelm II. erhob am 30. Novbr. 1786 den
Oberstlieutenant in der königl. Schweizergarde zu Paris *Johann Jakob*
Mellier in den Adelstand. Das ihm beigelegte Wappen besteht aus
einem unbedeckten rothen, von zwei schwarzen gekrönten Adlern gehaltenen Schilde. Darin ist ein silberner Hausgiebel oder Sparren angebracht und im obern linken Winkel steht ein silberner Stern.

Mellin, die Grafen von.

Dieses gegenwärtig in den diesseitigen Staaten im Mannsstamme
erloschene gräfliche Geschlecht hat sich früher auch Mallin geschrieben, und ist aus Niedersachsen schon vor langen Jahren in die östlichen Länder, namentlich auch nach Liefland, Kurland und Schweden,
gekommen. König Karl's X. von Schweden Generaladjutant und nachmaliger Feldmarschall, Reichsrath und Generalstatthalter von Pommern, *Jürge*, Freiherr v. Mellin, der sich besonders bei den Uebergange der schwedischen Armee über den gefrornen Belt auf dem Zuge
nach Fünen auszeichnete (m. vergl. unten die Beschr. des Wappens)
brachte im Jahre 1696 unter Karl XI. die Grafenwürde auf sein Haus.
Durch Vermählung des Grafen v. M. mit der Erbtochter des letzten
v. Rothermund auf der Insel Rügen fielen die ansehnlichen Güter dieses Hauses an die Grafen v. M., die auch die Herrschaften und Güter Gaartz, Gaantz, Triglaff, Schnabow im Kreise Greiffenberg, Sil-
ligsdorf im Kreise Neustettin u. s. w. besassen. Gaartz und Plastow
sind alte Mellinsche Lehne, welche *Joachim Dubislav* v. M. bei seinem
Leben am 6. Septbr. 1740 seinem zweiten Sohne, dem Hofgerichts-
rathe *Wilhelm Heinrich* v. M., abtrat, nach dessen Tode sie seiner
Schwester, dem Fräulein *Anna Dorothea Luise* v. M., zufielen. Später kam *Joachim Wilhelm* v. M. in den Besitz derselben. Der Letzte
des Geschlechtes, der Graf *August Wilhelm* v. M., der seit dem Jahre
1771 königl. preuss. Kammerherr und Johanniterordensritter war, besass, nachdem er seine Güter in Pommern verkauft hatte, zuletzt die
Herrschaft Naumburg am Bober im Fürstenth. Sagan; er starb am 16.
August 1836 in dem seltenen Alter von 90 Jahren zu Stralsund. Eine
Tochter von ihm ist die in Berlin lebende Wittwe des am 22. Octbr.
1831 zu Berlin verstorbenen Obersten v. d. C., Wilhelm Ferdinand von
der Dollen.

In der preuss. Armee sind zu höhern Würden gelangt:

Henning Christian v. M., ein Sohn des *Georg* v. M., Erbherrn auf Triglaf, durchlief die unteren Stellen im Regimente Alt-Schwerin, ward 1756 Oberst und 1760 Chef des v. Manteufelschen Garnisonregiments. Er starb am 15. März 1769 zu Heiligenbeil, nachdem er von 1741 an sämmtlichen Feldzügen Friedrichs des Grossen beigewohnt hatte, und in den Schlachten bei Mollwitz, Chotusitz und Hohenfriedberg verwundet worden war. Mit seiner Gemahlin, Henriette v. Kauderbach, hatte er einen Sohn erzeugt.

Bernhard, Reichsgraf v. M., ein Enkel des schwedischen Generalfeldmarschalls v. M., und Sohn des im Jahre 1733 verstorbenen königl. schwedischen Generalmajors *Berend Johann* v. M., ward am 13. Nov. 1704 geboren. Er trat 1722 in preuss. Dienste, ward 1758 Oberstlieutenant, 1759 Oberst und 1763 Commandeur des nachmaligen v. Schottenschen Regiments; noch in demselben Jahre aber schied er mit Generalmajorscharakter aus dem activen Dienste. Er besass die Güter Damizow, Kesow, Schönfelde, Schöning u. s. w., und starb am 5. Decbr. 1785 im 82. Jahre. In der Ehe mit seiner Cousine, *Anna Ulrike Eleonore*, Gräfin v. Mellin, hat er keine Kinder gehabt.

Das ursprüngliche Wappen der v. M. zeigt einen oben gespitzten, mit gold, blau und silber geschachteten Sparren im goldenen Felde, und auf dem Helme einen eben solchen Sparren, auf dessen Spitze sich drei rothe und zwei weisse gegen einander abwechselnde Straussfedern befinden. Die Helmdecken sind golden und blau.

Das gräfliche Wappen ist zweimal in die Länge und einmal in die Quere getheilt, und besteht demnach aus sechs Feldern, nebst einem in die Länge herabgetheilten Mittelschilde, in welchem zur Rechten im goldenen Felde sich ein mit gold, blau und silber geschachteter Sparren, als das dem Mellinschen Geschlechte eigenthümliche alte Stammwappen befindet. In dem zur Linken sind drei rothe Rosen auf einem schräg liegenden silbernen Balken im blauen Felde, als das Wappen der ausgestorbenen freiherrlich Rothermundschen Familie, deren meiste Güter auf der Insel Rügen dem gräfl. Mellinschen Hause zufielen. Das 1ste und 6ste Feld des Hauptschildes sind durch einen silbernen Strom, über welchen ein goldener Löwe sich erstreckt, in zwei Theile getheilt, wovon das obere Feld roth, das untere aber blau ist; dies ist zum Andenken des unter dem Könige Karl X. von Schweden von seinem Generaladjutanten und nachmaligen Feldmarschall, Reichsrath und Generalstatthalter von Pommern, Jürgen, Freih. Mellin, veranstalteten Ueberganges der schwedischen Armee über den gefrorenen Belt nach Fünen gegeben. Das zweite Schild ist in die Länge herab in zwei Felder getheilt. Das erstere besteht aus silbernen und schwarzen, mit einander wechselnden Rauten, und in dem andern drei schwarze Raben im goldenen Felde. Auf dem dritten und vierten silbernen Felde steht ein schwarzer Lindwurm mit ausgebreiteten Flügeln, aufgewundenem Schwanze und ausgeschlagener rother Zunge mit einem goldenen Kranze um den Hals. Das 5te ist in die Länge herabgetheilt, und führt in dem ersten blauen Felde den schwedischen goldenen Löwen mit einem blossen Schwerte in der rechten Klaue, ausgeschlagener rother Zunge und doppeltem Schwanze; in dem andern silbernen aber den halben schwarzen Reichsadler. Das 6ste Feld ist dem ersten völlig gleich. Auf dem Wappenschilde stehen vier offene, blau und silbern angelaufene und mit Gold verzierte Turnierhelme, die mit eben so vielen alten gräfl. Kronen geziert sind. Auf dem ersten Helme, welcher zu dem ersten und sechsten Felde gehört, sind zwei blaue Standarten, und zwei mit Blau und Gold in die Länge herabgestreifte Fahnen; der zweite führt den mit silber, blau und gold geschachteten Sparren des Mittelschildes, und

hat noch anf dessen Spitze drei rothe und zwei weisse gegen einander abwechselnde Straussfedern; der dritte trägt einen Rosenstock mit sieben Rosen und gehört zum 2ten Felde; der 4te hat den aufgerichteten goldenen Löwen des 5ten Feldes, welcher einen halben schwarzen Adler trägt. Die Wappendecke ist golden, silbern, roth und blau, und das ganze Wappen wird von zwei schwarzen Greiffen getragen, die auf einem grünen Hügel stehen.
M. s. auch Micrälius, S. 501. Gauhe, I. S. 997. Allgemeines genealog. und statistisches Handbuch, I. S. 681—85.

Mellish, Herr von.

Joseph Karl v. Mellish, ein Edelmann in Weimar, wurde im Jahre 1798 zum preuss. Kammerherrn ernannt.

Mengersen, die Grafen und Herren von.

Das altadelige, gegenwärtig zum Theil gräfliche Geschlecht von Mengersen gehört seinem Ursprunge nach Westphalen an; es ist aber die gräfliche Linie gegenwärtig im Regierungsbezirke Merseburg des Herzogthums Sachsen ansässig. Auch im Königreiche Hannover und den fürstlich lippeschen Landen ist die Familie begütert. Das Stammhaus der Familie ist das Dorf Rheder bei Paderborn, und vor langen Zeiten schon waren sie Burggesessene zu Borkholz. Namentlich besass *Helmin* bereits im 13. Jahrhunderte die Burg zu Borkholz. Mit dem deutschen Orden zogen mehrere Ritter aus diesem Hause mit in die östlichen Länder, und noch heute blüht in Liefland eine Linie des Geschlechts. *Hermann* v. M. focht im 16. Jahrhunderte gegen die Türken. Später wird sein Name in der Geschichte des Wiedertäufers Johann v. Münster, dem er kräftigen Widerstand geleistet hatte, genannt. *Joseph Moritz* v. M., war kais. General, der namentlich gegen die ungarischen Insurgenten und gegen die Türken sich hohen Kriegsruhm erworben hat. — *Ferdinand Moritz* v. M. war des deutschen Ordens Landcomthur der Ballay Westphalen, und Minister des Deutschmeisters Prinzen Karl v. Lothringen. Ein jüngerer Bruder desselben war des deutschen Ordens Comthur zu Mecheln. — *Clemens August*, Kammerpräsident und Domcapitular zu Paderborn, machte sich durch die Stiftung eines Fideicommisses für seine Familie, und durch die Gründung eines Seminars zu Paderborn um Stadt und Land verdient. Das Haupt des gräflichen Hauses in Westphalen, der Amtsdrost ausser Diensten auf Rheder, erhielt im Jahre 1827 den rothen Adlerorden 3. Cl., und das Haupt der im Königreiche Sachsen begüterten Linie, Graf *Friedrich Wilhelm Bruno* v. M., starb am 29. Octbr. 1836 in Dresden. Das gräfliche Haus besteht gegenwärtig aus folgenden Mitgliedern:
     Joseph Bruno, geb. den 22. April 1804, vermählt seit dem 30. Septbr. 1835 mit Charlotte, Gräfin v. Münster, geb. den 17. Febr. 1816, Tochter des königl. grossbrit. hannöverschen Staats- und Cabinetsministers Grafen v. Münster.

Geschwister:

1) *Clemens August Bruno*, geb. den 4. Mai 1806, vermählt seit dem 28. Januar 1834 mit Rosalie, Freiin v. Wietersheim.

Sohn:

Friedrich Bruno, geb. den 5. Novbr. 1834.

2) *Marie Thusnelde*, geb. den 4. August 1809, vermählt seit dem 24. Octbr. 1833 mit dem Grafen Karl Octavio zur Lippe.
3) *Hermann Constanz Bruno*, geb. den 29. Decbr. 1810, königl. preuss. Lieutenant im 8. Uhlanenregimente.
4) *Ferdinandine Josephine*, geb. den 3. Febr. 1817.
5) *Victorie Genovefa*, geb. den 14. Juni 1818.
6) *Karl Hubert Bruno*, geb. den 15. August 1820.

Mutter:

Therese, geb. Freiin v. Bender und Loitha, geb. den 20. Januar 1783, Wittwe von dem am 29. Octbr. 1836 verstorbenen Grafen Friedrich Wilhelm Bruno v. Mengersen.

Von der adeligen Familie v. M. standen im Jahre 1806 zwei Brüder v. Mengersen in dem Regimente v. Lettow. Der ältere starb 1810 als Capitain, der jüngere aber schied im Jahre 1817 als Major aus dem 4ten westphälischen Landwehrregimente.

Das Wappen der Familie v. Mengersen zeigt im goldenen Schilde zwei rothe Adlerflügel, die unten von einem goldenen Ringe durchzogen oder zusammengehalten sind. Dieses Bild wiederholt sich auf dem Helme.

Das gräfliche Wappen hat auf dem Schilde und auf dem Helme eine neunperlige Grafenkrone. Zu Schildhaltern sind zwei Löwen gewählt.

Nachrichten über diese Familie giebt Gauhe, I. S. 997. v. Hattstein, I. S. 377 u. f. Neues geneal. Handbuch 1778. II. Nachtrag 16. u. f. Piderits, lippsche Chronik S. 234.

Mengershausen, die Herren von.

Sie werden auch Mengershausen geschrieben, und stammen aus der gleichnamigen, 1½ Stunde von Göttingen gelegenen Ortschaft. Vorzugsweise sind sie in den herzoglich braunschweig-lüneburgschen Erblanden, im Fürstenthume Göttingen, jedoch auch im Preussischen ansässig. Ihr Wappen besteht aus einem quergetheilten, unten grünen und oben rothen Schilde, worin in der obern Hälfte ein in die Höhe strebender gelber halber Löwe vorgestellt ist. Man findet schon um das Jahr 1250 in Urkunden den Ritter *Regenbodo* von Mengershausen; dann 1265 die Gebrüder, den Ritter *Hartwig* im Gefolge der Grafen von Eberstein, und wahrscheinlich Stammvater der auch noch in den Lippeschen, Preussischen u. s. w. blühenden Herren von Mengersen, den Ritter *Conrad* als Stammvater der im Göttingschen gebliebenen Familie, und den Canonicus *Werner* zu Mengershausen im St. Petersstift zu Nörthen. *Conrads* Nachkommen, von denen allein hier die Rede ist, waren bis in die Mitte des 14. Jahrhunderts Burgmänner auf der Burg Friedland u. s. w., auch Pröpste in benachbarten Stiftern und Klöstern, hatten ihren vorzüglichsten Grundbesitz im Göttingschen, und traten namentlich seit dem 15. Jahrhunderte als Erbgesessene im Rittergute, Dorfe und Gerichte Mielenhausen bei Münden, auf dem Junkernhofe zu Lemshausen bei Mengershausen und Speele Oberamts Münden, auch als Lehnmänner und Patronatherren zu Niedernjesa bei Göttingen auf, haben sich auch in diesem und andern Grundbesitze bis zu den neuesten Zeiten erhalten. Unter ihnen haben sich vorzüglich, ausser vielen andern Kriegern und Staatsdienern, durch ihre Klugheit um den Staat verdient gemacht: *Hans* von Mengershausen um das Jahr 1430 bis 1440 als von den Landständen erwählter Mitregent des Landes Göttingen, und 1540 u. f. *Christoph* von Mengershausen als

394 Mengden.

Beförderer der Reformation und Hofrichter bei der Herzogin Elisabeth von Braunschweig zu Münden.

Zu Ende des 15. Jahrhunderts wurde die Familie durch *Hans* und *Helmbrecht* von Mengershausen in zwei Hauptlinien getheilt. Die Nachkommen des Erstern blieben im Heimathlande, leben daselbst noch, und es ist nur aus neuern Zeiten zu bemerken, dass Herr *Ernst Friedrich* von Mengershausen, Erb- und Gerichtsherr zu Mielenhausen, drei Kinder erzeugt hat, deren ältestes ein Sohn, *Hermann*, in preussische Staatsdienste getreten, und daselbst seit einigen Jahren als Oberlandes-Gerichtsassessor angestellt gewesen, auch mit Elisabeth von Voigt aus Lauenburg verheirathet ist, welche mit ihm, ausser einigen Töchtern, auch einen noch lebenden Sohn, *Hermann Bodo Ludwig*, erzeugt hat, während die Tochter, *Elisabeth*, an den Freiherrn Friedrich Bodo von Bodenhausen auf Arnstein, Niederngandern und Witzenhausen verheirathet, der jüngste Sohn, *Karl Heinrich* von Mengershausen aber Amtsassessor in königlich hannöverschen Diensten ist.

Die Nachkommen *Helmbrechts* von Mengershausen behielten zwar ihren Antheil am Grundbesitze der Familie, wohnten daselbst indessen nur ausnahmsweise, indem dieselben schon zu Anfange des 16ten Jahrhunderts Mitglieder der Gauerbschaft Alt-Limpurg zu Frankfurt am Mayn wurden, und in dieser freien Reichsstadt an dem Patriciat und der Regierung Theil nahmen, wobei sich um das Jahr 1580—82 *Georg* von Mengershausen als Bürgermeister hervorthat und bei der Kaiserkrönung besonders geehrt wurde. Seit dem Ende des 17. Jahrhunderts nahmen die Mitglieder dieser Linie, sobald sie nicht etwa auf den Gütern wohnten, verschiedene Kriegsdienste an, und gegenwärtig lebt nur noch Herr *Karl Adelbert* von Mengershausen, Sohn des weil. königl. preussischen Majors *Friedrich* von Mengershausen, und dessen Gemahlin Eleonore Christiane Auguste, gebornen von Harstall, auf seinem Gute in Hönningen bei Linz am Rhein, woselbst ihm von seiner Gemahlin, Sophie Antonie Leopoldine, gebornen von Wittgenstein aus dem Hause Steeg im Cleveschen, bereits mehrere Söhne und Töchter geboren wurden.

Mengden, die Freiherren und Herren von.

1) Die Familie v. Mengden, auch Mengeden und Mengede, gehört ursprünglich Westphalen und dem heutigen Königreiche Hannover an. Viele Zweige aber, die dem Orden nach den östlichen Ländern folgten, haben sich in Preussen und Liefland, später auch in Russland, ansässig gemacht. Diesem liefländischen Aste gehörte *Karl*, Freiherr v. Mengden, an, der 1748 in preuss. Dienste trat, 1766 eine Escadron im Regimente Garde du Corps erhielt, 1769 Major und 1773 Commandeur dieses Regiments wurde. 1775 erhielt er die Amtshauptmannschaft zu Ragnit; auch beförderte ihn Friedrich II. zum Oberstlieutenant, 1782 zum Obersten, 1785 zum Generalmajor und Chef des v. Arnimschen Kürassierregiments. Er starb im Jahre 1796 und sein Regiment erhielt der General Graf Truchsess zu Waldburg, später aber der General v. Wagenfeld. Es besteht noch heute unter dem Namen des 1. Kürassierregiments. Der General v. M. war mit einer v. Hahnenfeld vermählt. — In dem Regimente von Wedel zu Bielefeld stand ein der westphälischen Linie angehöriger Baron v. Mengden, der im Jahre 1816 als Capitain des 6sten westphälischen Landwehrregiments aus dem activen Dienste schied. — Von der kurländischen Linie wurde im Jahre 1793 ein Freiherr v. M. königlich preuss. Kammerherr.

2) Bei der Garnison-Artillerie in der Festung Cosel stand im Jahre 1806 ein Lieutenant Mengden, der später in den Adelstand erhoben ist, oder eine Anerkennung seines alten Adels erhalten hat. Er trat im Jahre 1823 als Major aus dem activen Dienst, und hatte sich bei Belle Alliance das eiserne Kreuz erworben.

Nicht zu bestimmen vermögen wir, ob die Freiherren v. Mengen in Oesterreich, welche von dem Obersten Karl Mengen v. Hörde, der im Jahre 1723 vom Kaiser in den Reichsfreiherrnstand erhoben wurde, abstammen, zu der unter No. 1. aufgeführten Familie gehören. Aus dieser österreichischen Familie v. Mengen sind die Brüder Karl, Wilhelm und Adolph, Freiherren v. Mengen, zu höheren Würden in der österreichischen Armee gelangt.

Menu von Minutoli, die Herren.

Menu von Minutoli ist der Name einer adeligen Familie zu Genf in der Schweiz. Aus derselben trat Heinrich Menu v. Minutoli um das Jahr 1787 in die preussischen Dienste. Er war mehrere Jahre hindurch bei dem königl. Cadettencorps angestellt, in dem er am 2. April 1803 zum Major befördert, noch im Jahre 1806 stand. Später wurde Herr v. Menu Gouverneur des Prinzen Karl von Preussen. Der vollendeten Erziehung desselben machte der Generalmajor v. Menu in Begleitung mehrerer andern Gelehrten eine Reise durch Aegypten. Das Resultat seiner wissenschaftlichen Forschungen ist er dem Publikum in einem selbständigen Werke und durch Aufsätze in gelehrten Journalen bekannt gemacht. Der Generallieutenant Menu v. Minutoli lebt gegenwärtig a. D. in Berlin. Die Akademie der Wissenschaften zu Berlin, eben so die der Künste daselbst, haben ihn zum Ehrenmitgliede, und die königl. Akademie gemeinnütziger Wissenschaften zu Erfurt zum auswärtigen Mitgliede aufgenommen. Er ist mit Wolfradine Auguste Louise, Gräfin v. d. Schulenburg aus dem Hause Betzendorf, Wittwe des in der Schlacht bei Belle Alliance gebliebenen Oberstlieutenants v. Watzdorf, vermählt. — Ein Sohn aus der ersten Ehe des Generals ist der königl. Regierungsrath v. Minutoli zu Posen.

Merckel, die Herren von.

Se. Majestät der jetzt regierende König hat den wirklichen Geheimenrath und Oberpräsidenten der Provinz Schlesien, Dr. Friedrich Theodor Merckel, Besitzer des Gutes Ober-Thomaswaldau bei Bunzlau, in den Adelstand erhoben. Zwei Söhne desselben stehen als Seconde-Lieutenants im 10. Landwehr-Regimente.

Merian, die Herren von.

Die Familie Merian stammt aus dem ehemaligen Bisthume Basel. Theobald Merian lebte 1499 noch als bischöflicher Mayer (Major) und Castellan von Luttersdorf oder Courron im jetzigen Baroneschen Amte Dilemont; sein Bruder N. N. fiel 1444 in der bekannten Heldenschlacht bei St. Jakob. Vorgedachter Theobald hinterliess zwei Söhne, Johann Peter und Theobald II. Ersterer und sein älterer Sohn, Andreas, waren gleichfalls Mayer und Castellane von Luttersdorf, *Burkhardt* der jüngere aber wurde 1553 evangelisch und Lobbürger der Stadt Basel. Seine Linie hat grosse Künstler als Kupferstecher und Maler hervorgebracht, und es haben hierdurch ihren Namen verewigt: *Mathäus* der ältere (geb. 1593, gest. 1651); *Mathäus* der jüngere (geb. 1641); *Johann Mathäus* (171b) und *Maria Sibylla*, verehel. Groffin (geb. 1647, gest. 1717). — Vorgedachter *Mathäus* der jüngere erhielt eine Bestätigung und Erneuerung des Adelstandes, und von Brandenburg und Baden den Rathstitel. Von seinen Söhnen (welche seit der Adelserneuerung sich des von bedienten) bekam *Karl Gustav*, der sich zu Frankfurt am Main niederliess, den Titel eines kurfürstlich brandenburgischen, nachher königl. preuss. Kammerraths.

Johann Mathäus, dessen schon oben gedacht, war kurmainzischer Kammerrath, und Remigius kurbrandenburgischer Resident zu Frankfurt.

Theobald II. ward 1529 evangelisch und Lobbürger der Stadt Basel, wie schon oben erwähnt, und von seinen Söhnen focht *Ehrhardt* mit Auszeichnung bei Navarra 1511, und brachte eine Fahne mit nach Basel. Diese Linie hat die ansehnlichsten Aemter der Stadt Basel bekleidet, und mehrere Glieder in ausländischen Kriegsdiensten gehabt: als: *Johann Jakob Heinrich* in österreichischen Diensten, und *Emanuel*, Oberstlieutenant der baselschen Nationaltruppen, vormals in königl. preussischen, nachher in königl. französischen Diensten.

Johann Rudolph, königl. preussischer Generalmajor von der Cavallerie, Ritter vom Verdienstorden (wahrscheinlich aus der Johann Peterschen Linie), war ein Sohn Johann Rudolph's, königl. dänischer Rittmeister und zu Itzehoe im Holsteinschen 1713 geboren. Seine Jugend verging in grosser Dürftigkeit. Im Jahre 1738 nahm er Dienste bei der dänischen Cavallerie; da er aber keine Aussicht zur Beförderung hatte, so trat er 1741 in preuss. Dienste, und erhielt in dem damaligen Dragonerregimente, das unter dem Chef desselben, Generalmajor Graf v. Nassau, errichtet wurde, eine Escadron, mit welcher er der Einnahme von Neisse und 1742 der von Olmütz beiwohnte. Beim Rückzuge aus Mähren zeichnete er sich in einem Gefechte mit den feindlichen Husaren ausserordentlich aus, und erwarb sich 1744 bei Prag und andern Orten in Böhmen den Ruf eines tapfern Kriegers. Im Jahre 1745 zeichnete er sich wieder an der Spitze seiner Escadron in der Schlacht bei Hohenfriedberg ausserordentlich durch seine grosse Tapferkeit aus, und fand fortwährend Gelegenheit, in dem Regimente, worin er diente, Lob und Ehre zu erwerben, namentlich aber bei Cosel, Lobschütz, dann bei Prag 1757, Cuttenberg, Collin; bei Spemberg (1759), Cunnersdorf, Gorbitz, Pretsch, wo er mit den übrigen Stabsoffizieren und Escadronführern den Verdienstorden erwarb. Bei Maxen befand er sich auch mit seiner Escadron, so wie mit dem Regimente bei dem Corps des General Finck, welches in österreichische Gefangenschaft gerieth, wollte sich aber nicht ergeben, sondern mit dem Schwerte sich durchschlagen, wodurch ihm die besondere Gunst seines Königs nach geschehener Auswechselung zu Theil wurde. Am 28. Mai 1773 wurde er in demselben Regimente Oberst. Im Jahre 1778 erhielt er das Leib-Kürassier-Regiment, vormals Lentulus, und wohnte als Generalmajor der Reiterei und Chef dieses Regiments dem baierschen Erbfolgekriege 1778—1779 unter dem Prinzen Heinrich bei; nahm 1782 Abschied mit Pension, und starb 1784 auf seinem Gute Grossen-Saaze im Magdeburgischen, von seinem grossen Könige hochgeachtet.

Gegenwärtig ist ein Baron v. Merian kaiserl. russischer wirklicher Staatsrath und Ritter des preuss. rothen Adlerordens 2. Classe.

Merklin, die Herren von.

Ein adeliges Geschlecht in Franken. Demselben gehörte der Major v. Merklin in dem ehemaligen Regimente v. Zweifel an; er wurde im Jahre 1814 pensionirt und ist im Jahre 1825 gestorben. — In demselben stand auch ein Hauptmann v. M., der im Jahre 1810 in der 2ten vorpommerschen Invaliden-Compagnie gestorben ist. — Ein Sohn des Majors v. M. stand als Fähnrich in dem Regimente von Zweifel und war zuletzt Capitain und dem 16. Infanterie-Regimente aggregirt.

Merode, die Grafen von.

Mehrere Autoren leiten die Abstammung dieses alten vornehmen Geschlechtes, das sich ursprünglich Scheiffart v. Merode schrieb, von den Königen von Aragonien ab, indem sie anführen, dass Berengar, der dritte Sohn des Königs Raimund von Aragonien, mit Adelheid v. Rode vermählt war. Diese hatte ihrem Gemahl ihr Stammgut Rode, jetzt Merode genannt, im Jülichschen gelegen, zugebracht. In dieser Ehe wurde ein Sohn, *Werner*, gezeugt, welcher zuerst den Namen Merode annahm. Bucelin fängt die ordentliche Stammreihe mit *Seyfried*, Herrn v. Merode, an, der um das Jahr 1250 lebte. — *Werner* II., Herr v. Merode, liess den Namen Scheiffart weg, und wird als der Stammvater der heute noch blühenden Linie v. Merode-Westerloo und Merode-Hoffalize gehalten. Ausser diesen Linien bildeten sich nach und nach mehrere, Merode-Heyden, Merode-Buir und Schlossberg, Merode-Vlatten, Merode-Hemmersbach, Merode-Hoffalize-Frentz u. s. w. Die Familie erwarb später Bornheim, Neurath, Opharen, Trelon, Frentz, Rummen, Westerloo, Liefdal, Oirschott, Petershem, Parweis, Buir, Merfeld, Vlatten, Froitzheim, Kynaten, Hemmersbach, Limbricht, Willerwist, Kuelseggen, Alner, Büry, Voelen, Gotzenhofen, Jehay u. s. w. *Johann Scheiffart* v. M. lebte um das Jahr 1293. — Sein Sohn, *Werner* v. M., war 1310 auf dem Turnier zu Mons und stiftete die Linie Merode-Heyden, welche aber mit *Maria* v. M. wieder erlosch. — *Wilhelm Scheiffart* v. M. hatte fünf Söhne, wovon *Werner* v. M. um das Jahr 1339 Propst zu St. Gereon in Cöln war, *Carsil* v. M. zu Buir die Linie M. zu Buir und Schlossberg, und *Johann* v. M., Herr von Vlatten, die Merode-Vlattensche Linie stiftete. Eben so gründeten *Werner* v M. zu Hemmersbach, und *Walrav* v. M. zu Wilerwist und Kuelseggen, zwei neue Linien. — *Conrad* v. M., Erbburggraf des Erzstifts Cöln, verkaufte seinen Antheil der Herrschaft Merode wegen Schulden an seinen Vetter, *Richard* v. Merode-Frentz, für 6000 alte Gulden. — *Johann Scheiffart* erwarb durch Heirath die Herrschaft und das Schloss Bornheim. — *Heinrich* und *Adolph* v. M. waren Domherren, *Severin* v. M. aber deutscher Ordensritter und Comthur zu Cöln, und *Reiner* v. M. Landcomthur der Balley Coblenz. — *Adrian* v. M. war Domherr zu Trier. — Mit *Wilhelm Scheiffart* v. M. erlosch die Hauptlinie. — *Werner* IV., Freiherr v. M., aus dem Hause Westerloo und Hoffalize, stiftete das Kloster Schwarzenbroich, erkaufte das Schloss Audrimont, und starb 1341. — *Arnold* v. M., Domherr und Propst, lebte um das Jahr 1473 und stand bei dem Kaiser Friedrich III. in grosser Gnade. — *Heinrich*, Freiherr v. M., wird als Deputirter der Stände von Holland zu Ende des 17ten Jahrhunderts aufgeführt. — *Maria* v. M. starb als Aebtissin zu Hocht. — *Philipp* I., Graf v. M., ward 1626 vom Könige Philipp IV. von Spanien zum ersten Markgrafen v. Westerloo erhoben. — *Johann Philipp Eugen*,

Graf v. M., Marquis v. Westerloo, starb als Ritter des goldenen Vliesses, General-Feldmarschall und Hauptmann der kaiserl. Trabanten. —
Johann v. M.-Vlatten, aus dem Hause Vlatten, war Propst zu Aachen,
Santen und Kranenburg, und jülich-bergischer Kanzler. — *Floris* v. M.
zu Rummen war brandenburgischer Gesandter im Haag.

Gegenwärtig besteht dieses gräfliche Haus aus folgenden Mitgliedern:

Graf *Heinrich Maria Ghislain*, Reichsgraf v. Merode, Marquis von
Westerloo, Fürst v. Rubempré, Grand von Spanien 1. Classe, Senator
des Königreichs Belgien, geb. den 15. August 1782, vermählt seit dem
26. August 1805 mit Luise Johanne, geb. den 14. Januar 1787, Tochter von Johann Franz Berengar, Vicomte de Thésan; Obersthofmeisterin
der Königin der Belgier.

Kinder:

1) *Marie Josephine Hildegarde Ghislaine*, geb. den 8. Novbr. 1820.
2) *Karl Anton Ghislain*, geb. den 1. August 1824.

Geschwister:

1) *Francisca Luise Ghislaine*, geb. den 13. Mai 1787, vermählt am
   23. Septbr. 1804 mit dem Grafen Adolph v. Thiennes v. Lom-
   bize, Wittwe seit dem 19. Januar 1814.
2) *Philipp Felix Balthasar Otto Ghislain*, geb. den 13. April 1791,
   königl. belgischer Staatsminister, Mitglied der Kammer der Abgeordneten, vermählt 1) am 4. Juli 1809 mit der am 29. Septbr.
   1823 gestorbenen Rosalie, Tochter des Marquis v. Grammont;
   2) den 27. Septbr. 1831 mit Philippine, Schwester seiner ersten
   Gemahlin, geb. den 15. August 1800.

Kinder:

a) *Werner*, geb. den 13. Januar 1816.
b) *Theoduline*, geb. den 22. Juli 1817.
c) *Anna*, geb. den 20. August 1818.
d) *Franz Xavier*, geb. den 26. März 1820.

3) Wittwe des am 4. Novbr. 1830 zu Mecheln an der im Treffen bei
   Berchen erhaltenen Wunde gestorbenen Grafen Ludwig Friedrich
   Ghislain: *Marie Antoinette*, Tochter des Grafen Antoine du Clu-
   zel, französischen Generallieutenants, vermählt 1811, und 1833
   an den Marquis de Cossé.

4) *Werner Johann Baptist Ghislain*, geb. den 24. Juni 1797, Mitglied
   der belgischen Kammer der Abgeordneten, vermählt seit dem
   24. Juni 1818 mit Victoire, geb. Gräfin v. Spangen, geb. den
   23. Decbr. 1797.

Kinder:

a) *Luise*, geb. den 22. Mai 1819.
b) *Ludwig*, geb. den 7. August 1821.
c) *Therese*, geb. den 11. Octbr. 1823.
d) *Fanny*, geb. den 11. August 1825.
e) *Amory*, geb. den 14. März 1827.
f) *Antoinette*, geb. den 28. Septbr. 1828.
g) *Maria*, geb. den 19. Novbr. 1830.

Mutter:

Marie Josephine Felicie Ghislaine, Fürstin v. Grimberghe und Gräfin
v. Mastaing, geb. 1760, Sternkreuzdame, Wittwe des Reichsgrafen
Wilhelm Karl Ghislain, seit dem 18. Februar 1830.

Mehrere Linien führen den Urnamen und das Wappen mit heraldischen Veränderungen; daher Merode-Westerloo mit Vermehrung der Quartiere von ihren häufigen Besitzungen in Belgien; Merode-Hoffalize mit erbschaftlicher Ecartelirung durch Wappen von Hoffalize; Merode-Schlossberg, das ursprüngliche Wappen zwischen offenen Flügeln wiederholt; Merode-Vlatten, mit einem silbernen Sterne in einer blauen Vierung im rechten Oberwinkel. Merode-Frankenberg nahmen mit dem Rittersitze und Jagdschlosse Karls des Grossen den Namen und das Wappen von Frankenberg, viergetheilt mit dem v. Baur statt des ihrigen an. Die ältere Linie Scheiffart v. Merode führt das ursprüngliche aragonische Wappen einfach, nämlich: Vier rothe ablange Pfähle in Gold, auf dem gekrönten Helme zwischen offenen, rechts rothen, links goldenen Flügeln, ganz wiederholt; Decke und Livree golden und roth. Zuweilen findet man das Oberwappen verändert, nämlich: statt der offenen Flügel einen goldenen feuerspeienden beflügelten Drachen, eine goldene Standarte rückwärts tragend, worauf das Wappenschild wiederholt wird. M. s. Robens, I. S. 21 u. f.

Merveilleux, die Herren von.

(Deutsch Wunderlich.) Dieses Geschlecht kam mit Hänsely aus Röteln im Badenschen 1448 mit Markgraf Rudolph nach Neufchâtel und veränderte seinen Namen in das französische Merveilleux. *Johann* bewirkte bei den Eidgenossen, dass der Markgräfin Johanna von Hochberg 1529 das Fürstenthum wieder abgetreten wurde, weshalb er in demselben Jahre von ihr den fürstlichen Adelstand erhielt und mit mehreren Lehngütern, und namentlich Zehnten zu Coffrane begnadigt wurde; er hat auch das Lobbürgerrecht von Bern erhalten, welches seine Nachkommen in *Samuel* zu Anfange des 17. Jahrh., und in *Wilhelm* 1642 wieder erneuerten; mit des Letztern Sohne, *Georg*, Landvoigt zu Echallens, erlosch es aber 1702 zu Bern, wo es die deutsche Schreibart seines Namens „Wunderlich" gebraucht hatte. — Im Canton Bern und in der damals zu diesem gehörigen Landschaft Waadt besass es ehedem die Mitherrschaft Worb, die Herrschaften Essert Bellevaux; von seinen \Verbindungen verdient Erwähnung die mit dem freiherrlichen Hause von Diesbach; es hat im Fürstenthume und in der Stadt Neufchâtel die angesehensten Aemter bekleidet, auch in fremden Diensten Rang und Ehre erworben. Ein v. Merveilleux ist gegenwärtig Lieutenant im Garde-Schützenbataillon von Neuenburg zu Berlin.

Meschede, die Freiherren und Herren von.

Ein uraltes adeliges, zum Theil auch freiherrliches Geschlecht, das sowohl dem cölnischen, wie auch dem osnabrückschen Lande angehört oder angehörte. Es führt im goldenen Schilde einen rothen, oben spitz zugehenden Hausgiebel. Auf dem ungekrönten Helme ist auf einem goldenen Postamente eine grüne, mit dem Hausgiebel belegte Kugel vorgestellt. Dieses Wappen giebt Siebmacher, IV. S. 130.

Meseritz, die Herren von.

Eine adelige Familie in Pommern, welche aber gegenwärtig nicht mehr in dieser Provinz begütert ist. Im Jahre 1806 war eine Tochter aus diesem Hause Conventualin im Kloster zu Marienfliess. —

Diese Familie führt einen rothen Balken zwischen zwei laufenden Füchsen und auf dem Helme einen Rosenstock, mit rechts sechs, links sieben rothen Rosen an mit eben so viel Blättern gezierten Stielen.

Metsch, die Grafen, Freiherren und Herren von.

Eine sächsische Familie, die im Merseburgschen und Anhaltschen sehr begütert war und jetzt noch im Voigtlande ansehnliche Besitzungen hat. Ein Zweig derselben ist in den Freiherrenstand erhoben worden, ein anderer ist zur gräflichen Würde gelangt. Die Erbtochter des letzten Grafen *Johann Adolph* v. Metsch, kaiserl. wirkl. Geheimen Raths und Reichs-Vicekanzlers, vermählte sich mit dem Fürsten Johann Joseph v. Khevenhüller, und dieses fürstliche Haus führt seitdem den Namen Khevenbüller-Metsch. Der Freiherr *Johann Ernst* v. Metsch wurde im Jahre 1817 in den Grafenstand erhoben. Die gegenwärtig im Königreiche Sachsen und namentlich bei Reichenbach und Plauen im Voigtlande und im Erzgebirge begüterte Familie v. Metsch führt im silbernen Schilde einen blauen Sparren oder Hausgiebel, und auf dem Helme zwei Büffelhörner, wovon das rechte blau, das linke silbern ist. Die Freiherren v. Metsch führen ein quadrirtes Schild. Im 1. und 4. Felde ist ein blauer Giebel, im 2. und 3. rothen Felde ist eine goldene, mit Edelsteinen besetzte Krone dargestellt. M. s. auch Gauhe, I. S. 1004—6. Zedlers Universal-Lexicon XX. S. 1389 u. f.

Metternich, die Fürsten von.

Das ursprünglich jülichsche altadelige, jetzt fürstliche Geschlecht v. Metternich soll, nach einer Familiensage, seinen Namen von folgender Begebenheit erhalten haben: Als die Sachsen durch ihre wiederholten Friedensbrüche die Geduld Karls des Grossen ermüdet hatten, und dieser, um das abendländische Kaiserthum zu befestigen, sich genöthigt sah, die ganze Nation zum christlichen Glauben zu zwingen, so überfiel er sie in einem Feldzuge. Er fand, dass viele Westphälinger, die er früher begnadigt und angestellt hatte, wieder abtrünnig geworden waren. Da man ihm unter diesen auch den Metter nannte, sprang er auf und sagte: „Nein, Metter nicht!" Diese Aeusserung wurde bald bestätigt, denn als man nach einigen Tagen tiefer ins Land rückte, fand man den tapfern Metter bei der Irmensäule, bis wohin er mit einem Häuflein Getreuer vorgedrungen war, beschäftigt, die Irmensäule zu zerstören, mit eigenen Händen das Götzenbild herunter werfend. Der Kaiser, darüber erfreut, rief aus: „habe ich nicht gesagt, Metter nicht?" und seit dieser Zeit soll derselbe Metternich genannt worden sein. Obgleich es nach authentischen Quellen erwiesen, dass diese Familie von altem Adel ist, so fängt doch die ordentliche Stammreihe derselben erst mit *Karl* v. Metternich an, der um das Jahr 1400 lebte und die jülichsche Herrschaft Zievel erkaufte. Das Geschlecht theilte sich in mehrere Linien, von welchen einige, (z. B. *Wolfgang Heinrich* am 14. April 1664) in den Freiherren-, später in den Grafenstand erhoben wurden. *Philipp Emerich* und sein Vetter *Dietrich Adolph* (der letzte seiner Linie, gestorben 1695), erhielten am 20. März 1679 nebst ihren Schwestern vom Kaiser Leopold I. den Grafenstand. Von dem Erstern stammt die fürstliche Linie, die einzig noch blühende. — *Ernst* Freiherr v. Metternich, von einer andern Linie, erlangte am 28. Mai 1696 den Grafenstand. Von

einer ausgestorbenen Linie ward *Lothar Friedrich* 1647 Fürstbischof
zu Speier, 1652 Fürstbischof zu Worms, 1673 Erzbischof und Kurfürst von Mainz, starb 1675.
Von der jetzt blühenden Linie ward *Karl Heinrich* 1679 zum Erzbischof und Kurfürsten von Mainz erwählt, er starb schon nach zwei
Monaten; seines Grossvaters Bruder, *Lothar*, war von 1599 bis 1623
Erzbischof und Kurfürst von Trier, auf seinen Betrieb entstand die
damalige nähere Vereinigung des katholischen Reichstheils. — Als
1616 die Freiherren v. Winneburg (oder Winneberg) und Beilstein
ausgestorben, und darum ihre reichsständischen Herrschaften Winneburg (die 1489 zuerst in der Reichsmatrikel genannt ist) und Beilstein
auf dem Hundsrück und an der Mosel, dem Erzstifte Trier als Reichs-
afterlehn heimgefallen waren, kaufte der oben genannte Kurfürst *Lothar* von Trier einen Theil derselben, nebst dem Sitz- und Stimm-
rechte in dem westphälischen Grafen-Collegium, und belehnte damit
seine Vettern, die Freiherren *Karl Heinrich* (seit 1679 Kurfürst von
Mainz) und *Philipp Emerich*. Als 1679 Kaiser Leopold I. den Letztern
in den Grafenstand erhob, verlieh er demselben zugleich das Münz-
recht für diese Herrschaften. Noch als Freiherr übte dieser die
Rechte der Reichsstandschaft aus, wie vor ihm auch die Freiherren
von Winneburg und Beilstein. — Bei der unmittelbaren Reichsritterschaft war diese Familie immatriculirt in dem Canton Niederrhein und
wegen des Gutes Flehingen in dem schwäbischen Canton Kreichgau.—
Graf *Franz Georg Karl* erlangte am 30. Juni 1803 von dem römischen
Kaiser den Reichsfürstenstand für sich und den jedesmaligen Chef
seiner Nachkommenschaft im Mannsstamme. Sein Sohn und Nachfolger, *Clemens Wenzel Nepomuk Lothar*, ward, für sich und alle seine
Nachkommen, vom Kaiser Franz I. von Oesterreich am 20. Oct. 1813
in den Fürstenstand erhoben, und im Mai 1814 wegen ausgezeichneter Verdienste mit dem Rechte begnadigt, das österreichische und lo-
thringische Wappenzeichen in dem ersten Felde seines Familienwappens zu führen. Aus gleicher Ursache erhielt derselbe, für sich und
seine directen (nicht auch Adoptiv-) Nachkommen nach Abgange des
Mannsstammes, auch der weiblichen, nach Erstgeburtsrecht, durch
Schenkungsurkunde vom 1. August 1816 von dem Kaiser das Erbei-
genthum des (vermöge des Art. 51. der Wiener Congressacte Oesterreich zugetheilten) Schlosses und Gutes (ehemaliger fuldaischer Propstei) Johannisberg im Rheingau unter herzogl. nassauischer Hoheit,
bloss mit Vorbehalt des Rückfalles an Oesterreich und, als Recogni-
tions-Canon, des jährlichen Weinzehnten für Oesterreich. — Eben
derselbe ward im Februar 1816 vom Könige Ferdinand I. zum Herzog in
dem Königreiche beider Sicilien erhoben, mit einer Dotation in Grund-
gütern im jährlichen Ertrage von 60,000 neap. Ducati. Von demselben Könige erhielt er am 1. August 1818 den Titel Herzog v. Por-
tella, zum Andenken an den Ort, wo 1815 das österreich. Heer bei
Eroberung des Königreichs Neapel zuerst dessen Gebiet betreten hatte.
Durch den lüneviller Frieden verlor dieses Haus seine reichsständischen und reichsritterschaftlichen Besitzungen auf der linken Rheinseite. Zur Entschädigung für Winneburg und Beilstein gab ihm der
Reichsdeputations-Hauptschluss von 1803 die Reichsabtei Ochsenhausen, mit Ausnahme des Amtes Tannheim, $2\frac{7}{10}$ QMeile, 6288 Einw. Der
Kaiser erhob solche o. a. zu einem Reichsfürstenthume, worauf der Besitzer den Titel Fürst v. Metternich-Winneburg-Ochsenhausen annahm,
und wovon er, als Theilhaber an einer reichsgräflichen Curiatenstimme
zur Reichsstandschaft berechtigt war. — Die rheinische Bundesacte un-
terwarf 1806 Ochsenhausen als Standesherrschaft der Staatshoheit des
Königs von Würtemberg; eine Eigenschaft, die ihm auch nach der

Wiener Congressacte blieb, doch mit den in der deutschen Bundesacte Art. 14. festgesetzten Vorrechten.
Am 5. März 1825 ward Ochsenhausen an die Krone Würtemberg verkauft. Die jetzigen Besitzungen des fürstlichen Hauses sind, in Böhmen: die mit den Gütern Katzerow, Biela und Kraschau vereinte Herrschaft Plass; die mit den Gütern Miltigan, Ammons- und Marcusgrün vereinte Herrschaft Königswart. In Mähren: die mit den Gütern Vitzownirzitz und Dieditz vereinte Herrschaft Cojetein; die Herrschaft Brzesowitz und das Gut Kowalowitz, die Domaine und das Schloss Johannisberg am Rhein und das Gut Harsberg am Bodensee. Die Religion ist katholisch und der Wohnsitz Wien.
Der berühmte Diplomat, Fürst *Clemens* v. M. (geb. den 15. Mai 1773), k. österr. Hof- und Staatskanzler, war dreimal vermählt. Von seinen zahlreichen Kindern leben nur 2 Söhne und 3 Töchter.
Das einfache alte Stammwappen der Familie Metternich zeigt im silbernen Schilde drei schwarze Austerschalen, und auf dem gekrönten Helme einen goldgekrönten Schwan. Die Helmdecken sind schwarz und silbern.
Die Familie Wolf-Metternich siehe Wolf.

Mettich, die Grafen und Freiherren von.

Die v. Mettich, ursprünglich eigentlich v. Mettichen, zuweilen auch Mötlichen und Mötticht genannt und geschrieben, gehören dem schlesischen Adel an, während eine gleichnamige Familie, mit einem Wappen von weniger Abweichung Sachsen angehört. Nicht zu entscheiden vermögen wir, welche von beiden Familien das Stammgeschlecht ist. Wir finden zuerst im Jahre 1586 einen *Hans* von Mötticht und Tschellschau als Ritter des Johanniterordens, Commendator zu Kl. Oels und Silber-Kämmerer am Hofe Kaiser Rudolphs II. Das erwähnte Tschellschau, das auch zuweilen Tschetschau geschrieben wird, soll nach Sinapius im Oppelnschen liegen. — Im Jahre 1605 wurde *Hans* v. Mettich auf Wirsbel? und Schrebsdorf zum Landeshauptmann des Fürstenthums Münsterberg und des Weichbildes Frankenstein gewählt. Er starb plötzlich am 7. Decbr. 1621 an der Tafel des Prälaten v. Heinrichau. — *Balthasar* v. Mettich auf Klizyne war um das Jahr 1607 Landrechtsbeisitzer der Fürstenthümer Oppeln und Ratibor. — *Johann Nikolaus* v. Mettich und Tschetschau auf Schrebsdorf, Roksdorf und Rügersdorf starb am 21. Januar 1621. — *Balthasar*, Freiherr v. Mettich und Tschetschau, war mit Helena v. Schaffgotsch vermählt. In dieser Ehe wurde geboren: *Johann Joachim*, erster Reichsgraf v. Mettich und Tschetschau. Er war dreier Kaiser, so wie auch des Erzherzogs Karl, Bischofs zu Breslau, Rath und Kämmerer, und mit Eva Benigna, Burggräfin zu Dohna, vermählt. In dem Werke: „Die poetischen Wälder, von Opitius" steht ein Gedicht auf das Beilager dieser Vermählung. — *Karl Joachim*, Graf v. Mettich, Sohn des Vorigen, Herr der Herrschaft Wiese, Dammerau, Langenbrück und Bückelsdorf, war mit Anna Maria, Freiin v. Proskau, vermählt. — In dem Stammbaume dieses gräflichen Hauses findet man die Schrattenbach, Herberstein, Wertenberg, Vertugo, Czernine, überhaupt viele der vornehmsten österreichischen Häuser aufgeführt. — Nach Sinapius ist die gräflich Mettichsche Herrschaft Wiese ein Seniorat, da sie nach diesem Schriftsteller jedesmal auf den ältesten des Hauses fällt. Im Anfange des vorigen Jahrhunderts war Graf *Ferdinand* v. Mettich, Freiherr v. Tschetschau, Senior des Hauses und mit einer Gräfin v. Schrattenbach vermählt. Der vor einigen Jahren verstorbene

letzte Besitzer der Familienherrschaft Wiese, Graf v. Mettich, war
mit einer Gräfin Henckel v. Donnersmarck vermählt. — Ein Bruder
desselben besitzt das Gut Silbitz bei Nimptsch. Er ist Wittwer von
einer Baronin v. Sauerma aus dem Hause Schrebsdorf. — Ein anderer Bruder stand bis zum Jahre 1806 in dem Kürassierregimente von
Bünting, lebte später in Dresden, und ist gegenwärtig Rittmeister
a. D., Bürgermeister zu Bernstadt in Schlesien. Seine Gemahlin ist
die früher mit einem Grafen v. Dyhrn vermählt gewesene Tochter des
verstorbenen Generals der Cavallerie, v. Dalwig.

Das Wappen der Grafen v. Mettich ist quadrirt und mit einem
Herzschilde versehen. Im 1sten und 4ten silbernen Felde ist ein aufgerichteter grüner Löwe, im 2ten und 3ten rothen Felde ein silberner
Mühlstein vorgestellt. Das Herzschildlein zeigt einen doppelten gekrönten Adler; mitten durch denselben ist ein mit einem Herzen belegter silberner Balken gezogen. Das Hauptschild ist mit drei Helmen bedeckt. Auf dem 1sten steht ein einfacher Adler, der 2te ist
mit einem Pfauenschweife geschmückt, und auf dem 3ten zeigt sich
ein gekrönter Greif. Die Helmdecken sind silbern und roth. Dieses
Wappen giebt Siebmacher, IV. S. 3. M. s. Lucä, schlesische Chronik.
Gauhe, I. S. 1010. Sinapius, I. S. 637 und II. S. 148.

Mettingh, die Herren von.

Diese adelige Familie stammt von Mencu Heinrich Mettingh, gräfl.
ysenburgschen Hofrathe, ab, den der Kaiser Joseph II. im Jahre 1766
adelte. — In Berlin lebt der Geh. Legationsrath a. D. M. H. v. Mettingh. Er ist mit der Tochter des früher in preuss., später in russischen Diensten gestandenen Generals Franz Wilhelm v. Pfuel vermählt.

Meuron, die Grafen und Herren von.

Ein Geschlecht der Stadt Neuenburg, welches 1711 den königl.
preuss. Adel erhielt, der demselben 1763 und 1789 bestätigt und
erneuert wurde. Namentlich soll Stephan Meuron am 11. Januar 1711
geadelt worden sein, und es ward dem Hofbanquier zu Lissabon v. M.
der Adel am 11. Septbr. 1763 bestätigt. Er war einer der Brüder und
Vettern, Theodor, Peter Heinrich, Karl Simon und Felix Heinrich, deren Adel sämmtlich am 3. Decbr. 1789 erneuert wurde. — Der Generallieutenant v. Meuron, früher in grossbritannischen Diensten, zu
Neufchâtel, wurde im Jahre 1789 königl. preuss. Kammerherr, und
erhielt im Jahre 1800 den grossen rothen Adlerorden. — Sigismund
v. M. ward schon im Jahre 1806 Staatsrath im Fürstenthume Neufchâtel und Mitglied der chambre économique daselbst. — August v. M.,
Herr zu Bonvillard im Canton Vaud, wurde im Jahre 1808 Kammerherr. — James d. M. ist gegenwärtig Secretair beim Departement der
Finanzen. — Frédéric de M., Oberstlieutenant, ist Mitglied des Mi-
litair-Departements. — Louis de M., ancien chatelain de Landeroux,
ist ständiger Deputirter für den District von Fleurier, und Frédéric
de Meuron Terrisse, Major zu Neufchâtel, ist Deputirter für den District zu Verrieres. Er stand früher in dem Infanterie-Regimente v.
Tschammer, und war zuletzt Commandeur des Garde-Garnisonbatail-
lon zu Spandau. — Schon im Jahre 1806 standen mehrere Grafen
und Herren v. Meuron im preuss. Kriegsdienste. Ein Graf v. M. diente
in dem Regimente Fürst von Hohenlohe, war im Jahre 1820 Major
bei dem Garde-Schützenbataillon zu Berlin, und wurde im Jahre 1828
Kammerherr und Gesandter am königl. dänischen Hofe in Kopenha-

26 *

gen, wo derselbe nach kurzem Aufenthalte gestorben ist. Seine Wittwe, geborne v. Willich, ist gegenwärtig Oberhofmeisterin Ihrer königl.
Hoh. der Prinzessin Albrecht von Preussen. — Ein Lieutenant v. M.,
der früher in dem Regimente Prinz Ferdinand von Preussen gestanden hatte, starb 1814 im 24. Infanterieregimente an ehrenvollen Wunden. M. s. Leu, Schweiz. Lex. XIII. S. 94 und 95.

Die Familie v. Meuron führt im goldenen Schilde drei grüne Hügel, darauf steht ein reichbelaubter Lindenbaum. Aus dem gekrönten Helme wächst ein gerüsteter Arm, der einen Wurfspiess weg-
schleudert.

Meurs, die Herren von.

Dieser adeligen Familie in den Niederlanden, von der sich ein
Zweig in die diesseitigen Staaten gewendet hat, gehörte *Friedrich Ludwig* v. Meurs, der im Jahre 1806 Senator der Stadt Jauer war, an.

Meusebach, die Freiherren und Herren von.

Man findet dieses altadelige, zum Theil freiherrliche, ursprünglich Meissen angehörige Geschlecht auch Meussebach und Meussbach
geschrieben. Das gleichnamige Stammschloss der v. M. liegt im Voigtlande, doch hat sich auch ein Zweig in Schlesien niedergelassen und
ansässig gemacht. *Hans* v. Meusebach wurde im Jahre 1476 vom Kurfürsten Friedrich von Sachsen mit dem Schlosse und Dorfe Meusebach
belehnt, auch ihm vom Herzoge Wilhelm zu Sachsen im Jahre 1458
die Stadt Buttelstädt mit dem dazu gehörigen Schlosse und Amte pfandweise überlassen. Die Stadt blieb in den Händen der Nachkommen
des Hans v. M. bis zum Jahre 1535. — Ein anderer *Hans* v M. reisete, im Gefolge des Kurfürsten Friedrich des Weisen von Sachsen,
mit zum heiligen Grabe nach Jerusalem. — Im Jahre 1650 am 20.
März starb *Anna* v. M., auf Herzogswalde im Liegnitzschen. — *Georg,*
Freiherr v. Meusebach, lebte um das Jahr 1690 als kursächsischer
Kammerherr zu Dresden. — *C. H. H.*, Freiherr v. Meusebach, ist
gegenwärtig königl. preuss. Geheimer Ober-Revisionsrath.

Das Wappen dieser Familie giebt Siebmacher, I. S. 144. Es besteht aus einem getheilten Schilde, in dessen oberer rothen Hälfte
zwei an einander hängende Kränze, im untern silbernen Theile aber
ein schwarzes Mohrenbruststück dargestellt sind. Letzteres wiederholt
sich auf dem gekrönten Helme. Die Helmdecken sind roth und silbern. M. s. v. Gleichenstein, Stemma familiae Meusebachianae, in
dessen Beschreibung des Klosters Burgelin. Gauhe, I. S. 1013. Sinapius, I. S. 637 u. f. Müllers sächsische Annalen. Knauths Prodromus. Osnographia P. I. pag. 607. P. II. pag. 96.

Meusel, die Herren von.

Der König Friedrich II. hat am 5. Febr. 1770 den Hauptmann
Wilhelm Ludwig Meusel in den Adelstand erhoben. Er starb als Oberst
und Commandeur eines Grenadierbataillon und Ritter des Ordens pour
le mérite. Seine Vorfahren hatten ihren deutschen Namen in Muscu-
lus verwandelt, und einer von ihnen arbeitete mit an dem Reforma-
tionsgeschäfte. Von den jetzt lebenden Edelleuten dieses Namens sind
zwei Majors in der Armee. Einer ist Commandant des Invalidenhauses zu Rybnick in Schlesien, der andere commandirt das 2. Bataillon

vom 8. Infanterieregimente zu Guben. Im 2. Infanterieregimente steht
der Hauptmann v. Meusel, Ritter des eisernen Kreuzes, erworben bei
Lübnitz (Hagelsberg).
    In Schlesien ist auch eine adelige Familie Meusel von Rittersberg
bekannt. Ein Hauptmann Meusel v. Rittersberg war 1806 Platzmajor
in Silberberg, und starb 1807. Wahrscheinlich gehörte derselbe zu
der oben erwähnten Familie v. Meusel. Da der in den preuss. Adelstand erhobene Wilhelm Ludwig v. Meusel unvermählt gestorben ist,
so erscheinen die heute sich noch unter uns befindenden v. M. als einer andern Familie angehörig, doch führen sie dasselbe Wappen.
    Die von Meusel führen im blauen Schilde einen silbernen Quer-
balken, belegt mit drei hinter einander laufenden Mäusen. Die Meusel von Rittersberg führen auf dem Helme einen Adler, über dem vier
mit Herzen belegte Säulen (Stäbe) hervorragen. Auf einem vor uns
liegenden Abdrucke erscheinen die letztern wie Kanonenläufe.

Meyer, die Herren von.

    Eine adelige Familie in Pommern und Mecklenburg. Aus dersel-
ben haben viele Mitglieder im Militair-, wie im Civildienste gestanden. Namentlich war im Jahre 1806 ein v. Meyer Präsident der Regierung von Südpreussen in Warschau, ein anderer v. Meyer war Director der Kriegs- und Domainenkammer in Stettin. Ein Fräulein aus
dieser Familie war damals und ist noch heute Conventualin des Klosters zu Stolpe. — Ein v. Meyer stand 1806 in dem Regimente von
Rüchel zu Königsberg, er starb 1810; ein anderer stand in dem Leib-
Kürassierregimente, und starb 1824 als Oberstlieutenant im 4. Kürassierregimente.
    Die v. Meyer führen ein mit Gold eingefasstes, unten spitzig zu-
laufendes Schild, in dessen grüner Feldung zwischen zwei goldenen
Querbalken drei Sicheln zu sehen sind. Das Schild ist mit einem blau
angelaufenen, mit roth ausgeschlagenen goldenen Bügeln und daran hängenden gleichmässigen Kleinode gezierten adeligen, frei offenen Turnierhelme bedeckt, über welchem und einer goldenen Krone zwischen
einem schwarzen Adlerfluge ein geharnischter Arm mit einem Säbel
und daran hängendem silbernen Portd'epée hervorgeht. Die Helmdecken zu beiden Seiten sind grün und golden.

Meyer v. Knonau, die Herren.

    Ein altadeliges Geschlecht im Canton Zürich, welches seit 1363
das Erbbürgerrecht der Stadt und Republik Zürich besitzt, und aus
welchem gegenwürtig ein Mitglied als Seconde-Lieutenant im Kaiser
Alexander-Grenadier-Regimente in preussischen Diensten steht. —
Das Stammhaus ist die Burg Knonau, welche jetzt der Sitz des zü-
richschen Landvoigtes des Oberamts gleiches Namens ist. — Von der
Burg und dem Dorfe Knonau, welches eine ehemalige Majora oder
Meierei, und Castellania oder Voigtei bildete, wurde das Geschlecht
Meyer von Knonau benannt. — *Rudolph* Meyer v. Knonau lebte auf
der Burg als (Erb-) Meyer zu Ausgang des 13. Jahrhunderts, und war
Herr zu Mettmenstetten und Breitmatten; er ist der Stammvater der
diplomatisch ununterbrochenen Stammreihe; seine Söhne erlangten 1363
das Erbbürgerrecht der Stadt Zürich, und von seinen Enkeln war *Jo-
hann* im Jahre 1400 regierender Bürgermeister gedachter Stadt und
Republik. Mit Ruhm und Ehre hat es die hohen und höchsten Stel-

len im Militair und Civil in seinem Vaterlande bekleidet und dem
Reiche mehrere Reichsvoigte gegeben. *Conrad*, einer der sogenannten tapfern Schwertlerböcke, fiel, nachdem er sich in dem züricher
Kriege als Held ausgezeichnet hatte, in dem gleichen Jahre als Anführer der Stadtfahnen von Zürich in dem ewig denkwürdigen Kampfe
bei St. Jakob bei Basel; sein Sohn, *Johann*, trug das Stadtpanner bei
Granson (1476), und dessen Sohn, *Gerold*, zürichscher Landvoigt
u. s. w., Reichsvoigt, St. gallenscher Hauptmann, verkaufte 1512 an
die regierende Stadt Zürich, mit Vorbehalt des Namens „Meyer von
Knonau“, Burg und Pfarrdorf Knonau und die Herrschaftsrechte über
Mettmenstetten, Augst, Borsiken, Breitmatten. *Johann*, sein Sohn,
wohnte als Schützenfahnenträger der Schlacht bei Novara (1500) bei,
und sein Sohn *Gerold* fiel bei Cappel 1531; von seinen Nachkommen
starb *Johann*, Meyer in holl.-schweiz. Diensten, an seinen bei Malplaquet (1709) empfangenen Wunden. Bis zum Jahre 1798 waren sie im
Besitze der Herrschaftsrechte über Ottwyl (seit 1432), und als Erb-
voigte von Wyningen (seit 1453) der Fürstäbte von Einsiedeln Erb-
sesselträger.

Meyerfeld, die Grafen von.

Ursprünglich stammt das altadelige Geschlecht der v. Meyerfeld
aus Westphalen, wo es sich Lingen v. Meyersfeld nannte. Es folgten
mehrere Zweige dem deutschen Orden in die östlichen und nördlichen
Länder. Einer liess sich in Liefland nieder, andere traten in schwedische Kriegsdienste. — Der König Karl XII. verlieh am 1. März
1714 dem *Johann August*, und die Königin Ulrike Eleonore am 18.
August 1719 dem Bruder desselben, *Woldemar*, die gräfliche Würde.
Johann August, der erwähnte erste Graf v. Meyerfeld, starb im Jahre
1750 als königl. schwed. General en Chef, Reichsrath, General-Gou-
verneur von Pommern und Rügen, Kanzler der Universität Greifswald, Herr der Herrschaft Wismar. M. s. Gauhe, II. S. 728. Suea
Rikes Fol. 29. Brüggemann, I. Band, 5s und 9s Hauptstück u. s. w.

Meyerhof, die Herren von.

Eine adelige Familie in Schlesien. Ihr gehörte *Karl Friedrich* v.
Meyerhof an, der im Jahre 1806 königl. Accise- und Zollrath zu Hirschberg war.

Meyern v. Hohenberg, die Herren.

Dieses Geschlecht stammt aus dem baireuthischen Voigtlande her,
und ist mit den der voigtländischen Ritterschaft incorporirten Rittergütern Ramsenthal, Kroitendorf, Filgendorf, Meyernberg, Rietfeld
und Rubach ansässig gewesen, von wo aus dieses Geschlecht die freiherrliche Würde besitzt.

Der Stammvater dieser Familie, *Blasius*, wurde wegen seiner Erfah-
renheit in Bergwerkssachen und im Münzwesen vom Kaiser Rudolph II.
zu sich berufen, und bei den Bergwerken in Ober-Ungarn als Director angestellt. Im Jahre 1592 wurde er wegen des türkischen Ein-
falls genöthigt, Ungarn zu verlassen, und sich in das Baireuthische zu
begeben.

Einer von seinen Söhnen kaufte sich im Oesterreichischen an, von welchem der kaiserliche Feldmarschallieutenant Graf von Meyern, und der Erzbischof von Prag, *Joseph Daniel*, Graf von Meyern, welche in der Mitte des 18. Jahrhunderts verstorben, abstammten. Die Kapelle der Dompropstei auf dem Hradschin zu Prag ist von Letzterem erbaut, und mit seinem Namen verziert.

Von der im Baireuthischen angesessenen Nachkommenschaft hat sich der in hannöverschen Diensten verstorbene Geheime Justizrath, *Johann Gottfried*, durch die Acta Pacis et Executionis Westphalicae, und Acta Comitialia Ratisbonnensia berühmt gemacht, worauf auch eine Denkmünze mit dessen Bildnisse und Familienwappen geschlagen wurde. *Johann Simon* ist als Geheimer Kammerrath und Kammerdirector zu Baireuth, und sein Sohn gleiches Namens als Oberst in würzburgschen Diensten verstorben. *Adam Anton* war mehrere Jahre als baireuthischer bevollmächtigter Minister am kaiserlichen Hofe zu Wien, in den Jahren 1738 — 1742, und starb als Geheimer Staatsminister zu Erlangen.

Johann Gottlob wurde 1763 als baireuthischer Kammerherr, Hof- und Landschaftsrath nach Braunschweig berufen, und daselbst zum Landdrosten des Weserdistricts bestellt. Er hinterliess zehn Söhne und neun Töchter, wovon jetzt noch die vier lebenden Söhne in braunschweigschen, coburgschen und preussischen Diensten stehen, und von den in der Altmark belegenen Rittergütern den Namen Hohenberg laut Diplom im Jahre 1815 vom Könige von Preussen zugelegt erhalten haben.

Von den gedachten vier Söhnen ist *Wilhelm* Meyern v. Hohenberg königl. preuss. Generalmajor v. d. A. Er stand im Jahre 1806 in dem Regimente v. Natzmer, war zuletzt Oberst im 17. Infanterieregimente und erwarb sich das eiserne Kreuz 1. Classe bei Arnheim.

Heinrich Meyern v. Hohenberg, ein älterer Bruder des Vorigen, war 1806 Major in dem Reg. v. Natzmer, und ist im J. 1810 gestorben.

Ferdinand Meyern v. H. ist herzogl. coburg-goth. Obermarschall.

August Meyern v. H., der vierte der Brüder, ist Oberst und Flügeladjutant des Herzogs von Coburg-Gotha. — Ein Stiefbruder starb im Jahre 1822 zu Baireuth als ehemaliger holländischer General. Er hatte die Feldzüge in Nordamerika mitgemacht und war mit der Wittwe des im Jahre 1793 am 1. October bei Bromberg gebliebenen preuss. Obersten v. Szekuli vermählt.

Das Wappen der Meyern v. Hohenberg zeigt in einem oben silbernen, unten rothen Felde, dort einen schwarzen Adler mit ausgebreiteten Flügeln, hier einen silbernen Sparren oder Hausgiebel mit drei Maiblumen, von denen in den beiden obern Winkeln des Feldes eine und die dritte in der Mitte des untern rothen Feldes angebracht sind. Auf dem Helme sind drei Straussfedern (silbern, roth, silbern) und darauf ein schräg gelegter Balken mit den drei Maiblumen vorgestellt. Die Helmdecken sind roth und silbern.

Miaskowski, die Herren von.

Eine altadelige Familie im Herzogthume Posen. — *Anton* v. Miaskowski, Landschaftsrath, besitzt Pomarzany Koscielne.

Michaelis, die Herren von.

1) Der vormalige Capitain in der Artillerie, gegenwärtige Major und Artillerie-Offizier des Platzes Graudenz, Michaelis, ist von des

jetzt regierenden Königs Majestät in den Adelstand erhoben worden; ein Sohn desselben ist der Lieutenant v. Michaelis im Regimente Kaiser Franz-Grenadier. Eben so ist der Major, früher im Regimente Towarzysz, v. Michaelis, der zuletzt Chef der 1. ostpreuss. Invaliden-Compagnie war und im Jahre 1811 gestorben ist, von dem jetzigen Könige geadelt worden.

2) In dem Infant.-Regim. v. Kropf zu Warschau stand 1806 ein Lieutenant v. Michaelis, derselbe ist gegenwärtig Rittmeister im 3. Kürassier-Regimente und Ritter des eisernen Kreuzes, erworben bei Luckau.

3) Im Jahre 1806 war bei dem kön. Provinzial-Collegium medicum zu Bialystock in Neu-Ostpreussen ein v. Michaelis Assessor, Medicinalrath u. s. w.

Miçlecki, die Herren von.

Aus den Papieren, die nach den verschiedenen Kriegen und Einfällen der Tartaren und Schweden in Polen noch übrig geblieben sind, ersieht man nur, dass ein *Janusz Ulak* gegen Ende des 13. Jahrhunderts Mielçcin, ein Dorf im Ostrzeszewer Kreise, Wojewodschaft Siradin, mit einem an die freie Standesherrschaft Wartenberg grenzenden grossen Territorium erkauft, und davon den Namen *Ulak Mielçcki* angenommen hat; später jedoch wurde der erstere Name weggelassen, und die Nachkommen dieses Janusz Ulak führten nur den Namen Mielçcki, während die Familie Ulak (Aulock) noch heutiges Tages in Schlesien blüht und ihre Stammreihe bis zum Jahre 1200 hinaufführt. Wie und wann aber jener Ulak nach Mielçcin gekommen, ist aus schon angeführten Gründen unbekannt geblieben. Ein Nachkomme desselben, *Sukau Mielçcki*, war mit dem Könige Sigismund in Schweden, er gerieth in Gefangenschaft, und kaufte sich von seinem neunjährigen Gefängnisse nur durch Erlernung des Riemerhandwerks los. — *Peter* und *Jan* Mielçcki kämpften in der polnischen Armee unter den Mauern von Moskau, und starben Beide an den daselbst erhaltenen Wunden. — *Samuel* v. M., einer der acht Söhne des *Adam* v. M. und der Barbara, geb. Rosinow-Wolska, der Stammvater der noch im Grossherzogthume Posen, in Westphalen und Schlesien lebenden v. M., erheirathete mit seiner zweiten Gemahlin, geb. v. Zuwadzka im Jahre 1647 die Güter Haursdorf, Kolvalewo u. s. w. — Sein einziger Sohn, *Adam* v. M., erhielt mit einer v. Gorzenska die Herrschaft Buczewo im Kostener District, wozu er noch von seinem Schwager die grosse Herrschaft Chomer (Hammer), ebendaselbst gelegen, erkaufte. — Sein ältester Sohn, *Johann* v. M., geb. 1666, war Schwertträger im Fraustädtschen District, wie überhaupt die v. M. während der Zeit des Wahlreichs mehr oder minder hohe Staats- und Ehrenstellen bekleideten. — *Karl Adam* v. M. (geboren 1753, gestorben 1817), war Kammerherr des Königs Stanislaus August und Ritter des Stanislaus-Ordens, so wie später Landrath des meseritzer Kreises. Seine einzige Tochter, *Alexandrine*, ist mit dem Landrath desselben Kreises, Peter v. Zychlinski, vermählt. — *Stanislaus Christoph Johann* v. M., geb. 1778, vermählt mit einer Gräfin Potworowska, lebt ohne Nachkommen, auf seinen Gütern Labinice und Drzeskowice in der Wojewodschaft Kalisch. — Sein Bruder, *Adam* v. M., war königl. preuss. Lieutenant bei den Dragonern und starb nach Beendigung des Krieges an den Nachwehen desselben. — Sein Vetter, *Prott* v. M., lebt vermählt auf seiner Herrschaft Kurne im Grossherzogthume Posen, nachdem er dem letzten polnischen Kriege als Rittmeister im

Dembinskischen Corps beigewohnt hat. — *Ludwig Constantin* v. M., geb. 1745, erlebte alle drei Theilungen Polens, und bekleidete bei den vielen Zerwürfnissen, denen dieser Staat in Folge dieser Ereignisse ausgesetzt war, viele hohe Aemter. Auf kurze Zeit trat er als Rath bei dem Appellationsgerichte in Posen ein, darauf nahm er den Landrathsposten des birnbaumer Kreises und starb in den Armen seiner Kinder im Jahre 1831. — Sein ältester Sohn, *Alexander* v. M., geb. 1780, ist Berghauptmann und Ober-Bergamts-Director der Provinz Westphalen, und mit Antoinette v. Poser vermählt. Von seinen Kindern widmet sich *Stanislaus* v. M., geb. 1813, ebenfalls dem Bergwesen, *Eugen* v. M., geb. 1815, ist Lieutenant im 11. Infanterieregimente, *Constantin* v. M. besucht noch das Gymnasium, *Adolphine* v. M. ist an den Rittmeister im 3. Uhlanenregimente, v. Duncker, vermählt, und *Elisabeth* v. M. lebt noch bei ihren Eltern. — Ein Bruder des *Alexander* v. M., *Janusz*, war Rittmeister im Regimente v. Balliodz-Kürassieren, und ist Ritter des Ordens pour le mérite. Er lebt als Wittwer mit seiner einzigen Tochter *Adele* auf seinen Gütern im Königreiche Polen.

Das Wappen der v. M. zeigt im rothen Schilde auf grünem Hügel einen rechtsgekehrten, vorwärts schreitenden Stier; derselbe wiederholt sich auf dem gekrönten Helme. Helmdecken roth und silbern.

Mielzynski, die Grafen von.

Ein Zweig dieses vornehmen polnischen Geschlechts ist in den preuss. Grafenstand erhoben worden. — Ein Graf von Mielzynski ist Besitzer von Paulwitz bei Lissa. Es befindet sich hier ein prachtvolles Schloss, das im Innern noch nicht vollständig ausgebaut ist; die Spiegel in demselben kosten allein über 20,000 Thlr. Auch ist daselbst die ausgezeichnetste Bibliothek in der ganzen Provinz Posen, sie enthält grösstentheils französische und kostbare Kupferwerke. Der Vater dieses Grafen war General und hat Thorn gegen die Schweden vertheidigt, sein Grossvater aber war Kron-Gross-Schreiber von Polen (Chef de la Chancellerie du Conseil du roi). — Eine andere Linie besitzt Miechanow und Chobicize.

Die Grafen v. M. führen im blauen Schilde einen kurzen Degen mit goldenem Knopfe und Griffe zwischen einem silbernen Hufeisen. Auf der neunperligen Krone des Helmes ruht mit dem Knie ein gerüstetes Bein mit besporntem Stiefel. Das Schild ruht auf reichen Armaturen und Siegeszeichen. Die Decken roth und blau.

Mikorski, die Grafen von.

Eine in den preussischen Grafenstand erhobene polnische Familie. Ein Mitglied dieses Hauses war Präsident des Landgerichts zu Posen und lebt gegenwärtig auf seinen Gütern bei Kalisch. Ein anderer Graf v. Mikorski lebt jetzt in Warschau; er ist mit einer Tochter des Herzogs von Rovigo (Savary) vermählt.

Dieses gräfliche Haus führt im rothen Schilde zwei von einander gewendete goldene Halbmonde, zwischen denen ein mit der Spitze nach unten gekehrtes Schwert, welches einen goldenen Griff hat, schwebt. Auf der neunperligen Grafenkrone wehen fünf silberne, nach beiden Seiten abfallende Straussfedern. Zu Schildhaltern sind zwei wilde, an Hüften und Haupt grün bekränzte Männer gewählt, die in den freien Händen Baumstämme halten.

Mikrander, die Freiherren von.

Georg Adolph v. Mikrander war im April des Jahres 1683 in den Reichsfreiherrenstand erhoben worden und erhielt am 30. April desselben Jahres vom Kurfürsten Friedrich Wilhelm ein Bestätigungsdiplom. Er hatte früher in österreichischen Diensten gestanden und ward, nachdem er in kurbrandenburgische getreten war, 1689 zum Generalmajor und 1704 zum Generallieutenant ernannt. Später war er Gouverneur von Colberg geworden, welchen Posten er 1713 an den General Grafen v. Schlippenbach abtrat.   Ebenso war ihm die Würde eines Chefs der Ritteracademie in Pommern, welche nachmals der Grund zur berliner Kadettenanstalt wurde, übertragen worden. Wegen seines hohen Alters legte er seine Posten nieder und erhielt dagegen das Gouvernement der Stadt Frankfurt a. d. O. Er starb in einem hohen, ehrwürdigen Alter im Jahre 1721, und war Erbherr auf Tammendorf. Seine Gemahlin war Anna Katharina v. Klingsporn aus dem Hause Blaustein, in welcher Ehe ihm nur zwei Töchter geboren wurden. Er hinterliess den Ruhm eines sehr gelehrten, tapfern und einsichtsvollen Mannes. Auch in dem Adel der Provinz Preussen werden die Freiherren v. Mikrander als Herren von Schwarzenstein aufgeführt. M. s. Abels Rittersaal oder fortgesetzte vermehrte und verbesserte preuss. und brandenburg. Reichs - und Staats - Geographie. Cap. I. S. 323.

Die Freiherren v. Mikrander führen ein quadrirtes Schild mit einem Herzschildlein. In diesem letzten zeigt sich im rothen Felde ein gewappneter, ein Schwert haltender Mann. Das 1. rothe Quartier des Hauptschildes ist mit drei silbernen Balken durchzogen, das zweite zeigt im schwarzen Felde einen silbernen, nach der rechten Seite aufspringenden Löwen; dasselbe Bild wiederholt sich im 3. blauen Quartiere; im 4. rothen Quartiere sind drei silberne französische Lilien, (eine oben, zwei unten) vorgestellt. Zwei gekrönte Helme bedecken das Hauptschild. Aus der Krone des rechten wachsen zwei gerüstete Arme, die eine silberne Fahne halten, auf der Krone des linken steht ein schwarzer Adler mit ausgebreiteten Flügeln, der eine schwarze Fahne hält. Helmdecken silbern und schwarz.

Mikusch, die Herren von.

Das adelige Geschlecht der v. Mikusch, in seinem Stammlande Böhmen auch Mikosch geschrieben, ist im 17. Jahrhunderte nach Schlesien gekommen. Es erwarb hier im Fürstenthume Neisso die Güter Schwarzwasser, Tannenberg u. s. w. *Johann Ludwig* v. Mikosch wurde 1707 in den böhmischen Ritterstand, und der Finanz- und Conferenzrath *Bernhard Georg* Frhr. v. Mikosch im Jahre 1721 in den Grafenstand erhoben. Er starb aber schon 1712 kinderlos zu Wien. Ein v. Mikusch, Herr auf Dombrowka im Kreise Beuthen, war im Jahre 1806 Oeconomiecommissarius. — In demselben Jahre war Frau *Maria Floriana* v. Mikusch Oberin des jungfräulichen Klosterstiftes der Ursulinerinnen in Schweidnitz. — In dem Regimente Fürst v. Hohenlohe zu Breslau stand 1806 ein Lieutenant v. Mikusch, er war 1835 Major im 22. Infanterie-Regimente. — Zwei Brüder v. Mikusch standen 1806 als Cornets im Regimente v. Schimmelpfennig-Husaren. Der jüngere blieb 1813 in der Schlacht bei Lützen, der ältere ist Rittmeister im 22. Landwehr-Regimente zu Cosel und Ritter des eisernen Kreuzes, erworben 1814 in Frankreich.

Milagsheim, die Herren von.

Die v. Milagsheim stammen von *August* Milagius, welcher aus den
fürstl. anhaltschen Landen gebürtig, und von den Kaiser Leopold I. um d. J.
1680 in den Adelstand erhoben worden war. Er war Rath und Kanzler des
Fürsten von Dessau. — Sein Sohn, *Friedrich Amadeus* v. Milagsheim, ward
1707 Offizier in dem damals alt-anhaltschen Regimente in Halle (zuletzt v. Renouard). Er gelangte am 2?. März 1731 zum Grade eines
Obersten und Chef des Cadettencorps, auch verlieh ihm Se. Majestät die Würde eines Amtshauptmanns v. Mühlenbeck und Mühlenhof.
Er starb, soviel uns bekannt ist, unvermählt im Mai des Jahres 1747
in Berlin. Bei dieser Gelegenheit dürfte es nicht unpassend sein,
eine Liste der Chefs des Cadettencorps von seiner Errichtung bis zum
Jahre 1837 hinzuzufügen:

1707 Oberst Fink v. Finkenstein.
1727 Oberst de St. Sauveur.
1731 Oberst v. Milagsheim.
1739 Oberstlieutenant v. d. Oelsnitz.
1753 Oberst v. Wulfen bis 1757.
1759 Generalmajor v. Buddenbrock bis 1781.
1782 Oberst v. Plötz.
1782 Generalmajor v. Mosch.
1797 Oberst v. Beulwitz.
1799 Oberst v. Lingelsheim (jetzt Generallieutenant a. D.)
1817 Generalmajor v. Brause.
Der jetzige Chef ist der Generalmajor v. Below.

Minckwitz, (k) die Grafen, Freiherren und Herren von.

Ein uraltes adeliges, zum Theil freiherrliches und gräfliches Geschlecht, das ursprünglich Oesterreich, Mähren und Böhmen angehört,
sich aber von da schon seit langen Jahrhunderten in zwei Linien, in
die schwarze und in die weisse, getheilt und sich in verschiedenen
Zweigen in Schlesien, der Lausitz und Meissen verbreitet hat. Das
gleichnamige Stammhaus dieser vornehmen Familie liegt im Kreise
Bunzlau in Böhmen. Einer alten Familien-Tradition nach ist *Inkwi*,
ein alter Heerführer der Vorzeit, der muthmassliche Stammherr.
Wenn diese Angabe von uns hier nur als Sage nacherzählt
wird, so ist es doch sicher, dass schon auf dem Turniere zu Göttingen im Jahre 1119 und auf dem zu Bamberg 1362 die v. Minckwitz
vorkamen. — *Onso* v. Minkowitz wurde im Jahre 1421 auf dem Landtage zu Prag zum Statthalter des Königreichs Böhmen erwählt. In
der Lausitz besass dieses Geschlecht die Herrschaften Spremberg,
Sonnenwalde, Dreikow, Drehnow, Lindenau, Tuppa, Tetta u. s. w. —
Nikolaus v. M. jagte 1528 den Bischof von Lebus aus seiner Residenz
Fürstenwalde und war überhaupt ein eifriger Beförderer der Reformation. — *Erasmus* v. M. war um die Mitte des 16. Jahrhunderts
sächsischer Kanzler. — *Hans Rudolph* v. M. starb 1702 als königl.
polnischer und kursächsischer Generallieutenant und Gouverneur zu
Leipzig. Er hatte sich als Oberst bei dem Entsatze von Wien im
Jahre 1683 ganz besonders ausgezeichnet und den Kurfürsten Johann
Georg III., der unter die Feinde gerathen war, gerettet. — Ein v.
M. führte Friedrich den Grossen aus dem Gedränge, als der Ausgang
der Schlacht bei Mollwitz zweifelhaft wurde, er erhielt dafür den Posten eines Oberforstmeisters von Schlesien. Ein Bruder desselben war

Major im Kürassierregimente v. Seidlitz, sein Sohn aber Rittmeister in demselben und Besitzer der Güter Schön-Rankwitz, Peltschütz und Tscheschwitz. Er vermählte sich mit einer v. Poser und erwarb dadurch das Gut Grunewitz im poln. wartenberger Kreise. Letzteres erhielt sich auch noch im Besitz seines Sohnes, *Silvius* v. M., der es wieder seinem Sohne *Silvius*, dem jetzigen Besitzer von Grunewitz, hinterliess. Er vermählte sich mit der einzigen Tochter des Rittmeisters v. Poser auf Perschau und erwarb dadurch die Güter Perschau, Nieproschin und Poln. Ellguth im Trebnitzer Kreise. — Dieses letztgedachten v. M. Grossvaters Bruder war General und starb in Warschau. Ein Sohn des Generals war Stabsrittmeister im ehemaligen Kürassierregimente v. Seidlitz und ist der gegenwärtige Besitzer von Haltauf. — Von der sächsischen Linie ist der königl. sächsische General und Kabinetsminister gegenwärtig Gesandter am preuss. Hofe. Er ist mit einer Gräfin v. Schulenburg-Petzendorf vermählt. — In Brünn starb um das Jahr 1818 ein Feldmarschall-Lieutenant Baron v. M., der in früheren Jahren in Mantua commandirt hatte.

Die v. Minckwitz führen ein schwarz und weiss auf den Seiten spitzenweise sechsgetheiltes Schild und auf dem gekrönten Helme eine weiss und roth quadrirte Kugel, die mit fünf abwechselnd weissen und schwarzen Straussfedern geschmückt ist. Helmdecken weiss und schwarz. Dieses Wappen giebt Siebmacher, I. S. 164. v. Meding beschreibt es I. N. 546 u. folg. Nachrichten findet man in Knauth, Prodrom. Misnens. Sinapius, I. S. 644. II. S. 381 u. f.

Minnigerode, die Herren von.

Ein altadeliges und vornehmes Geschlecht, das früher den Namen Riemen führte. Als Stammherrn verehrt dieses Haus den edlen Römer Otto Corrigia, der unter Karl dem Grossen gegen die Sachsen kämpfte, und zur Belohnung seiner Tapferkeit das im Schwarzburgschen gelegene Gericht Allerberge, welches noch jetzt in den Händen der Familie ist, erhielt. Uebrigens hat sie beträchtliche Güter im Hannöverschen und auf dem Eichsfelde. Sie theilte sich in die Linien zu Silkerode und zu Bockelnhagen, und zwar letztere wieder in die Häuser vor dem Schulenberge, auf dem Hohenhause, auf dem Oberhofe, auf dem Forstmeistershofe und zu Wollershausen. — *Christian Ernst* v. Minnigerode wurde am 30. Sept. 1704 zum Johanniterritter geschlagen. — Es haben zu verschiedenen Zeiten Söhne aus diesem Hause im preuss. Civil- und Militairdienste gestanden; gegenwärtig steht ein Lieutenant v. Minnigerode im 26. Infanterie-Regimente zu Magdeburg.

Siebmacher giebt das Wappen der v. Minnigerode II. S. 174. Es zeigt im rothen Schilde einen silbernen Angelhaken, der auf der inwendigen Seite drei Widerhaken hat, und auf dem ungekrönten Helme einen Blumentopf mit neun rothen Rosen.

Mirbach, die Grafen und Freiherren von.

Eine den Rheinprovinzen angehörige altadelige Familie, welche sich auch in mehreren Zweigen mit dem Orden nach den östlichen Provinzen gewendet, und namentlich auch in Kurland, Liefland und Preussen ansässig gemacht hat. Auf dem Turniere bei der Hochzeit des Herzogs Wilhelm von Jülich mit Jacobea von Baden im Jahre 1585 erschien *Jan* von Mirbich, seine acht väterlichen und acht mütterlichen Ahnen vollgültig beweisend. — Mit *Johann* v. Mirbach, Herrn

Mirbach. 413

auf **Tichelen**, der mit **Anna v.** Hanxeler zu Rohrkempen vermählt war, fangen die aufgeschwornen Abstammungen an. *Johann Wilhelm* v. M. zu Tichelen, Herr zu Harf und Goistorf, war mit Maria Barbara, der **Erbtochter** von und zu Harf verehelicht. — *Wilhelm Ludwig* v. M. wurde in den Reichsfreiherrnstand erhoben. Gegenwärtig ist ein Freiherr v. M. Oberlandesgerichts-Assessor bei dem Landgerichte zu Elberfeld. — **Ein Freiherr v.** Mirbach-Kempen zu Heinsberg im Regierungsbezirke Aachen ist seit dem Jahre 1825 königl. Kammerherr. Er stand früher in preuss. Kriegsdiensten und erwarb sich das eiserne Kreuz bei Belle Alliance. — Im Jahre 1806 standen mehrere v. M. in der Armee, namentlich wurde im Jahre 1806 ein v. M. als Major pensionirt, der im Regimente v. Rüchel gestanden hatte. — Ein Capitain v. M. diente früher im Regimente v. Diericke; er war zuletzt als Oberstlieutenant der 12. Garnison-Compagnie aggregirt und starb 1821. — Im Regimente Garde stand ein v. M., der 1813 an ehrenvollen Wunden als Capitain im 16. Infant.-Regim. starb. — Ein **Lieutenant** v. M. diente 1806 im Regimente v. Rüchel, der später Oberstlieutenant und Commandeur des 14. Infant.-Regim. war, und als Oberst aus dem activen Dienste schied. Im Jahre 1828 war er Oberzoll-Inspector in Stallupöhnen. *Er* ist Ritter des Militair-Verdienstordens (erworben bei Schlockhof), des eisernen Kreuzes 1. Cl. (in Holland) u. s. w. — Ein Lieutenant v. M., der früher im Kürassierregimente Graf Henckel stand, war später im 1. Kürassierregimente Rittmeister, schied sodann als Major aus, und ist im Jahre 1822 gestorben. — Ein Lieutenant v. M. starb 1813 den Tod fürs Vaterland; er hatte im Regimente v. Besser gestanden. — Ein anderer Lieutenant im 2. Infanterieregimente, der im Regimente v. Rüts gestanden hatte, blieb 1815 auf dem Felde der Ehre. — Ein Major, Baron v. M. a. D., der gegenwärtig zu Harff im Kreise Bergheim lebt, erwarb sich bei Fleurus das eiserne Kreuz.

Das Wappen der Freiherren v. Mirbach zeigt ein achtendiges, mit der Wurzel ausgerissenes silbernes Hirschgeweih im silbernen Schilde; dasselbe wiederholt sich auf dem bewulsteten Helme. Die Decken schwarz und silbern. M. s. Robens, I. S. 301 u. s. f. Das Wappen hat so viele Aehnlichkeit mit dem der Grafen Dohna, dass man Grund hat zu glauben, beide Geschlechter seien vom nämlichen Urstamme entsprossen. Folgende Familiensage erhält dadurch um so mehr Wahrscheinlichkeit. Ein Ritter v. Mirbach soll auf der Hirschjagd eine Prinzessin, welche bei der Verfolgung des Hirsches mit ihrem Pferde in die Donau gerieth, mit augenscheinlicher Lebensgefahr gerettet haben. Jener Mirbach soll von der Zeit an Donau oder Dona genannt, und ein Ritter von hohem Ansehen geworden sein, auch eine reiche Nachkommenschaft hinterlassen haben. Eine andere Familiensage ist diese, dass Hermann v. Mirbach, als die Brabanter im Jahre 1388 den jungen Herzog Wilhelm v. Jülich und Geldern mit einer grossen Macht von 40,000 Mann überfielen, und doch auf unglaubliche Weise von dem Herzoge und einer Handvoll Braven theils in die Maas gesprengt, theils geschlagen wurden, mit verhängtem Zügel in den dichtesten Haufen der Feinde hineinsprengte, einen der vornehmsten Anführer der Brabanter durchbohrte, und dadurch dem Feinde einen solchen panischen Schreck eingejagt haben soll, dass das ganze Corps die Flucht ergriff, und er durch diese Heldenthat den völligen Sieg entschieden habe.

Ein Zweig der Familie v. M., der in Böhmen begütert ist, wurde im Jahre 1791, mit *Friedrich Gotthard* v. M., in den Reichsgrafenstand erhoben. Dieses gräfliche Haus besteht gegenwärtig aus dessen Wittwe, Kindern und Enkeln

Gotthard, geb. den 6. Juli 1806, Sohn des Grafen *Friedrich Gotthard* (gestorben 1827), Besitzer der Herrschaft Cosmanos in Böhmen, vermählt 1) 1828 mit Mathilde Friederike, Gräfin v. Pachta, geb. den 13. Januar 1812, gestorben im Mai 1831, und 2) den 24. Mai 1834 mit deren Schwester Aloyse, Gräfin v. Pachta, geb. den 6. Juni 1808.

Kinder:

1) *Mathilde*, geb. den 21. August 1828.
2) *Emil*, geb. den 16. November 1829.

Mutter:

Barbara, geb. v. Holly, vermählt 1806 mit dem Grafen *Friedrich Gotthard* v. M., Wittwe seit 1827.

Misbach, die Herren von.

Eine adelige Familie in Pommern. *Magnus Ewald* und *Karl Gotthelf* v. Misbach ererbten 1769 Runow bei Wangerin im saaziger Kreise von ihrer Tante Eleonora Constanzla v. Wedel. Später besass *Ernst Sigismund Ferdinand* v. Misbach dieses Gut. Ein Major v. Misbach schied 1824 aus dem 15. Infant.-Regiment. Er hat sich 1814 vor Soisson in Frankreich das eiserne Kreuz erworben.

Das Wappen dieser Familie ist ein in zwei gleiche Feldungen der Länge nach abgetheiltes Schild, in dessen hinterm untern, blau- oder lazurfarbenen, in der Mitte durchschnittenen Felde eine aus dem Wasser bis über die Hüfte aufsteigende Otter, von natürlicher Farbe, in dem Maule einen Fisch habend, zu sehen ist. Das vordere Feld aber ist gelb oder goldfarbig, worin ein auswärts gekehrter, gekrönter, bräunlicher Löwe mit roth ausschlagender Zunge hinter sich aufwärts gewundenem doppelten Schwanze, aufrecht stehend, in den vorwärts werfenden Pranken einen grünen Mispelbaum haltend, vorgestellt ist. Auf dem Schilde zeigt sich ein frei offener, adeliger Turnierhelm, mit anhangendem Kleinode, linker Seits gelben und schwarzen, rechter Seits aber weissen und blauen oder lazur-farbenen anhangenden Helmdecken, auch mit einer goldenen Krone geziert, woraus zwischen zweien, mit den Spitzen einwärts gekehrten, und also mit Farben abgetheilten Adlerflügeln (von welchen der linke unten weiss und oben blau, der rechte aber unten schwarz und oben gelb ist) die in dem hintern untern Theile des Schildes beschriebene Otter bis an die Hüfte entspringt.

Misitscheck, die Herren von.

Aus dem adeligen Geschlechte Misitscheck v. Wischkau, welches in Polen, Böhmen und Schlesien einheimisch ist, haben verschiedene Mitglieder in der preuss. Armee gedient, namentlich:

Der Generalmajor Misitscheck v. Wischkau, der als Assessor des 1. Departements vom Ober-Kriegscollegium für die Angelegenheiten der Cavallerie angestellt war, und im Jahre 1810 im Pensionsstande gestorben ist. Er hatte sich im Jahre 1794 vor Warschau den Verdienstorden erworben. — In dem Dragonerregimente v. Voss stand der Capitain v. M., der im Jahre 1827 als Major a. D. gestorben ist. — Noch gegenwärtig dienen mehrere Subaltern-Offiziere dieses Namens in der Armee.

Miszewski, die Herren von.

Ein Mitglied dieser adeligen Familie in Polen ist gegenwärtig der älteste unter den wirklichen Domherren des Metropolitan-Capitels zu Posen.

Mitzlaff (f), die Herren von.

Das alte, seit dem 14. Jahrhunderte in Pommern schon bekannte adelige Geschlecht der v. Mitzlaff oder Mitzlaf und Mitzlafe, das auch in Schlesien angesessen und verbreitet war, auch in der preuss. Lausitz begütert ist, zählt viele Mitglieder, die Magistratswürden in Stolpe bekleideten oder in preussischen, schwedischen, österreichischen, und polnischen Kriegsdiensten standen. Im Jahre 1463 war *Conradus* de Mitzlaff Consul zu Stolpe in Hinterpommern. — *Joachim* v. Mitzlaff war kaiserl. Oberster, und kommt öfters in der Geschichte des 30jährigen Glaubenskampfes vor. — *Karl Gustav* v. Mitzlaff, Erbherr auf Schwachow, war schwedischer Hauptmann unter König Karl XII. Aus seiner Ehe mit Katharine Marie v. Bandemer war *Franz Gustav* v. Mitzlaff geboren, der in seiner Jugend Page bei der Gemahlin des Königs Friedrich Wilhelm I. war. Er trat 1727 als Junker in das damalige Dragonerregiment v. Sonsfeld, in dem er 1757 zum Major avancirte. Im Jahre 1766 erhielt er die Amtshauptmannschaft zu Hornburg, 1767 ward er Oberstlieutenant, 1769 Oberst, 1770 des Dragonerregiments v. Jung-Platen, und 1771 Generalmajor. Im Jahre 1778 trat er ans dem activen Dienste und starb am 13. August 1789 zu Frankfurt a/O. Er war mit einer gebornen Lauterbach vermählt, in welcher Ehe ihm mehrere Kinder geboren wurden. Das alte Mitzlaffsche Lehn Schwuchow bei Stolpe hatte der General v. M. seinem Bruder, *Leopold Wilhelm* v. Mitzlaff, überlassen, dieser verkaufte es am 1. Decbr. 1780 an den Oberstlieutenant Karl Sigismund v. Pirch. — Noch weit länger besass diese Familie das Gut Carzin, ebenfalls bei Stolpe gelegen. *Georg* v. Mitzlaff war schon 1389 Herr auf Carzin. *Hans* v. Mitzlaff und seine unmündigen Brüder *Jürgen* und *Curt* wurden vom Herzog Boleslaw am Dienstage nach Fastnacht des Jahres 1490 mit dem Gute Carzin feierlich belehnt. In der Gegenwart besitzen die v. Mitzlaff in Pommern die Güter Bansekow, Damm, Beversdorf, Grossendorf, sämmtlich im Kreise Stolpe. Die v. Mitzlaff führen im getheilten Schilde einen doppelten Adler, dessen eine Hälfte im silbernen Felde schwarz, im schwarzen Felde aber silbern ist. Der Helm ist mit drei Straussfedern geschmückt (silbern, schwarz, silbern). M. s. auch Micräl. Lib. VI. S. 506. Gauhe, I. S. 1026. II. S. 730—33.

Möllendorff, die Herren von.

Dieses alte Geschlecht findet man auch in früherer Zeit oft unter dem Namen Müllendorf in Urkunden aufgeführt, und es blüht seit langen Jahrhunderten in den Marken und im Magdeburgischen. Hier sind die Güter Isterbies, Hohengören, Wudeke oder Wedke im Kreise Jerichow, Dammendorf und Göttewitz im Saalkreise, und Alvensleben im Holzkreise, dort aber Ponitz, Wenddorf, Gadow, Lindenberg, das Ländchen Kumlose, Bernheide, Brunkendorf in der Priegnitz, Parsekow oder Barsikow in der Grafschaft Ruppin, alte Besitzungen dieses vornehmen Hauses. Die magdeburgische Linie beginnt die Stammreihe mit *Nikolas* von Möllendorff, der um das Jahr 1332 lebte. — Sein Sohn *Nikolas* II. erwarb um das Jahr 1380 die Güter Schönfeldt und Wudeke. — *Mitike* v. M. beginnt die Linie zu Hohengören um das Jahr 1403. Aus diesem Hause war *Christoph* v. M., der um das Jahr 1575 als der erste evangelische Domdechant zu Magdeburg gestorben sein soll. — *Hans* v. M. auf Hohengören ging im Jahre 1580 als braunschweigischer Hofmarschall mit Tode ab. Sehr zahlreich sind die Mitglieder dieses Hauses, welche sich im preuss. Heere Ruhm und Ehre erworben haben, ganz vorzüglich aber glänzt unter den ersten Helden der Armee der unten näher erwähnte *Wichard Joachim Heinrich* v. M., der schon längst mit dem Feldmarschallstabe und den höchsten Orden des Königreichs geschmückt, hochbejahrt und hochverehrt im Jahre 1816 vom Schauplatze seines ehrenvollen Wirkens trat. Von seinen Gütern stiftete er das Familien-Majorat, Ländchen Kumlose, mit dem Stammhause Schloss Gadow in der Priegnitz und den dazu gehörigen Gütern, wozu noch die in Pommern an der Rega gelegene Herrschaft Elvershagen gekommen ist. Da der Feldmarschall unvermählt war, so hatte er schon mehrere Jahre vor seinem Tode einen Neffen, den in seinem Regimente dienenden Lientenant v. Bonin, zum Erben seiner Güter erklärt, und mit Bewilligung Sr. Majestät führte dieser Offizier schon den Namen Bonin v. Möllendorff. Er blieb aber in dem hitzigen Kampfe bei Hagelsberg am 27. August 1813 als Hauptmann der kurmärkischen Landwehr auf dem Felde der Ehre, und nun adoptirte der Feldmarschall die drei Söhne seiner Enkel-Niece, einer Schwester des erwähnten v. Bonin, *Ernestine* v. B., die an Theodor Semienow v. Wilamowitz vermählt war. Der älteste dieser Adoptivsöhne, der königl. preuss. Kammerherr *Hugo Friedrich Erdmann* v. Wilamowitz-Möllendorff, ist seit dem Jahre 1830 im Besitz der erwähnten Majoratsherrschaft. Er ist vermählt mit Aurora Marie, Reichsgräfin v. Wartensleben, aus dem Hause Westerbruch und Mitteldonk, und der Stammherr der neuen Linie Wilamowitz-Möllendorff. — Wir führen nun in chronologischer Folge diejenigen Mitglieder des Hauses auf, die sich im preuss. Heere ausgezeichnet haben.

Henning v. Möllendorff ward im Jahre 1572 am Mittwoch nach Misericordias Domini vom Kurfürsten Johann Georg zu Cöln an der Spree zum Hauptmann über die Einspänniger (Leibwache) bestellt.

Curt v. M. ward am 1. Mai 1620 zum Rittmeister über die priegnitzischen und ruppin'schen Ritterdienste ernannt.

Friedrich Christoph v. M., geboren im Jahre 1681 zu Hohen-Gören in der Mark, ein Sohn des im Jahre 1704 verstorbenen königl. preuss. Deichhauptmanns *Johann Friedrich* v. M., und der Bertha Sophie Auguste v. Bismark, Erbherrn auf Hohen-Gören und Wudeke, trat 1701 in preuss. Dienste, und ward 1713 ältester Capitain im Dragonerregimente Prinz Albrecht Friedrich, 1714 Major, 1720 Oberstlieutenant, 1725 Oberst und Commandeur des genannten Regiments, 1734 Chef des v. Coselschen Dragonerregiments, und 1739 Generalmajor. Als solcher wohnte er dem ersten schlesischen Kriege bei. Im Jahre 1743 ernannte ihn Friedrich II. zum Generallieutenant, und schmückte ihn im Jahre 1745 mit dem schwarzen Adlerorden. Seiner schwächlichen Gesundheit wegen musste er sich nach seinem Gute Hohen-Gören begeben, wo er am 15. Mai 1747 starb, und den Ruhm eines tapfern Soldaten hinterliess. Er war mit einer v. Reder vermählt, in welcher Ehe ihm nur eine Tochter geboren wurde.

Hartwich Friedrich v. M., ein älterer Bruder des unten näher erwähnten Generalfeldmarschalls v. M., begann seine militairische Laufbahn im ersten Bataillon Garde. Im Jahre 1746 wurde er vom Fähnrich zum Hauptmann befördert, bald darauf aber zum Major und Flügeladjutanten, und 1756 zum Commandeur eines Grenadierbataillon. Er starb am 18. Juni 1757 in der Schlacht bei Collin den Tod für's Vaterland.

Johann Adolph v. M., geboren im Jahre 1690, ein Bruder des erwähnten Generallieutenants *Friedrich Christoph* v. M., wurde 1710 Lieutenant im Regimente v. Katte zu Pferde, 1715 Hauptmann, 1719 Major im Regimente Kronprinz Friedrich zu Pferde, 1724 Oberstlieutenant, 1736 Oberst, 1741 Chef des Kürassierregiments v. Wartensleben, und 1743 Generalmajor. Im Jahre 1745 zum Generallieutenant ernannt, schied er 1754 aus dem activen Dienste, und starb am 15. März 1758 auf seinem Gute Wudeke bei Rathenow, nachdem er sich in den Feldzügen in den Niederlanden bis zum Utrechter Frieden, in Schlesien, Sachsen und Böhmen rühmlichst ausgezeichnet hatte. Er war mit Karoline Auguste Sophie, Edlen von der Planitz, aus dem Hause Langenstein, vermählt, mit welcher er zwei Söhne zeugte.

Wichard Joachim Heinrich v. M., geboren im Jahre 1724 auf seinem väterlichen Gute Lindenberg in der Priegnitz, ein jüngerer Bruder des in der Schlacht bei Collin gefallenen Majors *Hartwich* v. M., wurde, nachdem er die Ritterakademie zu Brandenburg bis zum Jahre 1739 besucht hatte, von Friedrich II. zu seinem Pagen ernannt, und begleitete als solcher denselben in den ersten schlesischen Krieg. Im zweiten schlesischen Feldzuge war er Fähnrich im ersten Bataillon Leibgarde, und erhielt bei Sorr die erste Wunde. Bald darauf erfolgte seine Ernennung zum Hauptmanne und Flügel-Adjutanten des Königs. Nicht minder glänzend, als bei der Vertheidigung eines grossen Proviant-Transports mit 300 Grenadieren gegen ein feindliches Corps von 4000 Panduren, trat seine Tapferkeit in den Schlachten bei Rossbach und Leuthen hervor. In der letztern Schlacht nahm er das Dorf Leuthen mit stürmender Hand. Nach der Belagerung von Breslau zum Major und Commandeur des dritten Bataillon Garde befördert, trug er wesentlich zur Entscheidung des Sieges in der Schlacht bei Torgau bei, indem er unter dem General Saldern die Siptitzer Höhen stürmte, die darauf befindlichen Geschütze nahm, und seine Eroberung mit Löwenmuth vertheidigte. Bei dieser Gelegenheit gerieth er in Gefangenschaft, aber bald darauf ausgewechselt, ernannte ihn Friedrich der Grosse zum Obersten und Commandeur des Regiments Garde. Für die Erstürmung eines verschanzten Postens bei Burkersdorf belohnte ihn der Generalmajorscharakter. 1774 zum Generallieutenant befördert, wurde er 1783 Gouverneur von Berlin und Chef des daselbst garnisonirenden Infanterieregiments No. 25. Schon 1757 war er mit dem Militair-Verdienstorden geschmückt, 1765 zum Commandanten von Potsdam, Amtshauptmann zu Zehden, Dompropst des hohen Stifts zu Camin, und später zum Ritter des schwarzen Adlerordens ernannt worden. Friedrich Wilhelm II. beförderte ihn 1787 zum General der Infanterie und Vice-Ober-Präsidenten des neu organisirten Ober-Kriegs-Collegium, am 17. August 1793 aber zum Generalfeldmarschall. Im Jahre 1794 erhielt er den Oberbefehl über die Rheinarmee, und in diesen Zeitraum fallen die siegreichen Treffen bei Kaiserslautern und Morlautern, die Gefechte bei Vogelweh, Weidenthal, Wachenheim, Deidesheim, beim Hurderkopf, u. s. w. Noch einmal im Jahre 1806 als ehrwür-

diger 80jähriger Greis auf das Schlachtfeld gerufen, gerieth er zu
Erfurt, nach der Schlacht bei Jena, in Gefangenschaft. Doch die
Feinde ehrten den Ruhm des alten Feldherrn auch im Unglück, und
entliessen ihn auf sein Ehrenwort nach Berlin. Er starb am 28. Januar 1816 unvermählt zu Havelberg. Ein Schriftsteller spricht sich
über seinen Charakter folgendermassen aus: „Seine Menschenfreundlichkeit und Herzensgüte spricht sich vorzüglich in den Tagesbefehlen
aus, die er als Gouverneur der Hauptstadt erliess. Sie empfahlen
eine menschliche und zweckmässige Behandlung des gemeinen Mannes, um in der Brust desselben das bessere Gefühl zu wecken, und
ihn mehr empfänglich zu machen zum Gehorsam durch den An-
trieb der Ehre, als durch die Strafe des damals viel gebrauchten
Stocks."

Mörder, die Herren von.

Die v. Mörder oder Morder gehören ursprünglich Mecklenburg
an und verbreiteten sich dann auch in Pommern, wo sie im Wol-
gastischen begütert waren. Der pommer'sche Ast erlosch schon im
Jahre 1700, die mecklenburgische Hauptlinie aber ging im Jahre
1730 aus. Siebmacher giebt das Wappen dieser Familie V. S. 166.,
und v. Meding beschreibt es III. No. 544. Die v. Mörder führten im
silbernen Schilde einen vorwärts gekehrten rothen Löwenkopf, und
auf dem Helme eine in Silber und Roth getheilte Lilie, oben mit
fünf Pfauenfedern geschmückt.

Mörner, die Grafen und Herren von.

Ein altadeliges Geschlecht der Mark Brandenburg, das in der
Uckermark und in der Neumark Güter hatte, auch in der Altmark,
namentlich im Kreise Jerichow, ansässig war. In der Neumark sind
die Rittersitze Zellin und Klössow bei Königsberg, Tornow im Lande
Sternberg u. s. w., alte Besitzungen der von Mörner. Uebrigens
wird dieses Geschlecht auch zum Adel in Thüringen gezählt, dem
es auch Siebmacher beigesellt. Er giebt das Wappen im 1. Bd. S.
146., wie wir es unten beschreiben. — *Kreuzwend* v. Mörner war
Geheimer Ordensrath, Oberhauptmann u. s. w. Er zeugte mit Anna
Maria v. Mörner, aus dem Hause Klössow, den *Berend Joachim* v.
Mörner, kurbrandenburgischen Oberst, Chef eines Regiments zu
Pferde. Derselbe war in seiner Jugend Page des Kurfürsten Georg
Wilhelm, dann trat er in die Reiterei. Im Jahre 1655 war er Ritt-
meister im Regimente des Feldmarschalls Freiherrn v. Derflinger. Bei
Fehrbellin befehligte er ein Regiment schwerer Reiter, und hier war
es, wo er an der Spitze einer siegreichen Abtheilung im Vordringen
den Tod der Ehre starb. Er war dreimal vermählt, zuerst mit Anna
Katharina v. Schaplow (die 1652 starb), zum andern Male mit Anna
Sophia v. d. Marwitz, und zum dritten Male mit Katharina Elisabeth
v. Sacken. Aus der ersten und aus der zweiten Ehe haben ihn Kinder
überlebt. In Pommern war ein adeliges Geschlecht von Mörner ansässig, das Micrälius erwähnt, und Brüggemann mit dem Kreuze der
ausgegangenen Geschlechter bezeichnet. Dagegen blüht noch in der
Gegenwart eine in den Grafenstand erhobene Linie dieses Geschlechtes in Schweden fort; aus derselben erhielt Graf *Axel* v. Mörner,
schwedischer Generalmajor, im Jahre 1814 den preuss. Orden pour

le mérite. Das oben erwähnte Wappen zeigt im goldenen Schilde einen braunen, dreizackige grüne Blätter treibenden Ast. Auf dem gekrönten Helme ist ein solches Blatt zwischen zwei weissen Adlerflügeln angebracht. Helmdecken golden und grün. M. s. v. Pfeffinger's Geschichte der Braunschweigschen Lande, I. Band 3. Theil S. 690. Zedler's Universal-Lexicon, Bd. XXI. S. 802. Sinapius, I. Seite 817.

Mohl, die Freiherren und Herren von.

In Flandern, Thüringen und in Schlesien kommt das Geschlecht der von Mohl, auch Mohlau und Mühl geschrieben, vor. In Schlesien finden wir zuerst im Jahre 1437 einen Hofcavalier des Herzogs Botko zu Münsterberg, *Franciscus* v. Mohl. Sein Enkel, *Balthasar* v. Mohl, war 1488 Rath bei dem Herzoge Conrad dem Weisen zu Oels, und dessen Sohn, *Balthasar* v. Mohl oder Mühl, erwarb Rädlitz bei Lübben, und seitdem erhielt dieser schöne Rittersitz den Namen Mohl- oder Mühlrädlitz (er ist in neuerer Zeit an die Nikisch und Roseneck, und von diesen an das reichsgräfliche Haus Nostitz (evangelischer Linie) gekommen). Durch Vermählung des *Friedrich* v. Mohl mit Ludomille v. Skoppin zu Dromsdorf erwarb das Haus 1563 die Güter Dromsdorf, Lederhosen, Seckerwitz u. s. w.; auch Gr. Rosen, Panzkau, Poischwitz u. s. w. gehörten im 17. Jahrhunderte dieser Familie. Im Jahre 1640 am 25. Octbr. wurde *David* v. Mohl auf Mühlrädlitz, unweit Liegnitz, durch den Schuss eines Meuchelmörders getödtet. Sein Sohn *Nikolas* v. Mohl diente in Frankreich und in Spanien, und beschloss sein viel bewegtes Leben am 25. Decbr. 1699. — Aus der Ehe des *Friedrich* v. Mohl auf Gross-Rosen und Poischwitz, und Isolda v. Frankenberg, wurde *Friedrich Balthasar* v. Mohl geboren, der am Anfange des vorigen Jahrhunderts der einzige des Geschlechts in Schlesien war; er vermählte sich mit einer v. Poser, und hatte aus dieser Ehe eine Tochter gezeugt. Nach dem Tode seiner ersten Gemahlin vermählte er sich mit einer von Löwen auf Klein-Rosen. Aus dieser letzten Ehe überlebte ihn ein Sohn, *Friedrich* v. Mohl, der im Jahre 1742 am 1. Mai vom Könige Friedrich den II. in den Freiherrnstand erhoben wurde. Mit seinem Sohne *Friedrich* v. Mohl ist im zweiten Decennium dieses Jahrhunderts das Geschlecht im Mannesstamme erloschen. Im weiblichen Stamme erhielt es sich noch bis vor wenig Jahren durch die einzige Tochter des Freiherrn *Friedrich* v. Mohl, die mit dem Freiherrn Julius v. Galen, früher auf Jacobsdorf bei Neumarkt, vermählt war. Das Wappen dieser altadeligen Familie ist in zwei Hälften getheilt. In der obern rothen Hälfte sind neben einander liegende silberne Rosen; die untere Hälfte füllt ein in vier Reihen zerfallender schwarz und silberner Schach aus. Auf dem gekrönten Helme ruht ein halber, silberner Mond, mit den Hörnern aufwärts gekehrt, daraus steigen sechs rothe Reiherfedern empor, die sich auf beiden Seiten, jede zu drei Federn, abtheilen. Helmdecken links silbern und roth, rechts schwarz und silbern. Auf alten Abdrücken sieht man statt des Mondes einen mit drei silbernen Reifen umwundenen schwarzen Becher. Die Familie hatte das oben beschriebene Wappen bei ihrer Erhebung in den Freiherrnstand ohne Veränderung beibehalten, und nur zwei mit Bogen und Köcher bewaffnete Mohren als Schildhalter gewählt. Sinapius, I. Band, S. 647., und II. Bd. S. 813. Gauhe, I. S. 1029. Zedler, XXI. Band, S. 841. v. Meding, II. No. 565.

27 *

Molière, Herr von.

Der Major im Generalstabe des Garde-Corps, *A.* Molière, ein
Sohn des Predigers *C.* Molière, an der französischen Kirche zu Berlin, ist von Sr. jetzt regierenden Majestät in den Adelstand erhoben
worden.

Moll, die Freiherren und Herren von.

Eine adelige Familie dieses Namens gehört den österreichischen
Staaten an; sie wurde im Jahre 1580 in den Adelstand erhoben, und
eine Linie dieses Hauses erhielt am 4. Mai 1789 die freiherrliche
Würde, die *Ludwig Gottlieb* v. Moll, salzburgischer Geheimer Rath,
auf sein Haus brachte. — *Anton*, Freiherr v. M., ist gegenwärtig
Seconde-Wachtmeister bei der kaiserl. österreichischen Arcièren-
Leibgarde, auch Ritter des Theresienordens. — *Johann*, Freiherr
v. Moll, ist Major und Flügel-Adjutant Sr. kaiserl. Majestät. — In
brandenburgischen Diensten stand um das Jahr 1659 ein v. Moll, als
Oberster eines Regiments. M. s. biograph. Lexicon aller Helden u.
Milit.-Personen, III. S. 51.

Moltke, die Grafen von.

Die altadelige Familie der v. Moltke kommt zuerst im 13. Jahrhunderte vor; sie war damals in Mecklenburg, Schweden, namentlich
auch in schwedisch Pommern und Dänemark ansässig. In Schweden
ist sie ausgestorben, in Mecklenburg erwarb sie bedeutende Besitzungen, in denen sie sich bis in die neueste Zeit erhalten, und von hier
aus nach Dänemark, Oesterreich, Baiern und Würtemberg ausge-
zweigt hat. In Pommern erscheint zuerst *Eberhard* Moltke, der um
das Jahr 1380 seine Tochter *Brigitte* an einen Ritter aus dem Hause
Putbus vermählte (m. s. Micrälius, Pommerland, Buch VI.). Bei dieser Gelegenheit erwähnen wir auch, dass der Stammherr der oben
erwähnten schwedischen Linie *Hennig* Moltke war, der mit dem
Herzoge Albert von Mecklenburg in jenes Land gekommen, und daselbst Reichsrath geworden war. Der letzte der Grafen Moltke in
Schweden soll *Nikolas*, der ebenfalls dieselbe Würde bekleidet haben
soll, gewesen sein. Eine geschichtliche Bedeutung erlangte *Adam*
Gottlob, Graf v. M., königl. dänischer Staats- und Premier-Minister,
unter Friedrich V. Mit dem Könige aufgewachsen, ward er dessen
vertrauter Freund, und erwarb sich besonders grosse Verdienste um
Belebung der Künste und Wissenschaften, und durch die Festigkeit,
mit welcher er im gottorpischen Erbfolgestreite, als Russland mit einer
Invasion drohte, und alle Mitglieder des Conseils für die Abtretung
Holsteins stimmten, sich derselben widersetzte, und diese Provinz
der Krone erhielt. Er liebte mit den Künsten auch den Luxus; sein
Palast in Kopenhagen ward nach seinem Tode der Wohnsitz des
jetzigen Königs, seine Bibliothek und Gemälde-Gallerie erhalten
sein Andenken der Familie und dem Publikum, und die Zimmer,
welche er in seinem Schlosse auf der Grafschaft immer für den König bereit halten musste, sind eine lebendige Erinnerung an den
Glanz damaliger Zeit. Ausser ihm verdient noch besonders sein Sohn,
Gotsche Jonckim, Graf v. M., geboren den 27. Juli 1746, genannt zu
werden, der als Staats- und Finanz-Minister an die Spitze der An-

gelegenheiten gestellt ward, als die Monarchie in der schwierigsten
politischen Lage war, und als die Finanzen sich in dem beklagens-
werthesten Zustande befanden; es gelang ihm, das verlorne Zutrauen
wieder herzustellen, weil sein Charakter Bürgschaft leistete; er bezeichnete das Ende seines mühevollen Lebens durch höchst freigebige
Opfer zum öffentlichen Besten, indem er über eine halbe Million
Thaler in seinem Testamente für verschiedene öffentliche Interessen
bestimmte. Die älteren Brüder desselben waren: *Christian Friedrich*,
Graf v. M., königl. dänischer Geheimer Conferenzrath, Oberhofmarschall, u. s. w. *Caspar Hermann Gottlob*, Graf v. M., königl. dänischer Generalmajor und Chef der Leibdragoner. *Christian Magnus
Friedrich*, Graf v. M., königl. dänischer Kammerherr, und Oberst
der holsteiner Dragoner. Von den jüngern Brüdern war *Adam Gottlob Ferdinand*, Graf v. M., der unten erwähnte Admiral. Ausser den
hier Genannten zählte die Familie noch eine Menge Mitglieder,
welche durch ihre Stellung ausgezeichnet waren, als sechs Ritter des
Elephantenordens, sechszehn Ritter vom Grosskreuze des Danebrog-
ordens, sechs Staatsminister, vier Generäle, einen Admiral, zwei Ober-
hofmarschälle, alle in Diensten der Krone Dänemark, drei Generäle
in kaiserl. und schwedischen Diensten. Die ältere gräfliche Linie
stammt von *Friedrich* v. M. ab, der, da er sich mit einer verwittweten Herzogin von Holstein-Beck, gebornen Gräfin Dohna-Leiste-
nau, vermählte, im Jahre 1770 in den Reichsgrafenstand erhoben
ward. Die jüngere dänische Linie wurde durch den erwähnten *Adam
Gottlob* v. M. gegründet, den *Friedrich V.* in den dänischen Lehns-
grafenstand erhob, und ihn mit der Grafschaft Bregentwed belehnte.
— Auch im preuss. Civil- und Militairdienste haben zu verschiedenen Zeiten Mitglieder dieser Familie gestanden. Gegenwärtig zählt
das gräfliche Haus folgende Mitglieder:

A. Aeltere, von Friedrich abstammende Linie.

Graf *Friedrich Karl Ludwig*, geb. den 5. Mai 1798, auf Wolde,
Zwiedorf, Cassdorf, Marienhof, Carlshof und Friedrichshof, Erbherr
der Lehngüter Selpin, Vogelsang und Neuhof, königl. preuss. Rittmei-
ster a. D., vermählt 1) mit Adelaide Bertha v. Wulffen (geb. d. 15.
Aug. 1806; gest. den 24. Mai 1833); 2) seit dem 2. April 1834 mit
Marie Eugenie, geb. den 3. Juli 1810, Tochter des königl. preuss.
Generalmajors v. Röder.

Kinder erster Ehe:

1) *Alexandrine Charlotte Karoline Pauline*, geb. den 2. Mai 1827.
2) *Friedrich Georg Karl Felix Wilhelm*, geb. den 22. Septbr. 1831.
3) *Adelaide Cäcilie*, geb. den 22. Mai 1833.

Tochter zweiter Ehe:

4) *Georgine Marie Elisabeth Eugenie*, geb. den 23. Decbr. 1835.

Schwestern:

1) *Karoline Eleonore*, geb. den 16. Februar 1790, vermählt seit dem
18. Octbr. 1816 mit Friedrich Wilhelm v. Rauch, königl. preuss.
Major und Flügeladjutanten Sr. Majestät des Königs.
2) *Elisabeth Luise Georgine*, geb. den 29. Septbr. 1793, vermählt seit
dem 16. Septbr. 1816 mit dem königl. preuss. Major im 20. Infanterieregimente Hans v. Schack.
3) *Jeannette Sabine Henriette*, geb. den 13. Octbr. 1796, vermählt seit
dem 10. März 1826 mit dem grossherzogl. mecklenburg. schwerinschen Oberforstmeister Friedrich Wilhelm v. Wickede.

4) *Helene*, geb. den 18. Novbr. 1804, vermählt seit dem 20. Octbr. 1826 mit dem königl. preuss. Major im 20. Infanterieregimente, Gustav v. Panwitz, Wittwe seit dem 26. Januar 1833.

Stiefgeschwister aus erster Ehe des Vaters, Friedrich Detlev, Grafen v. Moltke, königl. preuss. Oberjägermeisters (geb. den 28. August 1750, gestorben den 2. Septbr. 1825) mit Friederike Charlotte Antonie, Gräfin v. Dohna, verwittwete Herzogin v. Schleswig-Holstein-Beck (geb. den 3. Juli 1738, gestorben den 21. April 1786):

1) *Friederike Wilhelmine Sophie Detlofine*, geb. den 1. Februar 1779, vermählt mit dem königl. preuss. Generalmajor v. Stössel (zu Neumarkt in Schlesien).

2) *Ernestine Charlotte Emilie Elisabeth*, geb. den 12. Mai 1780, vermählt mit dem königl. preuss. Generallieutenant von der Marwitz.

3) Wittwe des am 28. Juli 1818 verstorbenen Grafen Friedrich Ludwig Adam Alexander, *Wilhelmine Friederike Ulrike* v. Blücher auf Gützkow, geb. den 3. Febr. 1791.

Tochter:
Friederike Elisabeth Wilhelmine Amalie, geb. den 16. März 1817.

B. Jüngere, von Adam Gottlob abstammende Linie.

Graf *Adam Gottlob Detlev*, geb. den 15. Januar 1768, Herr auf Noer und Nütschau, lebt in Lübeck; vermählt 1) mit Auguste, 2) mit Marie Christiane von Wiebel, beide Töchter des Landstallmeisters v. Wiebel auf Marutenhof; 3) mit Karoline Klüver.

Kinder erster Ehe:

1) *Karl*, geb. den 15. Novbr. 1800, königl. dänischer Obergerichtsrath in Glückstadt, Erbherr auf Nütschau, vermählt mit Malwina Anna Simons.

Kinder:

a) *Malwina Elisabeth*, geb. den 31. Mai 1825, expectirende Stiftsdame zu Preetz.

b) *Adam Heinrich*, geb. den 23. Juni 1828.

Zweiter Ehe:

2) *Magnus Theodor*, geb. den 9. März 1806, vermählt mit Friederike Antonie Sophie, Gräfin v. Wedel-Jarlsberg.

Tochter:
Mathilde Karoline, geb. den 23. April 1832.

Dritter Ehe:

3) *Friedrich Adamson*, geb. 1815.

Geschwister und deren Nachkommen:

I. Des 1820 verstorbenen Bruders Joachim, königl. dänischen Obersten und Kammerherrn, Wittwe:
Elline Katharine, geb. Baronesse Neergaard.

Söhne:

1) *Magnus Jens Gotsche*, geb. 1801, vermählt mit Elise, Baronesse v. Bretton.

Kinder:

a) *Elisabeth*, geb. 1825, expectirende Stiftsdame zu Preetz.

b) *Alette*, geb. 1827, expectirende Stiftsdame zu Preetz.
c) *Joachim Adam Magnus Ferdinand*, geb. den 22. Decbr. 1830.
2) *Adam*, geb. 1805, vermählt mit Mathilde von Nolly.

Sohn:

Oscar; geb. 1828.
3) *Adolph Peter*, geb. 1806.

II. Des verstorbenen Bruders Ferdinand, königl. dänischen Majors, Wittwe:

Sophie Hedwig v. Lewetzau.

Kinder:

1) *Wilhelmine Friederike*, Stiftsdame zu Uetersen.
2) *Elisabeth Friederike*, Stiftsdame daselbst.
3) *Magnus*, geb. 1809.
4) *Maria Sophie Friederike*, expectirende Stiftsdame zu Uetersen.
5) *Christiane Lucie*, Stiftsdame zu Itzehoe.

III. *Magnus*, geb. 1783, königl. dänischer Obergerichtsrath und Kammerherr, vermählt seit dem 3. Octbr. 1814 mit Juliane Charlotte Ulrike, Gräfin v. Brockdorff, geb. den 26. März 1794.

Vaters Geschwister und deren Nachgelassene:

I. Des 1826 verstorbenen Vaters Bruders Ludwig Friedrich, Dechanten des Domstifts zu Lübeck, Wittwe:

Sophie Agnata, geb. Gräfin v. Luckner.

Tochter:

Sophie, vermählte Freifrau v. Maltzan.

II. Des 1818 verstorbenen Vaters Bruders Joachim Gotsche, königl. dänischen Staatsministers, Sohn:

Graf *Adam Wilhelm*, geb. den 25. August 1785, Herr der Grafschaft Bregentved, königl. dänischer Staats- und Finanzminister, vermählt 1) mit Friederike Luise, 2) mit Maria Elisabeth, Gräfin von Knuth.

Kinder zweiter Ehe:

a) *Friedrich Georg Julius*, geb. den 27. Febr. 1825.
b) *Maria Karoline Wilhelmine*, geb. den 23. Juli 1827.
c) *Joachim Gotsche*, geb. den 21. Januar 1829.
d) *Julie Georgine Sophie*, geb. den 4. Mai 1830.
e) *Christian Heinrich Karl*, geb. den 13. Mai 1833.

III. Des verstorbenen Vaters-Bruders, des Admirals, Grafen Adam Ferdinand, Kinder:

1) *Adam Gottlob*, geb. 1797, königl. dänischer Kammerjunker und Lottoadministrator, vermählt mit Friederike Lund.

Kinder:

a) *Adam Wilhelm.*
b) *Ferdinand.*
c) *Emma.*
2) *Anna Katharina*, vermählt mit dem Major v. Moritzen.

IV. *Gebhard*, geb. den 20. Februar 1764, Lehnsgraf, Herr auf Moltkenberg, königl. dänischer Geheimer Conferenzrath, vermählt 1) mit Bertha von Hwitfeld, 2) mit Bertha von Bille-Brahe, Wittwer.

Söhne zweiter Ehe:

1) *Adam Gottlob*, geb. den 10. Juni 1798, königl. dänischer Kammerherr und Hofmarschall des Prinzen Christian von Dänemark, vermählt mit Elisa, Gräfin v. Rasumofsky.

Kinder:

a) *Gebhard Leo.*

b) Eine Tochter.

2) *Heinrich*, geb. den 16. Decbr. 1799, Mitglied des höchsten Gerichts in Dänemark, auch königl. dänischer Kammerherr.

V. *Bertha*, geb. den 17. Novbr. 1767, vermählt mit dem Freiherrn
v. Adler-Adlersberg, königl. dänischen Oberpräsidenten; Wittwe.

VI. *Otto Joachim*, königl. dänischer Staatsminister und Präsident
der deutschen Kanzlei in Kopenhagen, Herr zu Espegaard, vermählt
1) mit Sophie Christiane, Baronesse von Juel, 2) mit Sophie v. Düring.

Kinder erster Ehe:

1) *Adam Gottlieb*, geb. den 31. Mai 1798, königl. dänischer Land-
Kriegscommissair, vermählt mit Rosa Hennings (zwei Kinder).

2) *Wilhelm Matthias*, geb. den 1. März 1801, königl. dänischer Amtmann des Amtes Holbeck auf Seeland.

3) *Henriette Sophia Bertha Eleonore.*

VII. *Karl Emil*, geb. den 9. Januar 1773, königl. dänischer Geheimer Conferenzrath, Herr zu Aagaard, vermählt mit Asta Thusnelda,
Gräfin von Münster-Meinhövel.

Kinder:

1) *Amalia Thekla*, geb. den 1. Novbr. 1811.

2) *Maria Karoline Wilhelmine*, geb. den 1. Decbr. 1815.

3) *Ernst*, geb. den 2. Januar 1822.

Noch gehören folgende Notizen hierher:

Ein Sohn des Grafen Friedrich Detlev v. Moltke war im Jahre
1806 Cornet im Regimente Gensdarmen zu Berlin; im Jahre 1813 war
er Rittmeister im Regimente Garde du Corps, und Adjutant des commandirenden Generals von Blücher. Nach der Schlacht an der Katzbach erhielt dieser Offizier den ehrenvollen Auftrag, mit der frohen
Kunde des erfochtenen Sieges zu Sr. Majestät dem Könige nach Böhmen zu eilen, er fand aber in den Fluthen eines angeschwollenen Ge-
birgstromes seinen Tod, und nur seine Depeschen erreichten den Ort
der Bestimmung. — Ein Bruder desselben stand im Regimente von
Auer-Dragoner, der im Jahre 1807 unter dem Marwitzschen Freicorps
diente, 1808 als Major aus dem activen Dienste schied und 1818 gestorben ist. — In Bezug auf die Gemahlin des Grafen Friedrich Detlev
v. M. bemerken wir, dass dieselbe, wie schon oben erwähnt, mit dem
Herzoge Anton August von Holstein-Beck, ihrem leiblichen Vetter,
vermählt war, der 1759 als Major in der Schlacht von Cunnersdorf fiel. Sie war die Mutter des königl. preussischen, dann kaiserl.
russ. Generallieutenants, Herzogs Friedrich Ludwig v. Holstein-Beck,
der im Jahre 1816 verstorben ist. — Noch ist zu erwähnen, dass aus
diesem Hause funfzehn Mitglieder beiderlei Geschlechtes mit dem hohen Orden de l'Union parfaite begnadigt waren. Der vielfach erwähnte Friedrich Detlev, Reichsgraf v. Moltke, war am 1. Juni 1786
zu Sonnenburg zum Ritter des Johanniterordens geschlagen worden.

Monin, die Herren von.

Ein neufchâteler Geschlecht, welches zu Cressier daselbst hei-
mathlich ist. *N. v.* Monin gebrauchte zuerst den Adel durch Führung
des von im königl. preuss. Füsilier-Bataillon Ernest als Seconde-
Lieutenant im Jahre 1793; *Johann Franz* aus diesem Geschlechte
warb unter französischer Erlaubniss Ludwigs XIV. (14. März 1690)
ein neues Schweizerregiment von 6 Compagnien für Frankreich; sein
Sohn *Franz* (geb. 1675, gest. 1756) trat 1690 in die Colonel-Com-
pagnie seines Vaters, ward 1734 französ. Brigade-General; Colonel-
Commandant des französ. Schweizer-Regiments, vormals Mannlich von
Bettins 1739; Generallieutenant 1745. Er hinterliess den Nachruhm
eines ausgezeichneten Feldherrn, und erhielt 1711 den Ritterorden
St. Ludwig.

Monjou, die Herren von.

Aus dieser altadeligen französischen Familie haben einige Mitglieder in dem preussischen Heere gedient. — *Johann Wilhelm* v. Mon-
jou kam aus französischen Diensten in die König Friedrichs II. Er
wurde Major und erhielt ein Freibataillon, das 1758 in Dresden errichtet worden war. Jedoch schon im Jahre 1759 erhielt dieser Stabsoffizier seine Entlassung. M. s. Biogr. Lexicon aller Helden u. s. w.
2. Bd. S. 61.

Monreal, die Herren von.

Ein altadeliges, vornehmes und reiches Geschlecht in den Rheinlanden, und besonders im Trierschen, das im Jahre 1635 mit dem
letzten Zweige des weiblichen Stammes, *Magdalena Margarethe*, vermählt an Johann Schweikhard, erloschen ist. v. Meding beschreibt,
II. No. 570, das Wappen dieser Familie.

Montaut, die Freiherren von.

Die aus Frankreich stammende adelige Familie Gilly v. Montaut
ist in den preussischen Freiherrnstand erhoben worden. Sie führt in
einem von der obern linken zur untern rechten Seite getheilten, halb
silbernen, halb goldenen Schilde den Hals und Kopf eines schwarzen, nach der rechten Seite blickenden, gekrönten Adlers mit goldenem Schnabel und ausgeschlagener rother Zunge. Auch ist das Schild
mit rothen Rosen und blauen Lilien belegt und von zwei Turnierhelmen bedeckt; auf dem rechten dieser Helme liegt ein rother Hut, dessen silberner Aufschlag mit einer Rose belegt, und der mit drei Straussfedern (schwarz, silbern, schwarz) geschmückt ist. Der linke Helm
trägt einen blauen Hut mit goldenem Aufschlage, der mit einer blauen
Lilie belegt ist und einen Pfauenschweif zum Schmucke hat.

Montbach, die Freiherren und Herren von.

Die Herren v. Montbach, die sich früher v. Bohl und Montbach
schrieben, sind mit dem Pfalzgrafen, Fürstbischof von Breslau, nach-
machmaligen Kurfürsten Franz Ludwig, nach Schlesien und Oester-

reich gekommen. — Der erste v. Bohl und Montbach, welcher sich in Schlesien ansässig machte, erwarb von dem Grafen v. Hoditz die Herrschaft Bechau bei Neisse. Sie ist noch gegenwärtig in den Händen der Familie. — Eine Tochter aus diesem Hause, *Heloise*, ist die Gemahlin des Grafen Anton Matuschka v. Topolczan auf Zülz und Pitschen am Berge. Eine Schwester derselben starb vor einigen Jahren unvermählt; sie war die Besitzerin von Masselbach bei Breslau. — Der Capitain v. Montbach im 11. Infanterieregimente erwarb sich das eiserne Kreuz 2. Classe bei Belle Alliance. — Von der österreichischen Linie wurde *Siegfried*, Ritter v. M., kais. Oberster, im Jahre 1813 in den Freiherrnstand erhoben. — *Friedrich*, Freiherr v. M., ist Rittmeister und Escadronchef im 7ten österreichischen Husarenregimente.

Montmollin, die Herren von.

Unstreitig das älteste noch vorhandene Geschlecht im Canton und Fürstenthume Neufchâtel, welches den Stammsitz des Dorfes gleiches Namens in der Pfarrcommune Coffrane, Meierei Vallazin, hatte, und seit 1556 das regimentsfähige Bürgerrecht der Stadt Neufchâtel besitzt, der es in *Georg* v. M. einen Bürgermeister und den damaligen Fürsten zugleich einen Statthalter des Fürstenthums gab. In ausländischen Diensten starben mit Ruhm *Karl* v. M., Colonel-Commandant in Holland, 1701; *Franz* v. M., Oberstlieutenant, in gleichen Diensten, fiel bei Höchstädt 1704. Unter dem königl. preussischen Hause gab es fortwährend der fürstl. Regierung Staatsräthe, Kanzler, Schatzmeister und Mayer von la Côte, Vallangin u. s. w., der Stadt Neuenburg aber in *Jonas Peter*, der 1734 starb, wieder einen Bürgermeister, der auch nachher noch Staatsrath wurde. *Heinrich* starb 1747 als Oberstlieutenant der Nationaltruppen und Staatsrath. Für die Geschichte ihres Vaterlandes haben sich verdient gemacht: *Georg* (gest. 1703), *Irminer*, starb 1713, und der noch gegenwärtig lebende Gelehrte v. M. durch seine „Mémoires sur le Comté de Neufchâtel en Suisse. 2 Tom. — Mehrere waren auch Dekane der neuenburger Geistlichkeit. Im Jahre 1822 erhielt ein v. M., der Mitglied und Secretair des Staatsraths zu Neufchâtel war, den rothen Adlerorden 3. Classe. M. s. Leu, Schweiz. Lex. XIII. S. 265—67.

Mordeisen, die Herren von.

Eine ursprünglich Meissen angehörige altadelige Familie, von der sich auch Zweige nach Schlesien gewendet haben. Der Name dieses Geschlechts soll seinen Ursprung daher haben, dass der Stammvater desselben viele Mohren in Spanien mit einer eisernen Stange erlegt haben, zum Lohne für seine Tapferkeit vom Könige in den Adelstand erhoben und ihm das unten beschriebene Wappen beigelegt sein soll. — *Eucharius* v. Mordeisen kam um das Jahr 1476 nach Schlesien, und war der Erste dieses Namens, der sich daselbst niederliess. — *Hans* v. M. besass das Gut Gross-Breesen und starb um das Jahr 1618. — *Hans* v. M., der Jüngere, war um dieselbe Zeit Landhofrichter der freien Standesherrschaft Drachenberg und Herr auf Scheitnau. — In Sachsen lebte um die Mitte des 16. Jahrhunderts *Ulrich* v. M. Er war kursächsischer Kanzler und besass die Güter Waltersdorf, Lossnitz, Schirma, Langen-Heinrichsdorf, Seyfriedsdorf, Braunsdorf u. s. w. — *Johanna Friederike* v. M. wurde von ihren Zeitgenossen als eine sehr gelehrte Dame geachtet, und starb im Jahre 1714 auf ihrem Gute Stenschitz.

Das Wappen dieser Familie giebt Siebmacher, I. S. 160. Es zeigt im goldenen Schilde und auf dem gekrönten Helme ein abgekürztes Mohrenbild, mit einem rothen fliegenden Bande um den Kopf, in der linken Hand über sich eine eiserne Stange haltend. Die Helmdecken sind golden und schwarz. M. s. auch Gauhe, I. S. 1042—44. Sinapius, I. S. 649. II. S. 815.

Morien, die Freiherren und Herren von.

Morien, Morian und Mohr ist der Name eines altadeligen Geschlechts, das in der letzten Hälfte des vorigen Jahrhunderts ausgestorben ist. *Bernhard* Morien wurde wegen seiner bewiesenen Tapferkeit zum goldenen Sporenritter geschlagen. — In dem Diplom, welches Kaiser Leopold I. im Jahre 1670 bei der Erhebung der Familie in den Freiherrnstand ertheilte, wird eines *Sander* v. Morien erwähnt, der unter Karl dem Grossen tapfer gegen die heidnischen Sachsen gefochten hatte, und dafür mit mehreren Gütern, namentlich auch mit dem Stammsitze Nortkirchen belohnt wurde. Die v. M. waren lange Zeit hindurch im Besitze des Erbmarschallamts im Hochstifte Münster. Als der Letzte seines Stammes erscheint *Johann Dietrich Alexander Georg* v. Morien.

Diese Familie führte einen schwarzen, links schrägen, viermal unterwärts ausgezinnten Balken und einen rothen sechseckigen Stern in silbernen Schilde. Auf dem gekrönten Helme ist eine Mohrengruppe ohne Arme, mit silbernem Kragen und rother Stirnbinde zwischen zwei Straussfedern, wovon die rechte schwarz, die linke silbern ist, dargestellt. Die Helmdecken sind schwarz und silbern. M. s. Robens, II. S. 233 u. s. f.

Moritz, Herr von.

Se. Majestät der jetzt regierende König Friedrich Wilhelm III. erhob in der ersten Hälfte des Jahres 1836 den Generalmajor a. D., *Wilhelm Christian Friedrich* Moritz, in den Adelstand. Derselbe ist aus königl. sächsischen Diensten in die diesseitige Armee getreten. Im Jahre 1793 erwarb sich derselbe bei Zweibrücken das preuss. goldene Militair-Ehrenzeichen alter Art; er commandirte zuletzt als Oberst das 37. Landwehrregiment, und lebt gegenwärtig in Langensalza im Regierungsbezirke Erfurt.

Mosch, die Herren von.

Dieses alte vornehme Geschlecht, das zu den alten Rittern der Quaden und Lygier gezählt wird, kommt in alten Urkunden unter dem Namen v. Muschin und Muschcin vor, und gehört seinem Ursprunge nach der Grafschaft Glaz und dem Fürstenthume Neisse in Schlesien an. In der letzten Landschaft liegt das Stammhaus der Familie, welches Sinapius Bötendorf nennt, wahrscheinlich aber Boitmannsdorf heissen soll. Auch in der Lausitz hat sich das Geschlecht ansässig gemacht, und hier besitzt oder besass noch in der neuesten Zeit die Familie Schacksdorf und andere Güter. Zuerst erscheint *Görke* oder *George* Mosch auf Arnoldsdorf oder Arnsdorf im Glazischen, der um das Jahr 1300 lebte. Sein Bruder *Hanos* oder *Hans* v. M.

428 Mosczenski.

war Erbvogt zu Habelschwerdt. — Ein Nachkomme dieses Letztern, *Maximilian* v. M., wendete sich nach der Lausitz und wurde der Gründer der dasigen Linie. — *Felician* v. M. war im Jahre 1604 des Maltheserordens Commendator zu Glaz. — Im Jahre 1806 war ein Fräulein v. M. Conventualin im Fräuleinstifte zum heiligen Grabe in der Priegnitz. — In der preuss. Armee sind drei Brüder aus dieser Familie zu hohen Würden gelangt, namentlich:
Karl Rudolph v. M., ein Sohn *Johann Christian's* v. M., aus dem Hause Schacksdorf, trat 1741 als Fähnrich in das Regiment v. Glasenap, wurde 1757 Compagniechef, 1762 Major, 1772 Oberstlieutenant, 1774 Regiments-Commandeur, 1775 Oberst, 1782 Generalmajor, Chef des Cadettencorps und der école militaire, im Jahre 1790 Generallieutenant. Er stand seinem Posten bis zum Jahre 1797 vor, wo er in den Pensionsstand trat, und starb im Jahre 1802 im 81. Jahre. Er war nicht allein ein höchst verdienstvoller, sondern auch gelehrter Offizier, und in seinen jüngern Jahren ein sehr geschickter Maler.
August Wilhelm v. M. starb 1815 am 29. Septbr., ebenfalls 81 Jahre alt, als pensionirter Generalmajor.
Christoph Friedrich v. M., geboren im Jahre 1734, trat, 19 Jahre alt, in den Kriegsdienst, in dem er als Subaltern-Offizier alle Feldzüge, so wie seine ältern Brüder, mitmachte Er durchlief nach und nach alle Militairgrade und wurde am 1. Septbr. 1790 Oberst und Commandeur des Regiments Prinz Friedrich von Braunschweig. Im Jahre 1794 erhielt er den Militair-Verdienstorden, im Jahre 1799 die Commandantur von Wesel, mit dem Range eines Generalmajors, und 1802 beförderte ihn Se. Majestät zum Generallieutenant. Im Jahre 1805 trat er in den Pensionsstand, und sein Tod erfolgte am 22. Juli 1821 in dem seltenen ehrwürdigen Alter von 91 Jahren.
Die v. Mosch führen ein getheiltes Schild. Im weissen Theile desselben ist eine blaue Schlittenkufe, und im blauen Theile eine weisse Schlittenkufe dargestellt. Der Helm ist mit drei Federn (weiss, blau, weiss) geschmückt. Die Helmdecken blau und weiss. M. s. auch Sinapius, I. S. 649. II. S. 817. Gauhe, I. S. 1047 u. f.

Mosczenski, die Grafen und Herren von.

Eine Linie des alten vornehmen Geschlechts Mosczenski, auch Mosczinski und Moschinski, in Polen, Westpreussen und Schlesien, ist in den preuss. Grafenstand erhoben worden. Das ganze Geschlecht stammt aus dem mächtigen alten Hause Lodzia. — *Lodzia Matthias Mosczinski*, der 1492 starb, war einer der berühmtesten Generale des Königs Casimir von Polen. Dieser Vorfahr war auch Woiwode von Kalisch, und einer seiner Söhne Woiwode von Posen. — In Schlesien besassen die v. M. Antheile der Güter Cammenitz und Babinitz im Kreise Lublinitz. — Im Jahre 1806 standen Edelleute dieses Namens in der Armee, die in der unglücklichen Zeit der französischen Invasion in polnische Dienste zurücktraten. — Noch lebt der ehemalige Starost von Becz-Kujawski v. M. auf Strezelze bei Bromberg, Wiatrowo bei Wongrowiec, Swipachowo und Brodzin. Er ist mit einer Tochter des ehemaligen Woiwoden von Bromberg, Radziminski, vermählt. Sein Vater war französischer General, und des Letztern Vater Castellan von Inowraclaw und General in der französischen Armee vor der Revolution.
Die Grafen v. Mosczenski führen im rothen Schilde eine silberne, unten zusammengeknüpfte Schürze oder Binde. Auf der neunperligen Grafenkrone ruht der gekrönte Turnierhelm. Aus demselben wächst

eine blau gekleidete Jungfrau zwischen zwei siebenendigen Hirschstangen. Die Jungfrau trägt eine silberne Stirnbinde und fliegende
Haare. Decken roth und silbern.

Mosel, die Herren von der.

Ein ursprünglich sächsisches, namentlich im Erzgebirge, in der
Gegend von Naumburg und im Voigtlande ansässiges Geschlecht.
Das Stammschloss Mosel liegt bei Zwickau. Aus dieser Familie sind
zwei Mitglieder in der preuss. Armee zu hohen Würden gelangt, na-
mentlich:
Konrad Heinrich von der Mosel, ein Sohn Wolf Konrads v. d. M.
und der Anna Katharina von Harras, aus dem Hause Lichtenwalde.
Er wird zuerst in den Listen im Jahre 1703 erwähnt, wo er Major
im damaligen Regimente Alt-Heyden war. Im Jahre 1709 ward er
Oberst im Regimente Prinz George von Hessen und 1721 Generalmajor; 1723 erhielt er ein neuerrichtetes Regiment, und 1731 die Drostei
Bislich. Im Jahre 1733 zum Generallieutenant ernannt, starb er bald
darauf zu Wesel, wo er auch Gouverneur war. Sehr bekannt ist die
Thatsache, dass dieser Ehrenmann durch seine kraftvollen Worte und
seine Unerschrockenheit den damaligen Kronprinzen, nachmaligen König Friedrich II., vor den Misshandlungen seines erzürnten Vaters
schützte, als dieser Prinz auf seiner Flucht nach Holland oder England eingeholt und im Hause des Generals v. d. Mosel vor seinen zorn-
entbrannten königl. Vater geführt wurde, der den Degen zog und in
der ersten Hitze im Begriff war, seinen Sohn zu durchbohren. (M.
s. brandenburg.-preuss. Regenten- und Volksgeschichte von K. F.
Tzschucke. Berlin 1821. Bd. II. S. 8.)
Friedrich Wilhelm v. d. M., ein Sohn des Vorigen, geb. 1709,
trat nach zurückgelegten Studien im Jahre 1727 in preuss. Dienste,
ward 1734 Capitain im Regimente v. Dohna, 1748 Major, 1756 Oberstlieutenant, 1758 Oberst, 1759 aber Generalmajor und Chef des Regiments v. Pannewitz. Er hat sämmtlichen schlesischen Kriegen rühmlichst beigewohnt und ist in der Schlacht bei Hohenfriedberg verwundet worden. Im Jahre 1768 schied er aus dem activen Dienste
und starb am 6. Febr. 1777 zu Meurs. In seiner Ehe mit einer Tochter des königl. preuss. Obersten und Landdrosten zu Meurs, Johann
Wocislav v. Wobeser, wurden ihm mehrere Kinder geboren.
Ein Urenkel des erwähnten Generallieutenants ist der königl.
Landrath des Kreises Cleve, v. d. Mosel zu Haus Rosenthal.
Diese Familie führt im blauen Schilde einen schräg links gezo-
genen goldenen Balken, der an jeder auswendigen Seite von drei die
Länge herab schräg links gesetzten goldenen Sternen begleitet ist.
Auf dem gekrönten Helme ist ein die Spitzen links kehrender Adler-
flug, mit den Balken und den Sternen belegt, dargestellt. Dieses
Wappen giebt Siebmacher, I. S. 165. v. Meding beschreibt es II.
No. 580. Einige Nachrichten über das Geschlecht giebt Gauhe, I. S.
1048. König, III. S. 757—67.

Du Moulin, die Herren von.

Diese altadelige französische Familie verliess der Religionsunruhen
wegen ihr Vaterland. Ein Mitglied derselben wurde Oberst in hollän-

dischen Diensten, und der Sohn desselben, *Peter Ludwig* du Moulin,
gelangte zur Würde eines königl. preuss. Generals von der Infanterie,
Landeshauptmanns der Altmark, Ritters des schwarzen Adlerordens
und Amtshauptmanns von Kolbatz, Marienfliess und Rahden. Er war
im Jahre 1681 zu Wesel geboren, trat im Jahre 1695 in brandenburgische Dienste und war im spanischen Erbfolgekriege Adjutant des
Fürsten Leopold von Dessau. Im Jahre 1707 ward er Capitain, 1716
zum Regimente Prinz Leopold versetzt, 1717 Major, 1721 Oberstlieutenant, 1725 Amtshauptmann zu Marienfliess, 1728 Oberst, 1729
aber Generalquartiermeister, welche Stelle er bis zum Jahre 1740 bekleidete, 1741 ward er Chef des Regiments v. Camas und kurz darauf
Generalmajor. Im ersten schlesischen Feldzuge ernannte ihn Friedrich der Grosse zum Commandanten von Breslau, 1742 aber von Glogau. Im zweiten schlesischen Feldzuge wurde er zum Generallieutenant befördert. Sehr viel trug er in der Schlacht von Hohenfriedberg
dadurch zum Siege bei, dass er eine vortheilhafte Anhöhe besetzte.
Zur Belohnung dafür erhielt er gleich nach der Schlacht den schwarzen Adlerorden, und im Jahre 1750 wurde er zum General der Infanterie ernannt. Wegen Kränklichkeit schied er 1755 aus dem activen
Dienste, doch schon im folgenden Jahre am 10. August starb er zu
Stendal. Er war mit Marie Sibylle v. Huss vermählt, in welcher Ehe
ihm mehrere Kinder geboren wurden. — Ein Enkel dieses berühmten
Mannes ist der gegenwärtige Generalmajor und Commandant in der
Bundesfestung Luxemburg. Er stand bis zum Jahre 1806 in dem Re-
gimente Kurfürst von Hessen zu Paderborn und erwarb sich vor
Longwy im Jahre 1814 das eiserne Kreuz 1. Cl.

Müffling, (genannt Weiss) die Freiherren und Herren von.

Baiern ist das Vaterland der Herren und Freiherren von Müffling.
Sie haben sich von da aus in den reussischen und sächsischen Landen
verbreitet, und ein Zweig hat sich auch in die preuss. Staaten gewendet, wo drei Mitglieder dieser Familie zu hohen militairischen Würden gelangt sind. — *Friedrich Karl* v. Müffling, genannt Weiss, wurde am 17. August 1736 zu Sonnenburg zum Johanniterritter geschlagen.
— In Neisse war der Generalmajor v. Müffling Chef eines Infanterie-
regiments; er war in Thüringen um d. J. 1754 geboren, und hatte
sich 1787 in Holland den Verdienstorden erworben. Von seinen Söhnen ist der älteste der General der Infanterie, commandirende General des 7. Armeecorps, Ritter des schwarzen Adlerordens, des Ordens
pour le mérite, des eisernen Kreuzes 1. Classe u. s. w. — Freiherr
v. Müffling, der jüngere aber ist Generallieutenant, Vice-Gou-
verneur von Mainz und Ritter des rothen Adlerordens 2. Cl. mit dem
Sterne, des Ordens pour le mérite, des eisernen Kreuzes 1. Cl. u. s. w.,
— Eine Schwester der beiden Generale ist an den Präsidenten v.
Kehler in Neisse vermählt. — Siebmacher führt dieses Geschlecht
unter dem Namen v. Müfflinger, genannt Weiss, auf und giebt das
Wappen desselben II. S. 69. Es zeigt im goldenen Schilde und auf
dem ungekrönten Helme den gekrönten Kopf und Hals eines schwarzen Adlers (nach Andern eines Hahnes) mit ausgeschlagener Zunge,
der nach der rechten Seite gewendet ist. M. s. Gauhe, I. S. 1055.
König, I. S. 672—78. v. Krohne, II. S. 375.

Mühlheim, die Herren von.

Schon im 12. Jahrhunderte kommt das alte, edle Geschlecht der v. Mühlheim in Schlesien vor, wo *Martin* v. M. bei dem Herzoge Boleslav dem Grossen in Schlesien als Rath in hohem Ansehen stand. — Im Jahre 1325 war *Matthias* v. M. des Herzogs Heinrich VI. zu Breslau Rath. — *Jakob* v. M. wird 1438 unter den Kriegsobersten des Königs Albrecht in Ungarn und Böhmen aufgeführt. — Im 16. Jahrhunderte erscheinen die v. M. als Herren auf Plesswitz und Leutmannsdorf im Schweidnitzschen, später erwarben sie auch Puschkau, Konradswalde und Lahsen. — Auch in den Marken kommt dieses adelige Geschlecht vor, namentlich war es in der Neumark stark begütert. Im Landsbergschen erscheinen sie als Besitzer von Simonsdorf, Hohenwalde, Pyrehne und Tornow, im Züllichauschen von Mosau. Gegenwärtig besitzt der königl. Kammerherr und Lieutenant a. D., Ritter des eisernen Kreuzes 2. Classe (erworben bei Belle Alliance) das Gut Guhden.

Das Wappen der schlesischen v. M. besteht in einem gespaltenen Schilde; in der rechten goldenen Hälfte zeigt sich ein halber schwarzer Adler, in der rothen Hälfte sind zwei silberne Mühlräder vorgestellt. Auf dem Helme wiederholt sich ein Mühlrad, dessen obere fünf Zähne mit Hahnenfedern geziert sind. Die Helmdecken sind rechts golden und schwarz, links silbern und roth. M. s. Sinapius, I. S. 657.

Mülbe, die Herren von der.

Ein altadeliges Geschlecht, das im vorigen Jahrhunderte in Preussen reich begütert war. In dieser Provinz sind die Güter Bagannowen, Mickelnick, Saleschen, Glombawen, Schedlisken, Gross-Partsch, Ribben, Philipphoff u. s. w. alte Besitzungen dieser Familie. — Sehr viele Mitglieder derselben standen und stehen zum Theil noch im Heere. — Im Regimente v. Diericke stand der Oberst v. d. Mülbe; er wurde 1807 Regiments-Commandeur. Sein ausdauernder Muth bei der Vertheidigung von Danzig erwarb ihm den Verdienstorden. Er starb am 20. Juli 1811 a. D. — Im Regimente v. Steinwehr, zuletzt von Schimonski in Schweidnitz, stand ein Major v. d. Mülbe, der im Jahre 1814 pensionirt gestorben ist. — Ein Capitain v. d. Mülbe, früher in der magdeburger Füsilier-Brigade, war bis zum Jahre 1818 Major bei der Gensd'armerie und Kreis-Brigadier. — Gegenwärtig steht ein Major v. d. Mülbe als Commandeur des 3. Bataillon beim 5. Landwehrregimente zu Pr. Stargard. Derselbe erwarb sich in den Niederlanden das eiserne Kreuz. — Im 11. Infanterieregimente steht ein Capitain v. d. Mülbe, Ritter des eisernen Kreuzes, erworben bei Gross-Görschen.

Müllenheim, die Herren von.

Ein altadeliges Geschlecht, das mit dem deutschen Orden aus dem südlichen Deutschland in die östlichen Provinzen gekommen ist, und namentlich in der Provinz Preussen die Güter Stockheim, Poschkaiten, Habestrom, Blauschwan, Maldeiten, Schilleninken, Podollen, Liebenau, Cremitten, Schalvenberg, Frischung, Fredenau u. s. w. besass. (M. s. Abels Rittersaal.) — In der preuss. Armee haben

viele Offiziere gestanden, und es dienen noch verschiedene in derselben. — Im Jahre 1806 stand in dem Regimente v. Besser ein Oberst
v. Müllenheim, der im Jahre 1807 als Generalmajor in den Ruhestand
trat und 1814 gestorben ist. — In demselben Regimente und namentlich bei den Grenadieren stand ein Capitain v. M., der im Jahre
1813 als Major auf dem Felde der Ehre geblieben ist, und ein Lieutenant v. M., der gegenwärtig Major im 4. Infanterieregimente ist.
Er hat sich das eiserne Kreuz vor Danzig erworben. — Ein Prem.-
Lieutenant a. D. ist Ritter des eisernen Kreuzes (erworben bei Cres-
py). — Im Regimente v. Prittwitz-Dragoner, und zwar in der Garnison Hainau, stand ein Major v. M., der im Jahre 1823 im Pensionsstande gestorben ist. Seine Wittwe lebt zu Neustadt in Schlesien,
und eine Tochter desselben ist an den Rittmeister v. Guretzky-Kornitz
in Berlin vermählt.

Müller, die Herren von.

In fast allen deutschen Ländern, so auch in Schweden und Dänemark, sind adelige Familien dieses Namens ansässig. Von ihnen
gehören hierher:

1) Die schlesischen v. Müller, die sehr bedeutende Güter in
Schlesien besassen. Namentlich gehörten ihnen vor längerer Zeit die
Güter Malkwitz, Krolkwitz, Burg Lissa, Weigwitz und Kreikau bei
Breslau. Sie waren am Ende des 16. Jahrhunderts das Eigenthum
des *Erasmus* v. Müller, Consuls im Rathe der Hauptstadt Breslau. —
Ernst Ferdinand v. M. war 1724 Besitzer v. Neudorf bei Brieg.

2) König Friedrich II. erhob am 18. Febr. 1741 den Lieutenant
Müller im Artillerie-Corps in den Adelstand.

3) Mehrere Zweige der im Mecklenburgschen begüterten adeligen
Familie dieses Namens, die in preuss. Diensten standen oder noch
stehen.

4) Die v. Müller auf Reselkow in Pommern. Ihr Stammherr ist
der am 28. Sept. 1774 in den Adelstand erhobene Husaren-Lieutenant
(im Regimente v. Werner) *Johann Daniel* v. Müller; er war der Sohn
des Predigers *Johann Simon* Müller, der 1765 das v. Manteufelsche
Gut Reselkow im Kreise Greifenberg erkauft hatte.

Das Wappen ist ein in Gold eingefasstes, auf den Seiten einge-
bogenes, in die Länge herab getheiltes und unten spitzig zulaufendes
Schild, in dessen rechtem rothem Felde ein weisser Mühlstein, und
in dem linken silbernen Felde ein in die Höhe steigender Drache, mit
herausschlagender rother Zunge zu sehen ist. Zu beiden Seiten des
Schildes stehen zwei schwarze, gekrönte Adler, mit goldenen Schnäbeln, Krallen und dergleichen Krone, mit dem Namenszuge F. R.
auf der Brust, als Schildhalter. Das Schild ist mit einem schwarz angelaufenen, roth ausgeschlagenen, mit goldenen Bügeln und anhangenden gleichmässigen Kleinodien gezierten adeligen offenen Turnierhelme
bedeckt, auf welchem eine goldene Krone ruht, auf der zwei
weisse, auswärts gekehrte Büffelhörner sich befinden. Die Helmdecken
sind zu beiden Seiten roth und silbern.

5) Die Müller v. d. Lühne zu Mellentin, Dewichow, Balm, Hufe,
Waschensee, Dargen, Gofheim, Ahlbeck, Neuholf, Neukrug u. s. w.,
auf der Insel Usedom. Diese Güter waren sämmtlich vorher Neuen-
kirchsche Lehne. Sie fielen nach dem Tode des Obersten *Borckhardt*
Müller v. d. Lühne, dessen Sohne, dem königl. Kammerherrn *Ludwig*
Müller v. d. Lühne zu, und wurden vom Könige Friedrich II. durch
einen Cabinetsbefehl vom 20. März 1747 allodificirt und in der darauf

erfolgten Subhastation von dem Kriegsrathe Peter v. Mayen in demselben Jahre erkauft. Aus dieser Familie sind zwei Generale hervorgegangen. *Burkhardt* Müller v. d. Lühne, starb am 22. Juni 1670 als königl. schwedischer General en chef der Cavallerie, Gouverneur von Schwedisch-Pommern; Oberst eines Cavallerieregiments, Erbherr auf Ludwigsburg, Mellentin u. s. w. — *Karl Leonhard* Müller v. d. Lübne, ein Sohn des Vorigen und Erbe der väterlichen Güter, starb im Jahre 1707 als königl. schwedischer Generallieutenant der Cavallerie und Oberst eines Dragonerregiments.

Müller v. Lamothe, die Herren von.

Ein regimentsfähiges Geschlecht der Stadt Bern; schon 1294 war ein *Peter* Müller Rathsherr oder des Grossen-Rathes. Als Ahnherr wird betrachtet *Hans* Müller v. L., der von 1550 — 1572 als Rathsherr, Schaffner von Sct. Johann, Staatsrath, Stifts-Schaffner zu Zoffingen, und Schultheiss zu Thun lebte, seine Nachkommenschaft besass ansehnliche Aemter und Würden in der Stadt Bern, in den Provinzen der Stadt Bern, und in der Waadt die Herrschaften Marnand, Roverai und St. Martin, und den Rittersitz la Mothe, von welchem der in preuss. Diensten, und zwar im 22. Infant.-Regt. stehende Lieutenant Müller v. Lamothe den Namen noch führt. — Leu, Schweizer-Lexicon VIII. S. 326 — 28.

Müller v. Sylfelden, Herr von.

Johannes, königl. westphälischer Staatsrath und General-Studien-Director, aus einer Bürgerfamilie zu Schaffhausen (geboren 1752, gestorben 1809), der berühmte Geschichtsschreiber der Schweiz, wurde unter Andern 1788 Mitglied der Erfurter Akademie der Wissenschaften. Im Jahre 1804 bestimmte ihn König Friedrich Wilhelm III. von Preussen zum Historiographen seiner Staaten und ertheilte ihm den Titel eines Geheimen Rathes, und die Berliner Akademie nahm ihn zu ihrem Mitgliede auf; nach einem Aufenthalte von 3 Jahren ging er nach Cassel, als westphälischer Staatsrath und Studiendirector, ab. Wegen seiner Verdienste um die Reichsritterschaft erhielt er 1790 bei der Krönung Kaiser Leopolds II. zu Frankfurt den Reichsadelstand mit dem Prädicat: „von Sylfelden." Lutz, Nekrolog denkwürdiger Schweizer. S. 359—62.

Münchhausen, die Freiherren und Herren von.

Eine uralte adelige und vornehme Familie, die ursprünglich Thüringen angehört und von der eine Sage erzählt wird, nach welcher dieses Geschlecht anfänglich Hausen geheissen habe. Da es ganz ausgestorben gewesen sein soll, bis auf einen Mönch im Kloster Loccum, so habe der Papst ihn vom Cölibat dispensirt, worauf er sich vermählt und einen Sohn Namens *Heino* gezeugt, aber seines früheren Standes wegen Münchhausen genannt worden sein soll. Er erhielt im J. 1212 das Haus Sparenberg zu Lehn und pflanzte sein Geschlecht fort. Mit seinen beiden Söhnen, *Heino* II. v. M. und *Statius* v. M., theilten sich die v. M. in zwei Linien, nämlich in die schwarze und in die weisse. — *Hilmar* v. M. befehligte um das Jahr 1558 als spanischer General die deutsche Infanterie im Treffen bei Grevelingen und erfocht einen be-

v. Zedlitz Adels-Lex. III.   28

deutenden Sieg über die Franzosen. — Im Jahre 1587, in den
Osterfeiertagen, bestellte Kurfürst Johann George, zu Cöln an der
Spree, *Statz* v. M., den jüngeren, des Obersten *Hilmar* v. M. Sohn,
zum Rittmeister, auf drei Jahre lang, über 400 reisige Pferde und
Hofleute die Aufsicht zu führen. — *Christoph Friedrich* v. M. starb
um das Jahr 1700 als Domherr, Ober-Steuer Director und Landrath
zu Halberstadt. — *Gerlach Heino* v. M. war um dieselbe Zeit königl.
preuss. Kammerherr und Oberstallmeister; er starb 1710. Von seinen
Söhnen wurde *Gerlach Adolph* v. M. kurbraunschweigscher Ober-Ap-
pellationsrath zu Celle. Nach und nach erwarb diese Familie ansehnlichen Grundbesitz, namentlich gehörte ihr im Anfange des vorigen
Jahrhunderts Leitzkau, Wendlinghausen, Rinteln, Voldagsen, Neu-
Münchhausen, Hobeck, Möckern, Steinburg, Stransfurt, Apeler, La-
venau, Oldendorf u. s. w. — Im preuss. Staatsdienste ist zu hohen
Würden gelangt:
Ernst Friedemann, Freiherr v. M., geboren am 19. Septbr. 1724,
der anfänglich in königl. polnischen und kurfürstl. sächsischen Diensten als Tribunalrath stand, 1750 aber um eine Anstellung im preuss.
Staatsdienste nachsuchte und sie erhielt; er ward Kammerpräsident bei
der neumärkschen Regierung, 1751 Oberamts-Regierungs-Oberconsi-
storial- und Pupillen-Collegii-Präsident zu Breslau, 1763 wirklicher
Geheimer Staats- und Justizminister, auch erster Präsident des Kam-
mergerichts und Domherr zu Magdeburg. Sein Tod erfolgte am 30.
Novbr. 1784.
Gegenwärtig ist *August* v. Münchhausen Major a. D., Landrath
des mansfelder Gebirgskreises und Ritter des eisernen Kreuzes 2. Cl.
(erworben bei Longwy). — Ein Anderer, *Gerlach* v. M. auf Neuhaus-
Leitzkau, ist Landrath des 1. Jerichower Kreises. — Ein dritter ist
Landrath des Kreises Weissensee. — Freiherr *Karl Adolph* v. M. auf
Althaus-Leitzkau, ist Kreisdirector des ehemaligen Kreises Ziesar. —
Ein v. M. ist Oberforstmeister bei der Regierung zu Merseburg. —
Der königl. hannöversche Geheime Kammerrath, Baron v. M., ist gegenwärtig ausserordentlicher Gesandte und bevollmächtigter Minister
am preuss. Hofe.
Die v. Münchhausen führen im goldenen Schilde und auf dem
bewulsteten Helme einen vorwärts schreitenden Mönch, in der Rechten
eine Laterne, in der Linken einen Stab haltend. Dieses Wappen giebt
Siebmacher, I. S. 183. M. s. auch Gauhe I. S. 1060—67. Beitrag zur
Geschichte der alten Pannerherren v. Münchhausen in K. L. A. Frhrn.
v. Münchhausen; aus Trauer- und Familienarchiven in K. W. Justi,
hessische Denkwürdigkeiten. 3. Thl. No. XII. Alb. Lomeieri Carmen
de Monichusiae et Buschiae gentis insignibus. Lemgo 1592. 4.

Münchow, die Grafen und Herren von.

Die v. Münchow, welche auch früher unter dem Namen v. Mön-
chow, Münnichow und Mönnechow vorkommen, gehören zu dem ältesten und vornehmsten Adel in Pommern, von wo aus sie sich auch
in der Neumark verbreitet haben. Zuerst kommt *Heinrich* v. M. vor,
der um das Jahr 1238 in einer Urkunde als Zeuge unterschrieben ist.
— *Vincenz* v. M. war Hofmeister des Herzogs Georg III. und *Thomas*
v. M. des Herzogs Franz, Stiftsvoigt zu Camin. — Im Anfange des
17. Jahrhunderts war *Georg Bernhard* v. M. fürstl. braunschweigscher,
Thomas v. M. aber fürstl. mecklenburg. Minister. — *Christian Ernst*
v. M. war im Jahre 1714 Kammerpräsident zu Königsberg in Preussen. — Von den vielen Besitzungen der Familie nennen wir die im

Fürstenthume Camin gelegenen Güter Carzenburg, Zwelin, Merain, Nassau, Leikow, Curawanz, Neuenback, Nedelin, Altenbuck, Herrn, Tressin, Latzig, Satzpe, Gulze, Berzelin und Clammen; Cose, Cosemühle, Gross- und Klein-Rakitten im Kreise Stolpe, Bartheln, Carzenburg, Kuhz im Kreise Schlawe u. s. w., Gross-Duberow, Nassin, Germen im Kreise Belgard, Dallentin, Schneidemühl, Wuckel im Kreise Neustettin u. s. w. Noch gegenwärtig sind in den Händen der Familie die Güter Gross-Satzpe, Latzig; der Major a. D. und Postmeister zu Cöslin, *Georg* v. M., besitzt das Gut Eichenberge im Kreise Neustettin. Der gräflichen Linie gehören die Güter Vietzig, Krampkewitz und Klein-Wonneschin in Kreise Lauenburg-Bütow, und Mikrow im Kreise Stolpe. — Die Grafenwürde brachte *Ludwig Wilhelm* v. M. an sein Haus, der 1712 in der Neumark geboren, 1740 Geheimer Finanzrath, 1741 Chefpräsident der neuerrichteten Kriegs- und Domainenkammer, 1742 wirklicher Geheimer Staats- und Kriegsrath wurde, und im Jahre 1743 den rothen Adlerorden erhielt. Schon im Jahre 1741 war er in den Grafenstand erhoben worden und 1747 erhielt er die durch Absterben des Grafen v. Thurn dem Könige anheim gefallenen Lehne Klein-Kauen und Goldschwitz, und starb am 23. Septbr. 1753. Er ist auch Erbtruchsess der Kurmark Brandenburg gewesen. — Gegenwärtig ist ein v. Münchow Landrath des Kreises Obornik im Grossherzogthum Posen. — Zu Bonn wirkte noch bis zum Jahre 1836 der Professor der Mathematik v. M. als ein eben so geschätztes als gelehrtes Mitglied an dieser Hochschule.

In der preuss. Armee sind zu hohen militairischen Würden gelangt:

Richard Daniel v. M., geboren im Jahre 1703 in Pommern, trat 1724 in preuss. Dienste, durchlief die Subaltern-Offiziersgrade nach und nach, wurde 1744 Major, 1754 Oberstlieutenant und 1756 Oberst. Er hat sich bei vielen Gelegenheiten rühmlich hervorgethan und starb am 18. Juni 1757 an seinen in der Schlacht von Collin ehrenvoll empfangenen Wunden. Seine Gemahlin war eine geborne v. Rössing.

Lorenz Ernst v. M., geboren im Jahre 1700, nahm 1716 im Regimente v. Wartensleben Kriegsdienste, ward in demselben 1735 Hauptmann, 1742 Major, 1751 Oberstlieutenant, 1754 Amtshauptmann zu Sparemberg und Oberst. Als solcher befehligte er in den Feldzügen 1756 und 1757 das Regiment v. Winterfeldt. Im letztgedachten Jahre ernannte ihn Friedrich der Grosse zum Generalmajor und Chef des Regiments von Hautcharmois. Bei Hohenfriedberg erwarb er sich den Militair-Verdienstorden und starb im Januar des Jahres 1758 an den in der Schlacht bei Leuthen erhaltenen Wunden. Er war ein strenger und besonders tapferer Soldat. In seiner Ehe mit Charlotte v. Stechow wurde ihm ein Sohn und eine Tochter geboren.

Gustav Bogislav v. M., geboren in Pommern am 10. Septbr. 1686, trat 1703 in preuss. Kriegsdienste. Er ward 1725 Oberstlieutenant, 1735 Oberst, 1740 Chef eines neuerrichteten Füsilierregiments, 1742 Generalmajor und 1745 Generallieutenant. Schon im Jahre 1728 den 7. April erhielt er den Schlag zum Johanniterritter, 1746 aber den schwarzen Adlerorden und die Drosteien Cranenburg und Duiffeld, 1747 das Gouvernement von Spandau, 1752 die Domdechantenstelle in Magdeburg, ebenso die Propstwürde der dasigen Stifter des heil. Sebastian und heil. Nikolaus. Sein hohes Alter verstattete ihm nicht, dem Feldzuge von 1756 beizuwohnen, demungeachtet behielt er alle seine Chargen bis an sein Lebensende, das am 12. Juni 1766 erfolgte. Muth, Entschlossenheit, Tapferkeit und einsichtsvolles Benehmen hatten ihm die Gnade seines grossen Monarchen erworben. Er war mit Antoinette Philippine v. Börstel, und nach deren Tode mit Sophie

28 *

Eleonore v. Schwerin vermählt, doch nur in erster Ehe wurden ihm
ein Sohn und zwei Töchter geboren.

Das ursprüngliche Wappen der v. M. ist ein silbernes Schild mit
drei Mohrenköpfen, von welchen jeder eine goldene roth einge-
faßte Binde um die Stirn hat; zwei oben, einer unten. Auf dem
offenen, blau angelaufenen, roth ausgeschlagenen, mit goldenen Bügeln und anhangendem gleichmäßigen Kleinode gezierten ritterlichen
Turnierhelme ruht eine goldene, mit Edelsteinen gezierte Krone, aus
welcher fünf grüne Palmzweige, drei links und zwei rechts gekehrt,
hervorragen. Die Helmdecken sind auf beiden Seiten blau und silbern.

Das Wappen der Grafen v. M. ist ein silbernes Schild mit drei
Mohrenköpfen, deren jeder eine goldene, roth eingefasste Binde um
die Stirne hat, zwei oben, einer unten. Das Schild bedeckt in der
Mitte eine offene goldene und mit Edelsteinen besetzte Krone, und
an beiden Seiten zwei offene, blau angelaufene und roth ausgeschlagene
ritterliche Turnierhelme mit goldenen Bügeln und anhangenden gleichmässigen Kleinodien. Jeder Helm ist mit einer goldenen, mit Edelsteinen gezierten Krone versehen, aus deren rechten zwei ausgebreitete schwarze Adlerflügel, jeder mit einem goldenen Kleeblattstengel,
aus der linken aber fünf grüne Palmzweige, drei links und zwei rechts
gekehrt, hervorragen. Die Helmdecken sind an beiden Seiten blau
und silbern. Die Schildhalter sind zwei schwarze, zum Flug gerichtete Adler mit auswärts gekehrten goldgekrönten Köpfen, offenen goldenen Schnäbeln, roth ausschlagender Zunge, goldenen Waffen, auf
der Brust ein goldgekröntes F. R. und auf den Flügeln einen goldenen Kleeblattstengel habend.

M. s. auch Gauhe, I. S. 1063. Micräl. 507. Dithmar, Nachrichten von den Herrenmeistern 83. Dienemann 250.

Münster, die Grafen von.

Wenig deutsche Geschlechter vermögen den Ursprung ihres Han-
ses so weit zu verfolgen, als die heutigen Grafen von Münster, die
schon im 9. Jahrhunderte als angesehene Ritter genannt werden und
ihre Stammreihe vom Jahre 1127 an bis in die Gegenwart verfolgen
können. Die Besitzungen dieses Hauses liegen in Westphalen, namentlich im Stifte Münster. Die bischöfliche Kirche zu Münster wurde von seinen Besitzungen gestiftet, und sie übten das Patronat darüber bis in das Jahr 1268 aus, zu welcher Zeit es dasselbe nach viel-
fachem Streite für 800 Mark dem Dome überliess. In Franken waren
die Herren und späteren Freiherren v. Münster ebenfalls schon im 10.
Jahrhunderte ansehnliche Ritter. Bucelin fängt die ordentliche Stammreihe mit dem Grossvater *Valentins* v. M., fürstl. würzburgschen Hofmarschalls, an, der um das Jahr 1410 lebte. — *Lorenz* v. M. auf
Breitenloe starb im Jahre 1626 als markgräflich brandenburgscher
Hauptmann zu Hitzingen. — Ein Enkel desselben, *Johann Erich*,
Freiherr v. M., war im Anfange des vorigen Jahrhunderts Geheimer
Rath des Bischofs zu Würzburg. — Schon im Jahre 1659 war *Ru-
dolph* v. M. kurbrandenburgscher Oberstlieutenant. — Aus der fränkischen Linie war:

Karl Philipp Ignaz Joseph Freiherr v. M., ein Sohn des *Johann
Philipp Otto Karl* Freiherrn v. M., fürstl. fuldaischen Geheimen Raths
und Conferenzministers, geb. den 19. Juni 1747. Er trat 1776 als
Oberst in preuss. Dienste und warb 1778 ein Freiregiment zu Soest
in der Grafschaft Mark, es wurde aber 1779 nach erfolgtem Frieden
wieder reducirt.

Münster. 437

Das gräfliche Haus der v. Münster besteht gegenwärtig aus folgenden Linien und Mitgliedern:

I. Das Haus Langelage in Westphalen.

Graf *Georg Hermann Ludwig Karl*, geb. den 11. Juli 1814.

Geschwister:
1) *Adolph Georg Unico*, geb. den 19. August 1816.
2) *Sophie Luise*, geb. den 22. Juni 1820.
3) *Karoline Marie*, geb. den 25. Januar 1824.

Mutter:
Karoline Friederike Emilie, Freiin v. d. Reck, geb. den 16. Febr. 1790, vermählt den 16. Januar 1813 und Wittwe seit dem 9. Mai 1824 von dem Grafen *Ludwig Ernst Friedrich Wilhelm* zu Münster-Langelage.

Vaters Geschwister:
1) *Georg Ludwig Friedrich Wilhelm*, geb. den 17. Febr. 1776, königl. baierscher Kammerherr und Regierungsrath in Baireuth.
2) *Elisabeth Dorothea Karoline Wilhelmine*, geb. den 9. Nov. 1777, Pröpstin zu Herford.
3) *Hermann Adolph Ernst*, geb. den 4. Juni 1779, königl. sächsischer Kammerherr und Kreis-Oberforstmeister zu Dresden, vermählt seit dem 17. Mai 1820 mit Mariane Freiin v. Metsch.

Söhne:
a) *Hermann August Ernst*, geb. den 25. April 1822.
b) *Ernst Karl*, geb. den 27. Octbr. 1823.
c) *Otto Georg*, geb. den 18. Novbr. 1825.
d) *Georg Ludwig*, geb. den 16. Juni 1827.
e) *August Friedrich*, geb. den 12. Juni 1829.

4) *Karl Ernst Friedrich*, geb. den 9. April 1783, vermählt seit dem 14. Mai 1822 mit Elise Freiin v. Coninx.

Tochter:
Charlotte, geb. den 22. August 1824.

5) *Ludwig Friedrich Ernst Karl Wilhelm*, geb. den 10. Januar 1787, königl. grossbritannisch-hannöverscher Kammerherr und Rittmeister, vermählt seit dem 12. April 1819 mit Ernestine Karoline Adolphine Henriette Freiin v. d. Reck, geb. d. 6. März 1792.

Tochter:
Ernestine Elise Charlotte Anna, geb. den 28. Mai 1820.

Grossvaters Geschwister:
1) *Friederike Dorothea Philippine Luise*, geb. den 9. Febr. 1757, vermählt am 4. Octbr. 1775, Wittwe seit dem 17. Febr. 1818 vom Grafen Ernst Franz v. Platen zu Hallermünd.
2) *Ernst* (siehe das Haus Ledenburg).
3) *Karoline*, geb. den 12. März 1769, vermählt seit dem 15. Septbr. 1795 mit Friedrich de Perrot.

II. Haus, vormals Königsbrück.

Gustav Maximilian Ludwig Unico, Graf zu Münster-Meinhövel, Freiherr v. Schade, geb. den 16. August 1782, königl. preuss. Oberst,

k. k. **Kämmerer**, auf Schartow in Pommern, vermählt mit Julie, Tochter des verstorbenen königl. preuss. Hofmarschalls v. d. Marwitz auf Fredersdorf.

Sohn:

Hugo Eberhard Leopold Unico, geb. den **30.** Juni **1812**, königl. preuss. Lieutenant im 1. Uhlanenregimente.

Schwester:

Asta Thusnelda, Gemahlin des königl. dänischen Geheimen Conferenzraths Grafen Karl Emil v. Moltke.

Stiefschwester:

Die Gemahlin des königl. hannöverschen Generallieutenants, General-Adjutanten und Gesandten in Petersburg, Freiherrn v. Dörnberg.

III. Haus Ledenburg.

Graf *Ernst Friedrich Herbert*, geb. den 1. März 1766, königl. grossbritannisch-hannöverscher Staats- und Cabinets-Minister und seit dem 12. August 1814 zur Belohnung seiner geleisteten Dienste Erblandmarschall des Königreichs, vermählt seit dem 7. Novbr. 1814 mit Prinzessin Wilhelmine Charlotte, geb. den 18. Mai 1783, Schwester des regierenden Fürsten von Schaumburg-Lippe.

Kinder:

1) *Charlotte*, geb. den 17. Febr. 1816, vermählt seit dem 30. Sept. 1835 mit Joseph Bruno, Grafen v. Mengersen.
2) *Ida*, geb. den 19. August 1817.
3) *Eleonore*
4) *Julie* } Zwillingsschwestern, geb. den 4. Novbr. 1819.
5) *Georg Herbert*, geb. den 23. Decbr. 1820.
6) *Thusnelda*, geb. den 20. August 1822.
7) *Mathilde*, geb. den 2. Septbr. 1823.
8) *Elisabeth Charlotte*, geb. den 12. Decbr. 1824.

Murzynowski, Herr von.

Ein Edelmann dieses Namens, aus Polen gebürtig, stand im Jahre 1806 als Major im 3. Musketier-Bataillon des Regiments von Jung-Larisch zu Inowraclaw. Er war bis zum Jahre 1813 Chef der Garnison-Compagnie des 6. Infanterie-Regiments und starb als pensionirter Oberstlieutenant und Ritter des Verdienstordens am 13. Novbr. 1836 zu Brandenburg.

Mutius, die Herren von.

Diese ursprünglich italienische Familie, welche im 15. Jahrhunderte schon unter dem römischen Adel vorkommt, hat sich in den angrenzenden österreichischen Ländern verbreitet und dort in kaiserl. Kriegs- und Civildiensten gestanden, worunter *Philipp Jakob* v. Mutius auf Rohndorf sich bei der Cavallerie unter den Kaisern Rudolph II. und Mathias vorzüglich hervorgethan, und ist deswegen, gegen das Jahr 1615, mit einem besonderen adeligen Wappen, welches die Familie noch jetzt führt, begnadigt worden. Das Wappen besteht in einem viereckigen, unten ausgeschweiften und zugespitzten Schilde, welches schräg von der Linken zur Rechten mit einem silbernen Querbalken belegt und in zwei Felder getheilt, wovon das rechte blau und das linke roth ist. Aus dem rothen erhebt sich in das blaue ein vollkommenes, zum Sprung gerichtetes Pferd ohne Zaum mit erhabenem Schweife. Das Schild bedeckt ein blau angelaufener und roth ausgeschlagener, offener ritterlicher Turnierhelm mit fünf goldenen Bügeln und anhangendem gleichmässigen Kleinode, auch mit einem wechselsweise silbern und blau bewundenen Wulste belegt, aus welchem ein halbes zum Sprung gerichtetes silbernes Pferd zwischen zwei Adlerflügeln hervorsteigt, von denen der rechte silbern und der linke blau ist. Die Helmdecken sind an beiden Seiten silbern und blau. Eine sehr alte Abbildung desselben befindet sich in den Händen der Familie, jedoch sind die meisten Original-Urkunden mit dem Vermögen der v. Mutius bei den in Oesterreich geführten Türkenkriegen verloren gegangen. Obiger Philipp Jakob v. M. vermählte sich mit einer v. Puebla, seine Söhne und Enkel sind mit den adeligen Familien der v. Husser, v. Vischer, v. Sander, v. Gross und v. Rosa alliirt gewesen. Die meisten dieses Hauses' haben sich jedoch in auswärtige Kriegsdienste begeben, wohin unter andern in den hannöverschen Landen gehört haben: *Karl* v. M., welcher eine v. Mandelslohe, und dessen Sohn *Georg Friedrich* v. M. eine v. Reinbeck zur Gemahlni gehabt, und dessen Enkel *Johann Friedrich* v. M. mit der Tochter des hannöverschen General v. Zandre vermählt gewesen ist. Ein anderer aus dieser Familie, *Ludwig* v. M., ist als Generalmajor in hannöverschen Diensten gestorben. Auch in königl. französischen Diensten stand der Sohn des Oberstlieutenant v. Mutius, welcher in dem ehemaligen kaiserl. österreich. Regimente v. St. Ignon gedient hat. — Im Herzogthume Schlesien hat der König Friedrich II. von Preussen *Franz Joseph* v. M., geb. den 1. März 1704, einen Urenkel des gedachten Philipp Jakob v. M. in Oesterreich, nachdem er unter Kaiser Karl VI. das Amt eines königl. Fiscal in den Erbfürstenthümern Schweidnitz, Jauer und Liegnitz bekleidet, auch fürstbischöfl. Kanzler zu Breslau gewesen, nicht nur das vom Kaiser Mathias der Familie ertheilte adelige Wappen anerkannt und bestätigt, sondern auch unterm 30. Dec. 1745 das Incolat nebst dem Ritterstande in sämmtlichen königl. preuss. Landen verliehen, worauf derselbe in Schlesien die Ritter- und Lehngüter Ober- und Nieder-Altwasser mit dem Antheil Bärengrund, auch Börnchen, Ober- und Nieder-Thomaswaldau, Bischdorf und Eilau, käuflich an sich gebracht hatte. Seine erste Gemaldin war eine geborne v. Ehrenschild, aus welcher Ehe die älteste Tochter in dem Elisabethiner-Kloster zu Breslau als Oberin gestorben ist, die jüngste aber, *Anna Clara*, mit Philipp Joseph v. Ottenfeld auf Thiemendorf, Bertelsdorf und Maureck verheirathet war. Von der zweiten Gemahlin, aus dem Hause v. Raven, sind drei Söhne, *Joseph Bernhard*, *Johann Karl* und *Franz* v. M. nachgeblieben. Die dritte Gemahlin, eine Freiin v. Roth, verwittwet gewesene v. Friedenberg, hatte aus der ersten Ehe zwei Töchter, Josepha und Antonia, wovon die eine unverheirathet, die letztere aber die Gemahlin des königl. sächsischen Kriegsministers, Generallieutenant v. Cerrini, war. Nachdem *Franz Joseph* v. M. auf Altwasser u. s. w. das Amt eines Justizraths in den schweidnitzer, strigauer, bockenhainer und landshuter Kreisen noch lange Jahre verwaltet hatte, auch bei Errichtung der schlesischen Landschaft als einer der ersten Landesältesten thätig gewesen, starb er hochbejahrt 1788 auf seinem Gute Bertelsdorf als königl. preuss. Geheimer Justizrath.

Sein ältester Sohn, *Joseph Bernhard* v. M., erbte die Güter Ober- und Nieder-Altwasser mit dem Antheil Bärengrund, so wie die bischöflichen Lehngüter Bischdorf und Kilau, welche stets auf den Aeltesten in der Familie übergehen, insofern er der römisch-kathol. Kirche zugethan ist. Das Amt eines Justizraths des schweidnitzer Kreises verwaltete er so lange, als ihn sein, durch neuen Ankauf sehr erweiterter Grundbesitz nicht daran hinderte. In der Grafschaft Glaz erwarb er die bedeutenden Herrschaften Seitenberg und Gellenau, und im neumärkischen Kreise das Rittergut Kertschütz und Wüstung. Bei der Thronbesteigung König Friedrich Wilhelm III. wurde er für das Fürstenthum Schweidnitz zur Erbhuldigung nach Berlin von seinen Mitständen erwählt, so wie er auch in den verhängnissvollen Kriegsjahren 1806—7 dem Verwaltungs-Comité der Provinz in Breslau beizutreten veranlasst wurde. Sein rastlos thätiges Leben war ganz seinem Berufe gewidmet, und überall hat er auf seinen grossen Gütern dauernde Spuren seines Fleisses wie seiner menschenfreundlichen Gesinnung für deren Bewohner zurückgelassen. In dem letzten Befreiungskriege gegen Frankreich wurde ihm während des Waffenstillstandes in Schlesien das Commando des Landsturmes seiner Umgegend übertragen. Er starb unverheirathet im Jahre 1816 auf dem Gute Kertschütz.

Der zweite Sohn von Franz Joseph v. M., *Johann Karl* v. M., erbte die Güter Börnchen, Ober- und Nieder-Thomaswaldau, blieb jedoch und fast bis zu seinem Lebensende im königl. preuss. Militärdienste. Der baiersche Erbfolgekrieg, die polnische Campagne, der Feldzug in Preussen 1806—7, so wie die Kriegsjahre 1813—14 gaben ihm Gelegenheit, seinem Vaterlande unter drei Königen treue Dienste zu leisten. Er war verheirathet mit Charlotte Freiin v. Lützow, des Obersten bei den Reichstruppen, Freiherrn v. Lützow zu Neuwied und einer Freiin v. Brockdorf Tochter, aus welcher Ehe ihn zwei Söhne, *Karl* und *Ludwig* v. M., und eine Tochter, *Luise*, überlebten, welche sämmtlich nach ihrer Mutter in der evangelischen Kirche erzogen wurden. Er starb als Generalmajor und Ritter des Ordens pour le mérite, des eisernen Kreuzes 1. und 2. Cl. und des kaiserl. russischen St. Wladimirordens 3. Cl., auf seinem Gute Börnchen den 13. Mai 1816.

Der dritte Sohn, *Franz* v. M., erbte die Güter Bertelsdorf und Maureck, vermehrte sein Besitzthum durch den Erwerb von Thiemendorf, Niklasdorf, Preilsdorf, Kuhnern und Eichberg. Er lebt noch und bekleidet seit einer langen Reihe von Jahren das Amt eines Landschafts-Directors der Fürstenthümer Schweidnitz und Jauer. S. Majestät der König, hat ihm im Jahre 1808 die Würde eines königl. Kammerherrn und später den rothen Adlerorden 3. Cl. mit der Schleife allergnädigst verliehen. Er war vermählt mit Wilhelmine, geb. Kraker von Schwarzenfeld, Tochter des Landesältesten Kraker v. Schwarzenfeld auf Krippitz und einer v. Zollikofer. Aus dieser Ehe leben drei Kinder. Der älteste Sohn, *Franz* v. M., königl. Kammerherr, Erbherr auf Niklasdorf, Preilsdorf und Buchwald, eine Tochter, *Mathilde*, vermählt mit dem königl. preuss. Generallieutenant Freiherrn Hiller v. Gärtringen, und *Anna*, verheirathet an den Herrn v. Dalwitz auf Belmsdorf.

Der älteste Sohn des Generalmajors, *Johann Karl* v. M., hat während der Campagne von 1813—14 und 15 in den preuss. Kürassierregimentern Kaiser Nicolaus und Grossfürst Michael gestanden, im Jahre 1818 aber als Rittmeister und Ritter des eisernen Kreuzes 2. Classe seinen Abschied genommen, nachdem er sich in demselben Jahre mit Luise Auguste Helene, geb. Gräfin v. Zedlitz-Leipe, der einzigen Tochter des königl. Kammerherrn und St. Johanniterritters, Grafen von Zedlitz-Leipe auf Bankwitz, Christelwitz, Rosenthal und Albrechtsdorf und der Reichsgräfin Auguste v. Loss, verheirathet hatte. Aus dieser Ehe leben sechs Söhne und sechs Töchter. Er bekleidete das Amt eines Landesältesten bolkenhainer und landshuter Kreises und besitzt die Güter Altwasser, Börnchen und Albrechtsdorf.

Der zweite Sohn des Generalmajors, *Johann Karl* v. M., hat während der Campagne 1813, 14 und 15 in dem Kürassier-Regimente Prinz Friedrich von Preussen gestanden, wo er noch gegenwärtig als Rittmeister und Ritter des eisernen Kreuzes 2. Cl. eine Escadron commandirt. Er besitzt die Güter Ober- und Nieder-Thomaswaldau und ist mit Marie v. Röder, Tochter des preuss. Generals der Cavallerie und Commandirenden des 5. Armeecorps, v. Röder, Erbherrn auf Rothsirben, und Henriette v. Bardeleben vermählt. Aus dieser Ehe leben sechs Söhne und zwei Töchter. Die Tochter des Generalmajors v. Mutius ist an den Freiherrn Otto Delphin v. Plotho, Erbherrn auf Kottlewe in Schlesien, so wie der Herrschaft Parey bei Magdeburg, verheirathet.

Mycielski, die Grafen von.

Dieses im Grossherzogthume Posen reich begüterte Geschlecht ist in den preuss. Grafenstand erhoben worden. Es bestehen jetzt zwei Linien dieses Hauses, nämlich die von Kobilepole und die von Chodozewice im Kreise Kröben. Der Stifter der erstern war Oberst im französischen Generalstabe. Drei Söhne aus dieser Familie sind in der letzten polnischen Revolution geblieben, einer lebt als General in Posen, die Mutter aber in Samter. — Graf von M. auf Chodozewice war Woiwode von Posen. Sein Sohn war Starost und lebt noch auf seinem Gute Zirkow als Wittwer. Auf dem Stammgute Chodozewice haben die Grafen v. M. eine katholische Kirche im gothischen Geschmack mit einem Aufwande von mehr als 50,000 Thlrn. erbauen lassen. Es ist dieses ein Gebäude, wie es selten in neuerer Zeit errichtet worden ist.

Dieses Geschlecht führt im blauen Schilde ein silbernes Hufeisen, über demselben ein goldenes Kreuz, unter demselben einen schwebenden, mit der Spitze nach unten gelegten Pfeil, dessen goldenes Gefieder zwischen das Hufeisen zu liegen kommt. Auf dem Schilde ruht eine neunperlige Grafenkrone, und auf dem eben so gekrönten Helme steht ein, die Spitzen nach der linken Seite wendender, von einem Pfeile durchbohrter silberner Adlerflügel. Die Decken blau und silbern.

N.

Nadelwitz, die Herren von.

Eine adelige Familie in Schlesien, in Pommern, und in der Lausitz. In Schlesien ist sie im Breslau'schen begütert gewesen, in Pommern war sie ebenfalls begütert, aber längst erloschen. Sie führt oder führte im schwarzen Schilde einen weissen Hund mit goldenem Halsbande, und unter einem Baume stehend. Dieses Bild wiederholte sich auf dem gekrönten Helme. Die Decken silbern und schwarz. Lucä erwähnt dieses Geschlecht pag. 885. Sinapius, I. Bd. S. 659., auch Bucelin und Schickfuss führen es an, und Siebmacher giebt im

I. Th. S. 54. das Wappen. Brüggemann bezeichnet es mit dem Kreuz der ausgestorbenen Geschlechter.

Näfe, die Herren von.

Die altadelige Familie v. Näfe oder Nefe gehört zu dem schlesischen Adel. Das Stammhaus derselben ist Obischau, bei Namslau gelegen. In früheren Zeiten setzten die von Näfe auch stets ihrem Namen das Prädicat v. Obischau bei.. — *Joachim* v. Näfe und Obischau saß 1586 auf Lorzendorf bei Strehlen. — *Hans* v. Näfe legte nebst andern Abgeordneten dem Könige Mathias II. am 19. Septbr. 1611 den Eid der Treue, im Namen des breslauischen Fürstenthums, ab. (Lucä, pag. 166.) — *Heinrich* v. Näfe kommt 1657 als Herr auf Obischau und Schönwitz vor. Um dieselbe Zeit besaß *Achatius* v. Näfe den Rittersitz Raudnitz bei Frankenstein. — Am Anfange des vorigen Jahrhunderts war der Landesälteste, *Joachim Alexander* v. Näfe auf Obischau, Herr auf Kaulwitz, Skalung, Poln. Elguth, Poln. Würbitz u. s. w. Alle diese Güter liegen im Oelsischen. Auch Stoberau im Brieg'schen gehörte dieser Familie, eben so Glomnitz bei Troppau, Leipitz bei Strehlen, sind noch gegenwärtig ihr Eigenthum. Ein Oberstlieutenant v. Näfe commandirte bis zum Jahre 1805 das 3. Musquetier-Bataillon des Regiments von Treuenfels in Breslau. Ein Sohn von ihm ist der Major im 29. Infant.-Regimente, v. Näfe, Ritter des eisernen Kreuzes, erworben bei Bautzen. Ein Bruder des Oberstlieutenants v. N. war der Major v. Näfe im Regiment von Renouard zu Halle.

Diese adelige Familie führt im rothen Schilde einen weissen Hahn, der auf einem silbernen Pfeile steht. Auf dem gekrönten Helme sind zwei Büffelhörner, das vordere oben roth, und unten weiss, das andere oben weiss und unten roth, angebracht.

Nagel, die Freiherren und Herren von.

v. Nagel ist der Name eines altadeligen, zum Theil freiherrlichen Geschlechts, das ursprünglich der Grafschaft Ravensberg angehört, und sich von da aus in die übrigen Rheinlande, Westphalen und die Niederlande verbreitet hat. Der Erste aus dieser Familie, dessen eine Ravensberger Urkunde gedenkt, kommt um das Jahr 1257 vor. Sein Name war *Rudolph* Nagel, und er hatte denselben mit der Bezeichnung miles unterschrieben. — Im Jahre 1444 wurde *Johann* v. N. unter die Ritter des Hubertusordens aufgenommen. — *Ludwig* und *Johann* v. N. unterschrieben als Landstände im Jahre 1450 den Vertrag, welcher zwischen Gerhard, Herzoge zu Jülich, Cleve, Berg, und Graf zu Ravensberg, und dem Erzbischofe zu Cöln, Theodor v. Meurs, errichtet worden war. — *Luducke* v. N. war um das Jahr 1457 Amtmann zu Wiedenbrügge. — *Egert* v. N. unterzeichnete 1496 als ravensbergischer Landstand den Ländervergleich zwischen Jülich, Cleve, Berg, Mark und Ravensberg. — *Luducke* v. N. war um das Jahr 1590 Domherr zu Münster. — *Jürgen* v. N. wird als Drost zu Sassenberg aufgeführt. Er lebte um die Mitte des 16. Jahrhunderts, war mit Apollonia v. Wendt vermählt, und zeugte vier Söhne, welche die Stifter eben so vieler Linien wurden. *Adolph* v. N. gründete die zu Loburg, *Mathias* v. N. die zu Herl und Gaul, *Dietrich Her-*

mann die zu Vornholt, und der jüngste Sohn die zu Itlingen, wozu
noch die Linie Nagel-Ampsel kommt, welche *Jost* v. N. schon frü-
her gestiftet hatte. Nach und nach erwarben die v. N. bedeutende
Besitzungen, namentlich Königsbrügge, Itlingen, Keussenburg, Herl,
Gaul, Lüttringhausen, Vahrenholt, Lackhausen u. s. w. Der königl.
preuss. Major a. D. und Landrath war mit *Therese*, Freiin v. Nagel-
Dornick, und, nach deren im Jahre 1828 erfolgtem Tode, mit *Marie*,
Freiin v. Nagel-Dornick, vermählt, welche aber auch im Jahre 1833
der ersten Gemahlin im Tode gefolgt ist. — *August*, Freiherr v.
Nagel-Dornick, ist mit Huberta Marie Therese, Gräfin v. Meerveldt,
vermählt.

Das Wappen dieser alten Familie zeigt im silbernen Schilde eine
rothe runde Schnalle, mit fünf kleinen Kronen, im Fünfeck besetzt;
der Nagel oder die Zunge derselben geht von der Rechten zur Linken. Die Schnalle wiederholt sich zwischen zwei silbernen Adlerflügeln auf dem ungekrönten Turnierhelme. Die Decken sind silbern
und roth.

Nagler, die Herren von.

Se. Majestät, der jetzt regierende König, hat den gegenwärtigen wirklichen Geheimen Staatsminister, Generalpostmeister, Ritter
des rothen Adlerordens 1. Classe, und vieler andern Orden, *Karl Ferdinand Friedrich* v. Nagler in den Adelstand erhoben. Dieser hochverdiente Staatsmann ist zu Anspach um das Jahr 1770 geboren und
war vor der unglücklichen Katastrophe des Jahres 1806 schon Geheimer Legations- und vortragender Rath im Geheimen Cabinets-Mini-
sterium. Er begleitete im Herbste 1806 die königl. Familie nach
Königsberg, und im Jahre 1809 nach Petersburg. Um diese Zeit
ward er auch zum Geheimen Staatsrath ernannt. Im Jahre 1821
wurde er Chef des Postwesens, und das In- und Ausland hat mit
gleichem Danke die grossen Verdienste anerkannt, welche sich Herr
v. Nagler durch die vielfachen Verbesserungen und die musterhafte
Ordnung, die er in diesem Zweige der Administration eingeführt,
erworben hat. Das preuss. Postwesen ist seitdem von vielen europäischen Staaten zum Muster genommen worden, und so haben sich
diese vortrefflichen Einrichtungen und die umfassende Erweiterung
der Postcourse, so wie der Schnellposten, die Einrichtungen der
Stadtposten, und viele andere sich darauf beziehende Verbesserungen
auch auf andere Länder ausgedehnt. Im Jahre 1824 wurde Herr v.
N. zum ausserordentlichen Gesandten und bevollmächtigten Minister
bei der Bundesversammlung in Frankfurt ernannt, er behielt jedoch
seinen ausgebreiteten Wirkungskreis als Chef des Postwesens bei. Im
Jahre 1835 rief ihn Se. Majestät von dem gedachten Gesandtschaftsposten ab, und gegenwärtig ist derselbe, bekleidet mit der Würde
eines wirklichen Geheimen Staatsministers, ausschliesslich seiner früheren Stellung wiedergegeben. Ausgezeichnet als Staatsmann und
Diplomat ist Herr v. Nagler ein grosser Kenner der Wissenschaften
und Künste. Seit langen Jahren sammelt derselbe an Alterthümern,
Kunstwerken, seltenen Drucken, Manuscripten, Autographen, u.
s. w. Ein Theil seiner Sammlungen ist in der neuesten Zeit an das
königl. Museum übergegangen. Herr v. N. ist mit der Tochter des
vor einigen Jahren in Berlin verstorbenen Kriegsraths Herft vermählt,
aus welcher Ehe ein Sohn lebt. Auch ist Herr v. N. der Schwager
des wirklichen Geheimen Staatsministers, Freiherrn Stein zum Altenstein.

Nalencz, Herr von.

Im Jahre 1798 ernannte Se. Majestät, der König, einen polnischen Edelmann, *Karl Anton* v. Nalencz, Herrn auf Steklink in Neuost-preussen, zum Kammerherrn.

Nassau, die Grafen und Herren von.

Aus einem altadeligen Geschlechte in Brabant entsprossen, ka-men mehrere Edelleute dieses Namens nach Schlesien, Ungarn und Polen. In Schlesien erwarb *Christoph* v. N. im Jahre 1600 den Rit-tersitz Hartmannsdorf bei Freystadt, welches auf diese Weise das Stammhaus der v. Nassau in Schlesien geworden ist. Dieser *Christoph* v. N., ein Sohn des *Adam* v. N., der um das Jahr 1450 seine Güter der Kriegsunruhen wegen verkaufte, sich nach Polen begab, und dort in kümmerlichen und traurigen Umständen lebte, war in seiner Jugend Edelknabe am Hofe des Herzogs zu Brieg. Er machte später grosse Reisen durch fast alle Länder Europa's, und wird von seinen Zeitgenossen als ein sehr gelehrter Mann geschildert. Er hinterliess drei Söhne, von denen der ältere das Haus Hartmanns-dorf fortpflanzte, der zweite das Haus Nieder-Kottwitz im Sagan'-schen, und der dritte ebendaselbst das Haus Tscheplau gründete. Zuerst erlosch das Haus Nieder-Kottwitz, später sind auch die an-dern Güter in fremde Hände gekommen. Ein Enkel des oben er-wähnten Stammherrn, *Christoph* v. N., war der unten näher erwähnte *Christoph Ernst*, Graf v. N., der am 5. März 1746 die gräfliche Würde auf sein Haus brachte. Dieses gräfliche Haus aber erlosch im Jahre 1755 am 19. Novbr. wieder mit dem Erhobenen, da sein einziger Sohn, *Christoph Erdmann*, Graf v. N., der als Hauptmann und Adjutant bei ihm angestellt war, 1752 kinderlos starb. — Nicht hierher zu gehören scheint ein Graf v. Nassau, der im Jahre 1806 als Seconde-Lieutenant in dem Regimente v. Kleist zu Magdeburg stand, und 1807 als Capitain dimittirt worden ist, wohl aber gehörte den schlesischen v. Nassau ein Capitain v. N. an, der im Jahre 1806 im Regimente Graf v. Wartensleben zu Erfurt stand, und ein Lientenant v. N., ein Bruder des Vorigen, der im Jahre 1818 als pensionirter Capitain des 21. Garnisonbataillons gestorben ist. — In Neisse lebte um das Jahr 1820 noch eine verwittwete v. Montbach, die eine geborne v. N. war.

Das ursprüngliche Wappen der brabanter, und später schlesischen v. N. zeigt ein getheiltes Schild, in dessen blauem Obertheil ein gleichsam zum Kampfe hervorspringender goldener Greif mit roth ausgeschlagener Zunge, ausgebreiteten Flügeln, und von sich gewor-fenen Pratzen, in der Rechten eine schwarze Lilie haltend, vorge-stellt ist. In dem goldenen Untertheile des Schildes stehen drei schwarze Lilien, oben zwei, unten eine. Auf dem gekrönten Helme wiederholt sich der vordere Theil des Greifes. Die Helmdecken schwarz und golden.

Wir fügen hier eine kurze Biographie des in den Grafenstand erhobenen Generallieutenants v. N. hinzu. Er stammte aus dem Hause Hartmannsdorf, und begann, nachdem er seine Studien been-digt hatte, seine militairische Laufbahn als Freiwilliger in der preuss. Armee. Nachdem er den Feldzügen in Flandern und Brabant beige-wohnt hatte, trat er in hessische Dienste, die er aber eines Zweikampfes wegen mit kursächsischen vertauschte. Nach und nach

avancirte er in demselben zum Obersten, und erhielt den Auftrag,
ein eigenes Kürassierregiment zu errichten. Dasselbe wurde eines
der schönsten, die man je gesehen hat. Bei der Thronbesteigung
des neuen Königs schied er aus der sächsischen Armee, und
Friedrich II. nahm ihn in seine Dienste, ernannte ihn zum Generalmajor, und ertheilte ihm den Befehl, ein neues Dragonerregiment zu errichten, welches auch in kurzer Zeit vollzählig war. Er
führte es in den Feldzügen von 1741 und 1742 nach Schlesien, Mähren und Böhmen. Nach der Eroberung von Prag erhielt Herr v.
Nassau den Befehl über ein Corps von 8 bis 10,000 Mann, mit dem
Auftrage, dem von den Feinden hart bedrängten Generale Einsiedel
bei Marklissa durchzuhelfen. Dieser Rückzug, den er mit seinem
Corps von Collin bis Neu-Bitzschof zur Armee des grossen Königs
durch die grosse feindliche Armee bewerkstelligte, wird für ein Mei-
sterstück damaliger Kriegskunst gehalten, besonders da ihn der König
schon für verloren gegeben hatte. In der Schlacht von Hohenfriedberg, wo er den ganzen linken Flügel commandirte, trug er sehr viel
zu dem glücklichen Ausgange bei. Kurz darauf nach Schlesien mit
7000 Mann gesendet, eroberte er die Festung Cosel, nahm die 3000
Mann starke Besatzung gefangen, und drängte den Feind gänzlich
zurück. Ueber diesen zweiten schlesischen Feldzug hat er ein Werk,
welches unter dem Titel: „Beitrag zur Geschichte des zweiten schlesischen Krieges, aus den eigenen Papieren Sr. Excellenz des Generallieutenants v. Nassau. Frankfurt und Leipzig. 1780." erschienen
ist, geschrieben. Zur Belohnung und Anerkennung seiner treuen
Dienste ertheilte ihm Friedrich der Grosse im Jahre 1744 den schwarzen Adlerorden, erhob ihn 1746 in den Grafenstand, und ertheilte
ihm Präbenden und Vicarien. Sein Lob ward auf königlichen Befehl
in dem Grafendiplom ganz vorzüglich angeführt, und verdient hier
wiederholt zu werden:
„Und Wir dann in Gnaden wahrgenommen, angesehen und betrachtet haben etc. etc., wie vorgedachter Unser General-Lieutenant
auch, vor seine Persohn von Jugend auf dem ruhmwürdigen Beispiele
seiner illustren Vorfahren nachgeahmet, und nachdem er nach zurückgelegten academischen Studiis, sich denen Waffen gewidmet, keine
Gelegenheit vorbeygehen lassen, wobey er die zu solchem métier
erforderliche Wissenschaft und Erfahrung zu erwerben sich Hoffnung
machen können; zu welchem Ende er dann in verschiedener Höfe
Krieges-Diensten, wo nur die Conjuncturen solcher seiner Absicht
zu favorisiren geschienen, sich gebrauchen lassen, und bey denen häufig darinn vorgefallenen Bataillen, Belagerungen, Marchen,
und andern Krieges-Operationen jedesmal so viel Hertzhaftigkeit,
Wachsamkeit und Geschicklichkeit, und ein so kluges und weises Betragen blicken lassen, dass er nicht nur von seinen Commandeuren
jedesmahl mit ausserordentlichen Elogen und Distinctionen, sondern
auch von seinem jedesmahligen Herren, und sogar von fremden vornehmen Fürsten mit ganz besondern Hochachtungs- und Gnaden-
Zeichen beehret worden, und sich überall den Ruhm eines der ge-
schicktesten und brauchbahrsten Offiziers und Generals erworben.
Allermassen Wir denn durch eben diese allgemeine Reputation bewogen worden, denselben im Jahre 1740 der Qualität eines General-
Major in Unsere Dienste aufzunehmen, und Ihm in denen darauf
erfolgten Feldzügen in Böhmen und Schlesien die allerwichtigsten
Krieges-Operationen, Belagerungen, difficilen Marchen, besondere
Commando über considerable und zahlreiche Corps Unserer Armeen,
nicht weniger bey der grossen unter Unserer Eigenen Anführung bey
Hohen-Friedberg gelieferten Haupt-Bataille das Commando über

Unsern ganzen linken Flügel anzuvertrauen; bey welchen allen er
Unserer von Ihm gehabten Erwartung ein so vollkommenes Genüge
geleistet, und von einer ungewohnlichen Tapfferkeit, Krieges-Er-
fahrenheit, Scharfsinnigkeit und Fertigkeit des Geistes, auch klugen
und vorsichtigen Conduite, nicht weniger von seiner unwandelbaren
Treue vor Uns und Unser königl. Chur-Hauss, und brennenden Eiffer
vor Unser höchstes Interesse so grosse und distinguirte Merkmahle
dargeleget, dass Wir keinen Anstand nehmen mögen, Ihm Unsere
darob schöpffende Zufriedenheit, durch Conferirung der Würde eines
General-Lieutenants von Unserer Cavallerie, wie auch Unsers Ritterlichen Ordens vom schwarzen Adler zu erkennen zu geben."
Er starb, wie wir schon erwähnten, am 19. Novbr. 1755 zu Sagan. M. s. ungedruckte Nachrichten, die Feldzüge der Preussen betreffend, 4. Theil, S. 443. Biogr. Lex. aller Helden und Mil.-Perso-
nen, Bd. III. S. 82. u. f.

Nassengriff, die Herren von.

Ein ausgestorbenes, altadeliges Geschlecht in Schlesien und Thüringen, das ursprünglich Nassengriew oder Nassadel geheissen hat.
Ihr Stammhaus Nassadel oder Nassiedel liegt im Kreise Leobschütz,
zwei Meilen von Katscher, und ist jetzt ein Eigenthum des gräfl.
Hauses Sedlnitzki. Der Name v. Nassengriff kommt jetzt nur noch
vereinigt mit dem v. Salisch vor. Auch die Wappen beider Geschlechter sind gleich.

Natalis, die Herren von.

Die adelige Familie v. Natalis stammt aus Languedoc. Aus derselben kam 1685 Jean de Natalis, geb. 1670 zu Montauban, mit
andern Flüchtlingen in die kurbrandenburg'schen Staaten, um Aufnahme und Kriegsdienste zu suchen. Der Kurfürst gewährte ihm
Beides. In den Feldzügen, welchen die brandenburgschen Hülfsvölker
im kaiserl. Heere beiwohnten, avancirte v. Natalis bis zum Major,
und 1719 wurde er Oberstlieutenant bei einem Garnison-Bataillon,
aus dem später ein ganzes Regiment formirt wurde. Zum Obersten
befördert, wurde v. Natalis im Monat Februar des Jahres 1742 mit
der Würde eines Gouverneurs von Neufchâtel bekleidet. Hier starb
derselbe am 29. März 1754. Obgleich er mehrere Kinder hinterlassen
hat, ist uns doch der Name von Natalis nicht mehr in den Listen
der Administration oder des Heeres vorgekommen.

Nattermöller, die Herren von.

Zwei Offiziere dieses Namens, Vater und Sohn, standen im
Jahre 1806 in dem Infanterieregimente von Clebowski in Warschau.
Der Vater, v. N., damals Capitain, ist als Major und Grenz-Briga-
dier im Jahre 1811 gestorben, der Sohn v. N. diente zuletzt im 10.
Infant.-Regimente.

Natzmer, die Herren von.

Die v. Natzmer gehören zu den ältesten und vornehmsten Edelleuten in Pommern, von wo aus sie sich in verschiedene andere Län-

der verbreitet haben, namentlich auch in den Marken, in Sachsen,
und später auch in Schlesien. — Zuerst erscheinen *Miroslaus* und
Andreas v. N., die um das Jahr 1228 Castellane des Herzogs Wratislav gewesen sind. — *Anton* v. N. war im Jahre 1527 Abgesandter
des Bischofs zu Camin auf dem Reichstage zu Regensburg, und später Marschall des Herzogs Barnim XI., und Landvoigt in Stolpe.
Was ihren Grundbesitz betrifft, so gehörten am Anfange des vorigen Jahrhunderts dieser Familie die Güter Lubow im Fürstenthumskreise, Gutzmin und Vettrin im Kreise Schlawe, Wobesde im Kreise
Stolpe, u. s. w., später auch Gr. und Kl. Jannewitz im Kreise Stolpe. Mehrere dieser Güter waren ursprüngliche Lehne der Familie
v. Knut, welche von dieser an die v. Natzmer durch Kauf übergegangen sind. Der unten näher erwähnte Generalfeldmarschall, *Dubislav Gneomar* v. N., besass namentlich die früher v. Knutschen Güter
Gutzmin, Lubow, Wobesde, u. s. w.; sie fielen nach seinem Tode,
laut Testament vom 29. August 1738, seinem Sohne, *Dubislav* v. Natzmer, zu. Dieser hinterliess wieder einen Sohn, den Johanniterordensritter *Karl Friedrich* v. N. Von diesem Letztern ging Wobesde an den
Hauptmann, spätern Major von der Garde, *Wulf Heinrich* v. Natzmer, über, der es später an einen Major v Bandemer verkaufte.
Noch in der Gegenwart sind mehrere der genannten Güter in den
Händen der Familie, namentlich besitzen die v. Natzmerschen Erben
Claptow im Fürstenthumskreise, Vettrin und Borckow im Kreise
Schlawe, u. s. w.

Eine sehr grosse Anzahl Edelleute dieses Namens hat ihre Dienste dem preussischen Heere gewidmet, namentlich gehören hierher:

Gneomar Dubislav v. Natzmer, königl. preuss. Generalfeldmarschall, Ritter des schwarzen Adlerordens, Chef des Regiments Gensdarmen, Amtshauptmann zu Naugardten, Massow, Friedrichsberg und
Gültzow, Prälat zu Colberg, Erbherr auf Gr. und Kl. Jannewitz,
Gutzmin, Lubow und Wobesde, geboren am 14. Septbr. 1654, war
der jüngste Sohn *Joachim Heinrichs* v. N., Landraths in Hinterpommern, und der Barbara v. Weyher. Nach einer, theils bei seinen
Verwandten, theils im elterlichen Hause, genossenen guten Erziehung nahm ihn der Gouverneur von Cüstrin, Graf v. Dohna, zu sich,
und hier legte er den Grund zu seinem nachmaligen Glück. Hier
genoss er Unterricht in allen Wissenschaften, besonders aber in der
Befestigungskunst, und war in dem Gefolge desselben, als er dem
Feldzuge am Oberrhein beiwohnte. Er nahm darauf holländische
Dienste, gerieth in dem Treffen bei Pieton in französische Gefangenschaft, und ward nach Rheims gebracht, woselbst er drei Monate
blieb. Glücklicherweise kam der Oberst Lochmann dahin, um aus den
deutschen Gefangenen Reiter für sein Regiment zu sammeln. Von
hier kam er mit dem Regimente nach Arras, wo er im Frühjahre
1675 seinen Abschied nahm. Nach einer glücklich überstandenen
Krankheit machte er gerade um die Zeit eine Reise nach Berlin, als
Kurfürst Friedrich Wilhelm den, von den Franzosen bedrängten Hol-
ländern Hülfstruppen zusandte. Herr v. N. nahm daher seinen Abschied von der holländischen Armee, und trat als Lieutenant bei dem
damaligen Dragonerregimente v. Grumbkow in preuss. Dienste. Auf
sein Gesuch wohnte er der Landung auf der Insel Rügen bei, und
war der Erste, welcher ans Land stieg. Nach dieser Expedition begab er sich mit dem grossen Kurfürsten nach Dobberan, musste aber
von dort zum Regimente abgehen, welches noch in diesem Winter
nach Preussen aufbrach, um die in diese Provinz eingefallenen
Schweden daraus zu vertreiben. Im Jahre 1680 ward er zum Stabs-
hauptmann, und 1682 zum Kammerjunker, mit der Erlaubniss, auf

448 Natzmer.

Reisen gehen zu dürfen, ernannt. In Paris erhielt er die Nachricht, dass er zum Compagniechef befördert worden sei. Dies beschleunigte seine Rückkehr, und nach derselben folgte er 1685 als Volontair seinem neuen Regimentschef, dem Grafen Dietrich v. Dohna. Im Jahre 1686 wurde er beim Sturm auf Ofen von einem Türken schwer am Kopfe verwundet. Nach geendigtem Feldzuge ward er 1687 zum Generaladjutanten ernannt. Im Jahre 1688 wurde er Oberstlieutenant, und reiste mit dem Obermarschall v. Grumbkow nach England, wurde aber ein Jahr darauf auf der Rückreise von einem französischen Kaper gefangen und nach Dünkerken gebracht. Nach einer langen Haft entkam er glücklich, wohnte in demselben Jahre noch der Belagerung von Kaiserswerth bei, wurde am Zeigefinger der linken Hand durch einen Schuss verwundet, eben so in der Belagerung von Bonn, wo er zwei Wunden erhielt. Zur Belohnung seiner Tapferkeit wurde er 1689 zum Obersten ernannt und 1696 zum Generalmajor befördert. Im Feldzuge 1703 gerieth er in Gefangenschaft, und wurde nach Donauwerth gebracht, jedoch bald wieder ausgewechselt. In der Schlacht bei Höchstädt 1704 ward er unter der rechten Brust durch eine Kugel verwundet, und noch in demselben Jahre Generallieutenant. 1708 in der berühmten Schlacht von Oudenarde zeigte sich seine Tapferkeit auf das glänzendste. Von vielen Hieben verwundet, unter andern auch im linken Auge, und aus allen Wunden blutend, war er in der grössten Gefahr, in Gefangenschaft zu gerathen. Nur Ein Mittel war noch zu seiner Rettung übrig, nämlich einen breiten wasserreichen Graben zu überspringen. Dieses geschah, allein auch auf der andern Seite stiess er auf feindliche Haufen, dennoch schlug er sich glücklich durch, und kam am Abend zur Armee, nachdem er noch einen Hieb über das Gesicht erhalten hatte. Bei Ersteigung der französischen Linien commandirte er sowohl die Infanterie, als auch die Cavallerie, da der Graf Lottum abwesend war. Nach dem Utrechter Frieden erbat er sich die Erlaubniss, die Gensdarmerie, welche nur 80 Köpfe zählte, bis auf 300 zu erhöhen, welches ihm auch gewährt wurde. Im Jahre 1714 erhielt er den schwarzen Adlerorden; 1715 wohnte er dem pommerschen Feldzuge bei, wurde in demselben Jahre General der Cavallerie, und 1730 zum Generalfeldmarschall ernannt. Er starb im Jahre 1739 zu Berlin, in einem ehrwürdigen Alter von 85 Jahren, nachdem er 67 Jahre hindurch dem Staate die treuesten Dienste geleistet hatte. Er war zweimal vermählt, nämlich mit Sophie v. Wrech, die im Kindbette starb, und sodann mit Charlotte Justine, gebornen v. Gersdorf, verwittweten Gräfin v. Zinzendorf. In letzterer Ehe wurden ihm zwei Söhne geboren, die beide unvermählt vor dem Vater starben.

Georg Christoph v. N., geboren 1694 in Pommern, trat 1710 in preuss. Dienste und wurde 1719 Rittmeister, 1732 Major, 1736 Oberstlieutenant in dem Kürassierregimente v. Gessler und 1741 Oberst. Er warb in demselben Jahre auf königl. Befehl ein Uhlanenregiment in Preussen, welches bald, 5 Schwadronen stark, in Berlin einrückte, dem ersten schlesischen Feldzuge beiwohnte, aber bei Altengrotkau fast ganz niedergehauen wurde. Im Jahre 1742 ward daraus ein Husarenregiment errichtet, das sich später bei vielen Gelegenheiten besonders auszeichnete. v. N. avancirte im Jahre 1750 zum Generalmajor, doch schon im folgenden Jahre am 27. Januar starb er zu Breslau mit Hinterlassung dreier Söhne und einer Tochter.

Im Jahre 1806 dienten 10 Mitglieder dieser Familie in der Armee, von ihnen starb der Generalmajor und Chef des Infanterie-Regiments No. 54, v. N. im Jahre 1807 a. D. — Ein Sohn desselben ist der gegenwärtige Oberst v. N., der bisher Commandeur des 13.

Infanterie-Regiments zu Münster war, und im Jahre 1836 mit Pension zur Disposition gestellt worden ist. Er ist Ritter mehrerer Orden, namentlich des eisernen Kreuzes 2. Classe (erworben bei Wavre). — Ein Bruder des Letztern ist der Major v. N., Commandeur des 3. Bataillon vom 9. Landwehrregimente zu Schiefelbein, der sich das eiserne Kreuz ebenfalls erwarb. — Im Jahre 1806 stand *Ottwig Leopold Anton* v. N. als Prem.-Lieutenant und Adjutant beim 1. Bataillon Garde in Potsdam. Er wurde darauf Flügeladjutant Sr. Majestät, und ist gegenwärtig Generallieutenant, commandirender General des 1. Armeecorps zu Königsberg, Grosskreuz und Ritter vieler Orden, namentlich auch des eisernen Kreuzes 1. Classe. Er ist mit einer Freiin v. Richthofen, aus dem Hause Kohlhöl in Schlesien, vermählt. — Denselben Orden erwarb sich vor Wittenberg, wie schon 1807 in Danzig den Militair-Verdienstorden, der Generalmajor, gegenwärtig a. D., v. Natzmer. — In dem Husarenregimente v. Gettkandt stand 1806 der Lieutenant v. N., der gegenwärtig Major und Brigadier der 5. Gensdarmerie-Brigade zu Posen, auch Ritter des eisernen Kreuzes (erworben bei Belle Alliance) ist. — Im Regimente v. Strachwitz zu Liegnitz stand 1806 der Lieutenant v. N., der im Jahre 1815 als Oberstlieutenant des 26. Infanterie-Regiments auf dem Felde der Ehre blieb.

Die v. N. führen in einem weissen oder silbernen Felde ein auf den Hinterfüssen stehendes, rothes, feuerspeiendes Pantherthier, und auf dem Helme drei Straussfedern, von welchen die mittelste weiss, und die zur Rechten und zur Linken roth sind. Die Helmdecken sind roth und silbern. Dieses Wappen giebt Siebmacher V. S. 166. v. Meding beschreibt es II. No. 591. Nachrichten über diese Familie giebt Gauhe, I. S. 1050. Anhang, S. 1631. König, I. S. 620 — 689. u. s. w.

Naumann, die Herren von.

In Pommern und in den Marken, auch in Sachsen und im Grossherzogthume Hessen sind oder waren adelige Familien dieses Namens ansässig. Aus der Familie der v. Naumann in Darmstadt war der Major dieses Namens, der bis zum Jahre 1806 im Regimente von Thiele gestanden hat, und im Jahre 1813 gestorben ist.

Naumeister, die Herren von.

Eine adelige Familie in der preuss. Provinz Sachsen, aus der *Johann Erdmann* v. Naumeister markgräfl. brandenburg-anspach'scher Kammerjunker war. — Ein Sohn desselben war *Hartwich Leberecht* v. N., der 1707 zu Grossen-Salza geboren wurde, 1725 bei dem Regimente v. Gersdorf in preuss. Kriegsdienste trat, 1750 Capitain ward, und als Oberstlieutenant zu dem, aus den bei Pirna gefangenen Sachsen errichteten Regimente v. Oldenburg versetzt wurde. Als dasselbe auseinander gelaufen war, erhielt er 1758 ein Grenadier-Bataillon. Er starb zu Schweidnitz am 12. Januar 1760 kinderlos, und hinterliess den Ruhm eines tapfern und einsichtsvollen Offiziers. Seine Gemahlin war eine geborne v. Schöning.

Diese Familie führt im rothen Schilde eine Wassernixe oder ein Meerfräulein, welches mit grün bekränztem Haupte, sich aus den Wellen erhebt. Auf dem Helme liegt ein roth und weisser Bund, aus-

diesem wächst ein roth und weissgestreifter Arm, der einen grünen Bund hält. Die Decken rechts roth, links silbern.

Nayhauss (Neuhauss), die Grafen und Freiherren von.

Das alte Geschlecht der heutigen Grafen v. Nayhauss stammt aus dem Hause Caramon in Italien, von wo es nach Kärnthen und Tyrol, und später auch nach Schlesien kam. In dieser Provinz ist es schon seit beinnhe 300 Jahren ansässig und begütert, namentlich besassen die im Jahre 1624 vom Kaiser Ferdinand II. in den Reichsfreiherrenstand erhobenen v. N. im Kreise Tost die Güter Kempzowitz, Wischowa und Kunary, und im Kreise Leobschütz, zum Fürstenthume Troppau, preussischen Antheils, gehörig, die Güter Bladen, Jamnitz, Glomnitz, u. s. w. Auch führt Sinapius sie als Besitzer von Stemplowitz und Camenz auf, namentlich besass im Jahre 1722 *Julius Heinrich*, Freiherr v. Nayhauss, des Fürstenthums Troppau ältester Landrechtsbeisitzer, die Güter Bladen, u. s. w., *Johann Franz*, Freiherr v. N., die Güter Stemplowitz, Camenz, Jamnitz, einen Theil von Glomnitz, u. s. w., und *Caesar*, Freiherr v. N., das Gut Stieberwitz und einen Antheil von Glomnitz. Nach dem Almanach der deutschen gräflichen Häuser, Jahrgang 1837, S. 336., soll die reichsgräfliche Würde schon im Jahre 1698 vom Kaiser Leopold I. dem Hause ertheilt worden sein. — *Leopold Cäsar*, Reichsgraf v. N., erhielt schon im Jahre 1773 die preuss. Kammerherrenwürde, und war im Jahre 1805 präsidirender Landeshauptmann der fürstl. Liechtensteinschen Regierung zu Leobschütz.

Das gräfliche Haus v. Nayhauss besteht gegenwärtig aus folgenden Mitgliedern:

Leopold Julius Cäsar, Reichsgraf Nayhauss v. Caramon, geboren den 14. April 1792, königl. preuss. Hauptmann im 22. Landwehrregimente, Deputirter des Leobschützer Kreises, Herr der Güter Bladen in Schlesien, vermählt seit dem 14. April 1819, mit Antonie Maria, Fräulein v. Stockmans, geboren den 24. Decbr. 1800.

Kinder:

1) *Antonie Leopoldine*, geboren den 13. Januar 1820.
2) *Julius Cäsar Leopold*, Reichsgraf Nayhauss v. C., geboren den 3. August 1821, königl. preuss. Cadet zu Berlin.
3) *Pauline Marie Antonie*, geb. den 10. Juli 1825.

Geschwister:

1) Des am 25. Novbr. 1829 verstorbenen Bruders, Reichsgrafen *Ferdinand Julius Cäsar* v. N., und dessen am 13. Novbr. 1831 gestorbenen Gemahlin, Karoline Philippine, gebornen Reichsfreiin v. Welling, Tochter, *Bertha Ferdinandine*, geboren den 25. Juni 1806.
2) *Josepha*, Reichsgräfin Nayhauss v. Caramon, geboren den 24. März 1779, Chanoinesse und Stiftsdame zu Barschau in Schlesien.

Sinapius giebt Bd. II. S. 386., zwei Wappen der v. N. Das erste gehört den Kärnthner v. N. an, und ist quadrirt. Das 1. und 4. Feld ist durch eine Diagonallinie, in Silber und schwarz, getheilt, und über denselben ein rothes Feld aufgesetzt. Im 2. und 3. silbernen Felde zeigt sich ein gekrönter schwarzer Rabe, auf einem Hügel stehend, und im Schnabel einen goldenen Ring haltend. Das Schild ist mit zwei gekrönten Helmen bedeckt. Der erste trägt zwei Flügel über einander, mit dem Wappenbilde des 1. und 4. Feldes belegt, der 2te Helm aber den Raben.

Das zweite Wappen gehört den Tyroler v. Nayhauss an, und zeigt aus den Ecken des Schildes zwei etwas krumme Linien, in eine silberne Spitze gezogen, wodurch das Schild in drei Theile zerfällt; das rechte und linke Feld sind roth, das mittlere silbern. Auf dem Helme sind zwei rothe Adlerflügel, mit dem Wappenbilde belegt, vorgestellt.

Neal (e), die Grafen von.

Der königl. Kammerherr v. Neal wurde am 6. November des Jahres 1750 in den Grafenstand erhoben. Ein Sohn desselben war der vor einigen Jahren verstorbene erste Obermundschenk und Ritter verschiedener Orden, auch Mitglied der Akademie der Künste, Graf v. Neal. Seine Gemahlin war Obersthofmeisterin bei der hochseligen Prinzessin Ferdinand. Die Schwester dieses Letzteren, vermählte von Berg, war Hofdame der hochseligen Prinzessin Heinrich, und eine Tochter derselben war mehrere Jahre am Hofe der Prinzessin Louise, vermählte Fürstin Radzivil. Das bei uns im Mannesstamme wieder erloschene gräfliche Haus v. Neal führt ein quadrirtes Wappen. Im 1. und 4. blauen Felde sind drei, die Spitzen nach oben kehrende, silberne, halbe Monde, im 2. und 3. rothen Felde aber ist ein aufspringender goldener Löwe vorgestellt. Dieses von einer fünfperligen Krone bedeckte Schild, trägt zwei gekrönte Helme. Aus dem rechten wächst ein die Spitzen auswärts kehrender schwarzer Adlerflügel, aus dem linken aber ein um Hüften und Haupt bekränzter wilder Mann, der eine Keule in der rechten Hand hält. Die Decken sind rechts blau und silbern, links aber roth und silbern. Zu Schildhaltern sind ein schwarzer Adler und ein goldener Löwe gewählt.

Neander, die Herren von.

Die adelige Familie Neander v. Petershaiden gehört ursprünglich Schlesien an, und das Stammhaus Petershaide liegt im Fürstenthume Neisse, nur eine halbe Meile von der Stadt Neisse. Zuerst kommt *Balthasar* Neander (geboren am 26. Januar 1568 zu Ottmachau, gestorben zu Breslau) vor, der Dr. der Theologie und des hohen Domstifts zu Sct. Johann in Breslau Domherr und Archidiaconus war. — *Karl Franz* Neander v. Petershaide war Bischof zu Nicopolis, Administrator und Suffraganeus des Bisthums Breslau, Archidiaconus des hohen Domstifts Sct. Johann zu Breslau, und Erbherr auf Franzdorf und Kuschdorf, im neisseschen Fürstenthume und Kreise gelegen. Er starb zu Neisse am 5. Februar 1693. — Ein Zweig dieses Hauses hat sich nach Pommern gewendet. Demselben gehören verschiedene, sehr rühmlich bekannte Offiziere der preuss. Armee an, die namentlich sich im Artilleriecorps sehr ausgezeichnet haben, und deren Nachkommen jetzt wieder mit dem Beinamen v. Petershaide vorkommen.

Der Generalmajor v. Neander wurde 1742 zu Labes in Pommern geboren und diente seit seinem 19. Jahre. In der Rheincampagne erwarb er sich, als Capitain im 4. Artillerie-Regimente, vor Mainz,

29 *

wo er bei einem nächtlichen Ausfalle verwundet wurde, den Orden pour le mérite. Kurze Zeit darauf erfolgte seine Ernennung zum Major, und etwas später zum Commandeur des 9. Artillerie-Bataillon. Im Jahre 1801 ward er Oberstlieutenant, und 1805 Oberst des reitenden Jägerregiments. Nach dem Abgange des Generallieutenants v. Meerkatz übertrug ihm Se. Majestät, im Range eines Generalmajors, den Oberbefehl der Artillerie, den im Jahre 1809 Se. königl. Hoheit, der Prinz August, übernahm. Im Jahre 1813 ward er Commandant von Potsdam und von den königl. Schlössern. Nach dem Frieden trat er in den Ruhestand, und starb am 15. Octbr. 1817. — Ein Neffe des Verstorbenen war Oberst und Brigadier der ostpreuss. Artillerie, er starb im Jahre 1821 als Director der Artillerie- und Ingenieurschule zu Berlin. — Ein Bruder des Letztern ist der Hauptmann v. N., welcher sich durch vielfache Erfindungen, die sich zum Theil auf die Verbesserung oder Anwendung der Geschütze, theils auf andere nützliche Einrichtungen beziehen, rühmlichst bekannt gemacht hat. Er erwarb sich schon 1794 vor Wesel den Militair-Verdienstorden.

Die v. Neander führen ein durch einen Spitzenschnitt getheiltes Schild; das rechte Feld ist schwarz, silbern, blau und silbern gestreift; die mittlere rothe Abtheilung zeigt einen aufspringenden blauen Löwen, die linke blaue Feldung aber in dem Obertheile drei goldene Halbmonde. Auf dem gekrönten Helme steht der blaue Löwe verkürzt, einen Halbmond in den Pranken haltend, zwischen zwei schwarzen Adlerflügeln. Die Decken sind roth und schwarz.

Nebra, die Herren von.

Eine adelige Familie in Thüringen, deren Stammhaus, das gleichnamige Schloss, an der Unstrut liegt. Die Edelleute dieses Namens kamen auch früher unter der Bezeichnung Schenken v. Nebra vor. Der genannte Stammort ist im vorigen Jahrhunderte an die Grafen v. Hoym gekommen.

Diese Familie führt im blauen Schilde eine rothe, von der obern Linken zur untern Rechten schräg gelegte Leiter. Auf dem Helme wiederholt sich dieselbe zwischen einem goldenen, und einem blauen Adlerflügel.

Necker, die Herren von.

Diese Familie stammt aus Irland, und war in der Gegend von Armagh unter dem Namen des adeligen Geschlechts der Kinnmare angesessen. Wegen Religionsmeinung musste sie schon 1588 Irland verlassen, sie begab sich nach Deutschland und nahm den Namen Necker an. Von hier aus trennten sich die Familienglieder und verbreiteten sich in den Niederlanden und der Schweiz, die Mehrzahl aber in den Marken und in Pommern. — Von der niederländischen Linie ist 1835 vermuthlich der letzte v. Necker als Bischof von Neu-Orleans in Amerika gestorben, und die Schweizerische erlosch mit dem berühmten Financier, dem französischen Minister *Jacques* N., dessen Tochter die geistreiche Schriftstellerin, *Anne Louise*, verm. Baronin v. Staël-Holstein war, und deren Tochter, die Herzogin v. Broglio, noch gegenwärtig zu Paris lebt. — Die pommersche Linie ward unter dem 23. April 1653 vom Kaiser Ferdinand III. in den Reichsadelstand aufgenommen, besass in den Marken und in Pommern schon seit dem Jahre 1500 die Güter Blumenhagen, Rackit, Stüdnitz, Denzig, Pehlitz und Lauenbrück, und seit 1768 das Gut Musternick in Schlesien. — Gegenwärtig besteht diese reichsadelige Familie in den preuss. Staaten aus dem königl. preuss. Major und Führer des 2. Aufgebots des 18. Landwehrregiments, Ritter des eisernen Kreuzes, *Hans Ewald Lebrecht* v. N., und seinen beiden Söhnen, *Hans Richard* und *Hans Arthur* v. N. Eine Tochter aus diesem Hause, *Charlotte* v. N., ist die Gemahlin des Grafen August Kospoth, Majoratsherrn auf Briese, u. s. w.

Diese Familie führt ein durch einen schwarz geflammten Strom getheiltes blaues Schild, in dessen obern Theile ein halb hervorspringendes silbernes Ross, im untern Theile aber ein Meerfisch dargestellt ist. Auf dem Helme zeigt sich zwischen zwei Büffelhörnern ein Mohr, der eine goldene Kopfbinde trägt.

Noch ausführlicher beschreibt Brüggemann dieses Wappen, nach dem kaiserlichen Adelsbriefe, den *Martin* Necker und seine Leibeserben. erhielten. Es heisst darin: „Die v. Necker führen ein ganz blaues, oder lasurfarbenes Schild, durch dessen Mitte, über zwerch, ein schwarzer Wasserstrom fliesst, und in dessen unterm Theile ein gelber, hinter sich gekehrter, stachlichter Meerfisch, mit einem langen Schwanze, im obern Theile aber ein vorwärts gekehrtes, weisses Ross, mit seinen obern beiden, zum Sprunge gestellten Füssen, offenem Rachen, und ausschlagender Zunge, bis an die Mitte in dem schwarzen Flusse steht, zu sehen ist, auf dem Schilde aber ist ein freier, offener, adeliger Turnier-Helm, zu beiden Seiten mit schwarzen, gelben, oder goldfarbenen, und blauen Helmdecken, daraus gehen zwei, mit den Mundlöchern auswärts gekehrte Büffelhörner, davon ist das hintere unten gelb, oben schwarz, das vordere unten schwarz ▓▓ oben gelb, zwischen denselben ist ein Mohr, mit einem engen blau▓ Leibrocke, auf dessen Brust herab mit gelben Schlingen und Knöpfen, auch um die Hand, goldfarbene Tressen, um den Kopf eine gelbe Binde, mit etwas zurück über sich fliegenden Enden, und mit den Händen an beide Büffelhörner sich haltend, vorgestellt."

Neetzow, die Herren von.

Eine altadelige Familie in Pommern, die mit dem bei Anclam gelegenen Rittersitze Kagenow belehnt war, und ihn heute noch besitzt. Am Ende des vorigen Jahrhunderts war *Adolph Friedrich* von Neetzow königl. Landrath, und Director des Kreises Anclam, Herr auf Kagenow. Gegenwärtig ist *Friedrich Wilhelm* v. Neetzow, Kreisdeputirter, im Besitze dieses Familiengutes. Er ist ein Urenkel *Bernds Ludwigs* v. Neetzow, königl. Rittmeisters. Die v. Neetzow führen im silbernen Schilde einen Stengel, mit neun Rosen, und auf dem Helme drei silberne Straussfedern. Die Decken sind silbern und blau. Micrälius giebt S. 509., Brüggemann I. Theil, S. 65., Nachricht von dieser Familie. v. Meding beschreibt ihr Wappen II. Bd. No. 598., und Siebmacher giebt es V. Th. S. 165.

Negelein (Nä), die Herren von.

Diese adelige Familie, die aus Franken stammt, besass in der Provinz Preussen sehr bedeutenden Grundbesitz, namentlich nennt sie Abel (2. Theil, S. 224.) als Besitzer von Weslin, Radersdorf,

Schönraden, Padersort, Pabren, Laxdehn, Sentainen, Födderau, Schelen, Pommern, Mulak u. s. w. Mehrere Mitglieder derselben haben in preuss. Diensten gestanden, und noch gegenwärtig stehen Edelleute dieses Namens in demselben. Einer v. Negelein, der früher als Stabscapitain in dem Regimente v. Courbiére gestanden hatte, war mehrere Jahre hindurch Bürgermeister in Insterburg.

Negri, die Herren von.

Dieser adeligen Familie gehört der Landrath des Kreises Malmedy und Prem.-Lieutenant, Ritter des rothen Adlerordens, von Negri, an.

Nehring, Herr von.

Se. Majestät, der König, erhob im Jahre 1836 den Gutsbesitzer *Ferdinand Ludwig* Nehring zu Rinkowken, in Westpreussen, unter dem Namen Nehring, genannt Szerdahelly, in den Adelstand.

Neindorff, die Herren von.

Aus dieser adeligen Familie standen im Jahre 1806 zwei Offiziere, einer als Lieutenant, in dem Regimente Prinz v. Oranien in Berlin; er war zuletzt Major und Platzmajor zu Magdeburg, und ist im Jahre 1834 mit Pension in den Ruhestand getreten, der andere stand im Artilleriecorps, und ist der gegenwärtige Oberst und Inspecteur der Artillerie-Werkstätten zu Berlin, Ritter mehrerer Orden, auch des eisernen Kreuzes 2ter Classe (erworben bei Lüneburg) v. N.

Der Ordensrath Hasse giebt ein Wappen der v. N. Es ist quadrirt; im 1. und 4. blauen Felde ist ein brauner Hirsch, mit einer goldenen Decke, worauf ein umgekehrtes W angebracht ist, vorgestellt. Im 2. und 3. goldenen Felde ist eine Krone sichtbar. Auf dem Helme erhebt sich eine braune Säule, unten mit zwei, oben mit drei Pfauenfedern geschmückt. Die Helmdecken sind blau und golden.

Nerlich, die Herren von.

Ein adeliges Geschlecht in Schlesien, das anfänglich im Glogauschen und Guhrauschen, später aber im Neissischen begütert war. Zuerst kommen die Brüder *Andreas Jakob* und *Wenzel* v. Nerlich vor. Der erste war fürstbischöfl. Rath und 1687 der hochlöblichen Stände in Schlesien Landesbestallter, der letztere ein gelehrter Theolog und gern gehörter Kanzelredner. — *Anton Heinrich* v. N. war 1724 fürstbischöfl. Rath und Regierungskanzler des Bisthums Breslau. Er war mit Anna Sabina v. Rottenberg und Endersdorf vermählt. So viel uns bekannt ist, erlosch dieses adelige Geschlecht am Ende des vorigen Jahrhunderts im Mannesstamme, und der letzte weibliche Abkomme war die vor mehreren Jahren verstorbene verwittwete Oberstin v. Paczenski, früher vermählte Baronin v. Rottenberg, Erb-, Lehn- und Gerichtsfrau auf Reisewitz bei Neisse.

Nesse, Herr von.

Karl Siegmund Friedrich von Nesse, geboren 1716 in Pommern, trat mit 20 Jahren in das Regiment damals Prinz Dietrich. Nachdem er die subalternen Offiziersgrade überschritten hatte, wurde er im Jahre 1758 Chef eines Grenadier-Bataillon, und starb am 3. Novbr. 1760 in der Schlacht bei Torgau den Tod für das Vaterland.

Nesselrode, die Grafen von.

Nesselrode ist der Name eines uralten adeligen, gegenwärtig reichsgräflichen Geschlechts, das ursprünglich dem Niederrhein angehört, von dem sich aber auch später Zweige nach Westphalen und Russland gewendet haben. Schon um das Jahr 942 wird einer *Barbara* v. Nesselrode erwähnt, die auf dem Turnier zu Rotenburg an der Tauber unter den Frauen und Jungfrauen war, welche zur Schau- und Helmtheilung verordnet waren. — Ebenso kommen v. N. auf den Turnieren zu Mörburg an der Saale im Jahre 968, auf dem zu Halle im Jahre 1042, und auf dem im Jahre 1176 abgehaltenen Turnier zu Cöln vor. — Im Jahre 1311 wird eines *Gottschalk* v. N. auf dem Turnier zu Ravensberg erwähnt, der zum Helm-Untersucher gewählt worden war. — Obgleich, wie man aus dem Vorhergehenden ersieht, die v. N. schon im 10. Jahrhunderte vorkommen, so fängt die ordentliche Stammreihe doch erst im 14. Jahrhunderte mit *Johann* v. N. an, der mit Sophie v. Stein vermählt war, die als Erbtochter ihrem Gemahle die Güter Stein und Lewenberg zubrachte. — *Wilhelm* I. v. N. erwarb durch Heirath das Gut Kreshoven. — Von seinen drei Söhnen wurde *Wilhelm* II. v. N. der Ahnherr der ältern Linie der Grafen v. N. Herten, Grimberg, Landskron und Reichenstein. Er lebte in der ersten Hälfte des 15. Jahrhunderts und war Amtmann zu Windeck, Geheimer Rath des Herzogs Adolph, Oberamtmann des Herzogthums Berg und Abgesandter bei dem Waffenstillstande zwischen seinem Herzoge und dem Herzoge Arnold von Geldern. Später theilte sich das Geschlecht in die Linien von Nesselrode-Landskron, N.-Reichenstein und N.-Kreshoven. — *Bertram* v. N. war bergischer Erbmarschall. — *Johann Salentin Wilhelm* v. N., Rode und Leithe, wurde am 4. Sept. 1710 in den Reichsgrafenstand erhoben und war mit Margaretha v. Brembt, Erbin der Güter Landskron, Grimberg, Fonderen, Veen u. s. w., vermählt; daher auch diese Linie der Grafen v. N. den Namen Nesselrode-Landskron, annahm. — *Johann Hermann Franz*, Reichsgraf v. N.-Landskron starb als kaiserl. Generalfeldmarschall im Jahre 1751. Er war am 13. März 1681 geboren, entwich aus dem elterlichen Hause, suchte Dienste unter einem fremden Namen und wurde gemeiner Soldat unter den münsterschen Truppen. Als Fähnrich wurde sein Name bekannt, deshalb nahm er seinen Abschied und trat in die Dienste seines Landesfürsten (Pfalz-Neuburg), in denen er zum Oberstlieutenant avancirte. Bei Errichtung des kaiserl. österreichischen Regiments Deutschmeister trat er als Oberstwachtmeister in dieses Regiment, ward 1705 als Oberst zum Regimente v. Virmund versetzt, wurde später Chef eines Regiments und General-Wachtmeister. Im Jahre 1719 wurde ihm das Oberkriegs-Commissariat und die General-Verwaltung der Kriegscasse in Italien anvertraut; 1723 aber ernannte ihn der Kaiser zum Feldmarschall-Lieutenant, Hofkriegsrath und General-Kriegs-Commissarius, 1726 zum General-Feldzeugmeister und wirkl. Geheimen Rath. Im Jahre 1740 gelangte er zur höch-

456 Nesselrode.

sten militairischen Würde und trat 1746 aus dem activen Dienste. Er war gleich ausgezeichnet als Kriegsheld, wie als Diplomat und Staatsmann. Ein Urenkel desselben, *Wilhelm*, Reichsgraf v. N.-Reichenstein-Landskron, starb als königl. preuss. Generalmajor von der Cavallerie, und da er seinem Vater, dem Grafen *Franz* v. N.-Reichenstein, im Tode voranging, so erlosch mit Letzterem diese Linie im Mannsstamme. Seine Erbtochter vermählte sich mit dem Erbdrosten Adolph Heidenreich, Grafen Droste zu Vischering, der im Jahre 1826 starb. Der Sohn aus dieser Ehe, Graf *Felix* (m. s. unten), nahm im Jahre 1826, da ihn sein Grossvater, der Graf *Franz* v. N.-Reichenstein adoptirte, den Namen Droste zu Vischering v. N.-Reichenstein an und erbte die reichen Besitzungen.

Die Linie zu Ereshoven.

Heinrich, der jüngere Bruder des zu Anfang erwähnten *Johann* v. N., ist der Stifter dieser Linie. — Von seinen Nachkommen war *Wilhelm Francis Johann Bertram* Freiherr v. N. Propst zu Münster, kaiserl. Geheimer- und Reichshofrath, Auditor der römischen Rota und Bischof zu Fünfkirchen in Ungarn. — *Philipp Wilhelm Christoph*, Freiherr v. N.-Ereshoven, ein Bruder des Vorigen, erhielt mit seinem erwähnten Bruder das Indigenat als ungarischer Magnat für alle österreich. Erbstaaten und für alle am 4. Sept. 1705 das Grafendiplom. — *Franz Karl*, Reichsgraf v. N.-Ereshoven, starb als kaiserl. Rath, jülich und bergscher Hofkammer-Präsident und Amtmann zu Steinbach. Von seinen 14 Kindern starb *Maria Julius Wilhelm Franz*, Reichsgraf v. N. Ereshoven als kaiserl. russischer ausserordentl. Gesandter und bevollmächtigter Minister am preuss. Hofe, im Jahre 1811 zu Frankfurt a. M., und wurde dadurch Stifter der russischen Linie von N.-Ereshoven.

Von der Linie N.-Reichenstein ist besonders aufzuführen: *Philipp Wilhelm*, Reichsgraf v. N.-Reichenstein, der 1778 zum Oberstenmeister des Johanniterordens zu Malta, in den deutschen Landen und des heil. röm. Reichs Fürst zu Heidersheim gewählt wurde. — Diese Linie erlosch mit *Franz Bertram Arnold*.

In der preuss. Armee ist zu hohen militairischen Würden gelangt: *Wilhelm*, Reichsgraf v. N.-Landskron-Reichenstein, geboren im Jahre 1778. Er trat im Jahre 1795 in österreichische Dienste und wohnte in denselben den Feldzügen bis 1801 bei. In dem Gefechte bei Verona und in der Schlacht bei Marengo nannten die Armeeberichte seinen Namen mit Auszeichnung. 1806 trat er als Oberst in bergsche Dienste und machte als solcher die Feldzüge in Spanien und Russland mit. Im Jahre 1813 erhielt er eine Anstellung als Oberst und Commandeur eines Cavallerie-Regiments im preuss. Heere, ward 1819 zum interimistischen Landwehr-Inspecteur, 1820 zum Commandeur der 13. Landwehrbrigade und 1822 zum Generalmajor befördert. Sein Tod erfolgte ein Jahr darauf.

Gegenwärtig besteht das gräfliche Haus Nesselrode aus folgenden Mitgliedern:

A. Nesselrode-Reichenstein und Landskron.

Marie Karoline, geb. den 13. Sept. 1779, vermählt am 13. Sept. 1799 mit dem Erbdrosten Adolph Heidenreich, Grafen Droste zu Vischering, Wittwe seit 1826.

Sohn:

Graf *Felix*, geb. den 4. August 1808. Er nahm 1826 durch Adoption seines Grossvaters, des Grafen *Franz* v. N.-Reichenstein, den Namen Droste zu Vischering v. Nesselrode-Reichenstein an und erbte die Nesselrode-Reichensteinschen und Landskronschen Güter, vermählt seit dem 2. Mai 1835 mit Marie Therese, Gräfin v. Bocholz-Asseburg, geb. den 25. Sept. 1815.

Schwester:

Marie Sophie Philippine, geb. den 9. Sept. 1784.

B. Nesselrode-Ereshoven.

Graf *Franz Bertram*, Herr zu Thumb, Gertenbügel, Ereshoven, Wetterode, Baswerter, Wegberg, Alt-Bernsau, Vilzheck, Stockhausen u. s. w., geb. den 1. Decbr. 1783, vermählt seit dem 16. Novbr. 1816 mit Marie Luise, Freiin v. Hanxleben zu Sassenberg, Dieck, Hemisburg, Hatzhausen u. s. w., geb. den 2. April 1799.

Kinder:

1) *Maximilian Bertram*, geb. den 20. Decbr. 1817.
2) *Stephanie Clementine Karoline*, geb. den 6. Decbr. 1818.
3) *Alfred Victor Franz*, geb. den 24. August 1824.
4) *Anne Leontine Gabriele Isabelle*, geb. den 30. Novbr. 1828.
5) *Marie Auguste Helene*, geb. den 20. Octbr. 1831.

Geschwister:

1) *Friedrich Karl*, geb. den 10. Januar 1786, kaiserl. russischer Generalmajor in der Suite des Kaisers.
2) *Karoline Auguste*, geb. den 16. Juni 1787, vermählt 1802 mit dem Grafen *Johann Wilhelm Franz Karl* v. Nesselrode-Reichenstein, Wittwe 1822, wieder vermählt mit Herrn v. Müller.
3) *Isabelle*, geb. den 8. Octbr. 1798, vermählt mit dem Grafen Ferdinand Ludwig Joseph v. Hompesch-Bollheim, Wittwe seit dem 24. Juni 1831.

Sohn des Vaters-Bruders, des Grafen Maria Julius Wilhelm Franz auf Markersbach, kaiserl. russischen Geheimen Raths und Kammerherrn, gewesenen Gesandten in Lissabon und Berlin (gestorben 1811), und der Luise Gontard.

Graf *Karl Robert*, geb. den 14. Decbr. 1780, kaiserl. russischer Vice-Kanzler, wirkl. Geheimer Rath und Chef des Ministerium der auswärtigen Angelegenheiten, Ritter des schwarzen Adlerordens (m. s. unten), vermählt mit der Tochter des verstorbenen kaiserl. russischen Finanzministers Grafen Gouriew, Ehren- und Portraitdame l. Maj. der Kaiserin v. Russland.

Tochter:

Helene, geb. 1815, vermählte Gräfin v. Kreglowitsch.

Das ursprünglich v. Nesselrodesche Wappen zeigt im rothen Schilde einen silbernen vier- und dreimal abwechselnd gezinnten silbernen Balken und auf dem gekrönten Helme einen rothen Doggenkopf.

Das Wappen der Grafen v. Nesselrode-Reichenstein und Landskron ist quadrirt und mit einem Herzschilde versehen. Letzteres enthält das ursprüngliche Stammwappen. Im 1. und 4. rothen Felde des Hauptschildes ist eine goldene Reichskrone dargestellt. Die Felder 2 und 3 sind gespalten und in der vordern silbernen Hälfte drei blaue Querbalken. Die andere Hälfte ist in die Quere getheilt; der obere Theil ist grün, der untere golden, und in demselben sind drei rothe Streifen. Das Hauptschild ist mit drei gekrönten Helmen bedeckt. Der rechte trägt einen silbernen Adlerflug mit den vier blauen Querbalken belegt, der zweite den Doggenkopf, welcher statt des Halsbandes den silbernen gezinnten Querbalken hat, und der dritte eine silberne Rübe mit grünem Kraute. Die Decken sind silbern, blau, roth und golden.

Das Wappen der Linie Nesselrode-Ereshoven ist sechsfach getheilt, einmal in die Quere und zweimal in die Länge. Im 1. und 6. schwarzen Felde ist ein goldener gekrönter Löwe dargestellt. Das 2. und 5. goldene Feld zeigt drei rothe, die Länge herunter gelegte Balken; das 3. und 4. goldene Feld ist mit einem links schräg gezogenen schwarzen Balken, der mit einem sechseckigen silbernen Sterne verziert ist, durchzogen. Das Herzschildlein enthält das ursprüngliche Stammwappen. Das Hauptschild ist mit einer Krone bedeckt, die vier gekrönte Helme trägt. Aus dem 1. wächst der goldene Löwe; auf dem 2. zeigt sich die Nesselrodesche rothe Dogge, auf dem 3. ist ein goldener Adlerflug mit den drei rothen Balken belegt, und auf dem 4. ein schwarzes Schirmbret, mit dem silbernen Stern belegt, dargestellt. Helmdecken roth und silbern, schwarz und golden. Zu Schildhaltern sind rechts der goldene gekrönte Löwe und links die rothe Dogge mit dem beschriebenen Halsbande gewählt. Das ganze Wappen ist mit einem herzoglichen rothen, mit Hermelin gefütterten Mantel umgeben.

Wir geben hier eine kurze biographische Skizze des Grafen *Karl Robert* v. Nesselrode-Ereshoven. Derselbe wurde am 12. Decbr. 1780 geboren, widmete sich frühzeitig der militairischen Laufbahn, und erwarb sich bald das Vertrauen seines Monarchen. Er schloss am 19. März 1813 den Vertrag mit dem preuss. Minister v. Hardenberg und mit Scharnhorst, der von so wichtigen Folgen für ganz Deutschland war. Nachdem er den Kaiser Alexander 1814 nach Frankreich begleitet hatte, unterzeichnete er am 1. März desselben Jahres die sogenannte Quadrupelallianz zu Chaumont und unterhandelte in der Nacht vom 30. zum 31. März mit dem Marschall Marmont wegen Uebergabe der Stadt Paris. Als kaiserl. russischer Bevollmächtigter auf dem Congresse zu Wien unterstützte er besonders die Abschaffung des Sclavenhandels und die Bildung des deutschen Bundes. Er unterzeichnete russischer Seits am 13. März 1815 die Achtserklärung gegen Napoleon, nahm an den Monarchen- und Minister-Congressen zu Aachen, Troppau, Laibach und Verona den thätigsten Antheil, und als der Graf Capo d'Istrias im Jahre 1821 aus dem russischen Ministerium schied, übernahm er die Leitung der auswärtigen Angelegenheiten. Er geniesst seit der Thronbesteigung des Kaisers Nikolaus ganz die Gnade und das Vertrauen seines Monarchen, wie er es als ausgezeichneter Staatsmann und Diplomat verdient. Als Anerkennung erhielt er im Jahre 1826 eine bedeutende Dotation, und ist mit den höchsten Orden auswärtiger Fürsten geschmückt worden.

Nettelhorst, die Grafen und Herren von.

Eine altadelige Familie in Preussen, aus der *George Ernst* v. Nettelhorst, ein Sohn des Hauptmanns *Dionysius* v. N., bis zum Range eines Obersten in der preuss. Armee stieg. Seit seinem 14. Jahre in Kriegsdiensten stehend, wohnte er den Feldzügen bis 1745 als Oberstlieutenant im Regimente Jung-Dohna rühmlichst bei, nachdem er sich vorher schon den Orden pour le mérite erworben hatte. Im Jahre 1746 ward er zum Obersten, und 1748 zum Chef des Garnisonregiments v. Heuking befördert. Sein Tod erfolgte im Jahre 1757 zu Glaz. Mit Charlotte Helene v. Trach vermählt, blieb seine Ehe kinderlos. — Die Familie ist mit dem deutschen Orden aus Westphalen in die östlichen Provinzen Preussen, Liefland, Kurland und Pommern gekommen. In letzterer Provinz besass diese Familie das Gut Warbelow. Es hatte nämlich *Georg* v. N., aus Kurland kommend, im Jahre 1619 dieses Gut käuflich von den Massows erworben. Sein Sohn und Erbe, *Georg*, wurde am 9. März 1687 damit belehnt. Zuletzt besass es der oben genannte Oberst *Georg Ernst* v. N.; von ihm ererbte es seine Wittwe. Diese vermählte sich zum zweitenmale mit dem Grafen Heinrich Leopold von Reichenbach - Goschütz, und das Gut Warbelow gelangte an eine in dieser zweiten Ehe erzeugte Tochter. — In Kurland ist eine Linie dieser Familie zur gräflichen Würde gelangt, von derselben besitzt ein Graf v. N. zu Mitau den preuss. Johanniterorden. — In der preuss. Armee stand im Jahre 1806 im Regimente No. 35. ein Stabscapitain v. N., der im Jahre 1819 als Oberstlieutenant aus dem 26. Infanterieregimente schied. Er hat sich bei Belle Alliance das eiserne Kreuz 1. Classe erworben.

Die v. N. führen im gespaltenen Schilde, in der rechts silbernen Hälfte einen rothen Hund, auf den Hinterbeinen sitzend, in der linken rothen Hälfte drei weisse Rosen. Auf dem Helme wiederholt sich zwischen einem rothen, mit drei weissen Rosen belegten und einem weissen, mit drei rothen Rosen belegten Adlerflügel der Hund. Die Decken sind silbern und roth.

M. s. Gauhe, II. S. 781. Zedler, XXIII. S. 1990.

Netz, die Herren von.

Die v. Netz, auch v. d. Netz, gehören zu dem alten Adel in Schlesien. Dieser Familie gehörten die grossen Güter Peilau, Weigelsdorf und Langen - Bielau bei Reichenbach. Die Langen - Bielauer Güter überliessen die Brüder *Ernst Heinrich* und *Joachim Heinrich* um das Jahr 1670 den von Sandretzki für die bedeutende Summe von 150000 Thlrn. Weigelsdorf erscheint als ein Stammhaus des Geschlechtes, denn der Vater jener beiden Brüder schrieb sich *Wolf Heinrich* von Netz und Weigelsdorf. Er war mit einer v. Niemitz aus dem Hause Wilkau vermählt. Der gedachte Ernst Heinrich hatte mit *Elisabeth v.* Vogten 9 Töchter und 1 Sohn, der frühzeitig starb, *Joachim Heinrich* v. N. aber, der die Güter Schlanse und Olbersdorf im Münsterbergschen erwarb, hatte mit Maria Elisabeth v. Landskron und Förstichen mehrere Söhne, von denen ihn zwei überlebten. Er selbst starb am 18. April 1709. Seine Nachkommen besitzen noch gegenwärtig das Gut Kosemitz bei Nimptsch. Der gegenwärtige Eigenthümer ist *Ernst Leopold* v. Netz. Im Jahre 1601 erhielt *Sebastian* v. N. das Indigenat in Polen vom Könige Sigismund II. pro meritis bellicis. Das Wappen dieses altadeligen Geschlechts zeigt im goldenen Schilde drei silberne Monde und über jeden eine rothe Kugel. Auf dem Helme ist ein silbernes und ein rothes Büffelhorn. Die Helmdecken silbern und roth. Sinapius, I. S. 663. II. S. 835. u. s. f. Okolski, Tom. III. Das Wappen giebt Siebmacher, 1. Th. S. 64.

Neuerburg, die Herren von.

Ein altadeliges Geschlecht in den Rheinlanden; namentlich hatten die v. Neuerburg und die Grafen v. Wied die Lehen der Burg Reichenstein.

Neuhaus, die Herren von.

Zwei Brüder, die Lieutenants Neuhaus, standen 1806 in der westphälischen Füsilierbrigade. Der älteste war im Jahre 1828 Capitain
im 78. Infanterie-Regimente; der jüngere stand 1849 als Major im
35. Infanterie-Regim. und wurde 1870 als Oberstlieutenant mit Pension
dimittirt. Er ist von dem jetzt regierenden Könige geadelt worden
und lebt auf seinem Gute Hünern bei Wohlau. Seine Gemahlin ist
Sophie, Gräfin v. Burghaus.

Neuhoff, die Freiherren und Herren von.

Ein altadeliges, zum Theil freiherrliches Geschlecht in Westphalen und in der Rheinprovinz, namentlich ist oder war dasselbe in dem
heutigen Kreise Altena des Regierungsbezirks Arnsberg ansässig. Hier
gehörte ihnen auch das Gut Burgelscheid bei Altena. Auf dem dasigen Herrenhause wurde *Theodor*, Baron v. Neuhoff, ein Sohn des
Hauptmanns der Garde des Bischofs v. Münster, v. N., im Jahre
1680 geboren, der, nachdem er in Cöln studirt hatte, nach dem
Haag entfliehen musste, weil er im Duelle Jemand getödtet hatte.
Durch Empfehlung des spanischen Gesandten erhielt er eine Anstellung als Lieutenant bei einem in Oran stehenden spanischen Regimente. Bei einem Ansfalle aber gerieth er in Gefangenschaft und
wurde dem Dey von Algier verkauft, dessen Gunst er sich erwarb und
18 Jahre hindurch Dolmetscher bei ihm war. Als die Corsen sich im
Jahre 1735 vom Joche Genua's befreiten und die Deys von Tunis und
Algier um Beistand gebeten hatten, sandten sie unter Anführung des
Barons v. N. zwei Regimenter zu Hülfe, 1 Million Zechinen und
Kriegsbedürfnisse aller Art. Bald war die Insel ganz erobert und
v. N. wurde im Jahre 1736 feierlich unter dem Namen Theodor zum
Könige von Corsika gekrönt. Er ernannte Hofämter und Grosswür-
denträger, liess Münzen schlagen und stiftete sogar einen Orden.
Als er aber von den Genuesern mehreremal überwunden worden war,
verliess er noch am Ende desselben Jahres Corsika und begab sich
nach Amsterdam, dort wurde er früherer Schulden wegen festgesetzt,
bald aber losgelassen und von mehrern Handelshäusern mit Kriegs-
bedürfnissen unterstützt. Nach kurzem Aufenthalte kehrte er 1738
wieder nach Corsika zurück, die Franzosen aber unterwarfen den Genuesern in demselben Jahre die Insel, und er musste wiederum flie-
hen, da ein Preis auf seinen Kopf gesetzt war. Neue Versuche in
den Jahren 1741 und 1744 waren erfolglos, denn, obgleich
seine Anhänger ihn abermals zum König ausriefen, so konnte er sich
doch nicht behaupten. Er schiffte sich 1749 nach England ein, wurde
dort von seinen Lieferanten Schulden halber verhaftet und sass bis
zum Jahre 1756 gefangen. Im letztgenannten Jahre sammelten die
Minister Walpole und Garrick, durch Theilnahme an seinem Schicksale
bewogen, Geldbeiträge, bezahlten seine Gläubiger und er wurde in
Freiheit gesetzt, starb aber noch im December desselben Jahres.
Seine Freunde liessen auf sein Grabmal setzen: „Das Glück gab ihm
ein Königreich und versagte ihm im Alter Brod."
Das Wappen der v. N. giebt Siebmacher, II. S. 117. Es zeigt
im schwarzen Schilde drei aneinander hängende silberne Ringe und
auf dem Helme einen schwarzen Hut mit silbernem Ueberschlage, der
mit sieben Straussfedern, welche mit den drei Ringen belegt sind,

gezlert ist. M. s. auch Ganhe, I. S. 1095 u. f. v. Hattstein, III. S.
110. Zedler, XXIV. S. 195 u. 196.

Neukirch, die Herren von.

Unter dem Namen die Ritter von der Neukirche kommen im 13.
und 14. Jahrhunderte verschiedene schlesische Edelleute vor, die an
den Höfen der Herzoge zu Liegnitz und Lüben in hohem Ansehen
standen, aber die berühmtesten Autoren, namentlich auch Thebesius
in seiner Handschrift, sind der Meinung, dass diese Ritter Zedlitze
waren, die sich nur nach dem Stammhause ihres Astes, dem bei
Goldberg gelegenen Schlosse und grossen Rittersitze Neukirch, nannten, das heute noch ein Besitz der Hauptlinie der Freiherren v. Zedlitz-Neukirch ist.

Neukirchen, (Neunkirchen) die Herren von.

Diesen Namen führen und führten mehrere adelige Familien in
Pommern und am Rhein, namentlich im Cleveschen, wo sie unter
dem Namen v. Nienkerken, als Besitzer von Hockelhausen, auf dem
rechten Rheinufer gelegen, vorkommen. Ebenso findet man sie auch
unter dieser Bezeichnung in Pommern, wo sie um das Jahr 1346
schon blühten, und auch um das Jahr 1611 wieder vorkamen. Gegenwärtig scheinen sie ausgegangen zu sein. In Böhmen war früher das
edle Geschlecht der Nova Cerque oder Neukirchen berühmt. Es gehört zu den Vorfahren des angesehenen Hauses Oderski. Die Neukirchen am Rheinstrome führen ein silbernes Schild, in die Quere durch
einen schwarzen Strich getheilt. Im obern Theile zeigt sich der Giebel oder das Thürmlein einer Kirche, auf dem Helme aber ein silberner Hundekopf. Die Decken silbern und schwarz.

Neumann, die Herren von.

1) Eine altadelige Familie in Schlesien, aus welcher verschiedene
Mitglieder zu hohen weltlichen und geistlichen Würden gelangt sind.
Franz v. Neumann war Comthur des Johanniterordens zu Sonnenburg,
im Jahre 1664 wurde er sogar Herrenmeister des Ordens. Er bekleidete diese hohe Würde jedoch nur kurze Zeit.

2) *David* v. Neumann, damals Lieutenant in dem Infanterieregimente v. Rothkirch, zuletzt Fürst v. Hohenlohe, wurde am 10. Juni
1779 vom Könige Friedrich II. in den Adelstand erhoben. Dieser
tapfre Offizier, geboren in Preussen um das Jahr 1738, stieg am 12.
Decbr. 1792 zum Major. Im Jahre 1793 erwarb er sich in den Niederlanden den Verdienstorden. Mehrere Jahre hindurch commandirte
er das Regiment von Courbière, und 1802 ernannte ihn der König zum
Commandanten der Festung Cosel, die er 1805 mit heldenmüthiger
Ausdauer bis zu seinem, noch während der Belagerung erfolgten Tode vertheidigte. Sein Grab befindet sich auf einer der Basteien des
Waffenplatzes, den seine Tapferkeit in der unglücklichen Zeit als einen Punkt bezeichnete, in dem der alte preussische Heldengeist dem
damaligen Waffenglück der Franzosen mit Ehren widerstand. — Ein
Sohn *David* v. Neumanns ist der gegenwärtige Generalmajor und Brigadier der 2. Garde-Landwehrbrigade, Ritter vieler Orden, auch des
eisernen Kreuzes 1. Cl., erworben bei Belle Alliance, v. Neumann.

Er stand bis zum Jahre 1806 in dem Regimente v. Sanitz, und commandirte bis zu seiner gegenwärtigen Anstellung das Garde-Jägerbataillon. — Ein Bruder des Letztern starb im Jahre 1818 als Major und Commandeur des Breslauer Garde-Landwehrbataillon. Mehrere Söhne desselben dienen schon wieder als Offiziere in der Armee. — Das dieser Familie bei ihrer Erhebung in den Adelstand beigelegte Wappen zeigt im rothen Schilde einen silbergerüsteten Arm, der einen silbernen Pfeil hält. Auf dem gekrönten Helme stehen zwei weiss und roth geviertete Adlerflügel.

Nickisch, (Nikisch) die Herren von.

Das alte vornehme Geschlecht der v. Nickisch und Roseneck gehört zur Ritterschaft der Provinz Schlesien, wo sie anfänglich in den Fürstenthümern Oels und Liegnitz, später auch in andern Gegenden dieser Provinz ansässig waren und noch gegenwärtig ansehnliche Güter besitzen. Der Stammherr der Familie, *Hans* v. Nickisch und Roseneck, war Rath und Burggraf des Erzherzogs Karl von Oesterreich, Bischofs von Breslau und Brixen, Bruders Kaiser Ferdinands II. Von gedachtem Kaiser erhielt die Familie einen am 18. Juli 1623 zu Wien erlassenen ehrenvollen Gnadenbrief. Der Sohn des *Hans* von Nickisch war *Daniel* v. Nickisch, Erbherr auf Adelsdorf bei Haynau und Trzebitzko bei Militsch, er pflanzte seinen Stamm durch drei Söhne: 1) *Balthasar*, 2) *Daniel* und 3) *Sigismund*, fort.

1) *Balthasar* v. Nickisch und Roseneck durchreiste fast alle Länder Europa's und zog auch mit dem polnischen Gesandten v. Opalinski nach Italien, um die Tochter des Herzogs v. Mantua, die Wladislaw IV., König von Polen, zur Gemahlin erwählt hatte, abzuholen. Nach seiner Rückkehr ins Vaterland erwarb er 1648 die Güter Stroppen, (Städtchen), Konradswaldau, Krumpach, Pelkau u. s. w., er starb 1688 zu Stroppen. Von vielen Kindern überlebte ihn nur ein Sohn, *Christian Friedrich* v. Nickisch und Roseneck, der neben den väterlichen Gütern auch Säbnitz bei Liegnitz besass, Landesdeputirter war und mit Franziska Anna Ursula v. Studnitz aus dem Hause Wontschütz einen Sohn, *Balthasar* v. Nickisch, und eine Tochter, *Sophia*, erzeugte.

2) *Daniel* v. Nickisch und Roseneck hinterliess zwei Söhne, *Christian Ferdinand* v. Nickisch und Roseneck auf Ober-Säbnitz, der unvermählt starb, und *Hans Balthasar* v. Nickisch und Roseneck. Der Letztere pflanzte sein Geschlecht wieder mit zwei Söhnen fort. Von diesen war der älteste, *Daniel Gottlob* v. Nickisch und Roseneck, mit Anna Ursula v. Seher aus dem Hause Tannhausen vermählt. Sein jüngerer Bruder war *Ernst Rudolph* v. Nickisch und Roseneck auf Adelsdorf.

3) *Sigismund* v. Nickisch und Roseneck hatte Trzebitzko ererbt. Er starb ohne männliche Nachkommen. Von seinen vier Töchtern vermählten sich die älteste an einen v. Jalofski, die zweite an einen v. Prittwitz, die dritte an einen v. Mutschelnitz, die vierte an einen v. Langenau.

Die genannten Güter sind nicht mehr in den Händen der Familie, dagegen erwarb dieselbe später andere Besitzungen, namentlich Kuchelberg bei Liegnitz, Schwarzau, Mühlrädlitz, Nieder-Herzogswalde u. s. w. Kuchelberg besitzt gegenwärtig der Kreis-Deputirte *Karl Heinrich Ernst* v. Nickisch-Roseneck, der älteste der Söhne des verstorbenen Land- und Justizraths *Karl Heinrich Gottlob* v. Nickisch-Roseneck, dem auch das früher v. Kottwitzische Gut Schwarzau bei Lüben gehörte. Seine Erben besitzen es noch gegenwärtig. Mühlrüdlitz verkaufte der Landrath und Kammerherr *Heinrich Sigismund Ferdinand* v. Nickisch, Bruder des Vorigen, an den Grafen Ludwig v. Nostitz. Ein dritter Bruder war Landrath im Kreise Grünberg. Mehrere Söhne der genannten drei Brüder v. Nickisch und Roseneck dienen gegenwärtig in der Armee.

Diese Familie führt ein quadrirtes Wappenschild; im 1. und 4. goldenen Felde ist ein schwarzer Adler mit ausgebreiteten Flügeln und von einander gestreckten Füssen dargestellt; das 2. und 3. rothe Feld ist mit drei silbernen Rosen, eine über der andern schräg von der untern Rechten zur obern Linken geziert. Auf dem gekrönten Helme ist ein gekrönter Adler abgebildet, dessen rechter Flügel halb golden und halb schwarz ist; der goldene Theil ist mit zwei schwarzen, der schwarze aber mit zwei goldenen Rosen belegt. Der linke Flügel des Adlers ist halb roth, halb silbern. In der rothen Hälfte sind zwei silberne, in der silbernen aber zwei rothe Rosen dargestellt. Die Helmdecken sind rechts golden und schwarz, links roth und silbern. Dieses Wappen giebt Siebmacher, IV. S. 134. v. Meding beschreibt es III. No. 567. M. s. auch Sinapius, I. S. 663. und II. S. 836. Gauhe, I. S. 1099.

Niebelschütz, die Herren von.

v. Niebelschütz ist der Name eines uralten adeligen Geschlechts, das mit der Gemahlin des Herzogs Heinrich des Treuen, Mechtild, einer braunschweigischen Prinzessin, zu Anfange des 14. Jahrhunderts nach Schlesien gekommen ist. Einige Autoren leiten den Namen von den Worten: „Nie übel Sclhütz" ab, und sagen, dass der Ahnherr des Geschlechts eine besondere Fertigkeit im Schiessen gehabt, den Feinden dadurch viel Abbruch gethan habe und zur Belohnung dafür zum Ritter geschlagen worden sei. Das älteste Stammhaus der Familie ist das Gut Bartsch im Wohlauischen. — Schon in Urkunden vom 14. Jahrhunderte kommen Ritter v. Niebelschütz vor. — Im Jahre 1458 starb *Theodor* v. N., der als ein sehr wohlthätiger Herr geschildert wird. — *Kaspar* v. N. kommt im Jahre 1475 als Hauptmann zu Crossen vor. — *Sigismund* v. N. war im Jahre 1501 Landesältester des Fürstenthums Glogau. — Im Jahre 1554 starb *Martin* v. N. als bischöfl. breslauscher Kanzler, Kanonikus der beiden Kirchen zu Breslau und Propst zu Glogau. — Um das Jahr 1600 wird *Wolfgang* v. N. als königl. Landgerichtsbeisitzer im Fürstenthume Glogau genannt. — Um dieselbe Zeit lebte *Nikolas* v. N., der von seinen Zeitgenossen als ein vielgereister und gelehrter Mann geschildert wird, und 1620 als Landeshauptmann zu Trachenberg starb. — *Sigismund* v. N. starb 1630 als fürstl. Rath und Landeshauptmann zu Wohlau. — *Wolf Christian* v. N. war 1638 königl. Mann-Rechts-Beisitzer im Fürstenthume Glogau. — Im Jahre 1650 war *Heinrich* v. N. Landesältester im Fürstenthume Wohlau. — *George Christoph* v. N. kommt im Jahre 1665 als Assessor beim Land-Hofgerichte zu Oels vor. — Die Familie zerfiel nach und nach in mehrere Häuser, namentlich in das zu Rietschütz mit den Nebenlinien Gafron, Kreidelwitz, Rauden, Rostersdorf, Alt-Wohlau, Kuttlau, Leschkowitz, Gugelwitz, Herzogswalde, Ibsdorf und Rointen, in das Haus Lasla auf Retka mit den Nebenlinien Kaltenpriesnitz, Pridomost und Jagatschütz; in das Haus Gleinitz mit den Linien Stumberg, Ellguth, poln. Bortschen, Linden und Behsau. Ausser diesen genannten Familiengütern erwarben die v. N. anderweitigen bedeutenden Grundbesitz, namentlich Giessmannsdorf im Glogauischen, Peitke im Wohlauischen, Bäsau, Hünderei, Merzdorf,

Massernig im Glogauischen, Konradswaldan im Oelsischen, Schwarzau, Buchwäldchen, Hummel, Muckendorf u. s. w. im Liegnitzischen, Reichwald im Breslauischen u. s. w. Im Wohlauischen besass im Jahre 1806 *Hans Ernst* v. N. Wehle-Fronze. Noch heute besitzt ein Sohn des Genannten, der Major v. N., dieses Gut. — In der Gegenwart ist *Hans Ernst* v. N. Besitzer der alten Familiengüter Gleinitz, Stumberg und Metschlau, die ersten beiden im Glogauischen, das letztere im Sprottauischen. — Mehrere Mitglieder der Familie erwarben sich im Laufe des Befreiungskampfes das eiserne Kreuz.

Die v. Niebelschütz führen im blauen Schilde zwei abgehauene silberne Schwanenhälse mit rothen Schnäbeln, deren Köpfe gegen einander gerichtet sind, und auf dem Helme eine rothe Säule, die mit drei Straussfedern (blau, silbern, blau) besteckt ist. M. s. Siebmacher, I. S 61. Nachrichten über dieses Geschlecht giebt Sinapius, I. S. 665 — 674. II. S. 840 u. f. Gauhe, I. S. 1100. Zedler, XXIV. S. 692 — 95.

Nimptsch, die Grafen, Freiherren und Herren von.

1) Das ursprüngliche Vaterland der v. Nimptsch ist, wie die ältesten Autoren behaupten, Polen, und sie sollen hier aus dem alten Hause der Doneza abstammen, das aber selbst mit *Clemens*, Bischof zu Kruschwic, im Jahre 994 aus Italien nach Polen gekommen ist, und in dem Bruder jenes Bischofs, der *Bonifacius* hiess, und in dem neuen Vaterlande abgekürzt Boneza genannt wurde (m. s. Okolski, I. S. 62), den Stammherrn verehrt. Ein Nachkomme des Geschlechts liess sich in Schlesien nieder, er erwarb ·hier ein, im Fürstenthume Brieg gelegenes Dorf, das Alt-Nimptsch geheissen haben, und noch älter, als die Stadt Nimptsch sein soll. Von diesem Orte nannte sich die Familie von Nimptsch. Vorzüglich wird unter diesem Namen *Conrad*, ein berühmter Kriegsoberster, genannt, der mit den Kreuzherren in Polen gefochten hat. Jedoch nennen mehrere Autoren, auch Sinapius und Sommer, den *Johann*·v. N., der im Jahre 1314 Prälat zu St. Johannes in Breslau war, und im Jahre 1353 hatte *Conrad* v. N. auf Gross-Koszem, Ritter des Maltheserordens, die Ehre, dem Kaiser Karl IV. die Tochter Heinrichs, Herzogs zu Jauer, als Gemahlin zuzuführen. — In demselben Jahrhunderte überliessen die Brüder *Lorenz* und *Hans* v. N. schon ihre Besitzungen im Riesengebirge, namentlich Warmbrunn, Schmiedeberg u. s. w., an die Gottsche Schaff, die Vorfahren der heutigen Grafen v. Schaffgotsch. — Der oben erwähnte *Conrad* v. N., Kriegsoberst, lebte am Anfange des 15. Jahrhunderts. Er wurde vom Kaiser Sigismund in den Freiherrnstand erhoben und mit vielen Gütern in Schlesien begnadigt. — *Urban* v. N. gelangte im Jahre 1488, am Tage Mariä Empfängniss, zur Würde eines Landeshauptmanns von Glogau, und *Christoph* v. N. auf Kaulitz wurde am 29. Januar 1652 Landeshauptmann von Münsterberg. — Im 16. Jahrhunderte schon, und noch bis in die neueste Zeit besassen die v. N. ansehnliche Güter in dem Vorgebirge der Sudeten, namentlich Falkenhain, Röwersdorf, Maiwaldau, Schwarzbach, Alt-Schönau, Ober- und Nieder-Leipe, Wederau u. s. w. Die Söhne des *Johann* v. N. auf Falkenhain, Ober-Steuer-Einnehmers der Fürstenthümer Schweidnitz und Jauer, *Hans Friedrich* und *Sigismund*, wurden am Anfange des 17. Jahrhunderts in den Freiherrnstand erhoben, und *Johann Heinrich*, Freiherr v. N., ein Sohn des eben erwähnten *Hans Friedrich*, Herrn zur Oelse, Ullersdorf, Gr. und Kl. Neudorf u. s. w., der die Würde eines kaiserl. wirkl. Geheimen Raths, Kümmerers und

Landeshauptmanns zu Glogau bekleidete, und mit Dorothea, Reichsgräfin v. Zinzendorf und Pottendorf, vermählt war, wurde vom Kaiser Leopold am Ende des 17. Jahrhunderts die reichsgräfliche Würde
beigelegt. — Von seinen Kindern wurde *Johann Friedrich*, Graf v. N.,
Freiherr zur Oelse, kaiserl. Reichshofrath. Seine Gemahlin war Johanna Theresia, Gräfin v. Althan. *Christoph Ferdinand*, Graf v. N.,
Freiherr zur Oelse und Hohenfriedberg, war mit Maria Magdalena,
Gräfin v. Gilleis, vermählt. Der dritte Sohn, *Franz Leopold*, hatte
eine Gräfin Erdödy zur Gemahlin. — Ein Bruder des oben erwähnten ersten Grafen v. N. war *Friedrich Leopold*, Graf v. N. auf Falkenhain, der mit einer Gräfin v. Karwath vermählt war. Eine Schwester dieser beiden Grafen war Aebtissin des fürstl. Jungfrauenstifts zu
Striegau. — Diese vornehme und reiche Familie zerfiel in viele
Zweige und Häuser, namentlich in die Häuser Oelse, Leipe, Alt-
Schönau, Falkenhain, Kummelwitz, Habendorf u. s. w. Sie sind in
der Gegenwart sämmtlich erloschen. Der letzte weibliche Zweig des
gräflichen Geschlechtes starb als verwittwete Gräfin v. Schlabrendorf
vor einigen Jahren zu Wien. Daselbst lebt noch heute die Wittwe des
Grafen *Ferdinand* v. N., Obersthofmeisterin der Gemahlin des Erzherzogs Karl, Maria Karoline, geb. Gräfin v. Zierotin. — Die Familie v. N. gehörte der katholischen Religion an. — Aus dem Hause
Falkenhain lebten am Anfange dieses Jahrhunderts noch zwei Fräulein v. N., die Freiinnen *Josepha* und *Francisca*, welche das Gut
Ober- und Mittel-Falkenhain besassen. Ihr Neffe und Erbe Johann
Heinrich v. Weyher, königl. preuss. Geheimer Ober-Finanz-, Kriegs-
und Domainenrath, nahm am 31. August des Jahres 1806 mittels Diplom den Namen und das Wappen des freiherrlichen Geschlechtes v.
Nimptsch an. Gegenwärtig besitzt ein Sohn desselben, der königl.
preuss. Major a. D. und Kammerherr, *Philipp*, Freiherr v. Weyher
und Nimptsch, diese Güter.
    Das ursprüngliche Wappen der v. N. war getheilt. In dem obern
silbernen Theile ist ein halbes schwarzes Einhorn mit dem Horne nach
vorn gekehrt, dargestellt. In dem untern rothen Felde ist der hintere Theil des oberen Einhorns, der sich in einen gekrümmten silbernen Fischschwanz endigt, abgebildet. Auf dem Helme zeigt sich
das halbe schwarze Einhorn, jedoch ohne Schwanz. Das Horn hat
fünf Theile, an der Spitze ist es roth, der 2te Theil silbern, der 3te
roth, und so fort. Die Helmdecken sind silbern und roth. Siebmacher giebt dieses Wappen, I. S. 58. M. s. Sinapius, I. S. 63—68.
II. S. 151—158. Gauhe, I. S. 1103. Spangenbergs Adelsspiegel, II.
S. 217.
    2) Eine adelige Familie dieses Namens, die im Breslauischen be-
gütert ist. Ihr gehörte an *Karl Theodor* v. Nimptsch, früher auf Masselwitz, und zuletzt Landrath des breslauer Kreises. Der einzige Sohn
desselben ist der Polizei-Districts-Commissarius und Lieutenant v.
d. A., auf Jäschkendorf bei Breslau. Er ist mit einer v. Gilgenheim,
aus dem Hause Franzdorf, vermählt.

Noble, le, die Herren von.

    Ein adeliges Geschlecht aus Lothringen. Aus demselben war
Franz v. le Noble, der aus französischen Diensten in pfälzische, öster-
reichische, und zuletzt 1756 in preussische trat. Er wurde am 13.
November 1757 Oberst und errichtete in Naumburg ein Freibataillon.
Nach dem Hubertsburger Frieden wurde daraus ein Garnisonregiment
gebildet, dessen Chef er ward. Er starb aber schon am 5. Febr. 1772,

v. Zedlitz Adels-Lex. III.   30

kaum 54 Jahre alt. Ein Enkel desselben stand 1806 in der warschauer Füsilierbrigade, und war zuletzt Major und Chef der 21. Infanterieregiments Garnison-Compagnie.

Normann (Norrmann), die Herren von.

Das uralte Geschlecht der v. Normann oder Norrmann, das in alter Zeit auch Narmann und Nahrmann genannt worden ist, kommt schon im 13. Jahrhunderte unter dem angesessenen Adel auf Rügen vor. Manche Autoren lassen es schon im Jahre 454 bekannt sein, wo, der Sage nach, Vorfahren desselben unter dem vandalischen Könige Gänserich gestritten haben sollen. Auf der Insel Rügen sind die Güter Dubkewitz, Helle, Liddow, Jarnitz, Lebbin, Lase, Niendorf, Poppelwitz, Tribberatz und Tribbewitz, im Kreise Grimmen Niederhoff, Eckhoff u. s. w., alte Besitzungen der v. Normann. Im Kreise Anclam gehörte ihnen Turow, im Kreise Demmin Hohen-Brüsow, Mocker, Strelow, Werder. *Heinrich* v. Normann war 1556 Statthalter des Stifts zu Camin, ein anderer *Heinrich* v. Normann von 1573 bis 1584 Landvoigt auf Rügen. *Melchior* v. Normann war des Herzogs Ernst Ludwig von Pommern erster Rath und Minister, und führte mit unbeschränkter Vollmacht die Regierung des Landes. Zweige dieser Familie wurden in Schweden und Dänemark einheimisch, andere liessen sich in Schlesien, im Würtembergschen und in andern Ländern und Provinzen nieder. Im Würtembergschen gelangten die v. N., mit dem Namen v. Ehrenfels, im Jahre 1807 zur gräflichen Würde. Dieser Linie gehörte der als Commandirender bei dem Ueberfalle des Lützowschen Corps bei Kitzen und später auch als Philhellene bekannt gewordene verstorbene General v. N. an. In Schlesien erwarb am Ende des 17. Jahrhunderts ein v. Normann das Gut Peterwitz. In der Neumark besass der Generalmajor *Karl Ludwig* v. Normann (m. s. unten) Neuwedel und andere Güter. *Matthäus* v. N. hat sich als Schriftsteller durch Herausgabe eines Werks, betitelt: Wendisch-Rügianischer Landgebrauch. Fol. Stralsund und Leipzig 1777, bekannt gemacht. Im preuss. Dienste standen von der schlesischen Linie: *Johann Christian* v. Normann, Landrath des Kreises Jauer. Von seinen Söhnen stand der ältere als Rittmeister im 5. Uhlanenregimente, der jüngere ist Major und Chef der Garnison-Compagnie des 9. Infanterieregiments in Colberg. Beide haben sich das eiserne Kreuz in Frankreich erworben. Bei der Kriegs- und Domainenkammer zu Cüstrin stand 1806 ein Oberforstmeister v. Normann. Er starb am 28. April 1810 75 Jahr alt, und war mit Sophie Lietzmann verehelicht gewesen. Nicht bekannt ist es uns, ob er ein Sohn des am 18. März 1767 zu Breslau verstorbenen Geheimen Raths und Kammerdirectors v.N. war. Gegenwärtig ist ein v. Normann Kammergerichts-Assessor, und bei dem General-Commissariat der Neumark zu Soldin angestellt. — Ein Rittmeister v. Normann ist Curator des adeligen Fräuleinklosters zu Barth. — In der preuss. Armee gelangte zu höheren Würden *Karl Ludwig* v. Normann, aus dem Hause Werder, geb. 1707. Er durchlief alle Grade bis zum Oberstlieutenant in dem Dragonerregimente Graf v. Lottum, wurde 1749 Oberst des Dragonerregiments v. Oertzen und 1750 Generalmajor. Im Jahre 1755 verlieh ihm K. Friedrich II. das Dragonerregiment vacant von Ahlemann. Er starb a. D. am 23. April 1780 auf seinem Gute Neuwedel in der Neumark. Mit Ruhm hatte er die Feldzüge König Friedrichs II. mitgemacht, der ihn auch mit dem Orden des Verdienstes schmückte. — *Georg Balthasar* v. Normann, auf Rügen geboren, hatte vom Jahre 1744 bei dem Dragonerregimente Markgraf von Anspach und Baireuth gestanden, und

schon in der Schlacht bei Hohenfriedberg mit grosser Auszeichnung
gefochten. Im Jahre 1769 zum Major, 1782 zum Oberstlieutenant,
und am 3. Juni 1783 zum Obersten befördert, wurde ihm im Jahre
1788 die Inspection der pommerschen und neumärkischen Cavallerie
anvertraut, und 1789 ertheilte ihm König Friedrich Wilhelm II. das
vacante v. Götzensche Dragonerregiment; und noch in demselben Jahre
erfolgte seine Ernennung zum Generalmajor. Im Jahre 1792 trat der
General v. Normann in den Stand der wohlverdienten Ruhe, und als
Beweis der Zufriedenheit mit den geleisteten Diensten, wurde er mit
dem grossen rothen Adlerorden geschmückt. Im hohen Alter ist dieser würdige General gestorben; er war kinderlos und adoptirte den
Sohn seiner Schwester, einen v. Kahlden. (M. s. d. Artikel.) — Ein
Oberstlieutenant v. Norrmann war im Jahre 1806 Commandeur des Infanterieregiments v. Kropf in Warschau; er ist im Jahre 1811 gestorben. Ein Sohn von ihm ist der, früher im Regimente v. Hohenlohe
gestandene, gegenwärtige Major im herzogl. braunschweigschen Diensten v. N. — Ein Generalmajor v. N. a. D. erhielt im Jahre 1816
den rothen Adlerorden 2. Classe.
Das alte Wappen der v. Norrmann zeigt im oben silbernen, unten blauen Schilde, hier drei neben einanderstehende rothe Wecken,
dort einen verkürzten schwarzen Adler mit ausgebreiteten Flügeln.
Der adelige Turnierhelm ist mit drei Pfauenfedern geschmückt, die
mit einer silbernen Scheere belegt sind. Die Helmdecken sind silbern
und roth. M. s. Gauhe, I. S. 1072 u. Anh. 1654. Sinapius, II. S. 845.

Nostitz, die Grafen, Freiherren und Herren von.

Ein uraltes, vornehmes Geschlecht in Schlesien, der Lausitz und
Böhmen, das gegenwärtig in mehreren Linien die reichsgräfliche Würde
besitzt. Schon im 5. Jahrhunderte haben sich Nostitze bekannt gemacht. Sie sollen von den Vandalen oder Slavoniern abstammen, und
sich um die Mitte des 17. Jahrhunderts in Polen, Mähren und den
oben genannten Ländern niedergelassen haben. Im Jahre 1147 begleiteten zwei Brüder Nostitz den Kaiser Conrad III. ins gelobte Land;
der eine von ihnen, *Friedrich* Nostitz, zeichnete sich in Syrien durch
Tapferkeit aus und wurde vom Kaiser zum Ritter geschlagen. — *Stanislaus* v. Nostitz, der um das Jahr 1241 lebte und ein tüchtiger
Kriegsoberst war, rieth dem Herzoge Heinrich dem Frommen, eine
öffentliche Schlacht mit den Tartaren nicht zu wagen, sein Rath wurde
aber nicht angenommen. — *Hartwig* v. N., Herr auf Dammitsch,
Hauptmann zu Steinau, starb um das Jahr 1285. — In einer Urkunde
zu Liegnitz vom Jahre 1452 kommen *Hans*, *Heinze* und *Otto* v. N.
vor. — *Kaspar* v. N. auf Tschochau, Rothenburg und Gotha, führte
1454 1000 Pferde in den preuss. Krieg. — *Sigismund* v. N. besass
eine ungewöhnliche Körperstärke, und war Kriegsoberster des Königs
Matthias, dem er wichtige Dienste leistete. Man erzählt von ihm, dass
der König Matthias ihm einst auftrug, einem Löwen, der auf der
Burg zu Ofen verwahrt wurde, ein Stück rohes Fleisch aus dem Rachen zu reissen, welches er auch zur grossen Verwunderung des Hofes glücklich ausgeführt habe. — Als 1474 der König Kasimir von
Polen und Uladislaus von Böhmen, Vater und Sohn, Breslau belagerten, machte *Kaspar* v. N. mit dem schlesischen Adel einen Einfall in
Polen. — *Georg* v. N. suchte nach der unglücklichen Schlacht von
Mohacz (29. August 1526), in welcher König Ludwig von Ungarn in
einen Sumpf gerathen und darin umgekommen war, den Leichnam
desselben, zog ihn aus dem Schlamme und brachte ihn der trauernden

30 *

Königin. — *Ulrich* v. N. war um das Jahr 1560 kaiserl. Rath und erster Landeshauptmann in der Oberlausitz. — Einige Jahre später lebte *Friedrich* von N., der von seinen Zeitgenossen für einen glücklichen Dichter gehalten wird. — Am 11. Juli des Jahres 1619 ward *Hieronymus* v. N., ein sehr gelehrter Mann, von Abraham v. Uechtritz und Steinkirch im Zweikampfe erstochen. — *Christian* v. N., kaiserl. und herzogl. öls- und bernstädtischer Oberamts-Kanzler, wurde im Jahre 1634 vom Kaiser Ferdinand II. in den Freiherrnstand erhoben. Er besass die Herrschaft Seidenberg. — *Sigismund* v. N. war wirklicher Landeshauptmann zu Wohlau und Vormundschaftsrath des Prinzen Georg Wilhelm, und starb im Jahre 1678. — Im Jahre 1657 am 29. Octbr. hatten die Vettern des Geschlechts der Nostitze eine Versammlung zu Görlitz. Es wurde daselbst ein Familienpact errichtet, in dem unter andern auch festgesetzt wurde, dass, wenn einige Misshelligkeiten unter den Geschlechts-Mitgliedern vorkommen sollten, dieselben den Aeltesten des Geschlechts erst vorgelegt werden müssten, ehe sie vor einen andern Richterstuhl gelangten. — Dieses alte und vornehme Geschlecht theilte sich nach und nach in viele Häuser und Linien, namentlich in die Häuser Herzogswaldau, Zedlitz mit den Nebenlinien Ulbersdorf und Quolsdorf, Lampersdorf, Ransen, Tschochau, Rothenburg und Gotha. Das Haus Ransen zerfiel wieder in die Linien Dammitsch, Schönborn, Teschwitz und Wandritsch. Ausser diesen genannten Gütern erwarb die Familie sehr bedeutenden Grundbesitz in Schlesien, der Lausitz, Böhmen, Ungarn und Franken. — Aus dem Hause Dammitsch wurde *Georg Sigismund* im Jahre 1711 unter der Reichs-Vicariats-Administration in den Reichsgrafenstand erhoben. Er war königl. polnischer und kurfürstl. sächsischer Kammerherr und ausserordentlicher Gesandter und bevollmächtigter Minister an verschiedenen Höfen gewesen. Seine Gemahlin war Eva v. Niebelschütz und Gleinitz, in welcher Ehe vier Söhne geboren wurden. Er besass die Güter Dammitsch, Nieder-Dammer, Gläsersdorf und Schönau. Von seinen Söhnen starb *Georg Ludwig*, Graf v. N., am 7. Januar 1758 zu Neumarkt an seinen in der Schlacht bei Leuthen empfangenen Wunden, als königl. polnischer und kurfürstl. sächsischer Generallieutenant der Cavallerie und Commandeur eines Chevaux-legers-Regiment. Seine Gemahlin war Eleonore Elisabeth, Freiin v. Zedlitz, die sich nach dem Tode ihres ersten Gemahls (2. Octbr. 1761) wieder mit Julius Ferdinand v. Trützschler, königl. polnischem und kurfürstl. sächsischem Stallmeister, vermählte. Diese letztere Ehe gab die Veranlassung zu dem Entstehen des heutigen gräfl. Hauses Zedlitz-Trützschler; denn der in derselben gezeugte Sohn Gottlieb Julius Trützschler v. Falkenstein wurde der Erbe seines mütterlichen Oheims, unter der Bedingung, den Namen und das Wappen eines Grafen von Zedlitz-Trützschler anzunehmen. M. s. diesen Artikel. Aus dem Enkeln des oben erwähnten Grafen Georg Sigismund besteht gegenwärtig das gräfliche Haus v. N. schlesischer Linie.

Der Gründer der böhmischen Linie ist *Christoph Wenzel*, Graf v. N. und Rieneck, geb. 1645. Er wurde im Jahre 1692 in den Reichsgrafenstand erhoben, und war kaiserlich wirklicher Geheimer Rath, Kämmerer und bevollmächtigter Landeshauptmann der Fürstenthümer Schweidnitz und Jauer. Er besass die Herrschaften und Güter Rokitnitz, Seifersdorf, Profen, Lobris u. s. w. — Die Linie zu Rieneck wurde von *Johann Hartwig*, Reichsgrafen v. N., gestiftet, der kaiserl. wirklicher Geheimer Rath, Ritter des goldenen Vliesses und oberster Kanzler des Königreichs Böhmen war. Er erkaufte nach dem Absterben der Grafen v. Rieneck einen Theil dieser Grafschaft, und erhielt die Grafenwürde des heil. römischen Reiches.

Alle drei Linien blühen heute noch fort und bestehen gegenwärtig aus folgenden Mitgliedern:

A. Linie zu Rokitnitz.

(Aufenthaltsort: Prag.)

Graf *Joseph*, geboren den 3. Septbr. 1764, k. k. Kämmerer, wirklicher Geheimer Rath, Oberstlieutenant, Herr der Herrschaft Rokitnitz in Böhmen und der Güter Lobris und Steinseifersdorf in Schlesien, vermählt am 9. Juli 1787 mit Johanna, Tochter des letzten Grafen Johann Gottlieb v. Bees, Sternkreuzdame, geb. den 30. Novbr. 1770. Wittwer seit dem 3. Juni 1821.

Kinder:

1) *Johann Wenzel*, geboren den 25. Januar 1791, k. k. Kämmerer, Rittmeister i. d. A., Herr der Herrschaft Plan in Böhmen, vermählt seit dem 28. Januar 1818 mit Karoline, Gräfin Clam-Gallas, geb. den 18. Decbr. 1798.

Kinder:

a) *Johanne*, geb. den 27. Januar 1819.
b) *Christiane*, geb. den 13. Octbr. 1820.
c) *Joseph*, geb. den 5. Decbr. 1821.
d) *Wilhelmine*, geb. den 23. April 1827.

2) *Joseph Dittmar*, geb. den 2. Mai 1794, k. k. Kämmerer.
3) *Rosine*, geb. den 30. Juli 1795, vermählt seit dem 17. Mai 1817 mit dem Altgrafen Johann Salm-Reifferscheid, geb. den 7. April 1780, k. k. Kämmerer und Oberstlieutenant.

B. Linie zu Rieneck.

Graf *Erwin*, geb. den 8. Septbr. 1806, Majoratsherr zu Falkenau, Heinrichsgrün und Tschochau (Sohn des verstorbenen Reichsgrafen Friedrich und der Reichsgräfin Anna, geb. Periez Burdett), vermählt seit dem 17. Septbr. 1829 mit seiner Cousine *Philippine*, Gräfin v. N., geb. den 27. Novbr. 1804.

Geschwister:

1) *Amalie*, geb. den 21. März 1801.
2) *Karoline*, geb. den 15. Mai 1802, vermählt 1822 mit dem Freiherrn Ferdinand Hildebrandt-Ottenhausen, k. k. Kämmerer.
3) *Friederike*, geb. den 17. Octbr. 1803, vermählt seit dem 9. Juni 1829 mit dem Freiherren Karl Pfeil v. Scharfenstein, k. k. Kämmerer und Obersten beim Dragonerregimente König v. Baiern, No. 2.
4) *Luise*, geb. den 27. Juni 1805, vermählt mit Karl, Grafen Althann, k. k. Hauptmann.
5) *Marie*, geb. den 27. Novbr. 1807.
6) *Hugo*, geb. den 14. Juni 1814, k. k. Lieutenant bei Johann-Dragoner No. 1.
7) *Bertha*, geb. den 3. Januar 1816, vermählt seit dem 16. Novbr. 1834 mit dem Grafen Wilhelm Warmbrand, Herrn der Herrschaft Biblin und Swina.

Vaters-Geschwister:

1) *Marie Philippine*, geb. den 7. Januar 1766, Wittwe seit dem 13. Decbr. 1806 vom Grafen Joseph Schlik, k. k. Kämmerer und Geheimen Rath.

2) *Johann Nepomuk*, geb. den 24. März 1768, Herr der Herrschaften Türmitz, Tschernoseck und Prachonitz in Böhmen, k. k. Kämmerer, Geheimer Rath, Feldmarschalllieutenant und Inhaber des 7. Chevaux-legers-Regiments, vermählt 1) am 27. Januar 1797 mit der Gräfin Sophie Apraxin (gest. den 22. April 1802), 2) am 28. Juni 1803 mit Antonie Josephine, geb. Gräfin v. Schlik (geb. am 18. März 1783, gest. 1831).

Töchter erster Ehe:

a) *Elisabeth*, geb. den 17. Februar 1799, vermählt am 17. Juni 1819 mit dem Freiherrn Philipp Karl v. Greiffenklau, Wittwe seit 1825.
b) *Adelheid*, geb. den 1. April 1802.

Kinder zweiter Ehe:

c) *Philippine*, geb. den 27. Novbr. 1804, vermählt seit dem 17. Sept. 1829 mit Erwin, Grafen v. Nostitz-Rieneck.
d) *Albert*, geb. den 23. August 1807, k. k. Kreis-Commissair in Böhmen.
e) *Hermann*, geb. den 29. Juli 1812, k. k. Rittmeister bei Nostitz-Chevaux legers No. 7.
f) *Sigismund*, geb. den 1. August 1815, k. k. Oberstlieutenant bei Erzherzog Johann-Dragonern No. 1.

C. Linie in Schlesien.

Graf *August Ludwig Ferdinand*, geb. 1777, königl. preuss. Generalmajor und 2ter Commandant in Berlin, General-Adjutant, Ritter vieler hohen Orden, namentlich auch des eisernen Kreuzes 1. Classe, Sohn des 1795 verstorbenen Grafen Georg August (geb. 1753, Herrn auf Postelwitz, Zobten, Langneudorf und Petersdorf), vermählt seit dem 8. Mai 1829 mit Clara Luise Auguste, Gräfin Hatzfeld, geb. den 6. März 1807, aus welcher Ehe mehrere Kinder leben.

Geschwister:

1) *Friederike*, geb. 1781, vermählt 1802 mit dem königl. preuss. Obersten v. Rosen, Wittwe.
2) *Karl Wilhelm Ernst*, geb. 1783, früher Besitzer von Lang-Hellwigsdorf, königl. preuss. Major v. d. A. und Ritter des eisernen Kreuzes (erworben bei Belle Alliance), ist mit einer v. Sydow vermählt, aus welcher Ehe mehrere Kinder vorhanden sind.
3) *Ludwig Gottlob*, geb. 1784, Herr der Urschkauer Güter im Glogauschen, Wittwer, zuerst von einer Freiin v. Wilczeck, aus dem Hause Laband, zum zweitenmal von einer Freiin v. d. Lancken, aus der Linie auf der Insel Rügen. Er ist Rittmeister v. d. A., Ritter des eisernen Kreuzes (erworben vor Glogau). Aus beiden Ehen des Grafen sind Kinder vorhanden.
4) *Henriette*, geb. 1785, vermählt an den Kammerherrn v. Tschirsky, auf Peuke.

Ein Oheim dieser Grafen v. Nostitz starb im Jahre 1835 als kaiserl. österreich. Kammerherr und Johanniterritter in Wien.

Noch gedenken wir einer andern schlesischen Linie der Grafen v. N., der *Friedrich Hartwig*, erster Graf v. N., angehörte. Er war venetianischer General und Commandirender in der Levante; nachher wurde er königl. polnischer und kurfürstl. sächsischer Generallieutenant. Er war mit einer v. Elbracht vermählt und starb im Jahre 1738. — Sein Sohn *Anton Wilhelm*, Graf v. N., war Herr auf Conradswaldau, Neusorge u. s. w. bei Landshut in Schlesien. Er bekleidete die Stelle eines Hofmarschalls bei dem Fürsten von Schwarzburg-Sondershausen. Er war dreimal vermählt, zuerst mit einer Vitzthum v. Eckstedt, zum zweitenmal mit einer v. Rödiger, zum drittenmal mit einer v. Knobelsdorf, und hinterliess einen Sohn, *Friedrich Karl*, Graf v. N., Herrn auf Conradswaldau, Tarne, Freudenthal u. s. w. Er war mit einer Freiin v. Czettritz, aus dem Hause Schwarzwalde, vermählt.

Von der Linie der v. N. in der Lausitz wurde *Johann Karl Gottlieb* v. N. auf Arnsdorf bei Görlitz im Jahre 1805 königl. preuss. Kammerherr. — Aus der Familie der Herren v. Nostitz und Jänckendorf in Sachsen ist der von dem Kaiser von Russland in den Grafenstand erhobene Generallieutenant Graf Nostitz und Jänckendorf, der bis zum Jahre 1806 in dem Regimente Gensdarmen zu Berlin stand, Adjutant des in dem Gefechte bei Saalfeld gebliebenen Prinzen Louis Ferdinand, und ein Augenzeuge des heldenmüthigen Todes dieses Prinzen war. Endlich gehört auch der im Jahre 1836 verstorbene königl. sächs. Conferenz-Minister und wirkl. Geheime Rath, *Adolph Ernst* v. Nostitz und Jänckendorf in seiner Eigenschaft als Senior des Domcapitels zu Merseburg in das preuss. Adelslexikon. Er war auch als Dichter und Schriftsteller unter dem Namen Arthur von Nordstern bekannt.

Das ursprüngliche Wappen der Familie v. N. zeigt im blauen Schilde zwei roth und silbern getheilte, oder gewürfelte, die Spitzen auswärts gekehrte Hörner. Dieselben wiederholen sich auf dem Helme. Die Helmdecken sind silbern und roth. Dieses Wappen giebt Siebmacher, I. S. 171.

Das freiherrliche Wappen ist quadrirt. Im 1. rothen Felde ist ein silberner Sparren, im 2ten blauen Felde ein schwarzer Flügel, mit einem silbernen Balken belegt, im 3ten ebenfalls blauen Felde das Stammwappen (die beiden Hörner) dargestellt; im 4ten silbernen Felde sind drei goldene Fische sichtbar. Das Schild ist mit zwei gekrönten Helmen bedeckt. Der rechte trägt den mit dem Balken belegten Flügel, der linke zwischen den gewürfelten Büffelhörnern drei Straussfedern (blau, silbern, blau).

Das gräfliche Wappen der v. N. ist ebenfalls quadrirt. Im 1sten blauen Felde ist das ursprünglich v. Nostitzsche Wappenbild angebracht, hier steigen aber die Hörner aus einem goldenen, mit den Spitzen aufwärts gekehrten halben Monde empor. Im 2ten silbernen Felde ist der schwarze Flügel mit dem silbernen Balken belegt, dargestellt. Im 3ten silbernen und 4ten blauen Felde ist ein Anker angebracht, dessen oberer silberner Theil zwischen den beiden oberen Feldern emporragt; der Haken des Ankers im silbernen Felde ist blau, der im blauen Felde golden. Dieses Schild ist von zwei Helmen bedeckt, welche mit denselben Bildern, wie die Helme des freiherrlichen Wappens, geschmückt sind.

M. s. El. Cuilheri Carmen in insignia Nostic. familiae. Goerl. 1606. 4. Probatio geneal. chronolog. ex hist. et archivis derivata Nostizios nobili genere Poloniae esse oriundos. 1767. 4. Knauth, von dem Ursprunge, Herkommen, Alterthum und Ausbreiten des Geschlechts der Herren v. Nostitz und deren erstem Stammhaus in der Lausitz. Görlitz. 1764. Sinapius, I. S. 68—89. II. und II. S. 158—165.

O.

Oberg, die Grafen und Freiherren von.

Ein sehr altes und angesehenes Geschlecht in Niedersachsen und dem Braunschweigschen, wo noch heute das gleichnamige Stammhaus in seinem Besitz ist, dessen Stammreihe mit *Eilhardo* v. Oberg, der um das Jahr 1103 lebte, beginnt. — Im Jahre 1523 starb *Wulbrand* v. O., Dompropst zu Osnabrück. — Zu eben derselben Zeit lebte *Friedrich* v. O., der zweimal die Festung Peina gegen die Herzöge von Braunschweig aufs äusserste vertheidigte. — *Burckard* v. O. war bis zum Jahre 1573 Bischof zu Hildesheim. — Im Jahre 1654 starb *Balthasar Heinrich* v. O. als Landeshauptmann im Fürstenthume Breslau. — *Jobst Aswin* v. O. diente zu Ende des 17. Jahrhunderts als herzogl. braunschweigischer Oberst. — *Bodo* v. O. bekleidete zu Anfange des vorigen Jahrhunderts die Stelle eines herzogl. braunschweig schen Geheimen Kammerraths. — Eine Linie dieses altadeligen Hauses ist von Sr. Majestät dem Könige von Preussen in den Grafenstand erhoben worden. — Graf v. Oberg auf Oberg erhielt im Jahre 1816 den preuss. Johanniterorden.

Diese gräfliche Familie führt im goldenen Schilde zwei schwarze neben einanderstehende Wecken. Auf dem Helme liegt eine schwarze und goldene Wulst; über derselben schwebt eine neunperlige Grafenkrone, durch dieselbe steigt eine mit drei Pfauenfedern geschmückte Säule in Form eines Kanonenlaufes, die Mündung nach oben gekehrt, empor. Auf jeder Seite dieser Säule schwebt über der Krone eine schwarze Wecke.

2) Eine freiherrliche Familie v. Oberg in Schlesien, der in früherer Zeit das freie Burglehn Malkwitz bei Breslau gehörte, führt ein in drei Theile getheiltes Schild, und in jedem dieser Theile einen Löwen; das untere Feld ist golden, der Löwe schwarz, das mittlere Feld roth, der Löwe silbern und gekrönt, und das dritte Feld schwarz, der Löwe golden. Dieses Schild ist von drei Helmen bedeckt. Der erstere trägt zwei Adlerflügel, mit Balken belegt, der mittlere einen blauen Berg, und der dritte fünf Straussfedern. M. s. Sinapius, I. S. 677.

Obernitz, die Freiherren und Herren von.

Ein altadeliges Geschlecht aus Thüringen, das aber auch im Meissenschen schon vor langen Jahren ansässig war und gegenwärtig auch in Schlesien ansehnliche Güter besitzt, namentlich gehört dem Baron v. Obernitz in Schlesien das schöne Rittergut Magnitz bei Trebnitz mit dem Vorwerk Goschel. In der preuss. Lausitz sind mehrere v. O. ansässig. In die frühere Geschichte dieses Hauses gehört der Umstand, dass sich schon bei dem Reichstage zu Frankfurt im Jahre 1152 ein *Apel* v. O. befand, und dass *Veit* v. O. im Jahre 1448 käuflich das Schloss und die Stadt Ziegenrück an der Saale erwarb. — *Kaspar Gottlieb* v. O., Hauptmann v. d. A., starb am 3. Decbr. 1836 zu Weissag bei Luckau. Er hatte sich bei der ruhmvollen Vertheidigung von Danzig den Militair-Verdienstorden erworben. — In der Armee stand auch im Jahre 1806 der Oberst und Commandeur des 3. Musquetierbataillon im Regimente v. Manstein in Bromberg; er war von der sächsischen Linie; im Jahre 1808 wurde derselbe als Generalmajor in den Ruhestand versetzt. — Ein anderer v. O. stand als Oberst in der 2ten warschauer Füsilierbrigade und wurde 1813 pensionirt. — Noch in der Gegenwart dienen verschiedene Mitglieder dieser Familie in der Armee, namentlich der Major v. O. im 3. Infanterieregimente.

Die v. O. führen im gespaltenen, rechts schwarzen, links blauen Schilde eine rothe Strasse und auf dem Helme zwei Kornähren. —

Ein anderes vor uns liegendes Wappen dieses altadeligen Geschlechts
zeigt bloss ein silbernes, durch zwei Pfähle in drei Theile gespaltenes Schild, jedoch auf dem Helme, wie das vorige, zwei Kornähren.

Obstfelder, die Herren von.

Eine adelige Familie aus dem Schwarzburgschen. Ihr gehörte
der Oberstlieutenant v. Obstfelder an, der bis zum Jahre 1806 das 3.
Musquetierbataillon des Regiments König in Spandau befehligte und
im Jahre 1827 gestorben ist. Seine Wittwe, geborne Spener, wohnt
in Berlin. Ein Sohn aus dieser Ehe ist Kammergerichts-Referenda-
rius, und eine Tochter war Gouvernante bei der Prinzessin Elisabeth
von Preussen, gegenwärtig vermählten Prinzessin Karl von Hessen-
Darmstadt.

Die v. O. führen im goldenen Schilde eine von der obern Rechten zur untern Linken, mit drei Aepfeln an grünen Stielen belegte silberne Strasse.

Oehe, die Herren von der.

Eine Familie, die zu dem alten Adel der Insel Rügen gehört und
die kleine Insel Oehe seit langen Zeiten besitzt. *Karl* von der Oehe
hatte sich am Anfange des 17. Jahrhunderts durch weite Reisen bekannt gemacht und in verschiedenen Kriegen hervorgethan. M. s. altes und neues Rügen v. E. H. Wackenroder. Stralsund. 1730. und
Grümbke, die Insel Rügen, 2. Theil S. 49. Gauhe, II. S. 817.

Oelson (ss), die Freiherren und Herren von.

Schon im Jahre 1195 war dieses alte und vornehme Geschlecht
bekannt. Mit dem deutschen Orden ist es nach Kurland und Preussen gekommen. Hier waren die Güter Medenau, Sickrenhöfen, Plut-
wein, Glittehnen, Otten, Richthof, Pustnick, Gudwienen u. s. w. in
dem Besitze der Familie. — Gegenwärtig ist diese Familie auch in
der Mark begütert, namentlich besitzt der königl. preuss. wirkliche Geheime Rath und frühere ausserordentliche Gesandte und bevollmächtigte Minister, Kammerherr, Freiherr v. Oelssen die Vietnitzer Güter bei Königsberg in der Neumark. Er ist mit einer v. Sydow, aus
dem Hause Tamm in Schlesien, vermählt, aus welcher Ehe mehrere
Kinder vorhanden sind, namentlich steht ein Sohn desselben als Rath
bei der Regierung zu Marienwerder.

Diese freiherrliche Familie führt im silbernen Schilde einen gerüsteten Arm, der einen goldenen Ring hält. Auf dem Schilde liegt eine
siebenperlige Krone; über derselben wiederholt sich der Arm, dem
aus dem Gelenke des Ellenbogens eine Straussfeder wächst. Zu Schildhaltern sind zwei Löwen gewählt.

Oelsnitz, die Herren von der.

Ein uralt adeliges Geschlecht in Sachsen und Meissen, welches in alten Zeiten Rathen an der Elbe besass. *Ruprecht* von
der Oelsnitz, der im Jahre 902 unter dem Könige Ludwig dem
Kinde auf dem Turniere zu Augsburg gewesen ist, kommt als der
erste Ritter dieses Geschlechts vor. Als die Sorben von den Deutschen

verdrängt worden waren, hatte ein Burggraf hier seinen Sitz. Später erhielt Rathen seine eigenen Besitzer, unter welchen im Anfange des 15. Jahrhunderts die Familie v. d. Oelsnitz genannt wird. Zwischen ihnen und den hussitischen Herren v. Hohenstein entstand eine heftige Fehde, bis endlich im Jahre 1468 der Kurfürst und sein Bruder, Herzog Albrecht, die Burg Rathen eroberten und schleiften. — Später theilte sich die Familie in die polnische und in die preussische Linie, erstere ist jedoch schon lange erloschen. Sie hatte Besitzungen unweit Krakau, wo noch heute eine Stadt Olesnica liegt. Von dieser Linie sind anzuführen *Dobroszai* Odrowantzky, der als Commandeur des 39. polnischen Regiments in der Schlacht bei Tannenberg am 14. Juli 1410 sich auszeichnete; und *Sbigneus* Olesnica, welcher Secretair des Königs Jagiello von Polen war, und dem Könige bei Tannenberg das Leben dadurch rettete, dass er dem Tiber v. Koeckeritz, der im Begriffe stand, den Jagiello zu durchbohren, mit einer Lanze das Leben nahm. — Von der andern Linie besass *Oswald* v. d. O. im Jahre 1490 die Güter Stonicken, Wilken, u. s. w. bei Bischofswerda; er ward 1502 in der Befehdung des Barons George v. Guttenstein gefangen. *Friedrich* v. d. O. war Hofmarschall des Markgrafen von Brandenburg um das Jahr 1550. Mit *Friedrich* v. d. O. theilte sich die Familie in den brandenburgischen und in den sächsischen Zweig. Er wurde 1538 Obermarschall in Preussen, Hauptmann auf Hohenstein, und Erbhauptmann auf Gilgenburg. Er erwarb die grossen Gilgenburgschen Güter, unter denen Szuplin und Tannenberg Hauptbesitzungen waren, und stiftete das Lehn- und Rittergut Montig bei Osterode. Die Gilgenburgschen Güter wurden schon im Jahre 1689 an die später in den Grafenstand erhobenen v. Fink verkauft, das Lehn Montig aber verblieb in den Händen der Familie bis zum Jahre 1802, wo es der Graf Dohna-Schlodien, als Vormund der minorennen Kinder, verkaufte. Gegenwärtig besitzt die Familie noch Szuplin. — Zu allen Zeiten haben in der preuss. Armee Söhne aus diesem Hause gedient. *Kasimir Reinhold* v. d. O. starb 1753 auf seinem Gute Freudenthal in Preussen. Er war bereits 1709 Fähnrich im Regimente v. Dohna, ward 1739 Chef des Cadettencorps zu Berlin, und 1750 Oberst. In seiner Ehe mit Louise v. Mülheim, aus dem Hause Wundlack, wurden ihm fünf Söhne und drei Töchter geboren. Von ersteren starb einer 1757 an seinen in der Schlacht bei Prag erhaltenen Wunden zu Prag, als General-Quartiermeister und Adjutant des Königs, der zweite, *Anton Leopold* v. d. O., war der bekannte Uebersetzer des Polybius; er hatte anfangs in preuss. Diensten gestanden, und war 1786 polnischer Oberst. Der dritte, *Heinrich Ernst* v. d. O., starb am 5. Januar 1784 als Oberst und Commandeur des Regiments Alt-Rothkirch zu Neisse. Der vierte, *Heinrich Ernst* v. d. O., verschied am 11. März 1787 zu Ottmachau als Oberstlieutenant des Garnisonregiments v. Könitz.

Von den jetzt lebenden Mitgliedern sind anzuführen: der Oberstlieutenant a. D., *Karl* v. d. O., der früher im Alexander-Grenadier-Regimente gestanden hatte. — *Leopold* v. d. O., der früher als Pr.-Lieutenant im Regimente v. Treskow gedient hatte, und gegenwärtig Steuer-Inspector ist. — *Bernhard* v. d. O., Major a. D., und Ritter des eisernen Kreuzes, der früher im 1. Infanterie-Regimente stand. — *Albrecht* v. d. O. starb als Capitain im 12. Infanterie-Regimente den Tod für's Vaterland, 1813 bei Döbern in Holland. — Gegenwärtig dienen sieben Mitglieder dieser Familie in der Armee, die grösstentheils aus dem Hause Montig stammen.

Die v. d. O. führen im goldenen Schilde einen rothen Balken, mit drei Perlen belegt, und auf dem Helme zwei Adlerflügel, die

mit dem Wappenbilde belegt sind. Siebmacher giebt dieses Wappen
I. Seite 165. M. s. Gauhe, I. Seite 1127. u. f. II. Seite 817. Anhang, S. 1686.

Oerthel (Oertel), die Herren von.

1) Eine adelige Familie in Schlesien. Ihr gehörte der Oberst v.
Oerthel an, der im Jahre 1806 Commandeur des Regiments v. Lettow zu Minden war. Er ist im Jahre 1818 im Pensionsstande gestorben. — Ein Major v. Oertel commandirt gegenwärtig das 2. Bataillon des 19. Landwehrregiments zu Schrimm. — Ein anderer Major v. O., der Kreis-Offizier der Gensdarmerie war, erwarb sich bei
Belle-Alliance das eiserne Kreuz 1. Classe. — *Erdmuthe Karoline
Friederike Amalie*, Freiin v. O., war die zweite Gemahlin des Fürsten Heinrich Karl Erdmann von Carolath-Beuthen. Sie ist als
Wittwe desselben vor einigen Jahren gestorben. — Die v. O. führen,
nach einem vor uns liegenden Abdrucke, im silbernen Schilde einen
geharnischten, ein blankes Schwert führenden Ritter, und auf dem
Helme drei Straussfedern.

2) Der König Friedrich II. erhob auch am 17. Juli 1772 einen
Lieutenant v. Oertel in den Adelstand. Das ihm beigelegte Wappen
giebt der Ordensrath Hasse. Es ist ein von der obern Linken zur
untern Rechten durch einen Faden getheiltes Schild. In dem rechten
rothen Theile sind drei weisse Rosen, in dem linken grünen drei
Katzenköpfe, mit ausgeschlagener Zunge, dargestellt. Auf dem
Helme steht zwischen zwei grün und roth gevierteten Adlerflügeln
eine Rose.

Oertzen, die Herren von.

Ein uraltes Geschlecht, das in Sachsen, Mecklenburg, Holstein,
Dänemark, der Mark Brandenburg, und im Halberstädtschen ansäs-
sig war und noch ist. Im Jahre 1739 starb zu Halberstadt *Hans
Ernst* v. Oertzen, königl. Kammerpräsident daselbst. Er war mit
Beate Louise v. Schwichfeld vermählt. Ein Sohn aus dieser Ehe war
Henning Ernst v. O., der am 1. Octbr. 1756 in der Schlacht bei Lo-
wositz als königl. preuss. Generalmajor auf dem Felde der Ehre blieb.
Er war 1714 in das Regiment Gensdarmen getreten, und war 1739
zum Major, 1741 zum Oberstlieutenant, und 1745 zum Obersten
avancirt. In dem Treffen bei Sorr hatte er sich den Orden pour le
mérite erworben, und war 1750 zum Generalmajor, und 1752 zum
Chef des Dragonerregiments v. Bonin ernannt worden. Er hatte die
Güter Golmitz, Oertzendorf und Justow besessen, und war mit Anna
Margarethe v. Oertzen vermählt gewesen, in welcher Ehe ihm zwei
Töchter geboren wurden. — Gegenwärtig stehen im preuss. Staatsdienste: der Landrath des Kreises Görlitz und Landesälteste v. O.,
ein anderer ist Landrath des Kreises Spremberg; der Erstere besitzt
das Gut Krobnitz. Ein dritter v. O. auf Kolm bei Görlitz, ist Prä-
sident der Lausitzer Gesellschaft der Wissenschaften. — In Pom-
mern besitzt ein v. O. das Gut Rottnow im Kreise Greiffenberg. —
In der Armee diente im Jahre 1806 in dem Regimente v. König ein
Stabscapitain v. O., der zuletzt Oberst und Commandeur der 13.
Landwehrbrigade war, und 1825 als Generalmajor pensionirt wurde.
Er hatte sich im Jahre 1807 in Colberg den Militair-Verdienstorden
erworben.

Oesfeldt, die Herren von.

Der Hofrath *Karl Ludwig* Oesfeldt, ein um die Künste und Wissenschaften, namentlich um das Charten- und Kalenderwesen hochverdienter Mann, und sein Bruder, *Friedrich Wilhelm* Oesfeldt, wurden vom Könige Friedrich Wilhelm II. am 2. Octbr. 1786 in den Adelstand erhoben. — Ein Sohn des Ersteren ist der Major und Director des trigonometrischen Büreaus, auch Ritter des eisernen Kreuzes 2. Cl. (erworben im Jahre 1813), v. O. — Ein Bruder desselben steht als Rittmeister beim 4. Kürassierregimente. Er erwarb sich das Militair-Ehrenzeichen bei Riga, und das eiserne Kreuz 2. Cl. 1814 in Frankreich.

Bei der Erhebung in den Adelstand wurde der Familie v. Oesfeldt folgendes quadrirte Wappen beigelegt. Die Felder 1. und 4. sind blau und schwarz gespalten, darin ist ein geharnischter Arm, der ein silbernes Schwert mit goldenem Griffe führt, dargestellt; im 2. und 3. silbernen Felde ist ein rother Querbalken, über demselben zwei, unter demselben eine goldene Rose angebracht. Im goldenen Herzschildlein sitzt auf einem braunen Stamme ein braunes Käuzlein. Der Helm ist mit 3 Straussfedern geziert (blau, silbern, blau). Die Decken weiss und schwarz.

Oesterling, die Herren von.

Ein adeliges Geschlecht in Pommern, welches von *Ernst Christian* v. Oesterling, der mit seiner Schwester und Familie am 5. Mai des Jahres 1670 vom Kaiser Leopold I. in den Adelstand erhoben wurde, abstammt. Diese Familie besass am Anfange des vorigen Jahrhunderts die Güter Klützow und Gross-Küssow im Kreise Pyritz. Im Jahre 1765 am 30. Octbr. erkaufte der Landrath *Joachim Abraham* v. O. diese Güter. — Im Jahre 1806 war ein v. Oesterling Deputirter des Kreises Pyritz. Gegenwärtig scheint diese Familie nicht zahlreich an Mitgliedern, oder vielleicht ganz erloschen zu sein. — In dem lateinischen Adelsbriefe wird das Wappen der Familie v. O. folgendermassen beschrieben: „Ut autem perpetuum hujus nobilitatis vestrae exstet documentum eaque pleniore benificio decorata clarius in oculis hominum resideat, praedicta auctoritate nostra caesarea vobis omnibusque liberis haeredibus, posteris ac descendentibus vestris legitimis utriusque sexus, antiquae etiam familiae vestrae, quibus hactenus usi fuistis, armorum insignia clementer approbavimus ac ratificavimus, prout tenore praesentium eadem approbamus ac ratificamus inque hunc, qui sequitur, modum, posthac etiam habenda et deferenda concedimus atque elargimur. Scutum videlicet secundum longi-latitudinemque in quatuor partes aequales hinc atram inde flavam seu auream divisum Calvarium sive mortis Cranium binisque ossibus ex opposito sui exhibens, cui incumbat galea aperta seu clathrata Tornearia *vulgo* dicta, phaleris seu laciniis ab utroque latere atris itemque flavis seu aureis mixtim circumfusis molliterque defluentibus binisque mortui ossibus decussatim superimpositis lugubriter ornata."

Oesterreich, die Herren von.

Eine adelige Familie in Pommern, die im vorigen Jahrhunderte im Pyritzer und Saatziger Kreise begütert war. Im Pyritzer Kreise gehörte ihnen namentlich das Dorf Hohengrappe, und im Kreise Saatzig das Gut Linde (m. s. Abel's Rittersaal S. 26.). Diese Besitzungen sind aber schon längst in andern Händen. *Johann Friedrich* v. Oesterreich, geboren 1704 in Pommern, ward 1739 Pr. Lieutenant im Regimente Jung-Borck, 1745 Capitain, 1756 aber Major und Commandeur eines Grenadierbataillon. Er starb im Septbr. des Jahres 1759 an seinen in der Schlacht bei Cunnersdorf erhaltenen Wunden, mit dem Ruhme, ein tapferer Offizier gewesen zu sein. — Gegenwärtig scheint diese adelige Familie bei uns ausgegangen zu sein. Nicht bekannt ist es uns, ob mehrere Offiziere dieses Namens, die gegenwärtig in der Armee dienen, zu der Familie v. Oesterreich in Beziehung stehen.

Der Ordensrath Hasse giebt ein Wappen der v. O. Es zeigt im blauen Schilde einen silbernen Schiffsanker, und auf dem Helme drei Straussfedern (blau, weiss, blau). Die Decken sind blau und silbern.

Offenberg, die Herren von.

Der Ursprung dieses angesehenen Geschlechtes, das sonst Offenburg geheissen haben soll, verliert sich in die Sagen-Zeit der Schweiz, deren freie Berge gewiss nicht wenig dazu beigetragen, den alten Stamm auch kräftig und rein zu erhalten! — Schon im Jahre 996 kommt eine Verschwägerung der Offenberg mit den Ladenbergs vor. Im Jahre 1165 ist *Martin* von Offenberg auf dem Turniere zu Zürich, 1256 und 1275 werden *Rudolph* und *Hugo* von Offenberg als Johanniter-Ordens-Comthure zu Burgsee genannt. 1433 ward *Amandus* v. O. vom Kaiser Sigismund auf der Tiber-Brücke in Rom zum Ritter geschlagen, und starb 1458 als Oberstzunftmeister zu Basel. 1490 lebte *Emmerich* v. O. als römisch kaiserl. Land-Oberster in der Schweiz. Sein Sohn *Jonas* v. O., römisch kaiserl. Geheimer Rath und Statthalter in der Steiermark, war 1571 des Kaisers Maximilian II. Gesandter beim Czar Iwan Basilowicz. *Jonas's* einziger Sohn, *Lorenz* v. O., diente mit Auszeichnung im deutschen Heere gegen den Erbfeind der Christen, und erhielt vom Kaiser Rudolph ansehnliche Güter in der Steyermark, zum Geschenk. Er ging mit dem Markgrafen Wilhelm von Brandenburg, Erzbischof von Riga, nach Liefland, ward dort Stiftsvoigt auf Treyden und Cremon, und später Ordenskanzler. Die Könige von Polen Stephan und August Sigismund belohnten ihn mit Lasdohnen, Praulen, Wisigal, Abellen, Sinteln und Katten, welche Besitzungen aber seinen Erben, durch die Eroberung Lieflands von Russland, auf immer verloren gingen. Der Kaiser Rudolph verlieh ihm d. d. Regensburg den 1. August 1594 ein Diplom, durch welches er „das alte und edle Blut der Offenberg" auch für das deutsche Reich anerkannte, — eine Anerkenntniss, die wahrscheinlich nur den Zweck haben sollte, den deutschen Ritter mit gehöriger Legitimation in das neue Vaterland einzuführen. — Von seiner Gemahlin, Barbara von Rosen, hinterliess *Lorenz* von Offenberg eine zahlreiche Nachkommenschaft, die sich in Dänemark, Sachsen und Kurland ausbreitete, von der aber gegenwärtig nur noch im letzteren Lande die beiden Linien von Grösen und Illien fortblühen.

Die älteste Linie bildete *Karl Gustav* v. Offenberg, geb. 1755 den 17. Octbr., kais. russ. Geheimer Rath, Präsident des Piltenschen Landrath-Collegiums, Grosskreuz des Sanct Annen-Ordens, Erbherr auf Grösen, der mit Hinterlassung zweier Söhne, *Alexander Karl*, Hauptmanns zu Hasenstadt, und *Johann Heinrich*, kais. russ. Garde-Offiziers, den 25. Nov. 1835 verstarb. Die Jüngste entstand durch

478 Oheimb.

Heinrich Christian, geb. 1696, starb 1781, kurländischen Landhofmeister, Grosskreuz des St. Alexander-Newski- und Annen-Ordens, der die, mit Friederike Dorothea v. Dönhoff erheiratheten illienschen Güter zu einem Fideicommiss erhob. Er hinterliess drei Söhne: 1) *Peter Georg*, geb. 1740, starb 1829, Hauptmann zu Grolin, Majoratsherr auf Illien, vermählt mit Julie v. Korff aus dem Hause Trecken. 2) *Heinrich*, geb. 1752, starb unvermählt 1829, kaiserl. russ. Geheimer Rath, Präsident des kurländ. Oberhofgerichts, Grosskreuz des St. Wladimirordens 2. Cl. und des St. Annenordens, Ritter der Ehrenlegion und Comthur des heiligen Johannes von Jerusalem zu Werben. 3) *Emmerich*, geb. 1754, starb unvermählt 1825. — Die Ehe des Peter Georg mit Julie v. Korff ward durch folgende Kinder gesegnet:

1) *Karoline Henriette*, geb. den 10. Decbr. 1787, vermählt den ⁵⁄₆. Febr. 1809 an Cyprian Goulbert Baron Creutz, kaiserl. russ. General der Cavallerie, Grosskreuz des St. Georgenordens 2. Cl.

2) *Heinrich Wilhelm*, geb. den 6. April 1788, erst königl. preuss., dann kaiserl. russ. Kammerherr und Staatsrath, Ritter des St. Johanniterordens, Besitzer des Stammgutes Illien, der mit Jenny Charlotte Freiin v. Mirbach, Erbmajoratsfrau auf Strocken, sein Geschlecht sehr zahlreich fortgepflanzt hat.

3) *Friedrich Karl*, geb. den 20. Sept. 1789, kaiserl. russ. Generallieutenant, Grosskreuz des St. Annen- und St. Stanislaus-Ordens, der durch Katharina v. Bibikow, Hoffräulein der Kaiserin von Russland, Vater mehrerer Söhne geworden ist.

4) *Emmerich Johann*, geb. den 13. Mai 1791, kaiserl. russ. Generalmajor, Grosskreuz des St. Annen- und St. Stanislaus-Ordens, vermählte sich im Oct. 1834 mit Katharina v. Repninsky.

5) *Juliane*, geb. den 4. Febr. 1796, ist die Gemahlin Otto Julius Frhrn. v. Rönner, kaiserl. russ. Oberstlieutenant a. D.

Das Wappen der Familie v. O. zeigt zwei schräg rechts in einem gewellten silbernen Schilde ruhende bemooste und durch verschiedene Absätze erhöhte grüne Berge. Auf dem Turnierhelme wächst eine rothe, goldene und grüne Straussfeder. Die Helmdecken sind rechts schwarz und golden, links roth und silbern.

M. s. Humbrachts höchste Zierde Deutschlands S. 278 u. 281. Salvers deutsche Reichsproben S. 83. Münsters Cosmographie. Leu, allgemeines helvet. Lexicon. Joh. Gros, Chron. Basil. Rahn, Annal. helvet. p. 287. Buddei, Hist. Lexicon III. Th. S. 120. Kelch liefl. Chron. S. 31. Russow, liefl. Chron. S. 77. und das Diplom vom Kaiser Rudolph.

Oheimb, die Herren von.

Der Secretair vom Commerz-Collegium *Johann Leonhard* v. Oheimb wurde im Jahre 1711 in den böhmischen Adelstand erhoben. Von seinen Nachkommen haben mehrere Güter in Schlesien besessen und in dem preuss. Civil- und Militairdienste gestanden. *Johann Ferdinand Georg* v. O., Herr auf Leschwitz, war im Jahre 1806 Landrath des Kreises Breslau. — *August Ferdinand Leonhard* v. O., Lieutenant a. D., besitzt das Gut Oberstreit bei Striegau. — In der Armee stand der Major v. O. bei der ostpreuss. Füsilierbrigade, und zuletzt im 5. Infanterieregimente. Er trat im Jahre 1809 in den Pensionsstand, und hat sich bei Weichselmünde im Jahre 1807 den Orden pour le mérite erworben. — Ein Capitain v. O. erwarb sich das eiserne Kreuz 2. Cl. bei Leipzig.

Die v. O. führen im silbernen Schilde ein Kissen, aus dem oben zwei Haken hervorgehen, und das unten mit sieben Nägeln besteckt ist. Dieses Schild ist mit einem Mantel, oben von einer adeligen Krone gehalten, umgeben.

Ohlen und Adlerscron, die Freiherren und Herren von.

Ein altadeliges Geschlecht, das sich früher Olow, Ohlow oder Ohlau nannte, in spätern Urkunden auch v. d. Ohle, Ohl geschrieben findet, und in Schlesien die Güter Quickendorf und Schrebsdorf im Münsterbergschen, Gross- und Klein-Masselwitz im Breslauschen, Baumgarten und Wilmsdorf im Kreuzburgschen, Eisdorf und Kaulwitz im Namslauschen, Ober-, Mittel- und Nieder-Schreibendorf im Strehlenschen, Schönbankwitz, Briesnitz, Treschen, Seiffersdorf u. s. w. besass, und gegenwärtig noch Dämnig und Altstadt bei Namslau, Langenhof bei Kreuzburg, Blazeowitz bei Tost, Striegendorf bei Grottkau, Leuthen bei Breslau und Salisch und Strunz bei Glogau besitzt.

Okolski nennt in seinem Orbis Polon. (T. I. p. 128.) die v. Olow unter den Familien, die aus dem Hause Jastrzembiec (accipiter) abstammen, deren Urahnherr ein kühner Reitersmann im Heere Königs Boleslaus Chobry beim Beginn einer Schlacht mit den Heiden im Jahre 999 durch einen glücklichen Zweikampf mit einem riesenhaften Krieger aus dem feindlichen Lager dem Paniere des Kreuzes den Sieg und seinem Geschlechte den Adel erwarb. Nach Schlesien kam die Familie wahrscheinlich mit den Piasten. Unter den Fürsten dieses königlichen Hauses lebte 1348 zu Liegnitz Peter v. d. Ohle. Nikolaus v. Oblau war 1381 Hofrichter daselbst. Heinricus v. d. Ohlau kommt 1396 unter Herzog Rupertus I. vor, und Heinze v. d. Ohle wird 1414 unter den Rittern am Hofe Wenceslaus II. von Liegnitz genannt. In einem noch gegenwärtig im Besitze der Familie befindlichen Gnadenbriefe des Königs Sigismund August von 1548 sind die v. O. als equites Poloniae bezeichnet. Später wurde die Familie in den böhmischen Ritterstand aufgenommen.

Leopold I. verlieh am 2. Mai 1672 den drei Brüdern Friedrich, Johann Gottfried und Joachim v. O. den deutschen Reichsadel unter Beilegung des Namens Adlerscron. Im Diplom ist ausdrücklich erwähnt, dass die Familie schon dem Adel der kaiserlichen Erbstaaten angehörte und die böhmische Tafelfähigkeit besass. Derselbe Kaiser erhob am 3. April 1699 Christoph v. Ohl und Adlerscron, den Sohn des vorgenannten Friedrich, zum Freiherrn des heiligen römischen Reichs. Nur Einzelne seiner Nachkommen haben sich des freiherrlichen Titels bedient.

Die jetzt lebenden Ohlen theilen sich in zwei Hauptlinien nach den Stammgütern Masselwitz und Eisdorf. Der ältern Linie gehören die beiden Brüder, der Rittmeister a. D., Frhr. v. O. u. A., dessen Sohn aus der Ehe mit einem Fräulein v. Sydow, Raimund, Frhr. v. O. u. A., als Lieutenant im 14. Infanterieregimente steht, und der Hauptmann a. D. v. O. u. A. auf Leuthen, an.

Der nächste gemeinschaftliche Stammvater der jüngern Linie war der Oberforstmeister Joachim v. O. u. A. auf Eisdorf. Der älteste seiner Söhne, Ernst Sylvius v. O. u. A., in seiner Jugend Page am Hofe Friedrichs des Grossen, dann königl. Kammerherr, Landrath des Kreises Kreuzburg-Pitschen und Herr der Herrschaft Baumgarten und Wilmsdorf, war mit Charlotte v. Seydlitz vermählt und starb im Jahre 1801. Von seinen Söhnen erwarb sich der jüngste, *Gustav Leopold* v. O. u. A., Offizier im v. Wolframschen Husarenregimente (N. 6.) in der Rheincampagne bei Grandprú den Orden pour le mérite; der ältere, *Friedrich Traugott* v. O. u. A., zeichnete sich bei Cosel aus. Bei einem Ausfall aus dieser belagerten Festung Ende März 1807 waren 60 Husarén abgeschnitten worden und hatten sich in den benachbarten Wäldern verborgen. Ohne ein anderes Gebot, als das der Ehre, stellte sich *Friedrich* v. O. u. A. an ihre Spitze, führte sie glücklich in die Festung und schloss sich freiwillig ihren hart bedrängten, bereits grossen Mangel leidenden Vertheidigern an. Er war zu Baumgarten am 14. Sept. 1767 geboren, hatte im Kürassierregimente (N. 12.) v. Bünting 25 Jahre gedient, und starb am 9. Juni 1827 als Major a. D. auf seinem Gute Blazeowitz bei Tost. Von seinen drei Söhnen aus der Ehe mit Charlotte v. Gaffron aus dem Hause Kunern, ist *Gustav* v. O. u. A. Assessor bei dem Oberlandesgerichte in Ratibor, *Friedrich* v. O. u. A. Lieutenant im Ingenieurcorps, und *Hermann* v. O. u. A. Lieutenant im 22. Infanterieregimente. Von den beiden Brüdern des erwähnten Kammerherrn v. O. u. A. diente *Joachim* v. O. u. A. als Oberstlieutenant im Regim. v. Hohenlohe (N. 32.) und starb ohne Nachkommenschaft. Der andere, *Ernst Wilhelm* v. O. u. A. auf Eisdorf, war mit einem Fräulein v. Studnitz vermählt, und starb 1810. Der älteste seiner drei Söhne, *Wilhelm* v. O. u. A., der Vater des Lieutenants im 3. Husarenregimente, *Eduard* v. O. u. A., ist auch bereits verstorben. Die beiden jüngern sind: *Ernst* v. O. u. A. auf Dämnig, königl. Landrath des Kreises Namslau, vermählt mit Johanna v. Prittwitz, und der Landrath und Landschaftsdirector *Georg* v. O. u. A. auf Striegendorf, vermählt mit Karoline v. Donat. Ein Sohn des Erstgenannten, aus einer frühern Ehe mit einem Fräulein v. Piltz, steht als Lieutenant im 2. Leibhusarenregimente und ist mit Marie v. Byern verheirathet; ein Sohn des Landschaftsdirectors v. O. u. A. aber, *Ewald* v. O. u. A., im 22. Infanterieregimente.

Aus dieser Familie ist auch *Friedrich Wilhelm* v. O. u. A. zu erwähnen, der im Türkenkriege im Jahre 1683 als k. k. Hauptmann im Regimente v. Crog in Servien auf dem Felde der Ehre sein Leben beschloss. In der Kirche zu Quickendorf befindet sich ein ihm errichtetes Denkmal.

Das Wappen, welches die Familie seit Verleihung des Reichsadels führt, besteht in einem quadrirten Schilde, in dessen 1. und 4. Felde man den halben Reichsadler in Gold, in dem schwarzen 2. und 3. Felde aber eine goldene Krone erblickt. Der gekrönte Wappenhelm trägt einen schwarzen gekrönten Adler mit ausgebreiteten Flügeln und von einander spreitzenden Waffen. Die Helmdecken sind schwarz und golden.

Das dem Freiherrndiplom, welches im Originale vor uns liegt, beigefügte vollständige Wappen zeigt ein quadrirtes Schild, und im goldenen Herzschilde den kaiserl. Doppeladler, über dem eine Krone schwebt. Im 1. und 4. Felde erblickt man einen schwarzen gekrönten Adler in Gold, im 3. schwarzen einen aufrechtstehenden, rechtsgekehrten, goldfarbenen, gekrönten Löwen mit von sich werfenden Pranken, der in dem rechten eine goldene Krone über sich hält; im 4. einen goldenen Anker in Schwarz. Das Hauptschild ist mit drei freiherrlichen, offenen Turnierhelmen bedeckt, dessen mittelster mit dem Doppeladler, die beiden andern mit dem auswärts gekehrten Löwen, wie er sich im 3. Felde zeigt, geschmückt sind. Die Farben der Helmdecken sind Schwarz und Gold.

Ohnesorge, die Herren von.

Eine adelige Familie in Sachsen, die auch in Schlesien begütert ist. Dem Landesältesten *Friedrich Leopold* v. Ohnesorge gehört Bremenhayn im Kreise Rothenburg.
Die v. Ohnesorge führen ein in drei Theile zerfallendes Schild; der obere Theil ist roth, der mittlere bildet eine silberne Strasse und der untere ist blau und mit drei Sternen belegt.

Olberg, Herr von.

Der Hauptmann im Generalstabe, v. Olberg, ist von Sr. Majestät dem jetzt regierenden König in den Adelstand erhoben worden. Er ist mit einer Tochter des verstorbenen Generalmajor v. Stutterheim vermählt.

Oldenburg, die Herren von.

Diese adelige Familie gehört zu den ältesten Geschlechtern in Niedersachsen, Pommern und in den Marken. In Pommern war sie im Kreise Demmin begütert. In den Marken besass sie das Gut Stiedenitz, zuweilen auch Studenitz geschrieben, im Kreise Arnswalde. — *Joachim Friedrich* v. Oldenburg, Erbherr auf Stiedenitz, war mit Sophie v. Bärfelde, aus dem Hause Lossow, vermählt. Aus dieser Ehe wurde im Jahre 1694 geboren:
Georg Friedrich v. Oldenburg. Er trat 1709 in das Reiterregiment v. Katt und wohnte mit demselben der Schlacht von Malplaquet bei. Im Jahre 1714 wurde er zum Regimente v. Grumbkow versetzt, 1740 zum Capitain, 1741 zum Major ernannt, und erwarb sich 1742 in der Schlacht bei Czaslau den Orden pour le mérite. 1745 avancirte er zum Oberstlieutenant. In der Schlacht bei Sorr zeigte er sehr viel Umsicht und Tapferkeit, indem das Regiment Alt-Anhalt, das er commandirte, im Vordertreffen wich. Er überredete es, dass dieses nur geschähe, um einrücken zu sollen. Dies geschah auch, und es schlug sich nun mit der grössten Tapferkeit. 1747 zum Obersten befördert, führte er das Regiment v. Manteufel beim Ausbruche des siebenjährigen Krieges ins Feld und ward 1757 zum Generalmajor und Chef des Regiments v. Blankensee ernannt. In der Schlacht bei Rossbach am 5. Novbr. 1757 war seine Brigade die einzige, welche zum Feuern kam. Er starb am 6. Januar 1758 zu Breslau. Seine erste Gemahlin war Modeste Sophie v. Benekendorf, aus dem Hause Kremzow, und nach deren Tode vermählte er sich mit Marie Clara v. Kleist aus dem Hause Tychow. Nur in erster Ehe wurden ihm sechs Kinder geboren.
Ein General v. O., von der mecklenburgschen Linie, war Chef des Infanterieregiments No. 31., das zuletzt v. Kropf hiess und in Warschau garnisonirte.
Die beiden Landschaftsräthe v. O., der eine auf Beidritten, und der andere auf Beisleiden, erhielten im Jahre 1815 den Johanniterorden.
Die v. O. führen im Schilde und auf dem Helme einen halben nach der rechten Seite aufspringenden Hirsch.
M. s. auch Micrälius VI. Gauhe, I. S. 1131 u. f.

v. Zedlitz Adels-Lex. III.
31

Olfers, die Herren von.

Eine adelige Familie in den Rheinlanden, von der im preuss. Staatsdienste stehen: der Geheime Legationsrath, frühere Geschäfts- träger in Brasilien, Mitglied der Academie der Wissenschaften u. s. w., *J. F. M.* v. Olfers; der Rath bei dem Oberlandesgerichte zu Münster, v. O., und der Ober-Procurator v. O. zu Coblenz.

Die v. O. führen in silbernen Schilde einen nach der rechten Seite aufspringenden Löwen, der einen Zweig in den Pranken hält. Dieses Bild wiederholt sich auf dem Helme zwischen zwei Adler- flügeln.

Olszewski, die Herren von.

Eine adelige Familie in Schlesien, aus welcher *Louis* v. Olszewski das Gut Eichholz (wo sich das Denkmal an die Schlacht an der Katz- bach befindet) besitzt. *Wilhelm* v. Olszewski, Bruder des Vorigen, frü- her im Ingenieurcorps, und Ingenieur des Platzes Schweidnitz, ist Major der Armee und Ritter des eisernen Kreuzes. *Heinrich* v. Olszewski, ein dritter Bruder, ist Capitain in d. A. und Ritter des eisernen Kreuzes.

Oppen, die Herren von.

Die v. Oppen gehören zu dem uralten Adel in der Mark Bran- denburg, von wo aus sich Zweige in das Magdeburgsche, in die an- haltschen Länder und in die Niederlausitz gewendet und verbreitet haben. In der Niederlausitz sind die Güter Krausnig und Wasserburg alte Besitzungen der v. Oppen. Im Fürstenthume Halberstadt aber gehörte ihnen Gattersleben seit langen Jahren. In neuerer Zeit hat- ten sie auch Grundbesitz im Grossherzogthume Posen, namentlich gehörte einer Frau v. Oppen das Gut Politzig im Kreise Meseritz. — Schon im Jahre 1480 geriethen die v. O. und die v. d. Gröben mit der Stadt Treuenbrietzen wegen Holzangelegenheiten in Streit. — *George* v. O., Herr auf Cossenblatt, war um das Jahr 1596 kurbran- denburgscher Oberst, und *Jobst* v. Oppen Kammerherr an demselben Hofe. — Ein Sohn des genannten *George* v. O., *David* v. O., wird von seinen Zeitgenossen als ein sehr gelehrter Cavalier geschildert. Er hat sich besonders durch seine Visionen und durch seine während derselben geführten Reden bekannt gemacht. Letztere wurden im Jahre 1632 zu Frankfurt a. d. O. gedruckt. — *Johann* v. O. beklei- dete um das Jahr 1670 die Würde eines kurbrandenburgschen Ober- jägermeisters.

In der preuss. Armee haben zu allen Zeiten Mitglieder aus dieser Familie gestanden, die zum Theil zu hohen militairischen Würden gelangt sind.

Johann Nikolaus v. O. erhielt im Jahre 1761 als Major ein Gre- nadierbataillon des Regiments v. Rebentisch; er starb im Jahre 1771.

Adolph Friedrich v. O., aus dem Hause Alt-Gattersleben, gebo- ren am 4. Decbr. 1762, trat im Jahre 1775 in das Regiment v. Seel- horst-Kürassier ein und wurde 1778 Offizier; im Jahre 1792 ernannte ihn sein Chef, der Herzog von Weimar, zum Escadronchef. Im Jahre 1799 zum Major avancirt, ward er 1803 Commandeur des Dragoner- regiments v. Wobeser. In dem unglücklichen Feldzuge von 1806 er- hielt er den Auftrag, ein feindliches Jägerdetaschement bei Weimar

Oppersdorf. 483

anzugreifen; er warf es und machte 40 Gefangene, wurde aber durch einen Säbelhieb in die Brust, so wie in den rechten Arm, schwer verwundet. Bei Prenzlau angekommen, theilte er das Schicksal des Hohenloheschen Corps, wurde aber im Jahre 1807 ausgewechselt und ging nach Memel, wo er zum Oberstlieutenant befördert ward. Im Jahre 1808 aber ernannte ihn Se. Majestät zum Obersten und Commandeur des Regiments Königin, auch zum Brigadier der Cavallerie. Ein unglücklicher Sturz bei Landau, so wie ein anderer in Stargard, nöthigten ihn, um seinen Abschied zu bitten, den er mit Generalmajorsrang erhielt. Als im Jahre 1813 sich Alles zum Kriege rüstete, bat er um die Erlaubniss, wieder in die Armee zu treten, welches ihm in sehr gnädigen Ausdrücken bewilligt wurde. Er leistete im Befreiungskampfe die wichtigsten Dienste, und sein Name wird in den damaligen Armeeberichten häufig auf das rühmlichste erwähnt, namentlich sind die glänzenden Cavalleriegefechte bei Möckern und Danigkow, die Vertheidigung von Luckau vor dem Waffenstillstande und später die Eroberung der Plätze Duisburg und Zütphen, der Angriff auf den Bommler Waard u. s. w., glänzende Momente in dem Kriegsleben dieses tapfern Generals. Die Ernennung zum Generallieutenant und die Ertheilung des eisernen Kreuzes 1. Cl., des Ordens pour le mérite mit Eichenlaub und später des rothen Adlerordens 1. Cl., waren die Anerkennungen des Monarchen für eine so ausgezeichnete Dienstleistung. — „Wo der Reichthum der glänzenden Waffenthaten spricht, tritt jeder Schmuck der Rede zurück;" mit diesen Worten beginnt der Nekrolog dieses verdienten Generals, der am 27. August 1834 starb, im Jahrgange 1834. No. 214. der Berliner Vossischen Zeitung. Die Wittwe des Generals ist eine geborne v. Rohr. Von seinen Söhnen besitzt der älteste ansehnliche Güter in der Provinz Sachsen; ein anderer ist Rittmeister im Gardedragonerregimente. Er erwarb sich im sehr jugendlichen Alter das eiserne Kreuz im Reitergefechte bei Haynau.

Im preuss. Artilleriecorps stand ein Generalmajor v. O., der im Jahre 1814 Commandeur der immobilen Artillerie war, und 1815 gestorben ist.

Ein Major v. O. a. D. erwarb sich bei Gross-Görschen das eiserne Kreuz; ein anderer Major v. O. erwarb sich denselben Orden im Jahre 1814. — Auch der Landgerichtspräsident v. O. zu Cöln trägt dieses militairische Ehrenzeichen, das er sich im Jahre 1814 in Frankreich erkämpft hat.

Die v. O. führen im blauen Schilde ein silbernes, mit einer rothen Rose belegtes Andreaskreuz und auf dem Helme einen Kranz, über dem drei Rosen hervorstehen. Siebmacher giebt dieses Wappen unter den sächsischen, I. S. 167, mit Veränderung des Helmschmucks. Hier ist es eine blaue Mütze mit silbernem Aufschlage, oben mit einem Pfauenschweife geziert. Unter dem Pfauenschweife liegt ein halber silberner Mond, und zwischen diesem und dem Aufschlage zieht sich ein aus rothen und silbernen Perlen geformter Ring hin. Ganz verschieden ist ein zweites Wappen, welches Siebmacher unter den fränkischen, III. S. 128 giebt, und das nicht hierher zu gehören scheint. M.s. auch Gauhe, I. S. 1136. II. S. 823—26. Angeli, märk. Chronik. S. 250. Zedler, XXV. S. 1681.

Oppersdorf, die Grafen von.

Sie stammen von den alten erloschenen Grafen v. Thierstein ab, von deren Nachkommen *Ulrich* und *Marquardt* sich 1150 in die österreich.

31 *

Staaten begeben haben sollen. Die ordentliche Stammreihe fängt mit *Rupertus* an, der sich in der Schlacht, die der Kaiser Rudolph dem König Ottocar von Böhmen im J. 1278 lieferte, tapfer hielt und vom Kaiser zur Belohnung mit dem Schlosse Eberstein in Oesterreich belehnt wurde. — Sein einziger Sohn, *Johannes*, hatte drei Söhne, die sämmtlich den Taufnamen ihres Vaters führten und sich v. Ebersdorf schrieben, welcher Name später in Oppersdorf verändert wurde. Der mittlere dieser drei Brüder, der wegen seiner Geschwindigkeit Hans Rolle genannt wurde, erwarb durch Heirath mit einer geb. v. Posadowsky und Postelwitz das Gut Steinau, und war somit der Erste dieses Geschlechts, welcher nach Schlesien kam. Er starb 1445 zu Breslau. — Sein Sohn *Heinrich* war der Erste, welcher sich v. Oppersdorf schrieb. — Die Enkel dieses Letztern, *Johann*, *Georg* und *Wilhelm*, wurden am 24. Juni 1554 in den böhmischen Freiherrnstand erhoben. *Johann*, Freiherr v. O., legte Proben seiner Tapferkeit im Türkenkriege ab, erhielt die Herrschaften Aich und Friedstein in Böhmen und erwarb auch die Herrschaften Ober-Glogau und Cosel im Oppelnschen. Er starb 1584 kinderlos, und seine Güter kamen an seinen Bruder *Georg I*, Freiherrn v. O. Dieser erwarb Poln.-Neukirch in Schlesien und erbaute das Schloss Czastolowicz in Böhmen. Er hinterliess zwei Söhne, *Friedrich* II. und *Georg* II., Freiherren v. O. Der Letztere war kaiserl. Rath und Landeshauptmann der Fürstenthümer Oppeln und Ratibor. Sein Tod erfolgte im Jahre 1606. Von seinen vier Söhnen starb der jüngste, *Rudolph*, zu Wien unvermählt, die andern drei aber, nämlich *Georg III.*, *Wenzel* und *Friedrich*, wurden in der ersten Hälfte des 17. Jahrhunderts in den Reichsgrafenstand erhoben. In dem Majoratsschlosse zu Ober-Glogau befinden sich das Familienarchiv und verschiedene sich auf die Familie beziehende Merkwürdigkeiten. Dieses gräfliche Haus besteht gegenwärtig aus folgenden Mitgliedern:

Graf *Eduard*, geb. den 20. Octbr. 1800, Herr der Majoratsherrschaft Ober-Glogau in Schlesien, vermählt seit dem 10. Juli 1829 mit Karoline, geb. Gräfin Sedlnitzky, geb. den 9. Decbr. 1811.

Söhne:

1) *Richard*, geb. den 2. April 1830.
2) *Johann Karl*, geb. den 25. März 1832.

Geschwister:

1) *Marie*, geb. 1805.
2) *Mathilde*, geb. 1806.
3) *Adele*, geb. 1807.
4) *Hugo*.
5) *Alexander*.
6) *Elisabeth*.
7) *Laurette*.

Mutter:

Eleonore, geb. Froiin v. Skrebenski.

Vaters-Geschwister:

1) Graf *Georg* zu Aich und Friedstein, Herr auf Petrowitz und Kraschowitz in Böhmen, vermählt seit 1811 mit Anna, Gräfin Millesimo, geb. den 17. Mai 1790.

Sohn:

Philipp.

2) Vaters Schwester: vermählte v. Felderndorf.

Das ursprünglich v. Oppersdorfsche Wappen zeigt im rothen Schilde den silbernen, goldgekrönten Kopf und Hals eines Adlers. Derselbe wiederholt sich auf dem gekrönten Helme. Die Decken roth und silbern. M. s. Siebmacher, I. S. 65.

Das freiherrliche Wappen ist quadrirt. Im 1. und 4. rothen Felde zeigt sich das ursprüngliche Wappenbild, im 2. und 3. goldenen Felde ein geharnischter, ein Schwert führender Arm. Das Schild ist von zwei Helmen bedeckt. Auf dem ersten wiederholt sich der Adlerskopf; der letztere trägt einen rothen Türkenhut mit silbernem Bunde, aus dem seitwärts der geharnischte Arm hervorkommt; hier hält aber der Arm ein rothes, mit einem goldenen Monde verziertes Fähnlein. Die Helmdecken rechts roth und silbern, links roth und golden. M. s. Siebmacher, I. S. 29.

Das gräfliche Wappen ist in 6 Felder getheilt und mit einem Mittelschilde versehen. Im Mittelschilde steht ein Adler mit ausgebreiteten Flügeln. Die Felder 1, 2, 3 und 4 sind, wie in dem freiherrlichen Wappen; das 5. Feld ist silbern und darin eine Weinheppe; im 6. ebenfalls silbernen Felde ist ein Weinstock mit einer blauen Weintraube vorgestellt. Das Ganze ist mit drei Helmen bedeckt. Die beiden äussern sind mit den Bildern des freiherrlichen Wappens geziert, der mittlere aber trägt den schwarzen Adler mit ausgebreiteten Flügeln.

Oriola, die Grafen von.

Der früher am diesseitigen Hofe accreditirte ausserordentliche Gesandte und bevollmächtigte Minister v. O., Ritter des rothen Adlerordens 1. Cl., Besitzer der Waldower Güter bei Golsen im Regierungsbezirke Frankfurt, (preuss. Niederlausitz) erhielt am 7. Juni 1822 ein Anerkennungsdiplom seines gräflichen Standes. — Ein Sohn desselben steht als Lieutenant im Garde-Dragoner-Regimente, ein zweiter ist Referendarius in Berlin.

Das Wappen dieses gräflichen Hauses zeigt im weissen Schilde fünf nach der linken Seite schreitende schwarze Wölfe mit roth ausgeschlagenen Zungen. Dieses Schild hat zuerst eine schmale goldene, dann eine breitere blaue, mit acht rothen Andreaskreuzen belegte dann wieder eine dritte schmale goldene Einfassung, und ist mit einer neunperligen Krone bedeckt.

Ossowski, die Herren von.

Eine adelige polnische Familie, die auch in Westpreussen begütert ist. Hier besitzt der Landschafts-Deputirte v. Ossowski den Rittersitz Owitz im Kreise Stargard.

Osten, die Herren von der.

Das noch heute in vielen Zweigen blühende Geschlecht der von der Osten gehört zum ältesten und vornehmsten Adel der Provinz Pommern, wo die v. d. Osten zu Lökenitz und Penckun zu den Schloss- und Burggesessenen in Hinterpommern gehören, während sie auch in Vorpommern und Schwedisch-Pommern, namentlich auf der Insel Rügen, zu der angesehensten Ritterschaft gehörten und noch gehören. Ein Kreis in Hinterpommern führte ihren Namen, weil er grösstentheils aus ihren Gütern und den ihrer Pfandgesessenen bestand. Von den vorzüglichsten Besitzungen dieser Familie, die zum grossen Theil noch heute in ihren Händen sind, nennen wir in dem ehemaligen Herzogthume Stettin Penckun, eine Stadt, seit 1615 im Besitz der v. d. O., die Güter Wollin, Storkow, Sommersdorf, Friedefeld und Wartin, im alten Herzogthume Pommern Stalitz, Natelwitz, Witzmitz, Wisburg, Plathe, Cumerow, Justin, Woldenburg, Zapplin, Geigelitz, Cardemin, Pinow, Bahrenbusch. Diese letztern Oerter bilden grösstentheils den oben erwähnten Ostenschen Kreis, der in landschaftlicher Beziehung noch heute besteht. Sie besassen ferner auf der Insel Rügen die Güter Balevitz, Besevitz, Glode, Lüssevitz, Plüggenstein, Streu, Unroh und Wüsteney. — Schon zu Zeiten des Herzogs Boleslav IV. in Pommern, und namentlich um das Jahr 1283 waren *Jer* und *Hermann* v. d. O. in grossem Ansehen. Da sie auf der Insel Rügen der Macht der dasigen Fürsten unterlagen, begaben sie sich 1303 in den Schutz der Wenden und so verbreiteten sie sich in ganz Pommern. Von den berühmten Vorfahren dieses Geschlechts, die als Landvoigte, Rathsherren, Staatsmänner, oder im Kriegsdienste glänzten, nennen wir *Ulrich* v. d. O., der zu Anfange des 14. Jahrhunderts des Herzogs Bogislav Rath war. — *Doberyast* v. d. O. wird als Voigt über den Oderfluss angeführt. — *Heinrich* v. d. O. war 1470 Kanzler in Pommern. — *Heinrich* v. d. O. war um das Jahr 1630 Landrath in Pommern. — Im Anfange des vorigen Jahrhunderts bekleidete *Friedrich* v. d. O. die Würde eines königl. dänischen Ober-Küchenmeisters. Ueberhaupt haben in dänischen Diensten eine grosse Anzahl Mitglieder gestanden, und viele derselben sind dort zu hohen Civil- und Militairwürden gelangt, namentlich im Civildienste *Jakob Franz* v. d. O., der als königl. dänischer Staatsminister, Ritter des Elephantenordens u. s. w., am 8. Novbr. 1739 starb. — *Wilhelm August* v. d. O., der ebenfalls Minister und Ritter des Elephantenordens war, und am 15. Januar 1764 starb; endlich *Adolph Siegfried,* Graf v. d. O., der noch am Ende des vorigen Jahrhunderts königl. dänischer wirkl. Geheimer Staats- und Kriegsminister der auswärtigen Angelegenheiten war. — Im dänischen Militairdienst gelangte *Otto Friedrich* v. d. O. zur Würde eines Generals der Infanterie und Gouverneurs von Norwegen, und seine beiden Söhne, *Otto Christoph* und *Johann Wiebe* v. d. O., waren Generallieutenants.

Im preuss. Staatsdienste haben sich vorzüglich ausgezeichnet: *Alexander Friedrich* v. d. O., der am 11. Novbr. 1736 als wirkl. Geheimer Staats-, Kriegs- und Finanzminister, Präsident der Kriegs- und Domainenkammer zu Halberstadt u. s. w., starb. — Ein v. d. O. war lange Jahre hindurch erster Director der Kriegs- und Domainenkammer zu Breslau. Er besass Hausdorf bei Neumarkt, welches später an die Wittwe seines Sohnes, nachmals vermählte Gräfin von Haacke gefallen, und von dieser verkauft worden ist. — Mehrere v. d. O. sind in der preuss. Armee zur Obersten- und Generalswürde gelangt und viele Mitglieder der Familie haben sich den Orden pour le mérite und im Befreiungskampfe das eiserne Kreuz 1. und 2. Cl. erworben. — *Alexander Andreas* v. d. O. musste als Oberstlieutenant im Jahre 1648 in Preussen fünf Compagnien Reiter werben. — *Ludwig* v. d. O. ward im Jahre 1750 Oberst und Chef der Fussjäger, er schied aber schon ein Jahr später aus dem activen Dienste.

Valentin Bodo v. d. O., Oberst und Chef des 1. Feldartillerie-Bataillon, starb am 23. Novbr. 1757 zu Breslau in Folge seiner Tags zuvor ehrenvoll erhaltenen Wunden. — Der gegenwärtige Generalmajor a. D. v. d. O. erwarb sich schon im Jahre 1793 den Militair-Verdienstorden bei Neukirchen und das eiserne Kreuz 2. Cl. im Jahre 1815 bei Lille. — Im Jahre 1806 wurde ein v. d. O. Generalmajor

und Chef des Dragonerregiments No. 12. Er starb 1819 im Pensionsstande. — Ein anderer v. d. O. starb im Jahre 1806 als Oberst im
Dragonerregimente v. Irwing. — *August* v. d. O. auf Witzmitz ist gegenwärtig Landrath und Landschaftsdeputirter.

Mit dem deutschen Orden ist eine Linie dieses Hauses nach Preussen, Liefland und Polen gekommen. Sie wird auch mit dem Namen
die polnische Linie bezeichnet; zugleich führt sie den Beinamen v.
Sacken mit einem vermehrten Wappen.

Die Familie v. d. O. führt in einem gespaltenen Schilde im rothen
rechten Felde einen silbernen Schlüssel, im linken blauen drei silberne
Flüsse und auf dem gekrönten Helme zwischen einem schwarzen Ad-
lerfluge eine silberne Säule, mit zwei übers Kreuz gelegten silbernen
Schlüsseln belegt. Die Säule ist mit drei Pfauenfedern geziert. Die
Decken sind roth, blau und silbern. Die Osten-Sacken führen in
Verbindung mit dem beschriebenen Wappen auch noch drei goldene
Sterne im blauen Felde.

Osten-Sacken, der Fürst, die Grafen und Herren von der.

Das erloschene fürstliche und die gegenwärtig noch blühenden
gräflichen und adeligen Häuser Osten-Sacken waren und sind Linien
des uralten und berühmten Geschlechtes der v. d. Osten in Pommern.
Sie wendeten sich aus Pommern nach Preussen und Polen, und erhielten hier das Indigenat. Die fürstliche Würde brachte *Karl* von der
Osten, genannt Sacken, auf sein Haus. Er war kursächsischer Premier-Minister. Im Jahre 1777 trat er in die Dienste König Friedrichs II. als Ober-Kammerherr und wirkl. Geh. Staats- und Kriegsminister. Die Huld seines neuen Monarchen schmückte ihn mit dem
schwarzen Adlerorden, und am 15. Oct. 1786 erhob ihn König Friedrich Wilhelm II. zum Beweis seiner persönlichen Werthschätzung in
den Fürstenstand. Als Grossbotschafter wohnte er der Kaiserwahl
Leopold II. und Franz II. bei. Er starb am 23. Dec. 1794, ohne Kinder zu hinterlassen. Seine Gemahlin war Christiane Charl. Sophie,
Freiin v. Dieskau, früher vermählt gewesene Gräfin von Hoym-Droysig, die ihn viele Jahre überlebt hat. Demnach erlosch dieses fürstliche Haus wieder mit dem Erwerber. Das Haupt der gräflichen Linie Osten-Sacken, und zugleich auch der einzige Zweig des gräflichen
Stammes ist *Friedrich Ludwig*, Graf v. d. Osten-Sacken, geb. den
20. März 1780 zu Clausdorf in Preussen, Oberst a. D., Herr auf Bellin, Mariendorf u. s. w. im Grossherzogthume Mecklenburg-Schwerin,
vermählt mit Mariane, geb. Gräfin v. Hoym-Droysig, früher vermählte Fürstin v. Hohenlohe-Ingelfingen. Aus dieser Ehe leben zwei
Töchter: *Angelica*, vermählt an den Grafen v. Hessenstein, grossherz.
mecklenburg-schwerinschen ausserordentlichen Gesandten und bevollmächtigten Minister am berliner Hofe, und *Auguste*, vermählt an einen
Herrn v. Alvensleben. — Mehrere Mitglieder der adeligen Familie
von Osten-Sacken dienen in der preussischen Armee.

Das Wappen der Familie v. Osten-Sacken ist quadrirt. Die Felder 1 und 4 sind in blau und roth gespalten und mit den Ostenschen
Wappenbildern, nämlich in blau drei schräggeführten Strassen, in
der rothen Hälfte aber mit dem silbernen Schlüssel, den Bart nach
oben gekehrt, belegt. Die Felder 2 und 3 sind blau und darin drei
goldene Sterne, oben zwei, unten einer. Auf dem Helme steht zwischen einem weissen und einem schwarzen Adlerflügel eine rothe,
durch einen Pfauenschweif geschmückte Säule. Jener ist mit einem

goldenen Sterne, diese mit zwei übers Kreuz gelegten Schlüsseln belegt. Zwei Löwen sind zu Schildhaltern gewählt. Die Decken sind
rechts roth und golden, links blau und golden.

Das gräfliche Wappen ist mit der neunperligen Krone auf dem
Helme versehen.

Das Wappen des erloschenen Fürstenhauses ist ebenfalls quadrirt
und mit einem Herzschilde versehen. Das Herzschild mit einer Fürstenkrone bedeckt, ist das oben beschriebene Familienwappen der
Osten-Sacken. Das 1ste Feld des Hauptschildes enthält in Silber
einen schwarzen Adler, der auf dem Haupte und um den Hals gekrönt ist. Das 2te und 3te rothe Feld zeigt einen aufspringenden goldenen Löwen. Das 4te goldene Feld enthält einen schwarzen ungekrönten Adler, der einen silbernen Halbmond auf der Brust trägt.
Dieses Schild ist mit fünf Helmen besetzt. Aus der Krone des 1sten
wächst der oben näher beschriebene doppelt gekrönte Adlerhals; auf
der Krone des 2ten Helmes steht ein halb schwarzer, halb silberner
gekrönter Adler; der dritte oder mittlere Helm ist der oben beschriebene Osten-Sackensche; auf dem 4ten steht ein Vogel, der ein Hufeisen hält; aus dem 5ten wächst ein goldener Löwe. Das Ganze ist
mit einem Fürstenmantel umzogen und mit einer Fürstenkrone bedeckt. M. s. Gauhe, I. S. 1145 und die bei dem Artikel v. d. Osten
angegebenen Quellen.

Ostrowski, die Grafen und Herren von.

Eine polnische Familie, von der ein Zweig die preussische Grafenwürde erhalten hat. Diese Familie führt im goldenen Schilde eine
rothgekleidete, die Arme emporhaltende gekrönte Jungfrau mit fliegenden Haaren, auf einem schwarzen Bären sitzend, der auf grünem Hügel steht. Aus der Krone wächst zwischen einem sechsendigen Hirschgeweih der schwarze Bär, welcher in der rechten Tatze eine rothe
Rose an grünem Stengel hält. Bei der gräflichen Familie ist das
Schild mit einer neunperligen Krone bedeckt. — In Berlin wohnt ein
Major a. D. v. Ostrowski, der bis zum Jahre 1806 in dem Regimente
Prinz v. Oranien zu Berlin stand und später bei der Gensdarmerie
angestellt war. — Ein anderer Capitain v. O., der in dem Regimente
Prinz Ludwig Ferdinand in Magdeburg stand, lebt gegenwärtig zu
Kannewurf in Thüringen. — Ein Prem.-Lieutenant v. O., der im
14. Infanterie-Regimente stand, erwarb sich im Jahre 1814 bei Neuss
das eiserne Kreuz.

Oswald, die Herren von.

Diese adelige Familie soll aus Baiern, namentlich aus Straubin-
gen, nach Schlesien gekommen sein. Schon zur Zeit des Sinapius waren nur noch wenig Mitglieder dieser Familie vorhanden; in der neuern
Zeit stieg ein v. Oswald aus Schlesien bis zum Generalmajor und
Chef einer Füsilierbrigade. Er war 1741 geboren und seit 1762 im
Militairdienste. 1789 wurde er Major und Chef eines Füsilierbatail-
lons, welches er in dem Feldzuge in Polen mit grossem Ruhme führte;
zur Belohnung erhielt er den Verdienstorden und ward zum Oberstlieutenant, 1796 zum Obersten, 1799 zum Brigadier und 1801 zum
Generalmajor ernannt. Seine Pensionirung erfolgte im Jahre 1813.
— Diese Familie führt im rothen Schilde einen silbernen Sparren
oder Hausgiebel, und über, so wie unter demselben, einen Stern,
auf dem Helme aber zwischen zwei Büffelhörnern einen Eichenstamm,
der links zwei, rechts drei Eicheln treibt.

Otterstädt, die Freiherren und Herren von.

Das Stammhaus dieser Familie soll das in den fürstl. schwarzburgischen Landen gelegene Dorf Otterstädt sein, doch ist diese Familie schon seit Jahrhunderten in den Marken begütert gewesen, namentlich sind die Güter Dahlewitz, Gunzdorf, Pransdorf im Kreise
Teltow, alte Besitzungen der v. Otterstädt. *Sigismund* v. O. auf Dahlewitz, der Sohn des *Balthasar* v. Otterstädt auf Dahlewitz und Rudo,
hatte einen Sohn, *Alexander* v. O., welcher Dahlewitz, Beusendorf,
Gross-Hagen, Junstorf u. s. w. besass, im Jahre 1655 starb und seinen Stamm durch vier Söhne, *Hans Ernst, Johann Georg, Georg Wilhelm* und *Otto Balthasar*, fortpflanzte. Gegenwärtig ist das Haupt dieser Familie der wirkliche Geheime Rath, ausserordentliche Gesandte
und bevollmächtigte Minister am Hofe zu Karlsruhe, Freiherr v. O.
Ein Sohn desselben ist Legations-Secretair bei der preussischen Gesandtschaft zu Brüssel, ein anderer ist Lieutenant in dem Gardekü
rassierregimente. Ein Baron v. O. stand lange Jahre hindurch als Lieutenant bei der 10. Invalidencompagnie. Eine Schwester des Ministers
v. O. ist *Wilhelmine*, Freiin v. O., Wittwe des Hofmarschalls Grafen
Wilhelm Jacob v. Redern, und Mutter der beiden Grafen Wilhelm v. R.,
General-Intendanten der königl. Schauspiele, und Sigismund Ehrenreich
v. R., königl. preuss. Kammerherrn.
Diese Familie führt im silbernen Schilde drei rothe Balken. M. s.
auch Gauhe, l. S. 1146.

Otto, die Herren von.

Es haben mehrere Offiziere dieses Namens in der preuss. Armee
gestanden. Ein v. Otto stand im Regimente Herzog Wilhelm v. Braunschweig-Oels, der im Jahre 1809 verabschiedet worden ist, ein anderer war Lieutenant im Regimente v. Gettkandt; er stand später im
7. Husarenregimente und war zuletzt Major im 18. Landwehrregimente.
Das eiserne Kreuz hatte er sich bei Leipzig erworben.
Die v. O. führen im blauen Felde einen Mann, der auf den Schultern einen Anker trägt, und im obern rechten Winkel des Schildes
steht ein Stern.

Owstin, die Herren von.

Diese Familie gehört zu den ältesten und vornehmsten Geschlechtern in Pommern, wo sie zu den Schlossgesessenen gezählt wird. In
früheren Zeiten wurde sie auch v. Augstien geschrieben. Ihr gehörten im vorigen Jahrhunderte die Güter Quilow, Menzelin, Palzin, Bünzow u. s. w. *Hans* und *Heinrich* v. O. begleiteten den Herzog Bogislav im Jahre 1496 ins gelobte Land. — *Johann Rüdiger* v. O. auf Quilow war im Jahre 1695 Vicepräsident des königl. schwedischen Tribunals zu Wismar. — Mehrere Mitglieder dieser Familie sind in der
Armee zu höhern Würden gelangt, namentlich:
Karl Christoph v. O., geboren 1720, wohnte dem ersten schlesischen Feldzuge als Fahnenjunker des Regiments v. Münchow bei. Im
Jahre 1742 ward er Adjutant des Feldmarschalls Grafen v. Schwerin,
sodann Lieutenant im Husarenregimente v. Hoditz, 1757 Major, 1758
Commandeur des Regiments, 1761 Oberstlieutenant, 1764 Commandeur des Husarenregiments v. Lossow, 1772 Oberst, und 1773 Chef

eines Husarenregiments. Im Jahre 1780 trat er aus dem activen Dienste. Er hatte allen Feldzügen von 1740 an rühmlichst beigewohnt, war bei Prag zweimal verwundet worden und hatte sich bei vielen Gelegenheiten vorzüglich ausgezeichnet, auch 1754 den Orden pour le mérite erhalten. Er war mit Dorothea Magdalena Louise v. Averdyk, aus dem Hause Nisdorf, vermählt, in welcher Ehe mehrere Kinder geboren wurden.

Karl Philipp v. O., geboren 1725, trat mit 16 Jahren als Fahnenjunker in das nachmalige Infanterieregiment v. d. Goltz, avancirte in demselben 1772 zum Major, 1782 zum Oberstlieutenant und 1784 zum Obersten. Im Jahre 1790 wurde er zum Generalmajor und Chef des v. Tiedemannschen Regiments ernannt, und starb 1811 als Generallieutenant a. D. und Ritter des rothen Adlerordens 1. Cl., den er im Jahre 1797 erhalten hatte.

August Georg v. O., ein Sohn des Vorigen, stand 1806 in dem Regimente seines Vaters als Stabscapitain. Er war zuletzt Oberst und Commandant von Graudenz und hatte sich bei Arnheim das eiserne Kreuz 1. Cl. erworben. — Ein Prem.-Lieutenant v. O. im Regimente v. Pirch starb 1807 an ehrenvoll erhaltenen Wunden. — Zwei Brüder v. O. standen im Jahre 1806 im Regimente v. Owstin; der eine von ihnen blieb im Jahre 1813 als Lieutenant im 9. Infanterieregimente, der andere ist Major in demselben Infanterieregimente und Ritter des eisernen Kreuzes (erworben bei Bautzen). — Ein Prem.-Lieutenant v. O. stand bei der 7. Artilleriebrigade; er starb im Jahre 1824 zu Berlin an den Folgen einer Krankheit, die er sich durch zu grosse Anstrengungen bei der Rettung der Mannschaft eines verunglückten Rheinschiffes zugezogen hatte, und wurde demnach ein Opfer seiner Menschenfreundlichkeit.

Die v. O. führen im silbernen Schilde einen rothen Sparren, der sich auf dem ungekrönten Helme wiederholt und mit einem Pfauenschweife besetzt ist. Die Decken sind silbern und roth. M. s. Gauhe, I. S. 1147 u. f.

Ozarowski (Osarowski), die Herren von.

Dieses ist ein altadeliges, schon vor langen Jahrhunderten nach Schlesien gekommenes, und bis in die neueste Zeit daselbst noch ansässiges Geschlecht. Es war namentlich im Oppelnschen und Lublinitzschen, später auch im Militzsch'schen begütert. — In dem Regimente von Plötz-Husaren stand im Jahre 1806 ein Rittmeister v. O.; er war zuletzt Oberstlieutenant beim 5. Uhlanenregimente und trat im Jahre 1817 aus dem activen Dienste. Er hat sich bei Möckern das eiserne Kreuz 1. Classe erworben. Nach Okolski gehört diese Familie, wie die Ostrowski, Brabanzki und mehrere andere Geschlechter, zu denjenigen, die aus dem vornehmen Hause Rawicz, früher Bär, abstammen. Ueber das Wappenbild ist eine alte Sage im Umlauf, wie eine Prinzessin von einem grausamen Bruder, der nach ihren Reichthümern lüstern war, einem wilden Bären vorgeworfen, von diesem aber statt zerrissen, geliebkoset wurde und so ihrem schrecklichen Schicksale entging. Das Haus Rawicz soll auch aus England nach Deutschland, von da nach Polen gekommen sein, und, wie wir schon erwähnten, früher den Namen Bär geführt haben.

Ergänzungs-Tafeln.

In dem Artikel: die Herren v. Kalkstein, Seite 60 Zeile 16 v. u. muss es heissen 1729.

Zum ersten Bande, S. 35 — 49, bei den gesammelten Notizen über die Erhebungen, Anerkennungen u. s. w., gehören folgende Nachträge:

Seite	Zeile	
35		Im Jahre 1663 wurden vom Kurfürsten Friedrich Wilhelm ausser den beiden angegebenen auch noch in den Adelstand erhoben:
		Fabian Kalau von Hoffe, Ober- und Geheimer Lehns-Secretair, den 7. Mai 1663.
		von Krinz, drei Brüder, den 14. Juli 1663.
36	4 v. u.	*v. Blumenthal* ergänze: als **Graf.**
-	1 v. u.	*v. Fuchs* ergänze: **Freiherr.**
37	-	Zu den unter 1701 Angeführten sind zu ergänzen:
		von Berchem.
		von Rickers, Freiin, den 22. Aug. 1701.
		v. Spanheim, Freiherr, den 18. Jan. 1701. (vergl. unter 1710)
		v. Wallenrodt, Graf, den 18. Jan. 1701.
39	Unter 1740.	Statt *Bullos* lies *Bullot.*
		- *v. Dieppenbrock* lies *Diepenbroik.*
-	-	- *v. Kameki* lies *Kamecke.*
-	-	- *v. Nooth,* den 28. Januar, lies den 28. Juni.
40	1741.	Bei *von Rees* ergänze: **Freiherr.**
-	1742.	Unter den als im Jahre 1742 als geadelt Angeführten sind zu streichen, und mit demselben Datum zu den unter 1743 zu schreiben:
		v. Böhmer. (steht zwar schon unter 1743 auch angeführt, aber fälschlich mit dem Zunamen *von Böhmfeld*).
		v. Gerbhard.
		v. Hagen,
		v. Hellermann (steht auch schon richtig unter 1743).
		v. Mohl.
		v. Posadowski, Graf.
		v. Stolberg-Gedern, Reichsfürst.
		v. Wolff (steht auch schon unter 1743, ist dort aber auch zu schreiben *v. Wolff*).
		v. Wülknitz, Graf.
41	1743.	Unter den 1743 Angeführten sind zu streichen:
		v. Krieger (richtig aufgeführt unter 1744).
		v. Walther (richtig aufgeführt unter 1748).
-	1744.	Statt *von Mochoi* lies *v. Machui.*

497

Seite	Unter	
41	1746.	Bei *v. Bredow*, Grand Maitre de la Garderobe, den 22. Jan. ergänze: G r a f. Das Folgende: *v. Bredow*, den 27. Febr. Graf, ist zu streichen.
42	1750.	Statt *v. Neall* lies: *v. Neale.*
43	1753.	*v. d. Arnex*, den 20. Februar ist zu streichen.
-	-	Statt *v. Chaillex d'Arnex* lies: *v. Chaillet d'Arnex.*
-	-.	- *v. Ruesch*, Graf, lies: F r e i h e r r.
44	1763.	- *v. Chorniski* lies: *v. Chorinski.*
-	1764.	- *v. Guednow* lies: *v. Quednow.*
-	1765.	Zu *v. Hertefeld* ergänze: F r e i h e r r.
45	1767.	Statt *v. Lenthern* lies: *v. Lentken.*
-	1768.	- *v. Liewert* lies: *v. Siewert.*
-	1769.	- *v. Podocharly* lies: *v. Podscharly.*
-	-	- *v. Wirdlsch* lies: *v. Windisch.*
-	-	- *v. Witczeck*: lies *v. Wilczeck.*
46	1770.	- *v. Melckntz* lies: *v. Meerkatz.*
-	1771.	Bei *v. Domhardt* ergänze: d e n 1 9. J u l i.
47	1775.	Statt *Schleiermacher*, zu *Friedenau* lies: *Schleierweber* von *Friedenau*, E r n e u e r u n g d e s A d e l s.
-	1776.	- *v. Fortelius* lies: *v. Forselius.*
48	1783.	- *v. Schwinmann* lies: *v. Schirmann.*
49	1786.	ist bei *Grudno* hinzuzufügen: G r a f.
51	No. 36.	Statt *Schutzbar*, genannt *Mischung*, lies: *Schutzbar*, genannt *Milchling.*

Berge, die Herren von, Bd. I. S. 214.

Während wir im 1. Bande nur im Stande waren, einen Artikel, die Herren v o m Berge betreffend, geben zu können, sind wir später so glücklich gewesen, vortreffliche und sichere Quellen aufzufinden, um vollständigere Nachrichten von dem uralten, vornehmen Geschlechte der v o n Berge, auch in alten Urkunden de Monte genannt, zu liefern. Dasselbe war schon um das Jahr 1266 im Fürstenthume Anhalt in hohem Ansehen, nachdem es in den benachbarten Ländern schon über 200 Jahre früher bekannt gewesen war. Viele Mitglieder dieses Hauses haben sich in königl. preuss. Militair- und Civildiensten befunden. Unter der Regierung Friedrichs des Grossen erwarben sie Rittergüter in der Neumark, und noch heute ist die Familie in dem Besitz derselben. Die Stammreihe der Familie beginnt mit *Lorenz* von Berge, geb. im Jahre 1024, gest. im Jahre 1099, und lässt sich nach den vor uns liegenden Urkunden in ununterbrochener Geschlechtsfolge fortführen. — Ein Enkel dieses L. v. B. war *Otto* v. B., Oberster des Kaisers Heinrich V.; er blieb im Jahre 1115 in der Schlacht zwischen Heckstädt und Sandersleben. Heinrich der Löwe vertraute dem *Leuhard* v. B. die Vertheidigung der Stadt Lübeck an, als die Grafen Adolph v. Holstein und Bernhard v. Ratzeburg dieselbe belagerten. — *Gervngius* v. B. lebte um das Jahr 1200. Sein Sohn war unter den zwölf Geisseln nach dem Vergleich, den Kaiser Otto IV. am 1. April 1213 mit Ludwig, Herzog von Baiern, geschlossen hatte. — Im 13. Jahrhunderte kamen die ersten Ritter aus diesem Hause im Fürstenthume Anhalt vor, wo sie namentlich in dem Gernrodeschen ansehnliche Güter besassen und zu den Edelleuten gehörten, denen das Prädicat milites (Vertheidiger des Vaterlandes), beigelegt wurde. Unter dieser Benennung kommen mehrere Ritter v. B. in den Urkun-

den der damaligen Zeit vor, namentlich *Connemann* v. B. oder de
Monte als Zeuge in mehreren Verträgen der Klöster und Stifter zu
Gernrode und Frohse, auch *Henning* und *Iowann* de Monte als Ge-
währsmänner in Angelegenheiten der Fürstin Mechtildis und der Stadt
Aschersleben. Dasselbe ist mit *Johannes Magnus* de Monte, den Gebrüdern *Iowann* und *Johannes* v. B. und *Albert* de Monte der Fall. —
Fürst Bernhard von Anhalt belieh im Jahre 1324 den *Hermann* v. B.,
und im Jahre 1327 den *Niklas* v. B. mit Ländereien, und im 14. Jahrhunderte war *Gerhard* v. B. aus diesem Hause Bischof zu Hildesheim. Derselbe Bischof Gerhard v. B. war am 3. Septbr. 1369 Sie-
ger in dem Treffen bei Dingler, das auch die Fürstenschlacht genannt
wird; er schlug den Herzog Magnus II. mit dem Beinamen Torquatus
oder der Kettenträger, von Braunschweig, und nahm denselben gefangen. In dieser Schlacht blieb mit vielen andern vornehmen Rittern
auch *Henning* v. B., Gerhard selbst starb im Jahre 1398. — Im 15.
Jahrhunderte lebten die Brüder *Rudolph* und *Joachim* v. B.; der Erstere war des Kaisers Maximilian I. Kriegshauptmann in den Niederlanden und in Italien, der Letztere Burgvoigt zu Breslau, geb. 1435, gest.
1499. — Sein Sohn war der hochverdiente Kanzler dreier Fürsten zu
Anhalt, *Paul* v. B., geb. am 24. Febr. 1475, gest. am 26. Decbr.
1539. Sein Epitaphium und Steinbild befindet sich in der Schlosskirche zu Dessau. Sein Andenken wird durch folgende schöne, den Werth
dieses Mannes sehr bezeichnende Inschrift geehrt: „P a u l u s v. B.,
U n s e r K a n z l e r, hat wohl regiert und alle der Fürsten
von Anhalt versetzte Güter wieder eingelöst.“ Kaiser
Karl V. ehrte den überall wegen seiner Rechtschaffenheit in hohem
Ansehen stehenden Kanzler durch eine, laut Diplom Augsburg am 14.
Juli 1530, ertheilte Vermehrung des Wappens, in dem es unter Andern
heisst: „dass er und seine ehelichen Erben sich dessen in allen ehrlichen und redlichen Sachen und Thaten, zu Schimpf und Ernst, in
Streiten, Kämpfen, Gestechen, Panieren, Gezeltaufschlagen u. s. w.,
bedienen sollen.“ — Von den Nachkommen dieses merkwürdigen Mannes haben viele Ruhm und Ehre in fremden Kriegsdiensten, zum Theil
auch den Tod auf dem Schlachtfelde gefunden, wie *Achaz* v. B., Rittmeister, der in der Schlacht am weissen Berge im Jahre 1620, und
Friedrich Wilhelm v. B., der als Oberst in kaiserlichen Diensten in
derselben Schlacht blieb. — Zu seinen Nachkommen gehören ferner
die v. B. in der Neumark und zwar in dem jetzigen Regierungsbezirke
Frankfurt, namentlich *Albert Christian Ernst* v. B., *Friedrich Johann*
v. B., *Johann Philipp* v. B., *Johann Philipp Ludwig* v. B. und der im
Regimente v. Katte-Dragoner gestandene, nachherige Oberlandesgerichtsassessor v. B. — Der erwähnte *Albert Christian Ernst* v. B.
war Hofmarschall des Markgrafen Friedrich Heinrich von Schwedt,
auch Canonikus des Stiftes zu Hervorden, geb. am 5. Septbr. 1721,
gest. am 8. Jan. 1777. Derselbe stiftete das Majorat Marwitz (Rittergut bei Landsberg a. d. W.), und ernannte durch seinen am 17. Febr.
1777 publicirten letzten Willen die ihm verwandten v. B. zu Nachfol-
gern in demselben. Von seinen Geschwistern überlebten ihn *Friedrich
Johann* v. B., *Johann Philipp* v. B., *Luise Marie* v. B., vermählt gewesene Geheime Oberfinanzräthin v. Brenkenhoff, und *Henriette* v. B.,
Stiftsfräulein zum heiligen Grabe in der Priegnitz. Die erwähnte Gemahlin des berühmten und hochverdienten v. Brenkenhof vermählte
sich nach dem Tode desselben mit dem Kammerherrn v. Schönfeld.
Ihr erster Gemahl benannte ihr zu Ehren zwei seiner neuen Schöpfun-
gen im Warthebruch Bergehorst und Bergethal. — Das ebenfalls oben
genannte Fräulein *Henriette* v. B. starb am 14. Januar 1815 unvermählt. — Sehr ehrenvoll hatte *Friedrich Johann* v. B., zuletzt Major

494 Berge.

im Regimente von Bernhauer, vormals Fouquet, im siebenjährigen
Kriege gedient. Schwere Wunden, die er im baierschen Erbfolgekriege
erhielt, nöthigten ihn, um das Jahr 1780 seinen Abschied zu nehmen.
Er war es, der nach dem Absterben des Hofmarschalls Albrecht Christian Ernst v. B. im Majorat succedirte, und er starb am 20. Mai 1798
kinderlos. — Sein Bruder, Johann Philipp v. B., fürstl. anhaltscher
Stallmeister, der ihm im Majorat folgte, starb am 19. Juli 1801 ebenfalls kinderlos. Er hatte auch das Rittergut Silberberg bei Arnswalde
durch Kauf erworben. — Johann Philipp Ludwig v. B., ein Vetter,
folgte ihm als nächster Anwärter im Fideicommis und Majorat Marwitz. Er war königl. preuss. Kriegs- und Domainenrath zu Posen,
und mit einer Tochter des königl. preuss. Kammerpräsidenten v. Grappe,
Elisabeth Helene Friederike, vermählt. In dieser Ehe wurden zwei
Töchter geboren, Luise Mathilde Emilie, die sich mit dem General-
landschaftsdirector v. Eichstädt auf Hohenholz in Pommern, und Charlotte Sophie Luise Henriette v. B. (unvermählt). Der gedachte Kriegs-
und Domainenrath v. B. zog sich zwar aus dem Staatsdienste zurück,
stiftete aber auch in seinem Verhältnisse als Majoratsbesitzer und Mitglied der Ritterschaft der Neumark, von der er auch in den Jahren
1814 zum Nationalrepräsentanten gewählt worden war, viel Gutes,
nachdem er schon in den Kriegsjahren 1707 und 1708 als Mitglied der
Comite der neumärkischen Stände in den Angelegenheiten der Con-
tributionen und Kriegskosten sehr thätig und verdienstlich gewirkt
hatte. Während seines Aufenthaltes als Nationalrepräsentant zu Berlin erfreute sich dieser hochachtbare Mann der vorzüglichen Gnade
des Kronprinzen, so wie des Prinzen Ferdinand von Preussen
(Bruder Friedrichs des Grossen). — Von diesem letztern Prinzen
bewahrt die Familie verschiedene, uns vorliegende, den Verstorbenen hochehrende, und seine Verdienste, erworben in den ständischen Angelegenheiten, anerkennende Zuschriften. Ein nicht minder bleibendes Andenken aber hat sich der Verstorbene durch das uneigennützige Wirken in den Herzen seiner Mitstände errichtet. Da
er bei seinem am 13. Novbr. 1831 erfolgten Ableben keine männlichen
Nachkommen hinterliess, so succedirte ihm sein einziger Bruder, der
jetzige Majoratsherr Johann Heinrich Gottlieb v. B, königl. Oberlandesgerichts-Assessor. Er hatte in seiner Jugend die Feldzüge am
Rhein in den Jahren 1794 im Dragonerregimente v. Katte mitgemacht,
avancirte im Jahre 1795 zum Lieutenant und trat im Jahre 1801 aus
dem Militairdienste. Im Jahre 1807 ward derselbe als Assessor bei
dem Oberlandesgerichte zu Stettin angestellt, zog sich aber späterhin
seiner geschwächten Gesundheit wegen aus dem Staatsdienste gänzlich
zurück, bis im Jahre 1833 die Stände ihn zum Communal-Landtagsab-
geordneten-Stellvertreter wählten. — Ausser ihm haben sich im Anfange des jetzigen Jahrhunderts noch mehrere v. B., sowohl Stabs-,
als Ober-Offiziere in der preuss. Armee befunden, wie die Ranglisten
nachweisen.

Unsere hier erwähnten von Berge in der Neumark führen im rothen Schilde drei silberne Berge, auf deren mittlerem ein Sittich
natürlicher Farbe, einen goldenen Ring mit einem Türkis im Schnabel haltend, steht. Der Sittich wiederholt sich auf dem Helme, sich
zum Fluge anschickend, Die Helmdecken sind roth und silbern.

M. s. auch Helmold lib. 4. cap. 8. Heinrich Wolter Chronica Bremens. pag. 77. Maderi, res Brunsvicens. Fol. 134. Iselins histor. Wör-
terbuch. Spangenbergs sächsische Chronik. Dasselts Chronik des Bisthums Hildesheim. F. L. B. Lauenstein, histor. diplom. epist. Hil-
descens. Hildesheim. 1740.

Henckel, die Grafen von, Bd. II. in der Ergänzungstafel S. 469,

ist bei der Aufführung des Grafen Henckel v. Donnersmarck, gegenwärtigen freien Standesherrn, bei dem Namen *Lazarus* statt *Lazarus* zu setzen *Karl Lazarus*, wie S. 368 ganz richtig aufgeführt ist. Dagegen sind auf der Seite 367. die Kinder des Grafen *Lazarus Johann Nepomuk H. v. D.* auf Gramschütz nicht in rechter Ordnung aufgeführt. Die Folgereihe ist demnach dahin zu berichtigen, wie folgt:

1) *Franzisca Eleonore Antonie Josephine*, geb. den 28. Septbr. 1815.
2) *Lazarus Karl Friedrich Ludwig*, geb. den 16. Januar 1817.
3) *Marie Antonie*, geb. den 24. Octbr. 1818.
4) *Leo Ferdinand*, geb. den 20. März 1821.
5) *Karl Joseph Erdmann*, geb. den 10. Novbr. 1823.
6) *Georg Friedrich*, geb. den 8. August 1825.

Hohberg, die Freiherren von.

Wir haben in dem Artikel, die Grafen v. Hohberg, schon erwähnt, dass sie mit den Freiherren v. Hohberg gleiche Abstammung haben und erst später den Namen Hohberg mit Hochberg vertauschten. Wir sagten dort, dass *Melchior* der Stammvater des gesammten Geschlechts, und *Christoph* v. H., der Sohn *Johannes* I., der Vater des Gründers der gegenwärtig reichsgräflichen Familie v. Hochberg war. Der zweite Sohn jenes *Johannes* I., und der Bruder *Christophs*, war *Johann* II. Er wurde der Gründer der Linie Hohberg v. Güttmannsdorf oder Guttmannsdorf. Die Nachkommen seines Sohnes *Friedrich* mit Dorothea v. Reibnitz erzeugten funfzehn Kinder haben sich zum Theil nachmals in Oesterreich niedergelassen, namentlich *Johann* v. H., ein Sohn *Balthasar's* v. H., und der Katharine v. Zedlitz, geb. im Jahre 1539, der zuerst oberster Silber-Kämmerer der Königin von Polen, Katharine, der Tochter des Kaisers Ferdinand I., war, und nach deren Tode beim Kaiser Maximilian II. eine der grossen Hofchargen bekleidete. Er erwarb zuerst Güter in Oesterreich. Sein jüngerer Bruder, *Melchior* v. H., war des Kaisers Maximilian II. Hof-Kammerrath, und Besitzer der Herrschaften Ottenschlag, Dürrenschlag und Windor. Durch diesen bedeutenden Besitz verpflanzte er völlig diese Linie der v. H. nach Oesterreich. Von den Töchtern Friedrichs verdient namentlich *Dorothea* v. H. der Erwähnung. Sie vermählte sich 1534 mit Karl III. von Poitiers, Baron v. Vadans, Souvans und la Ferté, und wurde die Ahnfrau des alten und grossen Hauses der Reichsgrafen v. Valentinois, der Herzöge v. Tremouilles. Die Söhne *Friedrichs* v. H., *Melchior* der Jüngere, *Ferdinand* und *Friedrich* v. H., wurden Stifter besonderer Häuser oder Linien. Melchior der Jüngere gründete die Linie zu Dürrenbach, Ferdinand die zu Veldeck, und Friedrich die zu Ober-Thumrietz. Aus der letzteren, der Ober-Thumrietzer Linie, ist der durch seine Gelehrsamkeit und durch seinen Hang zu den Wissenschaften bekannt gewordene *Wolfgang Helmhardt*, Freiherr v. H., hervorgegangen. Er verkaufte im Jahre 1664 alle seine Güter in Oesterreich, und nahm seinen Aufenthalt zu Regensburg, wo er ganz den Wissenschaften lebte, und namentlich dem berühmten Spener viele heraldische Beiträge lieferte; auch ist er der Verfasser der Georgia curiosa, oder das adelige Landleben betitelt, und einer mühsamen und gelehrten Hohbergschen Geschlechtsgeschichte. — Aus der Veldecker Linie blieb *Karl Ludwig* v. H. im Jahre 1598 beim Sturme auf Ofen. Wie man behauptet, soll der letzte Zweig derselben im Jahre 1680 erloschen sein. — Die Guttmannsdorfer Linie ist katholischer Religion. — Des oben erwähnten Melchior, Stammherrn des Gesammthauses der v. H., Enkel, *Nikolas* v. H., der um das Jahr 1390 lebte, und mit einer v. Kottwitz vermählt war, wurde der Gründer der Buchwaldischen Linie, der die meisten der heute noch blühenden Zweige des freiherrlich v. Hohbergschen Hauses angehören, welche theils katholischer, grösstentheils aber evangelischer Religion sind. Sie besass zuerst Alt-Schönau, später Buchwald bei Hirschberg, Fuchsmühl bei Lübben, Petersdorf bei Liegnitz, Schüzzendorf bei Neisse, Prausnitz bei Goldberg Plagwitz, Polschildern bei Liegnitz, Ransen bei Steinau u. s. w., u. s. w. In der Gegenwart besitzen die Freiherren v. H. Prausnitz, Hasel, Goglau, u. s. w., namentlich ist *Karl Georg Heinrich*, Freiherr v. H., königl. Kammerherr und Landesältester im Fürstenthume Schweidnitz-Jauer, im Besitz der Güter Prausnitz, u. s. w., und *Gottlob*, Freiherr v. H., königl. Kammerherr, besitzt Goglan bei Schweidnitz. Aus dem Hause Goglau ist *Adolph*, Freiherr v. H., königl. preuss. Major v. d. A., Landrath und Polizeidirector in Posen, auch Ritter des eisernen Kreuzes. Denselben Orden hat auch ein älterer Bruder, der Major a. D. v. H., erworben. Beide Häuser sind evangelischer Religion. Von der katholischen Linie war im Jahre 1806 *Karl Leopold*, Freiherr v. H. und Buchwald, Kanonikus des hohen Domstifts zu Breslau, und hochfürstl. General-Vicariats-Amtsrath.

Die Freiherren v. H. führen ein quadrirtes Schild. Im 1. und 4. silbernen Felde zeigt sich ein halber gekrönter schwarzer Adler; im 2. und 3. das Schach, mit den Bergen. Der gekrönten Helme sind zwei. Auf dem rechten erscheint ein schwarzer, stehender, und etwas sich zurückbiegender einfacher Adler, auf dem linken Helme sind zwischen drei Straussfedern (silbern, roth, silbern) die zwei unter sich gewendeten Forellen, zwischen denen auf einem grünen Stengel, mit zwei grünen Blättern, eine silberne Rose steht. Die Helmdecken silbern und roth.

Was die Quellen zu einer nähern Genealogie betrifft, so haben wir sie bei den Grafen v. Hochberg schon angegeben.

Kolowrat, die Grafen von, Bd. III. S. 146.

Bei der Linie Krakowski ist nachzutragen:

Aloys Joseph Krakowski, Reichsgraf v. Kolowrat, Freiherr v. Ujezd, starb am 28. März 1833, als Fürst Erzbischof von Prag, Domherr zu Olmütz, kaiserl. Geheimer Rath, apostolischer Legat und Primas des Königreichs Ungarn; er war am 21. Januar 1759 geboren.

Korff, die Grafen, Freiherren und Herren von.

Ein altadeliges, theils gräfliches, theils freiherrliches Geschlecht, das man auch zuweilen v. Korf und v. Korve geschrieben findet. Es gehört ursprünglich Westphalen an, wo dieses vornehme Geschlecht sich in die Bremische und in die Ravensbergische Linie auf Waghorst theilt, aber schon mit dem deutschen Orden sind Zweige davon in die östlichen Provinzen, namentlich nach Preussen, Liefland und Kurland gekommen, und haben sich daselbst ansässig gemacht. Nach und nach verbreitete sich dieses vornehme Geschlecht auch in verschiedenen andern Ländern, z. B.: in Schlesien. Nach und nach hatte die Familie bedeutenden Grundbesitz erworben, namentlich in den diesseitigen Ländern Stellenfleth, Klint, Dornbusch, Waghorst, Halstenbeck, Rolingshof, Tatenhausen, Sudermühlen, Störmede, die Freigrafschaft Vardorp, u. s. w. im Westphälischen, Bledau, Nuskern, Schaeferey, Wosegau, Wuschkauten, Corben, Kuntershof, Wargenau, Laukitten, Dagwitten, u. s. w. in Ostpreussen, Dammer, u. s. w. in Schlesien. Ausserdem sind die v. K. im Besitz von bedeutenden Gütern in Kur- und Liefland. Nach und nach theilte sich das Geschlecht in verschiedene Linien, namentlich in die zu Aswikken, Kreutzburg, in die Tels und Bledauische, Baldohnen und Paddernsche, Prekuln und Assitensche, Brukkensche, Mosenssche, u. s. w., u. s. w. Am 10. März 1692 wurde *Matthäus* v. Korff vom Kaiser Leopold I. in den Reichsfreiherrenstand erhoben. Die westphälische Linie schreibt sich Korff, genannt Schmiesing; aus derselben brachte ein Mitglied im Jahre 1716 die gräfliche Würde an sein Haus, und von den oben erwähnten Besitzungen gehört dieser namentlich Tadenhausen (m. s. den Art. Schmiesing). — Sehr viele Edelleute dieses Namens haben sich sowohl im Civil- als im Militairdienste Ruhm erworben, und sind theilweise zu hohen Würden gelangt, namentlich:

Friedrich Alexander v. K., geboren 1717, der am 25. Septbr. 1766 wirklicher Geheimer Staats- und Kriegsminister, Mitglied der preussischen Regierung, Kanzler des Königreichs Preussen, Protector der deutschen Gesellschaft zu Königsberg wurde, und am 17. Novbr. 1785 starb. — Im Jahre 1824 starb *Raphael Anton*, Freiherr v. K., Stifter der schlesischen Linie, als königl. Major. Er besass in dieser Provinz das Gut Dammer. — Gegenwärtig ist *Friedrich Wilhelm Georg August*, Freiherr v. Korff, Lieutenant a. D., Herr auf Schönbruch in Preussen, und mit Agnes, Gräfin zu Eulenburg, vermählt, in welcher Ehe ihm mehrere Kinder geboren worden sind. — Ein älterer Bruder desselben ist *Karl Johann Dietrich*, Freiherr v. K., Oberstlieutenant im 1. Husarenregimente, und Ritter vieler Orden, namentlich auch des eisernen Kreuzes. Seine Gemahlin ist Bertha v. Bergen, und er besitzt die Güter Mosens, Zehnhuben, u. s. w. in Preussen. — Ein Freiherr v. Korff ist Landrath des Kreises Minden. — *Clemens August*, Freiherr v. K., ist aggregirter Domherr des Capitels zu Münster. Mehrere Mitglieder der Familie haben sich Ehrenzeichen im Befreiungskampfe erworben; einige fanden auch auf dem Felde der Ehre ihren Tod.

Das Wappen dieser freiherrlichen Familie zeigt im rothen Schilde eine goldene Lilie, und auf dem gekrönten Helme eine mit drei schwebenden Sternen bedeckte goldene Lilie, von zwei gegen einander gekehrten Meernymphen oder Sirenen gehalten.

Anmerkung: Wir behalten uns vor, diesen Artikel aus den vortrefflichen Familien-Nachrichten, die uns auf eine sehr loyale Weise zur Einsicht und zur Benutzung gütigst anvertraut worden sind, in den Fortsetzungen dieses Werkes zu ergänzen. Ganz besonders werden wir mit Dank jene Mittheilungen darum benutzen, weil viele Mitglieder dieses uralten und vornehmen Geschlechtes vielfach in die Geschichte Preussens, Schwedens und Russlands verwebt, und namentlich in dem letztern Reiche zu hohen militairischen Würden gelangt sind.

Lindern, die Herren von, Bd. III. S. 265.

Die Familie v. Lindern stammt aus Schweden und Dänemark.
Der Erste aus diesem Geschlechte, der sich bei uns niederliess, kam
mit Gustav Adolph nach Deutschland, und wurde mit der Lindern-
burg bei Neuhaldensleben, im Regierungsbezirke Magdeburg, die gegenwärtig nur noch als Ruine besteht, beliehen. Der von uns erwähnte Oberst *Jodocus* v. Lindern lebt gegenwärtig zu Halberstadt
und ist mit Franzisca v. Doetimchen de Rande vermählt, aus welcher
Ehe ein Sohn und eine Tochter vorhanden sind. Der Sohn steht als
Lieutenant im 11. Husarenregimente.
Das Wappen der v. L. zeigt im goldenen Felde zwei grüne, mit
den Stielen übereinandergelegte Palmenzweige. Dieses Bild wiederholt sich auch auf dem Helme.

Lindheim, die Herren von, Bd. III. S. 265.

Das in dem, dieses Geschlecht betreffenden, Artikel erwähnte
Städtchen Lindheim ist wirklich das Stammschloss der Familie v. L.
Die Worte: „Postmeister zu Graudenz" fallen weg, und der ältere
Sohn des Majors v. L. im Regimente v. Dierecke starb im Jahre
1816 zu Berlin. Das genannte Schloss Lindheim, in der Wetterau,
6 Stunden von Frankfurt a/M gelegen, war ein Raubschloss. Kaiser
Rudolph von Habsburg liess es bei seinem Reichsantritte nebst
Glauburg, Holzhausen und mehreren den v. L. gehörigen Schlössern
zerstören. Da Lindheim ganz verwüstet worden war, so vergönnte Kaiser Rudolph wegen geleisteter treuen Dienste dem Conrad v. Buches
im Jahre 1289 den 11. Septbr. zu Basel, den verschlossenen Flecken
und das Schloss wieder aufzubauen. Die v. L. haben diese Herrschaft im Besitz gehabt, laut der Glauburgschen und Holzhausenschen
Documente; auch aus der Frankfurter Chronik, Tab. I. pag. 296.,
geht hervor, dass diese die oben genannten Schlösser besassen, später aber sich nach Frankfurt a/M begeben haben, woselbst man zwei
Familien v. L. findet. — Im Jahre 1411 verband sich *Marquard* v.
L. zu einer gemeinschaftlichen Fehde, eben so *Kunz* v. L. im Jahre
1495. — *Johann Jost* v. L. war kaiserl. Geheimer Rath, und mit
Maria Sibylla v. Uffenbach vermählt. — *Cornelius* v. L., der Bruder
des Vorigen, geboren den 26. Septbr. 1671, war hessen-darmstädti-
scher wirklicher Geheimer Rath, und mit Katharina Elisabeth Seyp-
pin v. Bettenhausen vermählt. — Ein Sohn aus dieser Ehe, *Georg
Melchior* v. L., war holländischer Oberst, und eine Tochter, *Katharina Marie Sibylle*, war mit dem Freiherrn v. Loën, königl. preuss.
Präsidenten zu Lingen, vermählt. — *Johann Gotthard* v. L. starb im
Jahre 1779 als hessischer General zu Darmstadt. Von seinen Söhnen
gelangte *Johann Friedrich Christian David* v. L. zur Würde eines
grossherzogl. badenschen Generals. — Der in unserm Artikel erwähnte Major v. L. im Regimente v. Dierecke hatte die Vornamen
Johann Philipp. Er war im Jahre 1787 aus hessischen Diensten in
die des Königs Friedrich Wilhelm II. getreten, und hatte, wie wir
auch bemerkt haben, sich im Jahre 1806 in Danzig den Orden pour
le mérite wegen seiner ehrenvollen Vertheidigung des Hagelsberges
erworben. Er war zuletzt Commandeur des 5. Infanterie-Regiments.
Aus seiner Ehe mit Katharine Louise, Freiin v. Werner, einer Tochter des hessischen Generallieutenants, Präsidenten des Kriegscolle-
gium und Gouverneurs von Darmstadt, Freiherrn Leopold Daniel v.

Werner, wurden die in unserm Artikel erwähnten Söhne geboren,
nämlich *Leopold Gotthardt* v. L., königl. preuss. Major, Ritter des
Ordens pour le mérite, des eisernen Kreuzes, u. s. w., gestorben zu
Berlin; *Ludwig Friedrich Karl* v. L., königl. preuss. Hauptmann im
5. Infanterie-Regimente, der in dem Gefechte bei Loenhut am 11.
Januar 1814 durch eine Flintenkugel am Kopfe verwundet wurde
und drei Tage darauf zu Breda in den Niederlanden starb; und der
jüngste, *Karl Friedrich* v. L., gegenwärtig königl. preuss. Oberst,
Flügeladjutant Seiner Majestät, Referent, Director der Abtheilung für
die persönlichen Angelegenheiten im Kriegsministerium, Commandeur,
und Ritter hoher Orden, geboren den 7. Septbr. 1791 zu Königsberg
in Preussen. Er trat im Jahre 1802 bei der 2. ostpreuss. Füsilierbrigade ein, wurde im Jahre 1805 Lieutenant, machte den Feldzug
von 1804 in Preussen mit, wohnte in demselben der Schlacht von
Eylau, den Gefechten von Schippenbeil, Leuneburg, Wackern, Heilsberg, Blieshöfen, Braunsberg und Königsberg bei, wurde nach dem
Frieden zur Garde versetzt, avancirte 1813 zum Prem.-Lieutenant
und Stabscapitain, machte in diesem Jahre die Schlachten von Gross-
görschen und Bautzen mit, erhielt am 2. Mai 1813 das eiserne Kreuz
2. Classe, avancirte 1815 zum Compagniechef, war in diesem Jahre
nach der Schlacht von Belle-Alliance mit dem 1. Garde-Regimente
drei Monate in Paris, und wurde im Jahre 1817 zum Major und
Commandeur des 1. Bataillon im 1. Garderegimente ernannt.

Das Wappen, welches wir Band III. S. 266. angegeben haben,
ist nicht dasjenige, welches die von uns hier beschriebene Familie
v. Lindheim führt. Diese führt ein quadrirtes Wappen. Im 1. und
4. rothen Felde ist ein silberner Drache (Lindwurm), im 2. und 3.
silbernen Felde aber eine reichbelaubte Linde dargestellt. Letztere
wiederholt sich auf dem gekrönten Helme.

Lützow, die Grafen, Freiherren und Herren von, Bd. III. S. 319.

Eine sehr alte, jetzt zum Theil gräfliche, zum Theil freiherrliche und adelige Familie deutschen Ursprungs, die sich früh nach
Mecklenburg gewendet, und sich dort, wo sie noch gegenwärtig noch
im Besitze des erblichen Landmarschallates im Herzogthume Mecklenburg ist, mit bedeutenden Gütern ansässig gemacht hat. In Pritzier, unfern von Boizenburg und der Elbe, welches noch bis ins
18. Jahrhundert ein Besitz der Familie war, zeigt man noch jetzt
den Leichenstein von *Marquardus* Lützow, der im Jahre 1110 am 4.
Sonntage nach Pfingsten verstorben ist. Einer Sage nach soll die
Familie de la Scala, welche von der Mitte des 13. Jahrhunderts an
über Verona, und im 14. auch über Brescia, Vicenza, Belluno, Fel-
tre, und die ganze Mark von Treviso herrschte, ähnlich wie das
Haus Romano, welches früher über Treviso gebot, von einem deutschen Geschlechte, und desselben Ursprungs, wie die noch bestehende Familie Lützow, gewesen sein (Cours d'Histoire p. Fréd. Schoell,
T. X. S. 15.). Beide Namen bedeuten Leiter, und beide Familien
haben eine Leiter im Wappen, wie diess schon auf dem Leichen-
steine von 1110 in Pritzier, und auf den berühmten Grabmälern der
Scaliger in Verona zu sehen ist. Die Familie der Scaliger wendete
sich nach ihrem Sturze, im Jahre 1388, nach Deutschland. Man sieht
als die Nachkommen von Brunero de la Scala, mit dem Zunamen
der Baier, der noch 1404 auf kurze Zeit wieder in Verona herrschte,

32 *

die Freiherren von der Leiter von Behrn (Verona, Behrn, Dietrichs-
hern) an, welche im Süden von Deutschland bis ins 17. Jahrhundert
geblüht haben, zu welcher Zeit sie im männlichen Stamme erloschen
sind. Die Erbtochter dieses Hauses, vermählt mit dem Freiherrn Georg
Sigismund v. Lamberg, ist die Stammmutter der jetzigen Fürsten v.
Lamberg und der Grafen v. Lamberg zu Amerang, welche auch die
Leiter mit in ihr Wappen aufgenommen haben. (Carl Frd. Aug. v.
Meding, Nachrichten von adeligen Wappen 3. Th. S. 40 u. 370. Hi-
storisches Lexicon v. Buddeus 3. Th. S. 300.) In Verona behaupten
die Grafen Serego, von den Scaligern abzustammen und führen die
Leiter in ihrem Wappenschilde.

Nach Marquardus Lutzow, gestorben und begraben im Jahre 1110
in Pritzier, findet man Nachricht von *Heinrich* Lützow, Ritter, der
1189 mit dem Kaiser Friedrich Barbarossa ins gelobte Land zog und
1228 noch lebte. *Lüders* und *Otto* Lützow lebten 1254, *Johann* Lützow,
Ritter, 1287, und *Vicro* und *Detlef* Lützow 1300. *Wipert* Lützow, Ritter und Landmarschall auf Drei-Lützow und Horst, am Ende des 13.
und im Anfange des 14. Jahrhunderts, hatte vier Söhne: 1) *Burchard*,
Ritter, auf Drei-Lützow und Horst; 2) *Johann* (oder Henning), Ritter, auf Pritzier; 3) *Wipert*, Ritter und Landmarschall, auf Grabów,
welches Haus, Stadt und Land er mit seinen Brüdern in dem ganzen
Umfange, wie es die Grafen von Dannenberg früher besessen, und
nach dem Aussterben der Markgrafen von Brandenburg, askanischen
Stammes, an Heinrich von Mecklenburg überkommen, unter alleini-
gem Vorbehalte des Oeffnungsrechts, am 1. Juli 1321 von diesem für
3000 Mk. brandenb. Silber als erbliche Lehnherrschaft erkauft hatte,
worauf es bis 1493 ein Besitz der Familie blieb (Rudloff's mecklenburg-
sche Urkundenlieferung N. 106); und 4) *Volrad*, Burg- und Schlossgesessenen zu Gadebusch. Die drei älteren sind die Stammväter der
drei Hauptlinien der Familie: 1) *Burchard* von der Drei-Lützower,
2) *Johann* von der Pritzierer, und 3) *Wipert* von der, die sich unter
seinen Nachkommen in die Eickhöfer, Hülseburger, Goldenbower,
Perliner, Salitzer, Dützower und Turower Häuser spaltete. Der jüngste Sohn, *Volrad*, starb ohne männliche Erben und vermachte seine
Güter der Kirche. Die Drei-Lützower und die Pritzierer Linien zerfallen auch in Unterlinien. Von den vormaligen im Mecklenburgischen
sehr ansehnlichen Gütern besitzt die Familie nur noch einen Theil.
Seit der Mitte des 14. Jahrhunderts ist das Landmarschallamt im Lande
Mecklenburg ununterbrochen in der Familie gewesen und erblich geworden; am 1. Januar 1494 wurde mit der Erblandmarschallswürde
die Belehnung über das Schloss und die Voigtei Eickhof, die noch
jetzt damit vereinigt ist, verbunden.

Die Familie ist jetzt zum Theil katholisch, zum Theil protestantisch. Der katholische Theil der Familie ist seit der Reformation vielfach im Dienste des deutschen Kaiserhauses gewesen, während der
protestantische Theil häufig in Dienste der Krone Schweden, Dänemark, Preussen und anderer protestantischen Fürstenhäuser getreten,
wodurch sie in verschiedenen Ländern verbreitet und zum Theil auch
ansässig geworden ist. — *Joachim* auf Drei-Lützow und Horst, vermählt mit Katharine v. Peutz, aus dem Hause Rodewin, war 1523—25
kaiserlicher Oberst. Dessen Sohn *Barthold*, vermählt mit Anna v.
Rantzow, war Oberstlieutenant unter Kaiser Karl V. Leibregimente.
Dessen Sohn *Joachim*, vermählt mit Dorothea v. Hahn, aus dem Hause
Basedow, war Truchsess und Mundschenk Kaiser Rudolph II. *Kurt*,
auf Goldenbow und Marsow, vermählt mit Anna Sophia v. Wobersnow,
war Reichshofrath, und dann wirkl. Geheimer Rath und Gesandter auf
dem Congresse zu Hamburg, wo er 1640 den Frieden unterhandelte,

1648 auf der Kreisversammlung zu Braunschweig, und ward vom Kaiser Ferdinand III. in den Freiherrnstand erhoben. *Gottfried* auf Drei-Lützow und Seedorf, vermählt mit der Gräfin Marie v. Wesselwitz, erwarb in Böhmen die Herrschaften Toppau und Sachsengrün, und ward am 13. Febr. 1692 vom Kaiser Leopold I. in den Reichsgrafenstand erhoben. Er starb ohne Kinder. Seines Bruders Sohn, *Barthold Heinrich*, vermählt mit Gräfin Johanne Elisabeth v. Metternich-Winneburg-Beilstein, ward darauf im Anfange des 18. Jahrhunderts vom Kaiser in den Grafenstand erhoben, und ererbte die Herrschaften Toppau und Sachsengrün. Dessen Sohn, *Gottfried Julius*, k. k. Kämmerer, war mit Gräfin Marie Therese v. Globen, verwittweten Gräfin v. Hartwig, vermählt. Sein Sohn war *Johann Nepomuk Gottfried*, k. k. Kämmerer und Generalmajor; verheirathet 1) mit Gräfin Karoline v. Sternberg und 2) mit Gräfin Antonie v. Czernin. Er starb 81 Jahr alt, den 7. Febr. 1822 in Salzburg. Aus der zweiten Ehe stammt: 1) *Hieronymus*, k. k. Kämmerer und Hofrath beim Landes-Gubernium in Böhmen, Herr der Herrschaft Lochwitz, der mit der Gräfin Karoline v. Kolowrat-Liebsteinski vermählt war, und 2) *Rudolph*, k. k. Kämmerer, wirkl. Geheimer Rath und Ambassadeur in Rom (früher Gesandter in Dänemark, Würtemberg, Internuntius in Konstantinopel und Gesandter in Turin), vermählt mit Maria Ignacia v. St. Just. — Der k. k. Feldmarschall.-Lieut., Freiherr v. Lützow, blieb am 18. Juni 1757 in der Schlacht von Collin. — Im 17. Jahrhunderte war *Hartwig*, aus dem Hause Turow, königl. dänischer Obermarschall, im Anfange des 18. Jahrhunderts *Henning Ulrich*, aus dem Hause Hülseburg, königl. dänischer Staatsminister, und *Barthold Heinrich*, aus dem Hause Perlin, königl. dänischer Generallieutenant und command. General in Norwegen, dessen Sohn, *Hans Ernst*, als königl. dänischer Generalmajor im Jahre 1762 starb. *Magnus*, aus dem Hause Dützow, war königl. dänischer Commandant auf Tranquebar, und *Christian Friedrich*, aus demselben Hause, starb im Anfange des 19. Jahrhunderts als königl. dänischer Admiral. *Christoph Marquard*, geb. 1738, gest. den 8. Septbr. 1809 als königl. dänischer Generallieutenant, Chef des schleswigschen Infanterieregiments und Commandant von Fridericia. — *Balthasar Friedrich Wilhelm*, aus dem Hause Perlin, gest. 1822 als königl. niederländischer Generalmajor in Batavia. — *Johann*, aus dem Hause Pritzier, war zur Zeit der Reformation Dompropst zu Schwerin, Administrator dieses Bisthums und Domdechant von Ratzeburg. *Paul Heinrich*, aus dem Hause Perlin, war in der Mitte des 17. Jahrh. Deutsch-Ordensritter und Commendator zu Nördlingen; ein Freiherr v. Lützow, aus dem Hause Goldenbow, starb im Anfange des 19. Jahrh. als Dompropst und Weihbischof von Hildesheim. — *Klaus Christoph*, aus dem Hause Eickhof, war Hofmarschall der Königin Christine von Schweden. — *Valentin Detlef August* auf Eickhof, früher kurhessischer Generalmajor, war am Anfange des 19. Jahrhunderts Landmarschall. Ihm folgte in dieser Würde sein Sohn *August Friedr. Hartwig* auf Eickhof und Eichelberg, dessen ältester Sohn *August Friedr. Ulrich* sie jetzt bekleidet, während der jüngere, *Otto*, Lieut. im königl. preuss. 1. Garderegimente, Eichelberg besitzt. — *Konrad Ignatius Franz Wilh.*, aus dem Hause Goldenbow, geb. 1738, verm. mit Margarethe Bernardine, Freiin v. Kurzrock, gest. den 20. Jan. 1823 als grossherzoglich schwerinscher Ober-Marschall und Ober-Kammerherr. Seine Söhne: 1) *Friedr. Eugen*, geb. 1773, gest. den 1. Jan. 1806 als k. k. Major und Adjutant des Erzh. Karl an den in der Schlacht von Caldiero erhaltenen Wunden. 2) *Johann Heinrich Joseph*, geb. 1777, ist grossherz. schwerinscher Kammerherr. 3) *Clemens Heinrich*, geb. 1780, k. k. Kämmerer, vermählt mit der Gräfin

Karoline v. Kaunitz. — *Friedrich*, aus dem Hause Drei-Lützow, verm. mit Charlotte v. Franchemont, gest. 1818 als königl. würtembergischer Ober-Jägermeister. Johann Joachim, aus demselben Hause, verm. mit L. L. v. Drieberg, gest. den 6. Febr. 1792 als herzoglich schwerinscher Geheimer Rath, Ober-Marschall und Gesandter am preussischen Hofe. — *Rudolph Friedrich August*, aus dem Hause Salitz, grossherzoglich schwerinscher Ober-Hofmeister und (über 40 Jahr) Gesandter am preussischen Hofe (früher im würtembergschen Militairdienste, und im baierschen Erbfolgekriege königl. preuss. Hauptmann im Frei-Regim. Graf Hordt), geb. den 4. Juni 1757, verm. mit Sophie v. Malzahn, aus dem Hause Rottmannshagen, gest. den 18. Dec. 1835. Sein ältester Sohn, *Ludwig*, vermählt mit Louise v. Brandenstein, ist grossherzoglich schwerinscher Geh. Regierungsrath. Seines ältesten Bruders, *Ludw. Karl Friedr.* auf Salitz und Tessin, grossherz. schwerinschen Geheimen Kammerraths und Kammerherrn, Sohn, *August Friedr. Ulrich*, besitzt jetzt Salitz und Tessin; seines jüngern Bruders, *Hans Friedrich Wilhelm*, herzogl. schwerinschen Obersten und Kammerherrn, Sohn, *Friedrich Ludwig Eduard*, verm. mit Karoline, Gräfin Norrmann-Ehrenfels, ist königl. würtembergischer Oberst und Commandeur des 3. Reiterregiments; seines jüngsten Bruders, *Christian Friedr. Hartwig*, herzoglich schwerinschen Ober-Forstmeisters, Söhne, *Karl und Christian*, sind grossherzoglich schwerinsche Kammerherren, aus welchen der älteste ist der Verfasser der Geschichte von Mecklenburg. — *Karl Ferdinand*, geboren in Braunschweig den 10. Febr. 1750, gest. den 26. Octbr. 1830 als königl. preuss. Generalmajor a. D. (diente früher im Regimente Owstin, dann in der Gensdarmerie), war vermählt 1) mit der Tochter des russisch kaiserl. Generallieut. Freiherrn v. Driesen, und 2) mit Charlotte v. d. Mark; hinterliess keine Kinder. — *Ernst*, verm. mit Henriette v. Stössel, besitzt die Güter Drogelwitz und Rheinberg in Niederschlesien. Sein Sohn ist königl. preuss. Prem.-Lieutenant im 12. Landwehrregimente.

Das Pritzierer Haus zerfällt in das v. Pritzier-Penzlin und das v. Pritzier-Schwechow. Die Nachkommen von Beiden haben sich nach Preussen gewendet.

A. Haus Pritzier-Penzlin: *Heinrich Lambert* auf Penzlin und Neuhof, vermählt 1) mit Kath. Joh. Eleonore v. Krusemarck, und 2) mit Elisabeth v. Oertzen. Sein Sohn erster Ehe, *Otto Friedrich*, gest. 1807 als königl. preuss. Hauptmann im Regimente Treskow. Gemahlin: Henriette Kulemann. Er hinterliess vier Söhne: 1) *Friedrich Wilhelm*, geb. 1788, gest. den 13. Aug. 1821 als königl. preuss. Major im Generalstabe; war verm. 1) mit Henriette v. Salviati, gest. 1815; 2) mit Pauline von Salisch, aus dem Hause Guhren, aus welcher zweiten Ehe er einen Sohn, *Victor*, der 1813 starb, und zwei Töchter hinterliess. 2) *Heinrich Lambert*, geb. 1789, gest. 1812 als königl. preuss. Lieutenant im Kriege in Kurland. 3) *Karl Ludwig*, geb. 1797, königl. preuss. Prem.-Lieut. im 25. Infanterieregimente, und 4) *Christian Friedrich Ferdinand*, königl. preuss. Premier-Lieutenant im 24. Infanterieregimente, vermählt mit Ernestine von Dressler, hat mehrere Töchter.

B. Haus Pritzier-Schwechow: *Marquard Georg* (Sohn von Adam Friedrich, welcher noch Pritzier besass) auf Schwechow und Gesau, herzogl. sachsen-weissenfels. Obermundschenk (früher bei der kursächsischen Garde du Corps), gest. 1752, verm. den 14. Febr. 1736 mit Anna Dorothea, Tochter des Dompropst zu Naumburg, Johann Adolph v. Taubenheim auf Bedra. Seine vier Söhne traten in preussische Kriegsdienste. 1) *Johann Adolph Friedrich*, geb. im Decbr. 1736, gest. 1777 als königl. preuss. Major und Flügeladjutant König

Friedrich II. 2) *Christoph Wilhelm Barthold*, gest. im Septbr. 1759 als königl. preuss. Lieutenant im Regimente Bärenburg an den in der Schlacht von Kay erhaltenen Wunden. 3) *Karl Magnus* blieb als königl. preuss. Lieutenant im Regimente Geist (N. 8., jetzt N. 2.) 1757 in der Schlacht von Leuthen. 4) *Johann Adolph*, geb. den 19. Mai 1748, gest. den 6. Novbr. 1819 als königl. preuss. Generalmajor a. D. (von 1762 bis 1813 in wirklichem Dienste, Commandeur des Infanterieregiments Möllendorf, N. 25., Commandant der Haupt- und Residenzstadt Berlin, Bevollmächtigter zur Vollziehung des Tilsiter Friedens), Dompropst des Domkapitels zu Colberg, auf Gr. und Kl. Ziethen, verm. am 28. Novbr. 1779 mit Wilhelmine von Zastrow, aus dem Hause Wusterhausen, geb. den 28. Novbr. 1754, gest. den 17. Juli 1815. Deren Kinder: 1) *August*, geb. den 13. Novbr. 1780, gest. den 28. Decbr. 1826 als königl. preuss. Ober-Regierungsrath und Abtheilungs-Dirigent der Potsdamer Regierung, verm. den 22. Novbr. 1811 mit Ernestine v. Grävenitz, aus dem Hause Frehne. 2) *Adolph*, geb. den 18. Mai 1782, gest. den 6. Decbr. 1834 als königl. preuss. Generalmajor (im Kriege 1813 und 14 Chef eines von ihm errichteten Freicorps, aus welchem 1815 das königl. preuss. 25. Infanterieregiment und das 6. Uhlanenregiment gebildet wurden, dann Commandeur der 13. und darauf der 6. Cavalleriebrigade), verm. a) den 20. März 1810 mit Margarethe Elisabeth Davide, Tochter von Friedrich, Grafen v. Ahlefeld-Laurwig zu Langeland; gesch. 1824. b)den 10. April 1829 mit Auguste Uebel, Wittwe seines jüngsten Bruders. — 3) *Wilhelmine*, geb. den 12. Mai 1784, verm. den 27. Aug. 1812 mit Heinrich, Graf und Burggraf zu Dohna-Wundlacken, aus dem Hause Lauck, Ober-Marschall des Königreichs Preussen und Präsident der Regierung zu Königsberg. 4) *Leopold Wichard Heinrich*, geb. den 26. März 1786, königl. preuss. Generalmajor, Commandeur der 9. Division und 1. Commandant der Festung Glogau (wohnte dem Feldzuge 1806 in königlich preussischen, dann von 1809 in kaiserlich österreichischen, den Feldzügen 1810, 11 und Anfang 1812 in königlich spanischen, den Feldzügen 1812, 13 und 14 in russisch kaiserlichen und dann 1815 wieder in königl. preussischen Diensten bei), verm. 1) den 9. April 1815 mit Bertha von La Roche, gest. den 30. Juni 1830; 2) den 6. Febr. 1835 mit Therese, Freiin v. Richthofen, aus dem Hause Brechelshof. Kinder: a) *Sophie*, geb. 1816; b) *Leo*, geb. 1817; c) *Otto*, geb. 1818; d) *Mathilde*, geb. 1822; e) *Agnes*, geb. 1825, gest. 1826; f) *Editha*, geb. 1828, gest. 1830; g) *Max*, geb. 1829, gest. 1830; h) *Kurt*, geb. 1836. — 5) *Wilhelm*, geb. den 10. Febr. 1795, gest. den 27. Febr. 1827 als königl. preuss. Rittmeister des 2. Garde-Uhlanenregiments, verm. den 5. Juli 1821 mit Auguste Uebel, Tochter des Amtsrath Uebel in Paretz (wieder verheirathet den 10. April 1829 an ihren älteren Schwager Adolph, s. oben). Tochter: *Elisabeth*, geb. den 2. Novbr. 1825.

Märcken, die Freiherren von.

Die Freiherren v. Märcken zu Geerath gehören zu dem Adel der preuss. Rheinprovinz.

Malacrida, die Herren von.

Ein altadeliges Geschlecht, das in alten Zeiten, aus Toscana kommend, sich auf beiden Seiten des Comer Sees niederliess und als flüchtige Gibellinen im 13. Jahrhunderte nach dem Val-Telina kam.

504 **Maltitz.**

Im Jahre 1620 starben sechs Mitglieder aus dieser Familie durch die Hand der Katholiken, da sie sich zur evangelischen Lehre gewendet hatten, und nur Einigen gelang es, Graubünden zu erreichen, wo sie sich seitdem niedergelassen haben. *Elisäus* v. Malacrida flüchtete nach Paris, und seinen Sohn, in Zürich geboren, nahmen einige wohlwollende Freunde, Berner Bürger, auf; er wurde 1671 Feldprediger des Berner Regiments v. Erlach in französischen Diensten, und erhielt das Erbbürgerrecht der Stadt Bern. Sein Tod erfolgte im Jahre 1681. Er hinterliess einen Sohn, *Elisäus* II. v. M., der anfangs erster Prediger der zu Potsdam angelegten Schweizer-Kolonie war, sodann aber Professor der Theologie und Primarius zu Bern wurde und 1719 starb. — Mit des Letztern Sohne, *Elisäus* III. v. M., der im Jahre 1756 starb und seine schöne Bibliothek der Stadt Chur vermachte, scheint das Geschlecht in Bern erloschen zu sein. M. s. Leu, Schw. Lex. XII. S. 456—458.

Maltitz, die Herren von.

Die v. Maltitz werden ein uraltes, reiches und gewaltiges Geschlecht in Meissen genannt (schlesische Curiositäten, I. Th. S. 626). Dasselbe war im Besitz grosser Herrschaften, die Städte Dippoldswalde, Hoyerswerda, Elsterwerda, ferner Reichstedt, Wendisch-Bora, Grümmersdorf u. s. w., alle in Sachsen gelegen, gehörten demselben. Schon mit dem deutschen Orden wendeten sie sich nach Liefland und Kurland, und später machte sich ein Ast auch in Schlesien ansässig. Dippoldswalde ist das eigentliche Stammhaus der Familie, das gleichnamige Städtchen, das ein *Diepold* v. Maltitz erbaut haben soll, ist mit Schloss und Herrschaft im Jahre 1568 aus den Händen der Familie gekommen und von der kurfürstlichen Kammer erkauft worden. Uebrigens sind auch die Schlösser Maltitz bei Borne und Maltitz bei Döbeln, entweder von der Familie dieses Namens erbaut oder nach ihr benannt worden. Obgleich schon ein *Otto* de Maltitz als Zeuge unter einer Urkunde steht, die sich auf die Lehnsübertragung des Herzogs Ludwig zu Liegnitz bezieht und vom 10. Juli des J. 1342 ausgestellt ist; so kommt als Gutsherr in Schlesien, jedoch erst im Jahre 1629, *Sigismund* v. Maltitz im Fürstenthume Neisse vor, und *Friedrich Ferdinand* von Maltitz und Dippoldswalde besass 1770 Giersdorf, Kolsdorf und Domsdorf bei Neisse; er war Landesältester und mit einer v. Hund-Boitmannsdorf vermählt. — Kattersdorf, Woilz, Wildschütz, Niederwald, Blitz u. s. w., sämmtlich im Neissischen gelegen, waren ebenfalls in den Händen der Maltitze. — In der Kurmark besassen die v. Maltitz die Güter Cummerow, Giesendorf und Tauche im Ländchen Beskow. — Ein von Maltiz war im Jahre 1806 Landrath des Kreises Beskow-Storkow. In der Armee dienen und dienten viele v. Maltitz. — Ein Capitain v. Maltitz stand 1806 im Regimente von Larisch in Berlin, und war 1828 Major a. D. und Postmeister in Guttstadt. Ein anderer Capitain v. Maltitz, damals im Regimente v. Lettow zu Minden, starb im Jahre 1825 als Major a. D. und früherer Commandeur eines bresl. Landwehrbataillons. Gegenwärtig commandirt der Oberst Baron v. Maltitz das 27. Infanterieregiment in Magdeburg. Derselbe erwarb sich bei Ligny das eiserne Kreuz 1. Classe. Von der kurländischen Linie bekleideten mehrere von Maltitz ansehnliche Stellen in der Administration und im Corps diplomatique. Mehrere von Maltitz haben sich als Schriftsteller rühmlichst bekannt gemacht. — Dieses altadelige Geschlecht führt im silbernen Schilde vier schwarze Querbalken, oder, mit andern Worten, das Schild ist in

Schwarz und Silber viermal in die Quere getheilt. Auf dem ungekrönten, aber mit einer schwarz und silbernen Wulst bedeckten Helme wehen acht schwarze Hahnenfedern, zusammengehalten durch eine
rothe Binde. Die Decken sind schwarz und silbern. M. s. dieses Wappen bei Siebmacher, I. S. 152. Nachrichten geben Dreyhaupt, II. Th.
S. 91. Albin, 66. Sinap., I. Th. S. 627. II. Th. S. 799. Seifert, S. 351.
König, II. Th. S. 66? — 73. Gauhe, I. Th. S. 966. Zedlers Univ.-
Lexicon XIX. Th. S. 780. Balbin. Misc. Bohem. Lib. III. p. 8. v. Meding beschreibt das Wappen, 1. B. N. 505.

Menu, die Herren von, Bd. III. S. 395.

Johann Heinrich von Minutoli (auch Minutolo genannt) stammt
aus dem neapolitanischen Hause Capece ab, welches, wegen seiner
Treue gegen die schwäbischen Fürsten, von der Linie von Anjou verfolgt ward, weswegen sich mehrere Zweige desselben unter verschiedene Namen verstecken und auch selbst ausserhalb Italien zerstreuen
mussten. Es befinden sich noch mehrere Linien dieses Hauses im
Königreiche beider Sicilien, die unter dem Namen von Valentino, Ca-
nossa, Zurlo, Latro, Scondito, Minutolo oder Minutoli u. s. w. blühen. Diese verschiedenen Linien führen alle einen gehenden Löwen
im Wappenschilde, welches letztere theils schwarz, theils roth ist, zu
welchem sie theilweise durch Erwerbungen, Auszeichnungen und Hei-
rathen noch andere Sinnbilder oder Kleinodien hinzufügten. Die Linie der Minutolo oder Minutoli zu Neapel führt jedoch den gehenden
Löwen im rothen Felde, wie man solchen noch heutiges Tages auf
der Eingangsthüre der erzbischöflichen Hauptkirche zu Neapel und in
deren Capelle in dieser Kirche abgebildet sieht. Das oben benannte
führt dasselbe Wappen, zu welchem seine Linie späterhin noch den
Balken, das Schild mit dem Mohrenkopfe, die Grafenkrone und den
herrschaftlichen Mantel hinzufügte. Ein anderer Zweig der Minutoli,
der sich in Pisa und Lucca niederliess, führt dagegen den Adler und
drei rothe Balken im Schilde, und als Kleinod ein halbes silbernes
Eichhorn auf dem Helme. Der Zweig, zu welchem der oben benannte
gehört, folgte den Hohenstaufen nach Deutschland, und nachdem er
in Spanien und andern Ländern manche Abenteuer bestanden haben
soll, nahm er zu Anfange der Reformation in der Schweiz den neuen
Glauben, und durch Verbindung den Beinamen von Menu an, den er
bis zum Jahre 1820 führte und solchen mit königl. Sanction ablehnte,
um von nun an nur den ursprünglichen seines Stammhauses zu
führen.

Ueber die Familie der Capece und insbesondere der Minutoli geben unter andern folgende Werke einige Auskunft:

1) Aldimari memorie historiche di diversi familie.
2) Campanile delle arme dei Nobili.
3) Discorso istorico intorno alla Capella de Signori Minutoli in Na-
poli 1778, 4.
4) De Antiquitate et varia Capyciorum fortuna. Josephus Capycius.
1834.
5) Bayle in seinem Wörterbuche u. s. w.

Muschwitz, die Herren von.

Eine altadelige Familie in der Lausitz und in Schlesien. In der
erstern Landschaft besass sie die Güter Wintorf bei Cottbus, auch Ka-

506 **Nayhauss.**

lau, Waltersdorf, Uckerose, Paserin, Straussdorf, Leuthen, Petershagen, Lübbichow, Gahlen. Verschiedene dieser Güter kamen nach dem
Absterben des *Kaspar Sigismund* v. Muschwitz an die Familie v. Reks,
andere Güter, namentlich Lakoma, zwischen Cottbus und Peitz gelegen, Drauskowitz bei Bautzen, Hermsdorf ebendaselbst, Panwitz
u. s. w. sind ebenfalls alte Besitzungen der v. M. Dieser Familie gehörten an *Bernhard* v. M., der als Oberst in dänischen Diensten stand,
und *Wolf Heinrich* v. M., der um das Jahr 1690 lebte, und kurbrandenburgischer Rath und Landesältester war. *Kurt Ehrenreich* v. M.,
Herr auf Lassow und Sada, war im Jahre 1730 des Herzogs von
Sachsen-Merseburg Consistorial-Director. — Noch gegenwärtig ist
diese Familie im Besitze ansehnlicher Güter.

Nayhauss, die Grafen von, Bd. III. S. 450.

Das Wappen der gegenwärtig noch in Schlesien blühenden Grafen v. Nayhauss-Caramon zeigt nach einem vor uns liegenden Abdrucke ein quadrirtes Schild und ein Herzschildlein. In den rothen
Feldern 1 und 4 eine nach der rechten Seite aufspringende halbe
Gemse; im 2ten und 3ten silbernen Quartiere eine schräg von der
obern Rechten zur untern Linken gezogene, mit vier rothen Wecken
belegte Strasse. Im silbernen Herzschildlein zeigt sich ein aus den
Wolken kommender und ein Schwert führender Arm. Das Hauptschild
ist von einem Hermelinmantel umgeben, der oben von einer neunperligen gräflichen Krone zusammengehalten wird.

Register des dritten Bandes.

Anmerk. Das N. hinter dem Namen zeigt an, dass der Artikel in den Ergänzungstafeln berührt worden.

Nachtrag zum ersten und zweiten Bande.

33 *

Druck von C. P. Melzer in Leipzig.

Druck:
Customized Business Services GmbH
im Auftrag der KNV-Gruppe
Ferdinand-Jühlke-Str. 7
99095 Erfurt